# राजस्थान का भूगोल

# GEOGRAPHY OF RAJASTHAN

(द्वितीय संस्करण)

राजस्थान के सभी विश्वविद्यालयों की स्नातक, ऑनर्स एवं स्नातकोत्तर कक्षाओं व सभी प्रतियोगिता परीक्षा के पाठ्यक्रमानुसार

**प्रोफेसर डॉ. तेजसिंह चौहान**

प्रोफेसर (सेवानिवृत)

भूगोल विभाग

राजस्थान विश्वविद्यालय

जयपुर

साईन्टिफिक

पब्लिशर्स

प्रकाशक
**साईन्टिफिक पब्लीशर्स (इण्डिया)**

**जोधपुर**
5-ए, न्यू पाली रोड, पो. बा. नं. 91
जोधपुर-342 001 (राज.)
टेलिफोन : 0291-2433323
E-mail : info@scientificpub.com
Website : scientificpubonline.com

**नई दिल्ली**
4806/24, अंसारी रोड
दरियागंज
नई दिल्ली-110 002 (भारत)



**द्वितीय संस्करण : 2026**
प्रथम संस्करण : 2018



ISBN : 978-81-972629-5-1 [HB]
eISBN : 978-81-972629-1-3

भारत में मुद्रित

प्रिय अर्द्धांगनी

को

सादर समर्पित

# प्राक्कथन

भारतवर्ष के उत्तर-पश्चिमी भाग में 'पतंग' की आकृति से युक्त राजस्थान राज्य स्पृहणीय इतिहास, विशाल क्षेत्रफल, धरातल-जलवायु विषयक वैविध्य, चित्ताकर्षक वन्य पशुपक्षी, प्रचुर पशु-खनिज-कृषि संसाधनों, अपेक्षाकृत कम जनसंख्या एवं विपुल संभावनाओं का ऐसा इन्द्रधनुषी वितान प्रस्तुत करता है जिसकी ओर भूगोलवेत्ताओं के साथ-साथ अन्य प्राकृतिक-सामाजिक वैज्ञानिक, पर्यावरणविद्, पर्यटक एवं योजनाकार स्वाभाविक रूप से आकृष्ट होते रहे हैं। प्रस्तुत पुस्तक में इसी इन्द्रधनुषी छटा को भौगोलिक दृष्टि से निहारकर उसके विविध रंगों का वैज्ञानिक ढंग से विवेचन का प्रयास किया गया है। मरु (मरुस्थल) मेरु (अरावली पर्वतमाला) व माल (उपजाऊ पठार-मैदान) की त्रिवेणी-राजस्थान के प्राकृतिक, आर्थिक, सामाजिक एवं सांस्कृतिक पक्षों की क्रियात्मक सहसम्बन्ध पद्धति द्वारा संतुलित विवेचना के साथ-साथ इस ग्रन्थ में थार की उत्पत्ति एवं मरुस्थलीय, वन्य पशु-पक्षी, परती/बंजर भूमि, जनजाति व पर्यटन जैसे अतीव महत्वपूर्ण एवं नवीन विषयों की विशद् व्याख्या प्रस्तुत की गई है।

राजस्थान के विभिन्न भौगोलिक पहलुओं का प्रस्तुतीकरण कई पुस्तकों एवं शोधपत्रों से हुआ है, किन्तु सामान्यत: यह सामग्री अंग्रेजी भाषा में होने के कारण हिन्दी भाषी पाठकों के लिये अनुपयोगी किंवा कम उपयोगी सिद्ध हुआ है। उक्त सुधी पाठकों की महती समस्या का समाधान करने हेतु राजस्थान विषयक भौगोलिक को हिन्दी भाषा में स्तरीय पुस्तक के रूप में प्रस्तुत करने के मेरे विचार ने इस ग्रन्थ के रूप में कई वर्षों के बाद आकार ग्रहण किया है। सुविधा के लिये आवश्यक शीर्षक अंग्रेजी में भी दिए गए हैं।

इस पुस्तक में केन्द्रीय हिन्दी निदेशालय द्वारा निर्धारित भूगोल विषयक वैज्ञानिक शब्दावली का उपयोग किया गया है। विषयानुकूल शताधिक मानचित्र व छायाचित्र तथा नवीनतम सांख्यिकीय तथ्यों का समायोजन कर ग्रन्थ का कलेवर सुन्दर एवं प्रभावी बनाया गया है। यहाँ यह संकेत देना उचित एवं सामयिक है कि पूर्णत: शैक्षिक उद्देश्य से प्रदर्शित उक्त मानचित्रों की अन्तर्राष्ट्रीय एवं अन्तर्प्रान्तीय (राज्यीय) सीमायें भारतीय सर्वेक्षण विभाग द्वारा न तो सत्यापित है और न ही प्रमाणित।

## द्वितीय संस्करण की भूमिका

राजस्थान का भूगोल पुस्तक का नवीनतम (द्वितीय) संशोधित, परिवर्धित संस्करण प्रस्तुत करते हुए लेखक बड़ा ही हर्ष महसूस कर रहा है। मुझको पाठकों ने कुछ सुझाव भी भेजे जिनका समावेश इस संस्करण में कर दिया गया है।

मैं प्रो. पवन कुमार शर्मा, प्रबन्ध निदेशक, **साईंटिफिक पब्लिशर्स** एवं वितरक का आभारी हूँ जिन्होंने समय पर इस पुस्तक का प्रकाशित किया। आशा है पुस्तक का प्रकाशित विद्यार्थियों, प्राध्यापकों के लिए ही नहीं अपितु प्रशासकों, नियोजन एवं जनसाधारण के लिए उपयोगी एवं ज्ञानवर्द्धक होगी।

**— तेजसिंह चौहान**

# The Author

**Prof. Dr. Tej Singh Chouhan** is former Professor in the Department of Geography, University of Rajasthan, Jaipur (India). He has to his credit over 35 years of experience in teaching and research in interdisciplinary subject.

Dr. Chouhan has participated in number of International Conferences and Presented Research Paper and Chaired Technical Sessions. He has visited Brazil, Morocco, Saudi Arabia, Tunisia, Argentina, Germany and France.

Dr. Chouhan has worked intensively on the following projects:

(i) Ecology of Tropical Deserts in Special Reference to Arid Land Physiology (UNESCO Project Encyclopaedia of Life Support System).

(ii) Desert Eco System in India (UNESCO Project Encyclopaedia of Life Support System).

(iii) Ecology of Tropical Deserts in Special Reference to Biogeography and Evolution of Desert Animals (UNESCO Project Encyclopaedia of Life Support System).

He has also completed one UGC major Research Project on "Geo-informatics for Combating Land Degradation and Desertification in Fragile Aravalli Foothills Eco System of Rajasthan".

He has to his credit more than 70 research papers published in reputed journals in India and abroad and more than two dozen well acclaimed books. He has been guiding research work for the last more than two decades and supervised more than fifty doctoral theses.

Dr. Chouhan is recognized consultant/expert to the Government of Rajasthan, Planning Department (Gr. IV), Jaipur in various fields like Wasteland Development, Forestry, Land Management, Water Conservation, Remote Sensing and Cartography.

Dr. Chouhan holds active membership of various International, National and Regional Academic Societies.

# विषय-सूची

# अध्याय 1

## परिचय : स्थिति, क्षेत्रफल एवं निर्मिति
## Introduction : Location, Area and Formation

### स्थिति, आकार एवं विस्तार (Location, Shape and Extension)

राजस्थान राज्य भारत के उत्तर-पश्चिमी भाग में स्थित है। इसकी भौगोलिक स्थिति 23° 03' से 30°12' उत्तरी अक्षाँशों एवं 69°30' से 78°17' पूर्वी देशान्तरों के मध्य है, राजस्थान भारत का प्रथम वृहद्तम राज्य है। इस राज्य का क्षेत्रफल 3,42,239 वर्ग किलोमीटर है, जो सम्पूर्ण राष्ट्र के क्षेत्रफल का 10.41 प्रतिशत है (क्षेत्रफल, सर्वेयर जनरल ऑफ इंडिया के अनुसार) इस राज्य का आकार एक विषमकोण अथवा पतंगाकार है, जिसकी पूर्व से पश्चिम लम्बाई 869 किलोमीटर तथा उत्तर से दक्षिण चौड़ाई 784 किलोमीटर है। इस राज्य की सम्पूर्ण स्थलीय सीमा की लम्बाई 5,290 किलोमीटर है। जिसमें से पाकिस्तान के साथ लगने वाली अन्तर्राष्ट्रीय सीमा लगभग 1,070 किलोमीटर लम्बी है राजस्थान के श्रीगंगानगर, फलौदी, बीकानेर, जैसलमेर तथा बाड़मेर जिलों को पाकिस्तान के वर्तामन में 9 जिलों से पृथक करती है। इस राज्य के उत्तर एवं उत्तर-पूर्व में पंजाब एवं हरियाणा, पूर्व में उत्तरप्रदेश, दक्षिण-पूर्व में मध्यप्रदेश तथा दक्षिण-पश्चिम में गुजरात राज्य स्थित हैं (मानचित्र 1)। आन्तरिक दृष्टि से राजस्थान के उत्तर में गंगानगर जिला, पश्चिम में फलौदी, बीकानेर, जैसलमेर एवं बाड़मेर जिले, दक्षिण में सिरोही, उदयपुर, डूंगरपुर, बांसवाड़ा व झालावाड़ जिले हैं और पूर्व में डीग, भरतपुर, धौलपुर, करौली, सवाई माधोपुर व कोटा जिले हैं मध्य में हृदय की भांति अजमेर है।

क्षेत्रफल की दृष्टि से, भारत के राज्यों में राजस्थान का प्रथम स्थान है। राजस्थान, मध्य प्रदेश, महाराष्ट्र, उत्तर प्रदेश व जम्मू एवं कश्मीर राज्य के क्रमश: स्थान है। यह निम्नलिखित सारणी से प्रदर्शित किया गया है।

**सारणी-1**
**भारत के अन्य राज्यों के साथ तुलनात्मक क्षेत्रफल 2023**

| क्र. सं. | राज्य | क्षेत्रफल वर्ग कि.मी. में | भारत के कुल क्षेत्र का प्रतिशत |
|---|---|---|---|
| 1. | राजस्थान | 3,42,239 | 10.41 |
| 2. | मध्य प्रदेश | 3,08,245 | 9.37 |
| 3. | महाराष्ट्र | 3,07,713 | 35.35 |
| 4. | उत्तर प्रदेश | 2,40,028 | 7.32 |
| 5. | गुजरात | 1,96,773 | 6.01 |
| 6. | कर्नाटक | 1,91,791 | 5.78 |
| 7. | उड़ीसा | 1,55,782 | 4.90 |
| 8. | बिहार | 94,163 | 2.86 |

स्त्रोत : भारत-2023

क्षेत्रफल में राजस्थान राज्य बिहार, गुजरात एवं कर्नाटक राज्यों से लगभग दुगुना, उड़ीसा एवं तमिलनाडु से ढ़ाई गुना, पंजाब एवं हरियाणा से लगभग सात गुना, केरल से लगभग नौ गुना तथा देश के सबसे छोटे राज्य गोवा से लगभग अड़तालीस गुना बड़ा है।

### विश्व के अन्य देशों से तुलना

क्षेत्रफल की दृष्टि से राजस्थान की तुलना यदि विश्व के देशों से की जाए तो ज्ञात होगा कि राजस्थान का क्षेत्रफल अनेक देशों से अधिक है। उदाहरणार्थ इंग्लैंड, इटली, बेल्जियम, चेकोस्लोवाकिया,

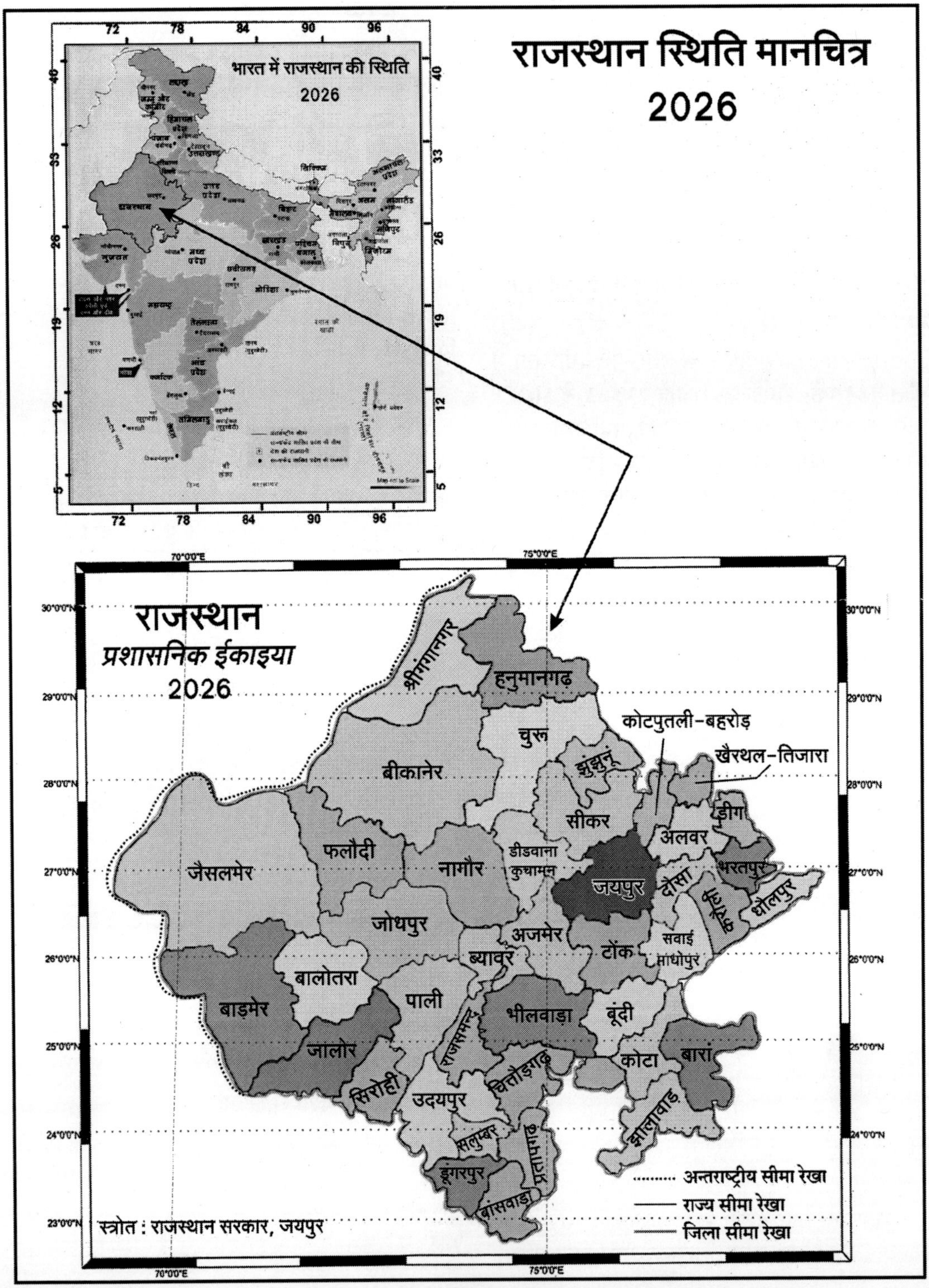
राजस्थान स्थिति मानचित्र
2026
भारत में राजस्थान की स्थिति
2026
राजस्थान
प्रशासनिक ईकाइया
2026
श्रीगंगानगर
हनुमानगढ़
चुरू
बीकानेर
झुंझुनूं
सीकर
कोटपुतली-बहरोड़
खैरथल-तिजारा
डीग
अलवर
भरतपुर
धौलपुर
करौली
दौसा
जयपुर
डीडवाना कुचामन
नागौर
फलौदी
जैसलमेर
जोधपुर
अजमेर
टोंक
सवाई माधोपुर
ब्यावर
बालोतरा
बाड़मेर
पाली
भीलवाड़ा
बूंदी
जालोर
राजसमन्द
कोटा
बारां
सिरोही
उदयपुर
चित्तौड़गढ़
झालावाड़
सलुम्बर
प्रतापगढ़
डूंगरपुर
बांसवाड़ा
स्त्रोत : राजस्थान सरकार, जयपुर
अन्तराष्ट्रीय सीमा रेखा
राज्य सीमा रेखा
जिला सीमा रेखा
70°0'0"E
75°0'0"E
30°0'0"N
29°0'0"N
28°0'0"N
27°0'0"N
26°0'0"N
25°0'0"N
24°0'0"N
23°0'0"N

मानचित्र 1

डेनमार्क, ईरान, इराक, इजरायल, श्रीलंका, डेनमार्क, टर्की, हंगरी, पोलैंड, पुर्तगाल, स्विटजरलैंड, यूगोस्लाविया आदि अनेक देशों के क्षेत्रफल की तुलना में राजस्थान राज्य का क्षेत्रफल अधिक है। जापान की तुलना में राजस्थान राज्य कुछ ही छोटा है।

नीचे की सारणी में कुछ देशों के क्षेत्रफल को अन्य कई देशों के साथ दर्शाया गया है, जिससे राजस्थान राज्य का विस्तार (क्षेत्रफल) अधिक स्पष्ट है।

**सारणी-2**
**राजस्थान के क्षेत्रफल की तुलना**
**विश्व के कुछ देशों से 2023**

| क्र.सं. | राज्य/देश | क्षेत्रफल वर्ग किलोमीटर |
|---|---|---|
| 1. | राजस्थान | 3,42,239 |
| 2. | जापान | 3,69,663 |
| 3. | पोलैण्ड | 3,12,520 |
| 4. | इटली | 3,01,225 |
| 5. | यूगोस्लाविया (पूर्व) | 2,55,804 |
| 6. | जर्मन गणतंत्र | 2,48,553 |
| 7. | ग्रेट ब्रिटेन | 1,27,870 |
| 8. | चेकोस्लोवाकिया | 1,51,120 |
| 9. | पुर्तगाल | 91,971 |
| 10. | श्रीलंका | 65,610 |
| 11. | बेल्जियम | 30,513 |
| 12. | इजराइल | 20,700 |

स्त्रोत : संयुक्त राष्ट्र संघ की वार्षिक पुस्तक, 2023

## राजस्थान का निर्माण (Formation of Rajasthan)

'राजस्थान' शब्द का सर्वप्रथम उल्लेख कर्नल टॉड (1782-1835) ने अपनी प्रसिद्ध पुस्तक एनालस एण्ड एन्टीक्यूटीज ऑफ राजस्थान 'Annals and antiquities of Rajasthan' में किया था। भारतीय इतिहास एवं संस्कृति का केन्द्र राजस्थान अपनी वीरता, शौर्य और उत्कृष्ट देश-भक्ति, बलिदानों के कारण इतिहास में अमर हो गया है। तत्कालीन राजपूताने (वर्तमान राजस्थान) का अतीत इतिहास ज्ञात करने के लिए प्राचीन ग्रन्थ उपलब्ध नहीं हैं, जयपुर के निकट बैराठ में अशोक सम्राट (ईसा से लगभग 250 वर्ष पूर्व) के समय के दो शिलालेख प्राप्त हुए हैं, जिनसे अनुमान किया जाता है कि अशोक सम्राट का राज्य पश्चिम की ओर राजस्थान के इस भाग तक अवश्य था। सातवीं शताब्दी के आरम्भ से ग्यारहवीं शताब्दी तक अनेक राजपूत राजवंशों का उदय हुआ। गहलोत-जो आजकल सिसोदिया कहलाते हैं-गुजरात से यहाँ आये और उन्होंने मेवाड़ के दक्षिण-पश्चिमी भाग पर अधिकार कर लिया; ऐसा शिलालेख सन् 646 का राजस्थान में पाया गया है। इनके कुछ वर्षों के पश्चात् परिहार वंश के लोग आए और जोधपुर के निकट मंडोर में राज्य करने लगे। आठवीं शताब्दी में चौहान व भाटी वंश के लोग आए जो क्रमशः सांभर व जैसलमेर में बस गए। चौहान वंश धीरे-धीरे दक्षिण-पश्चिम और दक्षिण-पूर्व में सिरोही, बूंदी और कोटा की ओर बढ़ने लगा। सन् 1128 के लगभग कछवाहा वंश ग्वालियर से आया और जयपुर में रहने लगा। तेरहवीं शताब्दी के आरम्भ में कन्नौज से राठौर वंश आया और मारवाड़ में रहने लगा। झालावाड़ का झाला राज्य सन् 1838 में स्थापित हुआ। भरतपुर, धौलपुर आदि में जाट वंश ने प्रभुत्व जमा लिया। अंग्रेजों के कृपापात्र एवं कठपुतली प्रसिद्ध सरदार अमीरखां को टौंक रियासत वाला क्षेत्र सन् 1817 में दे दिया गया।

मुगल आक्रमणकारी बाबर के भारत पर आक्रमण करने के समय वीर योद्धा राणा सांगा राजपूताने की छोटी-छोटी रियासतों को मिला कर एक शक्तिशाली प्रदेश बनाना चाह रहे थे। सन् 1527 में खानवा के तंग मैदान में भारत का भाग्य निर्णायक युद्ध हुआ। इस युद्ध में राजपूतों की बड़ी क्षति हुई। राणा सांगा स्वयं इस युद्ध में घायल हुए। राजस्थान के राज्यों की शक्ति इस युद्ध के पश्चात् क्षीण होने लगी और राणा सांगा अपने प्रयत्न में सफल न हो सके। सन् 1528 में राणा सांगा के स्वर्गवासी हो जाने से राजपूतों की रही-सही शक्ति भी कम हो गई।

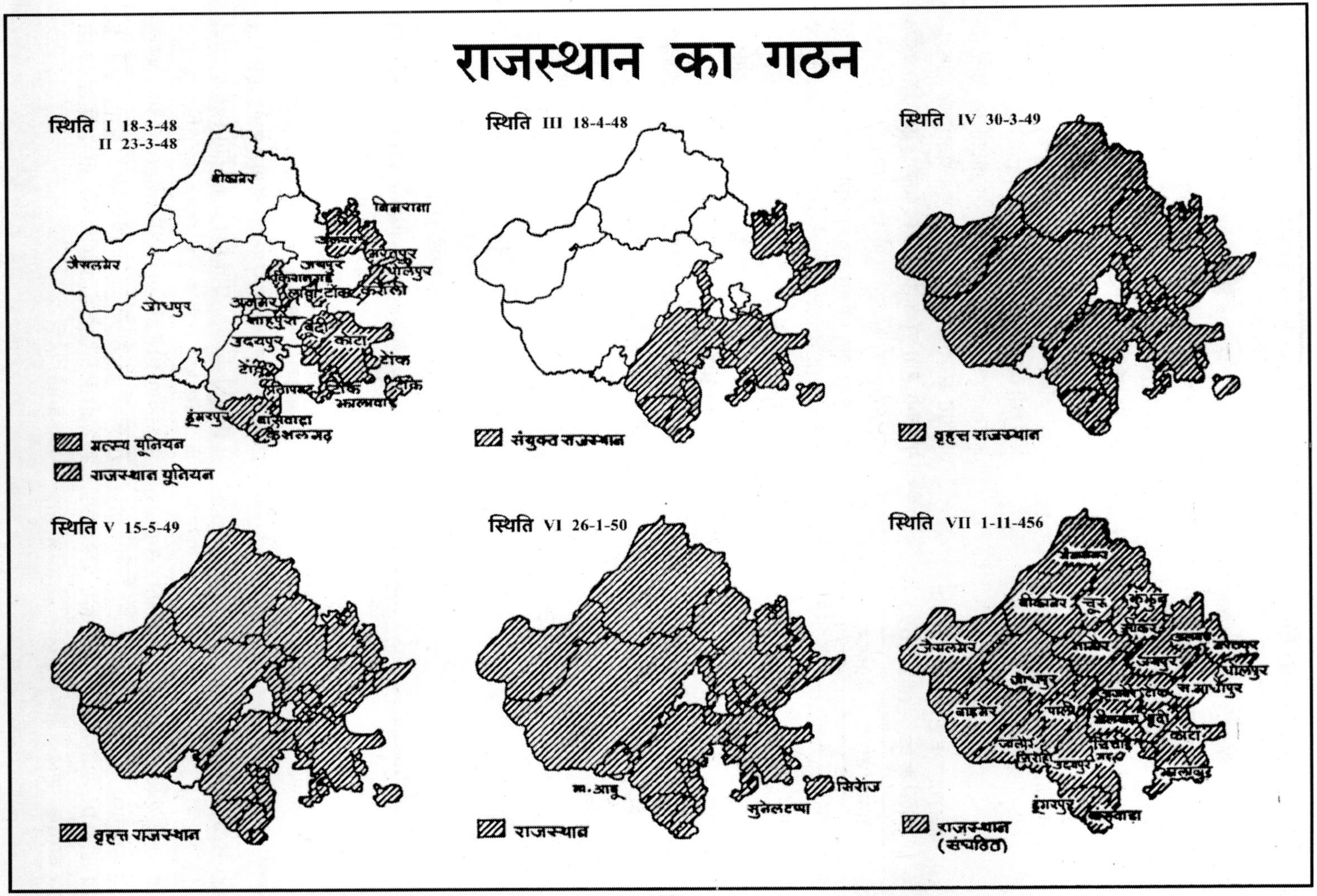
राजस्थान का गठन
स्थिति I 18-3-48
II 23-3-48
बीकानेर
जैसलमेर
जोधपुर
अलवर
भरतपुर
धौलपुर
करौली
जयपुर
किशनगढ़
अजमेर
शाहपुरा
बूँदी
कोटा
टोंक
उदयपुर
प्रतापगढ़
झालावाड़
डूंगरपुर
बांसवाड़ा
कुशलगढ़
मत्स्य यूनियन
राजस्थान यूनियन
स्थिति III 18-4-48
संयुक्त राजस्थान
स्थिति IV 30-3-49
वृहत्त राजस्थान
स्थिति V 15-5-49
वृहत्त राजस्थान
स्थिति VI 26-1-50
आबू
सुनेलटप्पा
सिरोंज
राजस्थान
स्थिति VII 1-11-456
बीकानेर
चूरू
झुंझुनू
सीकर
जैसलमेर
जोधपुर
नागौर
अलवर
भरतपुर
जयपुर
धौलपुर
बाड़मेर
पाली
जालोर
सिरोही
उदयपुर
बूँदी
कोटा
झालावाड़
डूंगरपुर
बांसवाड़ा
राजस्थान
(संगठित)
मानचित्र 2

राणा सांगा की मृत्यु के उपरांत अनेक उतार-चढ़ाव आए। अंग्रेज जो व्यापारी बन कर आए थे, शासक बन बैठे। 28 जुलाई 1818 को अजमेर अंग्रेजों के नियंत्रण में चला गया। धीरे-धीरे अंग्रेजों ने राजपूताने की समस्त रियासतों पर अप्रत्यक्ष रूप से प्रभुत्व जमा लिया। सन् 1927 में यहां के महाराजाओं ने 'ब्रिटिश पैरामाउन्टसी' को समझने का प्रयत्न किया। ब्रिटिश-सरकार ने बटलर कमीशन की नियुक्ति करके उन्हें पैरामाउन्टसी का अर्थ स्पष्ट किया कि 'पैरामाउन्टसी'' बस पैरामाउन्टसी है, इसके अतिरिक्त कुछ नहीं। ब्रिटिश-शासन काल में राजस्थान चार एजेन्सियों में बाँटा गया। प्रत्येक एजेन्सी में राजपूताना के अनेक राज्य थे। मेवाड़ और दक्षिणी राजपूताना एजेन्सी में उदयपुर, बांसवाड़ा, डूंगरपुर, प्रतापगढ़, कुशलगढ़, चीफ-शिप ईडर और विजयनगर राज्य थे। जयपुर एजेन्सी जयपुर में जयपुर, अलवर, टौंक, किशनगढ़, शाहपुरा तथा लावा चीफ-शिप थे। पश्चिमी राजपूताना स्टेट एजेन्सी जोधपुर में जोधपुर, बीकानेर, जैसलमेर, पालनपुर, सिरोही और दांता राज्य थे। राजपूताना स्टेट्स एजेन्सी कोटा में कोटा, बूंदी, झालावाड़, भरतपुर, धौलपुर और करौली राज्य थे। राजाओं को केवल कहने मात्र को अपनी रियासत के आंतरिक विषयों में स्वतंत्रता थी, किन्तु वास्तव में तो शासन की रीति-नीति अंग्रेजों द्वारा संचालित थी। किन्तु इस स्थिति में भी कुछ रियासतों में प्रभावशाली महाराजा हुए, जिन्होंने अपनी रियासत के विकास में अपना योगदान दिया। इन महाराजाओं में जयपुर के महाराजा रामसिंहजी, बीकानेर के महाराजा गंगासिंहजी, उदयपुर के महाराणा फतेहसिंहजी, जोधपुर के महाराजा उम्मेदसिंहजी, अलवर के महाराजा जयसिंहजी और कोटा के महाराजा उम्मेदसिंहजी के नाम विशेष उल्लेखनीय है।

समय में परिवर्तन आया, राजनीतिक चेतना की ज्वाला प्रज्ज्वलित हुई। अंग्रेज शासकों ने भली-भांति समझ लिया कि अब उनका भारत में टिकना असंभव सा है। अत: 23 जून 1947 को भारत-स्वतंत्रता-कानून इंग्लैंड की तत्कालीन श्रमिक दल की सरकार के तत्त्वावधान में वहाँ की पार्लियामेंट में स्वीकृत हुआ। किन्तु इस कानून का उद्देश्य समस्त भारत को स्वतंत्र करने का नहीं था, क्योंकि इस कानून ने देशी रियासतों को उनके महाराजाओं की इच्छा पर छोड़ दिया था कि वे चाहें तो स्वतंत्र रहें अथवा किसी भी संघ (भारत अथवा पाकिस्तान) में मिलें। वास्तव में इसका मूल उद्देश्य भारत में अराजकता फैलाने और भारत-संघ के निर्माण में कठोर अवरोध उत्पन्न करना था, क्योंकि अंग्रेजों का अनुमान था कि प्राय: समस्त रियासतें स्वतंत्र रहना चाहेगी अथवा कुछ पाकिस्तान संघ में मिलना चाहेंगी। और यदि ऐसा हो जाता तो भारतीय संघ में सुचारु एवं शांतिमय शासन-व्यवस्था, यदि असंभव नहीं तो, बहुत कठिन अवश्य हो जाती।

15 अगस्त, 1947 की पुनीत बेला में भारत माँ, दासता की जंजीरों को तोड़कर, स्वतंत्र हुई। इस समय चार रियासतों- डूंगरपुर, अलवर, भरतपुर व जोधपुर के नरेशों ने व्यक्त किया कि वे स्वतंत्र रहना चाहते हैं, और भारत संघ अथवा पाकिस्तान संघ में मिलना नहीं चाहते। एक रियासत के महाराजा आरम्भ में पाकिस्तान में मिलना चाहते थे। इस समय उदयपुर के महाराणा भोपालसिंह जी ने अपने परम्परागत देश-प्रेम को निभाया और महाराजाओं की एक सभा में स्पष्ट कहा, मैं पाकिस्तान के अन्तर्गत जीवित रहने की अपेक्षा भारत की भूमि पर मर जाना अधिक पसंद करता हूँ। उनकी इस घोषणा का प्रभाव हुआ। राजपूताने की तत्कालीन रियासतों के नरेशों को भारतीय-संघ में मिलने को प्रेरित करने में तत्कालीन बीकानेर नरेश (अब स्वर्गीय) श्री सादूलसिंहजी का अत्यंत महत्वपूर्ण योगदान रहा। उन्होंने नरेशों को स्पष्ट किया कि रियासतों एवं नरेशों का हित इसी में हैं कि वे भारत-संघ में मिल जावे। कोटा के महारावल ने भी इसका समर्थन किया। भारत के तत्कालीन राष्ट्रपति दिवंगत डा. राजेन्द्रप्रसाद ने सन् 1954 में बीकानेर में महाराजा सादूलसिंहजी की प्रतिमा का अनावरण करते समय कहा था- ''भारत में एकीकरण जैसा महान् कार्य मुख्यतया महाराजा श्री सादूलसिंहजी सर जैसे नरेशों की सदाशयता तथा सहज सहमति से ही संभव हो सका। यह एक कठिन कार्य था जिसका शब्दों द्वारा वर्णन करना कठिन है। यदि इस प्रकार का आग्रहयुक्त सहयोग न मिलता तो शायद भारत छोटे-छोटे टुकड़ों में बंटा हुआ

रह जाता। इसका सारा श्रेय दिवंगत महाराजा बीकानेर को है जिन्होंने अपने साहसी निर्णय द्वारा अन्य नरेशों का सही तथा समयानुकूल पथ-प्रदर्शन किया। इसी का यह सु-परिणाम हुआ कि केवल बीकानेर ही नहीं वरन् दूसरी रियासतें भी भारत में सम्मिलित हो गईं। अत: भारत महाराजा श्री सादूलसिंह जी का ऋणी है और सदा ऋणी रहेगा। जब इस समय का इतिहास लिखा जाएगा तब उसमें यह अवश्य लिखा जाएगा कि ऐसे समय जब भारत के सम्मुख एक और विभाजन की महाविभीषिका थी तथा दूसरी ओर देश के छोटे-छोटे खण्ड होने की भंयकर संभावना मुँह बाएं खड़ी थी, ऐसे विकट समय में महाराजा श्री सादूलसिंह जी अपनी दूरदर्शिता और उत्कृष्ट देशभक्ति के कारण अटल पर्वत के समान डटे रहे और उस संकट का निवारण कर दिया।'' अंत में, तत्कालीन केन्द्रीय गृहमंत्री (स्वर्गीय) लौह-पुरुष सरदार वल्लभ भाई पटेल की दूरदर्शिता एवं चतुराई के कारण राजपूताना के नरेशों ने भारत संघ में मिलना स्वीकार कर लिया।

वर्तमान राजस्थान की स्थापना होने के पूर्व यह 'राजपूताना' कहलाता था, जिसमें अजमेर-मेरवाड़ा के अतिरिक्त 20 रियासतें सम्मिलित थी। भारत के अन्य देशी राज्यों की अपेक्षा राजपूताने की रियासतों ने इस दिशा में जिस तेजी के साथ कदम उठाया तथा सहयोग प्रदान किया वह राजपूताने के गौरवपूर्ण अतीत एवं उनकी उच्च भावनाओं का परिचायक है। आज से एकीकरण की घटनाएँ इतिहास के पन्ने बन गई हैं। इस इतिहास के अंतर्गत सरदार पटेल की दूरदर्शिता-पूर्ण राजनीतिज्ञता ने एक निर्देशक-शक्ति का कार्य किया है। यदि उनके हाथों में यह महान् आयोजन के क्रियान्वित करने की बागडोर न होती और राजाओं एवं उनके परामर्शदाताओं में देश-भक्ति की भावना न होती तो स्वतंत्रता के प्रभात में ही राष्ट्रीय-एकता का शुभ कार्य सरलता से पूरा न होता। वर्तमान राजस्थान के निर्माण का कार्य सन् 1948 से प्रारम्भ होकर, विभिन्न चरणों में होता हुआ, सन् 1956 में पूरा हुआ। राजस्थान का निर्माण निम्नलिखित सात-चरणों में पूरा हुआ। (मानचित्र 2)

### प्रथम चरण मत्स्य राज्य की स्थापना

अलवर व भरतपुर राज्यों में साम्प्रदायिक दंगों ने भीषण रूप ले लिया था, अत: पहले अलवर को और कुछ दिनों पश्चात् भरतपुर को केन्द्रीय स्टेट विभाग ने अपने आधीन कर लिया। इसके पश्चात् धौलपुर व करौली की छोटी रियासतों को भी इनमें मिलाकर एक राज्य बनाने का नरेशों— अलवर, भरतपुर, धौलपुर व करौली-ने संघ निर्माण की स्वीकृति कर अपने हस्ताक्षर किये। 17 मार्च, 1948 को 'मत्स्य संघ' की स्थापना, इन चारों रियासतों को मिलाकर की गई। इस नवीन राज्य के नाम संस्कार का श्रेय श्री कन्हैयालाल माणिक्यलाल मुंशी को हैं। इस राज्य का विधिवत् उद्घाटन 18 मार्च को तत्कालीन केन्द्रीय मंत्री श्री एन.वी. गाडगिल द्वारा किया गया। इस मत्स्य संघ के राजप्रमुख महाराजा धौलपुर बनाए गए व राजधानी अलवर नगर को रखा गया। मत्स्य संघ का क्षेत्रफल 7,566 वर्ग मील था।

### द्वितीय चरण पूर्व 'राजस्थान' की स्थापना

द्वितीय चरण में, एक सप्ताह पश्चात् 25 मार्च, 1948 को नौ रियासतों- बाँसवाड़ा, बूंदी, डूंगरपुर, झालावाड़, किशनगढ़, कोटा, प्रतापगढ़, शाहपुरा और टौंक को मिलाकर राजस्थान का निर्माण किया गया। इस विषय पर विचार करने के लिए 3 मार्च, 1948 को कोटा, झालावाड़ व डूंगरपुर के नरेश दिल्ली गए। भारत के केन्द्रीय स्टेट विभाग ने इसका स्वागत किया तथा एक प्रस्ताव और रखा कि उदयपुर को भी साथ मिला दिया जाए। किन्तु वहाँ (उदयपुर) के तत्कालीन दीवान श्री राममूर्ति ने यह प्रस्ताव रखा कि इन रियासतों को उदयपुर में विलीन कर दिया जाय। इस प्रस्ताव पर संबंधित रियासतों के नरेश सहमत नहीं हुए और केन्द्रीय सरकार ने भी इस प्रस्ताव का विरोध ही किया। अत: उदयपुर को सम्मिलित नहीं किया गया। इसका उद्घाटन 25 मार्च, 1948 को केन्द्रीय गृह विभाग के सचिव श्री मेनन द्वारा हुआ। कोटा इस संघ की राजधानी बनाई गई। महाराव कोटा इस संघ के राजप्रमुख तथा महारावल डूंगरपुर उप-राजप्रमुख बनाए गए। वास्तव में, राजस्थान संघ के निर्माण में यही प्रथम एवं दृढ़ कदम था।

## तृतीय चरण संयुक्त राजस्थान की स्थापना

राजस्थान संघ के उद्घाटन के पश्चात् शीघ्र ही उदयपुर ने भी संघ में सम्मिलित होने की इच्छा प्रकट की। अब केन्द्रीय स्टेट विभाग के सम्मुख दो समस्याएं उपस्थित हुई-प्रथम, राजप्रमुख की नियुक्ति की; व द्वितीय, राजधानी निश्चित करने की। उदयपुर के महत्त्वपूर्ण इतिहास को तथा वहाँ के राजा को गौरवपूर्ण स्थान देने के उद्देश्य से, उदयपुर को संयुक्त-राजस्थान की राजधानी बनाया गया। उदयपुर के महाराणा भोपालसिंहजी इस संयुक्त-राजस्थान के राजप्रमुख बनाए गए। कोटा नरेश की सेवाओं को ध्यान में रखते हुए उन्हें उप-राजप्रमुख बनाया गया। कोटा नगर के महत्व को बनाए रखने के लिए वहाँ कुछ महत्त्वशील सरकारी कार्यालय रखने का निश्चय किया गया। संयुक्त राजस्थान संघ का उद्घाटन 18 अप्रैल, 1948 को भारत के तत्कालीन प्रधान-मंत्री स्व. पंडित जवाहरलाल नेहरू ने किया। संयुक्त राजस्थान राज्य का उद्घाटन करते हुए उन्होंने राजस्थान के गौरवमय अतीत के प्रति अपनी श्रद्धा प्रकट की तथा महाराणा साहब को धन्यवाद दिया, जिन्होंने राष्ट्र की आवश्यकता पर एकता के लिए इस महान् आयोजन का अवसर दिया। पं. नेहरू ने महाराणा भोपालसिंहजी को महाराज प्रमुख की शपथ दिलाई। वास्तव में, वर्तमान राजस्थान के निर्माण के लिए मार्ग यहीं से प्रशस्त होता है।

## चतुर्थ चरण वृहत् राजस्थान संघ की स्थापना

संयुक्त राजस्थान के बन जाने के पश्चात् अब राजपूताने की रियासतों में से जयपुर, जोधपुर, बीकानेर, जैसलमेर व सिरोही ही ऐसी रियासतें थीं जो अभी तक एकीकरण में सम्मिलित नहीं हुई थीं। जयपुर, जोधपुर व बीकानेर नरेश अपनी रियासतों को स्वतंत्र रखना चाहते थे। केन्द्रीय सरकार के सामने एक यह भी योजना थी कि जोधपुर, जैसलमेर तथा बीकानेर का एक अलग ही संघ बना दिया जाए, किन्तु ऐसा न किया गया। वृहत् राजस्थान संघ की स्थापना, संयुक्त राजस्थान क्षेत्र में बीकानेर, जयपुर, जैसलमेर और जोधपुर राज्यों-जो राजपूताने के महत्वपूर्ण, बड़े एवं शक्तिशाली राज्य थे-को मिलाकर की गई। इस वृहत् राजस्थान के निर्माण में तीन विषम समस्याएँ थी-प्रथम, राजप्रमुख की नियुक्ति; द्वितीय, राजधानी का निश्चय; और तृतीय मंत्रिमंडल के निर्माण के संबंध में। अत: उदयपुर महाराणा को महाराजप्रमुख, जयपुर के महाराजा सवाई मानसिंहजी को राजप्रमुख तथा कोटा नरेश को उप-राजप्रमुख बनाया गया। जयपुर नगर को राजधानी बनाया गया। वृहत् राजस्थान का उद्घाटन सरदार पटेल ने 30 मार्च, 1949 को किया। पं. हीरालाल शास्त्री को वृहत् राजस्थान संघ के मुख्य-मंत्री के रूप में शपथ दिलाई गई।

## पंचम चरण संयुक्त वृहत्तर राजस्थान संघ की स्थापना

वृहत् राजस्थान के निर्माण के पश्चात् भी मत्स्य संघ अलग ही बना रहा। जब उस राज्य में विलीन रियासतों से वृहत्तर राजस्थान में मिलने को कहा गया तो अलवर व करौली तो संघ में सम्मिलित होने को तैयार हो गए किन्तु धौलपुर व भरतपुर के नरेशों ने अपनी असहमति प्रकट की। श्री शंकर राव देव की अध्यक्षता में उन रियासतों की जनता का जनमत ज्ञात करने के उद्देश्य से एक कमीशन नियुक्त किया गया। इस कमीशन की सिफारिश पर भारत सराकर ने 1 मई, 1949 को घोषणा की कि मत्स्य राज्य को शीघ्र ही वृहत्तर राजस्थान में विलीन कर दिया जाएगा। फलस्वरूप 15 मई, 1949 को मत्स्य राज्य को वृहत् राजस्थान में मिला कर 'संयुक्त वृहत्तर राजस्थान' का निर्माण हुआ।

## छठा चरण राजस्थान संघ की स्थापना

इस प्रकार सिरोही के अतिरिक्त राजपूताने की समस्त रियासतें अब संयुक्त वृहत्तर राजस्थान इकाई में सम्मिलित हो गई थीं। संयुक्त वृहत्तर राजस्थान के निर्माण के समय सिरोही का कुछ भाग-आबू रोड़, देलवाड़ा की तहसील आदि को तत्कालीन बंबई राज्य (वर्तमान महाराष्ट्र राज्य) में विलीन कर दिया गया था। राजस्थान की जनता ने इसका विरोध भी किया किन्तु कुछ समय तक कुछ परिणाम न निकला। 26 जनवरी, 1950 को सिरोही को राजस्थान में मिला दिया गया। किन्तु आबू आदि अभी भी तत्कालीन बंबई राज्य में था।

## सातवां चरण पुनर्गठित 'राजस्थान'

26 जनवरी, 1950 से 1 नवम्बर, 1956 तक राजस्थान संघ में पहले का सम्पूर्ण राजपूताना सम्मिलित रहा। आबू व देलवाड़ा आदि तत्कालीन बंबई राज्य में चले जाने के कारण राजस्थान की जनता में असंतोष बना रहा। नवम्बर 1956 को राज्यों का पुनर्गठन हुआ और राजस्थान में अजमेर-मेरवाड़ा, आबू तहसील एवं मध्य-भारत राज्य के मन्दसौर जिले की भानपुरा तहसील का सुनेलटप्पा वाला भाग राजस्थान में मिला दिया गया। साथ ही राजस्थान के कोटा जिले का सिरोज सब डिवीजन मध्य-भारत राज्य (वर्तमान मध्यप्रदेश) में मिला दिया गया।

इस प्रकार आठ वर्षों में अनेक संशोधनों के पश्चात् राजस्थान का जो 1 नवम्बर, 1958 को रूप सामने आया, वह पुनर्गठित राजस्थान के नाम से पुकारा गया। यह हमारे राजस्थान का वर्तमान रूप है। राजस्थान निर्माण का यह महान् कार्य इतिहास के पन्नों में अमर गाथा के रूप में रहेगा। (मानचित्र 3 और 4)

## पाकिस्तान के साथ अन्तर्राष्ट्रीय सीमा (International Boundary with Pakistan)

राजस्थान की पश्चिमी-सीमा के साथ, भारत व पाकिस्तान की लगभग 1,070 किलोमीटर लम्बी अन्तर्राष्ट्रीय सीमा है। भारत की सीमा पर राजस्थान के श्रीगंगानगर, अनुपगढ़, बीकानेर, जैसलमेर और बाड़मेर जिले क्रमश: है, दूसरी ओर सीमा पर पाकिस्तान के बहावलपुर, खैरपुर और मीरपुर खास जिले हैं। भारत व पाकिस्तान की यह सीमा आरम्भ में तो शांत रही, किन्तु दिसम्बर 1965, 1971 में भारत-पाक युद्ध के समय मचल उठी। इस सीमा के प्रदेश पर रेगिस्तान होने के कारण यह क्षेत्र मानव-निवास के लिए आकर्षण केन्द्र नहीं बन सका है।

सन् 1965 और 1971 में पाकिस्तान ने भारत पर आक्रमण किया और इस आक्रमण ने यह स्पष्ट कर दिया है यद्यपि इस क्षेत्र में यातायात कठिन है, किन्तु फिर भी सीमा को यातायात की मशीनों द्वारा तैयार पार किया जा सकता है। दिसम्बर सन् 1971 में भी यह सीमा अशांत हो रही थी। अत: देश के हित में आवश्यक है कि सीमावर्ती क्षेत्रों में सड़कों व रेलों का समुचित विकास होना चाहिए ताकि आवश्यकता के समय सेना व सामग्री को शीघ्रता व सरलता से भेजा जा सके और आक्रामक को वहीं कुचला जा सके।

## राजस्थान का वर्तमान राजनैतिक स्वरूप

वर्तमान में राजस्थान को प्रशासनिक दृष्टि (2026) से 7 संभागों, 41 जिलों में विभक्त किया गया है। राज्य के सभी जिलों में क्षेत्रफल की दृष्टि से सबसे बड़ा जिला जैसलमेर है जो 38,401 वर्ग किलोमीटर में फैला है तथा सबसे छोटा धौलपुर जिला है। राज्य के सभी जिलों और संभागों को मानचित्र 4 में तथा सारणी 3 व 4 में दर्शाया गया है।

**सारणी-3**

**राज्य के जिले व नाम, 2026**

| क्र. सं. | जिला | क्र. सं. | जिला |
|---|---|---|---|
| 1. | अजमेर | 17. | धौलपुर |
| 2. | अलवर | 18. | डूँगरपुर |
| 3. | बालोतरा | 19. | हनुमानगढ़ |
| 4. | बाँसवाड़ा | 20. | जयपुर |
| 5. | बाराँ | 21. | जैसलमेर |
| 6. | बाड़मेर | 22. | जालोर |
| 7. | ब्यावर | 23. | झालावाड़ |
| 8. | भरतपुर | 24. | झुंझुनू |
| 9. | भीलवाड़ा | 25. | जोधपुर |
| 10. | बीकानेर | 26. | करौली |
| 11. | बूँदी | 27. | खैरथल-तिजारा |
| 12. | चित्तौड़गढ़ | 28. | कोटा |
| 13. | चूरू | 29. | कोटपुतली-बहरोड़ |
| 14. | दौसा | 30. | नागौर |
| 15. | डीग | 31. | पाली |
| 16. | डीडवाना-कुचामन | 32. | फलौदी |

| क्र. सं. | जिला | क्र. सं. | जिला |
|---|---|---|---|
| 33. | प्रतापगढ़ | 38. | सिरोही |
| 34. | राजसमन्द | 39. | श्रीगंगानगर |
| 35. | सलूम्बर | 40. | टोंक |
| 36. | सवाई माधोपुर | 41. | उदयपुर |
| 37. | सीकर | | |

स्त्रोत : राजस्थान सरकार, जयपुर

**सारणी–4**
**राज्य के संभाग, 2026**

| क्र. सं. | संभाग | जिले |
|---|---|---|
| 1. | अजमेर | अजमेर, ब्यावर, भीलवाड़ा, डीडवाना–कुचामन, नागौर, टोंक |
| 2. | भरतपुर | भरतपुर, डीग, धौलपुर, करौली, सवाई माधोपुर |
| 3. | बीकानेर | बीकानेर, चूरू, हनुमानगढ़, श्रीगंगानगर |
| 4. | जयपुर | जयपुर, अलवर, दौसा, झुंझुनूं, खैरथल–तिजारा, कोटपूतली–बहरोड़, सीकर |
| 5. | जोधपुर | जोधपुर, बालोतरा, बाड़मेर, जैसलमेर, जालोर, पाली, फलौदी, सिरोही |
| 6. | कोटा | कोटा, बारां, बूंदी, झालावाड़, |
| 7. | उदयपुर | उदयपुर, बांसवाड़ा, चित्तोड़गढ़, डूंगरपुर, प्रतापगढ़, राजसमन्द, सलूम्बर, |

स्त्रोत : अधिसूचना दिनांक 29.12.2024, राजस्थान सरकार, जयपुर

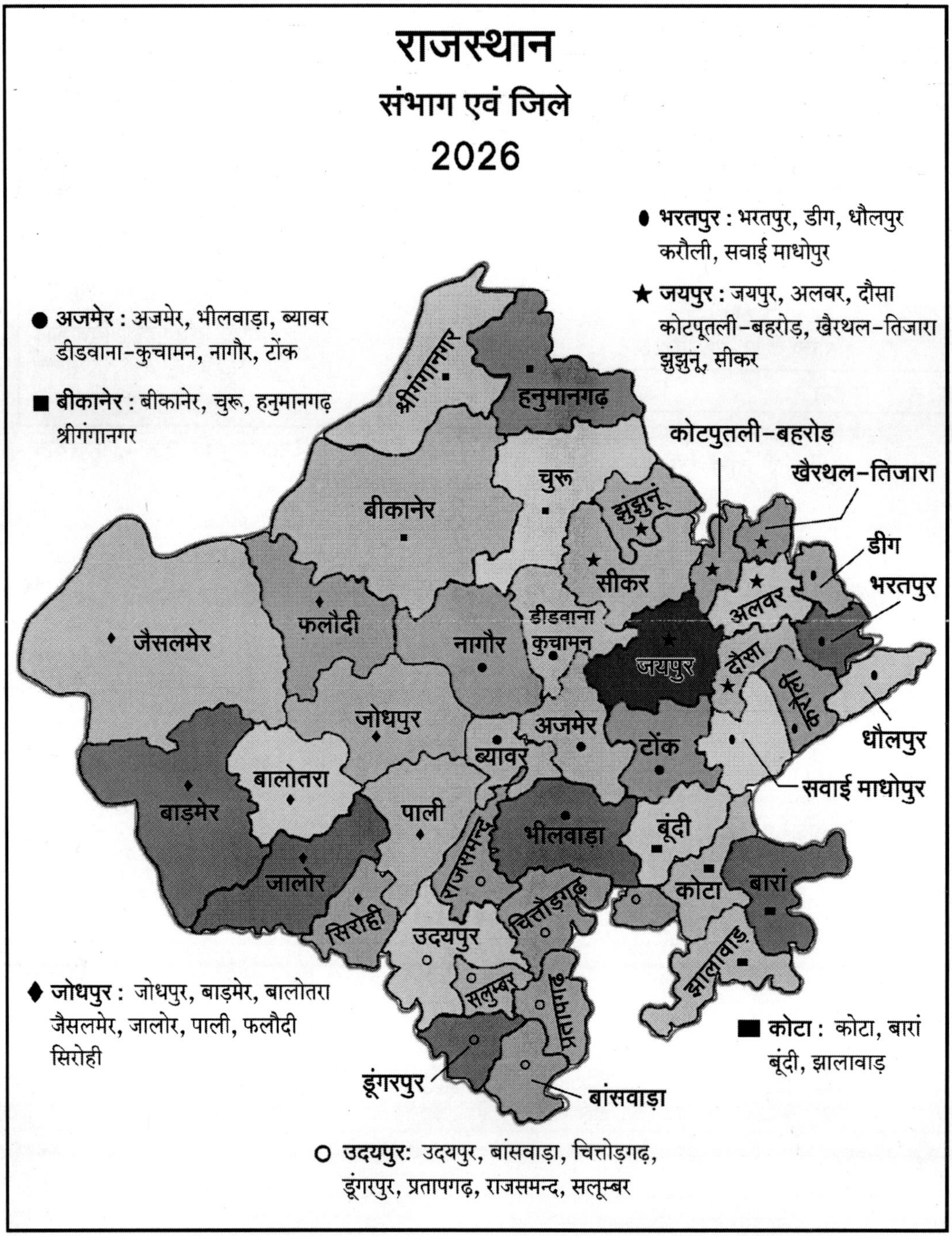


स्त्रोत : राजस्थान सरकार, जयपुर

**मानचित्र 3 : राजस्थान संभाग एवं जिले, 2026**

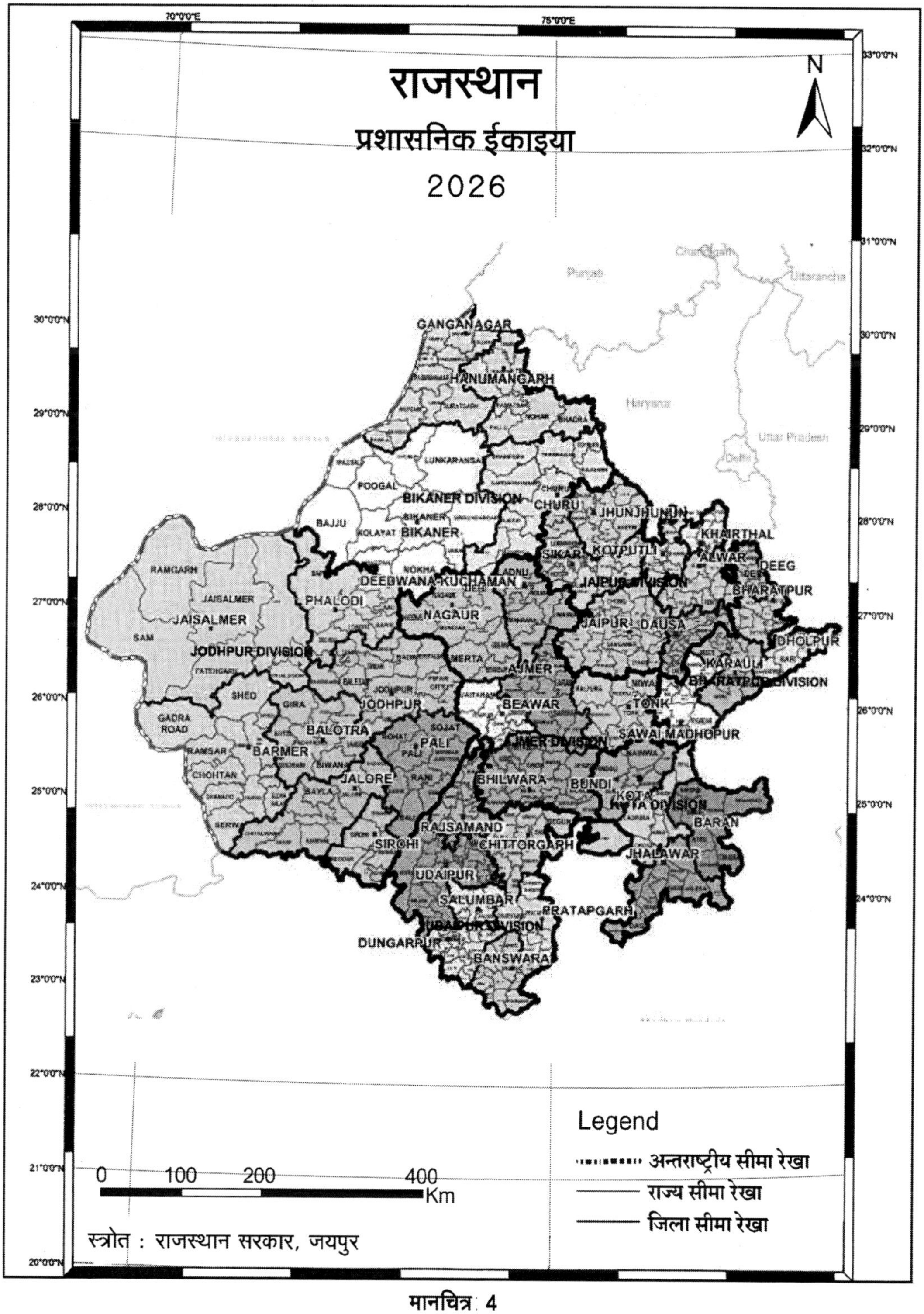
राजस्थान
प्रशासनिक ईकाइया
2026
N
GANGANAGAR
HANUMANGARH
BIKANER DIVISION
BIKANER
CHURU
JHUNJHUNUN
KHAIRTHAL
ALWAR
DEEG
BHARATPUR
SIKAR
KOTPUTLI
JAIPUR DIVISION
JAIPUR
DAUSA
DHOLPUR
KARAULI
BHARATPUR DIVISION
DEEDWANA-KUCHAMAN
PHALODI
NAGAUR
JAISALMER
JODHPUR DIVISION
JODHPUR
AJMER
BEAWAR
TONK
SAWAI MADHOPUR
AJMER DIVISION
BALOTRA
BARMER
PALI
JALORE
BHILWARA
BUNDI
KOTA
KOTA DIVISION
BARAN
SIROHI
RAJSAMAND
CHITTORGARH
JHALAWAR
UDAIPUR
SALUMBAR
PRATAPGARH
UDAIPUR DIVISION
DUNGARPUR
BANSWARA
Legend
अन्तराष्ट्रीय सीमा रेखा
राज्य सीमा रेखा
जिला सीमा रेखा
0 100 200 400
Km
स्त्रोत : राजस्थान सरकार, जयपुर

मानचित्र: 4

# अध्याय 2

## भूगर्भिक संरचना
## Geology

राजस्थान की भू-गर्भ रचना एवं चट्टानों का प्रमुख लक्षण पूर्व कैम्ब्रियन (Pre-Cambrian) चट्टानों के सुस्पष्ट अनुक्रमण में देखने को मिलता है जो और नीचे आर्कीयन के आधार की ओर जाता है। यह प्रक्रम बुन्देलखण्ड नाइस से प्रारम्भ होता है जो कि पृथ्वी के धरातल पर प्रकट, प्राचीनतम ग्रेनाइट्स में से एक है। पूर्व भू-विज्ञानवेत्ता इसे विन्ध्यन सिस्टम के समस्तर एवं अपरिवर्तित अजीवाश्ममय अवसाद का 'मूल नाइस' कहते हैं। यदि बुन्देलखण्ड नाइस को भी शामिल कर लिया जाए, तो कुल मिलाकर सात समूह हैं और ये क्षरित विषम विन्यासों (unconformities) से विलग हैं। इन शैल समूहों में से विन्ध्यन्स और मालानी वालकेनिक्स इस क्षेत्र में आते हैं।

राजस्थान में उत्तर-पूर्व से दक्षिण-पश्चिम दिशा में फैली अरावली श्रेणी विश्व की प्राचीनतम मोड़दार श्रेणी मानी जाती है जो कि अभी तक श्रेणियों के रूप में विद्यमान है। यह पर्वत शृंखला ऐलियोज़ोइक समय में प्राय: समभूमित थी, बाद में मैसोज़ोइक युग में पुनरुत्थित हुईं और इस उत्थापन का प्रभाव, वृहद्सीमा भ्रंश (Great Boundary Fault) के सहारे जो उत्क्रम (thrust) लगभग 480 किलोमीटर तक अनुरेखित गया है, असाधारण स्थानीय तीव्र मोड़ों एवं भ्रंशों में प्रकट होता है।

अरावली श्रेणी के पार तीनों सिस्टम, जिनसे अरावली निर्मित है अर्थात् अरावली, रायोलाज और दिल्ली, के कायान्तरण की मात्रा में वृहत भिन्नताएँ देखी जाती हैं। अरावली सिस्टम और दोनों प्राक् अरावली समूह अर्थात् बैन्डेडनाइसी कॉम्प्लेक्स और बुन्देलखण्ड नाइस, अरावली से प्राचीन हैं जो उनके ऊपर स्पष्ट क्षरण असमानता के साथ आरोपित हैं। दोनों अरावली पूर्व समूहों के संगम बहुत गहराई पर गुप्त हैं और दोनों में सम्बन्ध स्पष्ट नहीं है। फिर भी निश्चित रूप से यह कहा जा सकता है कि बैनडेड कॉम्प्लेक्स और बुन्देलखण्ड नाइस भारतवर्ष में प्राचीनतम चट्टानें हैं, जिन पर अरावली और तदनन्तर बाद के शैल समूह एवं संरचनाएँ बनी हैं। राजस्थान का भू-गर्भिक अनुक्रम, ठोस भू-गर्भ रचना में अत्यन्त जटिल शैल रचना है। निम्नलिखित शैल समूह क्रमबद्ध रूप में अनुरेखित किए गए हैं। (मानचित्र 5)

### बुन्देलखण्ड नाइस Bundelkhand Gneiss

यह रचना भारत में प्राचीनतम है और पूर्वी राजस्थान से बुन्देलखण्ड के पार लगभग 610 कि.मी. की लम्बाई और लगभग 210 किलोमीटर की चौड़ाई में फैली है। बुन्देलखण्ड नाइस को 'आधारभूत नाइस' माना गया है और इसका निर्माण पृथ्वी की प्रथम सिएल परत के दृढ़ीभूत होने और इस पर बैन्डेड नाइसी कॉम्पलेक्स के जमाव से बतलाया गया है। यह एक वृहत् बैथोलिथ के समान है जो पूर्वी राजस्थान से लगभग 610 किलोमीटर की लम्बाई और 210 किलोमीटर की चौड़ाई में उत्तर से दक्षिण तक फैला हुआ है। इस क्षेत्र में वृहद् भाग पर यह रचना नाइस की अपेक्षा ग्रेनाइट अधिक है और दक्षिण भारत के पश्च धारवेरियन ग्रेनाइट से मिलती जुलती है। इस रचना और अरावली चट्टानों के बीच एक अपरदन विषम विन्यास पाया जाता है और इस कारण इसे प्राक् अरावली रचना में वर्गीकृत किया गया है। बुन्देलखण्ड नाइस रचना में अधिकांशत: एक सामान्य ग्रेनाइट है और गुलाबी से लाल रंग, मध्य कणीय, अशल्कित (non-foliated) और अपार्फिराइटी (non-porphyritic) तक भिन्न-भिन्न रूप में पाया जाता है

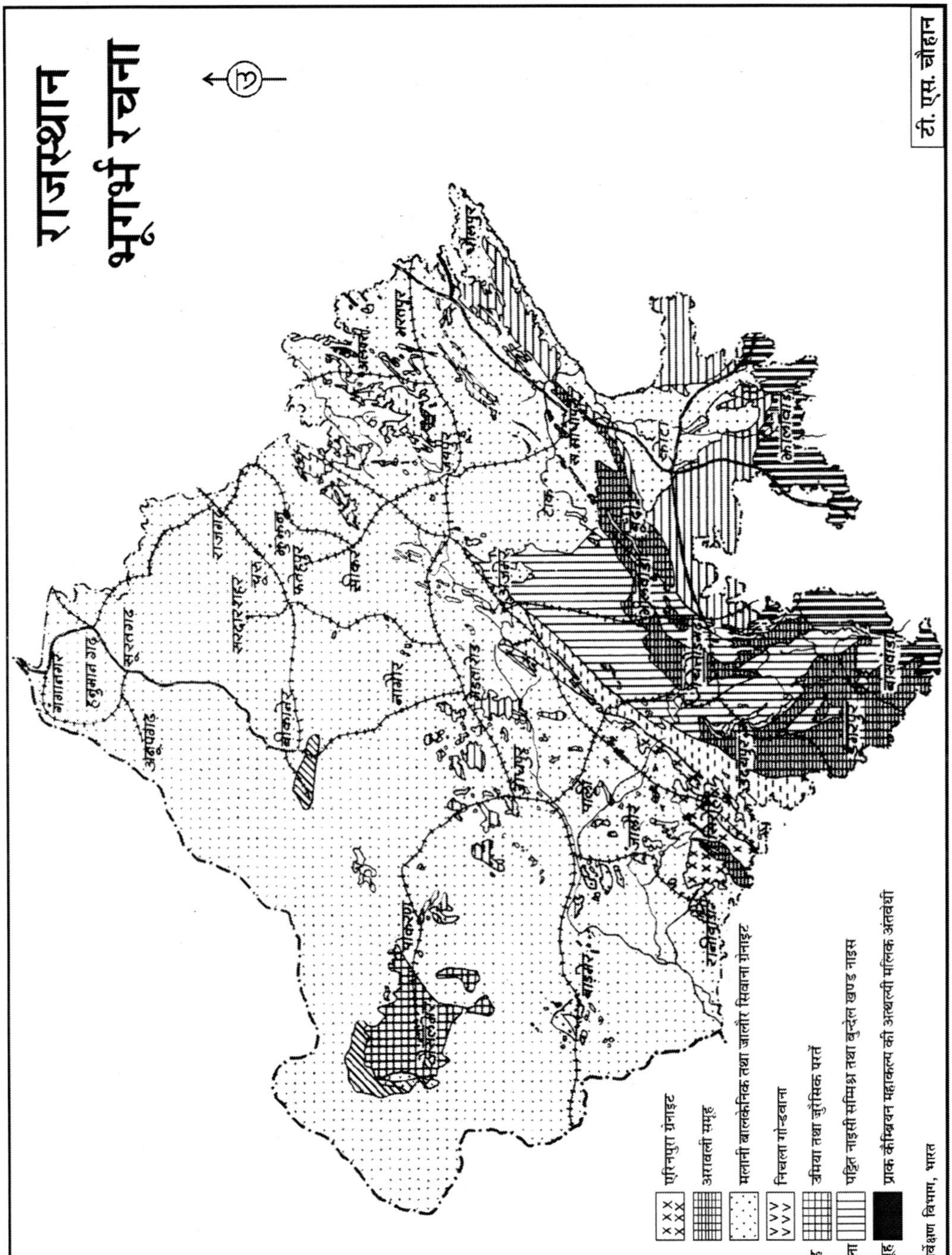
राजस्थान
भूगर्भ रचना
उ
टी. एस. चौहान
जलोढ़क
इओसीन
डेकन ट्रेप
दिल्ली समूह
विन्ध्यन समूह
एरिनपुरा ग्रेनाइट
अरावली समूह
निचला गोंडवाना
स्रोत:– भू–वैज्ञानिक सर्वेक्षण विभाग, भारत

मानचित्र 5

## राजस्थान शील्ड का भूगर्भिक अनुक्रम (हेरन तथा फाक्स)

| काल (दस लक्ष वर्षों में) | महाकल्प | युग, शैल समूह सम्बद्ध आर्थिक जमाव |
|---|---|---|
| | चतुर्थ महाकल्प | नवीन : बालू और जलोक कंकड़, सोडियम नमक और जिप्सम (पश्चिमी राजपूताना) प्लीस्टोसीन प्राच्य जलोढ़क। |
| — 1 | | |
| हिमालय का जन्म; गोंड़वाना भूमि का अन्तिम विनाश | तृतीय महाकल्प (टरीशयरी) | इयोसीन : न्यूमूलिटिक चूने का पत्थर, पश्चिमी राजस्थानी की मुलतानी मिट्टी और बीकानेर एवं जोधपुर में लिग्नाइट। |
| — 60 | | |
| 120 | | क्रिटेशियस (खटी युग) (वील्ड); हिम्मत नगर बालुका पत्थर (इडर) बाड़मेर बालुका पत्थर (जोधपुर)। बालुका पत्थर निर्माणकारी पत्थर और मिलस्टोन के रूप में प्रयुक्त होता है। जैसलमेर का उमिया। |
| 145 | मध्यजीव महाकल्प (मैसोजोइक) | जुरैसिक (मध्य), जैसलमेर का चूने का पत्थर व बालुका पत्थर। |
| —170 | | |
| | पुराजीव महाकल्प (पैलियोजोइक) | अपर कारबोनिफैरस, जैसलमेर में बॉय के पास हिम द्वारा लाए हुए बोल्डर बेड्स।<br>क्रैम्ब्रियन : अपर विन्ध्यन : अरावली के पूर्व और पश्चिम की ओर बालुका पत्थर, चूने का पत्थर और शैल।<br>बालुका पत्थर, निर्माण पत्थर के रूप में मूल्यवान हैं और चूने का पत्थर सीमेंट, कैलशियम कार्बाइड आदि के लिए चूने का स्त्रोत है।<br>लोअर विन्ध्यन्स : चूने का पत्थर और शैल : और मालानी सिरीज : अरावली के पश्चिम की ओर अधिकांशतः अम्ल प्रवाह एवं टफ्स और ग्रेनाइट। मारवाड़ में रेवत पहाड़ी के वोलफ्रेम जमाव सम्भवतः ग्रेनाइट से निकले हुए हैं जिसमें अनेक विरल भौतिक खनिजों के अंश भी मिलते हैं। |
| —500 | | |
| 610–725 | एलगांकियन या प्रोटेरोजोइक | दिल्ली प्रणालीः प्रमुखतः क्वार्टजाइट और अशुद्ध केलकेरियस चट्टानें एवं एरिनपुरा ग्रेनाइट के विशाल समूह अरावली श्रेणी का कोर बनाते हैं। बैराइट्स, अभ्रक, बर्ल, विरल भौमिक खनिज और धात्विक अयस्क जमाव जैसे तांबा आदि के जमाव राजपूताना के पूर्वी हिस्से में पाए जाते हैं। उत्तम प्रकार का संगमरमर मरुस्थल के पूर्वी किनारे पर मकराना में और अरावली के पूर्व राजनगर एवं सारंगवा में खोदा जाता है; स्टीएटाइट जयपुर राज्य में रायोला के 2.5 मील उत्तर में (270 : 76017') डागेथा (डागोटा) में खोदा जाता है। अरावली प्रणाली : फाइलाइट्स, स्लेट्स, छती स्लेट्स को शामिल करके तथा न्यून क्वार्टजाइट और डोलोमाइटिक चूना–पत्थर जो अरावली के किनारे पर मिलते हैं–ये भी विंध्यन्स और पश्चिमी राजपूताना के बाद के शैल समूहों का आधार बनाते हैं। दक्षिणी मेवाड़ में जावर में चांदी, सीसा, जस्ता के जमाव और राजपूताना के पूर्वी हिस्से में एसबेस्ट्स तथा सोपस्टोन के जमाव हैं। |
| | आद्य–महाकल्प (आर्कियन) | बैण्डेडनीसिस कामप्लेक्स और बुन्देलखण्ड ग्रेनाइट : दृश्यांग अरावली के पूर्व और पश्चिम दोनों ओर देखे जाते हैं। |
| —1500 | | |

जिसके मुख्य तत्त्व हैं स्फटिक आर्थोक्लेज और अधीनस्थ माइक्रोलीन ओर कुछ फैरोमैग्नेशियन खनिज अधिकांशत: बायोटाइट। यह एपलाइट, माइक्रोग्रेनाइट और क्वार्ट्ज एवं डोलेराइट डाइक्ए की शिराओं (veins) से भी काटा गया है।

## पट्टित नाइसी सम्मिश्र (Banded Gneissic Complex)

इन शैल समूह का वर्गीकरण प्राक् अरावली चट्टानों में एवं आयु में बुन्देलखण्ड नाइस में किया गया है। इस नाइसी सम्मिश्र के दृश्यांश विस्तृत नहीं हैं और स्थिति में राजस्थान के जलोढ़ मैदानों के नीचे पड़े हैं। यह रचना एक स्थान से दूसरे स्थान पर बड़ी भिन्नता दर्शाती है और यह विश्व के दूसरे भागों में भी प्राचीन आर्कीयन्स का लक्षण है। यह रचना दक्षिण मेवाड़ में उत्तम रूप से अभिव्यक्त है, जहाँ पर अनेक प्रकार के अन्तर्भेदों के घनिष्ठ मिश्रण की अत्यधिक अपरूपणी एवं शल्कित चट्टानें देखी जाती हैं। दक्षिण मेवाड़ में बैन्डेडनाइसी सम्मिश्र में अत्यधिक जटिलता है। बाहरी क्षेत्र में शैल रचना अरावली से बिलकुल भिन्न है जो उसके ऊपर टिकी है। इसमें एक स्पष्ट क्षरित विषम विन्यास है जिसके साथ मोटे संगुटिकाएं (लेपसश्रे-ाशीरींशी) और आधारी लावा जमाव की एक वृहत् माला है। उदयपुर नगर के पूर्व में नाइसी रचनाएँ तुलनात्मक रूप से सरल हैं। इन नाइसी रचना को मिश्रित नाइसी कहा गया है जो उदयपुर रूप से बायोटाइट-शिस्ट और श्वेत या गुलाबी एप्लाइट तथा माइकोग्रेनाइट का मिश्रण हैं जो हर आकार के भूरे शल्कित बायोटाइट-ग्रेनाइट के अन्तर्वेधी के सहारे बाहर निकले हैं।

उत्तर मेवाड़ और अजमेर के मैदानों में नाइसी विलक्षण रूप से विषम है, वहाँ ग्रेनीटवाइड और पट्टित नाइसी मिलते हैं। चट्टानें काले रंग वाली शिस्ट हैं और ग्रेनुलाइटस प्राय: गारनेरीफेरस है, जिसमें काली पारिफिरिटिक बायोटाइट-ग्रेनाइट के सभी आकार के अन्तर्भेदन हैं जो ग्रेनीटवाइड से बैन्डेड प्रकार तक भिन्न हैं, जिसके परिणामस्वरूप मिश्रित नाइस बना है। अन्य प्रकारों में बीडनाइस अत्यधिक लाक्षणिक है जिसमें फेल्सपर फेनोक्राइस्ट्स गहरे बाओटाइटिक मेट्रिक्स की लाइनों के सहारे बाहर निकले हैं। यह संरचना मेवाड़ के मध्यवर्ती मैदानों में भी मिलती है और यह रचना पूर्व की ओर बांसवाड़ा में चली जाती है।

उपरोक्त प्रकारों के अतिरिक्त एक अन्य प्रकार का प्राचीन नाइस बृहत् दिल्ली समभिनति (Great Delhi Synclinorium) के उत्तर-पश्चिम में अधिकांशत: अरावली श्रेणी के गिरिपाद के सहारे फैले मैदानों में भी पाया जाता है। ग्रेनाइटी रचना व बनावट की यह भूरी तथा महीन कणवाली चट्टान है जो मुख्यत: समरूप है, परन्तु कभी-कभी इसमें विभिन्नताएँ भी मिलती हैं और चट्टानें शल्कित (foliated) हैं। अलवर माला का बेसल कांग्लोमरेट एक क्षरित विषम विन्यास के साथ इस पर आरोपित है, परन्तु अरावली से इसका सम्बन्ध निश्चित नहीं है। यह अरावली से प्राचीन माना गया है या यह उनमें अन्तर्भेदित हो सकता है, पर यह ग्रेनाइट से भिन्न है जो उनको दिल्ली समभिनति और इस श्रेणी के दूसरी ओर अन्तर्भेदित करता है।

पट्टित नाइसी सम्मिश्र मौलिक रूप से एक परतदार रचना है। इसकी पुष्टि आमेर (25°19° उत्तर 73°19° पू.) के उत्तर-पश्चिम और पश्चिम में स्थित ठोस क्वार्ट्जाइट के दो अण्डाकृति गुम्बदों से होती है जो लगभग 20 वर्ग किलोमीटर क्षेत्र को आवृत्त किए हैं। ये विभिन्न शैल रचनाएँ अलग-अलग नहीं मिलतीं वरन् एक का दूसरे में क्रमश: संक्रमण है। इपीडियोराइट तथा हार्नब्लेडीडी चट्टानें जो परिवर्तित मूल आग्नेय चट्टानें हैं, भी पट्टित सम्मिश्र में मिलती है।

## अरावली समूह (Arawalli System)

अरावली समूह में मृष्ययशैलों (argillaceous rocks) की बड़ी मोटाई है। इन शैल समूहों में कायान्तरण हुआ है और यह पूर्व से पश्चिम तक स्पष्ट रूप से अंकित है। पूर्व में शैल (shales) मिलता है और पश्चिम की ओर आप स्लेट्स, फाइलाइट्स तथा गारनेट और मैग्नेटाइट के साथ उत्तम माइका शिस्ट में से गुजरते हैं। कुछ क्षेत्रों में अम्ल ग्रेनाइट के साथ परिवर्तन हुआ है जिसके परिणाम स्वरूप मिश्रित नाइस बना है। सामान्यतया यह देखा गया है कि श्वेत क्वार्ट्ज शिराओं

के अतिरिक्त आग्नेय अन्तर्भेदन अरावलीज में विशिष्ट रूप से सामान्य नहीं हैं।

राजस्थान में शैल समूहों का सामान्य क्रम निम्न प्रकार से हैं :

1. ज्वालामुखी परतें (स्थानिक)।
2. आधारित क्वार्टजाइट्स, ग्रिट्स और स्थानिक कांग्लोमरेट्स।
3. फाइलाइट्स, चर्टी, लाइमस्टोन, क्वार्टजाइट्स और मिश्रित नाइस।
4. रणथम्भौर क्वार्टजाइट्स एवं विनोटा शैल्स।

दक्षिण अलवर में अरावली के उत्तरी उद्भास (exposures) मिलते हैं। चट्टानों के संस्तर विषम दृश्यांशों के रूप में मिलते हैं जो अनियमित हैं और दक्षिण पश्चिम की ओर गुजरात के मैदानों तक विस्तृत हैं। वे मेवाड़ और अजमेर-मेरवाड़ा के एक वृहत् भाग को भी आवृत्त करते हैं जहाँ वे पूर्व-अरावली नाइस के अनियमित दृश्यांशों से अवरोधित हैं। इस क्रम की अन्य चट्टानें, मुख्यत: अरकोज, ग्रिट और क्वार्टजाइट्स, जो आधार संस्तरों का प्रतिनिधित्व करती हैं, एक क्षरित विषम-विन्यास के साथ बुन्देलखण्ड नाइस या नाइसी सम्मिश्र पर आश्रित हैं। शिष्ट और मिश्रित नाइस में ग्रेनाइट पदार्थों का अन्त:क्षेपण भी देखने को मिलता है। इस समूह में नाइस वृहत् रूप से विकसित हुआ है और उसके विभिन्न प्रकार इस समूह को लक्षित करते हैं। मृण्मय चूना-पत्थर, बूंदी और पूर्वी मेवाड़ में मिलता है तथा उदयपुर के चारों ओर की श्याम, सघन चूना-पत्थर की कई सौ फीट मोटाई की संस्तर भी अरावली का प्रतिनिधित्व करती है। अरावली में चूना-पत्थर पूर्वी मेवाड़ में अच्छी तरह विकसित नहीं है। वृहत् सीमा भ्रंश (Great Boundary Fault) के एकदम पूर्व में अरावली भूरे और जैतून शैल के साथ लौहमय एवं मृत्तिका संग्रथनों के साथ मिलती है। ये समूह बिनोटा शैल एवं कानोजग्रिटस के नाम से जाने जाते हैं। सीमा भ्रंश के पश्चिमी पार्श्व पर अरावली का प्रतिनिधित्व स्लेट और डोलोराइट से बाधित अशुद्ध चूना-पत्थर से हैं। रणथम्भौर क्वार्टजाइट और बलुआ पत्थर जो रणथम्भौर और सवाई माधोपुर में मिलते हैं, ऐसे समूहों का प्रतिनिधित्व करते हैं जो अरावली सिस्टम के तरूणतम भाग के हैं।

**रायलो श्रेणी** (Raialo Series) यह रायलो श्रेणी निम्नतर भाग में अरावली के मध्य पाई जाती है और दिल्ली समूह द्वारा आच्छादित है। दोनों ही उदाहरणों के संगम कटाव विषम-विन्यास द्वारा अंकित है। रायलो दिल्ली समूह से अलग कर दिए गए हैं। साधारण तौर पर लगभग 612 मीटर की औसत मोटाई का श्वेत एवं स्फटिक चूना शैल इस श्रेणी की मुख्य चट्टान बनाता है। चूना-पत्थर जमावों के बल पर कांग्लोमरेट्स और बलुआ पत्थर एवं क्वार्टजाइट के जमाव पाए जाते हैं और चूना-पत्थर, अरावली बुन्देलखण्ड नाइस अथवा पट्टित नाइसी सम्मिश्रण पर प्रत्यक्षत: आश्रित है। यह श्रेणी वृहत् रूप से विलग क्षेत्रों में पाई जाती है, जैसे जोधपुर, पूर्वी और मध्यवर्ती मेवाड़। रायलो, जटिल रूप से वलित अभिनति में उद्गत हैं जो उदयपुर नगर के उत्तर में दिल्ली प्रणाली के आधारा के नीचे से निकलती है और उत्तर-पूर्व की ओर नाथद्वारा तथा कांकरोली में राजसमन्द झील से आगे फैली हुई हैं। इन क्षेत्रों में आधार चट्टान एक गोलाश्म कांग्लोमरेट है जो कुछ स्थानों पर 9.2 मीटर मोटी है और कुछ अन्य स्थानों पर क्वार्टजाइट की एक पतली परत है। विभिन्न मोटाई की एक विशुद्ध श्वेत रवेदार डोलोमाइट कांकरोली के निकट राजनगर में खोदी जाती है। बलुई जलोढ़ से मकराना की प्रसिद्ध संगमरमर की उद्गतें लगभग 80 किलोमीटर की दूरी तक संकरी कूटकों में अभिव्यक्त हैं। इस अपावरण में केवल अधिक निरोधक चट्टानें ही दिखती है जबकि वास्तविक मोटाई इससे कहीं अधिक अनुमानित की जाती है। चट्टान कुछ पीले धूसर रंग में आच्छादित श्वेत वर्ण की है, किन्तु विशुद्ध श्वेत चट्टान भी मिलती है। इनके अतिरिक्त गुलाबी एवं नीली धूसर किस्में भी पाई जाती हैं।

एक बहुत विभिन्न प्रकार चूना-पत्थर प्राय: पूर्ण क्रम में दक्षिण-पश्चिम में रास के समीप पाया जाता है। चट्टानें लगभग 1.6 किलोमीटर की चौड़ाई में लगभग 80 किलोमीटर तक अभिव्यक्त हैं। प्रमुख किस्में हैं-अपरिष्कृत श्वेत कैल्साइट संगमरमर, महीन नीले-धूसर बलुई चूना-पत्थर से अन्त:स्तरित डायोप्साइड

एवं श्वेत अभ्रक। चूना पत्थर कूटकों की साधारणतया प्राक् अरावली नाइस परिवर्तन किए हुए हैं और उनकी मध्यस्थित घाटियों में अभिव्यक्त है।

चट्टानों की अभेद्य प्रकृति इस बात को निर्देशित करती है कि यह आग्नेय उद्‌भेदनों से मुक्त है। मकराना खानों में पैग्मेटाइट की कुछ भित्तियाँ (dykes) मिलती है परन्तु ऐसी प्राप्तियाँ कम ही हैं और कभी-कभी वे कांकरोली और सरदारगढ़ के बीच कूटकों पर भी मिलती हैं।

## दिल्ली समूह (Delhi System)

राजस्थान की पुराणा चट्टानों में अधिक तीव्र वलन तथा आग्नेय अन्त:भेद हुए हैं और इन्हीं लक्षणों में ये चट्टानें भारतवर्ष के अन्य भागों की इसी काल की चट्टानों से भिन्नता रखती हैं। राजस्थान में ये दिल्ली समूह के नाम से जानी जाती हैं। उनका विस्तृत विकास पूर्वी राजस्थान में हुआ है और वे उत्तर-पूर्व में दिल्ली से दक्षिण-पश्चिम में इडर तक विस्तृत है। इनकी सबसे उत्तम रचना अजमेर-मेरवाड़ा की मुख्य राजपूताना समभिनति एवं पश्चिमी मेवाड़ में विकसित हुई है। अलवर और जयपुर में वलितशैलीय संरचनाएँ अजमेर और मेवाड़ की कांग्लोमरेट व क्वार्टजाइट की अनेक कूटकों से सम्बन्धित है। ये चट्टानें दिल्ली समूह के निम्नतर भाग की हैं।

अजमेर में, समभिनति दो अभिनतियों से बनी हैं जिनके बीच में प्राक् अरावली नाइस की एक लम्बी जिह्वा है। दोनों विस्तीर्ण अभिनतियों के बाह्य पार्श्व पर नाइस से उनका विषम-विन्यासीय सम्बन्ध बर्र (26°5' उ.: 74°6' पू.) और श्रीनगर (26°24' उ. : 74°46' पू.) में गोलाश्म कांग्लोमरेट और अरकोज के बृहत् विकास से स्पष्टत: निर्देशित है। मध्यवर्ती जिह्वा के दोनों पार्श्वो पर अन्दर की ओर सम्पर्क के सहारे कर्तन ने आधार शैलों को फैल्सपैथिक ग्रेनुलाइट्स (feldspathic granulites) में घटा दिया है। उत्तर-पश्चिमी अभिनति दूसरी अभिनती की अपेक्षा एरिनपुरा ग्रेनाइट एवं इयीडियोराइट के आग्नेय अन्त: भेदनों से बहुत अधिक प्रभावित हुई है। दक्षिण-पश्चिम की ओर अजमेर से परे यह इस सीमा तक बढ़ता है कि जोधपुर में परतदार चट्टानें पूर्णतया अदृश्य हो जाती हैं। दूसरी अभिनति बहुत संकीर्ण हो जाती है और अजमेर के संकीर्ण विस्तार के दक्षिणी सिरे पर उदयपुर और जोधपुर के बीच देवायर (25°25' उ. : 73°49' पू.) के समीप यह लगभग 10 किलोमीटर ही है। अभिनति इस हिस्से में सरल है और इसकी 10 किलोमीटर की चौड़ाई इसके लगभग 66 किलोमीटर दक्षिण तक बनी हुई है, उसके बाद अभिनति चौड़ी हो जाती है, अतिरिक्त वलन दिखाई पड़ते हैं और वह अलवर श्रेणी में समाप्त हो जाती है। दक्षिण-पश्चिम की ओर एरिनपुरा ग्रेनाइट बढ़ता जाता है। मुख्य समभिनति के पूर्व में रेखीय क्रम में व्यवस्थित अनेक निर्गम (outliers) हैं जिनमें केवल अलवर श्रेणी, आधार अरकोज ग्रिट और क्वार्टजाइट मौजूद हैं जो पूर्व की ओर अधिक झुके हुए हैं तथा अरावली एवं प्राक् अरावली नाइस के अन्तर्गत पूर्व की ओर प्रतिलोमित हैं।

दिल्ली और अरावली समूह के बीच विषम-विन्यास (unconformity) स्थानीय नहीं हैं। वह उत्तर-पूर्व में अलवर से तथा दक्षिण-पश्चिम में इडर तक पाया गया है। दिल्ली तलछटी (Delhi sedimentaries), अरावली शिस्ट अथवा प्राक् अरावली नाइस तथा ग्रेनाइट पर स्थित है। कभी-कभी आधार पर प्राक्-अरावली सम्मिश्र के ग्रेनाइट एवं पैग्मेटाइट के विच्छेदन से व्युत्पित अरकोज ग्रिट पाया जाता है या मुलायम अरावली चट्टानों से व्युत्पित फैल्सपैथिक क्वार्टजाइट बायोटाइट शिस्ट के जमावों के साथ मिलता है।

दिल्ली समभिनति के शैल-समूह निम्नलिखित प्रकार से हैं :

| | |
|---|---|
| अजबगढ़ श्रेणी | 6. ऊपरी फाइलाइट्स |
| (Ajabgarh Series) | 5. जीवीय चूना-पत्थर, कैल्सनाइस, तथा कैल्सीफायर्स। |
| | 4. चूनेदार शैल्स एवं अशुद्ध चूना-पत्थर। |
| | 3. फाइलाइट्स तथा वायोटाइट-शिस्ट्स। |
| | 2. अरकोज ग्रिट्स तथा |

| | |
|---|---|
| | कांग्लोमरेट्स। |
| अलवर श्रेणी (Alwar Series) | 1. क्वार्टजाइट्स। |

अजबगढ़ और अलवर श्रेणी के बीच उपरोक्त शैल-समूहों का विवरण जयपुर और अलवर में अनुक्रमण के अनुसार है। अलवर श्रेणी अपनी सम्पूर्ण रचना में समरूप नहीं है। वह उत्तर और दक्षिण में अच्छी तरह विकसित है जबकि मध्य में वह प्राय: अदृश्य हो जाती है। उत्तर में अलवर प्राक्-अरावली नाइस पर विषय-विन्यास रूप से उपर्यस्थ है। क्वार्टजाइट और अरकोज ग्रिट यहाँ देखने को मिलते हैं, अरकोज ग्रिट, बर्र और श्रीनगर में मोटे कांग्लोमरेट्स के रूप में पाए जाते हैं। समभिनति के दक्षिणी हिस्से में जहाँ दिल्ली श्रेणी जमाव अरावलीज पर है, वह बायोटाइट शिस्ट की अन्त:स्थितियों के साथ महीन कणों वाली क्वार्टजाइट चट्टानें हैं।

अजबगढ़ श्रेणी में निम्नतम भाग में पैग्मेटाइट और एप्लाइट्स से अन्त:क्षेपित बायोटाइट शिस्ट्स की एक बड़ी मोटाई, बड़ी भित्तियों और शिराओं (dykes and veins) में पाई जाती है। इन चट्टानों में कायान्तरण की कम-से-कम स्थिति जो देखी गई है वह फाइलाइट्स की है। फाइलाइट्स और बायोटाइट शिस्ट से एक मिश्रित नाइस का अंशांकन भी देखा गया है। कैल्स-शिस्ट पट्टित (babded) तथा फ्लैगी (flaggy) है, पट्टीकरण (banding) बायोटाइट तथा एन्टिनोलाइट जैसे श्याम सिलीकेटों के डायोप्साइड, ट्रिमोलाइट तथा फेल्सपर जैसे पीत सिलीकेटों के साथ प्रत्यावर्त्तन के कारण है। ये, पैग्मेटाइट तथा एप्लाइट की बड़ी-बड़ी सिलें (sills) तथा भित्तियों (dykes) से वृहत् रूप से अन्त-भेदित हैं। पट्टित और सिलिकामय (banded and siliceous) बायोटाइट चूना-पत्थर लम्बे पठार का निर्माण करता है जो ब्यावर के समीप से प्रारम्भ होकर दक्षिण-पश्चिम में मेवाड़ तक जाता है।

दिल्ली चट्टानें पूर्वी मेवाड़ में तुलनात्मक रूप से पतली तथा कम कायान्तरित हैं। सावा ग्रिट्स, शेल्स तथा जीरन बलुआ पत्थर इस रचना की मुख्य चट्टानें हैं। सावा ग्रिट्स में अपरिष्कृत श्वेत बलुआ पत्थर तथा कांग्लोमरेट्स सम्मिलित हैं जिन पर तरंग चिन्ह (ripple marks) तथा धारा संस्तरणों अभिदर्शित हैं, जबकि दूसरी ओर जीरन बलुआ-पत्थर कठोर सघन, प्राय: पीत चिन्हित, धूसर क्वार्टजाइट है।

**आग्नेय चट्टानें अल्ट्राबेसिक चट्टानें**— अरावली में अन्तर्निर्मित आग्नेय चट्टानों में ग्रेनाइट और अत्यल्पसिलिक चट्टानें सम्मिलित हैं। अल्ट्राबेसिक चट्टानें दक्षिण में डूंगरपुर और इडर स्टेट में बृहत् रूप से विकसित हैं। ये चट्टानें पश्चीय-अरावली किन्तु प्राक्-दिल्ली काल की नियत की गई हैं।

**पश्चीय-दिल्ली आग्नेय चट्टानें (Igneous Rocks)**—दिल्ली समूह को भेदने वाली मुख्य चट्टान एरिनपुरा ग्रेनाइट है। एरिनपुरा ग्रेनाइट में परिरक्षित अपराश(xenoliths) सिद्ध करती हैं कि मूल रूप से वह मुख्य अन्त:भेदों, मुख्यत: बेसाल्ट के, विभिन्न छंटावों (assortment) की बनी हैं। दिल्ली समभिनति (Synclinorium) की उत्तर-पश्चिमी बाजू के सहारे यह इपीडोराइट एवं हार्नब्लैडी शिस्ट में कायान्तरित कर दिया गया है। इस रचना से यह भी सिद्ध होता है कि एरिनपुरा अन्तर्भेदन के पूर्व ज्वालामुखी सक्रिय थे। एरिनपुरा ग्रेनाइट के उद्गत, जो कुछ स्थानों पर छिटपुट हैं, उत्तर-पूर्व में अजमेर से ब्यावर तक व दक्षिण-पश्चिम में पालनपुर और इडर जैसे पैग्मेटाइट्स व एप्लाइट्स वयन (texture), कणाकार एवं पर्णीकरण (foliation) की मात्रा में बहुत अधिक विभिन्नताएँ बतलाते हैं और अन्तर्भेदी चट्टानों के विभिन्न आकार प्रकार में मिलते हैं।

## मालानी श्रेणी (Malani Series)

विन्ध्यन का अधिकतम विकास अरावली के पूर्वी बाजू पर हुआ, जबकि पश्चिमी मरुस्थली प्रदेश में वह कम आकार में विखण्डित उद्गातों में हुआ। वे चट्टानें जिन्हें इस समूह से अन्तर्सम्बन्धित किया जा सकता है, रायोलाइटिक लावा समूह से बनी हैं जिनमें फैल्साइट व ऐसी ही ज्वालाखण्डमय पदार्थ (pyroclastic material) सम्मिलित हैं। ये सब विषम विन्यसित रूप से (unconformably) अरावली शिस्ट पर टिकी हुई

हैं। इन सभी आग्नेय जमावों को जोधपुर के समीप एक स्थान के नाम के आधार पर मालानी श्रेणी कहा गया है। पश्चिमी राजस्थान में वे लगभग 240 किलोमीटर लम्बे व 190 किलोमीटर चौड़े एक क्षेत्र को अधिकृत करते हैं। इस क्षेत्र में ग्रेनाइट के वृत स्कन्ध (bosses of granites) जिन्होंने विस्फोटों में मैग्मीय पदार्थ की पूर्ति की थी, अनाच्छादन के कारण प्रकट हो गए हैं। यहाँ दो प्रकार के ग्रेनाइट मिलते हैं : जालोर ग्रेनाइट (हार्नब्लैंडी- बायोटाइट ग्रेनाइट) और सिवाना ग्रेनाइट (हार्नब्लैंडी ग्रेनाइट) ये ग्रेनाइट वृत्त स्कन्ध समुद्र सतह से लगभग 920 मीटर की ऊँचाई तक उठते हैं और मालानी एवं अरावली शिस्ट दोनों के अन्तर्भेदी स्वरूप दर्शाते हैं। अरावली पर्वतों का उत्थान मालानी युग की ज्वालामुखी सक्रियता के कारण नहीं, बल्कि उसके बाद में हुआ। मलानी ग्रेनाइट और पोरफाइरीज (Porphyries) ठोस (consolidated) एरिनपुरा ग्रेनाइट को काटते हैं। इस प्रकार मालानी श्रेणी भी पुराणा (Puranas) में सम्मिलित की जाती है।

## विन्ध्यन श्रेणी (Vindhyan Series)

दिल्ली समूह के बाद विभिन्न युग के उत्कर्ष से राजपूताना समभिनति में आर्कीयन और पुराणा तलछटी जमाव के अत्यन्त जटिल तथा अनोखी श्रेणी का अन्त हो गया। विन्ध्यन समूह बलुआ-पत्थर, शैल एवं चूना-पत्थर की एक बृहत् तलछटी का निर्माण करता है जिसकी मोटाई लगभग 12,844 मीटर है। वह बुन्देलखण्ड में एक केन्द्रीय क्षेत्र को छोड़कर पश्चिमी बिहार में सासाराम और रोहतास से अरावली पर चित्तौड़गढ़ तक लगभग 1,04,000 वर्ग किलोमीटर का एक वृहत् प्रदेश अधिकृत करती है।

भूवैज्ञानिक दृष्टि से राजस्थान ने भारत के अन्य किसी भाग की अपेक्षा अधिक तीव्र भू-हलचलें अनुभव की हैं। राजस्थान में विन्ध्यन, चट्टानें मुख्यत: दिल्ली समभिनति के दोनों पार्श्वों पर दो अलग बेसिन में जमा हुई थी। पश्चिमी राजस्थान के उद्गत दो अर्धगोलाकार चाप बनाते हैं और जोधपुर नगर के समीप मिलते हैं। वे जलोढ़ से अधिक अवरोधित हैं और अपर विन्ध्यन चट्टानों के प्रकीर्ण टुकड़ों से बने हैं, जिनकी मोटाई लगभग 192 मीटर है। यह रचना मालानी रायोलाइट्स अथवा अरावली स्लेट्स पर जमा है।

पूर्वी राजस्थान में, विशेषकर दक्षिणी-पूर्वी मेवाड़ में, विन्ध्यन शैल रचना भली-भांति विकसित है। यह तलछट पदार्थ उत्तर-पूर्व में करौली और धौलपुर से दक्षिण-पश्चिम में निम्बाहेड़ा और सूकेत तक विस्तृत एक बड़े बेसिन में जमा किया हुआ है। उत्तर-पूर्व और दक्षिण-पश्चिम उद्गत सवाई माधोपुर से बूंदी तक विस्तृत संकरे असम्बद्ध टुकड़ों से जुड़े हुए हैं। पूर्वी राजस्थान में विन्ध्यन आगे वर्णित उप-विभागों में विभाजित किए गए हैं (राय, 1959)।

| | |
|---|---|
| अपर आन्डेर बलुआ | - पत्थर रीवा शेल्स |
| सिरबू शेल्स | - कैमूर बलुआ-पत्थर |
| भान्डेर चूना-पत्थर | - सुकेत बलुआ-पत्थर |
| गनूरगढ़ शेल | - निम्बाहेड़ा चूना-पत्थर |
| रीवा बलुआ-पत्थर | - खोरी मलान कांग्लोमरेट्स |

पूर्वी राजस्थान में विन्ध्यन बेसिन के दक्षिण-पश्चिम में शैल रचना की मोटाई लगभग 4,600 मीटर है, निचले तथा ऊपरी विभाग क्रमश: 930 मीटर और 3,670 मीटर मोटे हैं। यह निष्कर्ष निकाला जाता है कि सम्भवत: पूर्व और पश्चिमी राजस्थान में अपर विन्ध्यन के जमाव के समय शुष्क दशाएँ वर्तमान थीं। पूर्व में सुकेत शेल्स में जीवीय अवशिष्ट देखे गए हैं, जिनके परिणाम स्वरूप वृहत् सीमा भ्रंश (Great Boundary Fault) का निर्माण हुआ है। इसकी लम्बाई 805 किलोमीटर है और विक्षेप (throw) लगभग 1,530 मीटर है। इस भ्रंश के फलस्वरूप अपर विन्ध्यन अत्यधिक वलित अरावली के सम्मुख आ गया है।

## जुरैसिक (Jurassic)

राजस्थान का अत्यन्त प्राचीन, आकर्षक एवं जटिल भूगर्भिक इतिहास विन्ध्यन कल्प के उत्कर्ष के पश्चात् समाप्त हो गया। राजस्थान में, विशेषकर विन्ध्यन युग के अन्त में जुरैसिक युग में प्रारम्भ के बीच, कोई तलछटी जमाव नहीं हुआ। इस युग का राजस्थान का भूगर्भिक इतिहास लुप्त है। यह माना जाता है कि गोंडवाना महाकल्प के प्रारम्भ में, साल्ट रेंज हिमानी

जमावों के बीच मलानी रायोलाइट्स के गोलाश्मों की उपस्थिति, राजस्थान में हिमानियों के अस्तित्व का निर्देश देती है। पश्चिमी राजस्थान किसी समय समुद्र से आवृत्त था जो जुरैसिक युग में दक्षिण-पश्चिमी दिशा में फैला हुआ था। चट्टानों के जमाव में संहत, पांडु, हल्के भूरे या पीले चूना पत्थर धूसर तथा भूरे बलुआ-पत्थर और शिस्ट की तहें हेर फेर के साथ मिलती है। पश्चिमी राजस्थान में चट्टानें अधिकतर वातोढ़ बाले से ढकी हुई हैं, परन्तु कुछ स्थानों पर, जैसे बीकानेर और जैसलमेर में, वे धरातल पर दिखाई देती हैं। इन चट्टानों को कच्छ की चट्टानों से भी अन्तर्सम्बन्धित किया गया-जो उसी रचना की हैं। निम्नलिखित प्रकार की चट्टानें जैसलमेर में पाई जाती हैं।

| | | |
|---|---|---|
| अबूर संस्तर | - | चूना-पत्थर एवं शेल |
| परिहार बलुआ-पत्थर | - | फेल्सपाथिक बलुआ-पत्थर |
| बादासर संस्तर | - | लोहमय बलुआ-पत्थर |
| जैसलमेर बलुआ-पत्थर | - | जीवाश्ममय बलुआ-पत्थर |
| एवं चूना-पत्थर | - | चूना-पत्थर |

इस प्रकार जैसलमेर चूना-पत्थर के ऊपर चट्टानों की एक ऐसी श्रेणी है जिसकी तीन स्पष्ट लगातार अवस्थाएँ बतलाई जा सकती हैं, अबूर संस्तर, परिहार बलुआ-पत्थर और बादासर संस्तर।

### डेकन ट्रेप (Deccan trap)

क्रिटेशस कल्प के अन्त के समय मध्य और पश्चिमी भारत ने एक बहुत बड़े विदरी उद्‌गार (fissure eruption) का अनुभव किया, परिणाम में जिसकी तुलना उन विदरी उद्‌गारों से की जा सकती है, जो उत्तर अमरीका में ओरेगन तथा कोलोरेडो राज्यों में, दक्षिण अमरीका में पेटागोनिया में, हेब्रीडीज में, जो अब अधिकतर एटलांटिक के नीचे दबा हैं, तथा साइबेरिया इत्यादि में हुए। आवृत्त किए गए क्षेत्र का एक भाग, बाद में जिसे डेकन ट्रेप कहा गया, लगभग 5,20,000 वर्ग किलोमीटर का कुल क्षेत्र आवृत्त करता है, जो दक्षिणी राजस्थान से धारवाड़ तक, प्राय: तट से तट तक, विस्तृत है। राजस्थान का दक्षिणी भाग इसी ट्रेप से आवृत्त है, और इस मैग्मीय पदार्थ ने प्राक्-अरावली, नाइस अरावली तथा विन्ध्यन जैसी प्राचीन रचनाओं को आवृत्त किया। भूतकाल में डेकन ट्रेप से वृहत् क्षेत्र का अनुमान वर्तमान वितरण से नहीं किया जा सकता, क्योंकि अपरदन और अनाच्छादन कार्य करते रहे हैं जिन्होंने बेसाल्ट को काटा है तथा अनेक पुरान्त: शायि, (outliers) बन गए हैं, जो मुख्य क्षेत्र से बहुत दूर, अलग हैं। वृहत् क्षेत्रों पर बेसाल्ट चट्टानें एक समान हैं। बेसाल्ट चट्टान गोलाश्म अपशल्कन (spheroidal exfoliation) में में कटती हैं जिससे गोलाकार गोलाश्म बनते हैं।

### टर्शियरी समूह (Tertiary System)

भारतीय प्रदेश तथा सम्पूर्ण राजस्थान के धरातलीय स्वरूपों के निर्माण में टर्शियरी समूह सबसे अधिक महत्त्वपूर्ण है। इयोसीन के मध्य से भू-हलचलों का एक ऐसा कल्प आरम्भ हुआ जिसने भारतीय प्रदेश के भूगोल को बदल दिया। राजस्थान में भी इस समूह का प्रभाव स्पष्ट रूप से मिलता है। पश्चिमी राजस्थान में, विशेषकर अरावली पर्वतों के पश्चिम में, टर्शियरी समूह की चट्टानें बीकानेर, जोधपुर तथा जैसलमेर की जुरैसिक तथा क्रिटेशियस चट्टानों के साथ सम्बद्ध हैं। इस समूह में पश्चिमी राजस्थान का वृहत् भाग समुद्र से आवृत था, जिसके फलस्वरूप श्वेत या पीला, पाण्डु, जीवश्ममय चूना पत्थर की मोटी परतों का जमाव हुआ। लाकी श्रेणी से सहसम्बन्धित इयोसीन संस्तरें बीकानेर और जैसलमेर में देखी जाती हैं। जैसलमेर के उत्तर में जुरैसिक न्यूमूलाइटिक चूना-पत्थर (nummulitic lime stone) से अतिव्याप्त (overlapped) हैं और कुछ स्थानों पर लैटेराइट से ढका हुआ है। यह उद्‌गत जिसे बीकानेर के मुख्य उद्‌भासनों से सम्बन्धित किया जा सकता है, लगभग 650 वर्ग किलोमीटर क्षेत्र आवृत्त करता है।

### प्लिसटोसीन समूह (Plieistocence System)

राजस्थान मरुस्थल (थार) वातोढ़ जमावों (acolian accumulations) का होने के कारण उसी युग में बना जबकि गंगा-सिन्धु जलोढ़ (Indo-Gangetic alluvium) का निर्माण हुआ। यह मरुस्थल

अरावली के पश्चिम से सिन्धु के कछार तक तथा दक्षिणी पंजाब के मैदानों से सतलज के कछार तक फैला हुआ है। मरुस्थल बालू की समतल बंजर भूमि नहीं है, बल्कि अनेक स्थानों पर अगणित शैलीय रचनाएँ धरातल पर दिखाई पड़ती हैं।

# अध्याय 3

## भौतिक स्वरूप
## Physiography

राजस्थान ऐसे भू-भाग को घेरे हुए है जिसकी स्थलाकृति बहुत पुरानी है, जो अनाच्छादन और अपक्षरण की अनेक वर्षों की प्रक्रिया से बनी है। इस राज्य में वर्तमान भौताकृतिक तत्त्व और अपवाह प्रणाली शैल समूहों और संरचना से अधिक प्रभावित और निश्चित हुई है। वर्तमान भू-आकार भूतकालीन नदी के अपरदन चक्र और हाल के मरु अपरदन चक्र का परिणाम है। संरचना की दृष्टि से राज्य दो प्रमुख भागों में विभक्त किया जा सकता है। इन भागों की सीमा रेखा अरावली श्रेणी के पश्चिमी किनारे से जाती है, जो उत्तर-पूर्व से दक्षिण-पश्चिम की ओर फैली है। इस रेखा का दक्षिण-पश्चिमी भाग पठारी खण्ड के उत्तर-पश्चिमी विस्तार से आवृत्त है। संरचना की दृष्टि से उत्तर-पश्चिमी भाग भी इसी खण्ड का एक विस्तार है जबकि सतही स्वरूप विभिन्न स्थानों पर चट्टानें का संकेत देते हैं और धरातल का एक बड़ा भाग चल और अचल बालू के स्तूपों से ढ़का हुआ है। (मानचित्र 6)

1. **राजस्थान मरुस्थली:**—यह क्षेत्र थार के मरुस्थल के नाम से भी जाना जाता है। यहाँ पूर्णत: मरुस्थलीय परिस्थितियाँ विद्यमान है। इस क्षेत्र में बीकानेर एवं जैसलमेर जिलों तथा चुरू, जोधपुर, बाड़मेर, डीडवाना-कुचामन एवं नागौर जिलों का अधिकांश भाग सम्मिलित है। यह भाग धूलभरी आँधियों के लपेटे सहता रेत के टीबों से ढ़क गया है। जहाँ गर्मी में अत्यधिक गर्मी और सर्दी में भीषण सर्दी पड़ती है।

इस शुष्क प्रदेश में औसतन वार्षिक वर्षा बहुत ही कम होती है। जैसलमेर में औसत सामान्य वर्षा केवल 165 मिमी. होती है। जबकि बाड़मेर में 280 मिमी., बीकानेर में 265 मिलीमीटर, चुरू में 326 मिलीमीटर, जोधपुर में 320 मिलीमीटर और नागौर में 290 मिलीमीटर, वार्षिक औसत वर्षा होती है। इस क्षेत्र को मरुधरा या मरुस्थली के नाम से भी पुकारा जाता है।

यहाँ के निवासियों का प्रमुख व्यवसाय पशुपालन और कृषि है। भूमिगत जल अत्यधिक गहराई में पाया जाता है। कहीं कहीं जल तल 100 मीटर से 150 मीटर की गहराई तक पाया जाता है।

2. **अर्द्ध मरुस्थलीय क्षेत्र या बागर क्षेत्र:**—अरावली पर्वतमाला के पश्चिमी ढाल से मरुस्थली क्षेत्र का विस्तार है। इस क्षेत्र के उत्तर में श्रीगंगानगर, अनुपगढ़ का नहरी व घग्घर नदी का क्षेत्र है। उत्तर-पूर्व में शेखावटी क्षेत्र हैं जहाँ चुरू का पूर्वी भाग झुंझुनु व सीकर जिले अवस्थित है मध्यवर्ती भाग में नागौर जिला स्थित है। इस क्षेत्र के दक्षिण पूर्वी भाग में लूनी नदी अपनी कई सहायक नदियों के साथ फैली हुई है। जहाँ जोधपुर, बालोतरा व बाड़मेर के अधिकांश भाग तथा पाली, जालोर व सिरोही जिले का पश्चिमी भाग स्थित है।

मरुस्थली की तुलना में यहाँ अधिक वर्षा होती है तथा भूमिगत जल तल भी अधिक गहरा नहीं है। इस भाग में बाजरा, मूंग, मोठ के अतिरिक्त कपास, गन्ना, चना, चुकन्दर, तिलहन की पैदावार की जाती है। यहाँ के निवासियों का प्रमुख व्यवसाय कृषि पशुपालन तथा व्यापार उद्योग है। दुग्ध व्यवसाय के आधुनिकीकरण भेड़ व ऊन व्यवसाय के विकास सिंचाई साधनों के विकास विपणन की सुविधाओं के विस्तार तथा लघु व मध्यम आकार के उद्योगों की स्थापना के कारण अर्थव्यवस्था में सुधार हुआ है।

भौताकृतिक दृष्टि से राजस्थान भारतवर्ष के प्रमुख भू-आकृति विभागों में से दो में फैला है,

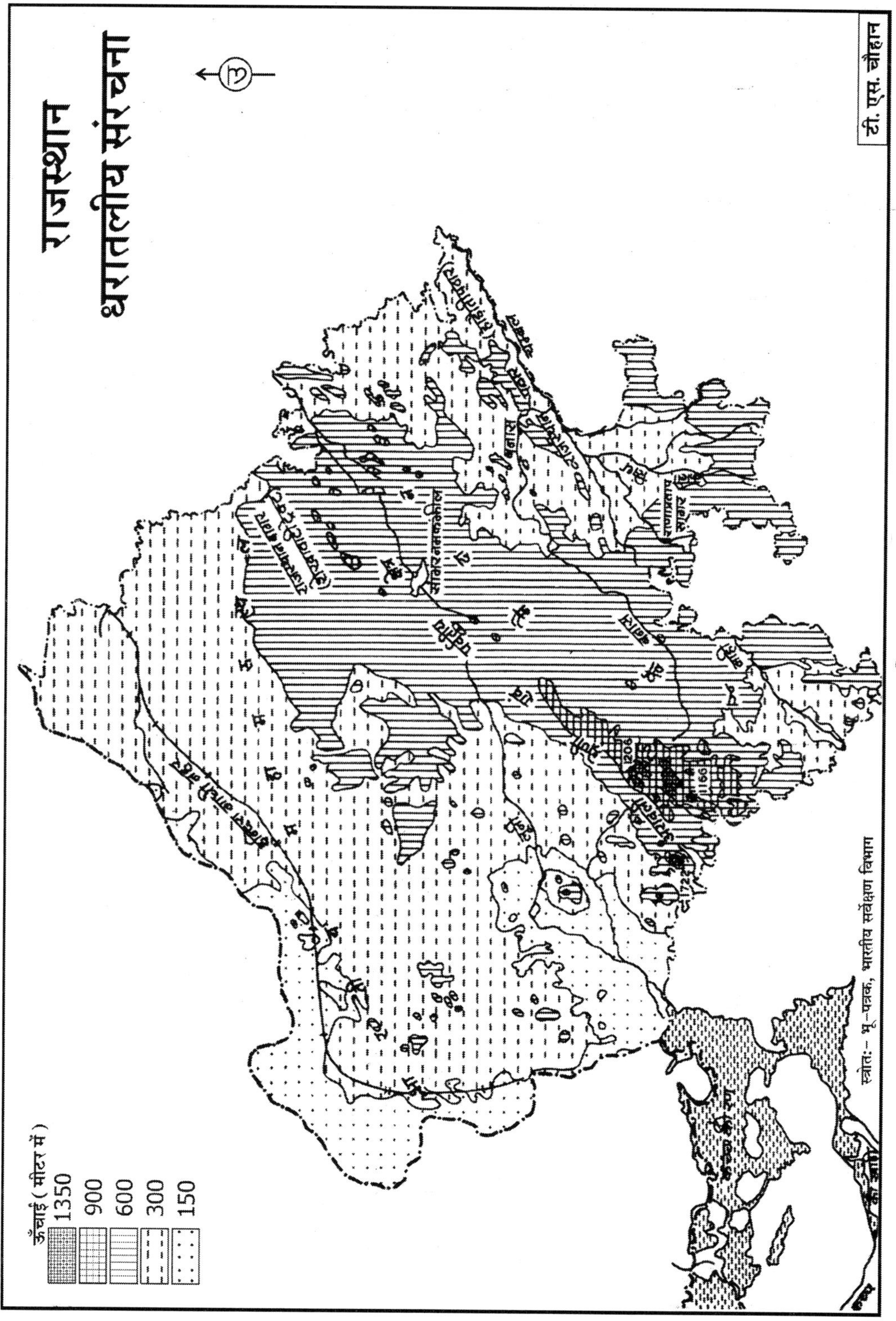
राजस्थान
धरातलीय संरचना
उ
ऊँचाई ( मीटर में )
1350
900
600
300
150
टी. एस. चौहान
स्रोत:- भू-पत्रक, भारतीय सर्वेक्षण विभाग

मानचित्र 6

अर्थात् वृहत् मैदान (Great Plains) और मध्यवर्ती उच्चभूमि (Central Highlands)। अरावली के पश्चिम में स्थित क्षेत्र, जिसे पश्चिमी बालू का मैदान कहते हैं, वृहत् मैदानों में पश्चिमी भाग में स्थित है, जबकि अरावली के पूर्व का क्षेत्र मध्यवर्ती उच्चभूमि के उत्तरी भाग में आता है। राजस्थान में इन दोनों प्रमुख भागों में विभिन्न भू-आकृतियों और उच्चावच्च लक्षण मिलते हैं। यह राज्य निम्नलिखित भौताकृतिक विभागों में विभक्त किया गया है। (मानचित्र 7)

1. पश्चिमी बालुका मैदान (Western sandy plains)
   - (अ) बालूमय शुष्क मैदान (मरुस्थली) (Sandy arid Plains (Marusthali)
   - (ब) अर्द्ध शुष्क संक्रमणीय मैदान (राजस्थान बागर)
     - (i) लूनी बेसिन (गोडवाड़ क्षेत्र) (Luni Basin (Godwar Tract)
     - (ii) अन्त:स्थलीय प्रवाह का मैदान (शेखावाटी क्षेत्र) (Plain of Interior Drainage (Sekhawati Tract)
2. अरावली श्रेणी तथा पहाड़ी प्रदेश (Aravalli Range and Hilly Region)
   - (अ) अरावली श्रेणी तथा भोराट पठार (Aravalli Range and Bhorat Plateau)
   - (ब) उत्तर-पूर्वी पहाड़ी प्रदेश (North Eastern Hilly Region)
3. पूर्वी मैदान (Eastern Plains)
   - (अ) बनास बेसिन (Banas Basin)
   - (ब) छप्पन मैदान (Chhappan Plains)
4. दक्षिण-पूर्वी राजस्थान पठार (हाड़ौती पठार) (South Eastern Rajasthan Pathar)
   - (अ) विन्ध्यन कगार (Vindhyan Scarp Land)
   - (ब) डेकन लावा पठार (Deccan Lava Plateau)

## 1. पश्चिमी बालुका मैदान (Western Sandy Plains)

पश्चिमी मैदान, अरावली पहाड़ों के पश्चिम और उत्तर-पश्चिम में राजस्थान का एक वृहत् भाग घेरे हुए है। मैदान की पूर्वी सीमा उदयपुर जिले के उत्तरी भाग तक अरावली श्रेणी के पश्चिमी उप-पर्वतीय क्षेत्र से बनती है, इसके बाद सीमा 500 मिली मीटर वर्षा-रेखा व वृहत् भारतीय जल-विभाजक द्वारा बनी है। इस प्रकार पश्चिमी मैदान की पूर्वी सीमा अंशत: जलवायु-परक है। पश्चिमी सीमा भारत और पाकिस्तान के बीच अन्तर्राष्ट्रीय सीमा द्वारा बनी है। उत्तरी सीमा पंजाब से और दक्षिण-पश्चिम में गुजरात द्वारा बनी है।

साधारणतया यह मैदान कहलाता है, किन्तु पश्चिमी राजस्थान के संरचनात्मक भूविज्ञान का धरातलीय स्थलाकृति पर बहुत कम प्रभाव है क्योंकि धरातल का वृहत्तर भाग ठीक पाकिस्तान की सीमा तक बालू के विशाल फैलावों से ढ़का है जो यदा कदा चट्टानी बहिसरणों से भरे पड़े हैं। उत्तर-पश्चिमी विभाग बालुकामय, जलाभावग्रस्त और बंजर है।

पश्चिम में राजस्थान मरुस्थल, उत्तर-पूर्व से दक्षिण-पश्चिमी पेटियों के अनेक प्राकृतिक प्रदेशों में उप-विभाजित किया गया है। ऐसे विभाजन का नियंत्रक लक्षण अरावली पहाड़ियां और बाड़मेर-जैसलमेर, बीकानेर क्षेत्र का चट्टानी भूभाग है। सबसे पहले पश्चिम की पेटी, वृहत् मरुस्थल बालुका-स्तूपों से आवृत्त है और वृहत् रन से पाकिस्तान की सीमा के सहारे पंजाब तक फैली है। इस पेटी के बाद बाड़मेर-जैसलमेर-बीकानेर का चट्टानी प्रदेश है जो बालू-मुक्त है और यहाँ एक बड़ी संख्या में शैल-समूह हैं जो जुरैसिक से इयोसीन समुद्री रचना तक के हैं। इस प्रदेश में तलछट वाली बनावट के कारण भूमि के अन्दर जल भी पाया जाता है। इस पेटी के पूर्व में लघु-मरुस्थल है जो वृहत् रन से प्रारम्भ होकर बीकानेर के उत्तर में वृहत् मरुस्थल से मिलता है। इसके बाद अर्द्धशुष्क प्रदेश आता है जहाँ लूनी नदी की अपवाह प्रणाली अत्यन्त प्रमुख लक्षण है, और आगे उत्तर में डीडवाना, सांभर तथा अन्य खारी झीलें हैं।

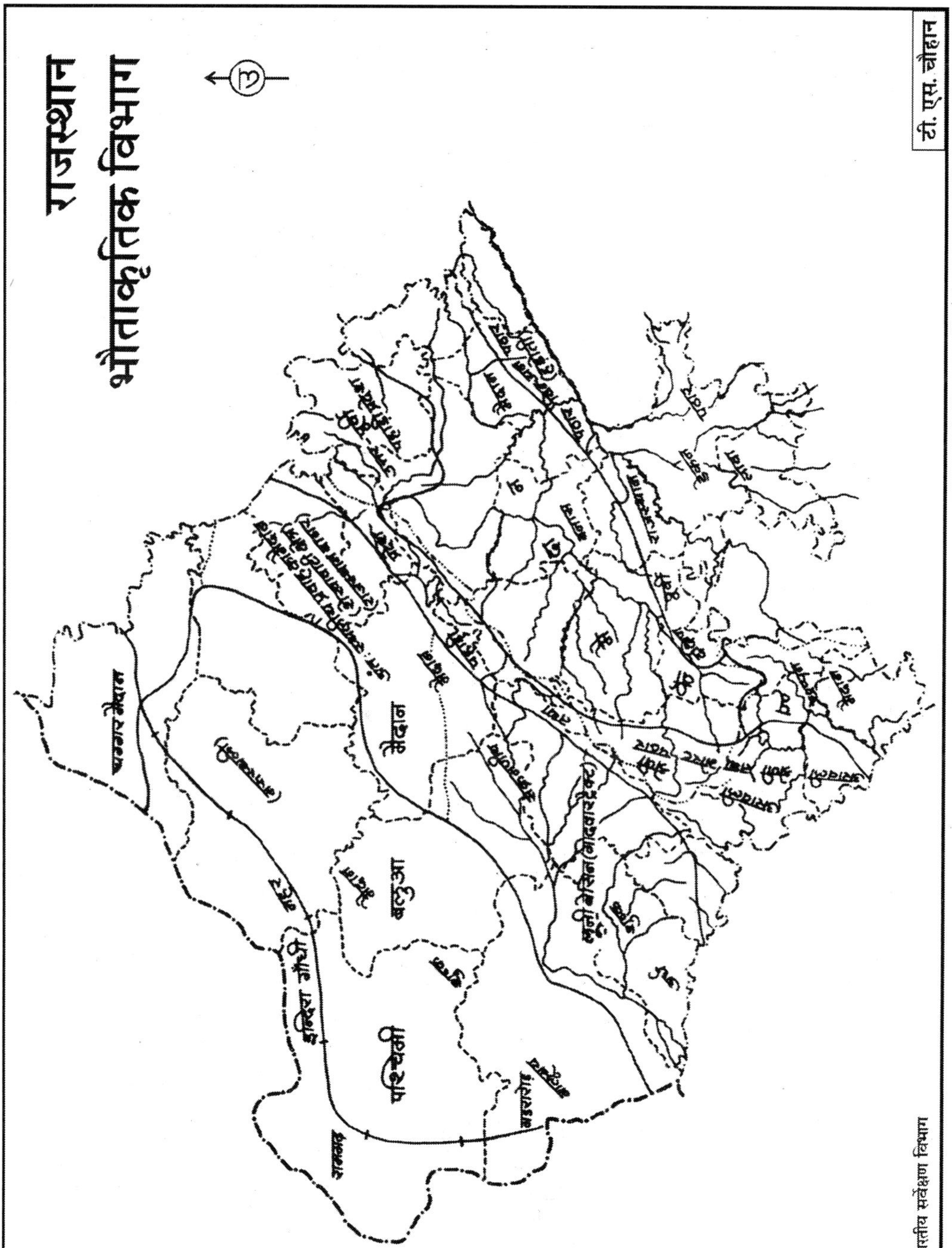


मानचित्र 7

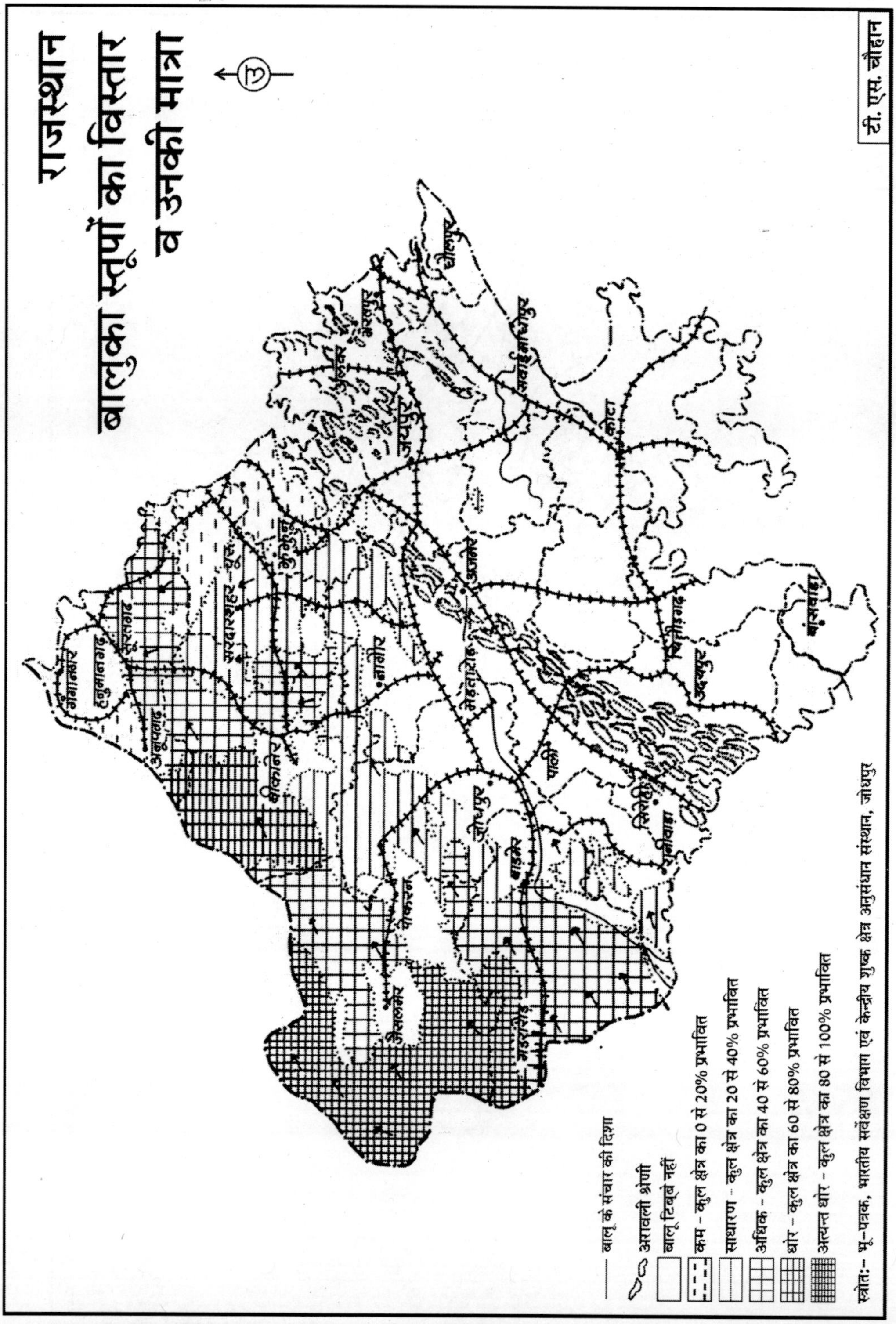

राजस्थान
बालुका स्तूपों का विस्तार
व उनकी मात्रा
उ
टी. एस. चौहान
बालू के संचार की दिशा
अरावली श्रेणी
बालू टिब्बे नहीं
कम – कुल क्षेत्र का 0 से 20% प्रभावित
साधारण – कुल क्षेत्र का 20 से 40% प्रभावित
अधिक – कुल क्षेत्र का 40 से 60% प्रभावित
घोर – कुल क्षेत्र का 60 से 80% प्रभावित
अत्यन्त घोर – कुल क्षेत्र का 80 से 100% प्रभावित
स्त्रोत:– भू–पत्रक, भारतीय सर्वेक्षण विभाग एवं केन्द्रीय शुष्क क्षेत्र अनुसंधान संस्थान, जोधपुर
गंगानगर
हनुमानगढ़
बीकानेर
जैसलमेर
जोधपुर
बाड़मेर
नागौर
अजमेर
जयपुर
कोटा
पाली
उदयपुर
बांसवाड़ा
धौलपुर


मानचित्र 8

सम्पूर्ण पश्चिमी राजस्थान बालू से ढ़का नहीं है किन्तु बालुका-स्तूपों की मात्रा तथा विस्तार इस क्षेत्र की आर्थिक क्रिया को बहुत अधिक प्रभावित करता है। (मानचित्र 8) मोटे रूप से इस प्रदेश में बालुका-स्तूपों का वितरण बतलाता है। राजस्थान के कुल क्षेत्र का लगभग 63.0 प्रतिशत क्षेत्र विभिन्न मात्रा की उड़ी हुई बालू से आवृत्त है। बालू के बड़े स्तूप, मरुस्थल के पश्चिमी भाग में बाड़मेर जैसलमेर और बीकानेर जिलों में मिलते हैं। बालुका-स्तूपों का विस्तार सारणी 5 में दिया गया है (रेहजा तथा सेन, 1964)।

**सारणी-5**

**पश्चिम राजस्थान में बालुका-स्तूपों की मात्रा तथा विस्तार**

| स्तूपों का विस्तार | क्षेत्रफल वर्ग किलोमीटर | कुल क्षेत्र का प्रतिशत |
|---|---|---|
| कोई स्तूप नहीं | 85,659.81 | 41.5 |
| क्षेत्र का 0 से 20 प्रतिशत प्रभावित | 24,856.60 | 11.5 |
| क्षेत्र का 20 से 40 प्रतिशत प्रभावित | 10,164.91 | 4.8 |
| क्षेत्र का 40 से 60 प्रतिशत प्रभावित | 34,322.11 | 14.7 |
| क्षेत्र का 60 से 80 प्रतिशत प्रभावित | 39,782.25 | 18.6 |
| क्षेत्र का 80 से 100 प्रतिशत प्रभावित | 19,902.82 | 8.9 |
| **योग** | **2,13,688.53** | **100.00** |

स्त्रोत : रहेजा तथा सेनख 1964

पश्चिमी बालुका मैदान दो अन्य भागों में उपविभाजित किया गया है-(अ) बालू शुष्क मैदान (मरुस्थली) और (ब) अर्द्धशुष्क संक्रमणीय मैदान (राजस्थान बागर) जो (i) लूनी बेसिन (गोडवाड़ क्षेत्र) और (ii) अन्तर्स्थलीय प्रवाह का मैदान (शेखावाटी क्षेत्र) और (iii) घघ्घर मैदान में विभक्त है। बालूमय शुष्क मैदानों और अर्द्धशुष्क मैदान को विभाजित करने वाली रेखा जलवायु-परक हैं अर्थात् 250 मिलीमीटर की वर्षा रेखा।

### (अ) बालूमय शुष्क मैदान (मरुस्थली) (Sandy Arid Plains Marusthali)

यह प्रदेश मारवाड़ मैदान का अधिकतर भाग घेरे हुए है और यह बीकानेर, जैसलमेर, चुरू, पश्चिमी नागौर का कुछ भाग, बाड़मेर का पश्चिमी दो-तिहाई भाग और जोधपुर जिले सम्मिलित करता है। आगे और पश्चिम में बालूमय और शुष्क मरुस्थल, थार मरुस्थल के नाम से सम्बोधित किया जाता है। यह भारतीय सीमा के परे पाकिस्तान में भी मुख्यत: बहावलपुर, खैरपुर के कुछ भागों, थार और पारकर जिलों में फैला हुआ है। बालू के वृहत् फैलाव हैं, और शैल दृश्यांश भी सामान्य रूप से मिलते हैं। मुख्यत: अरावली नाइस, शिस्ट, मलानी ग्रेनाइट और विन्ध्यन के उद्गत थार क्षेत्र में अभिव्यक्त हैं। उत्तर-पश्चिम में जुरैसिक एवं इयोसीन चट्टानों के विस्तृत एवं कुछ उठे हुए क्षेत्र, मुख्यत: चूना-पत्थर, जैसलमेर, बाड़मेर, बीकानेर, चुरू एवं गंगानगर जिलों में पाए जाते हैं। बालूमय धरातल से प्राचीन चट्टानों का ऊपर निकलना इस बात का निर्देश पुष्टीकरण करता है कि थार पठारीय खण्ड के पश्चिमवर्तीय विस्तार का एक भाग है।

अपरदन स्थलाकृति बाड़मेर, जालोर, जैसलमेर और अन्य क्षेत्रों में स्पष्ट है, जहाँ शैल-समूह सतह पर दिखाई देते हैं। ऐसे क्षेत्रों में वायु द्वारा चिकनी की हुई सतहों वाले वृत्तस्कन्धों एवं कूटों के रूप में एक विशेष क्षरण स्थलाकृति मिलती है। आबू इडर प्रदेश में गुफाओं एवं गोलाकार गर्तों का निर्माण देखा जाता है। ये गर्त वायु द्वारा बहाए गए बालू कणों की अपक्षरण क्रिया अथवा नदी कंकड़ों से निर्मित हो सकते हैं।

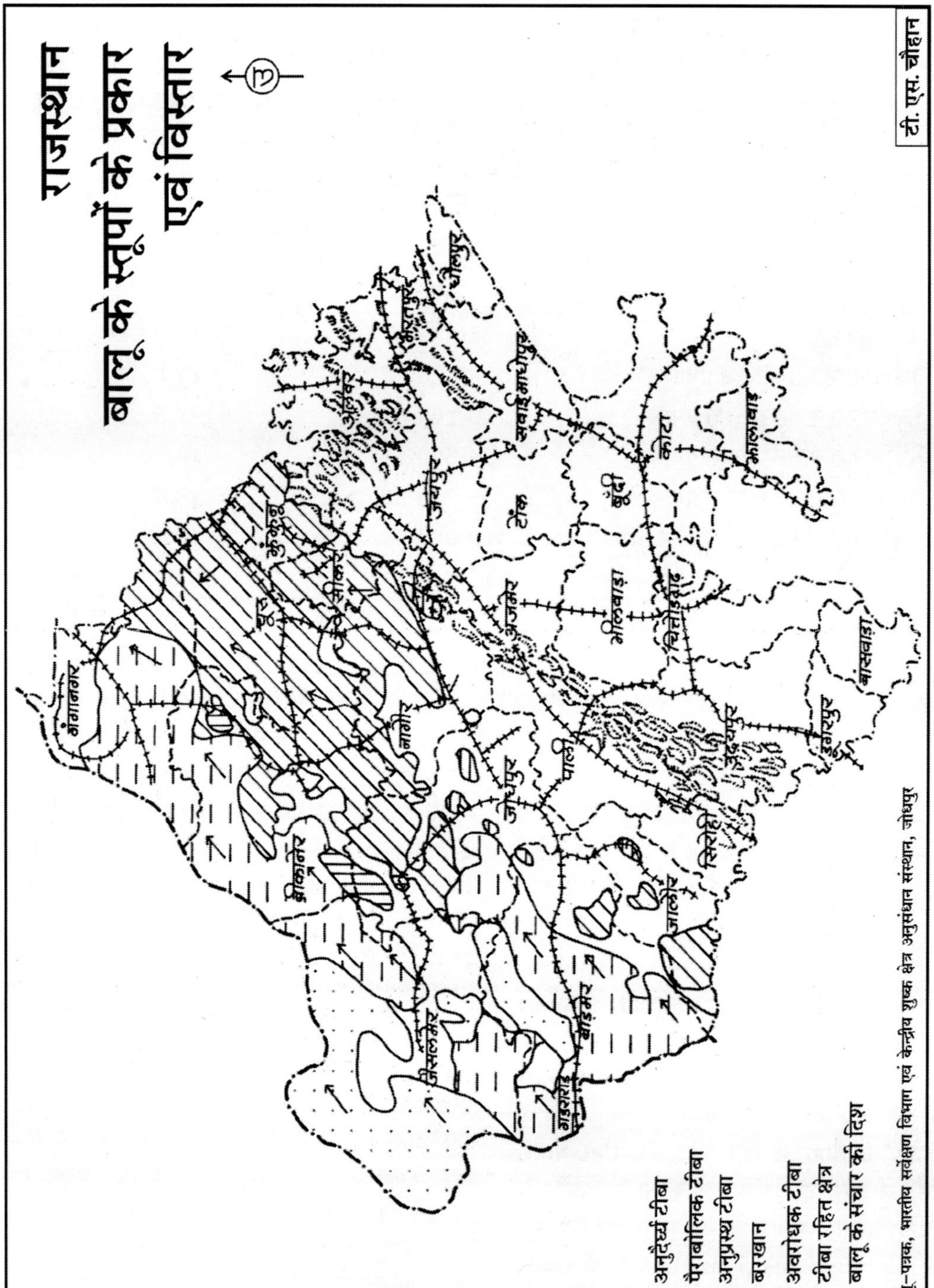
राजस्थान
बालू के स्तूपों के प्रकार
एवं विस्तार
उ
गंगानगर
बीकानेर
जैसलमेर
बाड़मेर
गडरारोड
जोधपुर
नागौर
चूरू
झुंझुनू
सीकर
अलवर
भरतपुर
धौलपुर
सवाईमाधोपुर
जयपुर
टोंक
अजमेर
पाली
जालौर
सिरोही
उदयपुर
डूंगरपुर
बांसवाड़ा
चित्तौड़गढ़
भीलवाड़ा
बूंदी
कोटा
झालावाड़
अनुदैर्ध्य टीबा
पैराबोलिक टीबा
अनुप्रस्थ टीबा
बरखान
अवरोधक टीबा
टीबा रहित क्षेत्र
बालू के संचार की दिशा
स्रोत:- भू-पत्रक, भारतीय सर्वेक्षण विभाग एवं केन्द्रीय शुष्क क्षेत्र अनुसंधान संस्थान, जोधपुर
टी. एस. चौहान

मानचित्र 9

जल-छिद्र सामान्यत: पर्वतीय सरिताओं के किनारे बनते हैं और पानी के लुप्त होने के पश्चात् दीवारों के सहारे मिलते हैं। सम्पूर्ण उप-पर्वतीय क्षेत्र के सहारे, जलोढ़ शैल मलवा तथा टैलस की (talus) की अवनालिकाएं, जलोढ़ पंखे एवं जलोढ़-सीढ़ियाँ भी मिलती हैं। ये सभी अपरदन स्वरूप स्पष्ट करते हैं कि उप-पर्वतीय क्षेत्र की निम्नीकरण प्रक्रिया जारी है।

पश्चिमी राजस्थान में स्तूपों का निर्माण एक बहुत ही लाक्षणिक भू-आकृतिक स्वरूप है (मानचित्र 9) उनकी आकृति, आकार, वायु-दिशा एवं वानस्पतिक पदार्थ के आधार पर साधारणतया तीन प्रकार के स्तूप मिलते हैं- 1. अनुदैर्घ्य टीबा, 2. बरखान और 3. अनुप्रस्थ टीबा। अनुदैर्घ्य टीबा प्रचालित वायु के समानान्तर उत्तर-पूर्व से दक्षिण-पश्चिम दिशा में हैं। ऐसा टीबा मैदान के पश्चिमी और दक्षिणी भाग में हैं। ऐसे टीबों में लम्बाकार धुरी वायु-दिशा के समानान्तर होती है। अन्य प्रकार का बालू जमाव 'बरखान' के रूप में होता है जिसमें अवतल पार्श्व अन्तरंग में वायु में सन्मुख होता है। अनुप्रस्थ टीबा वायु-दिशा के आड़े में बनते हैं और मैदान के पूर्वी एवं उत्तरी भाग में सामान्य रूप से पाए जाते हैं। ऐसे टीबों में लम्बाकार धुरी वायु-दिशा के समकोण पर होती है। वायुमुख पार्श्व लम्बा, कम ढालू होता है जबकि वायु-विमुख पार्श्व तीव्र एवं अधिक ढालू होता है। ओल्डहम (1893) ने स्पष्ट किया है कि अनुदैर्घ्य टीबे वास्तव में 'यू' आकार (U-shaped) के स्तूप है, जो अवनमन के समान (rake like) आकार में समाचापित होते हैं और मूल 'यू' आकार टीबा का अवतल पार्श्व वायु के सन्मुख होता है। ये बरखान नहीं है जिनके अवतल पार्श्व वायु-विमुख दिशा में होते हैं। यह देखा गया है कि ऐसे 'यू' आकार के टीबे अर्द्ध शुष्क दशाओं में निर्मित होते हैं जब वे वनस्पति की बाढ़ से स्थिर हो जाते हैं। यह भी देखा गया है कि अनुप्रस्थ टीबों के वायु-विमुख पार्श्व पर बड़े-बड़े वृक्ष उगते हैं जो यह निर्देश करते हैं कि स्तूप काफी समय से स्थिर हो गए हैं।

**(ब) अर्द्ध-शुष्क संक्रमणीय मैदान (राजस्थान बागर) Semi-arid Transitional Plain (Rajasthan Bagar)**

अर्द्ध-शुष्क मैदान उत्तर-पूर्व से दक्षिण-पश्चिम दिशा में फैला हुआ है। इसकी पश्चिमी सीमा 250 मिलीमीटर सम वर्षा-रेखा से बनती है और पूर्वी सीमा उदयपुर के उत्तरी भाग तक अरावली श्रेणी के पश्चिमी किनारे से, जबकि और आगे उत्तर में 500 मिलीमीटर वर्षा रेखा पूर्वी सीमा बनाती है। इस मैदान का पूर्वी भाग पृष्ठस्थ बालू निक्षेपों से ढ़का है। इस प्रदेश में प्राचीन चट्टानें, समीपस्थ बालुकामय धरातल से पश्चिमी शुष्क मैदानों की अपेक्षा अधिक सामान्य रूप से बाहर निकली हुई हैं। यह मैदान तीन छोटी-छोटी भौताकृतीय इकाइयों में उपविभाजित किया गया है : लूनी बेसिन (गोडवाड़ क्षेत्र), 2. आन्तरस्थलीय प्रवाह का मैदान (शेखावाटी क्षेत्र) और 3. उत्तर का घग्घर मैदान। प्रथम उपभागों का सीमांकन करने वाली यह रेखा है जो दक्षिण में लूनी बेसिन को उत्तरी आन्तरस्थलीय प्रवाह के मैदान से सीमांकित करती है।

**(i) लूनी-बेसिन (गोडवाड़ क्षेत्र) Luni Basin (Godawar Tract) :** लूनी नदी अजमेर के दक्षिण-पश्चिम में अरावली पहाड़ियों से निकलती है और दक्षिण-पश्चिम की ओर बहती है। उसकी सहायक अनेक छोटी-छोटी नदियां हैं जो सभी अरावली के उत्तरी-पश्चिमी तीव्र ढाल का पानी बहा कर लाती हैं और लूनी नदी के पश्चिमी किनारे पर मिलती हैं। लूनी और उसकी सहायक नदियाँ जोधपुर, जोधपुर ग्रामीण जिले की दक्षिणी-पूर्वी सीमा, ब्यावर, पाली, जालोर एवं सिरोही जिलों का जल बहा कर लाती हैं। यह कछार इस नदी द्वारा एवं अन्य लघु सरिताओं द्वारा-जो अपना जल मानसून काल में अरावली पहाड़ियों के अपवाह से प्राप्त करती हैं-अपवाहित किया जाता है। लूनी अपवाह-क्षेत्र को छोड़कर शेष पश्चिमी राजस्थान अन्तरप्रदेशीय अपवाह का क्षेत्र है। श्रेणी के सहारे वार्षिक वर्षा लगभग 650 मिलीमीटर है और यह कछार की पश्चिमी सीमा की ओर 250 मिलीमीटर तक घट जाती है।

पश्चिम और दक्षिण-पश्चिम से कच्छ के रन से तेज हवाओं द्वारा उड़ा कर लाई हुई बालू, लघु सरिताओं और वनस्पति की न्यूनता-जो इस कछार की विशेषता है-से नहीं रुकती है। ला टूश (1902) ने पश्चिमी राजपूताना की बालू का वर्णन इस प्रकार किया है : 'दक्षिणी-पश्चिमी झंझावातों, जो मरुस्थल के पार, वर्ष के अधिकांश महीनों में चलते हैं, द्वारा लाई हुई और आगे बढ़ने में प्रवाहित जल-सरिताओं के द्वारा आबाधित, बालू ने भूमि पर अतिक्रमण किया है, यहां तक कि कोई भी जिला उससे मुक्त नहीं है, केवल वे जिले छोड़कर जो अरावली श्रेणी के तत्काल पदस्थ हैं, या जहाँ पहाड़ियों से उतरने वाले नाले, यद्यपि उनमें प्रवाहित जल बहुत थोड़े समय के लिए होता है, उनमें बह कर आई हुई, बालू को वापस बहा ले जाने के योग्य हैं (ला टूश, 1902)।

उप-पर्वतीय अरावली प्रदेश में अवनालिनीकरण (Gullying) से कॉग्लोमरेट का निर्माण हुआ है जो संश्लेषित अथवा असंश्लेषित हैं। यह कॉग्लोमरेट वातोढ़ बालू के जमावों के साथ विभिन्न संस्तरों में पाया जाता है। ये स्थानीय शैलों के, और कभी-कभी जल द्वारा बहाकर लाए हुए गोलाकार कंकड़ों से, बने होते हैं। इस क्षेत्र में वर्षाकाल में भी नदियां बालू से इतनी भरी रहती हैं वे कोई भी बड़ी चीज को नहीं बहा पाती।

लूनी नदी और उसकी सहायक खारी और जवाई नदियों के दक्षिण की ओर के क्षेत्र के स्थलाकृतिक स्वरूप यह स्पष्ट करते हैं कि प्रारम्भिक भू-आकृतिक क्रियाएँ जलीय थीं जिन्होंने इस क्षेत्र की परतदार चट्टानों को काटा हैं। परन्तु समय के साथ इस क्षेत्र ने शुष्क दशाओं का अनुभव किया और वर्तमान भू-आकृतियाँ जल एवं शुष्क क्षरण-चक्र की उत्पत्ति हैं। वर्तमान समय में वायु-क्रियाएँ अधिक सशक्त हैं, यद्यपि इन सरिताओं में कभी-कभी बाढ़ भी आती रहती है।

स्थलाकृति अधिक ढालों वाली पहाड़ियों और विस्तृत जलोढ़ मैदानों में बनी हुई है। पश्चिमी जलोढ़ मैदान और पदस्थ श्रेणियों के दक्षिण-पश्चिमी भाग वातोढ़ बालू निक्षेपों से आवृत्त हैं। यह क्षेत्र पूर्व-पश्चिम बहने वाली खारी और जवाई नदियों, जो दोनों लूनी की सहायक है, द्वारा अपवाहित किया जाता है। ये सरिताएँ ग्रेनाइट और रायोलाइट शैलों से निर्मित, उप-धरातलीय चट्टानों की गुम्बदीय संरचनीय प्रवृत्ति का अनुसरण करती हैं।

इस प्रकार वर्तमान स्थलाकृति प्रारम्भिक जल-क्षरण एवं उप-वायवीय क्षरण की उत्पत्ति है, जिन्होंने इस प्रदेश से विन्ध्यन बालू-पत्थर का पूर्णतया कटाव कर दिया है। वर्तमान पहाड़ियाँ प्रतिरोधी शैल समूहों से बनी हैं जो जलोढ़ मैदानों से घिरी हुई हैं। धीरे-धीरे शुष्क दशाएँ अधिक प्रमुख होती गईं और दक्षिणी-पश्चिमी हवाओं ने कटाव कर जलोढ़ मैदानों व पहाड़ी ढालों के विपरीत बालू का जमाव कर दिया है। शुष्क दशाओं एवं वायु की क्रियाओं ने प्रारम्भिक भू-आकृतियों के चिन्हों एवं जलीय क्षरण-चक्र के कार्यों एवं निक्षेपों को मिटा दिया है। धीरे-धीरे धरातल बालुका टीलों से ढ़कता गया, जिसके परिणामस्वरूप स्थलाकृति टेकरी स्वरूप दिखने लगी।

लूनी बेसिन, अरावली पदस्थल व लूनी नदी के बीच का उपजाऊ क्षेत्र आवृत्त करता है। जल धरातल के समीप है जहाँ कूप सिंचाई सम्भव है, परन्तु और पश्चिम की ओर, दोमट के स्थान पर बेकार बालू (धोर) मिलने लगती है और धीरे-धीरे जल स्तर अधिक निचली सतह में डूब जाता है। बीकानेर में पानी कभी-कभी 110 से 125 मीटर की गहराई पर प्राप्त होता है और प्राय: खारा होता है।

**(ii) अन्त:स्थलीय प्रवाह का मैदान (शेखावाटी क्षेत्र) (Plain of Interior Drainage (Sekhawati Tract) :** लूनी बेसिन के उत्तर में राजस्थान सीमा तक अर्द्धशुष्क संक्रमणशील मैदान के अन्तर्गत अन्त:स्थलीय प्रवाह मैदान क्षेत्र है। पूर्वी सीमा 500 मिलीमीटर वर्षा रेखा से बनी है। अरावली अजमेर के उत्तर-पूर्व में एक लगातार श्रेणी नहीं है। वह टूटी हुई है और सांभर झील के समीप, सीकर, नीमकाथाना के पूर्व में और अजमेर तथा ब्यावर के बीच-जहाँ बालुका-स्तूप पूर्वी मैदान पर अनेक किलोमीटर तक विस्तृत है-वातावकाशों से परिपूर्ण है। इन वातावकाशों के पार बहाई हुई बालू जयपुर शहर और उसके उत्तर व दक्षिण

के समीपवर्ती क्षेत्रों तक विस्तृत है।

यह मैदान इस क्षेत्र की विशिष्ट बालू पहाड़ियों से पूर्ण है और भू-दृश्य अनेक निम्न गर्तों से भरा हुआ है। इस क्षेत्र में वर्षा पश्चिम में 250 मिलीमीटर और पूर्व में 500 मिलीमीटर के बीच है। कभी-कभी भारी बौछारों के बाद वर्षा का जल बालू-पहाड़ियों के मध्य अगणित गर्तों में जमा हो जाता है। यह सम्पूर्ण उत्तरी हिस्सा अन्त:स्थलीय प्रवाह का क्षेत्र है। जयपुर-जोधपुर काठी के चारों ओर अनेक छोटे बेसिन पाए जाते हैं। तापक्रम ऊँचा होने से बाढ़ के खारे पानी का वाष्पीकरण इन गर्तों में अनेक स्थानों पर नमक और सोडा के जमाओं में बदल जाता है। इस प्रदेश की महत्त्वपूर्ण नमक की झीलें, सांभर, डेगाना, कुचामन और डीडवाना झीले हैं। इस क्षेत्र की वृहत्तम झील सांभर, जयपुर के लगभग 65 किलोमीटर पश्चिम में हैं। जब यह झील पूरी भरी होती है तो लगभग 25 किलोमीटर लम्बी और 10 किलोमीटर चौड़ी होती है और पूर्व से पश्चिम दिशा में फैली होती है। यह बहुत उथली है और गर्मी के महीनों में इसका क्षेत्र सिकुड़ जाता है और झील अनेक स्थानों पर कीचड़ मुक्त हो जाती है। इस झील में नमक का अंश मुख्यत: ऊपारी 3.7 मीटर तक ही सीमित हैं। झील की इस ऊपरी सतह में औसत नमक (सोडियम क्लोराइड) का अंश लगभग 5 करोड़ टन है। नमक का वार्षिक उत्पादन लगभग 2,50,000 टन है। इस दर से यह अनुमान लगाया जाता है कि इस झील से नमक की पूर्ति, आने वाले एक लम्बे समय के लिए निश्चित है। गर्म और शुष्क मैदान में नमक दक्षिण-पश्चिमी हवाओं द्वारा कच्छ के रन से उत्पन्न किया जाता है। इन क्षेत्रों में होने वाली थोड़ी वर्षा मुख्यत: नमक के कणों को घुला कर इन उथले गर्तों में जमा कर देती है। डीडवाना की नमक की झीलें डीडवाना के लगभग 3 से 5 किलोमीटर दक्षिण-पूर्व में स्थित हैं, जब कि आंशिक रूप से शुष्क कुचामन नमक झील कुचामन से लगभग 8.5 किलोमीटर दक्षिण में स्थित है। इन झीलों के अतिरिक्त यह सम्पूर्ण क्षेत्र नमक के अनेक जमावों से परिपूर्ण है जो गर्मी की ऋतु में पूर्णतया शुष्क हो जाते हैं और कीचड़ की ऊपरी परत में नमक की एक पपड़ी छोड़ देते हैं।

## 2. अरावली श्रेणी तथा पहाड़ी प्रदेश (Arawalli Range and Hilly Region)

अरावली पर्वत माला राजस्थान को ठीक मध्य में चीरती हुई दक्षिण पश्चिम से उत्तर पूर्व तक फैली हुई है। दक्षिण पश्चिम में आबू ब्लाक से उत्तर पूर्व में खेतड़ी तक 692 कि.मी. की दूरी में विस्तृत यह पर्वत शृंखला राजस्थान को दो भागों में विभाजित करती है प्रथम उत्तरी पश्चिमी मरुस्थलीय व अर्द्धमरूस्थलीय क्षेत्र और द्वितीय दक्षिण पूर्वी मैदानीं व पठारी क्षेत्र। (मानचित्र 10)

अरावली पर्वत जिसे आड़ा वाला पहाड़ भी कहा जाता है। राजस्थान के दक्षिण-पूर्वी सरसब्ज क्षेत्र के लिए प्राकृतिक शाल का काम देता है। ये शृंखलाएँ कहीं ऊँची और मजबूत चट्टानों से और कहीं खाड़ियों एवं घाटियों से पश्चिमी भाग में स्थित थार के रेगिस्तान को दक्षिण पूर्व की ओर अग्रसर होने से रोकती है। इन्हीं पर्वत श्रेणियों के कारण दक्षिण पश्चिम मानसून राजस्थान में बरसने के लिए बाध्य होते हैं। अरावली की पर्वत मालाएँ अति प्रवीन कठोर शैलक्रमों से बनी है। यह पर्वत माला भारत की ही नहीं वरन् विश्व भर की सबसे प्राचीन पर्वत मालाओं में से एक है। यह पर्वतीय क्षेत्र उदयपुर, डूंगरपुर, बांसवाड़ा, सिरोही, अजमेर, जयपुर, अलवर जिलों में फैला हुआ है। इस प्रदेश की पर्वत शृंखलाएँ दक्षिण में आबू ब्लाक से प्रारम्भ होकर उत्तर में खेतड़ी तथा छोटी-छोटी पर्वत मालाओं में दिल्ली तक फैली हुई है। अरावली पर्वत की औसत ऊंचाई 900 मीटर है तथा कुल लंबाई 690 किलोमीटर के लगभग है। इसके प्रमुख शिखर नीचे सारणी 6 में देखें।

अरावली पर्वतीय क्षेत्र को तीन भागों में विभाजित किया जाता है।

1. दक्षिण अरावली क्षेत्र आबू ब्लाक से अजमेर तक।
2. मध्य अरावली क्षेत्र-अजमेर से जयपुर तक।
3. उत्तरी अरावली क्षेत्र जयपुर से खेतड़ी तक।

**सारणी-6**
**अरावली पर्वत माला के प्रमुख शिखर**

| क्र.सं. | शिखर | ऊंचाई (मीटर में) |
|---|---|---|
| 1. | गुरु शिखर | 1,722 |
| 2. | जरगा | 1,430 |
| 3. | कुम्भलगढ़ | 1,224 |
| 4. | रघुनाथगढ़ | 1,055 |
| 5. | गोरम | 936 |
| 6. | सांडमाता | 930 |
| 7. | तारागढ़ | 870 |

*Source*: Indian Topography Sheet, Survey of India.

अरावली क्षेत्र खनिज सम्पदा की दृष्टि से अत्यधिक घनी है यहाँ लोहा, जस्ता, शीशा, केडमियम, चांदी, अभ्रक, तांबा, मेंगनीज, यूरेनियम रोक, फॉस्फेट अमूल्य शैल आदि पाए जाते हैं। राज्य के प्रमुख नगर जयपुर, अजमेर, अलवर, उदयपुर आदि अरावली की सुरम्य घाटियों में अवस्थित है।

अरावली श्रेणी राजस्थान की एक प्रमुख पर्वत श्रेणी है। यह श्रेणी, यद्यपि समान चौड़ाई की नहीं है, सम्पूर्ण राज्य को तिरछी पार करती है और दिल्ली के समीप, उत्तर-पूर्व से दक्षिण-पश्चिम की ओर, गुजरात के मैदान तक, लगभग 692 किलोमीटर की दूरी तक फैली हुई हैं। राजस्थान में यह श्रेणी उत्तर-पूर्व में खतड़ी से दक्षिण-पश्चिम में खेड़ब्रह्मा तक, लगभग 550 किलोमीटर की लम्बाई में फैली हुई हैं। अरावली श्रेणी न केवल भारतवर्ष में बल्कि विश्व में शायद प्राचीनतम मोड़दार पर्वत श्रेणी होने के कारण महत्त्वपूर्ण है। संरचना की दृष्टि से यह चट्टानें दिल्ली समूह की प्रारम्भिक शैलों से निर्मित है जो भू-अभिनति में आधिकृत एक समभिनति में मुड़ी हुई है जो गहराई तक काटी हुई है। फिर भी उसके 1,225 मीटर से अधिक ऊँचाई के अनेक शिखर हैं जो अभी भी एक श्रेणी के समान दिखते हैं। यह श्रेणी टॉलमी (Ptolemy) की `apocopi monte, deorum poena appelati' और विष्णु पुराण के परिपत्र के रूप में भी पहचानी जाती है (हैरन, 1953)।

दिल्ली से पहाड़ियाँ दक्षिण-पश्चिम की ओर फैली हुई हैं, परन्तु जयपुर में खेतड़ी के समीप वह अधिक प्रमुख हो जाती है और स्पष्ट श्रेणियों के रूप में दिखलाई पड़ती है। दक्षिण-पश्चिम की ओर श्रेणियाँ अधिक स्पष्ट हो जाती हैं और बबाई लम्बाई (780 मीटर), खो (920 मीटर), रघुनाथगढ़ (1,055 मीटर) एवं तारागढ़ (870 मीटर) जैसी चोटियाँ देखी जा सकती हैं। ये श्रेणियाँ सांभर झील के पश्चिम की ओर होकर निकलती है और एक अधिक विस्तृत क्षेत्र आवृत्त करती हैं। अजमेर से आगे अनेक समानान्तर श्रेणियाँ स्पष्ट हो जाती हैं। मारवाड़ से आगे अरावली पहाड़ियाँ लगभग 50 किलोमीटर की चौड़ाई की हैं और दक्षिण एवं दक्षिण-पूर्व में उदयपुर एवं डूंगरपुर की ओर फैलना आरम्भ हो जाती हैं। यहाँ ऊँचाई बहुत कम है और प्रमुख श्रेणी दक्षिण-पश्चिम की ओर सिरोही जिले के दक्षिण-पूर्वी कोने तक फैली हुई है। राजस्थान की उच्चतम चोटी गुरूशिखर (1,722 मीटर) इसी पर्वतीय प्रदेश में माउण्ट आबू बैथालिथ में स्थित है।

अरावली श्रेणी का भू-वैज्ञानिक सम्भवत: धारवाड़ काल के अन्त से माना जा सकता है। यह श्रेणी प्राय: समभूमित (peneplaned) हो गई थी और कैम्ब्रियन कल्प में फिर उठी। अरावली श्रेणी प्राक्-विन्ध्यन काल में उत्मोड़ित (unfolded) हुई और यह माना जाता है कि विन्ध्यन अंशत: क्षरण से बनी थी। यह पर्वत श्रेणी विन्ध्यन कल्प की समाप्ति पर थी और दो विन्ध्यन क्षेत्रों विलग करती थी। क्रेटेशस काल के लगभग किसी समय मैसोजोइक कल्प में अरावली श्रेणी का प्रथम समप्राय भूमिकरण हुआ। समप्रायभूमि इस तरह संवलित हुई है कि उदयपुर के शहर पास उसका मध्यवर्ती भाग समुद्र सतह से लगभग 1,225 मीटर ऊँचा है और दिल्ली के पास उत्तर-पूर्वी भाग 306 मीटर एवं गुजरात में दक्षिण-पश्चिमी भाग लगभग 306 मीटर ऊँचा है। हेरन का अनुमान है कि समप्राय भूमिकरण के समय से श्रेणी का उत्थान, उसके सिरों पर, लगभग 92 मीटर से 122.3 मीटर तक, और मध्यवर्ती हिस्से में लगभग 1,070 मीटर हुआ है। इस प्रकार अरावली श्रेणी मध्यजीव महाकाल्प में

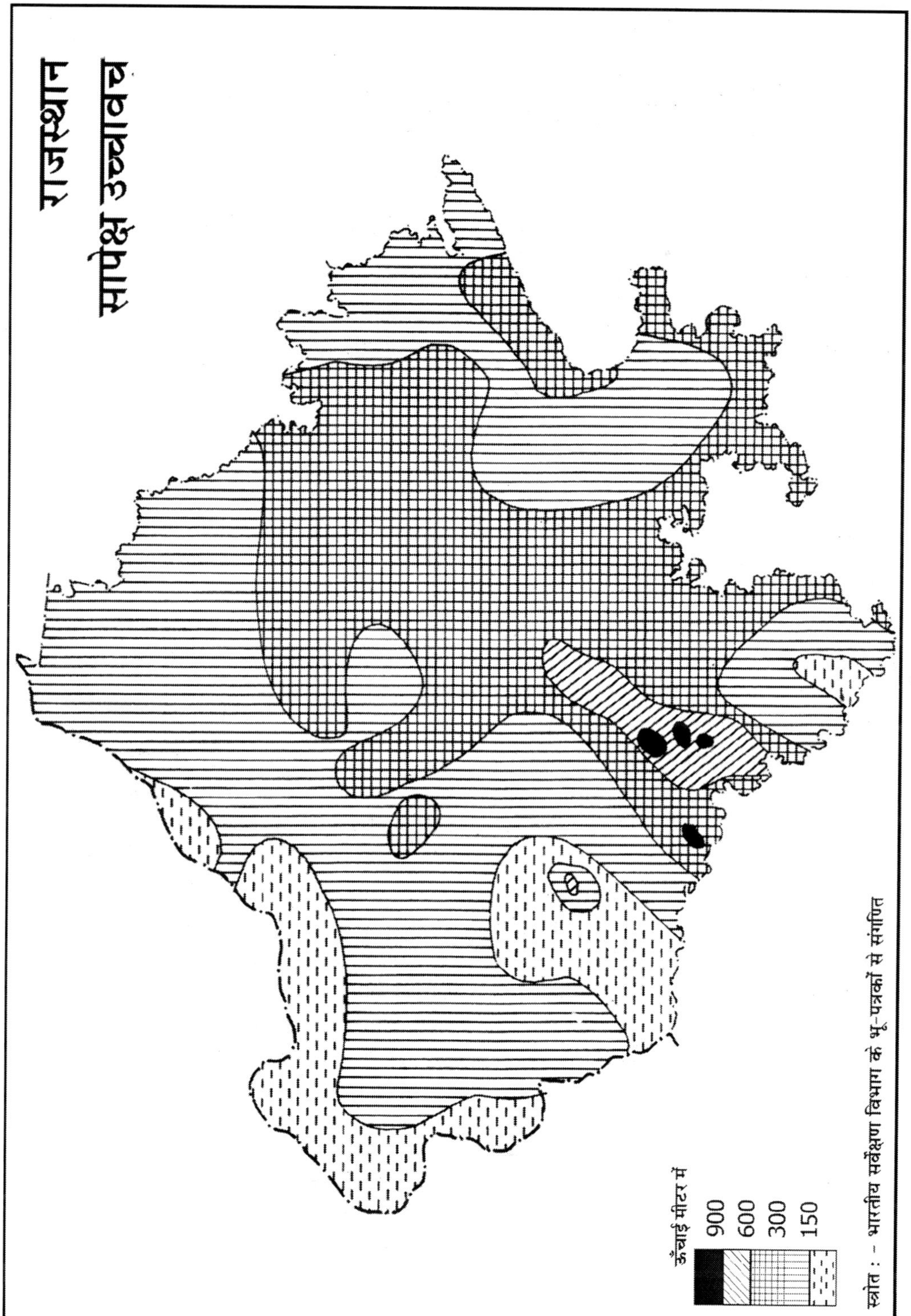
राजस्थान
सापेक्ष उच्चावच
ऊँचाई मीटर में
900
600
300
150
स्रोत : – भारतीय सर्वेक्षण विभाग के भू-पत्रकों से संगणित

मानचित्र 10

समप्रायभूमित हो गई थी, टर्शियरी के प्रारम्भ के पूर्व फिर उठी और उसका दक्षिणीलम्बतु, जो अब समुद्र के नीचे है, टर्शियरी के समय डेकन ट्रेप के जमाव के बाद नीचे डूब गया। ऐसा माना जाता है कि फिर से उठी अरावली प्रायसमभूमि का टर्शियरी युग के दौरान दूसरी बार समप्रायभूमि-करण हुआ। यह मुलायम चट्टानों, फाइलाइट, शिस्ट और नाइसी तथा कुछ ग्रेनाइट क्षेत्रों के आच्छादन धरातलों के अन्तरों में देखा गया है। ये धरातल अरावली के पूर्व के मैदानों में अच्छी तरह विकसित हैं। इसके ऊपर जाने पर न केवल मैसोजोइक समप्रायभूमि से रूण्डित (truncated) अलवर क्वार्टजाइट की समसतह की कूटकें ही मिलती हैं, बल्कि कठोरतर इपीडियोराइट और ग्रेनाइट से निर्मित अनेक प्रतिरोधी शैली के अवशिष्ट, क्वार्टजरीफ, चूना-पत्थर और ऐसी ही आसानी से आच्छादन योग्य शैलें मिलती हैं। उसका पर्याप्त क्षेत्र कम गहराई वाले पृष्ठस्थ निक्षेपों से आवृत्त है जिसमें से सरिताओं ने उप-धरातलीय शैलों को काट डाला है। यह विभिन्न संस्तरों पर संस्तरों का एक क्रम है जो श्रेणी के चारों ओर मैदानों की ओर, सीढ़ीनुमा गिरता जाता है। इन मैदानों की उच्चता दो प्रमुख कारकों से प्रभावित हुई है। प्रथमत: उन शैलों के गुणों से जिनमें वे निर्मित हैं और दूसरे, अपरदन की मात्रा से जो प्रभावशील रूप से हो सकता हैं। बहुत से स्थानों पर इन कारकों के कारण तीन-सीढ़ियों के स्तर विकसित हुए हैं, कैल्स-नाइसी और चूना-पत्थर सबसे ऊपर हैं जो श्रेणी के सहारे लम्बे, तंग पठार बनाते हैं और शेल्फों से पार्श्वित है जो कैल्स-शिष्ट में कटा हुआ है और माइका शिष्ट के सहारे निम्नतर पट्टियों से परिबद्ध है। कभी-कभी इन तीन संस्तरों की सतहों के बीच 15 से 30 मीटर तक के अन्तर देखे गए हैं और वर्तमान नदियों ने इन मैदानों को काट दिया है। एक तीसरी समप्रायभूमि और है जो प्लीस्टोसीन अथवा उप-वर्तमान काल में निर्मित हुई थी। राजपूताना के मध्य में, मुख्यत: उत्तर में जहाँ पर टर्शियरी काल की समभूमि से मिलता है, जलोढ़ समप्रायभूमि लगभग 430 मीटर की ऊँचाई तक उठती है और अरावली श्रेणी के पश्चिमी पार्श्व पर वह लगभग 306 मीटर पर है। पश्चिमी राजस्थान की बालू-पहाड़ियां अधिकांशत: मरुस्थली क्षेत्रों में इस समप्रायभूमि पर जमा हो गई हैं।

अरावली में प्राय: सभी कूटकें जो नतिलम्ब के सहारे फैली है। स्थूल क्वार्टराइट की बनी हुई हैं। दिल्ली प्रणाली की चट्टानें एक अभिनति में जमा हो गई जो अपनी लम्बाई के विभिन्न हिस्सों में या तो प्राक् अरावली पद्दित नाइसी सम्मिश्र-अरावली प्रणाली अथवा रयालों श्रेणी पर, विषम विन्यास रूप में, पड़ी हुई हैं। आकृति में दिल्ली समभिनति एक दोहरे पंखे की तरह दिखती है। जहाँ दोनों पंखों के हत्थे निकले हैं, वह लगभग 10 किलोमीटर चौड़ा है और एक सरल अभिनति है। यह संकरी चौड़ाई लगभग 65 किलोमीटर तक है और तब दोनों सिरों पर वह दो अलग पंखों में फैल जाती है। कुछ समूहों के मोटे हो जाने से अनेक मोड़ दिखाई देते हैं और मध्यवर्ती क्रोड में गहरे मुड़ाव होने से मोटी परतें बन गई हैं। यह देसुरी के दक्षिण में और भी स्पष्ट हैं जहाँ वह अनेक मोड़ों में फैला हुआ है और संकरी घाटियाँ एवं लम्बी मोटी कूटकें बनाता है जो दिल्ली प्रणाली के निम्नतर हिस्से में क्वार्टजाइट व माइका शिस्ट से विकसित हुआ है, जबकि अत्यधिक ऊबड़-खाबड़ पठार अपर-दिल्ली प्रणाली के चूना-पत्थर, कैल्स-शिस्ट व कैल्स नाइसी की कम जटिल संरचना को बनाते हैं।

यह सम्पूर्ण अरावली श्रेणी एवं पहाड़ी प्रदेश दो और छोटी भौताकृतिक इकाइयों में उप-विभाजित किया गया है।

### (अ) अरावली श्रेणी तथा भोराट पठार (Aravalli Range and Bhorat Plateau)

यह विभाग पूर्वी सिरोही, लगभग उदयपुर (पूर्व में एक संकरी पट्टी को छोड़कर) तथा सम्पूर्ण डूंगरपुर जिले में फैला है। वृहत्-भारतीय जल-विभाजक रेखा उदयपुर जिले के उत्तर से पूर्व की ओर मुड़ने से पहिले दक्षिण-पश्चिम की ओर जाती है (मानचित्र 6)। फरमोर ने अरावली क्षेत्र को एक होर्स्ट की तरह माना था जो पूर्व में लगभग 1,530 मीटर के अधिकतम उत्थान के एक भ्रंश से परिबद्ध है, यही राजपूताना का वृहत् सीमा भ्रंश (Great Boundary Fault) है। उन्होंने

बतलाया है कि पश्चिमी पार्श्व पर भी कुछ परिमाण का एक भ्रंश है परन्तु इस भ्रंश का अस्तित्व जलोढ़ के वृहत् फैलावों के कारण स्थापित नहीं किया जा सका है। ऐसे किसी भ्रंश की अनुपस्थिति में अरावली की पश्चिमी सीमा एक नत (filt) से बनी है।

वलन की सामान्य प्रमुख संरचना उत्तर-पूर्व से दक्षिण-पश्चिम समनत वलनों की नतिलम्ब में दिखाई पड़ती हैं, जिनके अक्षीय तल उत्तर-पश्चिम की ओर झुके हुए हैं अथवा खड़े हैं। कुछ स्थानों पर, मुख्यत: गोगुन्डा के दक्षिण में, अलवर क्वार्टजाइट की कूटकों में जो समभिनति का पूर्वी आधार बनाती हैं, नतिलम्ब अधिकतर उत्तर-दक्षिण दिशा में है। अरावली श्रेणी का उच्चतम भाग उदयपुर के पश्चिम में कुम्भलगढ़ और गोगुन्दा के बीच हैं। स्थानीय रूप से यह हिस्सा 'भोराट पठार' के नाम से भी जाना जाता है। इस पठार की औसत ऊँचाई 1,225 मीटर है। दक्षिण-पूर्व में उदयपुर के समीप इन पहाड़ियों में अनेक पर्वत प्रक्षेपात और वक्राकार कूटकें हैं। भोरट पठार से अलवर क्वार्टजाइट की प्रमुख चौरस अनुदैर्घ्य कूटकें लगभग 300 मीटर की ऊँचाई तक उठती हैं और कुछ चोटियां समुद्र सतह से 1,225 मीटर से भी अधिक ऊँचाई तक उठती है।

बहुत अधिक गर्मी और सूखी जलवायु की अत्यधिक शुष्क दशाओं के अन्तर्गत अरावली श्रेणी की इस हिस्से की ग्रेनाइट चट्टानों में, विचित्र धरातलीय स्वरूप विकसित हो गए हैं, अपने चटके आन्तरस्थलों को ढ़के हुए, सममरुस्थलीय छवि की कटीली रूप-रेखा है, जबकि ग्रेनाइट अपशल्कित हैं और मधुमक्खी के छत्ते की तरह गुम्बद और कूट बने हुए हैं तथा गोल पत्थरों के आकार के शिलाखण्ड और गोलाश्म हैं। ऐसा विशेषकर एरिनपुरा ग्रेनाइट के साथ है जिसने माउंट आबू और एरिनपुरा के चारों ओर विलग पहाड़ियों के एक क्षेत्र को निर्मित किया है, जो मुख्य अरावली श्रेणी के अलग है और जिसका चरम बिन्दु गुरुशिखर 1,722 मीटर है (हेरन, 1938) अरावली की दक्षिणी-पूर्वी हिस्से की प्रमुख कूटकें कठोर क्वार्टजाइट से निर्मित हैं। दूर से ये कूटकें अपनी लम्बी चौरस सतह का निर्देश देती हैं और देखने में दीवार की तरह लगती हैं। यह बिल्कुल स्पष्ट है कि सम्पूर्ण श्रेणी पर विचार करने पर ये समतल शिखर एक अत्यधिक ऊबड़-खाबड़ समप्राय भूमि के अवशिष्ट लगते हैं। माउन्ट आबू के ग्रेनाइट बैथोलिन खण्ड को छोड़कर स्थानीय सामान्य सतह से ऊपर शायद ही कोई चोटी देखने को मिले।

इस भौताकृतिक विभाग में अनाच्छादन का महत्त्वपूर्ण कारक, दैनिक तापान्तर और बालू भरी हवाओं का बहाव है। तापक्रम में परिवर्तन के कारण चट्टानों में मुख्यत: उद्गत पहाड़ियों के सिरों एवं विलग पर्वत खण्डों के पाश्वों पर चटकनें पड़ जाती हैं। अरावली प्रदेश के भू-आकृति स्वरूपों के बारे में लाटूश ने वर्णन किया है कि, 'अरावली प्रणाली की अत्यन्त झुकी हुई शिस्ट और क्वार्टजाइट, लम्बी शूकर कूटकों में निर्मित है जिनमें दोनों पार्श्वों पर टैलस का समान ढ़ाल हैं; मालिनी लावा की ऊँची-नीची परतें, नुकीली पहाड़ियाँ और लम्बी कूटकें बनाती है, जिनके पार्श्व ढालू एवं समोच्च रेखाएं छिन्न हैं, और जिनके कगार के पदस्थ शैल मलवा या अत्यधिक नुकीले कोणीय टुकड़ें हैं, ग्रेनाइट के अधिक समांग वृत्तस्कन्धों की बाह्य सतहें संकेन्द्री परतों में मिलती हैं और ढालू चिकनी पार्श्वों के टेकरी स्वरूप बालू टीबा बनाती हैं, जबकि ग्रेनाइट टुकड़े मौसम की क्रिया से शीघ्र ही कंकड़ीली बालू में टूट जाते हैं, चट्टानों से निर्मित पहाड़ियों के पदस्थ कम या कोई शैल मलवा नहीं बनता और अन्त: में प्राय: सीधे खड़े कगार हैं, जहाँ कहीं भी मैदान से ऊपर पर्याप्त ऊँचाई तक उठे हैं (ला. टूश, डी., 1902)।

### (ब) उत्तर-पूर्वी पहाड़ी क्षेत्र (Northeastern Hilly Tract)

यह भौताकृतिक विभाग दक्षिण-पश्चिम में भोरट पठार की उत्तरी किनारे से सीमाबद्ध है। कुम्भलगढ़ के उत्तर में, विशेष रूप से अलवर पहाड़ियों में, ऊँचाई 550 मीटर से 670 मीटर के बीच मिलती है। इसके और उत्तर व उत्तर पूर्व में पहाड़ियाँ विच्छिन्न हैं और दिल्ली के दक्षिण में पहाड़ियों के अन्तिम विस्तार में उनकी ऊँचाई समुद्र सतह से लगभग 60 मीटर से 90 मीटर ऊपर है। इस भाग में अरावली, क्वार्टजाइट के साथ फाइलाइट्स से निर्मित है जो सतत् और मोटे होने

पर पर्वत निर्माण में सहायता करते हैं। दिल्ली प्रणाली की अन्य चट्टानें साधारणतया कैल्स नाइस में परिवर्तित चूना-पत्थर हैं। अधिक कठोर होने से वे क्वार्टजाइट कूटकों के बीच उत्थित मैदान या ऊंची घाटियों का निर्माण करती हैं। कायान्तरण की मात्रा और आग्नेय अन्त: भेदन की तीव्रता दिल्ली प्रणाली में अरावली की अपेक्षा अधिक ऊंची है। यह मुख्यत: इस कारण है कि पार्श्व पर अरावली की अपेक्षा दिल्ली समूह, समभिनति में अधिक मात्रा में वलित हुए हैं। इसने उनके अधिक तापक्रम और दबाव एवं अधिक तीव्र आग्नेय अन्त: भेदन वाले निम्नतर स्तर में पहुँचने में मदद की है।

### 3. पूर्वी मैदान (Easter plains)

डीग, भरतपुर, सवाई माधोपुर, करौली, दूदू और टोंक जिलों के अधिकांश भाग इस क्षेत्र की मिट्टी नदियों के द्वारा लाकर जमाई गई है अत: उपजाऊ है। भूमि समतल होने के साथ ही कई नदियों द्वारा प्रवाहित है। बनास, बाणगंगा कोठारी, मानसी, खारी, रूपारेल, साबी, गंभीरी नदियों का पानी कई स्थानों पर बांधों में एकत्रित करके सिंचाई के लिए प्रयोग में लाया जा रहा हैं। इसके अलावा कुओं द्वारा भी बड़े पैमाने पर सिंचाई की जाती है। यहाँ अर्थ व्यवस्था का मुख्य आधार कृषि है। पशुपालन और उद्योग धंधे भी अन्य महत्त्वपूर्ण व्यावसायिक क्षेत्र है इस में गेहूँ बाजरा, ज्वार, तिलहन, दालें आदि प्रमुख फसलें होती है। इस क्षेत्र में भरतपुर, डीग, सवाई माधोपुर, भीलवाड़ा, गुलाबपुरा, केकड़ी, शाहपुरा आदि नगर प्रमुख औद्योगिक केन्द्रों के रूप में विकसित हो रहे हैं। इस क्षेत्र की मिट्टी नदियों द्वारा लाकर जमाई गई है अत: उपजाऊ है।

पूर्व एवं दक्षिण-पूर्व का क्षेत्र आवृत्त करते हैं। इसकी पश्चिमी सीमा उदयपुर के उत्तर तक अरावली के पूर्वी किनारे से बनी हुई है और आगे उत्तर में 500 मिलीमीटर समवर्षा रेखा इस मैदान को सीमाबद्ध करती है। मैदान की दक्षिण-पूर्वी सीमा विन्ध्यन पठार से बनी हुई है। यह मैदान दो भौताकृतिक भागों में उपविभाजित किया जाता है-

(अ) बनास बेसिन और (ब) छप्पन मैदान।

#### (अ) बनास बेसिन (Banas Basin)

उदयपुर के पूर्व में उदय सागर से भारतवर्ष का वृहत् जल-विभाजक पूर्वी दिशा में फैला हुआ है। यह जल- विभाजक मेवाड़ के मैदान की दक्षिणी सीमा बनाता है और जल-विभाजक के दक्षिण में छप्पन मैदान है। मेवाड़ का मैदान, जो आद्य-नाइस का एक विच्छेदित मैदान है, उदयपुर का पूर्वी भाग, पश्चिमी चित्तौड़गढ़, भीलवाड़ा, टोंक, जयपुर, केकड़ी, शाहपुरा, दूदू, जयपुर ग्रामीण, सवाई माधोपुर और अलवर का दक्षिणी भाग घेरता है। इस क्षेत्र में एक नाइसी मैदान है, जो बिलकुल अनियमित है और अरावली श्रेणी के पूर्वी पदस्थ से पूर्व की ओर क्रमश: ढालू होता जाता है। पश्चिम में इस मैदान की अधिकतम ऊँचाई, जहाँ अरावली भी उद्गत हैं, देवगढ़ के पास लगभग 582 मीटर है। उदयपुर प्रदेश में उच्चतर टेकरी स्वरूप हिस्से जलोढ़ के जमावों से रहित हैं। मिट्टी पतली एवं पथरीली है तथा वार्षिक वर्षा लगभग 73 सेन्टीमीटर है। इसी प्रदेश में इस क्षेत्र की स्थलाकृति विभिन्न प्रकार के अपरदन स्वरूपों से बनी है, जो ग्रेनाइट और नाइसी चट्टानों में बने हैं।

अरावली श्रेणी के पदस्थ से यह मैदान उत्तर-पूर्व की ओर क्रमश: ढालू होता जाता है। मेवाड़ का मैदान बनास नदी और उसके बाएं से मिलने वाली सहायक नदियों जैसे खारी, सोद्रा, मोशी एवं मोरल से अपवाहित किया जाता है, जबकि बेड़च, बाजेन एवं गोल्वा उसमें दाएं से मिलती हैं।

बनास नदी चम्बल नदी की एक सहायक है जो अन्तत: उत्तरप्रदेश में यमुना नदी से मिलती है। जलोढ़ का जमाव पश्चिम की ओर कम हो जाता है जहाँ कि मैदान उच्च्तर एवं अधिक अनियमित है, जब कि पूर्व में जलोढ़ बढ़ती है और किशनगढ़ के वृहत्तर भाग ढ़के हुए है एवं अधिकांश नाइस चट्टानें जलोढ़ के नीचे दबी पड़ी हैं।

#### (ब) छप्पन मैदान (Chappan plains)

यह मैदान वृहत् भारतीय जल-विभाजक के दक्षिण में दक्षिण-पूर्वी उदयपुर, सलूम्बर, बांसवाड़ा और चित्तौड़ जिले के दक्षिण भाग में फैला हुआ है। यह

क्षेत्र माही की सहायक नदियों द्वारा अपवाहित किया जाता है जो अन्तत: कैम्बे की खाड़ी के द्वारा अरब सागर में गिरती है। माही की सहायक नदियों का ढ़ाल अधिक तीव्र है अर्थात् लगभग 8 मीटर से 12 मीटर प्रति किलोमीटर है। इसका परिणाम जल-विभाजक के उत्तर की अपेक्षा दक्षिण में नाइसी मैदान के वृहत्तर अपरदन में हुआ है।

छप्पन क्षेत्र मेवाड़ के उत्तरी मैदान की तुलना में भू-आकारों की बिलकुल एक अलग दशा प्रस्तुत करता है। दक्षिण में भूमि गहराई तक सूक्ष्म रूप से विदरित है। दक्षिण का यह मैदान उत्तर में मेवाड़ के मैदान के समान नहीं है। यह अधिक विदरित क्षेत्र स्थानीय रूप से 'बागड़' के नाम से जाना जाता है और बांसवाड़ा एवं डूंगरपुर के पहाड़ी इलाके सम्मिलित करता है।

## 4. दक्षिण-पूर्व राजस्थान पठार (हाड़ौती पठार) (Southeastern Rajasthan pathar (Hadoti plateau)

राजस्थान का दक्षिणी-पूर्वी भाग हाड़ौती के पठार के नाम से विख्यात है। इसमें कोटा, बारां, बूंदी, झालावाड़ और चित्तौड़गढ़ जिले सम्मिलित है। वास्तव में यह भाग प्रायद्वीपीय पठार का ही उत्तरी भाग है। इस प्रदेश में काली कच्छारी और लाल मिट्टी पाई जाती हैं। इस क्षेत्र की प्रमुख नदियों में चम्बल, बाणगंगा, पार्वती, काली सिंध है। अधिक वर्षा और आर्द्रनम जलवायु के कारण प्राकृतिक वनस्पति व वनों का बाहुल्य है। लंबी घास, बास, खेर, गूलर, सालर, सागवान आदि वनस्पति अधिकता से पाई जाती हैं।

यहाँ के निवासियों का प्रमुख व्यवसाय कृषि हैं। चम्बल घाटी योजना के फलस्वरूप सिंचाई साधनों का तीव्र गति से विकास हुआ हैं। फलत: यहाँ कृषि फसलों में विविधता भी बढ़ती जा रही हैं। गेहूँ, चावल, मक्का, ज्वार, दलहन, तम्बाकू, कपास, तिलहन, गन्ना, फल, शाक-सब्जियों का उत्पादन अधिकता से होता है।

जल विद्युत और अणु विद्युत केन्द्रों की स्थापना से उद्योगों का तीव्र गति से विकास हो रहा है। कोटा राजस्थान का सर्व प्रमुख औद्योगिक केन्द्र बन गया हैं। जहाँ उर्वरक मशीन निर्माण विद्युत उपकरण कृत्रिम रेशे, कपड़ा, प्लास्टिक और रासायनिक उद्योगों का जाल बिछ गया हैं। इसके अतिरिक्त चित्तौड़गढ़, लाखेरी, निम्बाहेड़ा, रामगंज मण्डी, मोडक आदि अन्य प्रमुख औद्योगिक केन्द्र भी इसी क्षेत्र में विकसित हो रहे हैं। चम्बल नदी का चूलिया प्रपात दर्शनीय हैं यहाँ भरतपुर के समीप घना पक्षी विहार, सवाई माधोपुर के वन्य पशु विहार रणथम्भोर का वन क्षेत्र व किला पर्यटन के प्रमुख केन्द्र हैं।

राजस्थान में यह पठार मेवाड़ मैदानों के दक्षिणी-पूर्व में चम्बल नदी के सहारे पूर्वी भाग आवृत्त करता है। उत्तर-पश्चिम में यह अरावली के वृहत् सीमा भ्रंश (Great Boundary Fault) से सीमाबद्ध है और राजस्थान सीमा के पार पूर्व की ओर फैला हुआ है, जब तक आप बुन्देलखण्ड ऊर्ध्वदृश्यी सुस्पष्ट स्कार्प के पार नहीं पहुँचते। इस क्षेत्र का वृहत्तर भाग चम्बल नदी तथा उसमें दाएं से मिलने वाली सहायक नदियों जैसे काली सिन्ध, परवन और पार्वती द्वारा अपवाहित किया जाता है। भौतिक दृष्टि से यह पठार दो लघुतर सुस्पष्ट इकाइयों में विभाजित किया गया है-(अ) विन्ध्यन कगार और (ब) डेकन लावा पठार।

### (अ) विन्ध्यन कगार (Vindhyan scarpland)

इन कगारों का औसत उत्थापन 350 मीटर से 850 मीटर के बीच है और ये शैल से विलग किए हुए सघन बालुका पत्थरों में निर्मित है। यह कगार बनास और चम्बल के मध्य दक्षिण-पूर्व की ओर अभिदृश्य हैं और पूर्व की ओर बुन्देलखण्ड तक फैले हुए हैं। उत्तर-पश्चिम में चम्बल के बाएं किनारे को पार्श्वित किए हुए एक महत्त्वपूर्ण कगार-स्वरूप है। इससे आगे एक कगारखण्ड है जो धौलपुर और करौली के क्षेत्रों को अधिकृत करता है। इस भाग में अनुप्रस्थ विन्ध्यन शायद कठोर अरावली के कारण, जो सीमा-भ्रंश के सहारे उन पर अभिक्षिप्त हैं, वलित एवं भ्रंशित हैं। अरावली में मध्यजीव महाकल्प प्रायसमभूमि का संवलन इस सम्पर्क का परिणाम हो सकता है। सीमा-भ्रंश का विस्थापन उसी आकार का है यानी 1,225 मीटर से 1,530 मीटर तक हैं।

**(ब) डेकन लावा पठार (Deccan lava plateau)**

मध्यप्रदेश के विन्ध्यन पठार का पश्चिमी भाग मध्यवर्ती शैल के साथ तीन कठोर बलुआ पत्थरों को उद्गतों से बने तीन केन्द्रीय कगार के एक त्रि-पठार के रूप में फैला हुआ है। दक्षिणी-पूर्वी राजस्थान का यह भौताकृतिक भाग 'पठार' (पथरीला) या 'ऊपरमाल' (उच्चतर पठार) के नाम से जाना जाता है। यह एक चौड़ी एवं पथरीली उच्च-भूमि है जिसमें कोटा-बूंदी पठारी हिस्सा भी सम्मिलित है। तीन टूटे हुए कगार यातायात को कठिन बना देते हैं। पठारी क्षेत्र में गहरी काली मिट्टी के यदा-कदा भाग नदी-घाटियों में पाए जाते हैं। डेकन ट्रेप लावा ने विन्ध्यन कगार के आधार तक भूमि को भर दिया है। अपरदन प्राचीन भूमि धरातल को उद्गत कर रहा है जिससे संकेत मिलता है कि प्राचीन प्राक्-ट्रेप धरातल का उच्चावच अधिकतर वैसा ही था जैसा कि आज वर्तमान समय में है। चम्बल और उसकी सहायक काली सिन्ध एवं पार्वती ने कोटा में 210 मीटर × 275 मीटर का एक एक त्रिकोणी जलोढ़ बेसिन बनाया है। निचले चम्बल किनारों की संकीर्ण द्रोणिका के ऊपर अवनालिकीकरण से यह विदित होता है कि इसमें कुछ वर्तमान पुनर्युवीकरण हुआ है।

# अध्याय 4

## थार की उत्पत्ति एवं मरुस्थलीकरण
## Origin of Thar and Desrtification

राजस्थान राज्य की वर्तमान स्थिति को देखते हुए प्राय: लोग इस बात की सहज ही कल्पना नहीं कर सकते हैं कि जहाँ बालू रेत का साम्राज्य फैला हुआ है। वहाँ कभी समुद्र का जल भी लहराया होगा। आपको यह जानकर भले ही आश्चर्य हो परन्तु यह बात पूर्णत: सत्य एवं प्रमाणसिद्ध है कि राजस्थान राज्य में प्राचीन काल में बड़े भूभाग में समुद्र फैला हुआ था।

महान् भूगर्भशास्त्रवेत्ता एम. एस. कृष्णन ने राजस्थान के भूगर्भिक इतिहास की व्याख्या करते हुए यह बताया कि परमो-कार्बोनी-फोरस काल में पश्चिमी राजस्थान में बाप व पोकरण में तलचिर युगीन गोलाश्म स्तरों का निर्माण हुआ है। काल में समुद्र का जल जोधपुर व जैसलमेर के क्षेत्रों में भी फैला हुआ था। पश्चिमी राजस्थान में हमें समुद्री जुरैसिक चट्टानों की उपस्थिति भी प्रमाण स्वरूप ज्ञात हुई है। जुरैसिक युगीन समुद्र जल कच्छ काठियावाड़ व नर्मदा घाटी तक फैला हुआ था। इसका पानी जैसलमेर अरावली क्षेत्र जोधपुर व बीकानेर तक विस्तृत था।

क्रीटोरियस काल के पूर्वार्द्ध में जहाँ समुद्र का प्रतिक्रमण हुआ वहीं मध्य क्रोटीरीयस काल में समुद्र का जल ने स्थलीय भागों पर अतिक्रमण कर दिया। इओसीन काल में समुद्र का जल अपनी पूर्ववर्ती सीमाओं में आ गया। इस युग की समुद्री चट्टानों में न्युम्युलाइट्स तथा एच्चुअरीसंस्तरों में लिग्नाइट पाया गया है। (मानचित्र 11)

मध्यवर्ती एवं ऊपरी टरारीयल काल के संदर्भ में राजस्थानी संबंधी आँकड़ों की वांछित उपलब्धि नहीं हुई हैं। मायोसीन और प्यालोसीन कालों में पश्चिमी राजस्थान में पानी अधिक क्षेत्र में व अधिक समय तक रहा। भूगर्भिक दृष्टिकोण से समुद्र का जल खम्भात् अहमदाबाद या थार के क्षेत्रों में फैला हुआ था। दक्षिण में यह समुद्र रन ऑफ कच्छ तथा पश्चिम में सिन्धु नदी तथा उत्तर में लूनी नदी घाटी एवं सरस्वती नदी घाटियों में फैला हुआ था।

डाक्टर के. जेकब महोदय ने विभिन्न भूगर्भिक कालों में समुद्र का विस्तार भू-भागों पर काल्पनिक रूप दर्शाया था। जिसके अनुसार निम्न परमीयन काल में राजस्थान राज्य के केवल माह सुदूरवर्ती पश्चिमी व दक्षिणी भाग- जिसमें वर्तमान जैसलमेर, बाड़मेर व जालोर जिलों के भाग में समुद्र फैला हुआ था। जोधपुर जिलों के उत्तरी भाग, जैसलमेर जिले के उत्तरी पूर्व भाग एवं बीकानेर जिले के मध्यवर्ती एवं दक्षिणी भाग में नदियों द्वारा लाए गए तलछट का निक्षेप हुआ था।

ऊपरी क्रीटोरीयस काल में समुद्र पीछे हटे, तथा स्थल भाग परिलक्षित होने लगा। इस अविध में राजस्थान के दक्षिणी-पश्चिमी जैसलमेर, समूचे बाड़मेर तथा जालोर जिले के दक्षिणी-पश्चिमी भाग में ही समुद्र जल रह पाया था उत्तरी पूर्वी जैसलमेर व समूचे बीकानेर के भूभागों पर से जलावरण हट गया था।

इयोसीन काल में, जैसा कि संक्षेप में पहले बताया जा चुका है समुद्रों ने स्थल पर आक्रमण कर दिया और समुद्र का जल राजस्थान के जैसलमेर, बाड़मेर, जोधपुर, बीकानेर, गंगानगर व चुरू का दक्षिणी-पश्चिमी भाग तथा नागौर जिले का अधिकांश भू-भाग भी जल से ढक गया। वर्तमान सूर्यनगरी जोधपुर का भू-भाग तत्कालीन युग में समुद्र के गर्भ था। जोधपुर में सूरसागर, कैरू इत्यादि समीपवर्ती खानों से निकाले जाने वाली प्रस्तर शिलाओं पर समुद्री लहरों के चिन्ह आज भी सरलता से देखे जाते हैं।

## मरूभूमि की उत्पत्ति एवं विकास की अवस्थाऐं

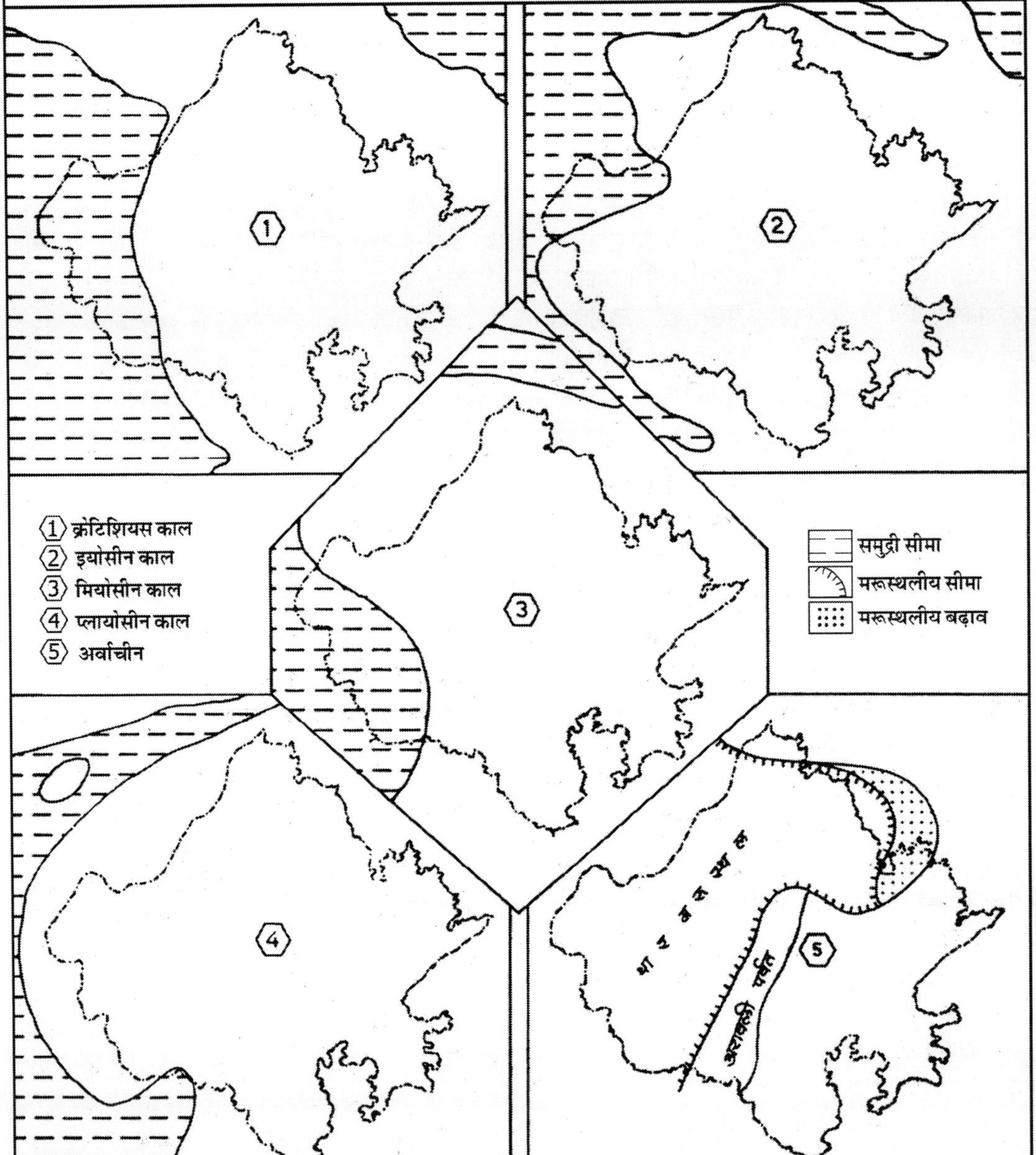


स्त्रोत :- प्रोसीडिंग्स ऑफ द सिम्पोज़ियम इन द राजस्थान डैज़र्ट, राष्ट्रीय विज्ञान संस्थान, नं. 1 नई दिल्ली, 1952

मानचित्र 11

मायोसीन काल में समुद्र का जल जैसलमेर के अधिकांश भाग से हट गया। बाड़मेर-जोधपुर जिले का उत्तरी भाग, बीकानेर का दक्षिणी पश्चिमी भाग जलावरण मुक्त हो गया। परन्तु शेष बीकानेर समूचा गंगानगर, नागौर, बाड़मेर, जालोर, सिरोही व पाली जिलों का भू-भाग समुद्रों के अधिकार में ही रह गया। इन क्षेत्रों में भू-गर्भवेत्ताओं ने इसके प्रमाण भी प्राप्त किए हैं।

प्लायोसीन काल में समुद्रों का जल पुन: पीछे हटा और केवल मात्र जालोर, सिरोही, पाली एवं उदयपुर जिलों के भू-भागों पर रह गया। शेष भाग स्पष्ट दिखाई देने लगा। भूगर्भ शास्त्रियों के अनुसार अनुमानत: ऊपरी टरारीयरी काल में राजस्थान के भू-भागों का उन्मज्जन हुआ परन्तु फिर भी कुछ स्थानों पर समुद्र का जल कुछ झीलों व लेगूनों के रूप में शेष रहा जो धीरे-धीरे वाष्पीकृत हुआ। यही कारण है कि राजस्थान में सांभर, डीडवाना, पचपदरा, लूणकरणसर इत्यादि स्थानों पर नमक पाया जाता है। जो प्राचीन विस्तीर्ण समुद्र में नदियों द्वारा निक्षेपित एवं संग्रहित किया गया था। प्रोफेसर एन. गौडवोले ने इसी बात को सप्रमाण प्रस्तुत किया है। इतना ही नहीं, अपितु इस क्षेत्र के गहरे कुओं में जल का खारीपन, जोधपुर व समीपवर्ती चट्टान समूहों में जिप्सम की उपलब्धता भी समुद्र की तत्कालीन उपस्थिति को सिद्ध करती है। सारांशत: यह कहा जा सकता है कि प्लीस्टोसीन व उप-वर्तमान काल तक राजस्थान शुष्क नहीं था। शुष्कताओं का प्रादुर्भाव ईसा से 4000 वर्ष पूर्व ही हो पाया है।

राजस्थान के धरातलीय स्वरूपों में अरावली-पर्वत तन्त्र का सर्वाधिक महत्त्वपूर्ण स्थान है। अरावली पर्वत शृंखला दक्षिण-पश्चिम में गुजरात के चम्पानेर से उत्तर पूर्व में देहली क्वार्टजाइट श्रेणी तक स्पष्टत: परिलक्षित होती है। अरावली की सी चट्टानें उत्तर में शिमला तक देखने को मिलती है। और दक्षिण में अरब सागर में भी जलमग्न पर्वत श्रेणियां कुछ इसी प्रकार की है अत: अरावली पर्वत, प्राचीन काल में काफी विस्तृत एवं महान पर्वत थे। अनाच्छादन एवं ऋतु अपक्षय के अनवरत प्रभावों से ये कई बार समतल हुए एवं भू-गर्भिक हलचलों व समुद्री निक्षेपों से कई बार पुन: ऊपर उठे। अरावली पर्वत तन्त्र विश्व के प्राचीनतम पर्वतों में से एक है।

राजस्थान में अरावली पर्वत श्रेणी उत्तर पूर्वी में खेतड़ी से दक्षिण-पश्चिम में खेड़ब्रह्मा तक लगभग 550 किलोमीटर की लंबाई में विस्तृत है। दक्षिण में माऊण्ट आबू में सर्वाधिक ऊँचाई 1,722 मीटर, गुरुशिखर स्थान पर है। शेष चोटियां जरगा शिखर 1,310 मीटर, कुम्भलगढ़ 1,244 मीटर, गोमुख शिखर 936 मीटर, सांडमाता 930 मीटर व तारागढ़ 870 मीटर ऊंची है। उदयपुर के पश्चिम में कुम्भलगढ़ और गोगुन्दा के बीच 1,225 की औसत ऊंचाई वाला हिस्सा भोरात पठार कहलाता है।

उत्तरी पूर्वी अरावली शृंखला में अलवर की पहाड़ियों को सम्मिलित किया जाता है। ऐ.एम. हेरोन के अनुसार अरावली के उत्तरी भाग में एक उत्तरी-पश्चिमी शाखा भी परिलक्षित होती है। जो नमक श्रेणी के दक्षिणी-पूर्वी भाग तक हिमालय श्रेणी के समानान्तर विस्तृत है।

थार का मरुस्थल आधा मील प्रतिवर्ष के हिसाब से पूर्व की ओर बढ़ रहा है इस प्रकार प्रतिवर्ष 50 वर्ग मील के क्षेत्र में मरुस्थल आगे बढ़ता है। फिर भी राजस्थान का वह भाग वर्तमान तथा भविष्य में आशाओं का भाग है क्योंकि इंदिरा गाँधी नहर के निर्माण से यह मरुस्थल मरुद्यान में परिवर्तन हो जायेगा।

## मरुस्थल और मरुस्थलीकरण

पारिस्थितिकी दृष्टिकोण से मरुस्थलीय क्षेत्र वे क्षेत्र होते हैं जिनमें भौतिक एवं प्राकृतिक कारकों का योग इतना अधिक प्रतिकूल होता है कि जिसके फलस्वरूप वनस्पति का एक पूर्ण आवरण नहीं बन सकता है। इन क्षेत्रों में उच्चतर पौधे बिल्कुल भी नहीं पाए जाते हैं। जहाँ कहीं भी पाए जाते हैं वहाँ वे एक दूसरे से अत्यधिक अन्तराल पर होते है। मरुस्थल का शाब्दिक अर्थ है मृत भू-भाग। अर्थात् वह भू-भाग जिसमें सतही जल का अभाव हो साथ ही वहाँ की मिट्टी में जैविक तत्वों व नमी का अभाव हो। जैविक तत्वों एवं नमी के अभाव से मरुस्थलीय क्षेत्रों में प्राकृतिक वनस्पति विकसित नहीं पाती है। जलवायु की दृष्टि से

भी मरुस्थल को परिभाषित किया गया है। जलवायु की दृष्टि से मरुस्थल वह भू-भाग है जहाँ वार्षिक वर्षा का औसत 250 मिलीमीटर से कम हेा तथा तापमान की प्रतिकूल परिस्थितियाँ उपलब्ध हों। मरुस्थल शब्द अरबी के 'सखरा' शब्द का अनुवाद है जिसका अर्थ मरुस्थल होता है 'सहारा' शब्द बहुवचन है। सहारा का तात्पर्य मरुस्थलों का एक संयुक्त रूप है जो कि पृथ्वी के समस्त मरुप्रदेश के आधे से अधिक भाग फैले हुए हैं।

### मरुस्थलों की विशेषताएँ

जलवायु, प्राकृतिक वनस्पति तथा मिट्टी के गुणों के आधार पर मरुस्थलों की निम्नलिखित विशेषताएँ होती हैं:-

(1) वर्षा का अभाव होता है अथवा आवश्यकता से बहुत कम वर्षा होती है।

(2) उष्ण मरुस्थलीय क्षेत्रों का तापमान बहुत अधिक रहता है जबकि शीत मरुस्थलीय क्षेत्रों में तापमान का अभाव रहता है।

(3) मिट्टी में जैविक तत्वों का अभाव अथवा न्यूनता रहती है। अर्थात् उर्वरता नहीं के बराबर रहती है।

(4) जलाभाव के कारण पशुओं के लिये चारा उपलब्ध नहीं होता है।

(5) वनस्पति के अभाव के कारण वन्य जीवों का भी अभाव रहता है।

(6) ईंधन के लिए जलाऊ लकड़ी की कमी हो जाती है।

(7) निरन्तर सूखा पड़ता रहता है।

(8) खाद्य पदार्थों का उत्पादन भी नहीं होता है।

### विश्व में मरुस्थलीयकरण के कारण

विश्व के उष्ण मरुस्थलीय क्षेत्रों में मरुस्थलीय-करण के निम्न कारक हैं-

(1) सदियों से मरुस्थलीय क्षेत्रों को ईंधन के लिए काटा जाना।

(2) कृषि भूमि में लगातार एक ही फसल को उगाया जाना।

(3) वे मरुस्थलीय वृक्ष जिनकी जड़ें मिट्टी में नमी बनाए रखती हैं तथा मिट्टी को संगठित व जकड़े रखती है, उन्हें ईंधन के रूप में काट दिया गया।

(4) पशुपालकों को अधिक सूखे प्रदेशों में विस्थापित किया गया जैसा कि साहेल व इथोपिया में हुआ है।

(5) अनियंत्रित पशु चराई तथा पशुओं की संख्या में वृद्धि होने से।

(6) जनसंख्या में अत्यधिक वृद्धि होने से।

(7) लकड़ी का कोयला बनाने के लिये जंगलों को काटा जाना जैसा कि सूडान की राजधानी खारतूम के चारों ओर सैकड़ों किलोमीटर दूर जंगलों को काटकर लकड़ी का कोयला बनाया गया।

(8) निरन्तर वर्षा न होने के कारण एवं प्रभावी जल व्यवस्था का अभाव।

### भारत के मरुस्थलीय प्रदेश

वर्षण सूचकांक (Index of precipitation) अर्थात् किसी क्षेत्र अथवा स्थान को कितनी मात्रा में वर्षा का पानी मिलता है, इसके आधार पर देश के मरुस्थलों को-शुष्क तथा अर्द्ध शुष्क मरुस्थलों में विभाजित किया जा सकता है। हमारे देश के कुल क्षेत्रफल का लगभग 12.13% भाग शुष्क मरुस्थल तथा 29.13% भाग अर्द्ध शुष्क मरुस्थल के अन्तर्गत आता है। भारत के शुष्क तथा अर्द्ध शुष्क मरुस्थलीय क्षेत्रों का विस्तार राज्यानुसार सारणी-6 से स्पष्ट हैं।

### राजस्थान का थार का मरुस्थल

थार का मरुस्थल हमारे देश के पश्चिम में राजस्थान राज्य की अरावली पर्वतमाला के पश्चिम में फैला हुआ है। इसका कुल क्षेत्रफल 3,17,090 वर्ग कि.मी. है। राजस्थान राज्य का लगभग दो तिहाई भाग थार का मरुस्थल है। यहाँ की भौगोलिक परिस्थितियाँ बड़ी विषम हैं। उड़ते रेतीले टीले, धूल भरी आँधियां, वर्षा का अभाव एवं कम अवधि की वर्षा, गर्मियों में शरीर को झुलसाने वाली गर्मी तथा वनस्पतियों का अभाव यह थार के मरुस्थल का पर्यावरण है। इस पर्यावरण में यहाँ के निवासियों का जन जीवन अस्थिर रहता है, थार के मरुस्थल के विषय में एक कहावत है कि ''यहाँ पानी को भी प्यास लग जाती है।''

### थार के मरुस्थल का विभाजन

अरावली पर्वत शृंखला विश्व की सबसे प्राचीन वलित पर्वतमालाओं में से एक है। यह पर्वतमाला गुजरात राज्य के पालनपुर से प्रारम्भ होकर राजस्थान राज्य को मध्य से पार करती हुई हरियाणा तथा दिल्ली तक पहुँचती है। इस पर्वत शृंखला की लम्बाई 692 कि.मी. है। अरावली पर्वतमाला की पश्चिमी भारत विशेषतया राजस्थान के भौगोलिक और प्राकृतिक संतुलन में महत्त्वपूर्ण भूमिका है।

अरावली पर्वत शृंखला तथा 250 मिलीमीटर की समवृष्टि रेखा मरुस्थलीय भाग को दो भौगोलिक प्रदेशों में विभाजित करती है।

**1. शुष्क रेतीला मैदान (मरुस्थल)**–यह मरुस्थलीय भाग अरावली पर्वत शृंखला के पश्चिमी तथा उत्तर-पश्चिम में फैला है। इसे थार का रेगिस्थान भी कहते हैं। इस मरुस्थलीय क्षेत्र में राजस्थान राज्य के 11 जिले श्रीगंगानगर, बीकानेर, चुरू, झुंझुनूं, नागौर, जोधपुर, जैसलमेर, बाड़मेर, जालोर, पाली तथा सीकर आदि आते हैं।

**2. अर्द्ध शुष्क मरुस्थलीय मैदान संक्रमण क्षेत्र**–यह मरुस्थलीय भाग अरावली पर्वत माला के दक्षिण-पूर्व तथा पूर्व में फैलता जा रहा है। इस अर्द्ध मरुस्थलीय क्षेत्र के अन्तर्गत राजस्थान राज्य के 19 जिलों डूँगरपुर, बाँसवाड़ा, उदयपुर, चित्तौड़, भीलवाड़ा, अजमेर, अलवर, जयपुर, टोंक, सिरोही, सवाई माधोपुर, भरतपुर, धौलपुर, कोटा, बूँदी, दौसा, राजसमंद, बारां तथा भीलवाड़ा आदि जिले हैं।

मरुस्थलीय का प्रसार इसी अर्द्ध शुष्क मरुस्थलीय मैदान में हो रहा है। थार का मरुस्थल अरावली को पार करके इस मैदान से होता हुआ पश्चिमी उत्तर प्रदेश तथा दिल्ली की ओर बढ़ रहा है। इसलिए इस क्षेत्र की संक्रमण का क्षेत्र कहते हैं।

**सारणी 6**

**भारत के मरुस्थलीय प्रदेश**

| राज्य | भौगोलिक क्षेत्र का प्रतिशत | | प्रतिशत जनसंख्या | |
|---|---|---|---|---|
| | शुष्क क्षेत्र | अर्द्ध शुष्क क्षेत्र | शुष्क क्षेत्र | अर्द्ध शुष्क क्षेत्र |
| राजस्थान | 57.42 | 36.67 | 33.47 | 58.37 |
| गुजरात | 33.72 | 47.50 | 11.18 | 60.56 |
| पंजाब | 28.60 | 75.40 | 20.11 | 64.02 |
| हरियाणा | 29.32 | 59.77 | 19.70 | 67.36 |
| महाराष्ट्र | 0.42 | 61.77 | 0.49 | 64.69 |
| आन्ध्र प्रदेश | 7.18 | 44.66 | 4.99 | 41.89 |
| कर्नाटक | 4.27 | 72.60 | 3.14 | 75.72 |
| जम्मू कश्मीर | 31.13 | 6.22 | 1.64 | 0.33 |
| उत्तर प्रदेश | – | 21.73 | – | 28.26 |
| मध्य प्रदेश | – | 13.38 | – | 14.19 |
| तमिलनाडु | – | 65.54 | – | 60.48 |

स्त्रोत : डॉ. एस.एस. ढाबरिया के अनुसार

### राजस्थान में मरुस्थलीयकरण के कई मार्ग

थार मरुस्थल का प्रसार अरावली पर्वतमाला के नंगे पहाड़ों के मध्य के अन्तरालों (गेप्स) से हो रहा है। ये सभी अन्तराल मध्य और उत्तरी अरावली में स्थित हैं। इन अन्तरालों की संख्या 12 है जो कि निम्न प्रकार से है :-

(1) लूनी;

(2) सांभर;

(3) रेवासा-रानोली;
(4) घाट की ढावी-मोहना;
(5) भ्रूणी;
(6) गागौर;
(7) सिंघाना-डिग्रोटा;
(8) गुढ़ा;
(9) घाटवा-रूपगढ़;
(10) मोरेड़;
(11) उपीलवा;
(12) अजवा;

इन सभी अन्तरालों की कुल लम्बाई 93 किमी. है तथा वीरान पहाड़ियों को मिलाकर लगभग 300 किमी. है। इन्हीं अन्तरालों द्वारा अब थार का मरुस्थल लगभग 5,680 वर्ग किमी. अतिरिक्त क्षेत्र में पूर्ण रूप से विस्तारित हो चुका है। थार मरुस्थल के प्रसार से न केवल पूर्वी राजस्थान प्रभावित हो रहा है अपितु सम्पूर्ण उत्तर-पश्चिमी भारत के पर्यावरण पर गम्भीर प्रभाव पड़ सकता है। मरुस्थलीयकरण में अधिक वृद्धि से अनेक पर्यावरण वैज्ञानिकों ने भयभीत होकर यहाँ तक कह दिया कि रेगिस्तान दिल्ली को निगलने बढ़ रहा है।

डा. एस.एस. ढाबरिया के अनुसार- ''राजस्थान का थार का मरुस्थल देश की राजधानी दिल्ली की ओर बढ़ रहा है। यह न केवल दिल्ली अपितु पश्चिमी उत्तर प्रदेश व हरियाणा की ओर बढ़ रहा है।''

अरावली की पहाड़ियाँ सदियों से थार के मरुस्थल को आगे बढ़ने से रोके हुए थी। उस समय अरावली की पहाड़ियाँ हरे-भरे वृक्षों से ढकी रहती थीं किन्तु अब ये पहाड़ियाँ नंगी हो चुकी हैं। जिससे इसमें रेगिस्तान के बढ़ते कदमों को रोकने की ताकत नहीं रही है।

**राजस्थान में मरुस्थलीयकरण के कारण**

राजस्थान के थार मरुस्थल के प्रसार के निम्नांकित कारण उत्तरदायी हैं :-

**1. जनसंख्या वृद्धि**— थार मरुस्थल में गत 70 वर्षों में जनसंख्या में अभूतपूर्व वृद्धि हुई है। 1901 में यहाँ की आबादी 35 लाख 70 हजार थी जो कि 1971 में बढ़कर 1 करोड़ 2 लाख 50 हजार हो गई। जनसंख्या के साथ साथ थार का मरुस्थल लगभग 2 करोड़ व्यक्तियों के जीवन का भरण पोषण करता है। संसाधनों की उपलब्धता को देखते हुए यह क्षेत्र जनाधिक्य है। राजस्थान के मरुस्थलीय क्षेत्रों में जनसंख्या का औसत घनत्व 3 व्यक्ति प्रति वर्ग किमी. है। इस प्रकार थार के मरुस्थल विश्व के अन्य मरुस्थलों की तुलना में सबसे अधिक सघन आबादी वाला मरुस्थलीय क्षेत्रों तथा समीपवर्ती क्षेत्रों की जनसंख्या इसी दर से बढ़ती गयी तो थार के मरुस्थल के बढ़ते कदम लगभग 62 करोड़ 80 लाख लोगों के भविष्य के लिए खतरा पैदा कर सकते है।

**2. अनियंत्रित पशु चराई तथा पशु संख्या में वृद्धि**— पशुपालन तथा पशुचारण राजस्थान के निवासियों की आजीविका का प्रमुख माध्यम है। यहाँ जनसंख्या में वृद्धि के साथ साथ पशुओं की जनसंख्या में भी अत्यधिक वृद्धि हो रही है। रेगिस्तान में जितना भी क्षेत्र प्रतिबन्धित चारागाह था उस पर पशुचारण का सहनीय भार बढ़ गया है। 1951 में यहां पशुओं की संख्या 1 करोड़ 2 लाख 70 हजार थी जबकि 1971 में यह पशु संख्या बढ़कर 1 करोड़ 64 लाख 40 हजार हो गई। 1951 से 1971 के 20 वर्षों में राजस्थान में खेती का क्षेत्र 25.3% अधिक बढ़ गया किन्तु दूसरी तरफ चारागाह क्षेत्र उतना ही घट गया है दक्षिण पश्चिमी राजस्थान कई अनेक भागों में जहाँ पहले मरुस्थलीय वनस्पति का विस्तार 11.5% से लेकर 24% क्षेत्र में था किन्तु अत्यधिक पशु चराई के कारण 1972 तक यह वनस्पति क्षेत्र घटकर 0.1% से लेकर 5 तक रह गया है।

3. वनों का विनाश वनों की कटाई के परिणाम-स्वरूप मरुस्थल थार क्षेत्र से आगे बढ़कर अरावली पर्वत शृंखलाओं को लांघता हुआ पूर्व में लगभग 5,680 वर्ग किमी. क्षेत्र में फैल चुका है। यद्यपि वनों का विनाश राजस्थान में मध्यवर्ती काल से ही प्रारम्भ हो चुका था किन्तु पिछले 30-40 वर्षों में यहां के वनों का अत्यधिक विनाश हुआ है। यही कारण है कि अरावली पर्वत अब रेगिस्तान के बढ़ते कदमों को रोकने में असमर्थ है।

वैज्ञानिकों का अनुमान है कि आज से सात हजार वर्ष पहले थार के मरुस्थल में खूब वर्षा होती थी वह जामुन जैसे अनेक पेड़ पौधों से ढ़का था। यहाँ अनेक नदियाँ बहती थी तथा झीलें भी थी। प्राकृतिक वनस्पति की दृष्टि से वह समृद्ध क्षेत्र था। यह क्षेत्र उन्नत सभ्यता का गढ़ था। बाँसवाड़ा जहाँ कभी बांसों की बहुतायतें हुआ करती थी वहाँ बांस के पेड़, लुप्त होते जा रहे बाँस की बहुतायत के कारण ही इस जिला का नाम बाँसवाड़ा पड़ा है। इसी तरह से सागवाड़ा जहाँ कभी सागोन के वृक्ष बहुतायत से होते थे, आज वहां सागोन के वृक्षों का अभाव हो गया है।

वनों के विनाश का अनुमान राजस्थान में तेजी से घट रहे वन क्षेत्र से लगाया जा सकता है। आजादी प्राप्ति के समय राजस्थान में वन क्षेत्र का प्रतिशत 18% था किन्तु 1971 में यह सम्पदा घटकर 1.88% रह गयी राजस्थान में वनों का विनाश सर्वाधिक 1975 से 1982 के मध्य में भी हुआ। 1975 के उपग्रह छाया चित्रों के अनुसार की गयी राजस्थान में कुल वन सम्पदा 11,294 वर्ग किमी. क्षेत्र में थी जबकि 1982 में यह मात्रा घटकर मात्र 5,972 वर्ग किमी. क्षेत्र में रह गयी है। अर्थात् इन 7 वर्षों की अवधि में राजस्थान के वन क्षेत्रों में 47.12% की कमी आयी है। समाज नीत संस्थान जयपुर ने 1985-86 में जिला का पर्यावरणीय सर्वेक्षण किया। इस सर्वेक्षण के अनुसार जयपुर जिला के कुल क्षेत्रफल में 5.77% घोषित वन क्षेत्र है। इनमें 4.09% वास्तविक रूप से खोली है। वहां पेड़ों का नामोनिशान तक नहीं है केवल 1.68% क्षेत्र अर्थात् 236 वर्ग किमी. क्षेत्र में ही वास्तविक रूप से वन हैं। जयपुर जिला का 18.76% क्षेत्र क्षारीय तथा 12.55% रेतीली व बंजर भूमि है। अर्थात् जयपुर जिला का 31.31% भू-भाग अनुपजाऊ क्षेत्र है।

अरावली पर्वतमाला में पिछले तीन-चार दशकों से वनों का विनाश बड़े पैमाने पर हो रहा है। अजमेर, जयपुर, टोंक, नागौर, सीकर तथा झुंझुनुं जिलों के मध्यवर्ती क्षेत्रों की नंगी पहाड़ियाँ रेगिस्तान में बदल चुकी है। राजस्थान में जलाऊ लकड़ी की प्राप्ति के लिए भी वनों का बड़े पैमाने पर विनाश हो रहा है। राजस्थान में प्रतिवर्ष लगभग 60 लाख टन जलाऊ लकड़ी की आवश्यकता होती हैं यहां प्रतिवर्ष 7 लाख टन जलाऊ लकड़ी की अतिरिक्त माँग बढ़ रही है। ऐसा अनुमान है कि इस शताब्दी के अन्त तक जलाऊ लकड़ी की माँग सौ लाख टन प्रतिवर्ष हो जायेगी। इतनी अधिक ऊर्जा के लिए जंगलों पर निर्भर रहने से राजस्थान का पर्यावरण पूर्ण रूप से तहस-नहस हो सकता है। राजस्थान में वन क्षेत्रों के घटने का कारण बढ़ती हुई वन उपज की माँग व वनों पर अत्यधिक पशुधन की चराई का बढ़ना भी है। नेशनल सेंसिग एजेन्सी ने राजस्थान को उन पाँच राज्यों में माना है जहाँ वनों का ह्रास अत्यन्त खतरनाक स्थिति तक पहुँच चुका है।

**4.** जलवायु में परिवर्तन राजस्थान के पर्यावरण में निरन्तर परिवर्तन हो रहा है। वन विनाश द्वारा राजस्थान की जलवायु में अत्यधिक परिवर्तन आ चुका है राजस्थान में कुल वार्षिक वर्षा में कमी आने के साथ वर्षा की अवधि में गिरावट आयी है। 1973 राजस्थान में औसत वर्षा के दिनों की संख्या 101 दिन थी। 1985 में वर्षा के दिनों की संख्या घटकर मात्र 64 दिन रह गई है। राजस्थान के सभी जिलों में जहाँ औसत वार्षिक वर्षा में भी गिरावट आयी औसत तापमान में से भी प्रतिवर्ष वृद्धि हो रही है। वर्षा में भी कमी तथा तापमान में वृद्धि होने से मिट्टी में नमी समाप्त हो जाती है। नंगी भूमि में तापमान में निरन्तर कमी व वृद्धि से अपक्षय की क्रियायें प्रारम्भ हो जाती है। इस प्रक्रिया द्वारा भूमि टूट टूट कर उसके कण एक दूसरे से अलग हो जाते हैं। यही टूटे हुए कण बहती हुई हवाओं द्वारा मरुस्थल के प्रसार में सहायक हो रहे है।

राजस्थान की जलवायु में परिवर्तन का अनुमान यहाँ की रेतीली आँधियों व तूफानों की सँख्या तथा इसके आवेग में हुई अत्यधिक वृद्धि से लगाया जा सकता है। 1973-74 में राजस्थान में आँधी व तूफान की गति 40 से 50 किमी. प्रति घण्टा थी जो कि 1986 तक बढ़कर 120 से 140 किमी. प्रति घण्टा गति हो गयी है। मार्च के महिने में (होली के आस पास) राजस्थान में आँधी तूफान तेज गर्मी तथा लू चलना सामान्य बात हो गयी है। रेतीले आंधी तूफान का प्रसार राजस्थान के धौलपुर व उत्तर प्रदेश के आगरा जिलों तक हो चुका है।

5. भूमिगत जल स्तर में गिरावट राजस्थान में औसत वार्षिक में कमी आने तक भूमिगत जल स्तर में गिरावट आ रही है। जयपुर क्षेत्र में भूमिगत जल स्तर में 20 से 25 फुट तथा पश्चिमी राजस्थान में 125 से 150 फुट तक गिरावट आयी हैं। राजस्थान के अधिकांश क्षेत्रों में 30 से 35 फुट तक जल स्तर नीचे चला गया है जो कि एक खतरनाक संकेत है। भूमिगत जल स्तर के नीचे जाने से कुओं द्वारा सिंचित कृषि भूमि बहुत कम रही है और यह बंजर भूमि में परिवर्तित होती जा रही है जो कि मरुस्थलीयकरण में सहायक हो रही है।

6. अकाल व सूखे की मार राजस्थान के पारिस्थितिकी तन्त्र में हुए विनाश व पड़ रहा है। अकाल व सूखे की मार न केवल राजस्थान के क्षेत्रों में ही पड़ रही है अपितु पश्चिमी उत्तर प्रदेश के मथुरा, आगरा तथा मध्य प्रदेश के मालवा के कुछ क्षेत्रों एवं गुजरात राज्य के कच्छ और सौराष्ट्र के जिलों तक भी पड़ने लगी है। वर्ष 1987 में गुजरात राज्य के 19 जिले सम्पूर्ण राजस्थान तथा पश्चिमी उत्तर प्रदेश के 47 हजार गांवों में अकाल व सूखे की मार पूर्वी राजस्थान की अपेक्षा अरावली के पश्चिमी के मरुस्थलीय राजस्थान पर अधिक पड़ रही है। भयंकर सूखे व अकाल के कारण मरुस्थलीय गांवों के निवासी अपने पशुओं व भेड़-बकरियों को लेकर पानी व चारे की ढूँढ में निरन्तर भ्रमण करते रहते हैं। जिससे वनस्पति विहिन भूमि की टूट फूट और अधिक होती है। इस तरह से पर्यावरण विनाश की दुहरी मार स्थानीय निवासियों पर पड़ रही है अकाल व सूखे के कारण मरुस्थलीय तथा अर्द्ध मरुस्थलीय दोनों क्षेत्रों में खाद्यान्न के उत्पादन में गिरावट आयी है। जिससे जीविकोपार्जन के लिए यहाँ के निवासियों को बड़े पैमाने पर स्थानान्तरण करना पड़ा।

7. भू-क्षरण व गाद की दर में वृद्धि--अरावली अन्तरालों से रेत के तीव्र प्रवाह के कारण रेतीली बंजर भूमि में अत्यधिक वृद्धि हो रही है। रेगिस्तान का यह प्रसार रेत के इस व्यापक प्रसार को जयपुर के पास झालाना डूंगरी तक देखा जा सकता है। सांभर अन्तराल से जयपुर शहर तक 90 किमी. की लम्बाई में रेत का यह प्रवाह स्पष्ट दिखाई देता है अरावली वनों पर की गई वनों की व्यापक कटाई के परिणामस्वरूप हवा और पानी के बहाव के कारण मिट्टी का अपरदन भी तेजी से हो रहा है रेत के बह जाने से मोरेल और माशी नदियों के किनारों पर गहरे गड्ढे बन गये है मिट्टी के इस तीव्र अपरदन के कारण नदियों तथा स्त्रोतों में गाद की प्रक्रिया में बढ़ोतरी हुई है अरवाड़ी, मोरेल, छापरवाडा और जयपुर का रामगढ़ बांध इसके प्रत्यक्ष उदाहरण है। 15.8 वर्ग किमी. क्षेत्र में फैला रामगढ़ बांध जो कभी जयपुर की जनता के लिए पीने के पानी का मुख्य स्त्रोत था में 15 फुट तक गाद भर गयी है। 1987 में यह जलाशय पूरा सूख गया था। बरसाती पानी के साथ बहने वाली मिट्टी राजस्थान की अन्य प्राकृतिक तथा कृत्रिम झीलों में जमा हो रही है। उदयपुर की प्रसिद्ध पिछोला, उदयसागर, राजसमंद तथा अजमेर की आनासागर झीलों की भराव क्षमता आधा से एक चौथाई रह गई है।

8. **क्षारीयकरण द्वारा**—क्षारीयकरण की प्रक्रिया द्वारा राजस्थान की उपजाऊ कृषि भूमि का क्षारीय भूमि में तेजी से परिवर्ततन हो रहा है। जयपुर जिला का 2,640 वर्ग किमी. क्षेत्र क्षारीय बंजर भूमि में परिवर्तित हो चुका है। यह क्षारीय क्षेत्र सांभर की नमक झील के चारों तरफ तथा जिले के दक्षिण, पश्चिम व पूर्वी भागों में नदी के किनारे किनारे है। क्षारीयकरण की यह प्रक्रिया राजस्थान के अनेक जिलों में देखने को मिल रही है। लम्बे अन्तराल के बाद यही क्षारीय भूमि मरुभूमि में परिवर्तित हो रही है।

## जैव जलवायु क्षेत्र (Bioclimatic Zone)

पेनमेन (Penman) की पद्धति वर्षा और वाष्पन वाष्पोत्सर्जन (Evapotranspiration) के शुष्कता सूचकांक पर आधारित है। पेनमेन ने वायुमण्डलीय आर्द्रता, हवाएं और सौर विकिरण के साथ धरातल, वनस्पति तथा मिट्टियां को लिया है। जैव जलवायु क्षेत्र सामान्यत: शुष्कता सूचकांक (Aridity Index) के आधार पर राजस्थान को पाँच जीवन जलवायु में बाँटा जा सकता है। (सारणी-7)।

**सारणी–7**

**राजस्थान का जैव जलवायु क्षेत्र**

| शुष्कता का सूचकांक | जैव जलवायु क्षेत्र | प्रतिशत | विशेषताएँ |
|---|---|---|---|
| < 0.03 | अति शुष्क क्षेत्र | 1.97 | वनस्पति विहीन, वास्तविक मरुस्थल, और मानव बसाव नहीं। |
| 0.03 < 0.20 | शुष्क क्षेत्र | 25.84 | कम वनस्पति और चलवासी। |
| 0.20 < 0.50 | अर्द्ध शुष्क क्षेत्र | 33.81 | उष्ण कटिबंधीय, घास–खाना एवं स्टेपी और पशुपालन वर्षाश्रित कृषि। |
| 0.50 < 0.75 | उपार्द्ध क्षेत्र | 30.30 | घनी वनस्पति |
| 0.75 < | आर्द्ध क्षेत्र | 8.08 | सघन वनस्पति |
| **कुल राज्य का क्षेत्रफल** | | **100** | |

स्त्रोत : डॉ. टी.एस. चौहान, Desertification in the World its Controle, Scientific Publishers, Jodhpur, 1992

## राजस्थान में मरुस्थलीकरण

मरुस्थलीकरण की प्रक्रिया का प्रसार एवं भूमि की दोषपूर्णता के निम्नलिखित पहलू है जैसे वायु अपरदन, अपवाहन, अपरदन, जल अपरदन और प्राकृतिक एवं मानवकृत, लवणीय अपवाह। इन मुख्य प्रक्रिया एवं भूमि की दोषपूणता के पहलू को मानचित्र पर अंग्रेजी वर्णमाला के द्वारा प्रदर्शित किए हैं। (मानचित्र 12)

W वायु अपरदन प्रभाव क्षेत्र (वायु द्वारा वाहित, अपरदित अथवा निक्षिप्त पदार्थ)

R पत्थर और चट्टानों दृश्यांश (Outcrop) का अपरदन से प्रभाव क्षेत्र

S ऊसर तथा क्षारीय अपरदन से प्रभावित क्षेत्र जो कि वनस्पति विहीन है।

V जलअपरदन से प्रभावित क्षेत्र

H जनसंख्या दबाव से प्रभावित क्षेत्र

A पशुसंख्या दबाव से प्रभावित क्षेत्र

मरुस्थलीयकरण की प्रक्रिया की मात्रा को निर्धारण के लिए जैव जलवायु और भूमि की दोषपूणता के गुण के आधार पर राजस्थान को पाँच श्रेणियों में बाँटा गया है। अति उच्च क्षेत्र या अति शुष्क क्षेत्र, उच्च, मध्यम, कम और नगण्य (सारणी–8)।

## मरुस्थलीय का राजस्थान के पर्यावरण पर प्रभाव

मरुस्थलीयकरण का प्रभाव न केवल राजस्थान के जनजीवन व पर्यावरण पर पड़ रहा है अपितु सम्पूर्ण देश के जन जीवन एवं समूची मानव सभ्यता के लिये चुनौती बनती जा रही है। मरुस्थलीयकरण जो कि अनेक कारणों का परिणाम है, के प्रसार से राजस्थान तथा समीपवर्ती राज्यों के पर्यावरण तन्त्र में निम्नलिखित गम्भीर समस्याएँ पैदा कर रहा है।

(1) अरावली पर्वतमाला के विभिन्न अन्तरालों से व्यापक रेत का बहाव।

(2) बहती हुई हवाओं तथा जल मिट्टी का तीव्र कटाव।

(3) मरुस्थल के तीव्र प्रसार से वनों का तीव्र विनाश।

(4) नदियों तथा झीलों में गाद का भराव।

(5) भूमिगत जलस्तर में अत्यधिक गिरावट।

(6) खाद्यान्न उत्पादन में कमी।

(7) पेयजल के स्रोतों का सूखना।

(8) जलाऊ लकड़ी का अकाल।

(9) क्षारीय बंजर भूमि का विकास।

(10) चरागाह क्षेत्रों में कमी।

(11) निरन्तर अकाल की संभावना।

**सारणी–8**

**राजस्थान में मरुस्थलीयकरण की मात्रा एवं विस्तार और भूमि पर मरुस्थलीयकरण प्रक्रियाओं का प्रभाव**

| क्र. सं. | मरुस्थलीयकरण एवं भूमि पर इस प्रक्रियाओं का प्रभाव व मात्रा | कुल राज्य का क्षेत्रफल | मरुस्थलीयकरण का जिलेवार मात्रा एवं विस्तार |
|---|---|---|---|
| 1. | मरुस्थलकृत क्षेत्र (पहले से ही मरुस्थलकृत का विद्यमान) | 1.97 | जैसलमेर जिला का पश्चिमी भाग |
| 2. | अति उच्च | 15.19 | बीकानेर, चुरु, गंगानगर, हनुमानगढ़, जालोर, जयपुर, झुंझुनू, नागौर और सीकर जिलों का पूर्ण रूप से या कुछ भाग सम्मिलित है। |
| 3. | उच्च | 25.84 | जैसलमेर, बाड़मेर, जोधपुर, बीकानेर, गंगानगर और हनुमानगढ़। |
| 4. | मध्यम | 18.62 | जालोर, जोधपुर, नागौर, बाड़मेर, पाली और सिरोही। |
| 5. | कम | 30.30 | सिरोही, उदयपुर, डूंगरपुर, अजमेर, भीलवाड़ा, जयपुर, टोंक, बूंदी, चित्तौड़गढ़, अलवर, भरतपुर, धौलपुर, करौली, सवाईमाधोपुर, कोटा और बाँसवाड़ा। |
| 6. | नगण्य | 8.08 | झालावाड़, बाँसवाड़ा, कोटा, चित्तौड़गढ़, प्रतापगढ़, सवाईमाधोपुर, धौलपुर, उदयपुर और सिरोही |
| | **कुल क्षेत्रफल** | **100.00** | |

स्त्रोत : डॉ. टी.एस. चौहान, Desertification in the World its Controle, Scientific Publishers, Jodhpur, 1992

राजस्थान के अतिरिक्त उत्तर प्रदेश के पश्चिमी जिलों में भी मरुस्थल का धीरे-धीरे प्रसार हो रहा है जिससे यहाँ के पर्यावरण के विनाश होने का भय पैदा हो गया है। मरुस्थलीयकरण की समस्या को अनुभव करते हुए राष्ट्रीय योजना समिति (1984) ने बताया कि एक समय जिस वृक्ष भूमि में दूध और घी की नदियाँ बहा करती थी वहाँ आज अतिशय पशुचारण के फलस्वरूप अपने प्राकृतिक आवरणों से वंचित होकर वह भूमि सैंकड़ों वर्ग कि.मी. क्षेत्र में मरुस्थल बन गई हैं।

### राजस्थान का मरुस्थलीकरण और भू-क्षरण मानचित्रण (CAZRI) प्रतिवेदन, 2021

राजस्थान का मरुस्थलीकरण मानचित्र खरीफ, रबी और जायद मौसम के लिए भारतीय सुदूर संवेदन उपग्रह चित्रणों (आईआरएस-एडब्ल्यूआईएफएस) और भौगोलिक सूचना प्रणाली का उपयोग करते हुए वर्ष 2018-19 की अवधि के लिए 1:500,000 पैमाने पर राष्ट्रीय स्तर की मानचित्रण परियोजना के अंतर्गत तैयार किया गया (मानचित्र 12)। विकसित भू-क्षरण मानचित्र दर्शाता है कि 2018-19 की समयावधि के दौरान कुल भौगोलिक क्षेत्र के 62.1 प्रतिशत (212.3 लाख हेक्टेयर) क्षेत्र में मरुस्थलीकरण /भू-क्षरण हुआ। समयावधि वर्ष 2003-05 की तुलना में 2018-19 के दौरान मरुस्थलीकरण / भू-क्षरण के अंतर्गत 3.87 लाख हेक्टेयर की कमी पाई गई। क्षेत्र में मरुस्थलीकरण/भू-क्षरण की सबसे महत्वपूर्ण प्रक्रिया वायु अपरदन है, जो वर्ष 2003-05 (44.80 प्रतिशत) और 2018-19 (43.37 प्रतिशत) के बीच 4.88 लाख हेक्टेयर कम भूमि में हुआ। भू-क्षरण की अन्य प्रक्रियाएं वानस्पतिक क्षरण, जल क्षरण, लवणता और मानव-निर्मित कारक हैं जो क्रमशः 7.64, 6.21, 1.07 और 0.24 प्रतिशत क्षेत्र में सक्रिय थे। दो समयावधि के भू-उपयोग विश्लेषण से ज्ञात हुआ कि रेतीले मैदानों (-165,013 हेक्टेयर), असिंचित भूमि (-166,244 हेक्टेयर) और कुंजभूमि

(-207,308 हेक्टेयर) में वायु अपरदित क्षेत्र कम हुआ, जबकि सिंचित भूमि (417,863 हेक्टेयर) में इसकी बढ़ोतरी हुई। इस तरह के परिणाम नहर और भू-जल दोनों द्वारा सिंचित क्षेत्रों में खेती योग्य रेतीली पड़ती भूमि को फसल भूमि में परिवर्तित करने के निरंतर उपयोग के प्रभाव को दर्शाते हैं। खनन के कारण भू-क्षरण में 30,931 हेक्टेयर की वृद्धि हुई है।

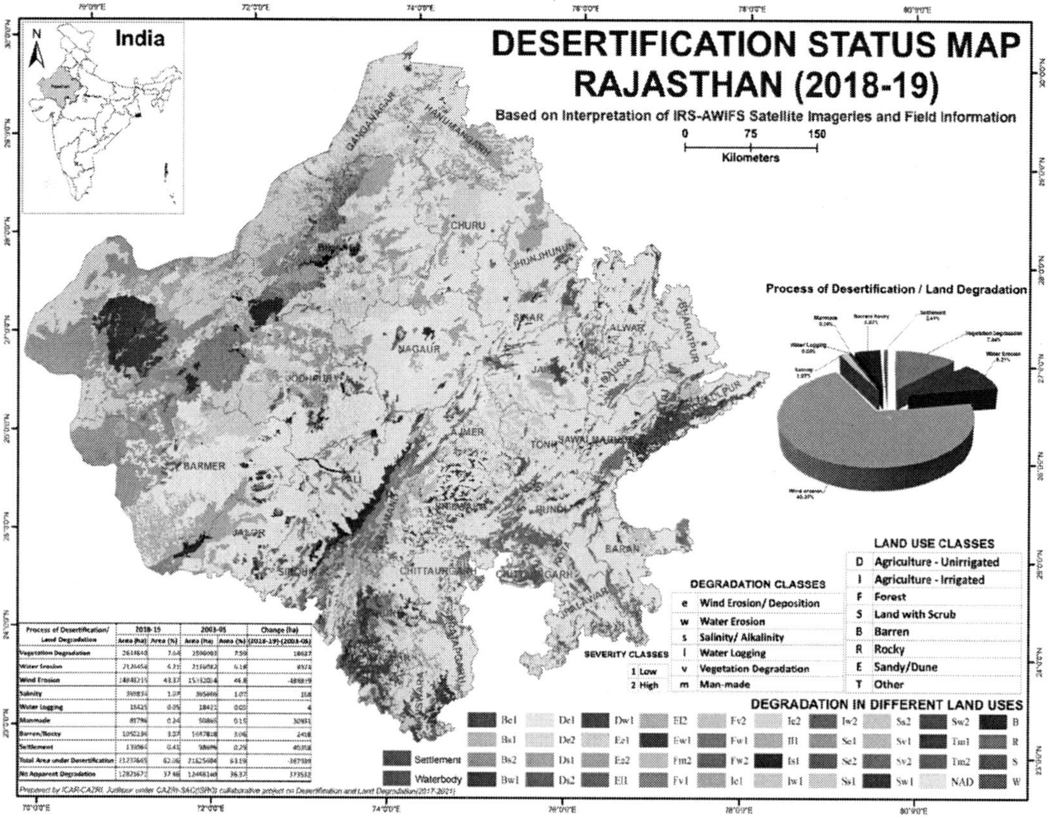


**मानचित्र 12 :** राजस्थान का मरुस्थलीकरण/भू-क्षरण मानचित्र (2018-2019)
(स्त्रोत: भाकृअनुप-केन्द्रीय शुष्क क्षेत्र अनुसंधान संस्थान, वार्षिक प्रतिवदेन, 2021, पेज नं. 23)

**मरुस्थलीयकरण की रोकथाम के उपाय**

रेगिस्तान का बहना केवल राजस्थान की समस्या या इस राज्य के पर्यावरणीय विकास की मुख्य समस्या नहीं है अपितु हरियाणा, उत्तर प्रदेश, दिल्ली, मध्य प्रदेश तथा गुजरात आदि राज्यों की भी समस्या है। यदि समय रहते रेगिस्तान को बांधने अथवा नियंत्रित करने का प्रयास नहीं किया, तो यह तेजी से बढ़ता हुआ समीपवर्ती राज्यों के उपजाऊ कृषि क्षेत्रों को मरुस्थलीयकरण की चपेट में ले लेगा।

मरुस्थलीयकरण की रोकथाम के लिए निम्नांकित उपाय सम्भव है।

(1) अरावली पर्वतमाला के सभी अन्तरालों में घनी सुरक्षा पट्टियाँ (Saftygreen belt) स्थापित की जाए, जिससे मरुस्थल का प्रसार पूर्वी राजस्थान की तरफ न हो सके। अरावली पर्वतमाला में 10 कि.मी. की चौड़ाई में सघन वृक्षारोपण किया जाए।

(2) राजस्थान तथा सभी समीपवर्ती राज्यों में सघन वृक्षारोपण किया जाए। पर्यावरण सन्तुलन के लिए यह आवश्यक है कि कुल भू-भाग के लगभग एक

तिहाई भाग में जंगल हो। जिस प्रदेश में वन 10% प्रतिशत से नीचे चला जाता है वह क्षेत्र पर्यावरण विनाश के कगार पर पहुँच जाता है। सम्पूर्ण राजस्थान लगभग ऐसी ही स्थिति में पहुँच चुका है। राजस्थान में वास्तविक वन क्षेत्र 1.8% भू-भाग से भी कम है। इस स्थिति को बदलने के लिए स्थानीय वृक्ष प्रजातियों का बड़े पैमाने पर वृक्षारोपण किया जाए जो कि सामाजिक वानिकी, कृषि वानिकी एवं वन खेती द्वारा सम्भव हो सकता है।

(3) राजस्थान की रेतीली और क्षेत्रीय भूमि जो कि राज्य के 31.31% भू-भाग पर विस्तृत है, में सघन वृक्षारोपण किया जाए। इससे जलाऊ लकड़ी की समस्या दूर होगी।

(4) वृक्षों की प्रजातियाँ जो कि जल संरक्षण व मिट्टी संरक्षण के लिए महत्त्वपूर्ण है, के कटान पर पूर्णरूप से प्रतिबन्ध लगाया जाए। अन्य वृक्ष प्रजातियों को भी संरक्षण प्रदान किया जाए।

(5) आँधी व तूफान द्वारा रेत के बहाव को रोकने के लिए दो-दो मीटर लोहे की चादरें लाईन में खड़ी की जाए जिससे कि रेत आगे बढ़ने से रूक सके।

(6) अरावली के पश्चिम में थार के मरुस्थल में उत्तर से दक्षिण कर और अनेक वनस्पति पट्टियाँ विकसित की जाए राष्ट्रीय राजमार्गों के दोनों तरफ व इन्द्रा गांधी नहर के दोनों तरफ चौड़ी पट्टी के रूप में सघन वृक्षारोपण किया जाए।

(7) जलाऊ लकड़ी पर निर्भरता कम करने के लिए ऊर्जा के अन्य साधनों का विकास किया जाए जिससे वनों का कटाव कम हो।

(8) पशु संख्या पर नियंत्रण किया जाए जिससे कि चरागाह भूमि पर दबाव कम से कम पड़े।

(9) नए चरागाह क्षेत्रों का वैज्ञानिक ढंग से विकास किया जाए।

(10) रेतीली तथा क्षारीय बंजर भूमि का उपयोग किया जाए।

यदि उपरोक्त योजनाओं के आधार पर कार्य जाए तो निश्चित ही राजस्थान का पर्यावरण सुरक्षित हो सकता है अन्यथा सम्पूर्ण प्रदेश मरुस्थल में बदल सकता है।

## राजस्थान में विशिष्ट क्षेत्रीय विकास कार्यक्रम (Special Area Development Programmes in Rajasthan)

राजस्थान में ग्रामीण विकास व विभिन्न प्रकार के क्षेत्रों की विशेष समस्याओं के हल के लिए कार्यक्रम संचालित किए जा रहे है। इनमें निम्न कार्यक्रम प्रमुख है-(1) सूखा संभाव्य क्षेत्र प्रोग्राम, (2) मरुस्थल विकास कार्यक्रम, (3) जनजाति क्षेत्रीय विकास कार्यक्रम, (4) अरावली विकास कार्यक्रम, (5) दस्यु संभाव्य क्षेत्रों में कन्दरा (बीहड़) सुधार कार्यक्रम (Ravive Preclamation Programme in Adacoity Prone area) तथा (6) मेवात प्रादेशिक परियोजना। नीचे इनका क्रमश: विवेचन किया जायेगा।

1. सूखा संभाव्य (सूखा उन्मुख) क्षेत्र प्रोग्राम (Drought Prone Area Programme (DPAP) का यह कार्यक्रम 1974-75 में केन्द्र परिवर्तित स्कीम (Centrally Sponsored Scheme) के रूप में प्रारम्भ किया गया था। इसकी वित्तीय व्यवस्था में केन्द्र व राज्यों को 75:25 हिस्सा रखा गया है। इस कार्यक्रम का उद्देश्य सूखे की सम्भावना वाले क्षेत्रों की पर्यावरण में सुधार करना है इसके लिए भूमि व जल के उपलब्ध साधनों का सर्वोत्तम उपयोग किया जाता है ताकि इन क्षेत्रों में अकाल व सूखे के प्रतिकूल प्रभाव कम किये जा सके।

इन क्षेत्रों में निम्न कार्यक्रमों पर बल दिया जाता है।

(1) मिट्टी व नमी का संरक्षण (Soil and Moisture Conservation)

(2) अतिरिक्त सिंचाई की सम्भाव्यता (Irrigation Potential) विकसित करना एवं जल संसाधनों का विकास (Water Resources Development)

(3) वृक्षारोपण (Afforestation) करना, तथा

सूखा सम्भाव्य क्षेत्र विकास कार्यक्रम के अन्तर्गत शामिल जिलों व खण्डों में परिवर्तन होता गया है।

1982-83 में इस कार्यक्रम में सम्मिलित के दायरे से वे खण्ड हटा दिए गए जो मरु विकास कार्यक्रम के अंग थे। वर्तमान में यह कार्यक्रम 11 जिलों में संचालित किया जा रहा है। ये जिले इस प्रकार हैं- उदयपुर, डूंगरपुर, बांसवाड़ा, कोटा, झालावाड़, टोंक, बांरा, भरतपुर, करौली, सवाई माधोपुर व अजमेर। इन जिलों के कुछ खण्डों के नाम इस प्रकार है- डूंगरपुर व बांसवाड़ा जिलों के समस्त खण्ड उदयपुर जिले के खेरवाड़ा झाड़ोल व कोटड़ा खण्ड अजमेर जिले के मसूदा व जवाजा खण्ड झालावाड़ जिले के झालरापाटन खण्ड व खानपुर खण्ड कोटा जिले के शाहबाद सांगोद छेछत (Chechat) व छबरा खण्ड टोंक जिले में उनियारा, देवली व टोडा रायसिंह खण्ड तथा सवाई माधोपुर जिले में नाड़ोती खण्ड व खण्डार खण्ड। इस प्रकार जनजाति जिलों में डूंगरपुर व बांसवाड़ा जिलों के समस्त शामिल किए गए है लेकिन अन्य जिलों के चुने हुए खण्ड ही शामिल किए गए हैं।

सातवीं योजना में प्रगति इस कार्यक्रम में कोष (Funds) खण्ड के क्षेत्रफल के आधार पर प्रदान किए जाते हैं। सातवीं योजना में प्रगति इस कार्यक्रम पर लगभग 23.8 करोड़ रु. व्यय किए गए। योजना की अवधि में 21,471 हैक्टेयर भूमि में मिट्टी की नमी संरक्षण के नाम पर खर्च किए, 2,398 हैक्टेयर में अतिरिक्त सिंचाई की सम्भावना उत्पन्न की गई तथा 10,918 हैक्टेयर में वृक्षारोपण किया गया। भारत सरकार द्वारा आठवीं पंचवर्षीय योजना में क्षेत्रीय विकास के लिए नियुक्त कार्यकारी दल ने अपनी रिपोर्ट में अन्तरिम सुझाव दिया है कि जिन खण्डों का क्षेत्रफल 500 वर्ग किलोमीटर से कम हो उनमें प्रति खण्ड विनियोग की 30 लाख रुपये होनी चाहिए। 500 से 1,000 वर्ग किलोमीटर वाले खण्डों के लिए 35 लाख रुपये तथा 1,000 वर्ग किलोमीटर से अधिक के क्षेत्रों वाले खण्डों के लिए 40 लाख रु. होनी चाहिए। विनयोग के इन मापदण्डों को स्वीकार करने पर आठवीं योजना में कार्यक्रम (DPAP) भी अधिक धनराशि का प्रावधान करना होगा। व्यय की राशि का आवंटन इस प्रकार होना चाहिए 30% भूमि विकास व भू-संरक्षण आदि कार्यों पर 25% जल संसाधनों के विकास पर तथा 15% अन्य क्रियाओं पर प्रशासन लागत 10 से अधिक नहीं होनी चाहिए।

राजस्थान सरकार ने सूखा सम्भाव्य क्षेत्र कार्यक्रम तथा मरुभूमि विकास कार्यक्रम से सम्बन्धित राष्ट्रीय समिति को प्रस्तुत ज्ञापन में भरतपुर, सवाई माधोपुर, टोंक, अजमेर, कोटा तथा झालावाड़ जिलों के 20 नए खण्डों को सूखा संभाव्य क्षेत्र कार्यक्रम में शामिल करने का सुझाव दिया है। क्योंकि इनमें वर्षा का औसत 500 मिलीमीटर से कम पाया जाता है और इनमें सूखा पड़ने की सम्भावना पाई जाती है।

उपर्युक्त विवेचन से यह स्पष्ट होता है कि सूखा संभाव्य क्षेत्र कार्यक्रम (DPAP) 11 जिलों के 32 खण्डों में चलाया जा रहा है इनमें इसके माध्यम से भू-संरक्षण, नमी संरक्षण सिंचाई व वृक्षारोपण की दशा में प्रगति हुई है। इस आठवीं योजना में जारी रखा जाएगा और प्रति खण्ड विनियोग की राशि में वृद्धि की जायेगी ताकि वांछित परिणाम मिल सके।

2. मरुस्थल विकास कार्यक्रम (Desert Development Programme) (DDP) यह केन्द्र चालित स्कीम है और इसका सम्पूर्ण व्यय वर्ष 1985-86 से भारत सरकार देने लगी है यह 1977-78 में राष्ट्रीय कृषि आयोग की सिफारिशों के फलस्वरूप चालू किया गया था। इसका उद्देश्य मरुस्थल को बढ़ने से रोकना व इन क्षेत्रों की आर्थिक दशा को सुधारना होता है। वर्तमान में यह कार्यक्रम निम्न 16 जिलों के 85 खण्डों में संचालित किया जा रहा है बीकानेर, बाड़मेर, जोधपुर, जालोर, नागौर, चुरू, पाली, गंगानगर, जैसलमेर, सीकर तथा झुंझुनूं, अजमेर, जयपुर, सिरोही, राजसमंद, उदयपुर।

इसमें निम्न प्रकार के कार्य किए जाते हैं। जो सूखे की गभीरता को कम कर जीवन की गुणवत्ता के रोजगार के अवसर बढ़ाकर सुधार सके तथा लोगों के जीवन की अन्य दशाओं को उन्नत कर सके।

(1) कृषि, वानिकी (चारा व चराई के साधनों का विकास)

(2) पशु पालन व भेड़ पालन का विकास,

(3) पशुओं के लिए पेयजल की पूर्ति की व्यवस्था,

(4) लघु सिंचाई (भूजल के विकास सहित) तथा

(5) ग्रामीण विद्युतीकरण।

वर्तमान में काफी वाटरशेड प्रोजेक्टों (जलग्रहण परियोजनाओं) कार्य प्रगति पर है।

**सातवीं पंचवर्षीय योजना में प्रगति**–सातवीं योजना में भारत सरकार ने इस कार्यक्रम पर कुल लगभग 147 करोड़ रु. आवंटित किए थे। प्रगति व्यक्ति विनियोग की राशि केवल 109 रु. आ सकी थी जो आवश्यकताओं को देखते हुए बहुत कम मानी गई है। सातवीं योजना में व्यय की वास्तविक राशि ऊपर वर्णित आवंटन के लगभग समान (146.5 करोड़ रु.) ही रही है। इसके फलस्वरूप भू-संरक्षण नमी का कार्य 42,637 हैक्टेयर में किया गया, अतिरिक्त सिंचाई की सम्भाव्यता 10,367 हैक्टेयर में उत्पादन की गई तथा 68,433 हैक्टेयर में वृक्षारोपण किया गया एवं पशुओं के लिए पेयजल की पूर्ति के लिए 3,983 कार्य पूरे किए गए भारत सरकार द्वारा गठित क्षेत्र विकास कार्यकारी दल ने सुझाव दिया है कि मरुक्षेत्र विकास के लिए प्रति वर्ष 1,000 वर्ग किलोमीटर क्षेत्र के विकास के लिए विनियोग के लिए विनियोग की राशि 50 लाख रु. होनी चाहिए। अत: आठवीं योजना में इस कार्यक्रम के लिए केन्द्र को अधिक धनराशि की व्यवस्था करनी थी।

**आठवीं पंचवर्षीय योजना** में मरु विकास क्षेत्रों (fringe areas) के विकास पर बल दिया जाएगा। इनमें केवल वृक्षारोपण की क्रिया को ही आगे बढ़ाया जाएगा ताकि मरु क्षेत्रों को हरा-भरा बनाने की प्रक्रिया आस पास क्षेत्रों में प्रारम्भ होकर मरु क्षेत्रों में प्रवेश करें। इसके लिए उदयपुर, अजमेर, जयपुर व सिरोही जिलों की पंचायत समितियों के कुछ गांवों को शामिल करने का विचार है। मरु क्षेत्रों के समीप के क्षेत्रों के विकास का विचार काफी सही व सार्थक प्रतीत होता है। इसके बाद में स्वयं मरु क्षेत्रों के विकास में काफी मदद मिलेगी।

**जनजाति क्षेत्रीय विकास कार्यक्रम** (Tribua Area Development Programme)—2011 की जनगणना के अनुसार में 92.4 लाख जनजाति के लोग राज्य की कुल जनसंख्या का 13.5% अंश था। भारत में इनका अनुपात 8.6% था। राज्य में भील, मीना, दामोर, गरासिया व सहरिया जनजाति के व्यक्ति है।

जनजाति के व्यक्तियों को निम्न कार्यक्रमों के माध्यम से लाभान्वित किया जा रहा है।

(1) जनजाति उपयोजना (Tribual sub-plan) इसके अन्तर्गत बांसवाड़ा व डूंगरपुर जिले, उदयपुर जिले की सात पंचायत समितियाँ, चित्तौड़गढ़ की दो पंचायत समितियाँ (प्रतापगढ़ व अरनोद) तथा सिरोही जिले की एक पंचायत समिति (आबूरोड़) शामिल है इसमें 4,409 गांव व 23 पंचायत समितियाँ आती है।

जनजाति उप-योजना के माध्यम से जनजाति के लोगों की आर्थिक स्थिति सुधारने, जनजातियों व जनजाति क्षेत्रों का विकास की सम्भावनाओं को प्राप्त करने का प्रयास किया जा सके। इस कार्यक्रम के लिए विशेष केन्द्रीय सहायता से साधन जुटाए जाते है तथा राज्य की योजना के कोष प्रदान किए जाते है इसके अलावा जनजाति क्षेत्र विकास विभाग को राज्य योजना कोषों से धन दिया जाता है।

(1) जनजाति उपयोजना 1974-75 से आरम्भ की गई थी। इसके मुख्य कार्यक्रम इस प्रकार है- सिंचाई, शक्ति, फल विकास, बेर-बडिंग, डीजल पंपिंग से सामुदायिक सिंचाई, बीज व उर्वरक वितरण फार्म वानिकी (Farm forestry) आदि।

(2) सहरिया विकास कार्यक्रम यह 1977-78 से आरम्भ किया गया। इसमें कोटा जिले की शाहबाद व किशनगंज पंचायत समितियों के 50 हजार लोग शामिल हुए है जो 435 गाँवों में फैले हैं। इस कार्यक्रम के लिए केन्द्रीय सहायता मिलती है तथा राज्य की योजना में इसके लिए प्रावधान किया जाता रहा है। इस कार्यक्रम के माध्यम से कृषि, पशु पालन, कुटीर उद्योग, वानिकी, शिक्षा, पोषण, पेयजल, ग्रामीण आवास आदि पर धनराशि व्यय की जाती है। जिससे कि इस जनजाति का कल्याण हो सके।

(3) बिखरी जनजाति के विकास कार्यक्रम-यह 1979 से प्रारम्भ किया गया है इसका संचालन

जनजाति क्षेत्र विकास विभाग (Tribal Area Development Department) द्वारा किया जाता है विभिन्न जिलों में जिलों में इनकी संख्या 14.3 लाख आँकी गई है। इसके लिए शिक्षा, स्वास्थ्य, आवास, हॉस्टल (विशेषतया लड़कियों के लिए) नि:शुल्क पौशाकें, छात्रवृत्तियां परीक्षा पूर्व व प्रशिक्षण केन्द्रों की स्थापना आदि कार्य किए जाते है।

4. अरावली कार्यक्रम (Aravalli Development Programme) —केन्द्रीय स्कीम के अन्तर्गत पहाड़ी क्षेत्र के विकास के कार्यक्रम पाँचवी पंचवर्षीय योजना से प्रारम्भ कर दिये गये थे ताकि इन क्षेत्रों में परिवेश व्यवस्था (Eco System) की रक्षा की जा सके तथा उसका समुचित विकास किया जा सके। परिवेश व्यवस्था का सम्बन्ध भूमि, जल, पशु व वृक्ष के परस्पर सम्बन्ध से होता है और इनका संतुलित विकास जारी रखने से परिवेश सन्तुलन (Ecological balance) स्थापित होता है और देशवासियों की आर्थिक व सामाजिक आवश्यकताओं की ज्यादा अच्छी तरह से पूर्ति हो सकती है केन्द्र ने अभी तक पहाड़ी क्षेत्रों के विकास के कार्यक्रम हिमालय व अन्य पहाड़ी प्रदेश पश्चिमी घाट के पहाड़ी क्षेत्रों व नीलगिरी की पहाड़ियों में चलाए है राजस्थान सरकार भारत को अरावली पहाड़ी क्षेत्र को इस कार्यक्रम में शामिल करने के लिए प्रार्थना करती है वर्ष 1986 में योजना आयोग ने भारत के सवेयर जनरल की अध्यक्षता में एक विशेषज्ञ ग्रुप नियुक्त किया ताकि वह पहाड़ी क्षेत्रों का निर्धारण कर सके उस दल ने पहाड़ी क्षेत्रों के निर्धारण के आधार सुझाए उनको ध्यान में रखकर ही राजस्थान में अरावली पहाड़ी प्रदेश के कुछ भाग पहाड़ी विकास के राष्ट्रीय कार्यक्रम के लिए छाँटे गये है।

इसमें 20 जिलों में 120 खण्डों का 41,447 वर्ग किलोमीटर क्षेत्र शामिल किया गया है जिससे अन्य पहाड़ी क्षेत्रों का 11,786 वर्ग किलोमीटर क्षेत्र भी शामिल है इस प्रकार प्रमुखतया अरावली का पहाड़ी क्षेत्र लगभग 29,661 वर्ग किलोमीटर रखा गया है। अरावली विकास का महत्त्व अरावली क्षेत्र के विकास का राष्ट्रीय महत्त्व है क्योंकि यह प्रदेश राजस्थान, हरियाणा, मध्य प्रदेश, गुजरात व उत्तर प्रदेश के सतह जल व भू-जल के भण्डारों का निर्धारण करता है। इसके अलावा यह रेगिस्तान को पूर्व दिशा में बढ़ने से रोकता है। पहले अरावली की पहाड़ियों में सघन वन व वृक्ष हुआ करते थे जिनमें अनेक वन्य पशु पाए जाते थे। लेकिन कालान्तर में वृक्षों के भारी विनाश ने सम्पूर्ण परिवेश व्यवस्था को अस्त-व्यस्त कर दिया हैं। निम्न कारणों से इस प्रदेश का भारी पर्यावरणीय, आर्थिक, सामाजिक व सांस्कृतिक पतन हुआ है।

(1) जनसंख्या व पशुओं के बढ़ने के कारण जैविक दबाव (Biotic Pressure)उत्पन्न हो गए है।

(2) अंधाधुंध ढंग से वृक्षों की कटाई से काफी क्षति पहुँची है।

(3) खनन कार्यों के फलस्वरूप कठिनाइयाँ बढ़ी है। खनन कार्यों के बाद खाली भू-खण्डों की कोई देखरेख नहीं होती है।

(4) पर्यावरण का ध्यान रखें बिना कई प्रकार के निर्माण कार्य कर डाले गये है तथा

(5) मरु विस्तार में तेजी आई है।

इसलिए अरावली पहाड़ी प्रदेश का पुनरुद्धार व पुनर्जीवन जरूरी हो गया है। इससे निम्न लाभ प्राप्त होंगे-

(1) समस्त प्रदेश के स्थानीय साधनों के अनुसार विकास कार्य सम्पन्न किया जा सकेगा।

(2) स्थानीय लोगों की आवश्यकताओं व आकाँक्षाओं के अनुसार विकास की योजनाएँ बनाई जा सकेगी।

(3) वनों का विकास करके रोजगार के साधन उत्पन्न किए जा सकेंगे।

(4) मिट्टी व जल साधनों का संरक्षण किया जा सकेगा।

(5) ईंधन की लकड़ी व चारे की सप्लाई बढ़ाना सम्भव हो सकेगा।

(6) ऊर्जा के वैकल्पिक स्रोतों का विकास किया जा सकेगा।

(7) फलोत्पादन बढ़ाया जा सकेगा।

(8) चारे की सप्लाई के बढ़ने से व चारागाहों का विकास होने से पशुपालन को प्रोत्साहन मिलेगा।

(9) रेगिस्तान को गंगा के मैदानों की ओर बढ़ने से रोका जा सकेगा।

(10) व्यर्थ पड़ी भूमि (Wastelands) का सदुपयोग करने का मार्ग खुल जाएगा जिससे पेड़ पौधे लगाने, जल संरक्षण, चरागाह विकास आदि से इस प्रदेश का काया पलट हो सकेगा।

(11) लोगों में सामुदायिक विकास की भावना का सृजन होगा।

(12) इन क्षेत्रों के सामाजिक विकास में मदद मिलेगी और

(13) जनजाति के लोगों को निर्धनता के दुष्चक्र से निकलने का अवसर मिलेगा।

इस प्रकार अरावली विकास व इस प्रदेश के सम्पूर्ण विकास का आधार तैयार कर सकता है। लेकिन इस कार्य को सम्पन्न करना सुगम नहीं है। इसकी सफलता की निम्न शर्तें है :-

(अ) व्यापक तकनीकी व वैज्ञानिक नियोजन,

(ब) लोगों की भागीदारी,

(स) वित्तीय साधन तथा भौतिक सामग्री की पर्याप्त मात्रा में उपलब्धि,

(द) संगठनात्मक तैयारी,

(च) दीर्घकालीन प्रयास, उचित नेतृत्व व सरकारी सहयोग।

अरावली विकास के लिए विदेशी वित्तीय सहयोग की आवश्यकता है। इस कार्य में भारी विनियोग के बिना सफलता सुनिश्चित करना कठिन है पहले आठवीं योजना के लिए सरकार द्वारा 50 करोड़ रु. व केन्द्र द्वारा 150 करोड़ रु. के व्यय का प्रस्ताव किया गया था। लेकिन साधनों के अभाव में 1991-92 के लिए राज्य की योजना में इस कार्यक्रम के लिए केवल 25 लाख रुपये के व्यय का ही प्रावधान किया गया है जो अपर्याप्त है अत: भारी विनियोग की आवश्यकता को देखते हुए इस पानीनोडाना परियोजना के लिए अन्तर्राष्ट्रीय सहयोग प्राप्त किया जाना चाहिए तथा प्राप्त साधनों का सदुपयोग होना चाहिए। यदि ऐसा सम्भव हो सका तो यह कार्यक्रम गरीबी दूर करने व रोजगार बढ़ाने के साथ-साथ आर्थिक विकास में महत्त्वपूर्ण योगदान दे सकेगा। जापान के ओवरसीज इकोनोमिक कॉपोरेशन फण्ड की सहायता से चलाई जा रही अरावली वृक्षारोपण परियोजना में वर्ष 1992-93 में 10 जिले शामिल किए गए थे ये 10 जिले इस प्रकार थे- अलवर, सीकर, झुंझुनू, नागैर, जयपुर (दौसा सहित) पाली, सिरोही, उदयपुर, (राजसमंद) चित्तौड़गढ़ व बाँसवाड़ा।

(5) कन्दरा सुधार कार्यक्रम (Ravine Reclamation Programme)— यह कार्यक्रम 1987-88 में लागू किया गया था ताकि कन्दराओं या बीहड़ों का फैलाव आस-पास के उपजाऊ कृषिगत क्षेत्रों में न हो सके इसका एक उद्देश्य यह भी है कि बीहड़ क्षेत्रों की खोई हुई उत्पादन क्षमता वापस प्राप्त की जा सके। यह कार्यक्रम राज्य के दस्यु संभाव्य क्षेत्रों में चलाया जा रहा है जिनमें निम्न 5 जिले आते है कोटा, बूंदी, सवाई माधोपुर, भरतपुर तथा धौलपुर। यह 100 प्रतिशत केन्द्र प्रवर्तित स्कीम है। इसमें वृक्षारोपण व परिधि-बाँध बनाने (Peripheral bunding) के कार्यक्रम संचालित किए जाते है। वर्ष 1991-92 में इस कार्यक्रम के लिए 6,50 करोड़ रु. के व्यय का प्रस्ताव किया गया है। ताकि 250 किलोमीटर में परिधि बांध तथा 5,000 हैक्टेयर में वृक्षारोपण का कार्य किया जा सकें। राज्य सरकार ने 1995-96 से डांग क्षेत्र विकास स्कीम लागू की थी यह 8 जिलों की 357 ग्राम पंचायतों में क्रियान्वित की गई थी।

(6) मेवात प्रादेशिक विकास परियोजना (Mewat Regional Development Project)— यह कार्यक्रम मेव जाति के लोगों के लिए बनाया गया हैं। राजस्थान सरकार ने 1987 में मेवात प्रादेशिक विकास

बोर्ड की स्थापना की थी ताकि अलवर, भरतपुर जिले के मेवात क्षेत्रों का विकास किया गया जा सकें। इसमें अलवर जिले की निम्न 8 पंचायत समितियों (तिजारा, रामगढ़, किशनगढ़बास, लक्ष्मणगढ़, मंडावर, उमराइन, कोटकासिम तथा कठूमर) तथा भरतपुर जिले की 3 पंचायत समितियों (कामां, नगर, डीग) शामिल की गई हैं यह कार्यक्रम अलवर व भरतपुर की जिला ग्रामीण विकास एजेन्सियों के माध्यम से संचालित किया जा रहा है। इसमें निम्न प्रकार के कार्य किए जाते हैं:-

(1) सड़क निर्माण, (2) सिंचाई, (3) पेयजल, (4) अन्य कार्य, (5) प्रशासन।

इस प्रकार राजस्थान में कई प्रकार के स्पेशल क्षेत्रीय विकास कार्यक्रम संचालित किए जा रहे हैं ताकि सूखाग्रस्त क्षेत्रों, मरु क्षेत्रों डांग क्षेत्रों एवं मेवात क्षेत्रों का आर्थिक विकास हो सके।

# अध्याय 5

## अपवाह प्रणाली और झीलें

## Drainage System and Lakes

राजस्थान में अपवाह प्रणाली, उसके भौगर्भिक इतिहास, अरावली पर्वतों की उपस्थिति एवं वृहत् भारतीय जल-विभाजक की स्थिति से बहुत अधिक प्रभावित हुआ है। वृहत् भारतीय जल-विभाजक अपवाह को एक ओर बंगाल की खाड़ी व दूसरी ओर अरब सागर में विभाजित कर देता है। यह जल-विभाजक अरावली कक्ष के सहारे सांभर झील से दक्षिण की ओर अजमेर तक जाता है। यहाँ से विभाजक रेखा दक्षिण-पश्चिम की ओर ब्यावर से कुछ किलोमीटर पूर्व होती हुई उदयपुर नगर के दक्षिण-पश्चिम की ओर जाने से पूर्व देवगढ़ और कुम्भलगढ़ तक जाती है। यह और भी पश्चिम की ओर फैली हुई हैं उदयसागर पार करने के बाद दक्षिण-पूर्व में बड़ी सादड़ी की ओर झुक जाती है, जहाँ से यह पहाड़ियों को छोड़ देती है और छोटी सादड़ी से दक्षिण-पूर्व एवं दक्षिण में जाती हुई चित्तौड़गढ़ में प्रतापगढ़ तक जाती है।

अरावली पहाड़ियों का पश्चिमी व दक्षिणी भाग लघु सरिताओं एवं उनकी सहायक नदियों के द्वारा अरब सागर तक बहाया जाता है। इन नदियों में लूणी, सूकड़ी, बनास, साबरमती एवं माही अत्यन्त महत्त्वपूर्ण हैं। इनमें से अधिकांश सरिताएँ मौसमी नालों द्वारा मिली हुई हैं जो वर्षा-ऋतु में जल का अपवाह करते हैं। जल-विभाजक के पूर्वी पार्श्व पर बनास नदी अपनी सहायक नदियों जैसे बाएं किनारे खारी, मोशी और मोरल तथा दाएं किनारे पर बाजासेन एवं गोल्वा के साथ चम्बल से मिलने के लिए पूर्व की ओर बहती है जो अन्ततः उत्तर प्रदेश में यमुना नदी से जाकर मिल जाती है।

राजस्थान की अपवाह प्रणाली की सबसे महत्त्वपूर्ण विशेषता यह है कि राज्य के क्षेत्रफल के लगभग 60.2 प्रतिशत में, आन्तरस्थलीय प्रवाह प्रणाली है। लगभग यह सम्पूर्ण क्षेत्र अरावली विभाजक के पश्चिम में है। इस भाग में एक वृहत् संख्या में अलग-अलग अपवाह बेसिन पाए जाते हैं जैसे कान्तली बेसिन, सोता एवं साहिबी बेसिन बाराह बेसिन तथा लूणी बेसिन की बेमेल सरिताएं। राज्य के पश्चिमी भाग में इन सभी बेसिनों का जल मरुस्थली प्रदेश में लुप्त हो जाता है। (मानचित्र 13)

इस प्रदेश में एकमात्र महत्त्वपूर्ण नदी लूणी है जो कि अजमेर में अनासागर से निकलकर दक्षिण-पश्चिम की ओर लगभग 32 किलोमीटर की दूरी तक अरावली श्रेणी के पश्चिम में अर्द्धशुष्क प्रदेश में जोधपुर, बाड़मेर एवं जालोर जिलों से होकर बहती है। उद्गत स्थान पर तालोद रोड़ में इस नदी का लगभग 32 वर्ग किलोमीटर का मुरम और लेटेराइट से निर्मित एक छाटा अपवाह क्षेत्र है। पुष्कर घाटी से एक छोटी सहायक नदी के मिलने के बाद नदी अरावली ढ़ालों पर बहती है और 10 किलोमीटर के बाद दक्षिण-पश्चिम की ओर बहती है। यह नदी लगभग 34,866.40 वर्ग किलोमीटर का कुल अपवाह क्षेत्र समन्वित करती है। (सारणी 9) इस नदी की तलहटी वर्ष के अधिकांश समय में शुष्क रहती है। बिल्कुल वर्षा-पोषित सरिता होने के कारण इसमें जल केवल वर्षा ऋतु में ही रहता है और उस समय भी नदी स्थानों पर बढ़ती हुई बालू से अवरूद्ध हो जाती है। मानसून ऋतु में भी जबकि नदी अधिकतम जल ले जा रही होती है वह बालू के जमावों को काटने के योग्य नहीं होती। वह अरावली श्रेणी के पश्चिमी ढ़ालों से अनेक लघु पर्वतीय नदियाँ प्राप्त करती है, जैसे लालरी, घुहिया, बान्दी, सूकड़ी, जवाई, जोजरी एवं सगाई जो सभी बाएँ किनारे पर मिलती हैं। ये सभी

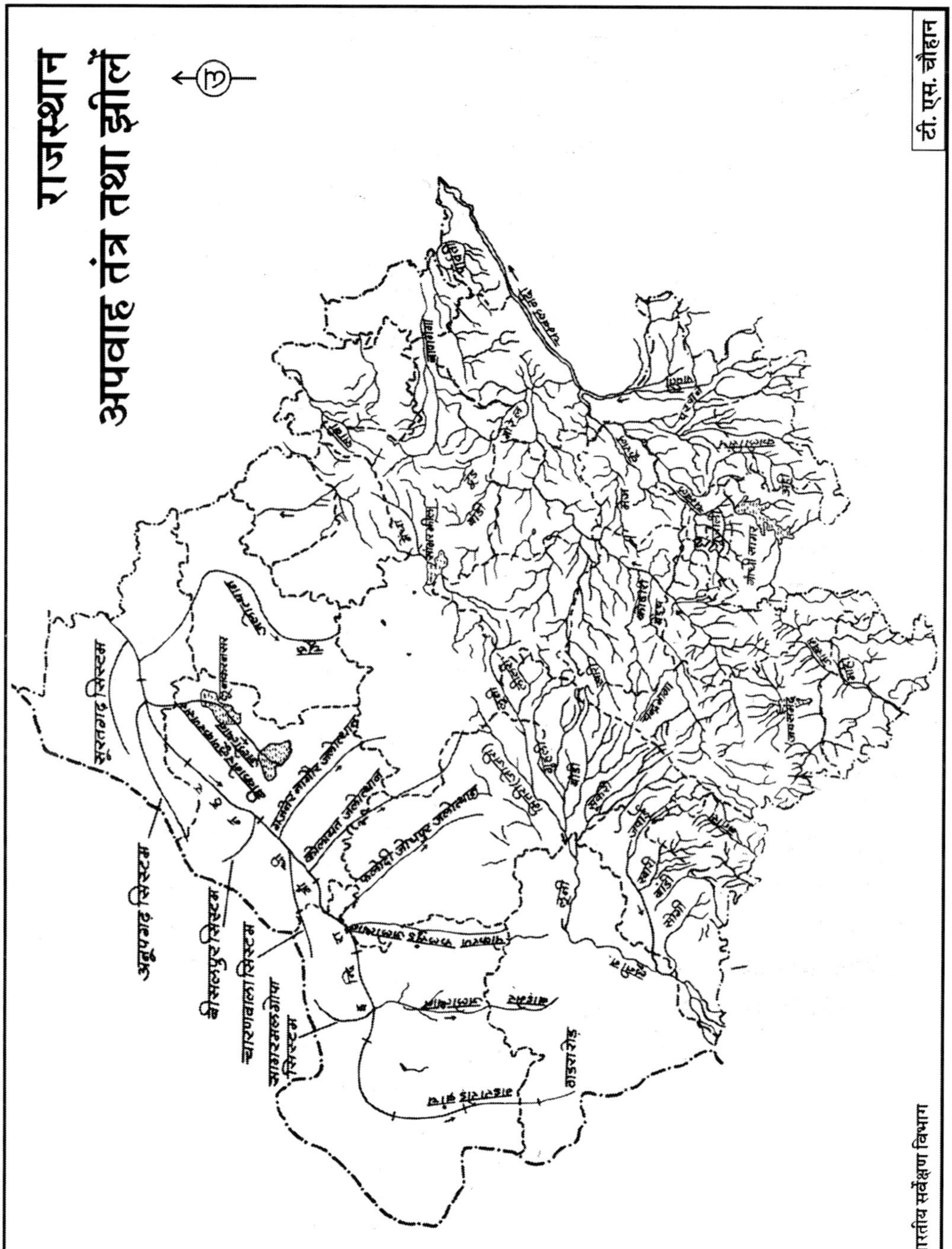
राजस्थान
अपवाह तंत्र तथा झीलें
उ
टी. एस. चौहान
सूरतगढ़ सिस्टम
अनूपगढ़ सिस्टम
बीसलपुर सिस्टम
स्रोत :- भू-पत्रक, भारतीय सर्वेक्षण विभाग

मानचित्र 13

सरिताएँ उसके मोड़ों पर मिट्टी जमा करती हैं। लूणी नदी का जल बालोतरा तक मीठा है, परन्तु उससे नीचे वह अधिकाधिक खारा हो जाता है, जब तक कि नदी, कच्छ के रन के समीप लवण जल में समाप्त नहीं हो जाती। जोधपुर जिले में लूणी नदी तलहटी को गहरा करने की अपेक्षा चौड़ाई में अधिक बढ़ जाती है। ऐसा इस कारण होता है कि वर्षा के कारण बाढ़ इतनी जल्दी आती है कि नदी को तल काटने का समय नहीं मिलता। वर्षा ऋतु में अपनी घाटी में बहने के स्थान पर लूणी नदी समीपवर्ती प्रदेश पर उमड़ पड़ती है और समय-समय रेल्वे लाइन को तोड़ देती है, जिसके समानान्तर यह वास्तव में लूणी जंक्शन से गोले तक बहती है।

**सारणी-9**

**राजस्थान में विभिन्न अपवाह-क्षेत्रों के अन्तर्गत क्षेत्र**

| क्र. सं. | अपवाह क्षेत्र और उप-अपवाह क्षेत्र | क्षेत्र वर्ग किलोमीटर | कुल क्षेत्र का प्रतिशत |
|---|---|---|---|
| 1. | यमुना गंगा प्रवाह क्षेत्र | 5,126.49 | 1.5 |
| 2. | चम्बल अपवाह क्षेत्र (72,032.05 वर्ग किलोमीटर या 20.9 प्रतिशत) | | |
| | (अ) कुल अपवाह क्षेत्र | 2,943.90 | 0.8 |
| | (ब) काली सिन्ध और परवन अपवाह क्षेत्र | 11,444.72 | 3.3 |
| | (स) चम्बल अपवाह क्षेत्र | 18,446.45 | 5.4 |
| | (द) बांसी अपवाह क्षेत्र | 33,760.05 | 9.8 |
| | (य) मोरेल अपवाह क्षेत्र | 5,436.93 | 1.6 |
| 3. | माही प्रवाह क्षेत्र | 16,551.18 | 4.8 |
| 4. | लूणी अपवाह क्षेत्र (34,866.40 वर्ग किलोमीटर या 10.3 प्रतिशत) | | |
| | (अ) सागी अपवाह क्षेत्र | 3,327.46 | 1.0 |
| | (ब) जवाई अपवाह क्षेत्र | 8,866.88 | 2.6 |
| | (स) सूकड़ी और बांडी अपवाह क्षेत्र | 22,627.06 | 6.7 |
| 5. | साबरमती अपवाह क्षेत्र | 3,228.68 | 1.0 |
| 6. | बनास प्रवाह क्षेत्र | 2,837.81 | 0.9 |
| 7. | आन्तरस्थलीय प्रवाह क्षेत्र (3,85,587.21 वर्ग किलोमीटर या 60.2 प्रतिशत) | 5,126.49 | 1.5 |
| | (अ) कान्ती बेसिन | 4,667.80 | 1.4 |
| | (ब) सोहता और साहिबी बेसिन | 5,793.88 | 1.7 |
| | (स) बराह बेसिन | 3,516.50 | 1.0 |
| | (द) रामगंगा बेसिन | 6,742.57 | 2.0 |
| | (य) अपहृत सरिताएँ | 1,57,272.42 | 46.0 |
| | (य) लूणी बेसिन की अपहृत सरिताएँ | 27,594.04 | 8.1 |

(रहेजा तथा सेन, 1984)

## राजस्थान की प्रमुख नदियाँ

प्रवाह के अनुसार राजस्थान की नदियों को हम तीन भागों में बाँट सकते हैं–

(1) वे नदियाँ जिनका जल बंगाल की खाड़ी में गिरता है।

(2) वे नदियाँ जिनका जल अरब सागर में गिरता है।

(3) अन्त: प्रवाह वाली नदियाँ।

**(1) बंगाल की खाड़ी को जल जाने वाली नदियाँ**—इसके अन्तर्गत चम्बल व उसकी सहायक एवं बाणगंगा प्रमुख है।

**चम्बल नदी**—राजस्थान के दक्षिणी और पूर्वी भाग, अरावली श्रेणी के दक्षिण-पूर्व व पूर्व में 800 मिलीमीटर से अधिक वर्षा होती है और उसमें कुछ महत्त्वपूर्ण सरिताएँ हैं। चम्बल नदी सबसे बड़ी नदी है, जिसमें बनास, काली सिन्ध और पार्वती जैसी सहायक नदियाँ मिलती हैं। यही केवल एक मात्र ऐसी सरिता है, जिसमें वर्ष भर जल रहता है जबकि अन्य सहायक नदियाँ समय-समय पर पूर्णतया सूख जाती हैं और अपनी पथरीली तलहटी अभिदर्शित करती हैं।

राजस्थान की कामधेनु चम्बल नदी का प्राचीन नाम चर्मण्वती है। इस नदी का उद्गम-स्थान विंध्याचल-पर्वत है। यह मध्यप्रदेश में महू छावनी से लगभग 14.5 किलोमीटर दक्षिण से निकलती है। इसका उद्गम स्थान लगभग 850 मीटर की ऊँचाई पर है। यह उल्लेखनीय है कि भारत में चम्बल नदी ही एक ऐसी नदी है जो दक्षिण से उत्तर की ओर प्रवाहित होती है।

चम्बल नदी की कुल लम्बाई लगभग 1,045 किलोमीटर है। इसमें से लगभग 315 किलोमीटर दूर मध्य-प्रदेश में प्रवाहित होती है और उसके बाद राजस्थान में कोटा डिवीजन में चौरासीगढ़ के निकट प्रवेश करती है। यह मध्य-प्रदेश में ग्वालियर, इंदौर व सीतामऊ के निकट बहती हुई राजस्थान में प्रवेश करती है। राजस्थान में प्रवेश के स्थान (अर्थात् चौरासीगढ़ के निकट) इस नदी का तल लगभग 915 मीटर है। यहां से लगभग 5 किलोमीटर दूर चूलिया का जल-प्रपात है। यहां से लगभग 112 किलोमीटर का मार्ग गहरी पथरीली तथा संकड़ी घाटी है। यहाँ से नदी उत्तर-पूर्व की ओर बहती है और पहले कोटा और बूंदी के बीच सीमा बनाती है। इसके आगे चलकर कुछ दूर तक राजस्थान व मध्य-प्रदेश की सीमा पर प्रवाहित होती है। यहीं पर पार्वती व काली सिंध नदियाँ आकर चम्बल में गिरती हैं। आगे चलकर उत्तर-प्रदेश में प्रवेश करती है और इटावा के दक्षिण-पूर्व में 40 किलोमीटर की दूरी पर यमुना नदी में मिल जाती हैं। वर्षा ऋतु में तो इस नदी में पर्याप्त पानी रहता है किन्तु गर्मियों में पानी की मात्रा बहुत कम हो जाती है और जल की एक क्षीण रेखा की भांति दिखाई देती है। इस नदी पर कोटा के निकट बाँध बनाए गए हैं।

चम्बल की प्रमुख सहायक नदियां बनास, काली सिंध व पार्वती हैं।

**बनास नदी**—बनास नदी मेवाड़ के मैदानों के बीच से होकर बहती है। इसकी मुख्य सहायक नदियाँ बेड़च, कोठारी, खारी, धुन्ध तथा मोरल हैं। बनास नदी कांकरोली और नाथद्वारा के मध्य स्थित अपवाह क्षेत्र से निकलती है और पूर्व की ओर माण्डलगढ़ तक बहती है और आगे उत्तर-पूर्व की ओर टोंक तक बहती है जहां वह पुन: पूर्व की ओर मुड़ती है और अन्त में यह नदी समकोणों पर मिलती है और चम्बल नदी से मिलने के लिए दक्षिण में बहती जाती है। इस नदी के उत्तरी क्षेत्र में पहाड़ी हैं और उनमें अच्छी वर्षा होती है। महत्त्व की दृष्टि से राजस्थान में चम्बल के पश्चात् बनास नदी का ही स्थान है। यह चम्बल की महत्त्वपूर्ण सहायक नदी हैं।

इस नदी का उद्गम उदयपुर डिवीजन में, कुम्भलगढ़ के निकट अरावली पर्वत में है। यदि और सूक्ष्मता से देखें तो इसका उद्गम-स्थल कुम्भलगढ़-दुर्ग से लगभग 5 किलोमीटर पूर्व अरावली पर्वत की खमनोर की पहाड़ियों में है। बनास नदी की लम्बाई लगभग 500 किलोमीटर है।

यह नदी कुम्भलगढ़ से मेवाड़ के पठार (गोगुन्दा के पठार) तक यह दक्षिण की ओर बहती है। इसके पश्चात् अरावली श्रेणी को काटकर पूर्व की ओर बहने लगती है। नाथद्वारा व राजसमंद के निकट से होती हुई

सवाई माधोपुर और कोटा की सीमा के निकट चम्बल नदी में मिल जाती है। यह नदी गर्मियों में प्राय: सूख जाती है।

बनास नदी की सहायक नदियाँ कोठारी, खारी, बेड़च, मोरेल आदि हैं।

**पार्वती नदी**—यह नदी विंध्याचल पर्वत से निकलती है। इसके पश्चात् मध्यप्रदेश में बहने के पश्चात् कोटा जिले में (करयाहट के निकट) प्रवेश करती है। कोटा जिले में यह लगभग 65 किलोमीटर बहती है और इसके पश्चात् पाली स्थान पर चम्बल नदी में मिल जाती है। इस प्रकार यह चम्बल की सहायक नदी है।

**कोठारी नदी**—यह बनास नदी की प्रमुख सहायक नदी है। यह उदयपुर जिले के उत्तरी भाग (दिवेर स्थान) से निकलती है। इसके पश्चात् लगभग 145 किलोमीटर मैदानी भाग में प्रवाहित होने के पश्चात् भीलवाड़ा जिले में बनास नदी से मिल जाती है।

**बेड़च नदी**—यह नदी बनास की सहायक नदी है। उदयपुर नगर के उत्तर में स्थित गोगुन्दा की पहाड़ियों से बेड़च नदी निकलती है। आरम्भ में इसका नाम आयड़ की नदी है। इसके पश्चात् उदयसागर झील से निकलने के पश्चात् इसको बेड़च नदी कहते हैं। यह लगभग 190 किलोमीटर बहने के बाद चित्तौड़ के आगे बनास नदी में मिल जाती है।

**खारी नदी**—यह नदी भी बनास की सहायक है। इस नदी का उद्गम स्थान उदयपुर जिले का उत्तरी भाग है। यह नदी अधिक लंबी नहीं है। इसकी लम्बाई लगभग 80 किलोमीटर ही है। अजमेर जिले में देवली के निकट यह नदी बनास नदी में गिर जाती है।

**कालीसिंध नदी**—यह चम्बल नदी की सहायक है। इसका उद्गम मध्य-प्रदेश में है। राजस्थान में यह पहले झालावाड़ और बाद में कोटा जिले में बहती हुई चम्बल नदी (नोनेरा स्थान पर) मिल जाती है। परवन नदी व आहू नदी इसकी प्रमुख सहायक नदियाँ हैं।

**बाणगंगा**—यह नदी जयपुर जिले के बैराठ की पहाड़ियों से निकलती है। इस नदी की लम्बाई 380 किलोमीटर है। यह नदी पूर्व की ओर बहती हुई भरतपुर में प्रवेश करती है। इसके पश्चात् यह नदी थोड़ी दूर तक भरतपुर के उत्तर-प्रदेश की सीमा बनाती हुई प्रवाहित होती है। अन्त में फतेहाबाद (आगरा जिला) के निकट यमुना नदी में मिल जाती है।

**(2) अरब सागर को जल ले जाने वाली नदियाँ**

**माही**—यह मध्यप्रदेश के अमझेरा जिले से निकलती है और उत्तर की ओर बहने के पश्चात् खांदू के समीप बांसवाड़ा जिले में प्रवेश करती है और नरवाली तक बहने के पश्चात् दक्षिण-पश्चिम दिशा में घूम जाती है। बेणेश्वर के समीप यह वापस दक्षिण की ओर बहने लगती है और 360 मील बहने के पश्चात् खम्भात की खाड़ी में गिर जाती है। यह नदी कई वर्षों से डूंगरपुर व बांसवाड़ा राज्यों के बीच सीमा बनाती रही है। इसकी मुख्य सहायक सोम, अनास, चाप और मोरेन हैं।

**सोम**—यह उदयपुर जिले के बीछामेड़ा स्थान से निकलती है और दक्षिण-पूर्व में बहती हुई डूंगरपुर की सीमा के साथ पूर्व में बहने लगती है और बेणेश्वर स्थान पर माही से मिल जाती है। इसकी मुख्य सहायक जाखम, गोमती और सारनी हैं।

**जाखम**—छोटी सादड़ी के समीप से निकलकर चित्तौड़गढ़ जिले में बहने के पश्चात् उदयपुर जिले के धरियावद तहसील में प्रवेश करती है और अन्त में सोम से मिल जाती है।

**(3) अन्त:प्रवाह वाली नदियाँ (Internal Drainage)**

ये पश्चिमी राजस्थान राज्य के कुल क्षेत्रफल का लगभग 60% भाग घेरे हुए है। यह सम्पूर्ण क्षेत्र अरावली विभाजक के पश्चिम में स्थित है। यह क्षेत्र अन्त:स्थलीय प्रवाह का क्षेत्र है। यहां कई अपवाह पाये जाते हैं। इनमें कान्ती बेसिन, सोतह, साहिबी, वाग्ह व लूनी बेसिन है। इन सभी का जल इस क्षेत्र में ही विलीन हो जाता है। केवल लूनी का पानी कच्छ के विस्तृत क्षेत्र में पहुंच कर फैल जाता है।

**लूनी**—पश्चिमी राजस्थान की यही प्रमुख नदी है। इसका उद्गम स्थल अजमेर के समीप अरावली श्रेणी में है। इस नदी की कुल लम्बाई लगभग 350

किलोमीटर है। इसका बेसिन लगभग 35,000 वर्ग किलोमीटर है। यह अजमेर, जोधपुर, पाली, बाड़मेर और जालोर जिलों में बहती हुई गुजरात में प्रवेश करती है। इसका अधिकांश पानी राजस्थान-गुजरात सीमा पर झील की तरह फैल जाता है। अधिक वर्षा रन में समाप्त नहीं हो जाती। बिल्कुल वर्षा पोषित नदी होने के कारण इसमें जल केवल वर्षा ऋतु में ही रहता है। गर्मियों में यह नदी सूख जाती है।

लूनी नदी की अनेक सहायक नदियाँ हैं-जिनमें सूकड़ी, जोजरी, बाँडी और जवाई नदियाँ उल्लेखनीय हैं। यह ध्यान रहे कि अरावली पर्वत के पश्चिम में बहने वाली केवल यही एक नदी है।

**काकनी नदी**—जैसलमेर से लगभग 27 किलोमीटर दूर कोटरी गाँव है।

**घग्घर नदी**—इस नदी का उद्‌गम स्थान हिमालय में कालका के निकट है। पहले किसी समय वह बीकानेर राज्य के उत्तरी भाग में होकर प्रवाहित होती थी, किन्तु अब यह हनुमानगढ़ (बीकानेर डिवीजन) के पश्चिम में लगभग 3 किलोमीटर की दूरी पर बहती है। इस नदी में प्राय: बाढ़ आ जाती है, जिससे बहुत हानि होती है और यातायात में अवरोध उत्पन्न हो जाता है। इसका जल दो नहरों की सहायता से सिंचाई के लिए उपयोग किया जाता है। ये नहरें तत्कालीन बीकानेर दरबार ने सन् 1897 में भारत सरकार के संयुक्त व्यय से बनवाई थीं। गंगानगर जिले में बहने के पश्चात् यह नदी रेत में ही विलीन हो जाती है।

**साबी नदी**—यह नदी जयपुर जिले में शाहपुरा के निकट से निकलती है और पंजाब में पटोदी तक बहने के पश्चात् भूमि में विलीन हो जाती है।

**साबरमती नदी**—इसका उद्‌गम स्थान उदयपुर जिले का दक्षिण-पश्चिम भाग है। किन्तु यह उदयपुर जिले में बहुत ही कम दूरी तक प्रवाहित होकर गुजरात राज्य में प्रवेश करती है। इस प्रकार यह नदी मुख्यत: गुजरात राज्य की हुई। इसकी अनेक सहायक नदियां हैं।

उपरोक्त के अतिरिक्त राजस्थान में अनेक छोटी-छोटी नदियां हैं, जैसे- मन्था नदी जो जयपुर के मनोहरथाना से निकलती है और सांभर झील में गिरती है। सिरोही जिले की मोरेल नदी, उदयपुर जिले की गम्भीरी, मानसी आदि।

## राजस्थान की प्रमुख झीलें

राजस्थान में अनेक झीलें हैं। इनमें से कुछ झीलें खारे पानी की हैं और कुछ झीलें मीठे पानी की हैं; कुछ झीलें प्राकृतिक हैं और कुछ कृत्रिम। खारी और मीठी दोनों ही प्रकार की झीलों का राजस्थान में पर्याप्त महत्त्व है। मीठे पानी की झीलों में सिंचाई तथा पीने का पानी और मछलियाँ प्राप्त होती हैं व खारे पानी की झीलों में नमक व अन्य पदार्थ प्राप्त होते हैं।

राजस्थान में खारे पानी की प्रमुख झीलें ये हैं-

**सांभर झील**—यह झील 27° व 29° उत्तरी अक्षांशों व 74° और 75° पूर्वी देशान्तरों के मध्य पूर्वकालीन जयपुर व जोधपुर रियासतों की सीमा पर स्थित है। यह जयपुर-फुलेरा-जोधपुर रेलमार्ग पर स्थित है। यह रेलमार्ग उत्तर-रेल्वे का है। यह समुद्रतल से लगभग 366 मीटर की ऊँचाई पर स्थित है। यह राजस्थान में ही नहीं, वरन् भारत में खारे पानी की सबसे बड़ी झील की लम्बाई (जब लगभग 32 किलोमीटर है और चौड़ाई 3 किलोमीटर से 12 किलोमीटर है। इस झील का क्षेत्रफल लगभग 240 वर्ग किलोमीटर है। गर्मी के दिनों में यह झील काफी सूख जाती है। इस झील में तीन छोटी-छोटी नदियाँ (मेंढ़ा, खारी ओर खंडेल) गिरती हैं। इस क्षेत्र में औसत वार्षिक वर्षा लगभग 500 मिलीमीटर है। भारत के भूगर्भ विभाग ने इस झील का सर्वेक्षण, इस झील के तल में तीन स्थानों में छेद (Bore) करके किया था और बतलाया कि इसके पेटे (Silt) की गहराई पूर्वी किनारे पर 19 मीटर, मध्य में 22 मीटर और उत्तरी-पश्चिमी किनारे पर 23 मीटर है। पेटे के नीचे चट्टानें हैं, जो कि अनुमान है अरावली पर्वत श्रेणी का ही भाग है।

इस झील से अकबर व उसके उत्तराधिकारियों की शासन-व्यवस्था में अहमदशाह (1748-1754) के समय तक नमक निकाला जाता रहा और बाद में जोधपुर व जयपुर के महाराजाओं के अधिकार में यह झील आ गई। इस झील में नमक तैयार करने के अनेक क्यार बने हुए हैं व ठेलों के लिए पटरियां बिछी हुई है।

## सारणी–10
## जिलानुसार राजस्थान की नदियाँ

| क्र. सं. | जिले का नाम | नदियों के नाम |
|---|---|---|
| 1. | अजमेर | साबरमती, सरस्वती, खारी, डाई और बनास |
| 2. | अलवर | साबी, रूपारेल, काली, गोरी और सोता |
| 3. | उदयपुर | बनास, बेड़च, वाकल, सोम एवं साबरमती |
| 4. | कोटा | चम्बल, काली सिन्ध, पार्वती, आऊ, नवेज व परवन |
| 5. | गंगानगर | घग्घर |
| 6. | चित्तौड़गढ़ | बनास, बेड़च, बामणी, बागली, वागन, औराई, गम्भीरी, सीबना, जाखम तथा माही |
| 7. | चुरू | — |
| 8. | जयपुर | बाणगंगा, बांडी, ढूंढ, मोरेल, सावी, सोता, डाई सखा व माशी (मानसी) |
| 9. | जालोर | लूनी, बांडी, जवाई तथा सूकड़ी |
| 10. | जैसलमेर | काकनेय, लाठी, चांधण, धऊवा एवं धोगड़ी |
| 11. | जोधपुर | लूनी, मोठडी एवं जोजरी |
| 12. | झालावाड़ | काली सिन्ध, पार्वती, छोटी काली सिन्ध व निवाज |
| 13. | झुंझुनू | कांटली |
| 14. | टोंक | बनास, मानसी एव बांडी |
| 15. | डूँगरपुर | सोम, माही तथा सोनी |
| 16. | नागौर | लूनी |
| 17. | पाली | लीलड़ी, बांडी, सूकड़ी तथा जवाई |
| 18. | बाड़मेर | लूनी व सूकड़ी |
| 19. | बाँसवाड़ा | माही, अन्नास व चैनी |
| 20. | बीकानेर | — |
| 21. | बूंदी | कुराल |
| 22. | भरतपुर | चम्बल, बराह बाणगंगा, गम्भीरी एवं पार्वती |
| 23. | धौलपुर | चम्बल |
| 24. | भीलवाड़ा | बनास, कोठारी, बेड़च, मनाली, मानसी व खारी |
| 25. | सवाई माधोपुर | चम्बल, बनास व मोरेल |
| 26. | सिरोही | पश्चिमी बनास, सूकड़ी, पोसालिया, खाती, किशनावती, भूला ओरा एवं सुखदा |
| 27. | सीकर | कांटली, मन्था, पावटा और कांवत |

**सारणी–11**
**राजस्थान में खारे तथा मीठे पानी की झीलें**

| क्र. सं. | जिला | झीलों के नाम |
|---|---|---|
| | **खारे पानी की झीलें:–** | |
| 1. | जोधपुर | बाप, रिण क्षेत्र (फलौदी) |
| 2. | डीडवाना–कुचामन | कुचामन व डीडवाना, सांभर |
| 3. | जयपुर | सांभर |
| 4. | बालोतरा | पचपदरा |
| 5. | बीकानेर | लूणकरणसर |
| | **मीठे पानी की झीलें:–** | |
| 1. | उदयपुर | जयसमंद, राजसमंद, उदयसागर, पिछोला, फतेहसागर |
| 2. | बूंदी | नवलखासागर |
| 3. | अजमेर | अन्नासागर, पुष्कर, फाईसागर, नारायणसागर बांध |
| 4. | भरतपुर | बारेठा बांध, शाही तालाब |
| 5. | जयपुर | गलता, रामगढ़ बांध |
| 6. | जैसलमेर | गढ़सीसर, अमरसागर, बुज री झील |
| 7. | जोधपुर | पिचियाक बांध, बिसलपुर, बालसमंद, प्रतापसागर, उम्मेदसागर, कायलाना, तखतसागर |
| 8. | पाली | सरदार समंद, हेमावास, जवाई, बांकली |
| 9. | बीकानेर | गजनेर, अनूपसागर, सूरसागर, कोलायत |
| 10. | अलवर | राजसमंद, सिली सेढ |
| 11. | कोटा | जवाहरसागर, कोटा बांध |
| 12. | चित्तोड़गढ़ | भूपालसागर, राणा प्रतापसागर |
| 13. | बाँसवाड़ा | बजाजसागर, कड़ावा बांध, मेजा बांध, सरेरी बांध, उम्मेदसागर, माण्डल ताल, अखड़ बांध, खारी बांध, जैतपुरा बांध |
| 14. | डूँगरपुर | गैवसागर |

इस झील के निकट तीन स्टेशन हैं-सांभर, गुढ़ा और नावा। यहाँ से नमक राजस्थान, उत्तर प्रदेश, मध्य प्रदेश, पंजाब, हरियाणा व नेपाल को विशेषत: जाता है। सांभर नमक परियोजना का प्रबन्ध हिन्दुस्तान साल्ट कं. के पास है।

**डीडवाना झील**—यह झील डीडवाना-कुचामन जिले में है। डीडवाना झील 27° उत्तरी अक्षांश और 74° पूर्वी देशान्तर पर स्थित है। जोधपुर नगर में डीडवाना झील लगभग 205 किलोमीटर उत्तर-पूर्व में स्थित है। यह झील डीडवाना कस्बे से दक्षिण-पूर्व में है। इस झील की लम्बाई लगभग 4 किलोमीटर है।

इसके पेटे में चिपचिपी काली कीचड़ है जो कि सांभर झील के अनुरूप प्रतीत होती है। इसके नीचे खारे पानी का भण्डार है। इस झील के पानी से नमक तैयार किया जाता है। कुछ नमक तो राजस्थान (मुख्यत: बीकानेर व जोधपुर) में खप जाता है और शेष नमक निकट ही स्थित डीडवाना स्टेशन से बाहर भेज दिया जाता है। लगभग 8 किलोमीटर दूर एक सोडियम सल्फेट संयंत्र लगाया गया है।

**लूणकरणसर झील**—यह झील बीकानेर जिले में स्थित है। बीकानेर लूणकरणसर लगभग 70 किलोमीटर दूर स्थित है।

**पचपदरा झील**—यह झील बालोतरा जिले में पचपदरा स्थान पर खारे पानी की झील है। इस झील में थोड़ी मात्रा में नमक तैयार होता है।

### मीठे पानी की झीलें

**जयसमंद झील**—यह झील महाराणा जयसिंह जी द्वारा सन् 1685-1691 में बनवाई गई थी। यह झील उदयपुर नगर से लगभग 51 किलोमीटर दूर स्थित है। इस झील की लम्बाई उत्तर-पश्चिम से दक्षिण-पूर्व की ओर लगभग 15 किलोमीटर है और चौड़ाई 1 किलोमीटर से 8 किलोमीटर तक है। इस झील का क्षेत्रफल लगभग 55 वर्ग किलोमीटर है। इस झील में लगभग 1800 वर्ग किलोमीटर क्षेत्र का पानी आता है। इस झील के पश्चिम में 240 मीटर से 305 मीटर ऊँची पहाड़ी हैं। इस झील पर छोटे-छोटे 7 टापू हैं जिन पर भील व मीने रहते हैं। सबसे बड़े टापू का नाम 'बाबा का भागड़ा' हैं। इस झील पर कलात्मक छतरियाँ व प्रासाद बने हुए हैं जो राजसी वास्तुकला का सुन्दर उदाहरण प्रस्तुत करते हैं। यह झील राजस्थान में मीठे पानी की सबसे बड़ी झील है और विश्व में दूसरी बड़ी कृत्रिम झील है। राजस्थान में निर्माण के पश्चात् इस झील से सिंचाई के लिए दो नहरें (जिनके नाम श्यामपुरा नहर व भाट नहर है) बनाई गई। इन मुख्य नहरों की लम्बाई 324 किलोमीटर व वितरक नहरों की लम्बाई 125 किलोमीटर है। पहाड़ियों से घिरे हुए शांत एवं मनोरम वातावरण में यह झील ऐसा प्राकृतिक सौन्दर्य उपस्थित करती है, जो अन्यत्र मिलना कठिन है। मानव की कल्पना और उसको साकार करने की शक्ति के ज्वलंत प्रमाण के रूप में, दृष्टि की सीमा को पार करने वाली यह विशाल झील पर्यटकों के लिए आकर्षण का विषय बनी हुई है।

**राजसमंद झील**—यह झील महाराणा राजसिंह जी ने 1662 में कांकरोली रेल्वे स्टेशन के निकट बनवाई। यह झील उदयपुर से लगभग 68 किलोमीटर दूर है। यह झील राजसमन्द जिले में स्थित है इस झील का निर्माण राहत कार्यों के अन्तर्गत किया गया था क्योंकि इस समय मेवाड़ में बहुत भयंकर अकाल पड़ा था। यह झील लगभग 6.50 किलोमीटर लम्बी है और लगभग 3 किलोमीटर चौड़ी है। राजसमंद के उत्तरी भाग पर जो नौचौकी के नाम से विख्यात है, संगमरमर की 25 चौकियों (शिला लेखों) पर संस्कृत के 1,017 श्लोक खुदे हैं जिन पर मेवाड़ का इतिहास अंकित है। आजकल इस झील से सिंचाई का काम भी किया जाने लगा है।

**पिछोला झील**—यह झील उदयपुर में ही पश्चिम की ओर है। इस इस झील को चौदहवीं शताब्दी के अंतिम काल में महाराणा लाखा के राज्यकाल में एक बंजारे ने बनवाई थी। इस झील के किनारों को महाराणा उदयसिंह ने ऊँचा कराया था। यह झील लगभग 7 किलोमीटर लम्बी और 2 किलोमीटर चौड़ी है। पिछोली गांव के निकट होने के कारण ही इस पिछोला संज्ञा दी गई। यह झील के वक्ष पर डटे हुए दो टापुओं पर जग मंदिर और जग निवास, दो सुन्दर महल बने हुए हैं। यह उल्लेखनीय है कि इस ही पिछोला ने

दिल्ली के विद्रोही शाहजादा खुर्रम को, जो आगे शाहजहाँ के नाम से विख्यात हुआ, शरण प्रदान की थी। महाराण भगवतसिंहजी ने अब जग मन्दिर को होटल का रूप दे दिया है।

**फतेहसागर झील**—यह झील उदयपुर नगर के उत्तर-पश्चिम में स्थित है। यह पिछोला झील के उत्तर में है। इस झील का महाराणा फतेहसिंह ने निर्माण करवाया था। यह झील पिछोला झील से लगभग आधा किलोमीटर लम्बी नहर द्वारा मिली हुई है।

**आनासागर झील**—यह झील अजमेर के इतिहास में दो पहाड़ियों में मध्य अत्यन्त रमणीय लगती है। इस झील को विख्यात सम्राट पृथ्वीराज चौहान के पितामह आनाजी ने सन् 1137 के लगभग बनवाई थी। इस पर संगमरमर पत्थर के 12 दरवाजे बने हैं जिन्हें 'बारहदरी' कहते हैं। पूरी झील की परिधि लगभग 13 किलोमीटर है। इस झील के निकट ही जहांगीर बादशाह ने दौलत बाग बनाया।

**सिलीसेढ़ झील**—यह झील अलवर के निकट है। यह झील देहली-जयपुर आते समय अलवर नगर से लगभग 12 किलोमीटर दूर है। यह झील अरावली पर्वत श्रेणी में स्थित है अत: रम्य प्राकृतिक दृश्य उपस्थित करती है। यह झील लगभग 10 वर्ग किलोमीटर क्षेत्र में विस्तृत है। इसके निकट अनेक सुन्दर छतरियाँ हैं। इस झील के चारों ओर घने जंगल हैं जिनके कारण यह और भी अधिक आकर्षक लगती है। यह पर्यटकों के लिए आकर्षण का केन्द्र है। इस झील में मछलियाँ पकड़ी जा सकती है और नौका-विहार किया जा सकता है।

**नवलखा झील**—बूंदी की नवलखा छोटी झील भी सुरम्य पहाड़ियों से घिरे नगर में स्थित है। पानी के मध्य पुराना मन्दिर व अनेक कलापूर्ण छतरियाँ हैं।

**कोलायतजी**—मरु भूखंड में बीकानेर से लगभग 48 किलोमीटर दक्षिण-पश्चिम की ओर कोलायतजी की प्रसिद्ध झील है। कहा जाता है कि यहाँ कपिल मुनि का आश्रम था। इस झील में वर्ष-पर्यन्त पानी रहता है। यहाँ वर्ष में कार्तिक पूर्णिमा को एक बड़ा मेला भी लगता है। कोलायतजी, बीकानेर से रेलमार्ग व सड़क मार्ग द्वारा जुड़ा हुआ है। यहां अनेक मन्दिर हैं।

**गैवसागर झील**—डूंगरपुर के निकट ही गैवसागर झील है। इस झील के किनारे उदय विलास सुन्दर महल हैं। झील के मध्य में बादल महल अत्यन्त सुन्दर है।

**कायलाना झील**—जोधपुर नगर से लगभग 6 किलोमीटर पश्चिम की ओर कैलाना झील है। जोधपुर में यह सबसे बड़ी झील है। इस झील का निर्माण महाराजा सर प्रतापसिंहजी ने करवाया था।

**बालसमंद झील**—यह झील जोधपुर नगर से लगभग 5 किलोमीटर उत्तर की ओर है। यहां एक महल बना हुआ है और निकट ही सुन्दर उद्यान है।

**पुष्कर झील**—यह झील अजमेर के उत्तर-पश्चिम में स्थित है। अजमेर से पुष्कर लगभग 11 किलोमीटर दूर है। यहाँ वर्ष भर पानी रहता है। किन्तु वर्षा के दिनों में दृश्य बहुत सुहावने हो जाते हैं। यहां अनेक मन्दिर हैं। कार्तिक-पूर्णिमा (अक्टूबर-नवम्बर) को यहां बहुत बड़ा मेला लगता है। यह हिन्दुओं का बहुत बड़ा तीर्थ स्थान है।

उपरोक्त के अतिरिक्त जयपुर में गलता व रामगढ़ का बांध; बीकानेर में गजनेर, अनूपसागर व सूरसागर; भरतपुर में बरैठा बांध; धौलपुर में तालाबशाही आदि भी उल्लेखनीय हैं।

# अध्याय 6

## जलवायु

## Climate

भूगोल के मौलिक तत्त्वों में जलवायु का प्रमुख स्थान है। किसी भी प्रदेश की जलवायु को एक ऐसा महत्त्वपूर्ण भौगोलिक तत्त्व माना जा सकता है, जो उसकी आबादी के वितरण, लोगों के क्रिया-कलापों अथवा मानव-भूमि सम्बन्धों को प्रभावित करता है। यों तो किसी प्रदेश की जलवायु का अध्ययन एक वृहद् विषय है, परन्त इस पुस्तक के सीमित स्थान और क्षेत्र में राजस्थान की जलवायु के प्रमुख तत्त्वों पर ही विचार किया गया है। जलवायु की परिभाषा सामान्यतया मौसम की औसत स्थिति से की जाती है। मौसम की दशाओं का अध्ययन करते समय विचार किए जाने वाले तत्त्व तो वही रहते हैं, अन्तर केवल इसमें होता है कि विचारधीन अवधि कितनी लम्बी है। मौसम मुख्यत: छोटी अवधि की ओर निर्देश करता है, जैसे एक दिन, एक सप्ताह, एक माह या इससे भी लम्बी अवधि, जबकि जलवायु का सम्बन्ध औसत दशाओं से होता है, जो लम्बी अवधि में किए हुए निरीक्षणों से निर्धारित होती है।

जलवायु के अध्ययन में बहुत से तत्त्व अथवा संघटक सम्मिलित रहते हैं, जैसे तापक्रम और वायु की आर्द्रता, वर्षा, वायु-वेग, सूर्य के चमकने की अवधि और अनेक सामान्य तत्त्व। ये तत्त्व स्वयं ही बहुत से निश्चयात्मक कारणों अथवा कारकों की उपज होते हैं। दूसरे प्रदेशों के समान ही राजस्थान की जलवायु को निश्चित करने वाले महत्त्वपूर्ण कारक हैं-अक्षांश, जल से दूरी अथवा निकटता, पर्वतीय अवरोध, ऊँचाई, प्रचलित पवन, चक्रवाती तूफानों की व्यापकता और महाद्वीपीयता। विभिन्न कारकों में मुख्यत: अक्षांश ही वर्षावधि में दिन की लम्बाई को बड़ी मात्रा में नियंत्रित और निश्चित करता है। चूंकि यह गणित द्वारा नियन्त्रित एक कारक है, इसे एक विश्वसनीय तत्त्व माना जाता है। अक्षांश सूर्य के चमकने की अवधि और तापक्रम की विभिन्नताओं को भी प्रभावित करता है।

राजस्थान राज्य 23°3' उ. से 30°12' अक्षांशों और 69°30' पू. से 78°17' पू. देशान्तरों के बीच फैला हुआ है। इन्हीं अक्षांशों के बीच में स्थित कुछ अन्य देश उत्तरी अरब, मिस्र का अधिकांश भाग और उत्तरी सहारा और मेक्सिको का कुछ भाग है। इन अक्षांशों में स्थित होते हुए भी यहाँ जलवायु की दशाएँ इतनी कठोर नहीं हैं जितनी इन कुछ देशों में पाई जाती है। राजस्थान का दक्षिणी भाग कच्छ की खाड़ी से लगभग 225 किलोमीटर और अरब सागर से लगभग 400 किलोमीटर दूर है। उत्तरी भाग दिल्ली तक फैला हुआ है। धरातल की ऊँचाई अरावली के कुछ भागों में 214 मीटर से 1,375 मीटर तक है, जबकि राज्य का अधिकांश भाग 370 मीटर से कम ऊँचा है। अक्षांशीय स्थिति, एक बड़ी सीमा तक, सौर्यिक विकिरण की राशि और उष्ण कटिबन्ध में चलने वाली हवाओं की दिशा को निश्चित करती है। उत्तर-पूर्व से दक्षिण-पश्चिम तक फैली हुई अरावली पहाड़ियाँ राज्य की भू-आकृति का प्रमुख स्वरूप है। अरावली पहाड़ियों का पूर्वी भाग, सूपान द्वारा मोटे रूप से विभाजित, सिन्धु और इन्डो-आस्ट्रेलियन मानसून जलवायु प्रांतों का मिलन स्थल है। सिन्धु प्रांत अति शुष्कता एवं गर्मी के लिए विख्यात है, जबकि पूर्व में दूसरा हिस्सा तीव्र सामयिक वर्षा और काफी समरूप तापक्रम के लिए प्रसिद्ध है। सामान्य रूप से अरावली के पश्चिम में राजस्थान की जलवायु अन्य मरुस्थलीय तथा अर्द्ध-मरुस्थलीय विभागों की तरह, तापक्रम की अति विषमताओं और उच्च वायु-वेग एवं निम्न सापेक्षिक

आर्द्रता सहित कठोर सूखे की लम्बी अवधि से ले कर अर्द्ध शुष्क दशाओं के द्वारा लक्षित होती है। शीतकाल पर्याप्त ठण्डा रहता है और बहुत से स्थानों पर तापक्रम जमनांक बिन्दु से नीचे गिर जाता है और पाला पड़ता है। इसके विपरीत ग्रीष्म काल में गर्मी तीव्र और झुलसाने वाली होती है। पश्चिमी राजस्थान का शुष्क प्रदेश, भारत में सबसे अधिक गर्म प्रदेश है। अरावली के पूर्व और दक्षिण में वर्षा की मात्रा में और तापक्रम के वितरण में पर्याप्त विभिन्नता है।

भारत में अनेक प्रकार की जलवायु सम्बन्धी विभिन्नताएँ हैं, परन्तु महाद्वीप में मानसूनी परिवर्तनों के प्रभाव के कारण जलवायु की दशाओं में कुछ समरूपता पाई जाती है। राजस्थान की जलवायु का अध्ययन मौसमी विभिन्नताओं पर आधारित है और प्रत्येक मास के जलवायु के परिवर्तनों के प्रमुख लक्षणों का अनुसरण किया गया है।

जलवायु की दृष्टि से राजस्थान में वर्ष को तीन प्रमुख परम्परागत ऋतुओं में बाँटा गया है :-

1. गर्मी की ऋतु (मार्च से मध्य-जून)
2. सामान्य वर्षा की ऋतु (मध्य-जून से सितम्बर)
3. शीत ऋतु (अक्टूबर से फरवरी)

भारत में मौसम-विज्ञान विभाग ने शीत ऋतु को पुन: दो भागों में विभाजित किया है, जैसे (अ) लौटते हुए मानसून की ऋतु (अक्टूबर से दिसम्बर) और (ब) शीत ऋतु (जनवरी और फरवरी)। ये ऋतु-सम्बन्धी विभिन्नताएँ मोटे रूप से विभिन्न महीनों में तापक्रम और वर्षा की दशाओं पर आधारित की गई हैं। अधिकतर देखा गया है कि किसी भी क्षेत्र की जलवायु के अध्ययन में तापक्रम और वर्षा सबसे महत्त्वपूर्ण तत्त्व है। दूसरे कारकों, जैसे सूर्य के चमकने की राशि, बादलों के छा जाने और आर्द्रता का भी प्रदेश की जलवायु पर प्रभाव रहा है।

## 1. गर्मी की ऋतु (मार्च से मध्य जून)

राजस्थान में गर्मी की ऋतु मार्च के महीने में प्रारम्भ होती है और अप्रेल से जून तक रहती है। सूर्य के उत्तरायण होने के कारण तापक्रम पहले दक्षिण पर और फिर क्रमश: उत्तर में, उत्तर-पश्चिम में और भारत के पश्चिमी भाग में बढ़ता है। इस महीने में सम्पूर्ण राजस्थान में तापक्रम की वृद्धि प्राय: एक समान ही होती है। तापक्रम के बढ़ने से गर्म भूमि पर बाद में वायुमण्डलीय दबाव गिर जाता है। यह वायुदाब 997 मिलीबार से 1,000 मिलीबार तक रहता है। (मानचित्र 14) अप्रेल में हवाएँ पश्चिम से पूर्व को बहती हैं। चूंकि वे गर्म थार मरुस्थल को पार करके आती हैं इसलिए वे विशेष रूप से शुष्क और गर्म होती है। अप्रेल और मई के महीनों में सूर्य प्राय: सिर से ऊपर होता है, दैनिक तापान्तर अधिक हो जाते हैं और दिन गर्मतर हो जाते हैं। राजस्थान के पश्चिमी भाग में मुख्यतया बीकानेर, अनुपगढ़ फलौदी, जैसलमेर, बालोतरा और बाड़मेर में अधिकतम दैनिक तापक्रम इन महीनों में 45° सेन्टीग्रेट से 50° सेन्टीग्रेट तक पहुँच जाता है। (मानचित्र 15, 16 एवं 17)

पश्चिम में थार मरुस्थल भारत के सबसे अधिक गर्म भागों में से एक है और चूंकि तापान्तर विस्तृत होता है, दैनिक न्यूनतम तापक्रम पर्याप्त नीचे गिर जाता है। दिन के समय तीव्र गर्मी और चौंध (Glare) होती है। आर्द्रता लगभग 1 प्रतिशत तक गिर जाती है। धरातल झीनी रेत से आवृत्त हो जाता है, बहुधा समतल और अधिकांशत: टिब्बों के रूपों में। केवल कैक्टाइ या ऐसे पौधों को छोड़कर जो विचित्र मरुस्थलीय दशाओं में बढ़ते हैं, कोई सजीव या हरी वनस्पति नहीं होती। वार्षिक तापान्तर 14° सेन्टीग्रेट से 17° सेन्टीग्रेट के बीच होता है और यथार्थ में राजस्थान में विभिन्न स्थानों में दिन और रात के तापक्रम के बीच इतना अधिक अन्तर होता है कि औसत अंक वास्तविक जलवायु दशाओं का बहुत ही अपर्याप्त चित्र उपस्थित करते हैं। चूंकि वायु शुष्क एवं आकाश मेघरहित होता है, सूर्य की किरणें रेतीले व चट्टानी धरातल पर बिना किसी बाधा के पहुँचती हैं। सूर्य के क्षितिज के ऊपर उठने से दिन के समय गर्मी तीव्रता से बढ़ती है। यह बढ़ना इतना तेज होता है कि दोपहर तक तापक्रम 38° सेन्टीग्रेट तक पहुँच जाता है और दोपहर के बाद वह 49° सेन्टीग्रेट तक बढ़ जाता है। वातावरण के शुष्क होने, स्वच्छ आकाश एवं मिट्टी

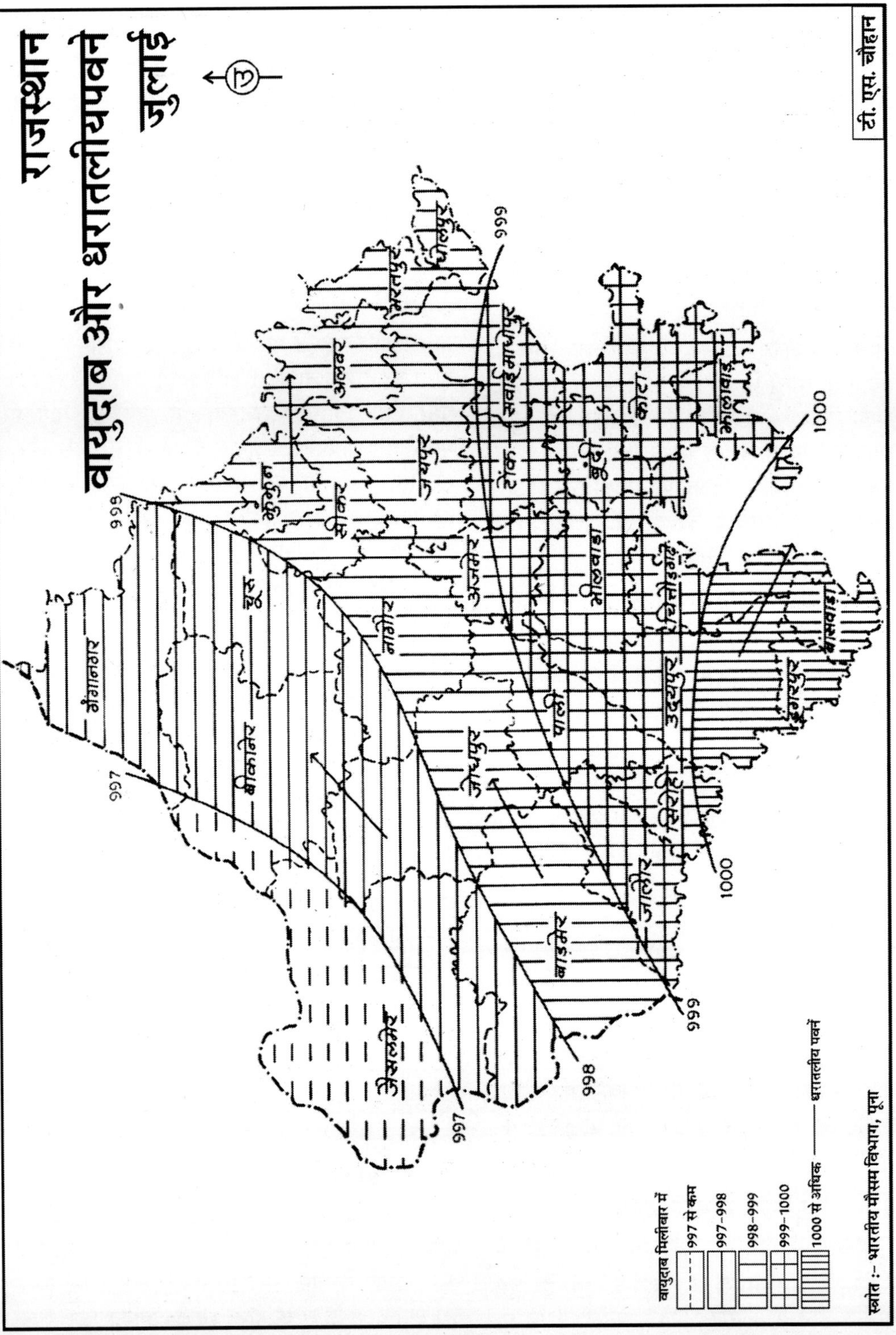
राजस्थान
वायुदाब और धरातलीयपवनें
जुलाई
उ
टी. एस. चौहान
गंगानगर
बीकानेर
चूरू
झुंझुनूं
सीकर
जैसलमेर
नागौर
जयपुर
अलवर
भरतपुर
धौलपुर
जोधपुर
अजमेर
टोंक
सवाई माधोपुर
बूंदी
कोटा
झालावाड़
बाड़मेर
पाली
भीलवाड़ा
चित्तौड़गढ़
जालौर
सिरोही
उदयपुर
डूंगरपुर
बांसवाड़ा
997
998
999
1000
वायुदाब मिलीबार में
997 से कम
997–998
998–999
999–1000
1000 से अधिक
धरातलीय पवनें
स्रोत :- भारतीय मौसम विभाग, पूना

मानचित्र 14

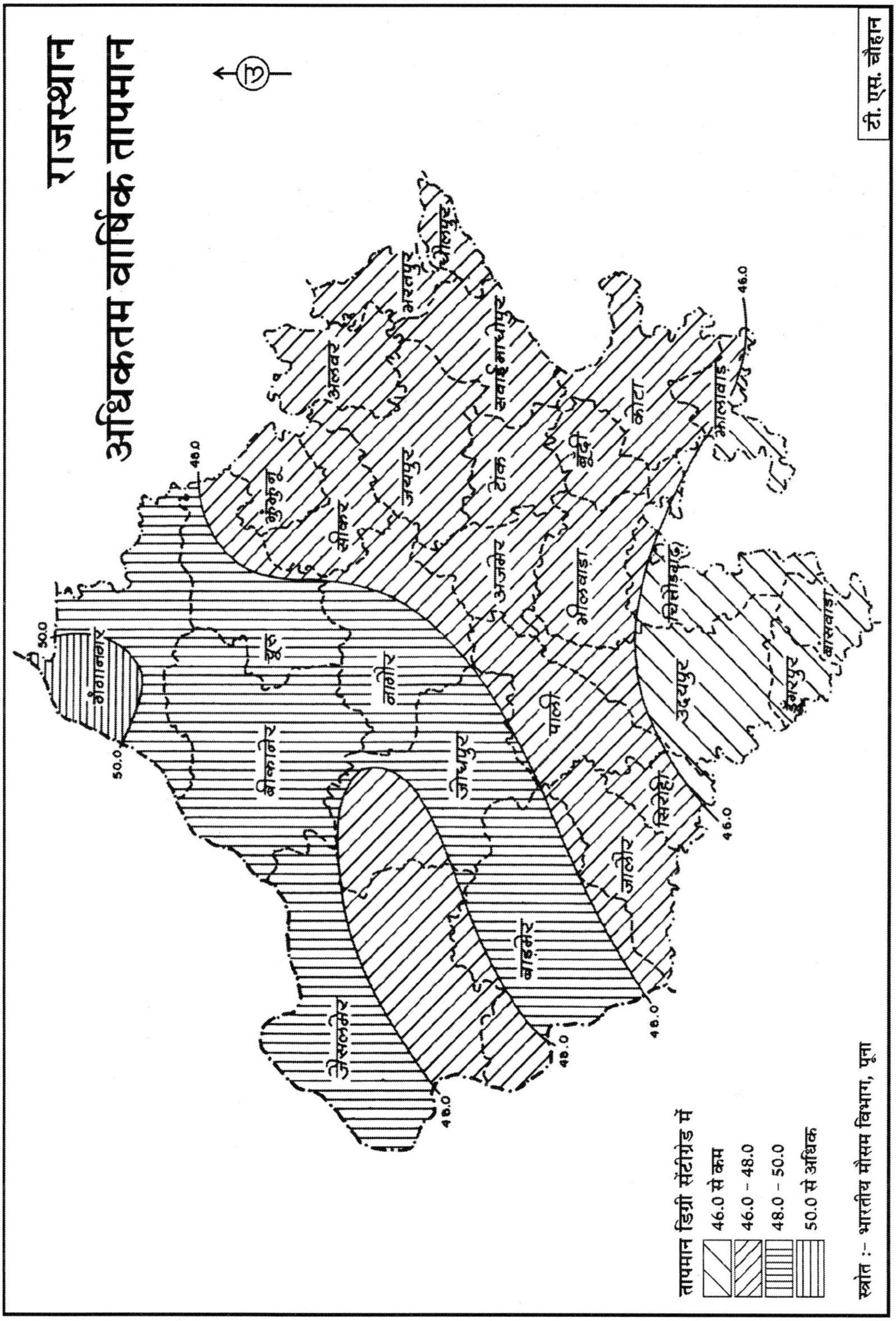
राजस्थान
अधिकतम वार्षिक तापमान
उ
गंगानगर
बीकानेर
चूरू
झुंझुनूं
सीकर
अलवर
भरतपुर
धौलपुर
जयपुर
सवाईमाधोपुर
टोंक
अजमेर
नागौर
जोधपुर
जैसलमेर
बाड़मेर
जालोर
सिरोही
पाली
भीलवाड़ा
बूंदी
कोटा
झालावाड़
चित्तौड़गढ़
उदयपुर
डूंगरपुर
बांसवाड़ा
तापमान डिग्री सेंटीग्रेड में
46.0 से कम
46.0 – 48.0
48.0 – 50.0
50.0 से अधिक
स्रोत :- भारतीय मौसम विभाग, पूना
टी. एस. चौहान

मानचित्र 15

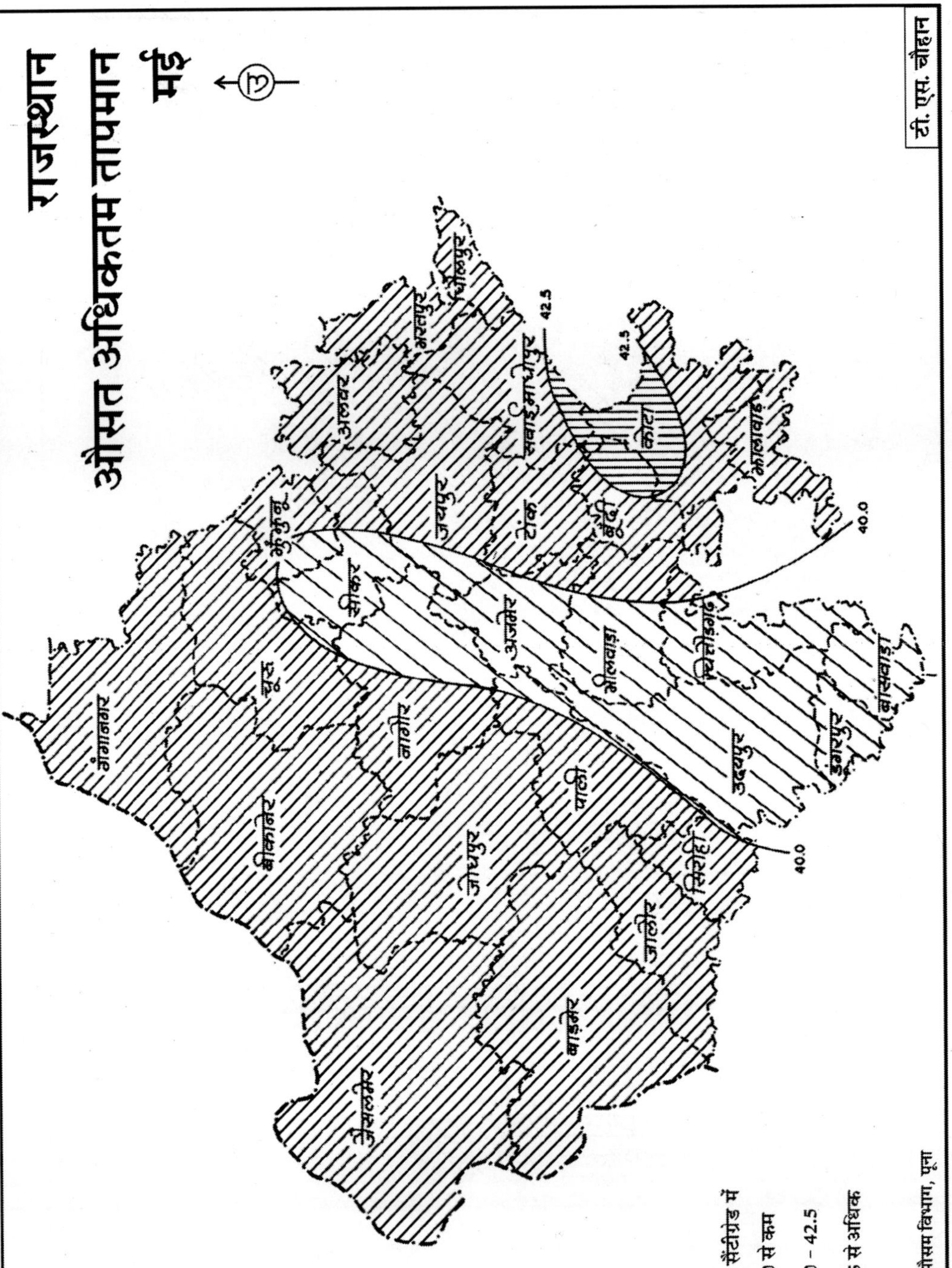
राजस्थान
औसत अधिकतम तापमान
मई
उ
तापमान डिग्री सैंटीग्रेड में
40.0 से कम
40.0 – 42.5
42.5 से अधिक
स्रोत :- भारतीय मौसम विभाग, पूना
टी. एस. चौहान
गंगानगर
बीकानेर
चूरू
झुंझुनू
सीकर
अलवर
भरतपुर
धौलपुर
जयपुर
सवाई माधोपुर
टोंक
अजमेर
नागौर
जोधपुर
जैसलमेर
बाड़मेर
जालौर
सिरोही
पाली
उदयपुर
डूंगरपुर
बांसवाड़ा
चित्तौड़गढ़
भीलवाड़ा
बूंदी
कोटा
झालावाड़
40.0
42.5

मानचित्र 16

राजस्थान
औसत न्यूनतम तापमान
मई
उ
5.0
7.5
10.0
गंगानगर
बीकानेर
चूरू
झुंझुनू
सीकर
अलवर
जैसलमेर
नागौर
भरतपुर
धौलपुर
जयपुर
जोधपुर
अजमेर
टोंक
सवाईमाधोपुर
बाड़मेर
पाली
भीलवाड़ा
बूंदी
कोटा
जालौर
सिरोही
उदयपुर
चित्तौड़गढ़
झालावाड़
डूंगरपुर
बांसवाड़ा
तापमान डिग्री सैंटीग्रेड में
5.0 से कम
5.0 – 7.5
7.5 – 10
10.0 से अधिक
स्रोत :- भारतीय मौसम विभाग, पूना
टी. एस. चौहान

मानचित्र 17

के रेतीले स्वभाव के कारण सूर्यास्त के तुरन्त बाद ही पृथ्वी से गर्मी का तीव्र विकिरण होता है और दिन की गर्मी शीघ्र ही समाप्त हो जाती है। परिणाम यह होता है कि दिन के समय अधिकतम तापक्रम बहुत ऊँचा होता है लेकिन रात्रि में न्यूनतम तापक्रम अर्थात् नीचा होता है। दिन का तापक्रम गर्मी की धाराओं के संयोग से, जो कि उत्तरी भारत में इस समय साधारणतया विकसित होती हैं, पर्याप्त बढ़ता है। गंगानगर में इस प्रकार अधिकतम तापक्रम 50° सेन्टीग्रेट रिकॉर्ड किया गया है। जोधपुर, बीकानेर, बाड़मेर एवं बालोतरा में 49° सेन्टीग्रेट, जयपुर, दूद एवं कोटा में 47.6° सेन्टीग्रेट तथा झालावाड़ में 46.6° सेन्टीग्रेट रिकॉर्ड किया गया। दिन के समय का ऊँचा तापक्रम मौसम को बहुत ही असहनीय बना देता है। सामयिक धूल-आंधियाँ तापक्रम में एकाएक गिरावट ला देती है और आंधियों के बाद कभी-कभी वर्षा आ जाती है जिससे तापक्रम कुछ नीचा हो जाता है। गर्मी में रातें ठण्डी होती हैं और कभी-कभी पाला गिरता है। अरावली के पश्चिम में तथा राज्य के दूसरे भागों में भी दैनिक तापान्तर लगभग 4° सेन्टीग्रेट से 17° सेन्टीग्रेट तक होता है। दिन के समय की गर्मी, रेत एवं नंगे चट्टानी धरातलों को इतना गर्म कर देती है कि नंगे पैर चलना असम्भव-सा हो जाता है। स्थानीय गर्मी का परिणाम तीव्र वाहनिक धाराएं होती हैं जो बदले में स्थानीय वायु-भंवर बन जाती हैं। कभी-कभी वे चक्रवाती आंधियों से मिल जाती हैं जो कि, रेत से भरी होने के कारण, अधिक भयानक होती हैं। दिखाई इतना कम पड़ता है कि कभी-कभी रेत के कारण कुछ गज दूर तक देखना भी कठिन हो जाता है।

मई माह की 40° सेन्टीग्रेट, 42° सेन्टीग्रेट एवं 45° सेन्टीग्रेट की समताप रेखाएं मानचित्र 15 एवं 16 में दिखाई गई हैं। अरावली के उत्तर और पश्चिम में तापक्रम में लगातार वृद्धि पाई जाती है। कोटा और सवाई माधोपुर का भी औसत तापक्रम लगभग 42° सेन्टीग्रेट है, मई में 44° सेन्टीग्रेट की अधिकतम औसत तापक्रम कोटा का है और कोटा का औसत न्यूनतम तापमान 10° सेन्टीग्रेट है इस राज्य में समताप रेखाओं का रूखे शुष्कता की मात्रा एवं तीव्रता का प्रदर्शक नहीं है। वर्षा की मात्रा भी काफी सीमा तक इन दोनों क्षेत्रों में शुष्क और अर्द्ध-आर्द्र दशाओं को निश्चित करती है। जैसलमेर, फलौदी, बीकानेर और गंगानगर में औसत वर्षा (जून से सितम्बर तक) 150 मिलीमीटर से 300 मिलीमीटर तक होती है, जबकि कोटा में इसी समय 1,000 मिलीमीटर होती है। इस प्रकार वर्षा की स्थिति इन दोनों क्षेत्रों की दशाओं को बहुत अधिक प्रभावित करती हैं जिससे कि प्रथम क्षेत्र शुष्क और दूसरा अर्द्ध-आर्द्र बन जाता है। 40° सेन्टीग्रेट की समताप रेखा एक लम्बी दूरी तक अरावली के पश्चिमी किनारे-किनारे जाती है और यही रेखा अजमेर, ब्यावर, जयपुर और दूद के पश्चिम से होकर उत्तर की ओर जाती है।

ग्रीष्म और वर्षा की ऋतु में हवाएँ साधारणतया दक्षिण-पश्चिम के बीच चलती हैं। गर्मी के महीनों में गर्म और रेत-भरी हवाओं का चलना सामान्य घटना है। प्रचण्ड रेतीली आंधियां पश्चिमी शुष्क भाग में बहुत ही सामान्य हैं और ऐसी आंधियों की संख्या अर्द्धशुष्क क्षेत्र और वर्षा वाले क्षेत्रों में धीरे-धीरे कम होती जाती है। उत्तर में गंगानगर में लगभग 70 दिन और बीकानेर में 20 दिन रेतीले तूफान के होते हैं। जोधपुर में तूफानी दिनों की संख्या लगभग 10 है और यह पूर्व दक्षिण-पूर्व की ओर उत्तरोत्तर घटती जाती है। उत्तर-पश्चिमी जिलों में जून में अधिकतम रेत की आंधियाँ आती हैं जबकि दक्षिण-पूर्वी क्षेत्रों में वे मई में आती हैं। उत्तर-पश्चिम में ऐसी आंधियाँ सितम्बर तक आती हैं।

### 2. सामान्य वर्षा की ऋतु (मध्य जून से सितम्बर)

जून में तापक्रम, वायु-दबाव एवं वायु-दशाओं से यह प्रतीत होता है कि मौजूदा दशाएँ और भी तीव्र हो गई हैं। उत्तर उत्तर-पश्चिम और पश्चिमी भारत मध्य जून तक मानसून के शुरू होने तक बहुत गर्म हो जाता है। हिन्द महासागर को पार करके आने वाली मानसून की दो शाखाएँ हो जाती है, जैसे-बंगाल-खाड़ी शाखा एवं अरबसागर शाखा। चूंकि उनका झुकाव सिन्ध के वायुभार की ओर रहता है, राजस्थान, अपनी स्थिति के कारण, दोनों मानसून धाराओं को प्राप्त करता है, फिर

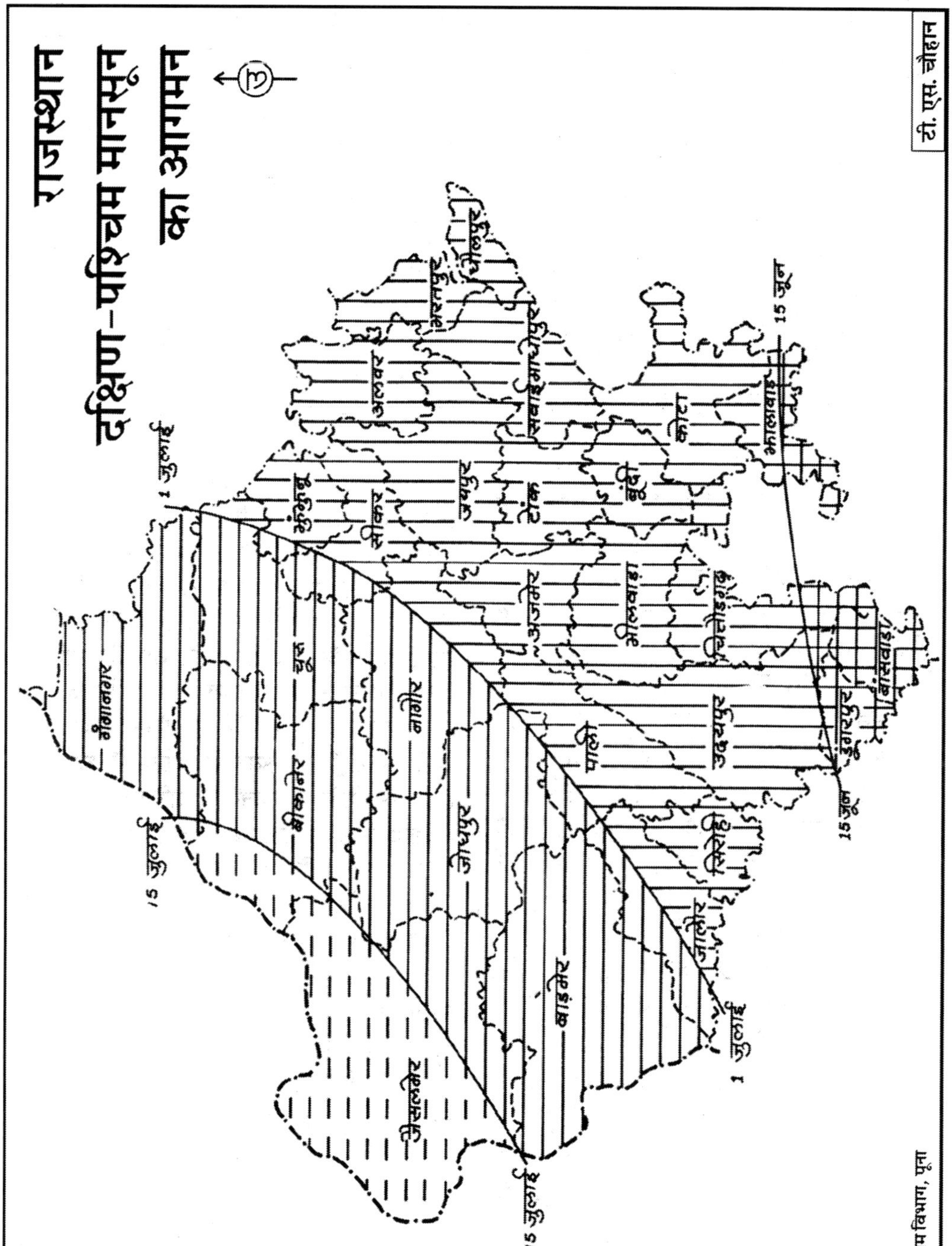
राजस्थान
दक्षिण-पश्चिम मानसून
का आगमन
उ
टी. एस. चौहान
15 जून
1 जुलाई
15 जुलाई
गंगानगर
बीकानेर
चूरू
झुंझुनूं
सीकर
अलवर
भरतपुर
धौलपुर
जयपुर
सवाईमाधोपुर
टोंक
अजमेर
नागौर
जोधपुर
जैसलमेर
बाड़मेर
जालौर
सिरोही
पाली
उदयपुर
डूंगरपुर
बांसवाड़ा
चित्तौड़गढ़
भीलवाड़ा
बूंदी
कोटा
झालावाड़
स्रोत :- भारतीय मौसम विभाग, पूना

मानचित्र 18

भी इस आरोहित संचलन से भारी वर्षा नहीं होती। राजस्थान के पश्चिमी भाग की ओर मानसून धारा के आते हुए भी वर्षा में पर्याप्त कमी हो जाती है। (मानचित्र 18) यह मुख्यत: विभिन्न कारणों से होता है। दक्षिण-पूर्व से आने वाली वायु-धारा अपनी आर्द्रता गंगा के मैदान से गुजरते समय समाप्त कर चुकी होती हैं। दक्षिण-पश्चिम से आने वाली धाराएं गर्म सागर पार करने के बाद एक अत्यन्त गर्म जमीन पर पर आती है और इस प्रकार आपेक्षिक आर्द्रता 90 प्रतिशत से 50 प्रतिशत तक गिर जाती है। साधारणतया आर्द्रता की यह प्रतिशत मात्रा से भी वर्षा हो सकती है, यदि वायु-धारा 920 मीटर तक उठे, परन्तु पश्चिम की ओर से एक ऊपरी गर्म वायुधारा के आने के कारण अधिकांश आर्द्रता हवा सोख लेती है और आकाश पुन: मेघरहित हो जाता है। परिणामत: ''स्वेच्छ मेघ रहित वायु, एवं सीधी सूर्य की झुलसाने वाली किरणें रेतीले मरुस्थल पर वायु की ऐसी शुष्कता बनाए रखती है जिससे कि वर्षा प्राय: असम्भव बन जाती है।'' (मिलर, 1961)। उत्तर-पूर्व से दक्षिण-पश्चिम दिशा में फैली हुई अरावली श्रेणी इस समय वर्षा को बहुत प्रभावित करती है। दक्षिण-पश्चिम में इन पहाड़ियों की औसत ऊँचाई 920 मीटर है जो कि उत्तर-पूर्व से क्रमश: तब तक घटती जाती है जब तक कि दिल्ली क्षेत्र के आस-पास ये पहाड़ियां छिट-पुट चट्टानों के रूप से रह जाती हैं। परिणाम यह होता है कि ग्रीष्म ऋतु के बाद, मानसूनी बौछारों का प्रारम्भ केवल दक्षिण-पूर्वी भाग को चैन पहुंचाता है। मरुस्थलीय क्षेत्र के उत्तर-पश्चिम भाग में 46° सेन्टीग्रेट तक ऊँचा तापक्रम रिकॉर्ड किया गया है। (मानचित्र 19)

औसत वार्षिक वर्षा का वितरण (मानचित्र 20) में दिखाया गया है। इस समय सम-वर्षा रेखाओं का सामान्य झुकाव उत्तर-पूर्व से दक्षिण-पश्चिम है। अरावली के पश्चिम में वर्षा की स्पष्ट कमी है जिससे पश्चिमी राजस्थान भारत का एक बहुंत ही शुष्क भाग बन गया है।

मौसमी वर्षा (जून से सितम्बर) तक वर्षा में कमी इस राज्य में पूर्व से पश्चिम की ओर बहुत ही स्पष्ट है। (मानचित्र 21) 500 मिलीमीटर की सम-वर्षा रेखा राज्य को दो खण्डों में बांटती है। दक्षिण में माउण्ट आबू को लगभग 1,100 मिलीमीटर वर्षा प्राप्त होती है जो राजस्थान में सबसे अधिक है। अरावली के पूर्व में कहीं भी वर्षा 1,000 मिलीमीटर से अधिक नहीं बढ़ती। केवल झालावाड़ को छोड़कर झालावाड़ में इस ऋतु में लगभग 1,000 मिलीमीटर से अधिक वर्षा होती है। शुष्क पश्चिम में औसत वर्षा 300 मिलीमीटर से कम होती है। वर्षा उत्तरी मैदानों में विरल वायु गर्तों एवं पूर्वी हवाओं से सम्बन्धित होती है। कुछ वर्षा स्थानीय तूफानी आंधियों से भी होती है। कुछ वर्षा स्थानीय आंधियों से भी होती है। तूफानी आंधियां राज्य के पूर्वी भाग में, पश्चिमी शुष्क क्षेत्रों की अपेक्षा अधिक आती है। झालावाड़ और जयपुर में अधिक दिन तूफानी आंधियों के होते हैं, गंगानगर में बहुत कम तूफानी आंधियां आती हैं। वे आंधियां सामान्यतया मई से सितम्बर तक आती हैं और विशेषतया जून और जुलाई में आती है।

### 3. शीत ऋतु (अक्टूबर से फरवरी)

शीत ऋतु केा और दो उपभागों में बांटा गया है, जैसे-(अ) लौटते हुए मानसून की ऋतु (अक्टूबर से दिसम्बर तक) और (ब) शीत ऋतु (जनवरी और फरवरी)।

**(अ) लौटते हुए मानसून की ऋतु (अक्टूबर से दिसम्बर तक) :** भारतीय जलवायु के अन्तर-उष्ण-कटिबंधीय सीमान्त एवं दक्षिण-पश्चिम मानसून के लौटते समय तापक्रम में कुछ समय के लिए थोड़ी-सी वृद्धि हो जाती है, (मानचित्र 22) और फिर शीतकाल के निम्नतम तापमान तक क्रमश: कमी होती रहती है। उन क्षेत्रों में जहाँ ज्यादा वर्षा हो जाती है, ऊँचे तापक्रम लगातार आद्रता के साथ मिलकर उमस भरा मौसम बना देते हैं। अक्टूबर और नवम्बर के महीने में राजस्थान में, जहाँ कि आधे राज्य में 25.4 सेन्टीमीटर से कम वर्षा होती है, विस्तृत वाष्पीकरण एवं जलाक्रमण के न होने से मौसमी दशाएँ उत्तम हो जाती हैं। सम्पूर्ण राजस्थान के तापक्रम में काफी एकरूपता होती है। विभिन्न स्थानों में अधिकतम तापक्रम 33.3° सेन्टीग्रेट से 36.1° सेन्टीग्रेट के बीच, एवं न्यूनतम तापक्रम 17.7° सेन्टीग्रेट से 21.1° सेन्टीग्रेट के बीच होते हैं।

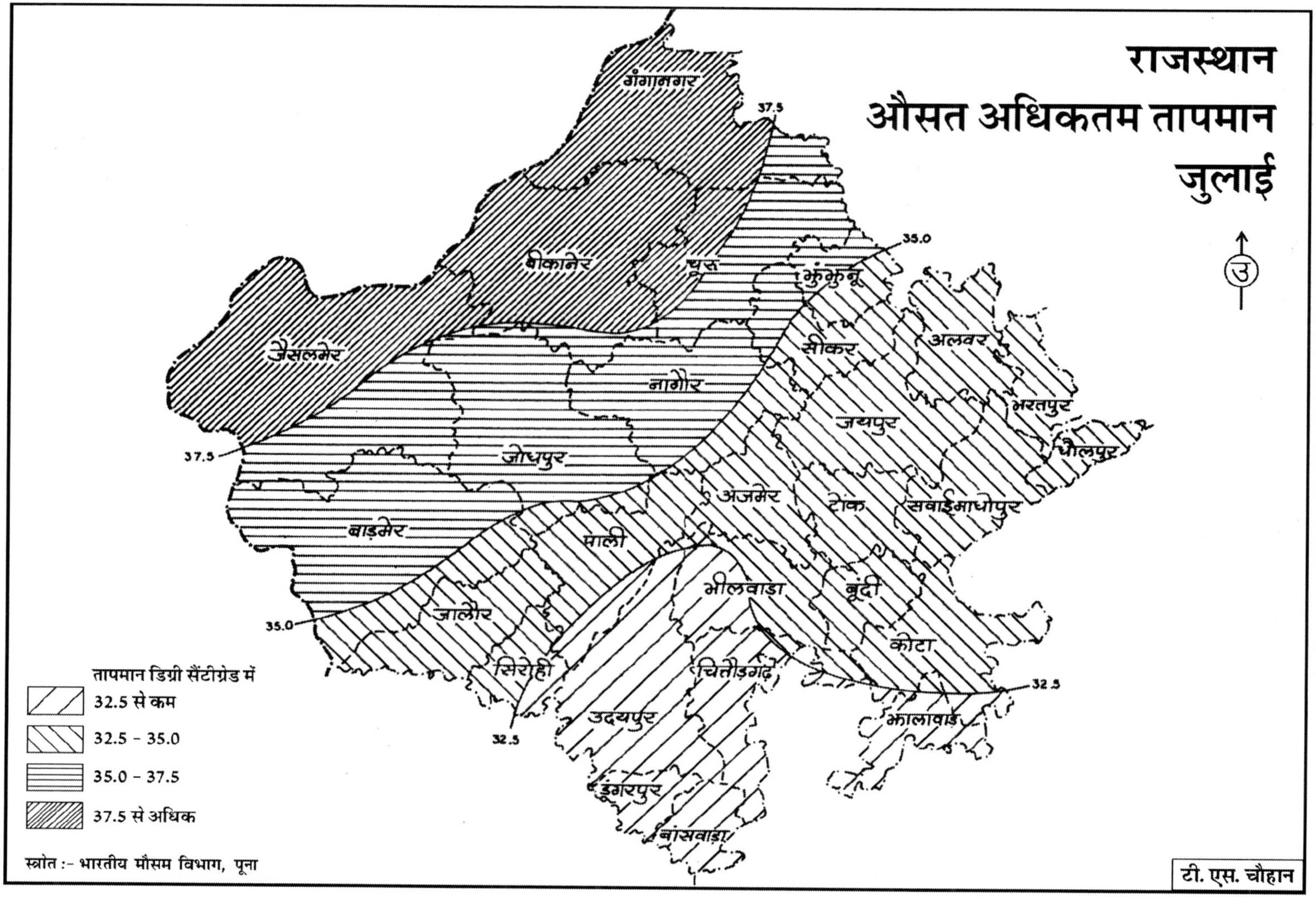
राजस्थान
औसत अधिकतम तापमान
जुलाई
उ
गंगानगर
बीकानेर
चूरु
झुंझुनू
जैसलमेर
नागौर
सीकर
अलवर
भरतपुर
धौलपुर
जयपुर
जोधपुर
अजमेर
टोंक
सवाईमाधोपुर
बाड़मेर
पाली
भीलवाड़ा
बूंदी
जालोर
कोटा
सिरोही
चित्तौड़गढ़
उदयपुर
झालावाड़
डूंगरपुर
बांसवाड़ा
37.5
35.0
32.5
तापमान डिग्री सैंटीग्रेड में
32.5 से कम
32.5 - 35.0
35.0 - 37.5
37.5 से अधिक
स्रोत :- भारतीय मौसम विभाग, पूना
टी. एस. चौहान

मानचित्र 19

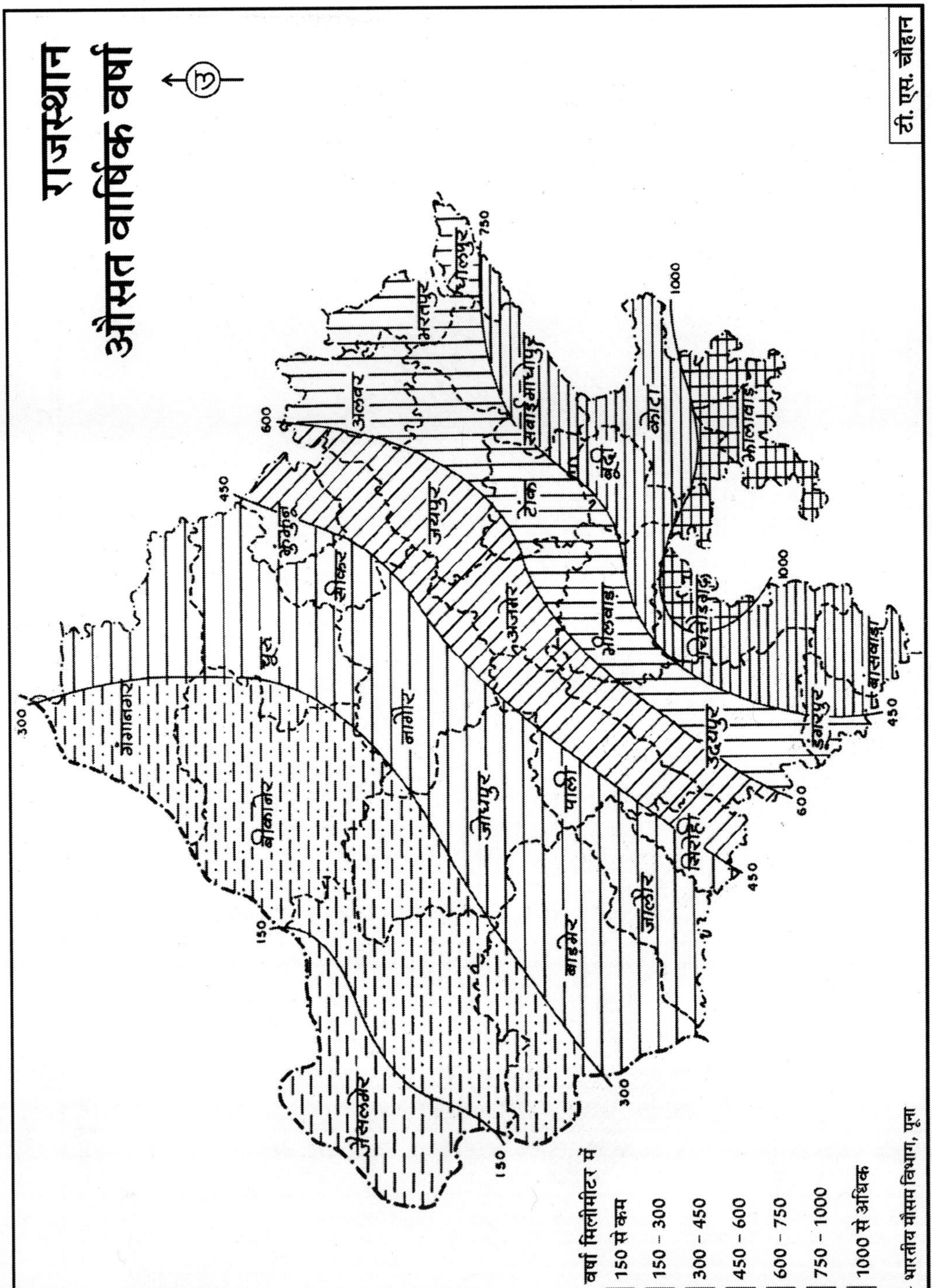
राजस्थान
औसत वार्षिक वर्षा
उ
टी. एस. चौहान
वर्षा मिलीमीटर में
150 से कम
150 – 300
300 – 450
450 – 600
600 – 750
750 – 1000
1000 से अधिक
स्रोत :- भारतीय मौसम विभाग, पूना
गंगानगर
बीकानेर
जैसलमेर
बाड़मेर
जालोर
सिरोही
पाली
जोधपुर
नागौर
चूरू
सीकर
झुंझुनू
जयपुर
अजमेर
भीलवाड़ा
उदयपुर
डूंगरपुर
बांसवाड़ा
चित्तौड़गढ़
टोंक
बूंदी
कोटा
झालावाड़
सवाईमाधोपुर
अलवर
भरतपुर
धौलपुर
150
300
450
600
750
1000

मानचित्र 20

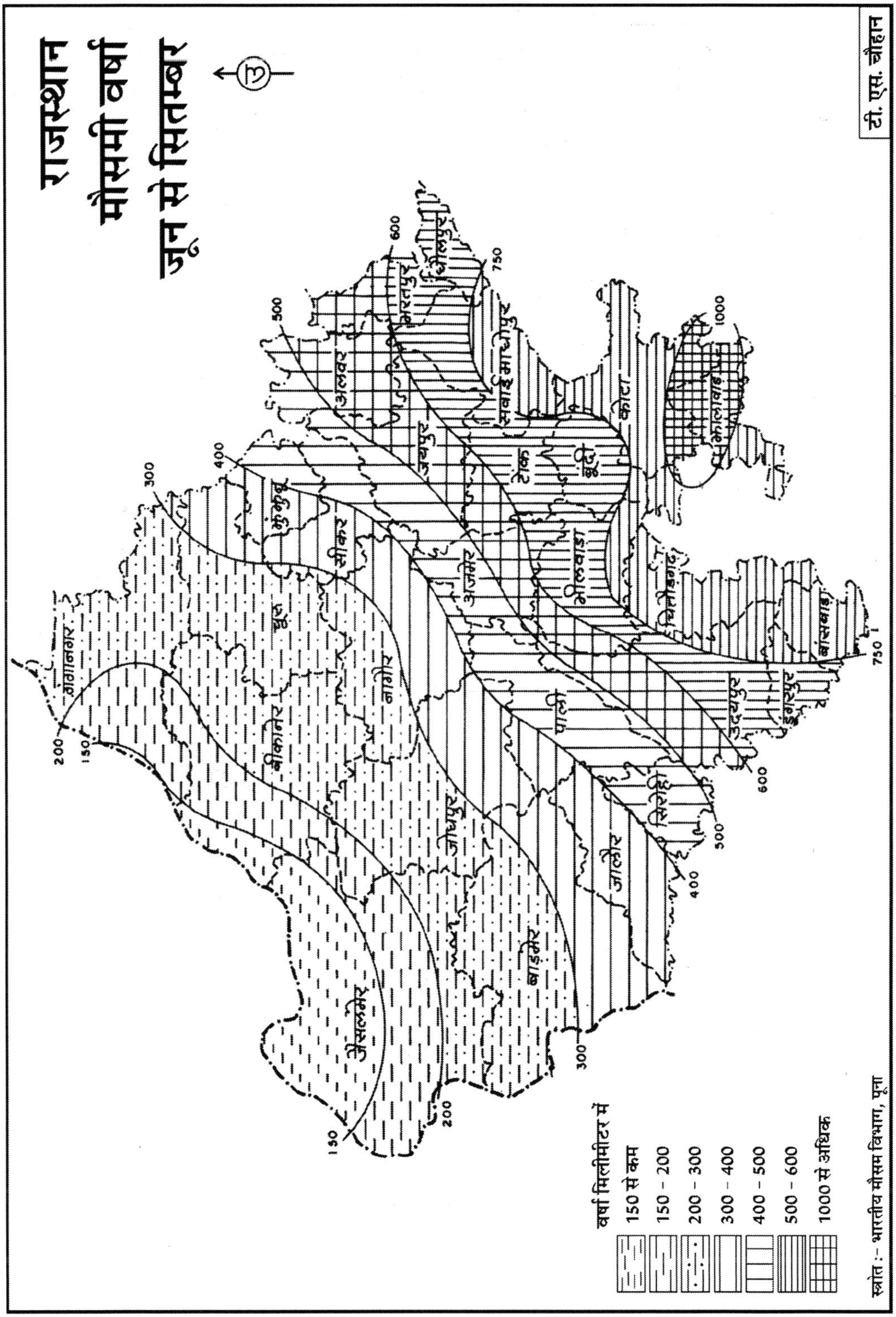
राजस्थान
मौसमी वर्षा
जून से सितम्बर
उ
वर्षा मिलीमीटर में
150 से कम
150 - 200
200 - 300
300 - 400
400 - 500
500 - 600
1000 से अधिक
स्रोत :- भारतीय मौसम विभाग, पूना
टी. एस. चौहान
गंगानगर
बीकानेर
चूरू
झुंझुनू
सीकर
नागौर
जैसलमेर
जोधपुर
बाड़मेर
जालौर
सिरोही
पाली
अजमेर
जयपुर
अलवर
भरतपुर
धौलपुर
सवाई माधोपुर
टोंक
बूंदी
कोटा
झालावाड़
भीलवाड़ा
चित्तौड़गढ़
उदयपुर
डूंगरपुर
बांसवाड़ा
150
200
300
400
500
600
750
1000

मानचित्र 21

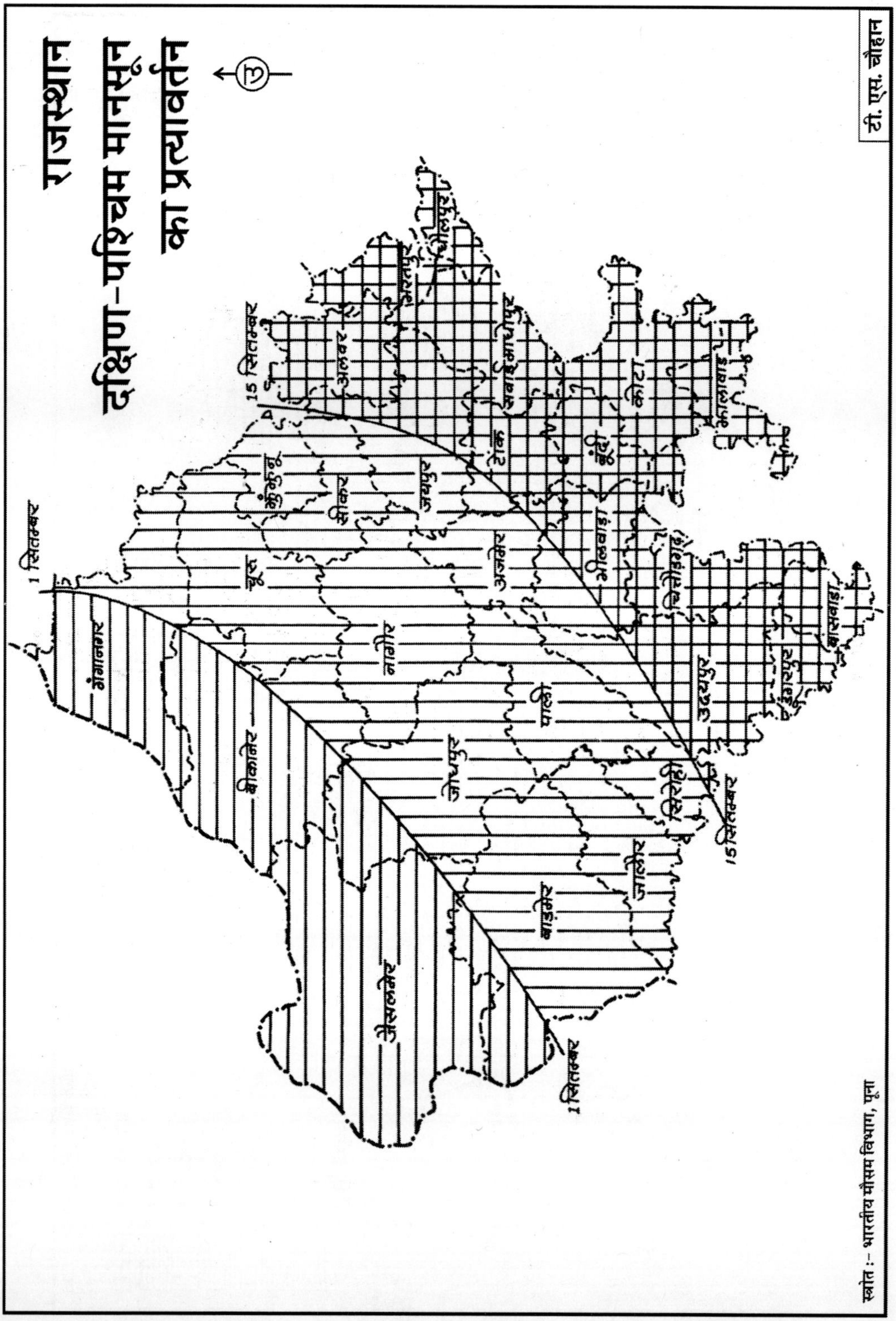
राजस्थान
दक्षिण-पश्चिम मानसून
का प्रत्यावर्तन
उ
1 सितम्बर
15 सितम्बर
1 सितम्बर
15 सितम्बर
गंगानगर
बीकानेर
जैसलमेर
बाड़मेर
जालौर
सिरोही
जोधपुर
पाली
नागौर
चूरू
झुंझुनूं
सीकर
जयपुर
अजमेर
अलवर
भरतपुर
धौलपुर
सवाईमाधोपुर
टोंक
बूंदी
कोटा
झालावाड़
भीलवाड़ा
चित्तौड़गढ़
उदयपुर
डूंगरपुर
बांसवाड़ा
टी. एस. चौहान
स्रोत :- भारतीय मौसम विभाग, पूना

मानचित्र 22

माउण्ट आबू की एक अलग स्थित मानी जाती है। माउण्ट आबू के तापक्रम आसपास के क्षेत्रों से काफी कम होते हैं क्योंकि वह काफी ऊँचाई पर स्थित है। इन महीनों में, मानसून के लौटने के कारण, हवाएं लगभग समाप्त हो जाती है और वे बहुत हल्की एवं अति-परिवर्तनशील होती हैं।

**(ब) शीत ऋतु (दिसम्बर से फरवरी तक) :** इन महीनों से सूर्य दक्षिणी गोलार्द्ध में चला जाता है और उप-उष्ण- कटिबंधीय प्रतिचक्रवातीय पेटी पश्चिम से फैलती है जिसकी धुरी प्रायद्वीप के आधार के निकट होती है। यह भारतीय क्षेत्र के ऊपर दाब-प्रवणता, तापक्रम एवं वायु दशाओं को नियंत्रित करती है। राज्य के दक्षिणी हिस्से में हल्की उत्तर-पश्चिमी हवाएँ एवं दक्षिण और दक्षिण-पूर्व में उत्तर-पूर्वीय हवाएँ भारत की प्रतिचक्रवातीय पेटी के कारण उत्पन्न होती हैं। परिणाम यह होता है कि शीत मौसमी चक्रवात राजस्थान पर पश्चिम से पूर्व तक चलते हैं। (मानचित्र 23)

इस समय समस्त क्षेत्र के ऊपर तापक्रम में क्रमशः गिरावट होती है और उपतटीय हवाओं से या तो बहुत कम वर्षा होती है या बिल्कुल ही नहीं। आकाश पूर्ण रूप से स्वच्छ रहता है और इस क्षेत्र में मुश्किल से ही कोई मेघ निकलते हैं। पश्चिमी व्याघात, जिनका लक्षण उथले गर्त हैं, उत्तरी मैदानों में मौसम में महत्त्वपूर्ण व्यवधान डालते हैं, परन्तु सम्पूर्ण रूप से इन गर्तों का इस राज्य की मौसमी दशाओं पर बहुत कम प्रभाव पड़ता है।

जनवरी की समताप रेखाएं मई की समताप रेखाओं की तुलना में स्पष्ट विपरीत स्थिति दर्शाती हैं। राजस्थान में न्यूनतम वार्षिक तापमान -0 से -4 से भी कम रहता है। ये रेखाएं अरावली श्रृंखलाओं को पार करते सम, कुछ परिवर्तन के साथ, पश्चिम से पूर्व की ओर, अक्षांश रेखाओं के प्रायः समानान्तर चलती हैं। जनवरी का माध्य औसत तापक्रम राज्य के उत्तरी में 12° सेन्टीग्रेट से लेकर दक्षिण में 16° सेन्टीग्रेड तक होता है। (मानचित्र 24) जनवरी का औसत मासिक तापक्रम विभिन्न स्टेशनों पर 14° से 16° सेन्टीग्रेट के बीच होता है। माउण्ट आबू पर तापान्तर राज्य में सबसे कम, अर्थात् 7.8° सेन्टीग्रेट होता है। उत्तर की ओर तापप्रवणता तीव्र होती है-लगभग 1° सेन्टीग्रेट प्रति अक्षांशों के बीच फैला हुआ है, दक्षिण और उत्तर में ताप का अन्तर लगभग 10° सेन्टीग्रेट है। ये समताप रेखाएं अरावली को पार करते समय क्रमशः दक्षिण की ओर झुक जाती हैं जो यह दर्शाती हैं कि अरावली पर दक्षिण अक्षांश में कुछ कम औसत तापक्रम पाया जाता है। राजस्थान के दक्षिणी हिस्से में मुख्यतः कोटा, झालावाड़, जोधपुर, बाड़मेर और उदयपुर जिले के कुछ भाग में मासिक औसत जनवरी तापक्रम लगभग 16° सेन्टीग्रेट है। पहाड़ी पर स्थित माउण्ट आबू का औसत तापक्रम निम्नतम है, जैसे 14.6° सेन्टीग्रेट। इस शीत के महीने में हवाएं साधारणतया हल्की एवं परिवर्तनशील होती हैं, परन्तु दूसरी दिशाओं से आनेवाली हवाओं की अपेक्षा उत्तर-पश्चिम एवं उत्तरी हवाएँ अधिक आती हैं।

ब्लेनफोर्ड (1876) ने भारतीय मरुस्थल के बारे में टिप्पणी की है कि, ''मरुस्थल शब्द इस क्षेत्र के बारे में एक अपूर्ण विचार प्रस्तुत करता है। यह न तो ऊसर है, न बिना आबादी का यह सामान्य रूप से झाड़ियों से घिरा है और स्थान स्थान पर छोटे-छोटे पेड़ पाए जाते हैं। इसके अतिरिक्त यद्यपि जनसंख्या कम है, गांव सभी जगह फैले हुए हैं तथा ऊँटों, जानवरों, भेड़ों एवं बकरियों के बड़े-बड़े झुंड रखे एवं पाले जाते हैं। यह मरुस्थल वास्तव में एक बड़ा रेतीला क्षेत्र है जो जल के स्रोतों से बिल्कुल शून्य है और कुछ चट्टानें हैं तथा धरातल का एक बड़ा भाग रेतीली पहाड़ियों से बना है।'' मरुस्थल की दशाओं के विषय में ग्लीनी (1932) द्वारा दिया गया वर्णन काफी सीमा तक ब्लेनफोर्ड के वर्णन से मिलता जलुता है। स्टेन की टिप्पणी की है कि भारतीय मरुस्थल की जलवायु चीनी तुर्किस्तान के वास्तविक मरुस्थल की अत्यधिक शुष्कता से काफी दूर है। भारतीय मरुस्थल पर हवा अधिक शुष्क नहीं है और वह कुछ, हालांकि बहुत थोड़ी, आर्द्रता की मात्रा रखती है।

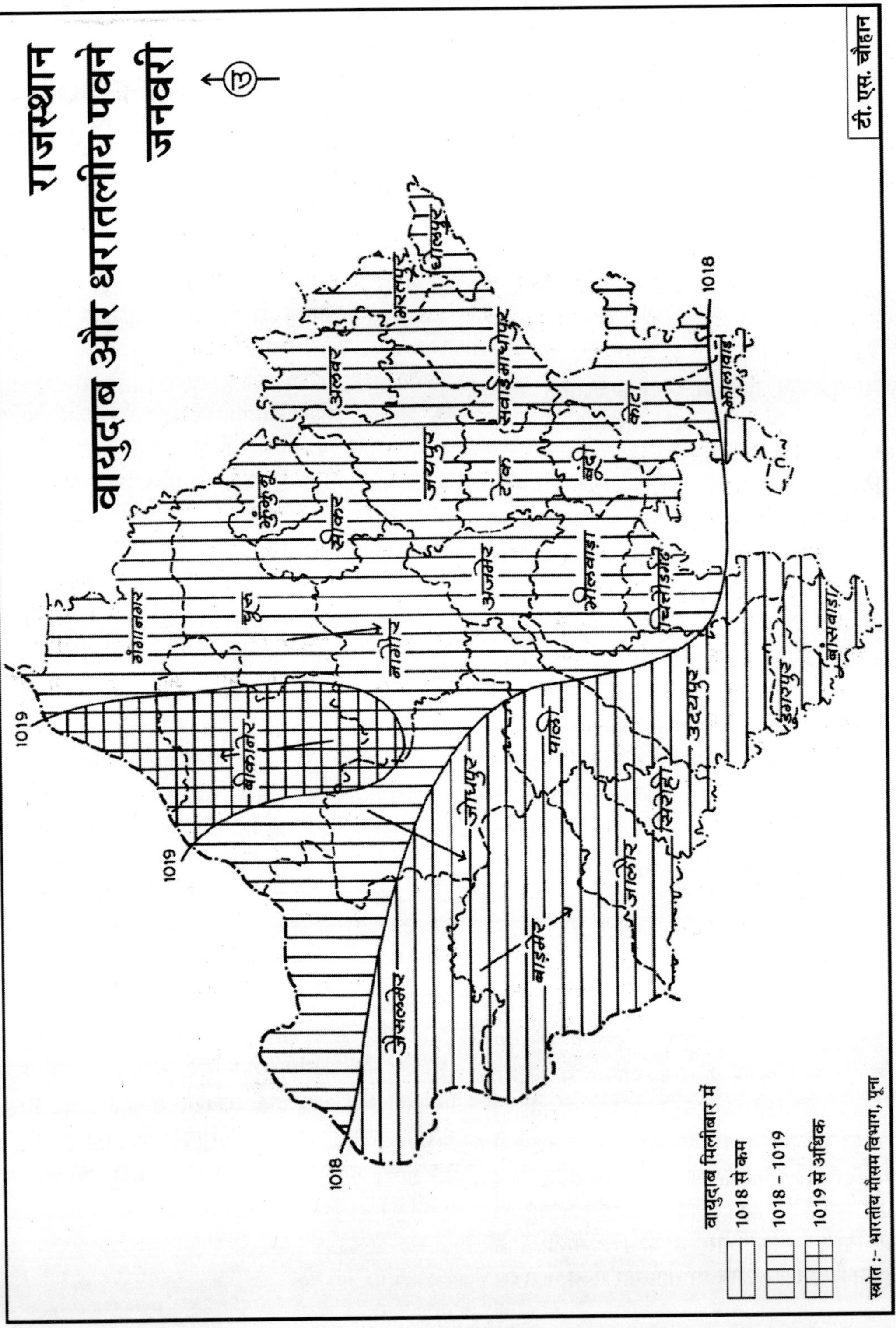
राजस्थान
वायुदाब और धरातलीय पवनें
जनवरी
उ
टी. एस. चौहान
गंगानगर
बीकानेर
चूरू
झुंझुनूं
सीकर
जयपुर
अलवर
भरतपुर
धौलपुर
सवाईमाधोपुर
टोंक
अजमेर
नागौर
जोधपुर
जैसलमेर
बाड़मेर
जालौर
सिरोही
पाली
उदयपुर
डूंगरपुर
बांसवाड़ा
चित्तौड़गढ़
भीलवाड़ा
बूंदी
कोटा
झालावाड़
1018
1019
1019
1018
वायुदाब मिलीबार में
1018 से कम
1018 – 1019
1019 से अधिक
स्रोत :- भारतीय मौसम विभाग, पूना

मानचित्र 23

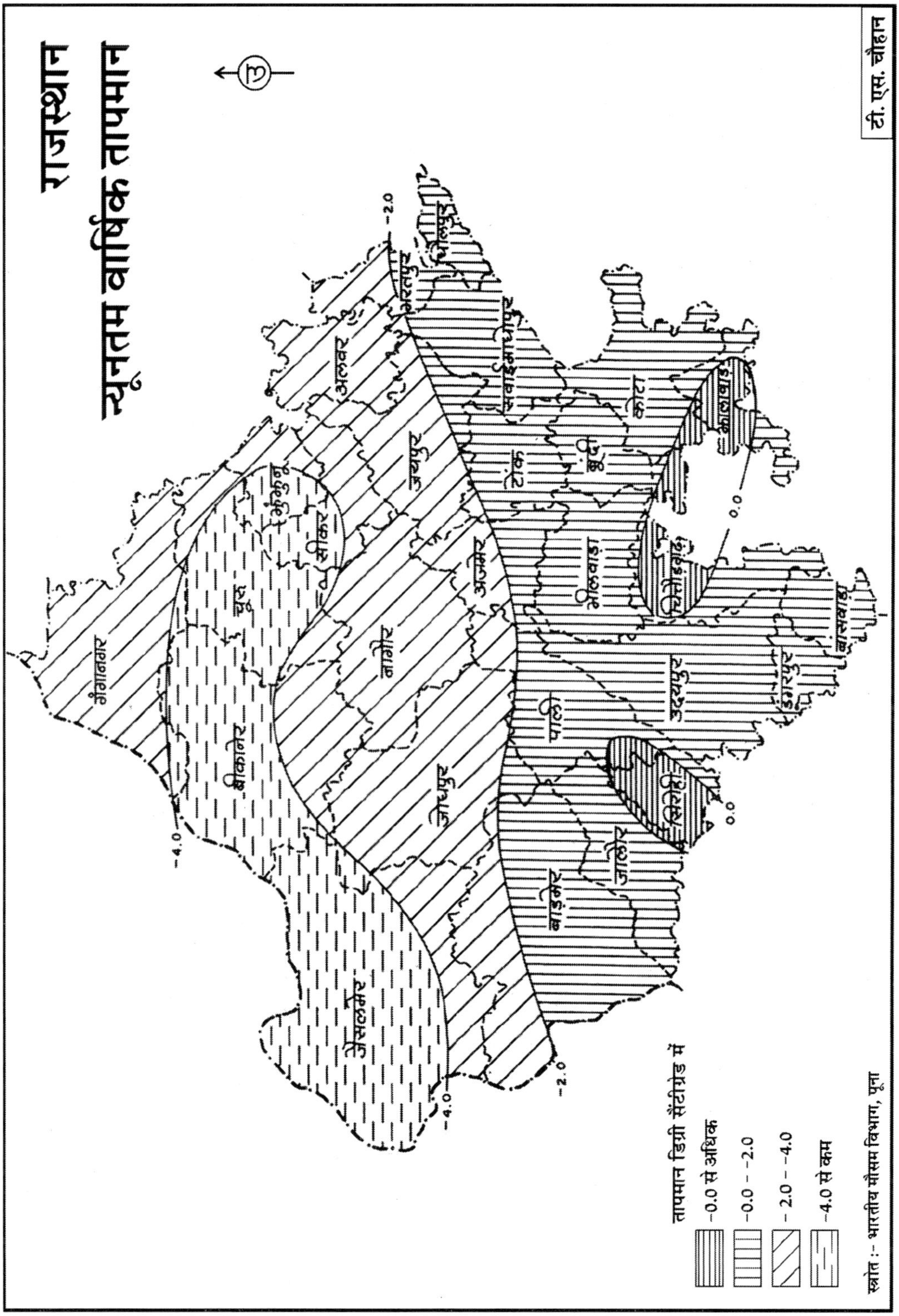

राजस्थान
न्यूनतम वार्षिक तापमान
उ
गंगानगर
बीकानेर
चूरू
झुंझुनू
सीकर
अलवर
भरतपुर
धौलपुर
जयपुर
सवाईमाधोपुर
नागौर
अजमेर
टोंक
बूंदी
कोटा
झालावाड़
भीलवाड़ा
चित्तौड़गढ़
जोधपुर
पाली
उदयपुर
डूंगरपुर
बांसवाड़ा
बाड़मेर
जालौर
सिरोही
जैसलमेर
-4.0
-2.0
0.0
तापमान डिग्री सैंटीग्रेड में
-0.0 से अधिक
-0.0 - -2.0
- 2.0 - -4.0
-4.0 से कम
स्रोत :- भारतीय मौसम विभाग, पूना
टी. एस. चौहान


मानचित्र 24

## वार्षिक वर्षा की परिवर्तिता

मानसून वर्षा का एक विशिष्ट लक्षण वर्ष प्रतिवर्ष होने वाली परिवर्तिता है। किसी स्थान पर किसी भी वर्ष की वास्तविक वर्षा में माध्य वर्षा से 20 से 50 प्रतिशत के बीच विचलन आ सकता है। राज्य में वार्षिक वर्षा के विचरण गुणांक में सामान्यत: 20 से 60 प्रतिशत के बीच अन्तर पाया जाता है। राज्य में मरुस्थली भाग में 40 से 800 तक परिवर्तिता रहती है। जबकि पूर्वी भाग में 20 से 30 तक परिवर्तिता रही है। (मानचित्र 25)

वर्षा की वार्षिक परिवर्तिता का प्रतिरूप राज्य की कृषि पर महत्त्वपूर्ण प्रभाव डालता है। जिन क्षेत्रों में वर्षा की परिवर्तिता अधिक होती है वहां पानी की भयंकर कमी रहती है अत: फसलें प्राय: असफल सहती है। इन क्षेत्रों में सूखा भी बार बार आता है।

## आर्द्रता

राज्य में वार्षिक आर्द्रता 55 से अधिक रहती हैं। (मानचित्र 26) सापेक्षिक आर्द्रता, अप्रेल और मई के गर्म महीनों में न्यूनतम होती है और जुलाई, अगस्त एवं सितम्बर के मानसून महीनों में अधिकतम। अप्रेल में निम्नतम एवं अगस्त में उच्चतम होती है शीत ऋतु में वायु में आर्द्रता का अंश निम्नतम होता है। 55 से 63 से अधिक रहती है। गर्म ऋतु में आर्द्रता सुबह से वक्त 35 प्रतिशत से 60 प्रतिशत के बीच होती है एवं दोपहर के बाद 10 प्रतिशत से 30 प्रतिशत तक होती है। शीत ऋतु में, मुख्यत: दिसम्बर से फरवरी तक, आर्द्रता सुबह के वक्त 50 प्रतिशत से 60 प्रतिशत के बीच होती है एवं दोपहर के बाद 25 प्रतिशत से 35 प्रतिशत तक होती है। श्री गंगानगर में सिंचाई के कारण एवं वर्षा के इन महीनों में पर्याप्त निम्न शुष्क-बल्ब तापक्रम के कारण, प्रतिशत आर्द्रता कुछ ऊँची होती है। आर्द्रता जोधपुर में निम्नतम हैं और वाष्प दबाव से तुलना करने पर देखा जाता है कि जोधपुर दूसरे स्टेशनों की अपेक्षा शुष्क है। मानसून ऋतु में आर्द्रता में स्पष्ट रूप से वृद्धि होती है। पूर्व एवं दक्षिण-पूर्व के क्षेत्रों की तुलना में जहाँ वर्षा बहुत ज्यादा होती है, यह वृद्धि अरावली के उत्तर और उत्तर-पश्चिम में कम स्पष्ट है। मानसून के समाप्त होने पर सापेक्षिक आर्द्रता में तेजी से कमी होती है और कभी-कभी प्रतिशत शीत ऋतु की अपेक्षा बहुत निम्न हो जाता है।

राज्य का औसत तापमान 14° सेन्टीग्रेट रहता है। जनवरी में प्रदेश के दक्षिणी व दक्षिणी-पूर्वी भागों में झालावाड़, कोटा, चित्तौड़गढ़, बांसवाड़ा व उदयपुर आदि में तापमान 16° सेन्टीग्रेट के लगभग रहता है। राज्य के मध्यवर्ती भागों में जैसलमेर, नागौर, सीकर, बीकानेर के दक्षिणी भागों तथा अजमेर व जयपुर में तापमान 14° सेन्टीग्रेट से 16° सेन्टीग्रेट के मध्य रहता है। उत्तरी भाग में तापमान 12° सेन्टीग्रेट रहता है इस भाग में गंगानगर, चुरू एवं सीकर का कुछ भाग सम्मिलित है। राजस्थान के उत्तरी भागों में जनवरी महीने में शीतलहर के कारण तापमान जमाव बिन्दु तक भी पहुँच जाता है।

## आंधियाँ

राजस्थान के कुछ पहाड़ी भागों में छोड़कर पूरे राज्य में आंधियों का प्रकोप रहता है। राज्य के पश्चिमी भागों में आंधियाँ अधिक विकराल रूप लिये हुए होती है। उत्तर-पश्चिमी जिलों में जून में तथा दक्षिणी-पूर्वी व दक्षिणी क्षेत्रों में मई में आंधियाँ चलती हैं। जून के अन्त में आंधियाँ चलना लगभग नहीं के बराबर होता है। प्रदेश के पश्चिमी भागों में गर्मी के दिनों में दोपहर बाद यह आंधियां धूल के गुब्बार के रूप में आती हैं। आंधियों से तापमान में एकदम गिरावट आ जाती है। इन आंधियों का रंग काला अथवा पीला होता है। अधिकांशत: इनमें वायु के साथ महीने रेत भी होती है। कई बार इनकी गति 120 किलोमीटर प्रति घण्टा या इससे भी अधिक होती है जिससे बहुत हानियाँ होती है। धूल भरी आंधियों के कारण जैसलमेर व बाड़मेर में रेल तथा सड़क यातायात अवरूद्ध हो जाता है। गंगानगर व बीकानेर में सिंचाई की नहरों में इन आंधियों की वजह से हजारों टन मिट्टी आ जाती है, जिसे निकालना भी कठिन होता है। एक वर्ष में राज्य के विभिन्न जिलों में आंधियों की संख्या लगभग इस प्रकार है-जैसलमेर 16 दिन, बीकानेर 18 दिन, गंगानगर 27 दिन, जोधपुर 9 दिन, बाड़मेर 13 दिन,

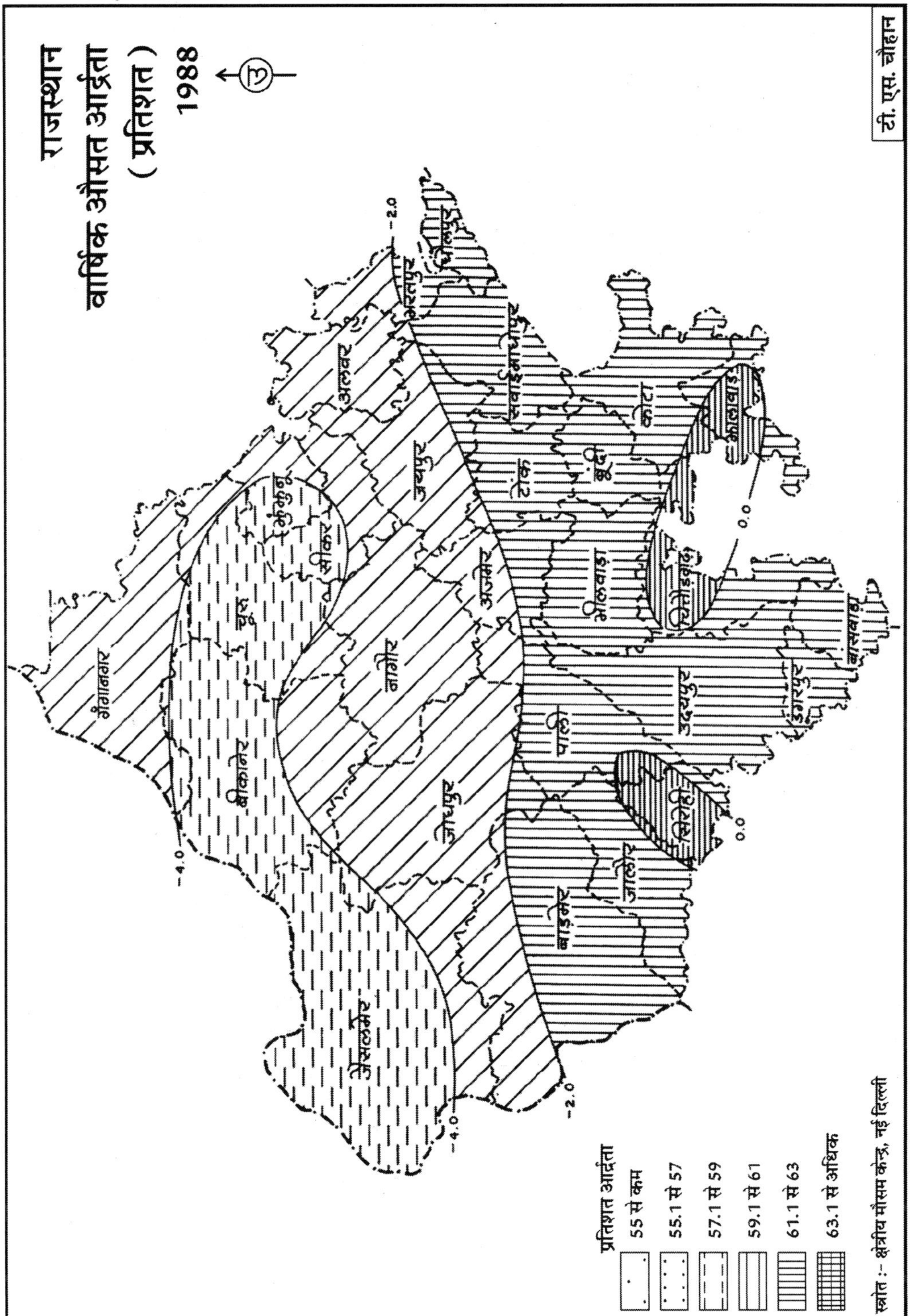
राजस्थान
वार्षिक औसत आर्द्रता
( प्रतिशत )
1988
उ
टी. एस. चौहान
प्रतिशत आर्द्रता
55 से कम
55.1 से 57
57.1 से 59
59.1 से 61
61.1 से 63
63.1 से अधिक
स्त्रोत :- क्षेत्रीय मौसम केन्द्र, नई दिल्ली
गंगानगर
बीकानेर
जैसलमेर
चूरू
झुंझुनू
सीकर
अलवर
भरतपुर
धौलपुर
जयपुर
नागौर
जोधपुर
बाड़मेर
जालौर
सिरोही
पाली
अजमेर
टोंक
सवाई माधोपुर
बूंदी
कोटा
झालावाड़
भीलवाड़ा
चित्तौड़गढ़
उदयपुर
डूंगरपुर
बांसवाड़ा
-4.0
-2.0
0.0

मानचित्र 25

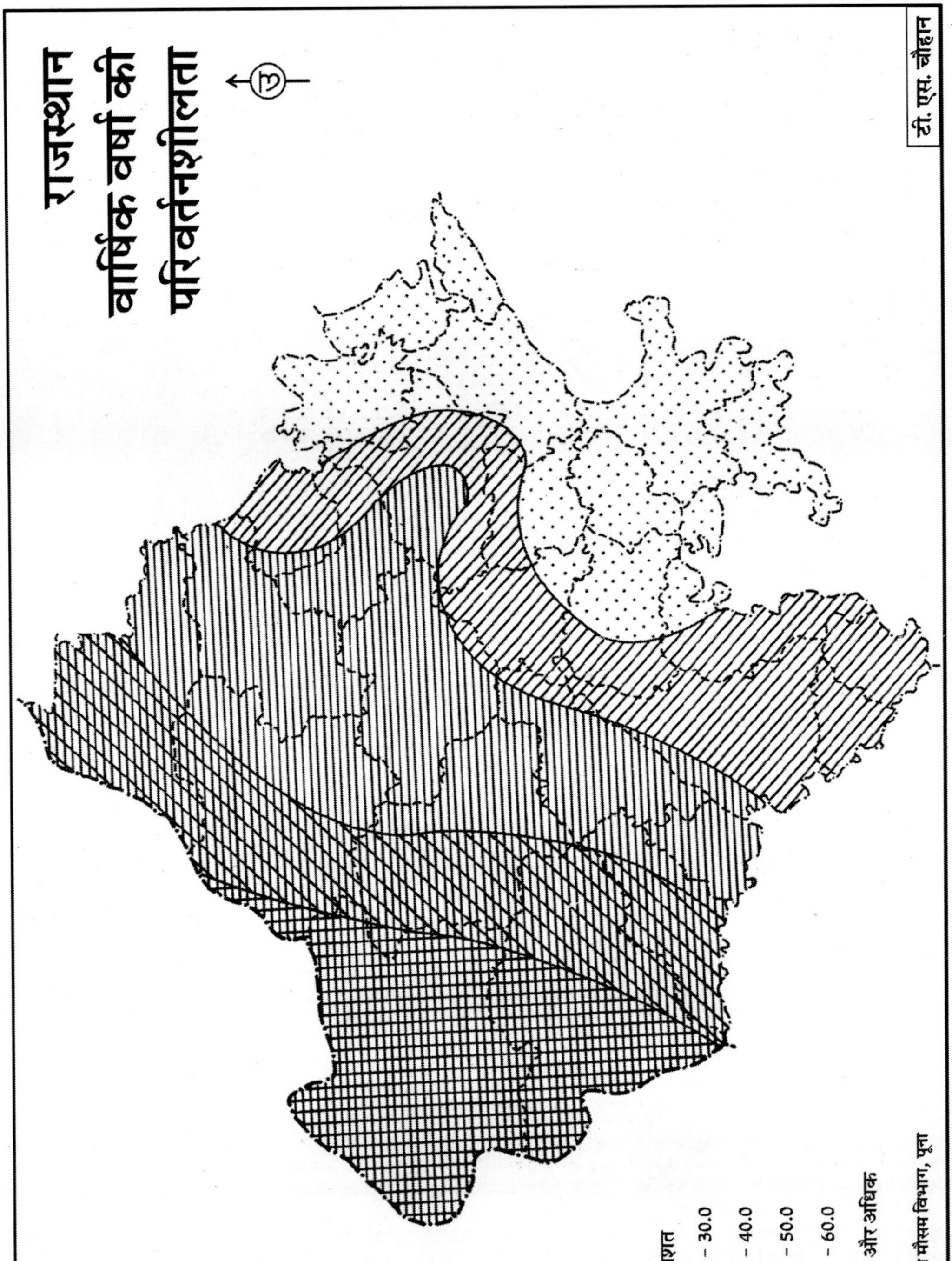
राजस्थान
वार्षिक वर्षा की
परिवर्तनशीलता
उ
टी. एस. चौहान
प्रतिशत
20.1 – 30.0
30.1 – 40.0
40.1 – 50.0
50.1 – 60.0
60.1 और अधिक
स्रोत :- भारतीय मौसम विभाग, पूना

मानचित्र 26

जयपुर 6 दिन, कोटा 5 दिन व अजमेर 3 दिन। राजस्थान के अरावली से पूर्व में स्थित भागों में आंधियों की संख्या बहुत कम है।

## हवाऐं

दिसम्बर से मार्च तक अर्थात् सर्दी के मौसम में राज्य में उत्तर-पश्चिमी हवाऐं चलती हैं। मार्च के पश्चात् अप्रेल में हवाओं का रूख पश्चिम से पूर्व की ओर हो जाता है। मई से सितम्बर तक अर्थात् गर्मी व वर्षा के मौसम में हवाऐं दक्षिण-पश्चिम से उत्तर-पूर्व की तरफ चलती है। इस समय वायु वेग पूर्वी भागों की अपेक्षा पश्चिमी शुष्क व अर्द्धशुष्क भागों में अधिक रहता है। यहां वनस्पति विहीन धरातल, ढ़ीला धरातल है व प्राकृतिक अवरोधों का अभाव है इस कारण वायु स्वच्छन्द रूप से चलती है। गर्मी में वायुगति 125 कि.मी. प्रति घण्टा तक हो जाती है। मानसून के समय राज्य में पूर्वी हवाऐं भी चलती है जो वर्षा लाती है। अक्टूबर से नवम्बर में वायुवेग सबसे कम रहता है।

## वज्रपात या तूफान

राजस्थान के पश्चिमी भाग में जिस समय आंधियों का प्रकोप होता है, लगभग उसी समय पूर्वी भाग में तूफान आते हैं। तूफान मई से सितम्बर तक आते हैं। जून-जुलाई में अधिक तूफान आते हैं। इन तूफानों की संख्या पूर्व तथा दक्षिण-पूर्व से पश्चिम की तरफ क्रमश: कम होती जाती है। एक वर्ष में झालावाड़ व जयपुर में 40 से 50 दिन, अजमेर व कोटा में 30 दिन, जोधपुर में 20 व बाड़मेर में 10 दिन तूफानों का प्रकोप रहता है।

## ओलावृष्टि

राजस्थान में चक्रवातों के प्रभाव से कई बार ओलावृष्टि भी होती है। जयपुर में दो वर्ष में तीन बार, बीकानेर, बाड़मेर, अजमेर, जोधपुर तथा नागौर में तीन वर्षों में एक बार तथा गंगानगर में चार वर्षों में एक बार ओले गिरते हैं।

## राजस्थान के जलवायु प्रदेश

मोटे तौर पर राज्य की जलवायु गर्म शुष्क प्रकार की है। तथापि वायुमण्डल के तत्त्वों के वितरण एवं उनके समवाय में कई क्षेत्रीय प्रतिरूप प्रदर्शित होते हैं। इन्हीं प्रतिरूपों की जलवायु के उप-प्रकारों में देखा जा सकता है। इस प्रकार कोई भी जलवायु प्रदेश जलवायविक दशाओं की एकरूपता के आधार पर निर्धारित किया जाता है। जलवायविक दशाओं की एकरूपता के कारणों के संयुक्त प्रभाव से उत्पन्न होती। समांगी प्रकारों एवं उप-प्रकारों में जलवायु का विभाजन काफी जटिल समस्या है। जलवायु के विभिन्न तत्त्वों जैसे तापमान तथा वर्षा की सहायता से एक सामान्य सूचकांक के रूप में, समाहित करना पड़ता है। जलवायु के वर्गीकरण की सभी प्रणालियों सामान्यत: सर्वाधिक महत्त्वपूर्ण समझे जाने वाले कारक तापमान एवं वर्षा है।

निम्नलिखित अध्याय में कोपेन तथा थॉर्न्थवेट द्वारा विकसित विधि के आधार पर राजस्थान के जलवायु प्रदेशों का वितरण प्रस्तुत करेंगे।

### (1) कोपेन विधि द्वारा निर्धारित जलवायु प्रदेश

कोपेन की विधि का आधार तापमान तथा वर्षा के मासिक मान है। कोपेन ने राज्य के तीन मुख्य जलवायु प्रदेश निर्धारित किए हैं। वे निम्नलिखित हैं उष्ण मरुस्थलीय प्रकार की जलवायु, अर्द्ध शुष्क स्टेपी जलवायु और लघु शीत ऋतु, शुष्क एवं गर्म ऋतु, उष्ण कटिबंधीय सवाना की जलवायु और शुष्क शीत ऋतु। उन्होंने इन जलवायु प्रकारों को व्यक्त के लिए वर्ण संकेतों जैसे A, B, C, तथा E का प्रयोग किया। वर्षा तथा तापमान के वितरण प्रतिरूप में मौसमी भिन्नता के आधार पर इन पाँचों प्रकारों को और भी उप प्रकारों को परिभाषित करने के लिए छोटे वर्णों m, w अथवा f का प्रयोग किया है।

कोपेन की विधि के आधार पर राजस्थान को निम्नलिखित जलवायु विभागों में विभाजित किया जा सकता है। (मानचित्र 27)

1. उष्ण मरुस्थलीय प्रकार की जलवायु (BWh)
2. अर्द्ध शुष्क स्टेपी जलवायु (BWhw)
3. लघु शीत ऋतु, शुष्क एवं गर्म ऋतु, उष्ण कटिबंधीय सवाना प्रकार की जलवायु और शुष्क शीत ऋतु (Csa & Aw)

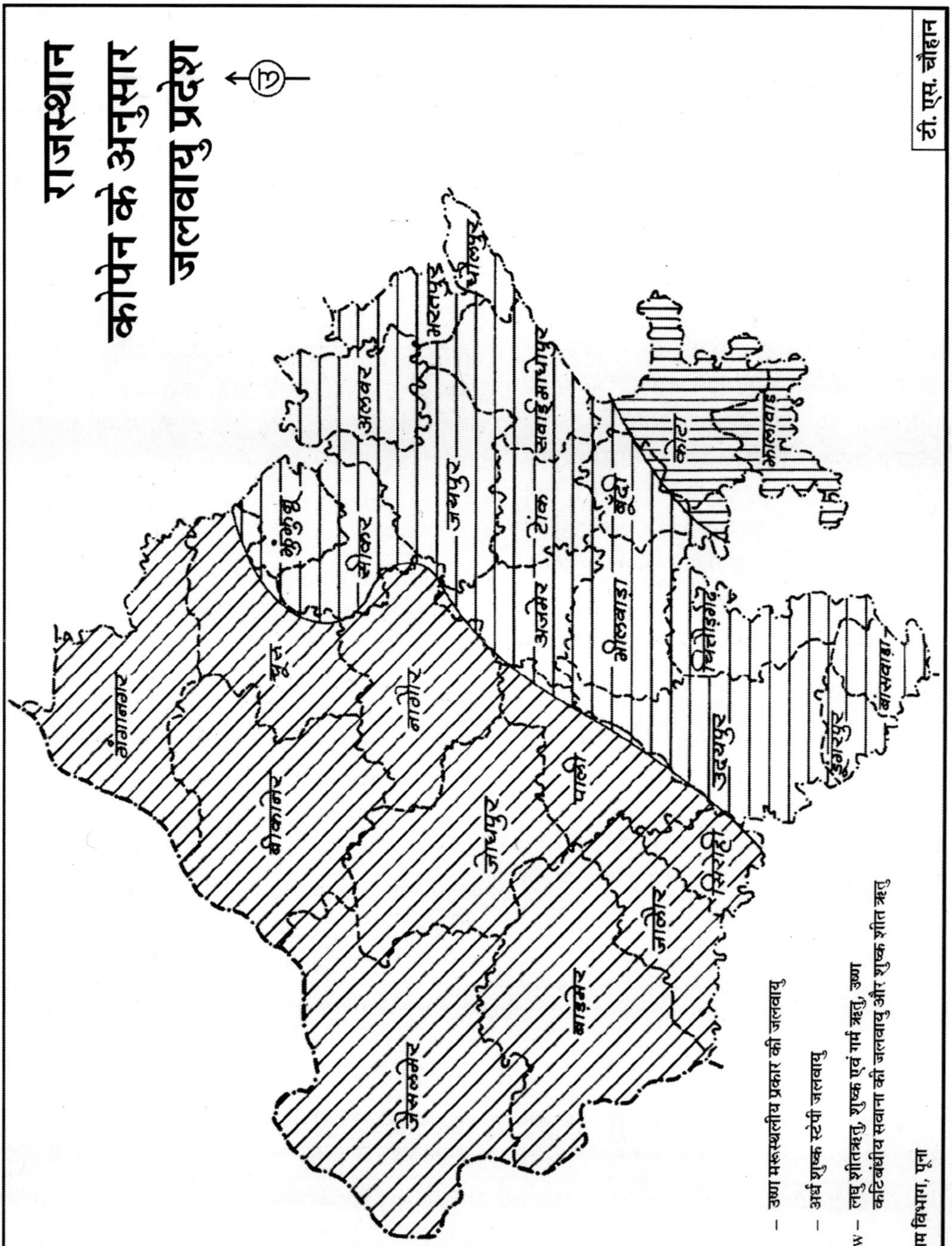
राजस्थान
कोपेन के अनुसार
जलवायु प्रदेश
उ
गंगानगर
चूरू
बीकानेर
नागौर
झुंझुनू
सीकर
अलवर
भरतपुर
धौलपुर
जयपुर
सवाईमाधोपुर
टोंक
अजमेर
बूँदी
कोटा
झालावाड़
भीलवाड़ा
चित्तौड़गढ़
उदयपुर
डूंगरपुर
बांसवाड़ा
जैसलमेर
जोधपुर
पाली
बाड़मेर
जालौर
सिरोही
BWhw – उष्ण मरुस्थलीय प्रकार की जलवायु
BShw – अर्ध शुष्क स्टेपी जलवायु
Csa & Aw – लघु शीतऋतु, शुष्क एवं गर्म ऋतु, उष्ण कटिबंधीय सवाना की जलवायु और शुष्क शीत ऋतु
स्रोत :- भारतीय मौसम विभाग, पूना
टी. एस. चौहान

मानचित्र 27

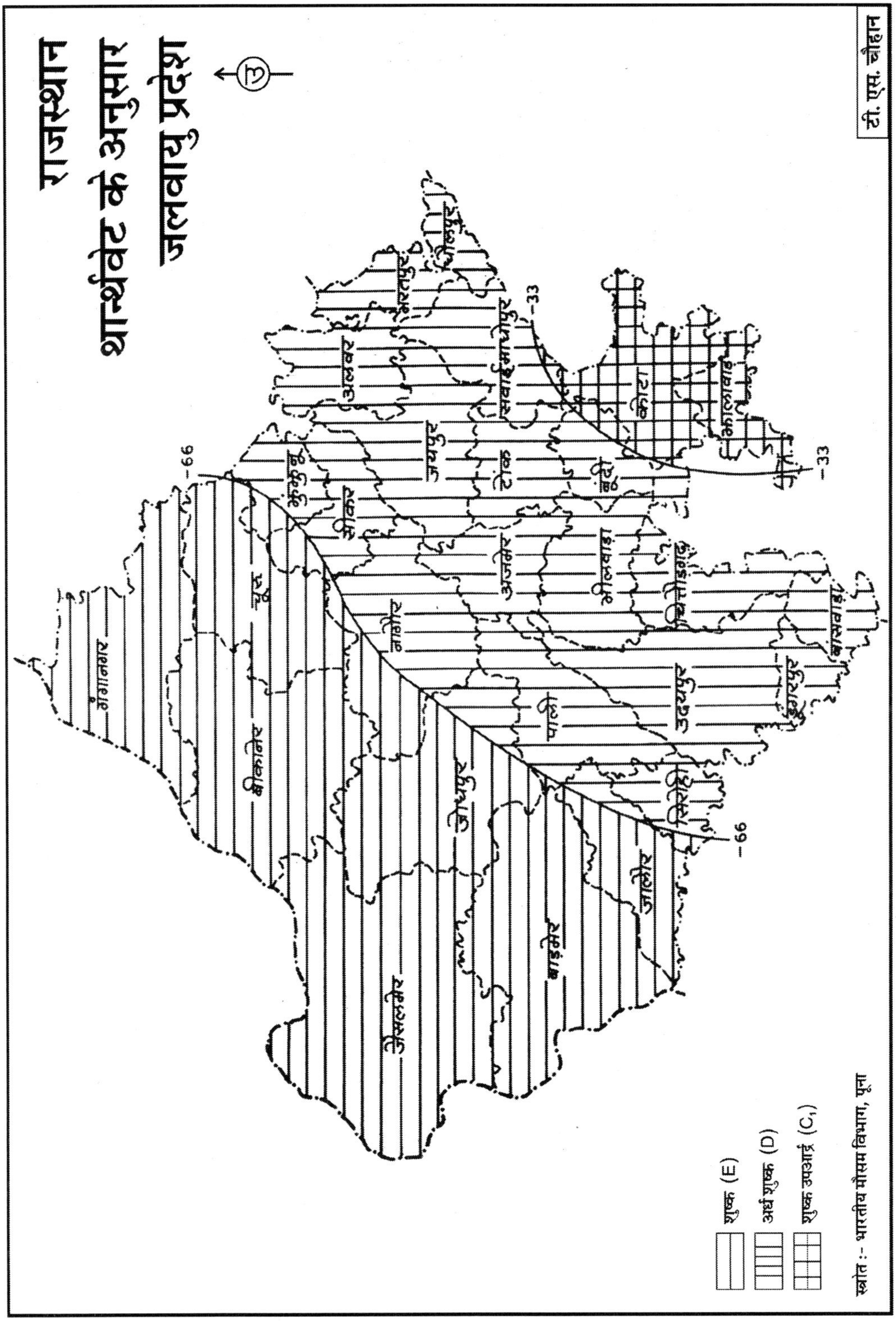
राजस्थान
थार्न्थवेट के अनुसार
जलवायु प्रदेश
उ
टी. एस. चौहान
गंगानगर
बीकानेर
चूरू
झुंझुनूं
सीकर
अलवर
भरतपुर
धौलपुर
जयपुर
सवाईमाधोपुर
टोंक
अजमेर
नागौर
जैसलमेर
जोधपुर
बाड़मेर
जालोर
सिरोही
पाली
उदयपुर
डूंगरपुर
बांसवाड़ा
चित्तौड़गढ़
भीलवाड़ा
बूंदी
कोटा
झालावाड़
-66
-33
शुष्क (E)
अर्द्ध शुष्क (D)
शुष्क उपआर्द्र ($C_1$)
स्रोत : - भारतीय मौसम विभाग, पूना

मानचित्र 28

कोपेन के अनुसार पश्चिमी राजस्थान में BWhw प्रकार की जलवायु जबकि पूर्वी राजस्थान में BWh प्रकार की जलवायु मिलती है। शेष दो जिलें कोटा और झालावाड़ में Csa & Aw प्रकार की जलवायु मिलती है।

### (2) थार्न्थवेट के अनुसार जलवायु प्रदेश

थार्न्थवेट की विधि जल संतुलन की अवधारणा पर आधारित है। यदि किसी स्थान पर वर्षा, वहाँ पर वाष्पन तथा वाष्पोत्सर्जन की मांग की पूर्ति के लिए आवश्यकता जल की मात्रा से कम होती है तो वहाँ जलाभाव तथा जहाँ जल की मात्रा इन आवश्यकताओं से अधिक होती है। वहां जलाधिशेष पाया जाता है। थार्न्थवेट ने जलाधिशेष एवं जलाभाव के मासिक मान के परिकल्पन के लिए एक फार्मूला विकसित किया। जिन क्षेत्रों में वर्ष के सभी महीनों में जलाधिशेष पाया जाता है वहां की जलवायु अर्द्ध होती है जिल क्षेत्रों में वर्ष के सभी महीनों में जलाभाव पाया जाता है वहां की जलवायु शुष्क होती है। इन दो अतिशयताओं के बीच जलाधिशेष तथा जलाभाव में भिन्नता के आधार पर दूसरे अन्य जलवायु प्रकार निर्धारित होते हैं।

थार्न्थवेट की विधि के आधार पर राजस्थान तीन जलवायु प्रदेश पाए जाते हैं। (मानचित्र 28)

1. शुष्क (E)
2. अर्द्ध शुष्क (D)
3. शुष्क उपआर्द्ध (C)

राजस्थान में शुष्क जलवायु (E)-66 पश्चिमी भाग में पाई जाती हैं जबकि पूर्वी भाग की जलवायु अर्द्ध शुष्क (D) मिलती है केवल राज्य के दो जिलों कोटा, झालावाड़ व अन्य पास का क्षेत्र की जलवायु शुष्क उपआर्द्ध (C) पायी जाती है।

ऊपर वर्णित दोनों विधियों के आधार पर निर्धारित जलवायु के क्षेत्रीय प्रतिरूप की भिन्नताएं बहुत रोचक है।

### कृषि–जलवायु प्रदेश

राज्य में अनेक प्रकार की जलवायु पाई जाती है। पश्चिमी राजस्थान शुष्क एवं रेतीला है जहां वर्षा बहुत ही कम (110 मिलीमीटर) होती है और कई किलोमीटर तक पानी एवं हरियाली का दर्शन नहीं होता, भयंकर गर्मी व कड़ाके की सर्दियों पड़ती है वहाँ दूसरी तरफ राज्य के दक्षिणी-पूर्वी भाग में स्थिति इसमें काफी भिन्न हैं। इस भाग में औसत वर्षा (1,000 मिलीमीटर) काफी अच्छी है व प्राकृतिक वनस्पति का फैलाव भी अच्छा है।

किसी भी क्षेत्र की कृषि जलवायु प्रदेश का निर्धारण करने में उस क्षेत्र के वाष्पोत्सर्जन विभाग, वास्तविक वाष्पीकरण की मात्रा, मृदा की जलधारण क्षमता, मृदा में जल की न्यूनता या अधिशेष मात्रा, तापक्रम, वर्षा की कुल मात्रा आदि का योगदान रहता है। राज्य की औसत वर्षा का वितरण में दर्शाया गया है। राज्य के विभिन्न क्षेत्रों की कृषि जलवायु का अध्ययन करने के लिए लगभग 20 केन्द्रों के जलवायविक जल संतुलन आरेख तैयार किए है। जिन्हें (मानचित्र 29) में दर्शाया गया है। पश्चिमी राजस्थान के विभिन्न केन्द्रों में जलवायवक जल संतुलन आरेख के अध्ययन से स्पष्ट है कि केवल जालोर व सीकर जिलों में ही वर्षा ऋतु के दौरान थोड़ा सा ही जल अधिशेष रहता है। शेष सभी जिलों में जल की बहुत अधिक न्यूनता रहती है। पूर्वी व दक्षिणी राजस्थान के विभिन्न केन्द्रों के जलवायविक जल सन्तुलन आरेख यह प्रदर्शित करते है कि इन सभी जिलों में वर्षा ऋतु में जल अधिशेष रहता है। सर्वाधिक जल अधिशेष बाँसवाड़ा जिले में रहता है, उसके बाद क्रमश: झालावाड़, सवाई माधोपुर, डूँगरपुर, कोटा आदि का स्थान है।

राजस्थान का औसत वार्षिक जल अधिशेष प्रतिरूप मानचित्र 29 में दर्शाया गया है। इस मानचित्र के अध्ययन से यह स्पष्ट है कि राजस्थान का समस्त उत्तरी पश्चिमी एवं मध्य क्षेत्र जल न्यूनता का क्षेत्र है इस क्षेत्र में वर्षा से जितने जल की आपूर्ति होती है उससे कहीं अधिक इस क्षेत्र में वाष्पीकरण (मानचित्र 30) होता है इस क्षेत्र के अधिकतर भाग में वर्षा ऋतु में भी जल की न्यूनता रहती है राज्य के दक्षिणी व दक्षिणी-पूर्वी भाग में ही वर्षा ऋतु में जल अधिशेष

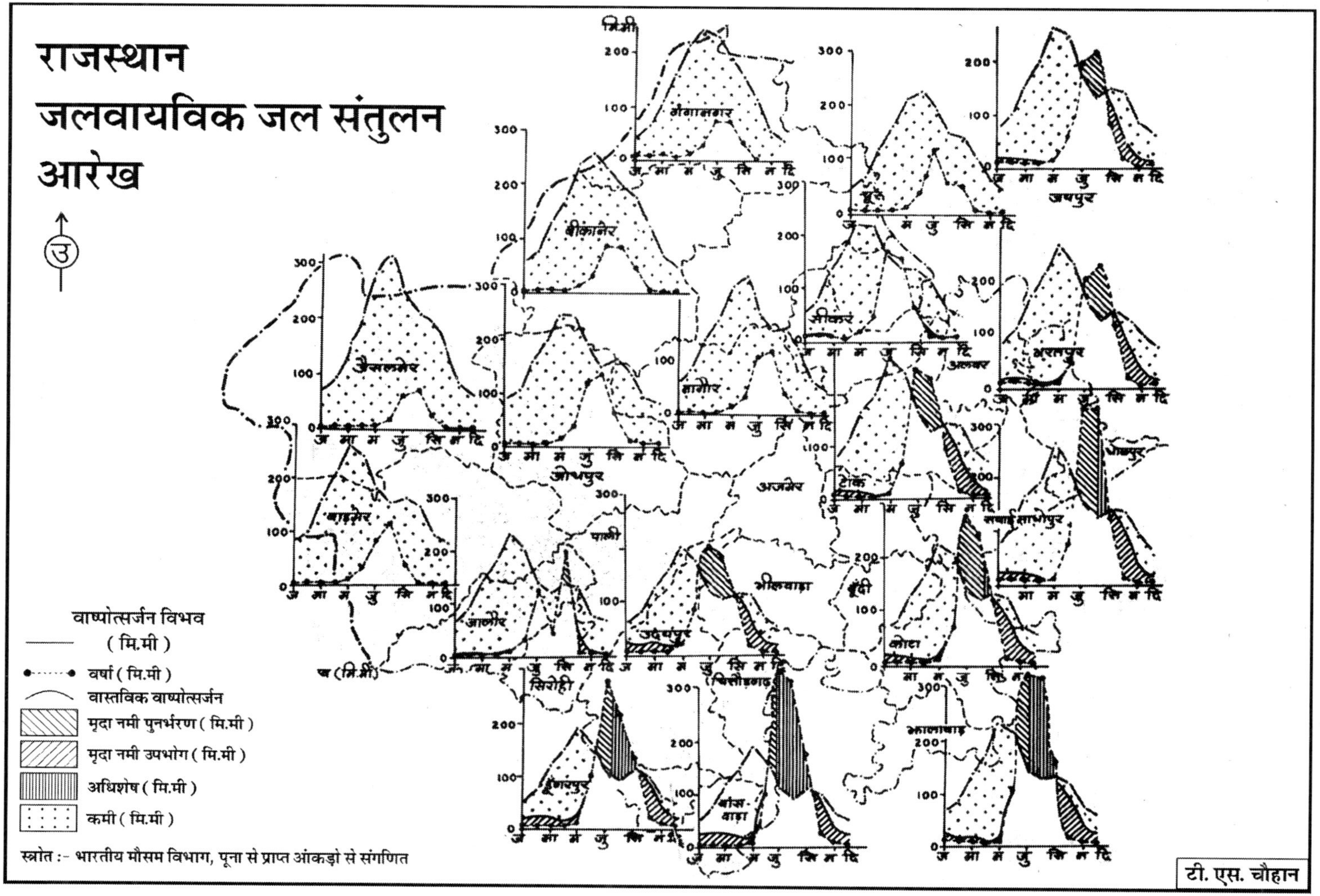
राजस्थान
जलवायविक जल संतुलन
आरेख
उ
वाष्पोत्सर्जन विभव
( मि.मी )
वर्षा ( मि.मी )
वास्तविक वाष्पोत्सर्जन
मृदा नमी पुनर्भरण ( मि.मी )
मृदा नमी उपभोग ( मि.मी )
अधिशेष ( मि.मी )
कमी ( मि.मी )
स्रोत :- भारतीय मौसम विभाग, पूना से प्राप्त आंकड़ो से संगणित
टी. एस. चौहान

मानचित्र 29

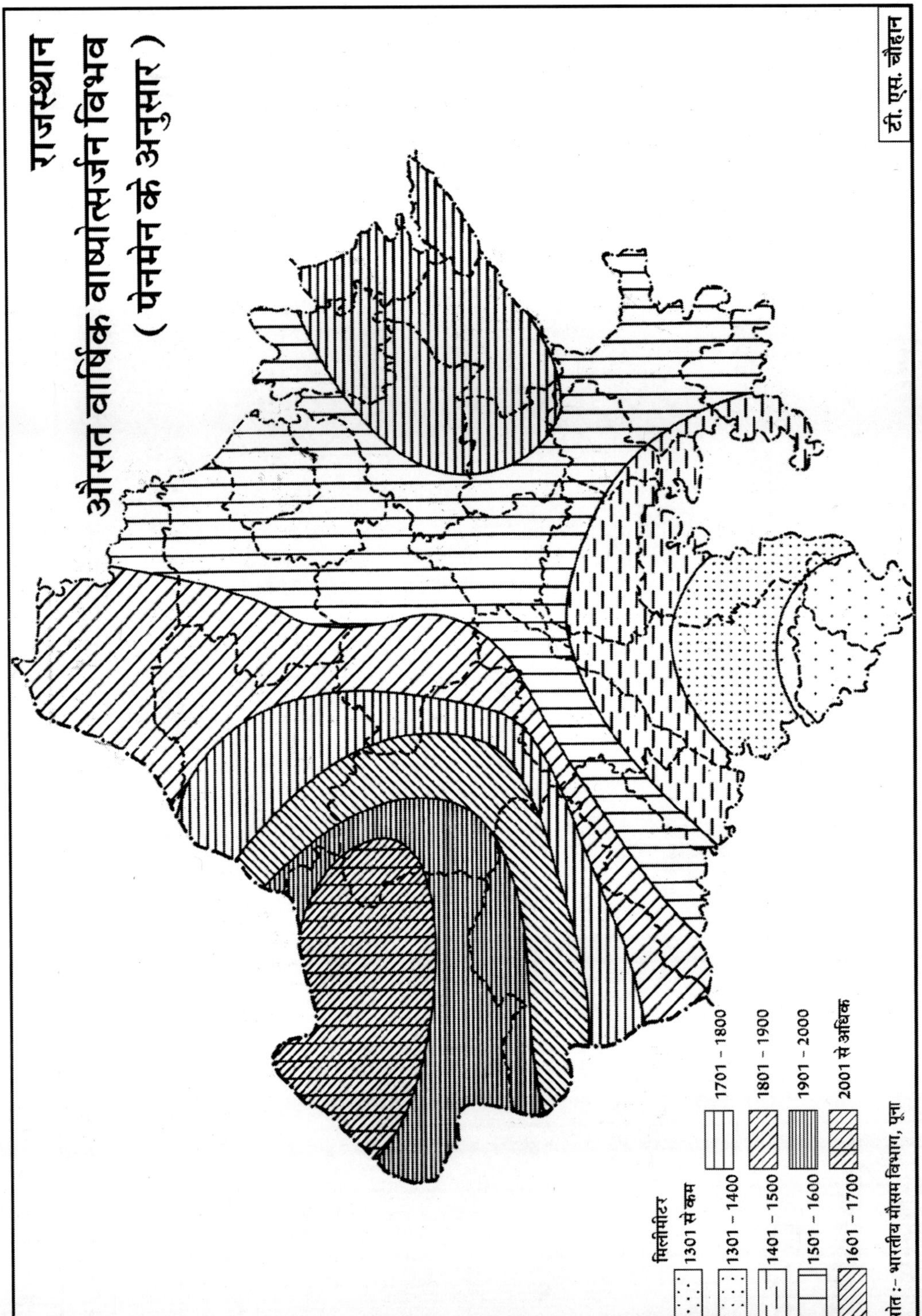
राजस्थान
औसत वार्षिक वाष्पोत्सर्जन विभव
( पेनमेन के अनुसार )
टी. एस. चौहान
मिलीमीटर
1301 से कम
1301 - 1400
1401 - 1500
1501 - 1600
1601 - 1700
1701 - 1800
1801 - 1900
1901 - 2000
2001 से अधिक
स्रोत :- भारतीय मौसम विभाग, पूना

मानचित्र 30

# राजस्थान
## कृषि–जलवायु प्रदेश
### ( योजना आयोग के अनुसार )

-·-·- प्रदेश सीमा
----- उपप्रदेश की सीमा
⑥ प्रदेश की संख्या
⟨10⟩ उपप्रदेश की संख्या

| | |
|---|---|
| 6 गंगापार (TRANS GANGETIC) मैदानी प्रदेश ( पंजाब का मैदान ) | 10 दक्षिणी पूर्वी आर्द्र मैदान |
| 8 मध्यवर्ती पठार तथा पहाड़ी प्रदेश | 11 परिवर्ती मैदान |
| 9 पश्चिमी पठार तथा पहाड़ी प्रदेश | 12 उप आर्द्र दक्षिणी पूर्वी मैदान |
| 14 पश्चिमी शुष्क प्रदेश | 13 अर्ध शुष्क पूर्वी मैदान |
| 3 शुष्क प्रदेश | 14 बाढ़ प्रणत पूर्वी मैदान |
| 9 दक्षिणी पूर्वी आर्द्र मैदान | 3 मध्यम काली मिट्टी वाला पठारी–उपप्रदेश |

स्त्रोत :- जल विज्ञान सिंचाई विभाग, राजस्थान

टी. एस. चौहान

मानचित्र 31

रहता है इस क्षेत्र की मिट्टियाँ भी प्राय: दोमट व अच्छी जल धारण क्षमता वाली है। इस कारण राज्य का ही यही ऐसा क्षेत्र है जहाँ खरीफ मौसम में वर्षाश्रित फसल लेने के बाद मृदा में संरक्षित नमी में रबी मौसम की फसल भी ली जाती है।

**योजना आयोग द्वारा राजस्थान के कृषि जलवायु प्रदेशों का विभाजन**

मिट्टी की विशेषताओं, जलवायु तथा जल उपलब्धता आदि प्रमुख विशेषताओं के आधार पर योजना आयोग द्वारा राजस्थान राज्य को चार कृषि जलवायु प्रदेशों में विभाजित किया गया है (मानचित्र 31) जो नीचे निम्न सारणी 12 में दर्शाया गया है।

**सारणी-12**

**कृषि-जलवायु प्रदेश (योजना के अनुसार)**

| क्र. सं. | प्रदेश संख्या | प्रदेश का नाम | उप-प्रदेशों की संख्या व नाम | जिलों की संख्या | जिलों के नाम |
|---|---|---|---|---|---|
| **1** | **2** | **3** | **4** | **5** | **6** |
| 1 | 6 | गंगापार (Trans Ganetic) मैदानी प्रदेश (पंजाब का मैदान) | 3 शुष्क प्रदेश | 2 | गंगानगर, हनुमानगढ़। |
| 2 | 8 | मध्यवर्ती पठार तथा पहाड़ी क्षेत्र | 9 दक्षिणी-पूर्वी आर्द्र मैदान<br>10 दक्षिणी-पूर्वी आर्द्र मैदान<br>11 परिवर्तित मैदान<br>12 उप-आर्द्र दक्षिणी-पूर्वी मैदान<br>13 अर्द्धशुष्क पूर्वी मैदान<br>14 बाढ़ प्रणत पूर्वी मैदान | 21 | पाली, अजमेर, जयपुर, अलवर, धौलपुर, सवाई माधोपुर, भरतपुर, करौली, भीलवाड़ा, प्रतापगढ़, टोंक, बूंदी, कोटा, सिरोही, चित्तौड़गढ़, उदयपुर, डूंगरपुर, बांसवाड़ा, दौसा, बारां और राजसमंद। |
| 3 | 9 | पश्चिमी पठार तथा पहाड़ी प्रदेश | 3 मध्यम काली मिट्टी वाला पठारी उप-प्रदेश | 1 | झालावाड़ |
| 4 | 14 | पश्चिमी शुष्क प्रदेश | — | 9 | बाड़मेर, बीकानेर, चुरू, जैसलमेर, जोधपुर, झुंझुनू, नागौर और सीकर। |

# अध्याय 7

## वन एवं वनस्पति

## Forest and Vegetation

भौगोलिक क्षेत्र की दृष्टि से राजस्थान देश में पहला सबसे बड़ा प्रदेश है जिसका क्षेत्रफल लगभग 3 लाख 42 हजार वर्ग किमी. है। इसमें 32,864.62 वर्ग किलोमीटर घोषित वन क्षेत्र है, जो राज्य के क्षेत्रफल का लगभग 9.60 प्रतिशत है। राज्य का दो करोड़ हैक्टेयर उत्तर-पश्चिमी क्षेत्र मरुस्थलीय अथवा अर्द्धमरुस्थलीय हो गया है। इसमें से एक करोड़ हैक्टेयर से भी अधिक क्षेत्र में धोरे ही धोरे है। राज्य में वन क्षेत्र इस प्रकार है।

**वर्ष 31-12-2021**

1. आरक्षित वन क्षेत्र, 12,176.24 वर्ग किलोमीटर
2. रक्षित वन क्षेत्र, 18,564.45 वर्ग किलोमीटर
3. अवर्गीकृत वनक्षेत्र, 2123.93 वर्ग किलोमीटर

राजस्थान के जिलेवार वन क्षेत्र को (मानचित्र 32) सारणी-13 में दर्शाया गया है।

राजस्थान का दक्षिण-पूर्वी क्षेत्र यों तो अपेक्षाकृत उपजाऊ है किन्तु पानी की वजह से भूमि क्षरण से ग्रसित है। चम्बल और इसकी सहायक नदियों में बड़ी-बड़ी कंदराएँ और बीहड़ हैं। ऐसे बीहड़ों के अन्तर्गत लगभग 4.5 लाख हैक्टेयर भूमि है और ये बीहड़ उपजाऊ कृषि भूमि को निरन्तर निगलते जा रहे हैं। इसके अतिरिक्त लगभग 80 लाख हैक्टेयर क्षेत्र अरावली और विंध्याचल पर्वत शृंखलाओं से ढ़का पर्वतीय क्षेत्र है। लगभग 1.25 करोड़ हैक्टेयर भूमि तो बंजर ही है, जो देश की कुल बंजर भूमि के पांचवें भाग के बराबर हैं। राष्ट्रीय वन नीति के अनुसार 33 प्रतिशत भू-भाग पर वन क्षेत्र वृक्षों से आच्छादित होना चाहिए। राजस्थान में घोषित 9 प्रतिशत वन क्षेत्र में से मात्र 3 प्रतिशत ही सघन वन क्षेत्र है। इस भीषण वन विनाश के कारण निरन्तर सूखा, बाढ़, भू-क्षरण एवं जलवायु में सूक्ष्म परिवर्तन जैसी पीड़ादायक स्थितियाँ बनती जा रही है। उत्तर-पश्चिमी राजस्थान में फैला मरु प्रदेश में तेज हवाओं और आँधियों से दिन प्रतिदिन स्थान बदलते रेत के टीबे इस क्षेत्र के निवासियों, नहरों, कृषि भूमि एवं यातायात के साधनों के लिए सदैव खतरा बने हुए हैं। यह सारी स्थिति यहाँ के जन-जीवन और पारिस्थितिकी को प्रभावित कर रही है।

### वनस्पति को प्रभावित करने वाले कारक

प्राकृतिक वनस्पति और वनों की स्थिति तथा उनका वितरण-1. भौतिक कारकों जैसे उभार और मिट्टी, 2. जलवायु सम्बन्धी कारकों तथा 3. जीवीय कारकों से बहुत अधिक प्रभावित हुआ है।

**1. भौतिक कारक**—अरावली श्रेणी, राज्य में एक अत्यन्त प्रमुख तथा प्रबल पर्वत श्रेणी है। उत्तर-पूर्व से दक्षिण-पश्चिम में लगभग 692 किलोमीटर की लम्बाई में फैली हुई श्रेणी राज्य को दो स्पष्ट भौताकृतिक विभागों में बाँट देती हैं-उत्तर-पश्चिम और दक्षिण-पूर्व। श्रेणियाँ दक्षिण-पश्चिम में ज्यादा ऊँची है जहाँ राज्य की उच्चतम चोटी गुरुशिखर (1,722 मीटर) माउण्ट आबू बैथोलिथ में स्थित है। राज्य का उत्तर-पश्चिमी और पश्चिमी भाग पवनोढ़-हवा से उड़कर आए-बालू का विस्तृत फैलाव है। यह बालू अपनी नीचे ठोस भू-संरचना का काफी भाग छिपाए हुए है। धरातल एकदम समतल नहीं है। अनेक निम्न शैलमय प्रक्षेपणों के होने से एकरूपता टूट जाती है। हवाओं ने अनेक मेड़ों, टीबों और बालू के टीलों का निर्माण किया है। राज्य का पूर्वी और दक्षिण-पूर्वी

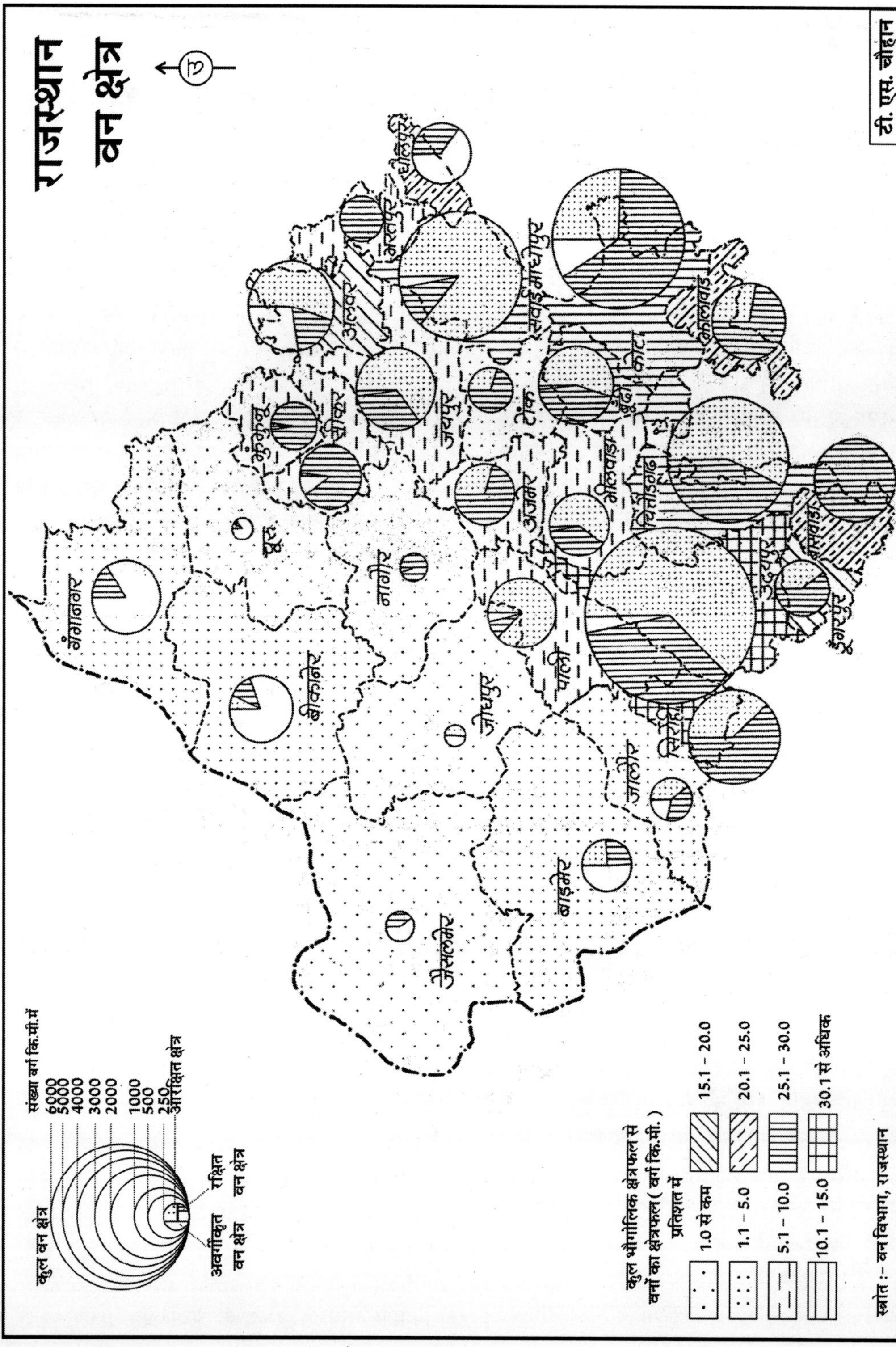
राजस्थान
वन क्षेत्र
उ
टी. एस. चौहान
गंगानगर
बीकानेर
चूरू
झुंझुनूं
सीकर
अलवर
भरतपुर
धौलपुर
जयपुर
सवाई माधोपुर
नागौर
जोधपुर
जैसलमेर
बाड़मेर
जालौर
सिरोही
पाली
अजमेर
टोंक
बूंदी
कोटा
झालावाड़
भीलवाड़ा
चित्तौड़गढ़
उदयपुर
डूंगरपुर
बांसवाड़ा
कुल वन क्षेत्र
संख्या वर्ग कि.मी. में
6000
5000
4000
3000
2000
1000
500
250
अवर्गीकृत वन क्षेत्र
रक्षित वन क्षेत्र
आरक्षित क्षेत्र
कुल भौगोलिक क्षेत्रफल से वनों का क्षेत्रफल ( वर्ग कि.मी. ) प्रतिशत में
1.0 से कम
1.1 – 5.0
5.1 – 10.0
10.1 – 15.0
15.1 – 20.0
20.1 – 25.0
25.1 – 30.0
30.1 से अधिक
स्रोत :- वन विभाग, राजस्थान

मानचित्र 32

**सारणी–13**

**राजस्थान राज्य में जिलेवार वन क्षेत्र का वर्गीकरण (क्षेत्रफल– वर्ग किलोमीटर में), 31–12–2021**

| क्र. | जिला | आरक्षित वन | रक्षित वन | अवगीकृत वन | कुल वन भूमि |
|---|---|---|---|---|---|
| 1. | अजमेर | 194.99 | 421.69 | 1.89 | 618.57 |
| 2. | भीलवाड़ा | 437.80 | 273.71 | 67.55 | 779.06 |
| 3. | नागौर | 0.80 | 206.28 | 35.32 | 242.40 |
| 4. | टोंक | 101.42 | 229.19 | 2.97 | 333.58 |
| 5. | बीकानेर | 0.00 | 778.38 | 472.37 | 1250.75 |
| 6. | चुरू | 7.20 | 48.58 | 17.96 | 73.73 |
| 7. | श्रीगंगानगर | 0.00 | 238.42 | 395.02 | 633.44 |
| 8. | हनुमानगढ़ | 0.00 | 113.37 | 126.09 | 239.46 |
| 9. | भरतपुर | 0.00 | 422.46 | 12.49 | 434.94 |
| 10. | धौलपुर | 7.92 | 597.73 | 44.03 | 649.68 |
| 11. | करौली | 62.99 | 1693.13 | 54.61 | 1810.73 |
| 12. | सवाई माधोपुर | 834.79 | 118.20 | 22.08 | 975.07 |
| 13. | जयपुर | 672.97 | 263.47 | 5.48 | 941.92 |
| 14. | झुंझुनू | 6.02 | 399.33 | 0.00 | 405.36 |
| 15. | सीकर | 9.92 | 622.40 | 9.22 | 641.54 |
| 16. | अलवर | 1010.78 | 641.18 | 132.69 | 1784.66 |
| 17. | दौसा | 134.87 | 149.36 | 0.36 | 284.59 |
| 18. | जोधपुर | 4.68 | 184.99 | 55.46 | 245.13 |
| 19. | बाड़मेर | 20.30 | 569.02 | 36.66 | 625.98 |
| 20. | जैसलमेर | 0.00 | 241.45 | 340.56 | 582.01 |
| 21. | जालोर | 126.13 | 302.22 | 83.09 | 511.44 |
| 22. | पाली | 816.56 | 144.76 | 2.26 | 963.58 |
| 23. | सिरोही | 614.04 | 985.43 | 42.61 | 1642.08 |
| 24. | कोटा | 837.63 | 452.58 | 77.38 | 1367.59 |
| 25. | बांरा | 0.00 | 2233.03 | 20.40 | 2253.42 |
| 26. | बून्दी | 867.76 | 680.85 | 19.25 | 1567.86 |
| 27. | झालावाड़ | 314.72 | 946.60 | 25.39 | 1286.72 |
| 28. | उदयपुर | 2654.06 | 1494.65 | 13.21 | 4161.92 |
| 29. | बांसवाड़ा | 0.00 | 1006.33 | 0.66 | 1007.00 |
| 30. | चित्तौड़गढ़ | 1200.75 | 587.11 | 0.75 | 1788.61 |
| 31. | डूंगरपुर | 257.08 | 435.71 | 0.51 | 693.30 |
| 32. | प्रतापगढ़ | 702.66 | 963.65 | 0.62 | 1666.92 |
| 33. | राजसमन्द | 277.41 | 119.20 | 4.98 | 401.58 |
| | **योग** | **12176.24** | **18564.45** | **2123.93** | **32864.62** |

स्त्रोत : वन विभाग, 2021–22, राजस्थान सरकार

भाग अधिक उपजाऊ, उत्तम सिंचित तथा निवास के अधिक योग्य है। यहाँ दक्षिण-पूर्व में पठारी भाग तथा पूर्व में बनास मैदान आ जाते हैं। इन भौतिक स्वरूपों का परिणाम है विभिन्न प्रकारों की वनस्पति।

अरावली के पूर्व और दक्षिण-पूर्व में वनस्पति अच्छी तरह विकसित है और मध्य भारत की सादृश्यता दर्शाती है। पश्चिमी पेड़ पौधों की अपेक्षा इसमें वृक्षों की संख्या अधिक है। माउण्ट आबू के आस पास लगभग 1,500 मिलीमीटर की भारी वार्षिक वर्षा के कारण वनस्पति सबसे धनी है। राजस्थान का पश्चिमी भाग अधिक शुष्क है और अरावली की तलहटी को छोड़कर, जहाँ पूर्वी भाग के कुछ वृक्ष होते हैं, वनस्पति में झाड़ियों की प्रधानता है। उच्चावच बहुत समतल है और उसमें अनेक बालुका-स्तपू, बलुआ-पत्थर और ग्रेनाइट की पहाड़ियाँ हैं। आगे और पश्चिमी जोधपुर में वृक्ष अदृश्य हो जाते हैं और झाड़ियाँ प्रमुख हो जाती हैं।

**2. जलवायु सम्बन्धी कारक**—राज्य के विभिन्न भागों में वनस्पति के वितरण पर जलवायु का अधिकतम प्रभाव है। वर्षा दक्षिण-पूर्व में 1,000 मिलीमीटर से लेकर अत्यन्त पश्चिमी क्षेत्र में 100 मिलीमीटर या इससे भी कम होती है। अनेक स्थानों में वर्षा में बहुत अन्तर पाया जाता है और कुछ स्थानों पर वह औसत के बराबर या उससे भी अधिक है। इस राज्य में न केवल वर्षा में, बल्कि तापक्रम के वितरण में भी अति पाई जाती है। कोपेन और गीगर ने निर्देश किया है कि वर्षा वनस्पति के संपालन में अपर्याप्त होती है, यदि वह मिलीमीटर में मापित T+14 की अपेक्षा कम है, जबकि T सेन्टीग्रेट में मापित औसत वार्षिक तापक्रम है। राजस्थान का औसत वार्षिक तापक्रम 26.5° सेन्टीग्रेट है और उपर्युक्त कसौटी के अनुसार, मान 400 मिलीमीटर के बराबर हो जाता है। इस प्रकार राज्य का आधा पश्चिमी भाग शुष्क है और शेष जो T+14 और 2T+28 के बीच है, अर्द्धशुष्क है।

अधिकांश वर्षा जुलाई और अगस्त के महीनों में होती है, यद्यपि कुछ वर्षा शीत में भी हो सकती है। अनिश्चितता इस वर्षा का प्रमुख लक्षण है। दूसरे, विभिन्न स्थानों पर बहुत ऊँचे तापक्रम रिकॉर्ड किए गए हैं। सापेक्ष आर्द्रता प्रातःकाल अधिक होती है और दोपहर के बाद काफी घट जाती है। सम्पूर्ण क्षेत्र वातयुक्त है और पश्चिमी मैदानों में मौसम में आंधी कभी-कभी 30 किलोमीटर या इससे भी ज्यादा रफ्तार से चलती है। राज्य के विभिन्न भागों में पाई जाने वाली विभिन्न प्रकार की वनस्पति और वर्षा के बीच स्पष्ट सम्बन्ध है। माउण्ट आबू में 1,200 मिलीमीटर से ज्यादा वर्षा होती है, इसलिए वहां मिट्रैगाइना पार्वीफोलिया (Mitragyna parvifolia) यूजीनिया रम्बोलिना (Eugenia rambolina) और एनॉजीसस एकूमिनाता (Anogelssus acuminata) जैसे ऊँचे वृक्ष पाए जाते हैं। बीच के और झाड़ी वर्ग के वृक्ष भी मिलते हैं। इसके अतिरिक्त घासों की अनेक प्रजातियाँ भी इस क्षेत्र में मिलती हैं। पूर्वी राजस्थान में बाँसवाड़ा और बारां प्रदेश में 800 मिलीमीटर वार्षिक वर्षा होती है और वहाँ टेक्सोना ग्रैन्डिस (Tectona grandis) के वृक्ष, एनॉजीसस लेटीफोलिया (Anogeissus latifolia) तथा मधुका इन्डिका (Madhuca indica) के साथ मिलते हैं और कुछ घास भी उगती है। 400 से 800 मिलीमीटर के बीच वर्षा वाले क्षेत्रों में, केवल चित्तौड़गढ़ क्षेत्र को छोड़कर और उन क्षेत्रों में जहाँ मिट्टी उत्तम है, एनॉजिसस पेन्डुला (Anogeissus pendula) विशुद्ध रूप में मिलता है। चित्तौड़गढ़ के 600 से 800 मिलीमीटर वर्षा वाले क्षेत्र में सेन्टलम एल्पम (चन्दन) की वल्लियां और पौधे मिलते हैं।

अरावली के पश्चिम में अजमेर-पाली-सिरोही क्षेत्र में जोधपुर तक जहाँ भूमि और पश्चिमी प्रकार की वनस्पति मिलती है, वहाँ संक्रमण वनस्पति होती है। इस भाग में वनस्पति न्यून और अधिक विरल होती जाती है। यहाँ के मुख्य वृक्ष एनॉजीसस पेन्डुला (Anogeissus pendula) एकेसिया सेनीगल (Acacia senegal) और प्रोसोपिस स्पेसीजेरा (Prosopis spicigera) हैं। जोधपुर की तरफ टेकोमेल्ला अन्डुलाटा (Tecomella undlata) प्रोसोपिस स्पेसीजेरा (Prosopis spicigera) और एकेसिया सेनीगल (Acacia senegal) मिलते हैं। यह पश्चिम में शुष्कता की अधिकता का संकेत करते है।

उत्तर-पश्चिम में जैसलमेर, गडरा रोड, बाड़मेर के कुछ भाग और गंगानगर द्वारा आवृत्त प्रदेश में वार्षिक वर्षा 200 मिलीमीटर से कम है। इस क्षेत्र में अधिकांश भाग बालू ढका है। वनस्पति बहुत कम है और वह भी पर्याप्त अन्तरों पर मिलती है। प्रोसोपिस जूलीफ्लोरा (Prosopis juliflora) शुष्क और अर्द्धशुष्क प्रदेशों में बहुत सफलतापूर्वक उगा है। इसमें शुष्कता प्रतिरोध की विलक्षण शक्ति होती है और नितान्त चट्टान पर अच्छा उगता है तथा उसमें झाड़ियों में उगने एवं जड़ चूसने वालों को निकाल फेंकने की नैसर्गिक क्षमता होती है।

**4. जैवीय कारक**—जैवीय कारकों ने राज्य ने वनस्पति को प्रतिकूल रूप से प्रभावित किया है। भेड़ों, बकरों के समूहों और अन्य चौपायों व ऊँटों द्वारा मनमानी चराई, वृक्षों की अनियन्त्रित कटाई तथा कृषि के लिए समय-समय पर भूमि की सफाई, प्राकृतिक वनस्पति के नाश के प्रमुख कारण है। अपनी भेड़ों और बकरियों के घूमने वाले झुंडों के साथ खानाबदोश कबीलों की हरकतों का भी वनों के विध्वन्स में हाथ रहा है।

## वनों का वितरण

राजस्थान की धरातलीय विभिन्नता, जलवायु व भिन्न-भिन्न मिट्टियों के अनुसार ही यहाँ प्राकृतिक वनस्पति का वितरण हुआ है। किसी क्षेत्र में केवल कंटीली झाड़ियाँ व विशेष प्रकार की घास ही मिलती है तो कहीं सागवान, बांस आदि के घने जंगल है। राजस्थान के वनों को दो मुख्य भागों में बाँटा जा सकता है—

(i) पश्चिमी प्रदेश के वन

(ii) पूर्वी तथा दक्षिणी-पूर्वी प्रदेश के वन

**(i) पश्चिमी प्रदेश के वन**—इस प्रदेश की वर्षा का औसत 250 मिलीमीटर है इस कारण यहाँ कंटीली झाड़ियाँ व घास उत्पन्न होती है। इस क्षेत्र में उगने वाले वृक्षों की पत्तियाँ छोटी होती हैं जिससे पानी का वाष्पीकरण कम से कम मात्रा में हो सकता है। इस क्षेत्र के पेड़ों की जड़ें गहराई तक जाती हैं जिससे जमीन के काफी नीचे से पानी प्राप्त कर सकते हैं। अरावली पर्वतमाला के पास के क्षेत्र में मुख्य पेड़ बबूल, धोकड़ा, रोहिड़ा, ढाक, बोरड़ी, नीम, गुड़हल, खेजड़ा आदि हैं। इस प्रदेश में कहीं-कहीं पीपल, शीशम व सरेस के वृक्ष भी मिलते है। जोधपुर, नागौर, सीकर, पाली, बाड़मेर व जैसलमेर के अर्द्धशुष्क भागों की मुख्य झाड़ियाँ कैर, आकड़ा, फोगड़ा, लाणा, अरणा आदि हैं।

मरुस्थली तथा इसके पश्चिमी क्षेत्र में मुख्य वृक्ष रोहिड़ा, खेजड़ा, कूमट, जाल व नीम हैं। इस शुष्क क्षेत्र की मुख्य घास सिरकनियाँ (मूंज), सेवण, मूरठ तथा धामण हैं। धामण दुधारू पशुओं के लिये बहुत अच्छी होती है। जैसलमेर-बाड़मेर-बालोतरा क्षेत्र में वर्षा ऋतु में सेवण घास स्वत: उग जाती है। सेवण इस क्षेत्र के पशुओं के लिए बहुत उपयोगी है। इस घास का सर्वाधिक उपयोग भेड़ों द्वारा किया जाता है।

पश्चिमी राजस्थान के माउण्ट आबू में राज्य की सर्वाधिक वर्षा (1,500 मिलीमीटर) होती है अत: यहाँ सघन वन पाए जाते हैं।

**(ii) पूर्वी तथा दक्षिणी-पूर्वी प्रदेश के वन**—इस प्रदेश में सामान्यत: 600 मिलीमीटर वर्षा होती है तथा उपजाऊ मिट्टियाँ व अपेक्षाकृत समतल धरातल है। इन प्राकृतिक दशाओं के कारण इस प्रदेश में घने वन उपलब्ध होते हैं। बांसवाड़ा, डूंगरपुर, उदयपुर, राजसमन्द, सलूम्बर, चित्तौड़गढ़ व प्रतापगढ़ में राज्य के सबसे घने जंगल हैं। इन जंगलों में सागवान, बांस, धोकड़ा आदि वृक्षों की अधिकता है। इस प्रदेश में कूमट, कंकेडा, सोजना, महुआ, आम, जामुन, गूलर, सालर, बरगद, तेंदू व सरेस के वृक्ष भी काफी मात्रा में पाए जाते हैं।

## वनों के प्रकार

राजस्थान के वन निम्नलिखित सात प्रकारों में विभक्त किए गए हैं। (मानचित्र 33)

1. शुष्क सागौन वन
2. एनोजीसस पेन्डुला वन
3. मिश्रित पर्ण-पाती वन
4. बासवेलिया वन

5. उष्ण कटिबंधीय कंटीले वन

6. उपोष्ण कटिबंधीय सदाबहार वन

**1. शुष्क सागौन वन**—राज्य के दक्षिणी भाग में बांसवाड़ा डिवीजन में स्थित ये वन लगभग 2,248 वर्ग किलोमीटर क्षेत्र आवृत्त करते हैं। सागौन अत्यन्त सामान्य वृक्ष है और वनस्पति का लगभग 70 से 90 प्रतिशत भाग है। साधारणतया यह विशुद्ध रूप से मिलता है, परन्तु चित्तौड़गढ़, उदयपुर और बारां वन विभाग के हिस्सों में यह अन्य वृक्षों के साथ मिला जुला भी पाया जाता है। पश्चिमी अरावली में सागौन की उत्तरी सीमाएं उदयपुर 24°42' उत्तर अक्षांश और कोटा जिले में बारां में 25°12 उत्तर अक्षांश है। इस क्षेत्र की जलवायु की विशेषता है, अत्यन्त ठण्डी शीत और अत्यन्त गर्म तथा शुष्क ग्रीष्म। वार्षिक वर्षा 700 मिलीमीटर से 1,100 मिलीमीटर तक है जबकि तीन चौथाई जुलाई-अगस्त में होती है। सागौन वृक्षों की ऊँचाई विभिन्न क्षेत्रों की मिट्टी की दशाओं पर निर्भर प्रतीत होता है। मिट्टी की गहराई, उच्चतर ढ़ालों और पठारी क्षेत्रों पर बहुत उथली से लेकर पहाड़ियों के चरणों के किनारे-किनारे तथा घाटियों में अच्छी गहराई तक, भिन्न रूप में मिलती है। उन क्षेत्रों की औसत ऊँचाई जहाँ सागौन वृक्ष मिलते हैं, 245 मीटर से 490 मीटर तक होती है। इन वृक्षों की ऊँचाई 9 से 13 मीटर के बीच होती है जो कि विगत वर्षों की दोषपूर्ण व्यवस्था के कारण है। समय-समय पर लगने वाली आग ने भी बढ़ते हुए वृक्षों का क्षय किया है और भूमि के गुणों को कम किया है। फलस्वरूप भूमि केवल छोटे आकार के वृक्ष उत्पन्न करने के योग्य हैं। ये वन, फर्नीचर, दरवाजों और खिड़कियों के लिए चौखटें और मकान बनाने के लिए, बाड़ी लगाने व छत बनाने के लिए, कुछ लकड़ी प्रदान करते हैं।

वन वृक्षों के अतिरिक्त, झाड़ियाँ और विभिन्न प्रजातियों के घास इस प्रदेश में उगती हैं। कुछ ज्यादा आर्द्र और सुदूर स्थित इलाकों में वनों के आन्तरिक भागों में बाँस केवल खण्डकों में पाए जाते हैं। विशृंखल कटाई के कारण उनके प्रगति स्थानों के अधिकांश खुले क्षेत्र में केवल बल्लियाँ और पौधे ही मिलते हैं।

**2. एनोजीसस पेन्डुला वन**—मुख्य रूप से अरावली पहाड़ियों के दक्षिण पूर्वी भाग में 270 मीटर और 770 मीटर के बीच की ऊँचाई में स्थित लगभग 17,21,081 हैक्टेयर क्षेत्र इन वनों से ढ़का हुआ है। एनोजीसस पेण्डुला शुष्क गर्म प्रदेशों का एक वृक्ष है। यह वृक्ष कम ऊँचे और हल्के ढ़ालों पर बहुतायत से मिलता है, हालांकि कभी-कभी यह छोटी पहाड़ियों और निचले टीलों में भी पाया जाता है। इस वृक्ष की औसत ऊँचाई 6 मीटर से 7.5 मीटर के बीच है परन्तु जहाँ मिट्टी गहरी और जलापूर्ती अच्छी है, 14 मीटर की ऊँचाई भी मिलती है। इस क्षेत्र की औसत वार्षिक वर्षा 500 से 1,000 मिलीमीटर और तापक्रम शीत में निम्नतम 1°1 सेन्टीग्रेट से गर्मी में उच्चतम 46°7 सेन्टीग्रेट तक होता है। मुख्यत: फाइलाइट्स और समाकलित क्वार्टजाइट से निर्मित अरावली प्रणाली और विन्ध्यन प्रणाली वाले ये वन क्षेत्र बालुका ओर चूना-पत्थर के क्षेत्र हैं।

इस वृक्ष की लकड़ी सख्त, मजबूत तथा कुछ लचीली होती है। यह जलाने की उत्तम लकड़ी है और इससे बहुत अच्छा कोयला बनता है। लकड़ी, कृषि और औजार बनाने के लिए भी प्रयुक्त होती है और बड़े वृक्षों से उत्तम धन्नियाँ बनती हैं।

**3. मिश्रित पर्ण-पाती वन**—उदयपुर और कोटा, बूंदी, चित्तौड़गढ़ तथा सिरोही के कुछ भागों में पतझड़ वृक्ष अत्यन्त सामान्य रूप से पाए जाते हैं। ये वन लगभग 8,54,283 हैक्टेयर क्षेत्र को घेरे हुए हैं। राज्य के इस हिस्से में औसत वार्षिक वर्षा लगभग 350 मिलीमीटर है और तापक्रम की विभिन्नताएँ प्राय: उतनी ही हैं जितनी कि पहले वाले प्रदेश में। ये वन 300 मीटर से 1,200 मीटर की ऊँचाई तक मिलते हैं और अधिकांशत: पठारी भाग और हल्के ढ़ालों पर स्थित हैं जहाँ मिट्टी घटिया है।

इन वनों से प्राप्त लकड़ी का उपयोग छोटे शहतीर, ईंधन और कोयले के लिए किया जाता है। कुछ अनुकूल इलाकों में, जहाँ वर्षा और मिट्टियाँ उत्तम हैं सागौन उगाना सफलतापूर्वक प्रारम्भ किया जा सकता है।

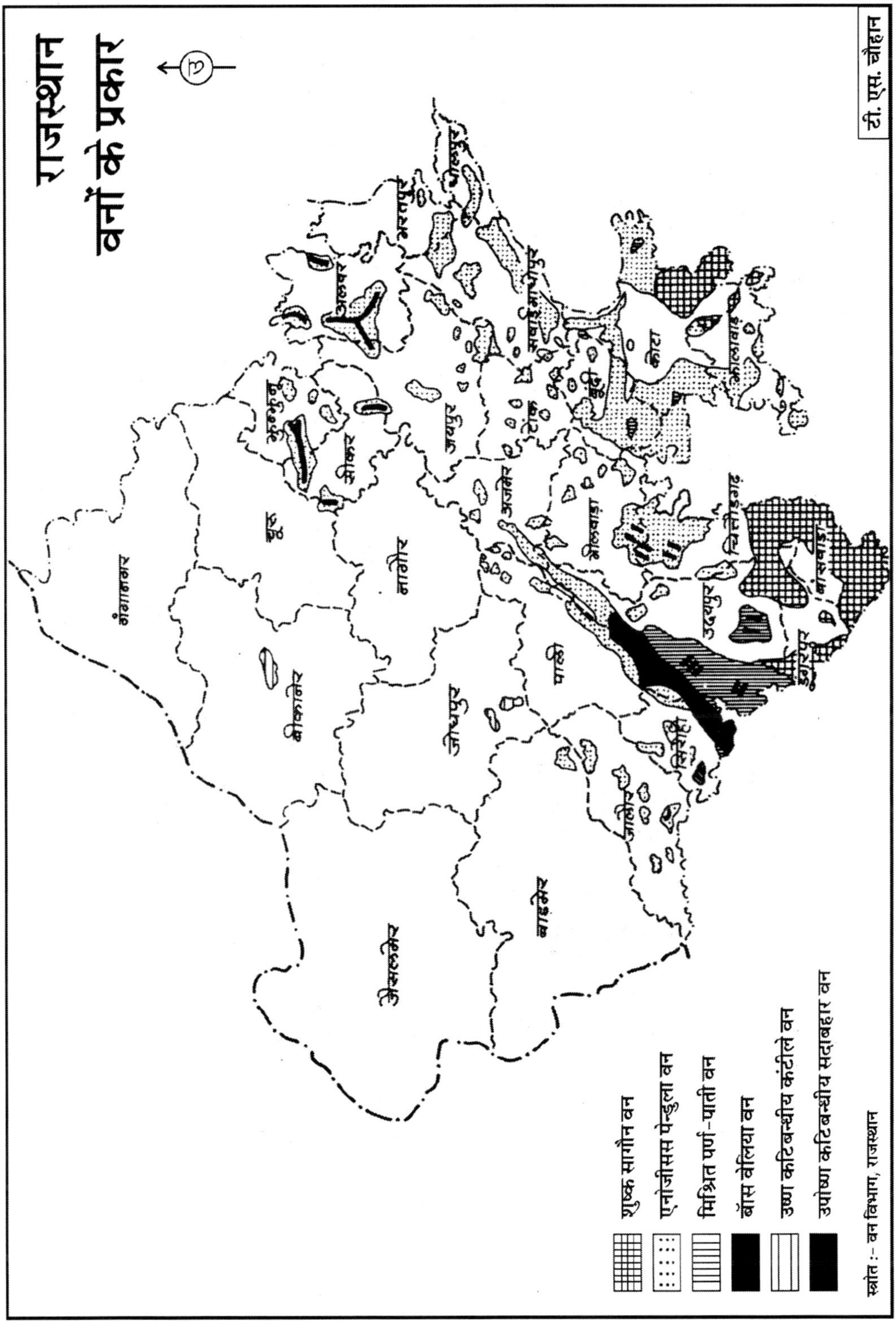
राजस्थान
वनों के प्रकार
उ
शुष्क सागौन वन
एनोजीसस पेन्डुला वन
मिश्रित पर्ण-पाती वन
बाँस वेलिया वन
उष्ण कटिबन्धीय कंटीले वन
उपोष्ण कटिबन्धीय सदाबहार वन
स्रोत :- वन विभाग, राजस्थान
टी. एस. चौहान
गंगानगर
बीकानेर
जैसलमेर
बाड़मेर
जोधपुर
नागौर
चूरू
झुंझुनूं
सीकर
अलवर
भरतपुर
जयपुर
अजमेर
टोंक
बूंदी
कोटा
झालावाड़
भीलवाड़ा
चित्तौड़गढ़
उदयपुर
बांसवाड़ा
डूंगरपुर
पाली
सिरोही
जालौर

मानचित्र 33

**4. बासवेलियासेराटा वन**—इस प्रकार के वन लगभग 15,951 हैक्टेयर क्षेत्र को घेरे हैं और अलवर, चित्तौड़गढ़ के कुछ भागों में उदयपुर, सिरोही, अजमेर, जोधपुर और जयपुर में मिलते हैं। अरावली श्रेणियों के ज्यादा ऊँचे ढ़ालों पर छिछले शिलाखण्डयुक्त स्तरों पर ये वृक्ष बहुत सामान्य रूप से उगते हैं। इन क्षेत्रों में वार्षिक वर्षा 500 से 1,000 मिलीमीटर तक होती है। यह वृक्ष 430 मीटर और इससे ऊपर की ऊँचाई पर उगता है तथा 12 मीटर से 15 मीटर तक ऊँचा होता है।

वृक्ष सीधी काष्ठरेखा के होते हैं और इस प्रकार पैकिंग सामग्री के लिए उपयुक्त लकड़ी प्रदान करते हैं। गहरी मिट्टियों के क्षेत्रों में घास काफी सघन है जबकि पथरीली मिट्टियों में लगभग कोई घास नहीं उगती। ये वन सही ढंग से उपयोग में नहीं लाए गए हैं।

**5. उष्ण कटिबंधीय कंटीले वन**—ये कंटीले वृक्ष जोधपुर, जयपुर और अजमेर जिलों में अधिकांशत: निम्नतर पहाड़ी ढ़ालों और ऊबड़-खाबड़ धरातल में लगभग 1,59591 हैक्टेयर क्षेत्र में उगते है। जहाँ औसत वर्षा 250 से 500 मिलीमीटर के बीच है। वृक्ष ऊँचाई में 4.5 मीटर से 6 मीटर तक होते हैं। इस वन से ढ़के क्षेत्रों विभिन्न प्रजातियों की घासें भली प्रकार उगती हैं। प्रोसेपिस स्पेसीजेरा (Prosopis spicigera) की लकड़ी इस क्षेत्र की एक उपयोगी वृक्ष-जाति है। यह ईंधन की तरह प्रयुक्त होती है और कच्चा कोयला उत्पन्न करती है।

**6. उपोष्ण कटिबंधीय सदाबहार वन**— माउण्ट आबू के चारों ओर 1,070 मीटर से 1,375 मीटर की ऊँचाइयों तक इन वनों के अन्तर्गत लगभग 12,517 हैक्टेयर क्षेत्र है। इस क्षेत्र में औसत वार्षिक वर्षा लगभग 1,500 मिलीमीटर है। माउण्ट आबू के ढ़ालों पर सामान्य रूप से पाए जाने वाले वृक्ष मैगीफेरा इन्डिका (आम) और सीसीजियम क्यूमिनिक (Sizygium cuminic) हैं। ऐसे वनों का क्षेत्र छोटा होने के कारण उसका कोई व्यावसायिक महत्त्व नहीं है। स्वास्थ्य सुधार के लिए माउण्ट आबू की यात्रा करने वाले यात्रियों के लिए इन वनों का मनोरंजन की दृष्टि से मूल्य है।

**पश्चिमी शुष्क प्रदेश में वनस्पति**— जैसलमेर, गडरा रोड़ (बाड़मेर), बीकानेर, अनुपगढ़ और गंगानगर के कुछ भाग से मिलकर बने राज्य के नितान्त पश्चिमी भाग में वर्षा 200 मिलीमीटर और इससे भी कम है। यह वर्षा साधारणतया अनियमित होती है। यह सम्पूर्ण क्षेत्र अत्यन्त बालूमय है। वनस्पति अत्यन्त विरल है और काफी अन्तरों पर केवल कुछ वृक्ष ही देखे जा सकते हैं। मोटे रूप से इस क्षेत्र में वनस्पति कंटीली झाड़ियों के जंगल से लेकर शुष्क पतझड़ वनों तक मिलती है, जिनमें वृक्षों की अनेक जातियाँ हैं।

इस भाग में एकेसिया ऐरेबिका (Acacia arabica), ऐकेसिया सेनीगल (Acacia senegal), प्रोसोपिस स्पेसीजेरा (Prosopis spicigera) और प्रोसोपिस जूलफ्लोरा (Prosopis juliflora) अत्यन्त सामान्य वृक्ष है। सभी उगाए गए वृक्षों में प्रोसोपिस जूलीफ्लोरा अत्यन्त सफल सिद्ध हुआ है। यह इस प्रदेश के चारा देनेवाले वृक्षों में से एक उत्तम वृक्ष है और विभिन्न जलवायु व मिट्टी की दशाओं तथा भौगोलिक दशाओं के अन्तर्गत उग सकता है। इस वृक्ष का महत्त्व बालुका स्तूपों को न केवल सुरक्षित पेटी प्रदान करने में, परन्तु उनको स्थाई बनाने में भी है। देशज जातियों में, प्रोसोपिस स्पेसीजेरा अर्द्धशुष्क प्रदेश से लेकर मरुस्थल के शुष्कतम भाग जैसलमेर तक उगता है। यह चट्टानों और चट्टानी धरातल पर भी सफलतापूर्वक उगता है। इसके बाढ़ की गति धीमी है परन्तु यह दोष उसके अच्छी किस्म की लकड़ी से पूरा हो जाता है। शुष्क और अर्द्धशुष्क प्रदेश में प्रोसोपिस जूलीफ्लोरा बहुत अच्छी तरह से उगता है। इसमें शुष्कता प्रतिरोध की विलक्षण शक्तियाँ होती हैं और कोरी चट्टान पर आसानी से उगता है। ये कुछ भूमि सम्बन्धी बनावटें है जो शुष्क और अर्द्धशुष्क प्रदेशों में गर्तों और 'रन्स' (Ranns) में मिलती हैं, विशेषकर जहाँ लवणता होती है। पचपदरा, सरवरला, कनोद और बीरमसर जैसे स्थानों में लवणजीवी पौधे (Halophytic plants) सामान्य रूप से पाए जाते हैं।

**आर्थिक महत्त्व**— राजस्थान में वनों का क्षेत्रफल बहुत कम है सागवान, छोकड़ा व सालर ही प्रमुख वृक्ष

है। राज्य में वनों का उपयोग ईंधन के रूप में होता है, इन वनों से इमारती लकड़ी प्राप्त होती है व गौंद, बांस, शहद, कत्था इत्यादि के रूप में कुछ गौण उपज भी होती है। वनों से 8.62 करोड़ की शुद्ध आय हुई। वनों से सम्बन्धित व्यवसाय लाखों लोगों की जीविका का साधन है।

**ईंधन के रूप में उपयोग**—आदि काल से मानव ईंधन के रूप में वनों का उपयोग कर रहा है। राजस्थान के सभी भागों में वनों का सर्वाधिक उपयोग ईंधन के रूप में होता है। यहाँ के अधिकांश वन घटिया किस्म के होने से उनसे प्राप्त होने वाली लकड़ी जलाने के लिए ही उपयोग में लाई जा सकती है। राज्य में वनों का 60% भाग धोकड़ा घेरे हुए है जिसकी लकड़ी से कोयला भी बनाया जाता है। राज्य में प्रतिवर्ष लगभग 2.25 लाख टन कोयला बनाया जाता है।

**इमारती लकड़ी**—राजस्थान में प्रतिवर्ष 26 लाख घन फुट इमारती लकड़ी का उत्पादन होता है। यह इमारती लकड़ी मुख्यत: सागवान, बबूल, सालर व धोकड़ा वृक्षों से प्राप्त की जाती है। राज्य में लकड़ी काटने की आधुनिकतम वैज्ञानिक पद्धति का उपयोग नहीं होता। पुराने तरीकों से लकड़ी काटने से बहुत सी लकड़ी व्यर्थ नष्ट हो जाती हैं।

**वनों से प्राप्त गौण उपज**—राज्य के वनों से निम्न गौण उपजें प्राप्त होती हैं :—

**(i) गोंद**—गोंद शुष्क वृक्षों से निकलने वाला रस हैं। सूख कर यह रस गौंद का रूप धारण कर लेता है। नीम, खेजड़ा, बबूल व ढ़ाक के वृक्षों का रस गोंद बन जाता है। राज्य के पश्चिमी जिलों बाड़मेर, जैसलमेर, पाली, जोधपुर, जालोर व नागौर में गोंद का उत्पादन अधिक मात्रा में होता है। बाड़मेर जिले का चौहटन क्षेत्र कूमठ के गोंद उत्पादन की दृष्टि से अधिक प्रसिद्ध है। राज्य से बम्बई व दिल्ली तक गोंद भेजा जाता है।

**(ii) शहद तथा मोम**—मधु मक्खियों द्वारा वृक्षों पर बनाए गए छत्तों से शहद व मोम प्राप्त होता है। राज्य में अनेक जिलों में काफी मात्रा में शहद का उत्पादन होता है।

**(iii) कत्था**—खैर के तने से कत्था बनाया जाता है। खैर के तने के आन्तरिक भाग के टुकड़ों को उबाला कर कत्था तैयार किया जाता है। राज्य में प्रतिवर्ष लगभग 365 टन कत्थे का उत्पादन किया जाता है। चित्तौड़गढ़, झालावाड़, उदयपुर, भरतपुर व जयपुर प्रमुख कत्था उत्पादन क्षेत्र हैं।

**(iv) महुआ**—महुआ वृक्ष के फलों से चित्तौड़गढ़, उदयपुर, डूंगरपुर व सिरोही जिलों में आदिवासियों द्वारा शराब बनाई जाती है।

**(v) आवल**—एक प्रकार की झाड़ी है जो सिरोही, पाली, जोधपुर, बांसवाड़ा व उदयपुर में पाई जाती है। इस झाड़ी की छाल का उपयोग चमड़ा साफ करने के लिए किया जाता है। राजस्थान में चमड़ा उद्योग अविकसित है अत: अधिकांश छाल मद्रास, कलकत्ता, कानपुर व अहमदाबाद आदि स्थानों को भेजी जाती है।

**(vi) बाँस**—बाँस राज्य के बाँसवाड़ा, डूंगरपुर, उदयपुर व सिरोही जिलों में मिलता है। इसका उपयोग झोंपड़ी, चारपाई व टोकरियाँ आदि बनाने हेतु किया जाता है।

**(vii) तेंदू की पत्तियाँ**—तेंदू की पत्तियों से बीड़ियां बनाई जाती हैं। चित्तौड़गढ़, बांसवाड़ा, झालावाड़ व उदयपुर में यह वृक्ष मिलते हैं। जोधपुर, ब्यावर, पाली, भीलवाड़ा आदि स्थानों पर बीड़ियाँ बनाने का कार्य काफी बड़े पैमाने पर होता है। बीड़ीर निर्माण में हजारों मजदूर कार्य करते हैं। राजस्थान में निर्मित बीड़ियाँ देश के अन्य प्रान्तों में भी भेजी जाती है।

**(viii) घास**—राजस्थान के विभिन्न क्षेत्रों में कई प्रकार की घास मिलती है। घास से झाडू, चारपाई बनाने की मूंज, चटाई व रस्सियाँ आदि बनाई जाती हैं।

**(ix) खस**—सवाई माधोपुर, टोंक व भरतपुर जिलों में मिलने वाली खस का उपयोग कूलर में तथा गर्मियों में कमरे ठण्डे रखने के लिए होता है। खस से इत्र तथा अन्य सुगन्धित वस्तुऐं बनाई जाती है।

अब तक हुए वनस्पति सर्वेक्षणों के आधार पर निम्न 40 वनस्पतियों की जातियों व प्रजातियों की

जानकारी प्राप्त हुई है जो अपने अस्तित्व की रक्षा में संघर्षरत है।

1. **डेजरटोरमैं ("मोटो-जल- भंगरा")**— मेंहदी कुल का यह पौधा पानी के पास मिलता है और अपने चौकोर व रोंऐदार तने से पहचाना जाता है। इसे सन् 1919 में देवीकोट, जैसलमेर से खोजा गया था, यह प्राय: पश्चिमी राजस्थान के प्रत्येक जिले में मिलता है।

2. **अरीस्टीडा रॉयलीयाना**—यह घास सन् 1842 में प्रकाश में आई। उत्तर-पश्चिमी राजस्थान के अलावा यह पाकिस्तान में भी कहीं-कहीं पाई जाती है।

3. **आइपोमीया केरीका प्र. सीमीनी-ग्लेबरा**— विजोराई, जैसलमेर से सन् 1919 में खोजी गई यह प्रजाति अपने चिकने बीजों द्वारा पहचानी गई थी। आज तक दुबारा नहीं मिल पाई है।

4. **एबुटीलोन बाइडेन्टेटम प्र. मेजर "ईमरती"**—भिण्डी कुल की यह प्रजाति सन् 1918 में अमर सागर, जैसलमेर से खोजी गई थी। आजकल बाड़मेर व जोधपुर जिलों में ही कहीं-कहीं प्राप्त होती है।

5. **ए. फ्रुटीकोसम प्र. काश्सोकारपा**—भिण्डी कुल की यह प्रजाति तारों की भांति उगे सुनहरे रोऐदार फल से पहचानी जाती है। इसे सन् 1918 में विजोरोई, जैसलमेर से प्रथम बार खोजा गया उसके बाद दुबारा प्राप्त नहीं हुई।

6. **एलाश्सीकारपस मोनीलीफर प्र. विनोसा**— मटर कुल की यह प्रजाति अपने लगभग आठ भागों वाले गहरी आड़ी तिरछी धारी वाली फली 1918 में बड़ा बाग, जैसलमेर से प्राप्त हुई थी। पश्चिमी राजस्थान के अलावा अब पूर्वी राजस्थान के कोटा जिले में भी कहीं-कहीं पाई जाती है।

7. **एनोजिसस सरीसीया प्र. नुमुलेरीया "धावरो, इन्डोको"**—धांव कुल की यह प्रजाति अपने छोटे व गोल पत्तों द्वारा पहचानी जाती है। इसकी खोज सन् 1903 में हुई थी। पश्चिमी राजस्थान के अलावा पंजाब के कुछ भागों में भी पाई जाती हैं।

8. **एन्टीवेरीस ग्लेन्डुलोसा प्र. सीरूलीया**— अपनी मुख्य प्रजाति से आसमानी फूलों के कारण पहचानी जाने वाली यह प्रजाति सन् 1919 में जैसलमेर की चट्टानों पर ही मिलती है।

9. **एफेडरा फोलीएटा ("अंधी खींप")**—नग्न बीजी कुल की राजस्थान में मिलने वाली यह एक ही जाति है। सन् 1846 में इसे खोजा गया था। पश्चिमी राजस्थान व पंजाब में बहुत मुश्किल से मिलती है।

10. **कन्वोल्वुलस ऑरीकोमस प्र. फीरूजीनोसस**—इस प्रजाति की खोज सन् 1978 में जोधपुर के बालरवा गाँव से हुई थी। "रोता-बेल" से मिलती जुलती यह प्रजाति तम्बाकू रंग के रेशमी रोयों द्वारा आसानी से पहचानी जाती है। जोधपुर व जैसलमेर में कहीं-कहीं मिलती है।

11. **क. ऑंरीकोमस प्र. वाल्युबेलीस "रतन-जोत")**—सन् 1883 में खोजी गयी "रोता बेल" से मिलती जुलती यह प्रजाति अपने सफेद रोयों द्वारा आसानी से पहचानी जाती है। राजस्थान के पश्चिमी भाग के अलावा पाकिस्तान में भी मिलती है।

12. **क. ब्लेटराई**—अमरसागर, जैसलमेर से सन् 1919 में प्राप्त यह जाति अभी तक अपने जन्म स्थान तक ही सीमित है।

13. **क. डेजरटाई ("सन्तारी")**—अरब, मिश्र व भारत में राजस्थान के मरु प्रदेश में पाई जाने वाली यह जाति 1843 में प्रथम बार प्रकाश में आई।

14. **क. राहीनोस्परमस ("सन्तारी")**—सन् 1850 में खोजा गया यह पौधा सूडान, मिश्र, पाकिस्तान के सिन्ध प्रान्त के अलावा भारत के पश्चिमी मरु भाग में ही मिलता है।

15. **क. सिन्डीकस ("कलाकन्द")**— राजस्थान के बाड़मेर जिले के अलावा पाकिस्तान के बलूचिस्तान व सिन्ध प्रान्त में पाई जाने वाली यह जाति खोति सन् 1852 में पहली बार खोजी गई।

16. **क. स्टोक्साई**—डोरे जैसा नाजुका मटर के दाने के बराबर, गुलाबी रंग वाले फूल की इस जाति की खोज सन् 1852 में हुई थी भारत में गुजरात व

पश्चिमी थार रेगिस्तान के अलावा पाकिस्तान (सिन्ध, बलूचिस्तान) व टर्की में भी यह पाया जाता है।

17. **केरेलुमा इडुलीस (''पीम्पा'')**—सन् 1862 में खोजी गई ''आँकड़े'' के कुल की यह जाति पाकिस्तान व भारत के पश्चिमी मरु प्रदेश में ही मिलती है। चार कोने वाले गुद्देदार, पानी, जैसे रस वाले तने व चिकने फलन वाली यह बहुवर्षीय जाति आसानी से पहचानी जाती है।

18. **क्लीयोम गाइनेन्डरा प्र. नाना (''छोटी सफेद बागरो'')**—सन् 1918 में विजोराई, जैसलमेर से खोजी गई ''कैर'' कुल की यह प्रजाति ''सफेद बागरो'' (क्लीयोम गाईनेन्डरा) का छोटा रूप है।

19. **कोमीफोरा वाइटाई (''गुगल'')**—सन् 1839 में खोजी गयी यह झाड़ी ''गुगल'' के कारण अपनी महत्ता रखती है अपने अधिक उपयोग के कारण आज लुप्त होने की स्थिति में है। राजस्थान के अलावा गुजरात में भी पाई जाती है।

20. **गाइसेकिया फारनेसीओइडीस प्र. सुडोपेनीकुलेटा (''सरेली'')**—अफ्रीका से सन् 1960 में खोजी गई यह प्रजाति सन् 1978 में पहली बार भारत में राजस्थान के जोधपुर व बाड़मेर क्षेत्र में पाई गई। बारीक डोरे के समान पतले व नाजुक तने व दूर-दूर छितराए फूलों से पहचानी जा सकती है।

21. **जिजिफस ट्रेकेटा (बोरटी)**—बेर जाति की सन् 1918 में कायलाना, जोधपुर से खोजी गयी यह दुर्लभ किस्म है। मटर के समान फलों, ऊपर से सीधी कटी व दोनों चिकनी सतहों वाली पत्तियों द्वारा पहचानी जाने वाली यह जाति केवल अपने जन्म स्थान तक ही सीमित है।

22. **डीकोमेला अन्डुलेटा (रोहीड़ा)**—रोहिड़े की खोज सन् 1832 में हुई थी। मजबूत व टिकाऊ लकड़ी के कारण इसे 'मारवाड़ का सागवान' भी कहा गया है। धीरे-धीरे उगने वाले इस पेड़ को एक बार काटने के बाद दुबारा उगने में बहुत समय लगता है इस कारण यह कहा जाता है कि इसका अस्तित्व खतरे में है।

23. **टेफरोसीय फाल्सीफॉरमीस (राती बियानी)**—मटर कुल की यह जाति जो 'सरपंखी या बियानी' (टफरोसीया परपुटीया) से मिलती जुलती है, अपने गोल मुड़ी हुई फलियों द्वारा आसानी से पहचानी जाती है। पश्चिमी राजस्थान के अलावा पाकिस्तान के सिन्ध प्रान्त में भी मिलती है।

24. **ट्रीबुलस राजस्थानेन्सीस (गोखरू)**—गोखरू कुल का यह पौधा जोधपुर में मसुरिया पहाड़ी से सन् 1976 में पहली बार खोजा गया था। आधा इंच परिधि वाले पीले फलों व कई छोटे व बड़े कांटों वाले फल द्वारा अपने निकट की जाति 'काँटी' से इसे अलग किया जा सकता है। पश्चिमी राजस्थान के अलावा गुजरात व पाकिस्तान के राजस्थान से सटे प्रदेशों में भी मिलता है।

25. **ट्रवरनीरीया कुनीफोलीया**—मटर कुल की यह झाड़ी सन् 1846 में खोजी गई थी। लाल फूल व एक पत्री पत्तों, समान पुंकेसरों द्वारा पहचानी जाने वाली यह झाड़ी राजस्थान में मुश्किल से मिलती है। भारत में पंजाब व गुजरात के अलावा पाकिस्तान (सिंध) व अफगानिस्तान में भी पाई जाती है।

26. **पेवोनिया अरेबीका प्र. ग्लूटीनोसा**—भिण्डी कुल की कायालाना, जोधपुर से सन् 1918 में प्राप्त यह प्रजाति जो घने, चिपचिपे रोयों के कारण अपने अन्य प्रजातियों से पहचानी जाती है, पश्चिमी राजस्थान के अलावा और कही नहीं मिलती।

27. **प्रे. अरेबीका प्र. मसुरेन्सीस**—सन् 1978 में प्रकाश में आई, जोधपुर की मसुरिया पहाड़ी से प्राप्त यह प्रजाति जो गहराई तक दो भागों में बंटे पुष्प पत्रों द्वारा पहचानी जाती है आज तक दूसरी बार प्राप्त नहीं हुई।

28. **पुलीकेरीया राजपुतानी (धोला- लींगरु)**—सूरजमुखी कुल का छोटे-छोटे पीले फूलों व सफेद रूई के समान रोयों वाला यह पौधा सन् 1919 में बालसमंद, जोधपुर से खोजा गया था। अभी भी केवल पश्चिमी मरु प्रदेश में ही मिलता है।

29. **फारसीटीया मेक्रेन्था (मोटीयो-हीरन चाबो)**—सरसों कुल के सन् 1918 में बाड़मेर के

माताजी के मन्दिर के पीछे वाली चट्टानों से प्राप्त यह पौधा आज भी विश्वभर में अपने जन्म स्थान तक ही सीमित है।

30. **बारलेरीया प्रीनोटीस प्र. डाइकेन्या**—सन् 1919 में बाड़मेर की चट्टानों पर पाई गई यह प्रजाति पश्चिमी मरु प्रदेश तक ही सीमित है।

31. **मलहानिया फत्तेहपुरेन्सीस प्र. मेजर**—बाड़मेर की चट्टानों से सन् 1918 में प्राप्त 'मरोडफली' कुल की यह प्रजाति आज भी केवल राजस्थान में ही पाई जाती है।

32. **म. मेगनीफोलीया**—मरोड़फली कुल का कायलाना, जोधपुर से 1918 में प्राप्त यह पौधा पत्तों के अक्षांश से निकले फूलों द्वारा अपनी अन्य किस्मों से अलग पड़ता है, पश्चिमी मरु भूमि तक ही सीमित है।

33. **मानसोनिया हिलीयोट्रोपीओडीस (मयूर-शिखा)**—सन् 1787 में खोजी गई पौधे की यह दुर्लभ किस्म पाकिस्तान के सिन्ध प्रान्त के अलावा भारत में पश्चिमी राजस्थान में ही पाई जाती है।

34. **युफोरबीया जोधपुरेन्सीस (दुधेली)**—'थोर' या 'डन्डा थोर' कुल का यह पौधा जोधपुर से सन् 1920 में खोजा गया था। द्वि-भागी तने व दांतेदार पत्तियों वाला सीधा खड़ा रहने वाला यह पौधा भारत के पश्चिमी मरु प्रदेश के अलावा पाकिस्तान के सिन्ध प्रांत में भी पाया जाता है।

35. **विथानिया कोएगुलेन्स (पनीर-बंध)**—सलेटी रंग की गुद्देदार पत्तियों व तनों वाली यह झाड़ी जिसके बीज दूध को पनीर में बदलने के काम भी आते हैं पहली बार सन् 1849 में खोजी गई अफगानिस्तान, पाकिस्तान (सिन्ध, बलूचिस्तान) के अतिरिक्त भारत में पश्चिमी राजस्थान व पंजाब के कुछ भागों में पाई जाती है।

36. **साइडा त्यागीई (बाल)**—'भिण्डी' कुल का मुंगेरीया, बाड़मेर से सन् 1978 में प्राप्त यह पौधा पश्चिमी राजस्थान के अलावा पाकिस्तान के सिन्ध प्रान्त में भी पाया जाता है।

37. **सिड्रा लेटीफोलिया**—सन् 1844 में अफ्रीका से खोजी गई यह झाड़ी भारत में केवल पश्चिमी राजस्थान में ही नग्न चट्टानों पर पाई गई है।

38. **सेन्करस पीरूरी प्र. स्केब्रा**—यह घास सन् 1978 में मसुरिया पहाड़ी, जोधपुर से खोजी गई थी। केवल पश्चिमी राजस्थान में कहीं-कहीं पाई जाती है।

39. **से. राजस्थानेन्सीस (भूरट)**—सन् 1978 में खोज गई यह घास एक अन्य घास जो 'भूरट' के नाम से जानी जाती है व प्रदेश में बहुतायात से सुलभ है मिलती जुलती है। केवल पश्चिमी राजस्थान में पाई जाती है।

40. **सोरेलीया ओडोरेटा (जिल)**—गुलाबी, आसमानी फूलों वाली व चिपचिपे रोयों वाली, त्री पत्री पत्तों वाली यह बहु वर्षीय झाड़ियाँ सन् 1918 में सोन तालाई, बाड़मेर से खोजी गई थी। अब पश्चिमी मरु प्रदेश के अलावा राजस्थान के पूर्वी भाग में भी कहीं-कहीं मिलती है।

इन पौधों के अलावा कुछ अन्य पौधे भी है जो राजस्थान के पश्चिमी मरु प्रदेश में पाए जाते है जैसे-डीप्काडी एरीथ्रेनम, एनियापोगोन ब्रेकिस्टाइकस ग्लाइसोनिमा बेरीयन्स (डोढ़ा), हीलीयोट्रोपीयम रेरीफ्लोरम (खारसानी), लाइमीयम इन्डीकम (सपारी), मोरीन्गा कोन्केनेन्सीस (सरगवो), रीन्कोसीया स्वीनफराई, सीसुवीयम सीसुवोइडीस इत्यादि जो निश्चित रूप से राजस्थान में कम मिलते है परन्तु देश के अन्य प्रदेशों में भी कम मिलते है परन्तु देश के अन्य प्रदेशों में अच्छी संख्या में है।

लुप्त होती हुई इन वनस्पतियों की संख्या में कमी या बढ़ोतरी आने वाले वर्षों में यह दर्शाएगी कि हम इनके संरक्षण के प्रति कितने सजग है।

## राजस्थान के मरुस्थल में औषधीय पौधे

'बोटैनिकल सर्वे ऑफ इण्डिया, जोधपुर' भारत में औषधीय पौधों पर ध्यान दिया गया है। आयुर्वेदिक पुस्तकों में इनके गुण, कर्म तथा प्रभाव का वर्णन अधिक है परन्तु सही पहिचान तथा नाम विवादास्पद है। पश्चिमी चिकित्सा विधि के बढ़ते हुए प्रभाव के

कारण आयुर्वेदिक चिकित्सा का ह्रास होता जा रहा है। इसके कई कारण है जिनमें मूल कारण है पौधों की गलत पहिचान। बहुत कम वैद्य है जो पौधों को सही ढंग से पहिचानते है। अधिकतर लोग दवाएँ अपने यहाँ न बनाकर आयुर्वेदिक संस्थान की बनी दवाओं पर निर्भर रहते है। इन संस्थाओं में भी बाजार में मिलने वाली वस्तुओं का प्रयोग होता है। बाजार में बिकने वाले पौधों के भाग आम तौर पर नकली रहते है। आयुर्वेदिक दवा बनाने में यदि औषधि की सही पहिचान हो, उनकी मात्रा नियम के अनुसार हो तथा सही ढंग से दवा बनाई जाए तो उसका प्रभाव कुछ और ही होगा।

**सारणी–14**

**भारतीय मरुस्थली क्षेत्रों में उगने वाले औषधीय महत्त्व के पौधे**

| कुल | लैटिन नाम | हिन्दी नाम |
|---|---|---|
| मेनीस्परमेसी | काकुलस हरसूटस | पाताल गरूड़ी |
| | टिनोस्पोरा कार्डीफोलिया | गुड़िच |
| | सिसमपेलास परेरा | पाढ़ |
| पपावरेसी | आरजीमोन मेक्सिकना | सत्यानासी, भरभंडा |
| फ्यूमरेसी | फ्यूमेरिया इन्डिका | पित्तपापड़ा |
| कैपरिडेसी | क्रेटेवा नुर्वला | वरूना |
| | कैपरिस डेसीहुआ | करील |
| पार्टुलेकेसी | पौर्टुलेका क्वैड्रिफिडा | नोनी |
| | पौर्टुलेका ओलीरेसिया | कुल्फा |
| टैमरिकेसी | टैमरिकस ट्राउपी | झाऊ |
| | टैमरिकेस डायोका | रक्त झाऊ |
| मालवेसी | साइडा कार्डीफोलिया | बरियार |
| | साइडा सम्बिफोलिया | पीला बरियार |
| | साइडा वेरोनिसिफोलिया | फरीद बूटी |
| | एब्यूटिलान इण्डिकम | कंघी |
| टिलिएसी | कारकोरस एन्ट्रूएन्स | चेंच |
| | कारकोरस डिप्रेसस | चामकस |
| जाइगोफाइले | फगोनिया क्रिटिका | धमासा |
| | ट्रिबुलस टिरेस्ट्रिस | गौखरू |
| | कारकोरस डिप्रेसस | चामकस |
| रूटेसी | फेरोनिया लिमोनिया | कैथ |
| | ईगल मार्मेलस | बेल |
| बैलेनिटेसी | वैलेनाईट्स राक्सबरघाई | डिडोंट |
| बरसेरेसी | बासवेलिया सिर्रेटा | राल |
| | कामीफोरा राक्सबरघाई | गुगुल |

| कुल | लैटिन नाम | हिन्दी नाम |
|---|---|---|
| मिलिएसी | अजीडिरेक्टा इण्डिका | नीम |
| रैमनेसी | जिजिफस न्यूमुलेरिया | क्षुद्रबदर, बेर |
| | जिजिफस मारशियना | बदर |
| पैपिलियोनोसी | क्रोटेलेरिया जन्सिया | सन |
| | इण्डिगोफेरा टिंकटोरिया | नील |
| | डेरमोडियम गैजेटिकम | शलपणी |
| | एब्रस प्रिकेटोरिएस | रत्ती |
| | पोगेमिया पिनेटा | डिठौरी |
| | टेफ्रोशिया परपूरिया | सरफोंका |
| सिसलपिनेसी | केसिया टोरा | चकवड़ |
| | केसिया फिस्चुला | अमलतास |
| | केसिया आक्सीडेन्टेलिस | कसौंदी |
| | टैमरिडंस इण्डिका | ईमली |
| मिमोसेसी | प्रासोपिस सिनरेरिया | खेजड़ी |
| | अकेसिया निलोटिका | देशी बबूल |
| | अकेसिया सिनेगल | कुमटो, कूमठ |
| प्युनिकेसी | प्यूनिका ग्रनेटम | अनार |
| कैरिकेसी | कैरिका पपाया | पपीता |
| कुकरबिटेसी | कुकुरमिस सटाइवस | खीस |
| | सीट्रूलस कोलोसिंथिस | तुम्बा, इन्द्रायण |
| | मोमोरडिका बालसमीना | करेला |
| | मोमोरडिका डायोका | करेला |
| | काक्सीनिया कारडीफोलिया | कुंदरू |
| कम्पोजिटी | एकलिप्टा प्रोस्ट्रेटा | भंगरैया |
| | वर्नोनिया साइनेरिया | सहदेई |
| ऐस्क्लेपिडेसी | कैलाट्रापिस प्रोसरा | आक, मंदार, अर्क |
| | कैलाट्रापिस जाइगैण्शिया | श्वेतपुष्प अर्क |
| | लेप्टाडिनिया रेटीकुलेटा | जीवन्ती, डोडीशाक |
| बोरेजिनेसी | ट्राइकोडेस्मा इण्डिकम | अन्धाहुली |
| कस्कुटेसी | कस्कुटा रिफ्लेक्सा | अमरबेल |
| कन्वॉल्वुलेसी | कन्वौल्वुलस गाइक्रोफिलस | शंखपुष्पी |
| सोलेनसी | सोलेनम लागग्रम | मकोय |
| | सोलेनम सुरेटेन्स | भटकटैया छोटी कटेरी |
| | सोलेनम इण्डिकम | बड़ी कटेरी बनभंटा |

| कुल | लैटिन नाम | हिन्दी नाम |
|---|---|---|
| | धतूरा इनाक्सीया | धतूरा |
| | विथानिया सोमनीफेरा | असगंध |
| एकैंन्थेसी | बारलेरिया क्रिस्टेटा | कटसरैया |
| | आढाटोडा वेसिका | अडूसा |
| वर्बीनेसी | क्लोरोडण्ड्रम सिरेटम | भारंगी |
| लैबिएटी | ल्यूकस सिफेलोटस | गूमा |
| | आसिमम बेसिलिकम | ममरी या बनतुलसी |
| | आसिमय सैंकटस | तुलसी |
| निकटाजिनेसी | बोहेविया डिफ्यूजा | गदहपुरना |
| अमरैन्थेसी | एकाइरैन्थस ऐस्परा | चिचड़ा |
| एरिस्टोलोकिए | एरिस्टोलोकिया ब्रैक्टिएटा | कीड़ामार |
| युर्फोबिएसी | युर्फोबिया हिर्टा | बड़ी दुद्धी |
| | युर्फोबिया थाइमीफोलिया | दुद्धी |
| | फाइलैन्थस युरिनेरिया | भुईआँवला |
| | एम्बिका आफिसिनेलिस | आँवला |
| मोरेसी | फाइकस बंगालेन्सिस | बरगद |
| | फाइकस ग्लोमरेटा | गूलर |
| लिलिएसी | इलियम सटाइवम् | लहसुन |
| साइपरेसी | सिरपस ग्रोसस | कसेरू |
| | साइपरस टयूबरोसस | बड़ा कसेरू |
| | साइपरस रोटंड्रस | नगर मोथा |
| ग्रैमिनी | साइनोडान डैक्टिलान | दूब |
| | डेस्मोस्टेकिया बाइपिन्नेटा | कुश |
| | इम्पेरटा सिलिंड्रिका | दर्भ ; दाब |
| | सैकरम स्पान्टेनियम | कास |
| | सैकरम बेंगालेन्स | मूंज |

स्त्रोत : बोटैनिकल सर्वे ऑफ इण्डिया, जोधपुर

# अध्याय 8

## मिट्टी संसाधन
## Soil Resources

अति प्राचीनकाल से मानव भोजन के लिए मिट्टी पर निर्भर रहा हैं, चाहे वह वनों से प्राप्त किया गया हो अथवा कृषि से। इसलिए प्राकृतिक साधनों में से यह एक अत्यन्त महत्त्वपूर्ण साधन हैं। कृषि के लिए मिट्टी के महत्त्व पर जितना बल दिया जाए, कम हैं। समस्त कृषि-सम्बन्धी क्रियाओं व योजनाओं के लिए मिट्टी का विस्तृत ज्ञान बहुत आवश्यक हैं।

जैसा कि भौतिकस्वरूप के अध्याय में देखा जा चुका है, राजस्थान का पश्चिमी भाग एक विस्तृत बालुका मैदान हैं जिसमें इक्की-दुक्की पहाड़ियाँ और स्थान-स्थान पर उभरी हुई चट्टानें सम्मिलित हैं। अरावली के पश्चिम का सम्पूर्ण क्षेत्र बालुकामय हैं, परन्तु मिट्टी का उपजाऊपन पश्चिम और उत्तर-पश्चिम से पूर्व और उत्तर-पूर्व की ओर सुधरता जाता हैं। अनेक भागों में प्रतिकूल भौतिक दशाओं और उच्च पी एच. मान (pH value) के साथ मिट्टी खारी अथवा क्षारीय हैं।

### मिट्टी के प्रकार

इस राज्य की मिट्टियों को उनकी प्राप्ति, मुख्य लक्षणों और कृषि के लिए उपयुक्तता के आधार पर, निम्नलिखित सात समूहों में बाँटा गया है, (मानचित्र 33) में दिखाया गया हैं।

भूरी मृदाएँ

सीरोजम मृदाएँ

लाल बलुई मृदाएँ

निम्न स्थलाकृति स्थित

लवणीय मृदाएँ

लाल दुमट मृदाएं या रेडजिना

पहाड़ी मृदाएँ

बुलाई मृदाएँ एवं रेत के टीबे या रिगोसोल्स

जलोढ़ मृदाएँ।

### मृदा वर्ग–प्राचीन पद्धति के अनुसार

राजस्थान की मृदा के इन विभिन्न वर्गों के गुण का विस्तृत विवरण नीचे दिया गया हैं जो राजस्थान के मानचित्र 34 में प्रदर्शित हैं।

### भूरी मृदाएँ

इस वर्ग की मृदाएँ राज्य के टोंक, सवाई माधोपुर, बून्दी, भीलवाड़ा, उदयपुर और चित्तौड़गढ़ जिलों के कुछ क्षेत्रों में पाई जाती हैं। इन मृदाओं का अधिकतर क्षेत्र बनास नदी के वाह (Catchment) क्षेत्र में हैं। गहराई की दृष्टि से इन मृदाओं की प्रोफाइलों में बहुत अन्तर हैं। कई स्थानों पर शैल-स्तर अथवा चूनेदार कंकड़ों के स्तर से प्रोफाइल की गहराई सीमित हो जाती हैं। रेतीली दुमट से लेकर दुमट तक का गटन प्रोफाइल के विभिन्न स्तरों में देखने में आता हैं। इन मृदाओं में जल निकास अच्छा नहीं हैं। ह्यूमस की मात्रा भी बहुत अधिक नहीं पाई जाती हैं। नत्रजन व फॉसफोरस भी कम मात्रा में पाए जाते हैं, इसलिए आवश्यक मात्रा में इनके उपयोग से विभिन्न पौधों की पैदावार बहुत बढ़ जाती हैं। इन मृदाओं में रासायनिक अभिक्रिया उदासीन से लेकर क्षारीय तक होती हैं। इस क्षेत्र में भू-जल खारा होने के कारण, सिंचाई के लिए जहाँ-जहाँ भी उसका उपयोग होता है मृदाओं में लवण इकट्ठे हो जाते हैं। नहर व तालाब से सिंचित क्षेत्र भी इस इलाके में अधिक होने से ऊँचे भूमिजल स्तर की समस्या अनेक स्थानों पर विशेषत: भीलवाड़ा जिले में देखने में आती हैं। खरीफ में वर्षा ठीक होने से

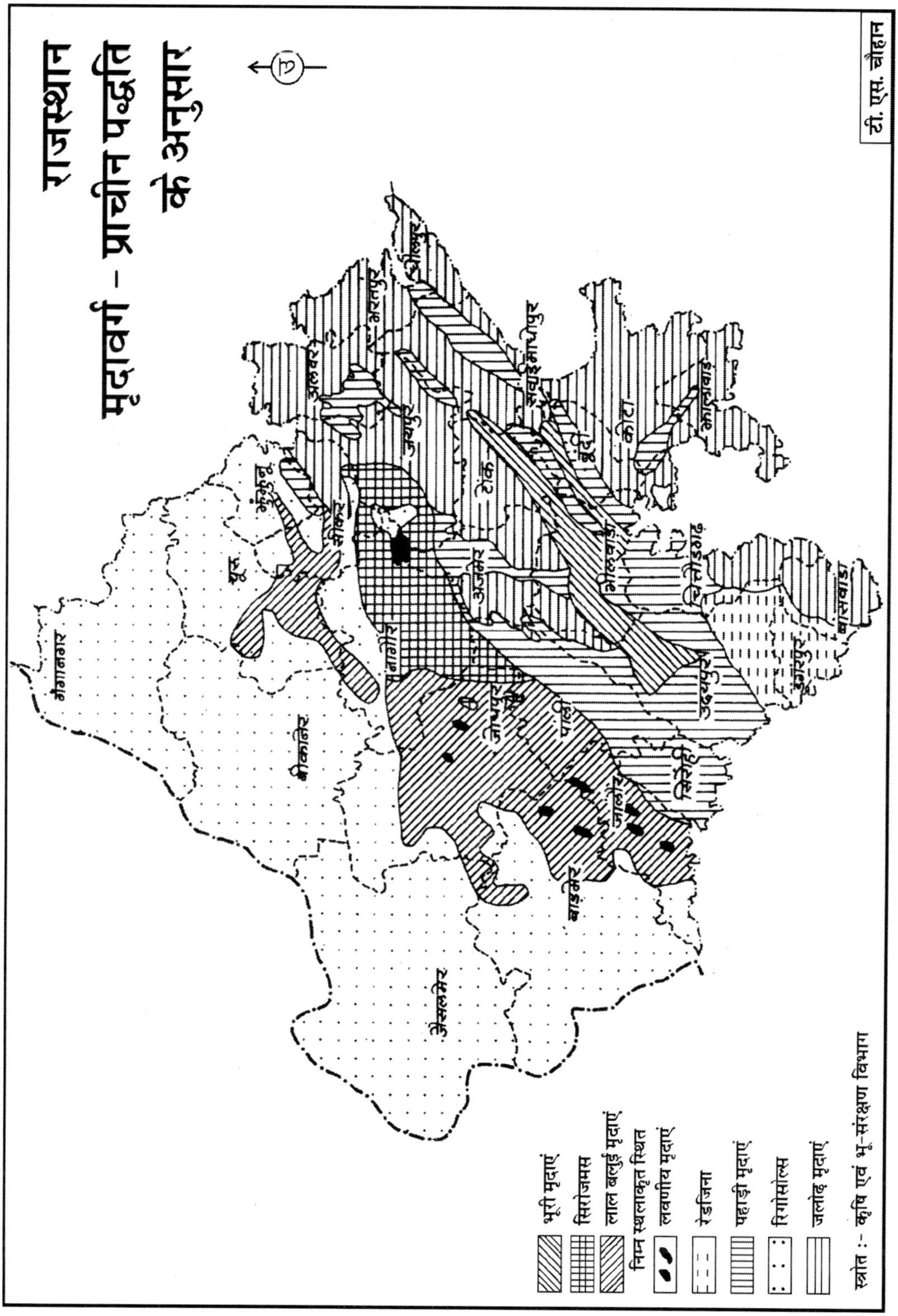
राजस्थान
मृदावर्ग - प्राचीन पद्धति के अनुसार
उ
भूरी मृदाएं
सिरोजमस
लाल बलुई मृदाएं
निम्न स्थलाकृत स्थित लवणीय मृदाएं
रेडजिना
पहाड़ी मृदाएं
रिगोसोल्स
जलोढ़ मृदाएं
स्रोत :- कृषि एवं भू-संरक्षण विभाग
टी. एस. चौहान
गंगानगर
बीकानेर
चूरू
झुंझुनूं
सीकर
नागौर
जैसलमेर
बाड़मेर
जोधपुर
जालौर
पाली
सिरोही
अजमेर
जयपुर
अलवर
भरतपुर
धौलपुर
सवाईमाधोपुर
टोंक
बूंदी
कोटा
झालावाड़
भीलवाड़ा
चित्तौड़गढ़
उदयपुर
डूंगरपुर
बांसवाड़ा

मानचित्र 34

तथा मृदा की जलधारण क्षमता पर्याप्त होने से इस मौसम में फसल उगाने में सिंचाई की अधिक आवश्यकता नहीं होती हैं। किन्तु रबी में अधिकतर खेती सिंचाई से ही होती है। इस क्षेत्र में हवा से मृदा के अपरदन की समस्या बिल्कुल नहीं है परन्तु आस पास में पहाड़ी क्षेत्र से पानी से अपरदन की समस्या बहुत जटिल है।

**सीरोजम मृदाएँ**

इन मृदाओं का विस्तार पाली, नागौर, अजमेर व जयपुर जिलों में बहुत बड़े क्षेत्र में है। अजमेर के पास अनेक स्थानों में अरावली पर्वतमाला के खण्डित होने से इनका विस्तार पश्चिम में नागौर जिले के थोड़े क्षेत्र में तथा पूर्व की तरफ पर अजमेर व जयपुर जिलों में फैला हुआ है। ये मृदाएँ मरुस्थलीय क्षेत्र में विशेषत: पाई जाती हैं और इनको कई बार 'धूसर मरुस्थलीय मृदा' के नाम से भी सम्बोधित किया जाता है।

रंग में ये मृदाएँ अधिकतर पीली-भूरी होती हैं। इनका गठन रेतीली-दुमट से रेतीली-मटियारी-दुमट तक पाया जाता है। इनकी प्रोफाइल परिपक्व (Matured) नहीं होती। इनके विभिन्न संस्तरों में कोई स्पष्ट अन्तर नहीं होता औरन ही इनमें से कोई संस्तर पूर्ण विकसित होता है। चूने का स्तर 100 से लेकर 150 से.मी. की गहराई के बीच पाया जाता है। प्रोफाइल के सभी स्तर चूनेदार हो सकते हैं। इन मृदाओं में पानी का निकास अच्छा होता है।

सीरोज्म मृदाओं में प्राय: नत्रजन तथा कार्बनिक पदार्थों की कमी होती है लेकिन फॉसफोरस, पोटाश, लोहा, चूना, कैल्शियम और मैग्नेशियम अधिक मात्रा में उपस्थित होते हैं। इस वर्ग की मृदाएँ अधिक उपजाऊ नहीं होती और खाद दिए बिना निरन्तर खेती करते रहने से इनमें पैदावार कम होती जाती है। इन मृदाओं में ह्यूमस कभी अधिक मात्रा में इकट्ठा नहीं होता और हरदम 0.5 प्रतिशत से कम ही रहता है इन मृदाओं की धनायन (Cation) विनिमय क्षमता भी अधिक नहीं होती।

राज्य के पश्चिमी छोर पर स्थित मरुस्थल की तुलना में यहाँ वर्षा थोड़ी अधिक होती है। प्राकृतिक वनस्पति भी इस क्षेत्र में कहीं-कहीं अच्छी है। ये मृदाएँ खेती योग्य है और इनमें अच्छी मात्रा में खाद देते रहने से अच्छी उपज प्राप्त की जा सकती है, लेकिन इस क्षेत्र में आवश्यकता से कम वर्षा, ज्यादा तेज हवा और इसके साथ होने वाले मृदा अपरदन से इनकी उर्वरा शक्ति बहुत कम हो जाती है। खरीफ में अधिकतर क्षेत्र में बारानी खेती होती है। रबी में कुएँ का जल ही सिंचाई का मुख्य स्त्रोत है। सिंचाई के लिए जल की उपलब्धि पर ही रबी मौसम में खेती के लिए इनकी उपयोगिता निर्भर है। ये मृदाएँ रबी से असिंचित खेती के लिए अधिक उपयुक्त नहीं हैं।

**लाल बलुई मृदाएँ**

लाल बलुई मृदाएं जोधपुर, नागौर, पाली, जालोर, बाड़मेर, चुरू तथा झुन्झुनूं जिलों में पाई जाती है। यह सम्पूर्ण क्षेत्र थार मरुस्थली का एक भाग है। इन मृदाओं का गठन रेतीला-दुमट से लेकर दुमट तक देखने में आता है। प्रोफाइल के विभिन्न स्तरों में कोई विशेष अन्तर नहीं होता। प्रोफाइल ऊपर से नीचे तक चूनेदार होती है और उसमें चूने का कोई एक स्तर भी अवमृदा में किसी न किसी गहराई पर अवश्य उपस्थित रहता है। अधिकांश मामलों में इस स्तर पर सीमेन्टीकरण हुआ होने के कारण यह बहुत ही कठोर होता है। मृदा की रासायनिक अभिक्रिया क्षारीय होती है। कई स्थानों पर इन मृदाओं में लवण भी इकट्ठे हुए पाए जाते हैं। इस क्षेत्र में हवा तेजी से चलती रहती है विशेषकर गर्मी में तो आंधियाँ चलती हैं। इसका यहाँ की मृदाओं के अपरदन होते रहने से विभिन्न स्थानों पर मृदा की गहराई में बड़ा अन्तर देखने में आता है। इन मृदाओं की गहराई कुछ सेन्टीमीटर से लेकर एक मीटर या उससे भी अधिक होती है।

नत्रजन व ह्यूमस की मात्रा इन मृदाओं में बहुत कम होती है। पौधों के लिए आवश्यक अन्य सभी तत्त्व इसमें उचित मात्रा में पाए जाते हैं। इस क्षेत्र में वर्षा जून से लेकर सितम्बर तक होती है, वह भी कभी-कभी और बहुत थोड़ी मात्रा में; इस कारण से वर्षा-आधारित बारानी खेती अनिश्चित-सी ही रहती है।

इन मृदाओं की जलधारण क्षमता बहुत कम होने से अच्छी वर्षा होने के बाद भी रबी फसल के लिए सिंचाई की आवश्यकता रहती है। इन क्षेत्रों में कुएँ सिंचाई के मुख्य साधन हैं, लेकिन अधिकतर कुओं से खारा पानी होने के कारण रबी में ऊँची लवण क्षमता वाले पौधों जैसे गेहूँ, जौ इत्यादि की ही खेती की जाती है। वर्षा ऋतु में इस क्षेत्र में मरुस्थलीय मौसमी घास उगती है। इसके अलावा मरुस्थलीय बहुवर्षीय (Perennial) झाड़ी भी इन मृदाओं में देखने में आती है।

### लवणीय मृदाएँ

ये मृदाएँ राजस्थान में स्थित विभिन्न लवण झीलों के आसपास के क्षेत्र में और बाड़मेर व जालोर जिलों के कच्छ की खाड़ी के आसपास के क्षेत्र में पाई जाती है। खारे पानी से सिंचाई या भौम जलस्तर ऊँचा होने के कारण उत्पन्न लवणीय मृदाओं को इस वर्ग में नहीं रखा गया है। राजस्थान में इन सभी प्रकार की लवणीय-क्षारीय मृदाओं का बहुत बड़ा क्षेत्र है लवण झीलों तथा कच्छ की खाड़ी के आसपास की लवणीय मृदाएं हल्के भूरे रंग से लेकर घूसर मटियारी होती हैं। इन मृदाओं में भौम जलस्तर सदैव ऊँचा रहता है। लवण की मात्रा व गठन की दृष्टि से इन मृदाओं में बड़ा अन्तर है। इन मृदाओं की उर्वरता बहुत कम होती है। बहुत ही ऊँची लवण क्षमता वाली घास व झाड़ी के अतिरिक्त इनमें और कोई वनस्पति नहीं उगती है।

### लाल दुमट मृदाएँ या रेडजिना

डूँगरपुर, बाँसवाड़ा जिलों में और उदयपुर व चित्तौड़गढ़ जिलों में कुछ क्षेत्रों में ये मृदाएँ अलग से और काली मृदाओं के साथ मिश्रित रूप से पाई जाती हैं। लाल रंग की होने से इनको अधिकतर लाल मिट्टी के नाम से ही सम्बोधित किया जाता है। आइरन-पर-ऑक्साइड अधिक मात्रा में होने से इन मृदाओं का रंग लाल है। दुमट से मटियारी-दुमट तक का गठन इन मृदाओं में पाया जाता है। अधिकतर मृदाओं में पानी का निकास अच्छा है। इनकी अवमृदा में कहीं-कहीं चूना भी पाया जाता है। लवण व क्षार इनमें इकट्ठे नहीं होते। इनकी रासायनिक अभिक्रिया उदासीन से क्षारीय तक देखने में आती है। इन मृदाओं में जैव पदार्थ, नत्रजन, फॉस्फोरस व चूने की कमी पाई जाती है। गहराई, उर्वरता व संगठन की दृष्टि से इन मृदाओं में बड़ा अन्तर है। ऊँचे क्षेत्रों में वह कम गहरी, कंकरीली, रेतीली या पथरीली और बहुत कम उर्वरता वाली होती है, लेकिन नीचे के मैदानों में और घाटियों में वह बहुत गहरी, गहरे लाल रंग की दुमट और बहुत उपजाऊ होती है जिसमें सिंचाई के साथ कपास, गेहूँ, चना इत्यादि की इत्यादि सिंचित उगाई जाती हैं। इस क्षेत्र में अधिक वर्षा होने और अधिकतर क्षेत्र पहाड़ी होने से पानी से मृदा-अपरदन की समस्या बड़ी जटिल है।

### पहाड़ी मृदाएँ

ये मृदाएँ अरावली पर्वतमाला, विन्ध्याचल पर्वत और अलवर में स्थित दिल्ली सिस्टम पर्वत की ऊपरी समतल सतह पर और उसके गिरिपाद में पाई जाती हैं। इन मृदाओं के रंग में बहुत अन्तर पाया जाता है। लाल रंग से लेकर पीले भूरे रंग तक का सम्मिश्रण इनमें देखने में आता है। अरावली के पश्चिम में ये मृदाएँ रेतीली दुमट से लेकर रेतीली मटियारी दुमट तक के गठन की पाई जाती हैं। पूर्व में स्थित मृदाओं का गठन दुमट से मटियारी दुमट तक है। इन मृदाओं में से अधिकतर पहाड़ी की ऊपरी सतह पर या ढ़लान पर स्थित हैं, जिसके कारण इनमें अधिक गहराई नहीं होती। इस क्षेत्र में कहीं-कहीं ऐसे स्थान भी हो सकते हैं जहाँ मृदा की गहराई बहुत अधिक हो। ऊपरी सतहों पर जल का निकास बहुत अच्छा है। मृदा के अन्दर जल का निकास भिन्न-भिन्न स्थानों पर अलग-अलग है। पहाड़ों और उनकी ढ़लान पर स्थित होने से मृदा का पानी से अपरदन स्थाई समस्या है। ये मृदाएँ अधिकतर वृक्षारोपण के काम में लाई जाती हैं।

### बलुई मृदाएँ एवं रेत के टीबे या रिगोसोल्स

राज्य के पश्चिमी भाग में मरुस्थलीय मृदाएँ एवं रेत के टीबे इस वर्ग की मृदाओं के अन्तर्गत आते हैं। इस वर्ग की मृदाएँ राज्य में सबसे अधिक क्षेत्रफल में फैली हुई हैं। इनमें से अधिकतर मृदाएँ और रेत के टीबे वातोढ़ हैं। आंधियों से मृदा-अपरदन इस क्षेत्र की

एक मुख्य समस्या है।

रेत के टीबे हर स्थान पर भिन्न ऊँचाई और भिन्न-भिन्न आकार के हैं। इनमें से अधिकतर पूर्णरूप से स्थाईकृत हैं, शेष आंशिक रूप से स्थाईकृत हैं। जो टीबे स्थाईकृत नहीं हैं, उनकी रेत हवा के साथ उड़ती रहती है। इन टीबों को मृदा के किसी भी वर्ग में सम्मिलित नहीं किया गया है। मृदाओं के इस वर्ग में केवल स्थाईकृत और आंशिक रूप से स्थाईकृत टीबे ही आते हैं। इन टीबों का गठन मोटी रेत से बारीक रेत तक का पाया जाता है। पानी का निकास इनमें बहुत अधिक है। ह्यूमस व नत्रजन की मात्रा इनमें बहुत कम होने से इनकी उर्वरा-शक्ति बहुत कम होती है। इन मृदाओं की जलधारण क्षमता भी बहुत कम होती है। इन टीबों की ढलान पर खरीफ की बारानी खेती की जाती है। बाजरा, मूँग, उड़द, मोठ इत्यादि इस क्षेत्र की मुख्य फसलों में से हैं। इनके अलावा इन टीबों पर प्राकृतिक बहुवर्षीय झाड़ी और मौसमी घास भी उगती रहती है।

बलुई मृदाएँ इस क्षेत्र में पूर्ण रूप से तथा आंशिक रूप से स्थाईकृत टीबों के बीच में और आसपास के क्षेत्र में पाई जाती हैं। ये क्षेत्र अधिकतर रेतीले मैदान हैं। इन मृदाओं की प्रोफाइलों के विभिन्न स्तरों में कोई विशेष अन्तर नहीं होता। किसी न किसी गहराई पर चूने के कंकरीले पत्थरों का एक स्तर अवश्य उपस्थित रहता है। भिन्न-भिन्न स्थानों पर इन मृदाओं की गहराई में बड़ा अन्तर पाया जाता है। प्रोफाइल में पूरी गहराई तक अधिकतर रेत ही होती है। किसी विशेष प्रकार की संरचना भी देखने में नहीं आती। पानी का निकास बहुत अच्छा होता है। रासायनिक अभिक्रिया उदासीन से लेकर क्षारीय तक होती है। ह्यूमस व नत्रजन की बहुत कम होने से इन मृदाओं की उर्वरा शक्ति बहुत कम होती है लेकिन पौधों के लिए आवश्यक अन्य सभी तत्त्व इन मृदाओं में पर्याप्त पाए जाते हैं। इन मृदाओं की जलधारण क्षमता बहुत कम होने से इनमें बारानी खेती होती है। अधिकतर कुओं का जल खारा होने से ऊँची लवण-क्षमता वाली फसलें ही रबी में उगाई जाती हैं। इस वर्ग की मृदाओं के बीच-बीच में कहीं-कहीं पर निम्न स्थलाकृति वाले ऐसे अनेक स्थान हैं जहाँ आसपास की ऊँची सतह से पानी के साथ बह कर आई मटियारी मृदा एकत्रित हुई है। इनको स्थानीय भाषा में 'खड़ीन' कहा जाता है। जलधारण क्षमता अधिक होने से इन मृदाओं में सिंचाई के बिना भी रबी में खेती होती है। ये मृदाएँ बलुई मृदाओं की तुलना में बहुत उपजाऊ हैं। पश्चिमी राजस्थान के पूरे क्षेत्र में आंधी से मृदा का अपरदन इस क्षेत्र की एक भारी समस्या है जो कि यहां की मृदा की उर्वरता को प्रभावित करती रहती हैं।

### जलोढ़ मृदाएँ

जलोढ़ मृदाएँ वे होती हैं जो जल के साथ कहीं दूर से बह कर आई हों और किसी एक स्थान पर एकत्रित हुई हो। राजस्थान में इस वर्ग की मृदाएँ अनेक स्थानों पर पाई जाती हैं और इनको पहले भिन्न-भिन्न नामों से सम्बोधित किया जाता था। गंगानगर जिले में इन मृदाओं को रिव्हराईन मिट्टी के नाम से पहचाना जाता था। पुरानी जलोढ़ मृदाएँ अलवर, जयपुर, भीलवाड़ा, टोंक, सवाई माधोपुर तथा अजमेर जिलों के कुछ क्षेत्रों में स्थित हैं। नई जलोढ़ मृदाएँ भरतपुर, सवाई माधोपुर, बूंदी तथा कोटा जिलों में फैला हुआ है। इन चारों क्षेत्रों में मृदाएँ पानी के साथ बह कर आई हैं फिर भी इन क्षेत्रों की तथा इन मृदाओं की अपनी स्वयं की कुछ विशेषताएँ हैं।

राजस्थान के उत्तर-पश्चिमी भाग में स्थित गंगानगर जिले में बहुत पहले घग्घर, सरस्वती, चौतांग नदियाँ बहा करती थीं। उन्होंने अपने साथ बहाकर लाई हुई सामग्री इस क्षेत्र में स्थित मैदान में फैला दी। ये नदियाँ तो अब लुप्त हो गई हैं। किन्तु इस बाढ़कृत मैदान में अब गंगनहर और इन्दिरा गाँधी नहर का पानी सिंचाई के लिए उपलब्ध होने के कारण यह क्षेत्र अब बहुत महत्त्वपूर्ण बन गया है। इस बाढ़कृत मैदान की मृदाएँ स्तरित हैं और इस वजह से इनमें थोड़ी-थोड़ी दूरी पर भी बहुत भिन्नता पाई जाती है। मृदाओं का रंग पीला भूरा हैं। ये मृदाएँ गठन की दृष्टि से दुमट से लेकर सिल्टी मटियारी दुमट तक हैं। इन मृदाओं की प्रोफाइल में अनेक प्रकार के स्तर देखने को मिलते हैं।

कहीं-कहीं मटियारी मिट्टी अथवा चूनेदार कंकड़ों का कठोर स्तर देखने में आता है। लवण व क्षार बहुत अधिक मात्रा में हैं इसलिए भूमि के उद्धार के बिना इनमें खेती नहीं की जा सकती। स्तरित होन से अनेक स्थानों पर जल-निकास अच्छा नहीं है। लवण की मात्रा कम की जाए और खाद की अच्छी मात्रा में उपयोग किया जाए तो ये मृदाएँ बहुत उपजाऊ साबित होगी। इस बाढ़कृत मैदान के क्षेत्र में अनेक स्थानों पर आसपास के क्षेत्र में आंधी से उड़ कर आई हुई रेत जमा हो गई है। इस जमी हुई रेत की गहराई में बहुत अन्तर है। जहाँ रेत अधिक गहराई तक जमा हुई हैं, वहाँ की मृदाओं में और बाढ़कृत मैदान की मूल मृदाओं में उनके गुण-विशेष की दृष्टि से बड़ा अन्तर है। इनमें लवण व क्षार इतनी अधिक मात्रा में नहीं पाए जाते हैं और सिंचित खेती के लिए बाढ़ के मैदान की मृदाओं से ये ज्यादा अच्छी हैं।

अलवर, जयपुर, अजमेर तथा टोंक जिलों के कुछ क्षेत्रों में स्थित मृदाएँ बहुत समय पहले यहाँ आकर जमा हुई थीं। अब पिछले कई वर्षों से इन मृदाओं पर कोई नई परत जमा नहीं हुई है। इस क्षेत्र में वर्षा भी इतनी होती है कि जल का निकास पूर्ण प्रोफाइल में से प्रति वर्ष नहीं हो कम से कम कुछ सालों में हो ही जाता है; इसलिए इन मृदाओं की प्रोफाइल का पूर्णरूपेण विकास हुआ है। इन मृदाओं में अनेक स्थानों पर आरजेलिक संस्तर देखने में आता है। ये मृदाएँ पीले भूरे रंग की और गहराई की दृष्टि से अच्छी हैं। चूनेदार कंकड़ का स्तर प्रोफाइल मे कई स्थानों पर देखने में आता है। रासायनिक अभिक्रिया उदासीन से लेकर क्षारीय तक पाई जाती है। इन मृदाओं में नत्रजन की बहुत कमी रहती है। इनकी जलधारण क्षमता अच्छी है, लेकिन इतनी अच्छी नहीं कि रबी में सिंचाई के बिना खेती की जा सके। ये मृदाएँ सिंचाई होने और स्वाद का उपयोग करने पर बहुत उपजाऊ हैं।

भरतपुर और अलवर जिलों के कुछ क्षेत्रों में जो जलोढ़ मृदाएँ हैं, उन पर अभी भी अनेक बार नई जलोढ़ सामग्री जमा हो जाती है। इन मृदाओं का गठन रेतीली दुमट से लेकर दुमट और कहीं कहीं तो मटियारी दुमट तक है। पानी के साथ बहकर सिल्ट आती है जिसमें इस मृदा का उपजाऊपन बढ़ जाता है और इसके फलस्वरूप इसमें बहुत अच्छी रबी की फसलें होती हैं। भरतपुर जिले में इन मृदाओं में आप्लावन की सिंचाई पद्धति अपनाई जाती है जिससे बहुत से स्थानों पर भौम जलस्तर ऊँचा हो गया है।

कोटा, बूंदी और झालावाड़ जिलों में पाई जाने वाली काली मृदाएँ भी जलोढ़ हैं। चम्बल तथा उसकी सहायक नदियों-परवन, काली सिंध व पार्वती-ने विन्ध्याचल पर्वत और डैक्कन ट्रेप से यह जलोढ़ सामग्री लाकर यहाँ जमा की है। इन मृदाओं का रंग काला होने से इनको काली मृदाएँ कहा जाता है। काली मृदाएँ भिन्न-भिन्न रंग की होती हैं। इनका रंग गहरे काले से लेकर हल्के काले तक पाया जाता है। इस मृदा में टाईटेनियमयुक्त मेगनाईट, लोहे और एल्युमीनियम के कार्बनिक यौगिकों के अधिक मात्रा में होने से इसका रंग काला होता है। मटियारी दुमट से मटियारी गठन इन मृदाओं में देखने में आता है। इनकी संरचना ढेलानुमा है। क्ले का प्रतिशत अधिक होने के कारण वर्षा ऋतु में ये मृदाएं भीगकर फूल जाती हैं जबकि गर्मी में सूखने पर इनमें सिकुड़न आती है। आयतन में एकाएक कमी होने के कारण इनमें ग्रीष्मकाल में लम्बी तथा एक से दो मीटर तक गहरी दरारें पड़ जाती हैं। काली मृदाएं चूनेदार होती हैं और इसीलिए रासायनिक अभिक्रिया की दृष्टि से यो उदासीन से क्षारीय हैं। अनेक बार इन मृदाओं में मिलने वाला चूना सफेद कंकड़ों के रूप में होता है। जिसकी मात्रा में वृद्धि होने से मृदा की उर्वरता पर प्रतिकूल प्रभाव पड़ता है। गइराई की दृष्टि से देखने में इनमें अन्तर पाया जाता है। जल-निकास इन मृदाओं में अच्छा नहीं होता। नमी रोकने की क्षमता सभी काली मृदाओं में अधिक होती है। इस वर्ग की मृदाएं प्राय: अधिक उपजाऊ होती है।

## मृदावर्ग–नवीन पद्धति के अनुसार

विश्व के सभी मृदा-वैज्ञानिकों का यह सतत् प्रयत्न रहा है कि मृदा का एक ऐसा वर्गीकरण हो जिसमें सभी देशों की मृदाओं को सहजता से समाविष्ट किया जा सके। इन प्रयत्नों के फलस्वरूप अमेरिकी

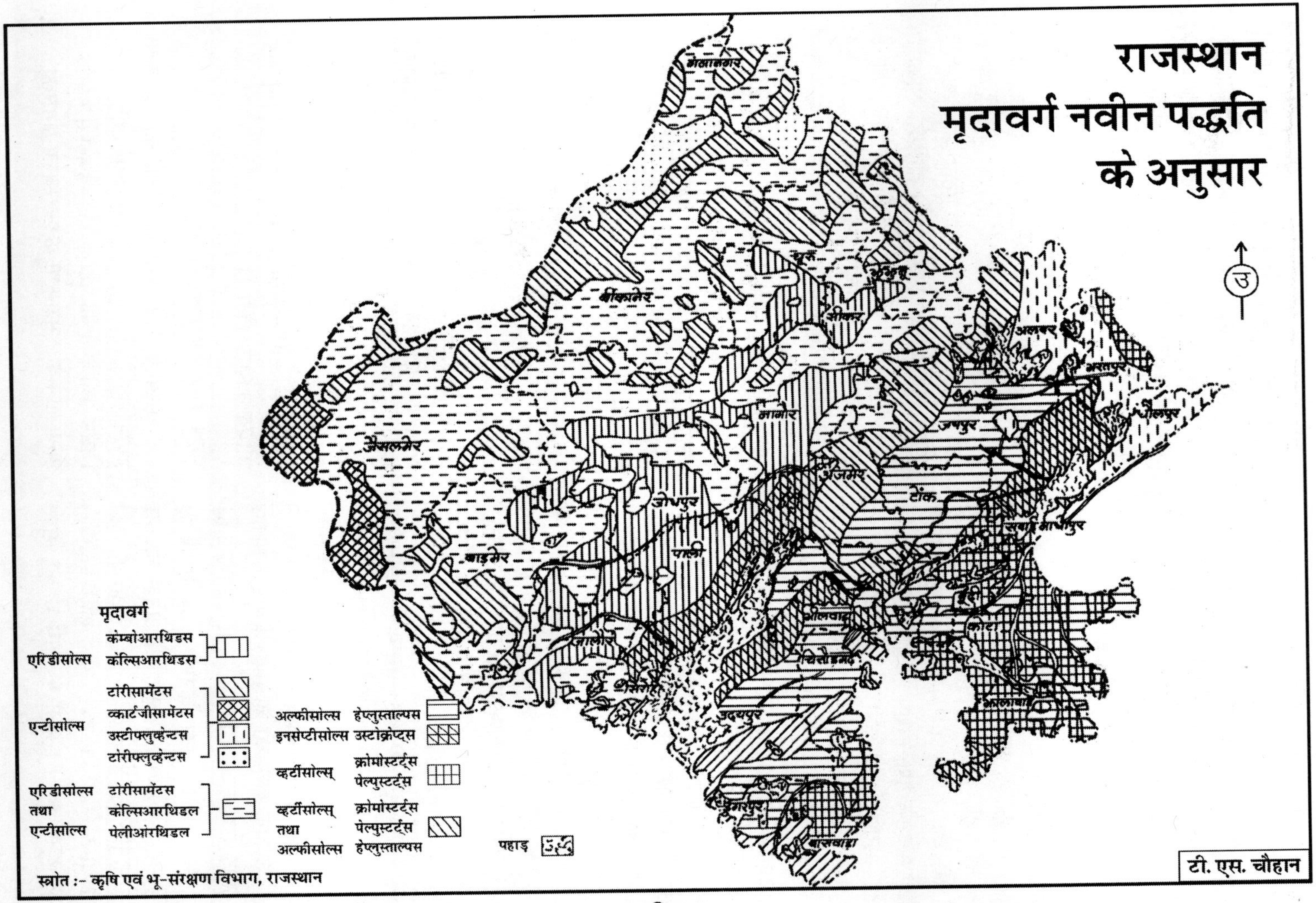
राजस्थान
मृदावर्ग नवीन पद्धति
के अनुसार
उ
गंगानगर
बीकानेर
चूरू
झुंझुनूं
सीकर
अलवर
भरतपुर
धौलपुर
जैसलमेर
नागौर
जयपुर
अजमेर
टोंक
जोधपुर
सवाई माधोपुर
बाड़मेर
पाली
भीलवाड़ा
जालोर
चित्तौड़गढ़
उदयपुर
डूंगरपुर
बांसवाड़ा
मृदावर्ग
एरिडीसोल्स
केम्बोआरथिडस
केल्सिआरथिडस
एन्टीसोल्स
टोरीसामेंटस
क्वार्टजीसामेंटस
उस्टीफ्लुवेन्टस
टोरीफ्लुवेन्टस
एरिडीसोल्स तथा एन्टीसोल्स
टोरीसामेंटस
केल्सिआरथिडल
पेलीआरथिडल
अल्फीसोल्स हेप्लुस्ताल्पस
इनसेप्टीसोल्स उस्टोक्रेप्ट्स
व्हर्टीसोल्स् क्रोमोस्टर्ट्स पेल्युस्टर्ट्स
व्हर्टीसोल्स् तथा अल्फीसोल्स
क्रोमोस्टर्ट्स
पेल्युस्टर्ट्स
हेप्लुस्ताल्पस
पहाड़
स्रोत :- कृषि एवं भू-संरक्षण विभाग, राजस्थान
टी. एस. चौहान

मानचित्र 35

कृषि विभाग के वैज्ञानिकों द्वारा कुछ सालों पहले से ही एक नई पद्धति को अंतिम रूप दिया गया है और पूर्ण निरीक्षण के बाद अब उसे विश्व के सभी मृदा-वैज्ञानिकों द्वारा स्वीकार कर लिया गया है। इस नई पद्धति में मृदा की उत्पत्ति के कारकों को आवश्यकतानुसार महत्त्व देते हुए अधिक महत्त्व मृदाओं के मौजूदा-गुणों को दिया गया है। इस वर्गीकरण में इतनी श्रेणियाँ रखी गई हैं कि सभी देशों की मृदाएं इसमें सरलता से वर्गीकृत हो सकती हैं। इस वर्गीकरण में निम्नलिखित दस मृदा गुण हैं:-

| | |
|---|---|
| 1. एरिडीसोल्स | 2. अल्फीसोल्स |
| 3. एन्टिसोल्स | 4. इनसैप्टीसोल्स |
| 5. व्हर्टीसोल्स | 6. मोलीसोल्स |
| 7. हिस्टोसोल्स | 8. अल्टीसोल्स |
| 9. औकसीसोल्स | 10. स्पोडोसोल्स |

ये सभी मृदागण विभिन्न उपमृदागणों, वृहत्, वर्ग, फेमिली और सीरिज में वर्गीकृत किए गए हैं। इन मृदागणों में से केवल एन्टीसोल्स मृदागण पुरातन वर्गीकरण के एजोनल मृदागण से थोड़ा बहुत मिलता है। अन्य सभी मृदागण पुराने मृदागणों से बिल्कुल भिन्न है।

राजस्थान की मृदाएं इस नई पद्धति के अनुसार केवल पांच मृदागणों के अन्तर्गत आती हैं। ये मृदागण हैं:- एरिडीसोल्स, अल्फीसोल्स, एन्टिसोल्स, इनसैप्टीसोल्स और व्हर्टीसोल्स। राज्य की मृदाओं का वर्गीकरण इन मृदागणों के अन्तर्गत वृहत् वर्ग तक करके (मानचित्र 35) पर चित्रित किया गया है। (माथुर व उनके सहयोगी, 1975)। राजस्थान में पाए जाने वाले विभिन्न मृदागणों और उनके वृहत् वर्ग के गुणों और विस्तार का विस्तृत विवरण नीचे दिया गया है।

### एरिडीसोल्स

चुरू, सीकर, झुन्झुनूं, नागौर, जोधपुर, पाली और जालोर जिलों के कुछ क्षेत्रों में ये मृदाएँ फैली हुई हैं। पश्चिमी राजस्थान के अन्य क्षेत्रों में ये मृदाएँ एन्टीसोल्स मृदागण की मृदाओं के साथ मिश्रित रूप से पाई जाती है। अंशतः और पूर्णतः स्थायीकृत टीबे एन्टीसोल्स मृदागण के अन्तर्गत आते हैं।

एरिडिसोल्स वह खनिज मृदा है जो अधिकतर शुष्क जलवायु में ही पाई जाती है। सिंचित क्षेत्र की मृदाओं को छोड़कर इन मृदाओं के विभिन्न संस्तर साल के अधिकतर भाग में सूखे रहते हैं। पृष्ठमृदा का रंग हल्का पीला-भूरा होता है। शुष्क होने की स्थिति में मृदा नरम होती है। इन मृदाओं के प्रोफाइल में एक या एक से अधिक निदान-सूचक स्तर अवश्य उपस्थित रहते हैं। यह स्तर लवण, कार्बोनेटस, क्ले, सिलिकेटस इत्यादि का बना होता है। इनमें जैविक कार्बन बहुत ही कम मात्रा में उपस्थित रहता है। इन मृदाओं में या तो अधिकांश समय तक मृदा का आर्द्रता-तनाव म्लानि बिन्दु से ज्यादा रहता है या लवण इतनी अधिक मात्रा में उपस्थित होते हैं कि पौधों को जल आसानी से प्राप्त नहीं होता। साल भर में कोई भी ऐसा समय नहीं होता जब पौधों को लगातार 90 दिनों तक जल प्राप्त हो। इन मृदाओं में प्राकृतिक वनस्पति कहीं-कहीं उगती है और वह भी मरूद्भिद पौधों की होती है।

राजस्थान में एरिडिसोल्स मृदागण का अधिकतर क्षेत्र उपमृदागण ऑरथिड के अन्तर्गत ही आता है।

इस उपमृदागण की मृदाओं में एक या एक से ज्यादा पेडोजनिक संस्तर होते हैं, लेकिन इनमें आररजिलिक या नैट्रिक स्तर नहीं होते हैं। इन मृदाओं में सामान्यतः लवणीय अथवा चूने के संस्तर पाए जाते हैं। कुछ मृदाओं में जिप्सिक, पेट्रोकेल्सिक, पेट्रोजिप्सिक, केम्बिक संस्तर अथवा ड्यूरोपैनमें से कोई-सा एक या अधिक संस्तर पाए जाते हैं। इन्हीं संस्तरों की उपस्थिति के आधार पर इन उप-मृदागणों को विभिन्न वृहत् वर्गों में विभाजित किया जाता है। इन भिन्न-भिन्न वृहत् वर्गों में से केम्ओऔरथिडस, केल्सीऔरथिडस, सैलोर-थिडस और पैलिऑरथिडस राजस्थान में पाए जाते हैं।

### केम्बोऑरथिडस

केम्बोऑरथिडस वृहत्-वर्ग की मृदाएँ केलसिऑरथिडस के साथ परस्पर मिश्रित रूप से मिली हुई जालोर, चुरू, जोधपुर, पाली, बाड़मेर, सीकर

और झुंझुनूं जिलों के अधिकतर क्षेत्रों में पाई जाती है मृदा प्रोफाइल के परीक्षण के बिना इन दो वृहत्-वर्गों की मृदाओं को अलग करना कठिन है। केलसिऑरथिडस के अतिरिक्त ये कई स्थानों पर मरुस्थल की अन्य मृदाओं के साथ भी मिश्रित पाई जाती है।

केम्बोऑरथिडस में केम्बिक संस्तर अवश्य उपस्थित होता है। पृष्ठमृदा हल्के भूरे रंग की होती है। यह केम्बिक संस्तर पृष्ठमृदा के नीचे स्थित होता है। इस संस्तर का रंग लाल अथवा भूरा होता है। इस संस्तर की संरचना प्रिज्म प्रकार की होती है और प्रिज्म मृदा की ऊपरी सतह से केवल 2 से 5 से.मी. नीचे रहते हैं। वे बहुत कमजोर होते हैं। ठीक से न देखा जाए तो देखने में भी नहीं आते। इस वृहत्-वर्ग की मृदाएं स्तरित न हों तो पूरी प्रोफाइल में एक जैसा ही गठन होता है। इनमें चूने का स्तर नहीं पाया जाता है। एरिडीसोल्स मृदागण के अन्तर्गत आने वाले सभी वृहत्-वर्गों में इस वृहत्-वर्ग की मृदाएँ सबसे अधिक युवा (Young) होती हैं।

राजस्थान में ये मृदाएँ लगभग 250 से 500 मिलीमीटर वर्षा रेखा के भीतर स्थित हैं। मई महीने का औसत तापमान इस क्षेत्र में 32° से 24° सेन्टीग्रेट के परास में रहता है। जनवरी महीने का औसत तापमान 14° से 16° सेन्टीग्रेट के बीच में रहता है। मृदा के औसत वार्षिक तापमान का परास 25° से 27° सेन्टीग्रेट तक होता है।

**केल्सीऑरथिडस**

केल्सीऑरडिथस वृहत्-वर्ग मृदाएँ जालोर, जोधपुर, पाली, बाड़मेर, नागौर, सीकर, चुरू, गंगानगर और झुंझुनूं जिलों के कुछ क्षेत्रों में केम्बोऑरथिड मृदाओं के साथ-साथ मिश्रित रूप से पाई जाती है। घग्घर बाढ़कृत मैदान में इनका फैलाव पैलीऑसरथिड्स, सैलोरडिस, येरीफ्लुव्हेंट्स और टोरीसामेंट्स वृहत्-वर्गों की मृदाओं के साथ-साथ है।

इन मृदाओं में ऊपरी सतह से एक मीटर के भीतर केल्सिक अथवा जिप्सिक संस्तर अवश्य रहता हैं। लेकिन इस एक मीटर में पेट्रोकील्स स्तर अथवा ड्यूरोपेन नहीं होता। केल्सिक संस्तर के ऊपर लवणीय संस्तर कभी भी मौजूद नही होता हैं। मृदा के ऊपरी सतह के नीचे केम्बिक स्तर मौजूद हो सकता है। मृदा में चूना मूल शैल अथवा हवा के साथ उड़ कर आया हुआ होता है। केल्सिक स्तर का चूना अधिकतर नरम और चूर्णी होता है। चूने के लगातार इकट्ठे होते रहने पर केल्सिक स्तर में उपस्थित सभी छिद्र बन्द हो जाते हैं और धीरे-धीरे उसका सीमेंटीकरण हो जाता हैं। इसके बाद की अवस्था में इस स्तर की ऊपरी सतह चिकनी हो जाती है और इसमें से जल का निक्षालन बिल्कुल बंद हो जाता हैं। यह स्थिति आ जाने पर ये मृदाएँ पेट्रोकल्सिक वृहत् वर्ग के अन्तर्गत आ जाती है। रेतीली मृदा की पारगम्यता अधिक होने से इस क्षेत्र में होने वाली थोड़ी सी वर्षा से ही मृदा की ऊपरी सतहों का चूना जल्दी ही नीचे की सतहों में बह जाता है। जिससे केल्सिक स्तर का विकास होता है।

राज्य में इस वृहत वर्ग की मृदाएँ 100 से 500 मिलीमीटर समवर्षा रेखा के भीतर स्थित हैं। इस क्षेत्र में मृदा का औसत वार्षिक तापमान 24.5° से 26.5° सेन्टीग्रेट तक पाया जाता है। जनवरी और मई के औसत तापमान का अन्तर सदैव 5 सेन्टीग्रेट से ज्यादा रहता है। राज्य के अन्य क्षेत्रों की तुलना में इस क्षेत्र में सबसे अधिक गर्मी पड़ती है। ग्रीष्म ऋतु में हवा की गति तेज होती है। और हर समय चलती रहती है।

**सेलोरथिड्स**

इस वृहत् वर्ग की मृदाएं घग्घर बाढ़कृत मैदान में छोटे-छोटे खण्डों में केल्सीऑरथिड्स और केम्बोऑरथिड्स वृहत् वर्ग की मृदाओं के साथ मिश्रित रूप से पाई जाती है। इस क्षेत्र में इन मृदाओं की सीमा को दूसरी मृदाओं की सीमाओं से अलग करना कठिन है। घग्घर बाढ़कृत मैदान के अलावा यह सांभर, पचपदरा, डीडवाना इत्यादि लवण झीलों पास के क्षेत्रों में स्थित और जालोर तथा बाड़मेर जिलों में स्थित कच्छ की खाड़ी के आसपास के क्षेत्र में भी पाई जाती है। कोटा, बूंदी, भरतपुर और भीलवाड़ा जिलों में जहाँ ऊँचे भौम जलस्तर की समस्या मौजूद है इस प्रकार की मृदाएं मौजूद हो सकती हैं।

इन मृदाओं के लवण मृदा की ऊपरी सतह से 76 से.मी. के अन्दर अथवा ऊपरी सतह के कुछ ही सेन्टीमीटर नीचे बहुत अधिक मात्रा में उपस्थित रहते है। सेलोरथिडस के प्रोफाइल में लवण की मात्रा कम से कम 2 प्रतिशत (करीब-करीब 32 मिलीम्होस विद्युत चालकता) और लवणीय संस्तर की मोटाई का गुणनफल 60 या 60 से अधिक आना आवश्यक हैं। इस वर्ग की मृदाओं में मृदा का आर्द्रता तनाव (Moisture Tension) म्लानि बिन्दु से वह कम ही रह सकता है। परन्तु अधिकतर इस बिन्दु से वह कम ही रहता हैं। मृदा में लवण की मात्रा बहुत अधिक होने के कारण जल होते हुए भी पौधों को जल बहुत कम मात्रा में प्राप्त होता है।

पश्चिमी राजस्थान में कैल्सीऑरथिडस और टोरीसामेंटस के साथ-साथ पेलीऑरथिडस वृहत् वर्ग की मृदाएँ भी पाई जाती है। इसके अन्तर्गत क्षेत्र बहुत ही थोड़ा है। और वह भी एक स्थान पर न होकर विभिन्न भागों में छोटे-छोटे खण्डों में पाया जाता हैं। जैसलमेर, बाड़मेर और नागौर जिलों में यह कई-स्थानों पर पाई जाती है।

इस किस्म की मृदाओं में पेट्रोकेल्सिक संस्तर होता है इस संस्तर की मोटाई बहुत अधिक होती है जो अधिकतर मृदा की ऊपरी सतह के निकट ही उपस्थित होता है। प्रोफाइल के स्तरों में चूना बहुत ज्यादा होता है। मृदा कर रंग लाल-भूरे से लेकर बिल्कुल सफेद तक पाया जाता है।

**अल्फीसोल्स**

अल्फीसोल्स राजस्थान में बहुत बड़े क्षेत्र में पाई जाती हैं। जयपुर, अलवर, भरतपुर, सवाई माधोपुर, टोंक, भीलवाड़ा, चित्तौड़गढ़, बांसवाड़ा, उदयपुर, डूंगरपुर, बूंदी, कोटा और झालावाड़ जिलों का बहुत सारा क्षेत्र इन मृदाओं से ढ़का हुआ है। सबसे अधिक क्षेत्र जयपुर, उदयपुर, भीलवाड़ा, चित्तौड़गढ़ और डूंगरपुर जिलों में हैं। एरिडोसोल्स और एन्टीसोल्स वृहत् वर्ग के बाद अल्फीसोल्स वृहत् वर्ग की मृदाएँ राज्य में अन्य वर्गों से ज्यादा क्षेत्र में फैली हुई हैं।

अल्फीसोल्स की प्रोफाइल मध्यम से लेकर पूर्ण विकसित तक होती है। इन मृदाओं में ऑरजिलिक संस्तर अवश्य उपस्थित होते हैं जिनमें की ऊपरी सतहों की तुलना में मटियारी मिट्टी की प्रतिशत मात्रा अधिक होती है। पानी की आर्द्रता तनाव (Moisture tension) साल में कम ये कम तीन महीने तक म्लानि बिन्दु से कम रहता है। इन मृदाओं की बेस संतृप्ति (Base saturation) मध्यम से ऊँची होती है। ये मृदाएँ ऐसी जलवायु में पाई जाती हैं जहाँ वाष्पीकरण कुछ समय के लिए वर्षा से अधिक रहता है जिससे इस मृदा के संस्तरों में पानी जलधारण क्षमता से कम हो जाता है और कभी-कभी म्लानि बिन्दु तक पहुँच जाता है। ऑरिजिलिक संस्तर जिन मृदाओं में हो, उनके लिए ऐसी नमी प्रवृत्ति (Moisture regime) का होना आवश्यक है। प्रोफाइल में से जल का निकास केवल इतना हो जाता है कि उसे साथ पृष्ठमृदा व ऑरजिलिक संस्तर में से सम्पूर्ण चूना नीचे बह जाए, लेकिन इतना नहीं होता जिससे अधिकतर विनिमय योग्य बेस (Base) भी इन संस्तरों में से निकल सके। जितना कुछ बेस पानी के साथ बह जाता है, उतना ही हवा अथवा पानी के साथ अथवा अपक्षय से इस मृदा में जमा होता रहता है। बेस का मृदा से निक्षालन यों हर साल ही होता है, लेकिन कभी-कभी वह कुछ साल के अन्तराल से भी हो सकता है। इन विशेषताओं के अतिरिक्त अल्फीसोल्स में भगुर परत (fragipan), नैट्रिक संस्तर, पेट्रोकेल्सिक स्तर या ऐसे दूसरे निदान-सूचक संस्तर होते हैं जिनके आधार पर इस मृदागण को विभिन्न वृहत् वर्गों में विभाजित किया जाता है।

अल्फीसोल्स के कई उप-मृदागणों में से राजस्थान में केवल एक उस्तालफ ही पाया जाता है। इस उपमृदागण में भी केवल हेप्लुस्तात्फस वृहत् वर्ग ही ऐसा है जिसके अन्तर्गत राज्य की अल्फीसोल्स मृदागण की सभी मृदाएँ आ जाती हैं।

**हेप्लुस्ताल्फस**

राज्य के पूर्वी और दक्षिणी भाग में बहुत बड़े भाग में इस वृहत् वर्ग की मृदाएँ पाई जाती हैं परन्तु पश्चिमी राजस्थान में इनका कहीं भी फैलाव नहीं है। लाल से लेकर भूरे रंग की इन मृदाओं में ऑरजिलिक संस्तर

अवश्य पाया जाता है। आरजिलिक संस्तर की ऊपरी सतह पड़ी साफ होती है। नैट्रिक संस्तर इन मृदाओं में कभी नहीं पाया जाता। मृदा की ऊपरी सतह से लेकर एक मीटर के अन्दर तक ड्युरीपैन और 1.5 मीटर तक की गहराई में पेट्रोकेल्सिक संस्तर उपस्थित नहीं होता। अल्फल्सोल्स मृदागण की अन्य सभी विशेषताएँ इन मृदाओं में पाई जाती हैं।

ये मृदाएँ राज्य के भिन्न-भिन्न जलवायु के अन्तर्गत पाई जाती हैं। इनमें समवर्षा-रेखा का परास 500 से 900 मि.मी. तक है। मृदा का औसत तामपान 25° से 28° सेन्टीग्रेट तक पाया जाता है, लेकिन मई और जनवरी के औसत तापमान का अन्तर सदैव 5° सेन्टीग्रेट से अधिक रहता है।

**एन्टिसोल्स**

एन्टिसोल्स ही एक ऐसा मृदागण है। जिसके अन्तर्गत भिन्न-भिन्न प्रकार की जलवायु में स्थित मृदाओं का समावेश होता है। पश्चिमी राजस्थान के लगभग सभी जिलों में इस समूह की मृदाएँ पाई जाती हैं। इस क्षेत्र के आंशिक और स्थाईकरण रेत के टीबे और घग्घर बाढ़कृत मैदान की अधिकतर मृदाएँ इसके अन्तर्गत आती हैं। राज्य में ये मृदाएँ सबसे अधिक क्षेत्रफल में फैली हुई हैं।

एन्टिसोल्स की प्रोफाइल का कोई भी संस्तर पूर्ण विकसित नहीं होता और प्रोफाइल का भी न्यूनतम विकास ही मिलता है। किसी भी संस्तर के पूर्ण विकसित न होने के कई कारण हो सकते हैं। कई मृदाओं में वातोढ़ अथवा इस क्षेत्र में हर साल या कुछ सालों में बाढ़ आने से ये मृदाएँ सर्वदा जल से होने वाले अपरदन के प्रभाव में रहती हैं। हर बाढ़ के साथ इन पर नई जलोढ़ सामग्री आकर एकत्रित होती रहती है।

ये मृदाएँ अपने सारे गुण और विशेषताओं की दृष्टि से टोरीफ्लुहेन्टस जैसी ही हैं। अन्तर केवल इतना है कि ये अच्छी वर्षा वाले क्षेत्र में जहाँ उस्टिक नमी प्रवृत्ति हो वहाँ ही पाई जाती हैं और टोरीफ्लुहेन्टस कम वर्षा वाले क्षेत्र में। इनमें भी जैविक कारबन का वितरण प्रोफाइल के विभिन्न स्तरों में अनियमित होता है। पृष्ठमृदा पर हर साल सिल्ट एकत्र होती रहने से इनकी उर्वरता बहुत अच्छी है। जलधारण क्षमता भी बहुत अधिक है।

**इन्सेप्टीसोल्स**

ये मृदाएँ राजस्थान में अरावली पर्वतमाला और अन्य पर्वतमालाओं के गिरिपाद में पाई जाती हैं। यह क्षेत्र सिरोही, पाली, उदयपुर, भीलवाड़ा और चित्तौड़गढ़ जिलों में स्थित हैं। इसके अलावा इस किस्म की मृदाएँ जयपुर, अलवर, सवाई माधोपुर और झालावाड़ जिलों की जलोढ़ मृदाओं के मैदानों में भी कहीं-कहीं पाई जाती हैं।

इन मृदाओं में अनेक प्रकार के निदान-सूचक संस्तर हो सकते है, लेकिन आरजिलिक, स्पोडिक, नेट्रिक, जिप्सिक और पेट्रोजिप्सिक संस्तर नहीं होते। प्रोफाइल में कुछ ऐसे संस्तर हो सकते हैं जिनमें से कुछ बेस अथवा लोहा और एल्युमीनियम का निक्षालन हो गया हो। इनका जल-निकास अच्छा भी हो सकता है और खराब भी। अर्द्धशुष्क से लेकर आर्द्र जलवायु तक कहीं भी ये मृदाएँ पाई जा सकती हैं लेकिन शुष्क जलवायु में कभी नहीं पाई जाती।

राजस्थान की मृदाएँ इस मृदागण के एक ही वृहत् वर्ग के अन्तर्गत आती हैं। ये वृहत् वर्ग हैं-

**उस्टोक्रेप्टस**

लाल रंग से लेकर भूरे रंग तक की ये मृदाएँ अर्द्धशुष्क से लेकर अल्पार्द्ध जलवायु तक में पाई जाती हैं। इस किस्म की मृदाओं में प्रोफाइल पूर्ण विकसित नहीं होती, किन्तु कुछ निदान सूचक-संस्तर होते हैं, जिनसे यह अनुमान लगाया जा सकता है कि प्रोफाइल का विकास प्रारम्भ हुआ है। अधिकतर मृदाओं में ओक्रिक (Ochric) पृष्ठमृदा केम्बिक संस्तर के साथ होती है।

**व्हर्टीसोल्स**

ये मृदाएँ राज्य के विभिन्न क्षेत्रों में पाई जाती हैं। झालावाड़, कोटा तथा बूंदी क्षेत्र में ये फैली हुई हैं। इन मृदाओं के अन्तर्गत थोड़ा-थोड़ा क्षेत्र सवाई माधोपुर, भरतपुर, डूंगरपुर, बांसवाड़ा और चित्तौड़गढ़ जिलों में भी है।

व्हर्टीसोल्स आकारिकी की दृष्टि से एक संभागी मृदागण है। इसमें वे सभी मृदाएँ आती हैं जो मटियारी हैं और साल भर में कभी न कभी गहरी दरारें पड़ जाती हैं। प्रोफाइल के सभी संस्तरों में कम से कम 30 प्रतिशत क्ले होती हैं। इनमें इतनी अधिक क्ले उपस्थित होने से मटियारी मृदा की सभी गुण विशेषताएँ भी इन मृदाओं में पाई जाती हैं। सिकुड़ने-फूलने की भारी क्षमता के अलावा यह बड़ी संहत होती है। पानी का निकास बहुत कम होता है। गीली होने पर बड़ी लोचदार और चिपचिपी होती है। इनकी जलधारण क्षमता बहुत अधिक होती है लेकिन पौधों को पानी की प्राप्ति बहुत कम है। धनायन विनिमय क्षमता बहुत अधिक होती है। ग्रीष्म ऋतु में इसमें दरारें पड़ जाती हैं जो एक सेन्टीमीटर या उससे अधिक चौड़ी ओर 50 सेन्टीमीटर या उससे अधिक गहरी होती हैं। ये दरारे सामान्यत: मृदा की ऊपरी सतह तक रहती है। यदि खेती हो रही हो तो ये दरारें केवल पृष्ठमृदा के नीचे तक ही हो सकती है। मृदा में मंथन-क्रिया होते रहने से विभिन्न संस्तरों में भी कोई विशेष अन्तर दिखाई नहीं देता। कोई सूचक-संस्तर भी इनमें हो सकता है। इन मृदाओं की गहराई, बेस-संतृप्ति और चूने की मात्रा में बहुत अन्तर पाया जाता है।

व्हर्टीसोल्स के उस्टर्टस उपमृदागण के अन्तर्गत राजस्थान में स्थित इस किस्म की सभी मृदाएं आती हैं। यह उपमृदागण अनेक वृहत् वर्गों में विभाजित हैं, जिनमें ये पेल्युस्टर्टस और क्रोमास्टर्टस का राजस्थान में विशेष महत्त्व है।

### पेल्युस्टर्टस

इस वृहत् वर्ग की मृदाएँ क्रोमोस्टर्टस के साथ मिश्रित रूप से बूंदी, झालावाड़, कोटा, चित्तौड़गढ़, डूंगरपुर, जलोढ़ सामग्री हर साल ऊपरी सतह पर एकत्रित हो जाती है, जिसके कारण प्रोफाइल को पूर्ण विकसित होने के लिए अपेक्षित समय नहीं मिल पाता। कुछ मृदाओं के ढ़लान पर होने के कारण उनमें सर्वदा जलीय अपरदन होता रहता है। कुछ मृदाएँ बहुत पुराने समय से एक ही स्थान पर एकत्रित होती हैं लेकिन उनमें क्वार्ट्ज तथा सिरकोन जैसे खनिज तत्त्व होने से इन मृदाओं के संस्तर कभी विकसित नहीं होते। ऐन्टिसोल्स में ऐसी मृदाओं का भी समावेश है जिनमें गहरी जुताई के कारण प्रोफाइल के विभिन्न विकसित स्तर परस्पर मिश्रित हो गए हैं। प्रोफाइलों में हो सकता है कि इन संस्तरों के कुछ अवशेष देखने को मिलें।

राज्य में मृदागण के अन्तर्गत आने वाली मृदाएँ अधिकतर इसके दो उप-मृदागणों के अन्तर्गत वर्गीकृत होती हैं। ये दो उप-मृदागण हैं:-सामेन्टस और फ्लुव्हेन्टस। सामेन्टस के अनेक वृहत् वर्ग हैं जिनमें से केवल टोरीसामेन्टस में राज्य की मृदाओं का समावेश होता है। इन तीन वृहत् वर्गों की मृदाओं का वितरण यहाँ दिया गया है।

### टोरीसामेन्टस

पश्चिमी राजस्थान का अधिकतर भाग रेतीले टीबों में ढ़का हुआ है। कहीं-कहीं ये टीबे भूमि के 80 प्रतिशत भाग में फैले हुए हैं। इन रेतीले टीबों में कुछ तो स्थाईकृत हैं, कुछ आंशिक रूप से स्थाईकृत हैं और कुछ ऐसे हैं जो बिल्कुल स्थाईकृत नहीं हैं। जो टीबे बिल्कुल स्थाईकृत नहीं हैं, उनकी रेत, हवा और आँधी के साथ इधर-उधर उड़ती रहती हैं। इसी कारण इनकी मृदा को किसी भी वर्ग में नहीं रखा गया है। जो टीबे आंशिक रूप से या पूर्ण रूप से स्थाईकृत है, उनका समावेश टोरीसामेन्टस में किया गया है। राज्य के पश्चिमी क्षेत्र में टोरीसामेन्टस, केल्सीऑरथिडस और कम्बोऑरथिडस के साथ, मिश्रित रूप से पाई जाती है। टोरीसामेन्टस पश्चिमी भाग के अतिरिक्त अरावली पर्वतमाला के दूसरी तरफ जयपुर, अजमेर और अलवर जिलों में कुछ क्षेत्र में भी मौजूद हैं।

ये मृदाएँ अधिकतर शुष्क जलवायु में ही पाई जाती हैं। इनका रंग प्राय: पीला-भूरा होता है। इनकी जलधारण क्षमता बहुत कम होती है। जल का निकास बहुत अधिक होता है। गठन की दृष्टि से ये रेत से लेकर रेतीली दुमट तक देखने में आती है। प्रोफाइल के सभी स्तर प्राय: रेत के ही होते हैं। कभी-कभी ऊपरी सतह रेत की ओर नीचे के स्तर रेतीले दुमट या चूनेदार कंकड़ के हो सकते हैं। ह्यूमस व नत्रजन बहुत कम

होती है। रासायनिक अभिक्रिया उदासीन से लेकर क्षारीय तक होती है। ढलान व चढ़ाव पर स्थित होन से इन मृदाओं में सिंचाई होना कठिन है।

वर्षा ऋतु में इनमें मौसमी घास उग जाती है। कहीं-कहीं मरुस्थलीय बहुवर्षीय झाड़ी देखने में आती है। खरीफ मौसम में बारानी खेती होती है, जिसमें बाजरा, मूँग, मोठ इत्यादि बोया जाता है।

**टोरीफ्लुहेन्टस**

इस किस्म की मृदाएँ केल्सीऑरथिडस और सेलोरथिडस के साथ घग्घर बाढ़कृत मैदान में पाई जाती है। जिन नदियों ने जलोढ़ सामग्री इस मैदान में लाकर जमा की थी, वे अब विलुप्त हो गई हैं। अत: वहाँ अब बाढ़ नहीं आती।

बहते जल के साथ हर साल नई सामग्री आकर जमा होने से ये मृदाएँ स्तरित हैं। प्रोफाइल के विभिन्न स्तरों में जैविक कारबन का वितरण अनियमित है। इन मृदाओं के गठन और जल-निकास में बहुत अन्तर देखा जाता है। इनमें अनेक स्थानों पर लवण बहुत अधिक मात्रा में इकट्ठे हुए हैं। इन मृदाओं की रासायनिक अभिक्रिया क्षारीय है। चूना और चूनेदार कंकड़ अनेक प्रोफाइलों में विभिन्न गहराई तक पाए जाते हैं।

राजस्थान के इस क्षेत्र में बहुत ही कम वर्षा होती है। 300 मिलीमीटर से अधिक नमी भी नहीं होती। मई और जनवरी के तापमान में सदैव 5° सेन्टीग्रेट से अधिक का अन्तर रहता है। मृदाओं का औसत वार्षिक तापमान 26° सेन्टीग्रेट रहता है।

**उस्टीफ्लुहेन्टस**

इस किस्म की मृदाएँ राजस्थान के उत्तर-पूर्वी भाग में स्थित अलवर और भरतपुर जिलों में पाई जाती हैं। भरतपुर में तो अधिकतर क्षेत्र में यही मृदाएँ उपस्थित बांसवाड़ा और भरतपुर जिलों में पाई जाती है। क्रोमोस्टर्टस की तुलना में इनका क्षेत्रफल थोड़ा कम है। इन दोनों वृहत् वर्गों की मृदाएँ हर समय पर मिश्रित रूप से उपस्थित होने से मानचित्र के इस पैमाने पर अलग-अलग चित्रित करना कठिन है इसलिए उसको एक साथ ही दिखाया गया है।

ये मृदाएँ समतल भूमि पर अथवा गड्ढों में पाई जाती हैं। प्राय: इन मृदाओं में कुल मिलाकर 90 दिनों तक या उससे अधिक समय तक दरारें खुली रहती हैं, बशर्ते 50 सेन्टीमीटर गहराई पर मृदा का तापमान 8° सेन्टीग्रेट से ज्यादा हो। प्रोफाइल के ऊपरी 30 सेन्टीमीटर के सभी संस्तरों का रंग भूरे से काला तक होता है। इन संस्तरों में जब मृदा गीली हो तो उसके रंग का क्रोमा हरदम 1.5 से कम ही रहता है। इसी गुणवता के आधार पर इस वृहत् वर्ग की मृदाओं को क्रोमोस्टर्टस से अलग किया गया है।

**क्रोमोस्टर्टस**

इस वृहत् वर्ग की मृदाएँ पेल्युस्टर्टस के साथ राज्य के विभिन्न क्षेत्रों में पाई जाती हैं। इन मृदाओं में और पेल्युस्टर्टस में केवल रंग के क्रोमा का ही अन्तर है। अन्य गुण-विशेषताएँ बिल्कुल एक जैसी है। इन मृदाओं में गीली मृदा के रंग का क्रोमा हरदम 2 से अधिक ही रहता है।

## मिट्टियों की समस्याएँ

राजस्थान मिट्टियों की समस्याओं से घिरा प्रदेश है। यहाँ की अधिकांश मिट्टियाँ अनुपजाऊ हैं। इनकी उर्वरा शक्ति भी कम है। पश्चिमी राजस्थान मिट्टी समस्याओं से ग्रस्त क्षेत्र है। इस क्षेत्र की अधिकांश मिट्टियाँ लवणीय व अनुपजाऊ हैं तथा इस क्षेत्र में मिट्टी अपरदन की विकराल समस्या है। राजस्थान मिट्टियों की दो प्रमख समस्याएँ हैं—

(1) लवणीय व क्षारीय

(2) भूमि क्षरण (अपरदन) की समस्या

**(1) लवणीय व क्षारीय**—राज्य के बहुत से क्षेत्रों में क्षारीय मिट्टियों की समस्या है। जयपुर, जोधपुर, पाली, नागौर, भरतपुर, अलवर, सिरोही आदि जिलों की मिट्टियों में यह समस्या अधिक है। यहाँ की मिट्टियों में सल्फेट, सोडियम कार्बोनेट व क्लोराइड के साथ कैल्शियम व मैग्निशियम के मिश्रण पाए जाते हैं। मिट्टियों में लवणता कई कारणों से हो जाती है—

(i) अधिक वाष्पीकरण के कारण लवण ऊपर आ जाते हैं।

(ii) आन्तरिक जल प्रवाह से भी लवणीयता की समस्या उत्पन्न हो जाती है।

(iii) कई बार वर्षा के पानी से क्षारीय तत्त्व सतह पर जम जाते हैं।

(iv) कच्छ की खाड़ी से आने वाली तेज आंधियां व हवाऐं अपने साथ लवण उड़ाकर लाती हैं।

(v) कई भागों में कुओं तथा नहरों द्वारा अत्यधिक सिंचाई किए जाने से भी लवण की समस्या हो गई।

लवणता का मिट्टियों पर बहुत प्रभाव पड़ता है। अनेक बार लवणता के कारण मिट्टी की भौतिक बनावट बिगड़ जाती है। इससे मिट्टी अप्रवेश्य हो जाती है। कई बार मिट्टी में क्षारीय तत्त्व अधिक हो जाने पर पौधों की जड़ों तक नहीं पहुँच पाता। अधिक लवण अंश होने से मिट्टी में विषैलापन उत्पन्न हो जाता है तथा मिट्टी बेकार हो जाती है।

मिट्टी में क्षारीयता कम करन के लिए अपक्षालन तथा मिट्टी संशोधक तत्त्वों का उपयोग किया जाता है। कम क्षारीयता के नियंत्रण में काम्पोस्ट का प्रयोग भी लाभप्रद होता है। क्षारीयता कम करने के लिए कूड़ा-करकट व घास-फूस का प्रयोग ग्रामीण क्षेत्रों में काफी प्रचलित है। क्षारीयता कम करने में जिप्सम बहुत उपयोगी है। यह पदार्थ लवण अंश को शुष्क कर लेता है। राजस्थान में जिप्सम बहुतायत में मिलता है अत: इसका उपयोग मिट्टी सुधार हेतु किया जाता है।

**(2) भूमि क्षरण की समस्या**—भूमि क्षरण या अपरदन को 'रेंगती मृत्यु' (Creeping Death) भी कहा जाता है। राजस्थान में मिट्टी के अपरदन की समस्या बहुत गम्भीर है। अपरदन के कारण मिट्टी की उत्पादन शक्ति कम होती है। मिट्टी अपरदन का प्रभाव कृषि पर पड़ता है। राज्य में वायु तथा जल से सर्वाधिक अपरदन होता है। पश्चिमी राजस्थान के जोधपुर, बाड़मेर, जैसलमेर, बीकानेर, गंगानगर, सीकर, चुरू, झुंझुनूं, नागौर जिलों तथा अजमेर जयपुर के कुछ भागों में वायु द्वारा मिट्टी का बहुत अधिक अपरदन होता है। इन भागों में तेज वायु द्वारा भारी मात्रा में मिट्टियाँ उड़ाकर ले लाई जाती हैं। राज्य के लगभग 50 प्रतिशत क्षेत्र में वायु द्वारा मिट्टी अपरदन की समस्या है।

जल द्वारा अपरदन अरावली के ढ़ालों, सवाई माधोपुर, कोटा व धौलपुर जिलों में होता है। पश्चिम के शुष्क व अर्द्धशुष्क भाग में थोड़ी वर्षा से ही बाढ़ आ जाती है तथा मिट्टी का अपरदन होता है। जल द्वारा अपरदन दो प्रकार का होता है यथा-आवरण अपरदन (Sheet Erosion) व अवनालिका अपरदन (Gully Drosion) जब सतह की मिट्टी जल में घुल कर बह जाती है तो इस प्रकार के अपरदन अरावली के ऐसे ढालों पर जहाँ वनों को काटा जा चुका है तथा पश्चिमी भाग के अत्यधिक चराई वाले भागों में होता है। जब जल की धाराऐं मिट्टी को गहराई तक काट देती है तो धरातल में गहरे खड्डे बन जाते हैं। इस प्रकार के अपरदन को अवनालिका अपरदन कहते हैं। राज्य के धौलपुर, सवाई माधोपुर व कोटा में इस प्रकार के अपरदन की समस्या है। धौलपुर व सवाई माधोपुर में चम्बल नदी ने बहुत अपरदन कार्य किया है। इन क्षेत्रों में अपरदन से निर्मित खड्डों वाले क्षेत्र को बीहड़ कहते हैं। चम्बल द्वारा निर्मित यह बीहड़ प्राचीन समय से डाकुओं के आश्रय स्थल रहे हैं।

**मिट्टी अपरदन के कारण**

(1) पिछले कई वर्षो से मानव ने वृक्षों की निरन्तर कटाई की है। लकड़ी का ईंधन, कृषि के औजारों के निर्माण व अन्य कई कार्यों में उपयोग इस अंधाधुंध कटाई का कारण रहा। वृक्षों की कटाई से मिट्टी ढीली हो गई व अपरदन तेजी से हो सका। सामान्यत: पर्याप्त वनों वाली भूमि पर प्रतिवर्ष लगभग 2.5 टन प्रति हैक्टेयर मिट्टी का ह्रास होता है, जबकि वन रहित भागों में 2,000 टन मिट्टी का ह्रास हर वर्ष होता है। राजस्थान में चम्बल के समीप के क्षेत्र में वनों की कटाई ने मिट्टी अपरदन व बीहड़ों के निर्माण में सहायता की है।

(2) पश्चिमी राजस्थान ने शुष्क व अर्द्ध शुष्क भागों में गर्मी के दिनों में तेज आंधियाँ चलती है जो

मिट्टी की असंगठित ऊपरी सतह को उड़ा ले जाती है। इन भागों में निरन्तर आवरण क्षय होता रहता है।

(3) राज्य के बांसवाड़ा, डूंगरपुर, उदयपुर, चित्तौड़गढ़ आदि भागों में आदिवासियों द्वारा वालर कृषि (स्थान्तरित कृषि) द्वारा बहुत बड़े क्षेत्र में वनों की कटाई की गई है।

(4) राज्य में पशुपालन बहुत लोकप्रिय है। भेड़ व बकरी राजस्थान के मुख्य पशु हैं। यह पशु वनस्पति की जड़ों तक को चर लेते हैं जिससे मिट्टी ढीली हो जाती है।

(5) राज्य में कृषकों ने अवैज्ञानिक व परम्परागत तरीकों से खेती करके भी अपरदन में सहायता की है। ढालों पर सम्मोच्च रेखाओं के समानान्तर जुताई नहीं करने, गलत तरीकों से बीज बोने व हेरा-फेरी वाली सही फसलें न बोकर मिट्टी अपरदन को अनायास बढ़ावा दिया है।

मिट्टी अपरदन से कई प्रकार की हानियाँ होती हैं। इससे कृषि योग्य क्षेत्र में कमी के साथ ही मिट्टी की उर्वरा शक्ति में भी कम होती है। मिट्टी कटाव से नहरों के सतह से रेत जमा हो जाती है। इन्दिरा गाँधी नहर व गंगानगर के नहरी क्षेत्र में यह एक विकट समस्या है। इन क्षेत्रों में प्रतिवर्ष वायु द्वारा टनों मिट्टी नहरों में जमा दी जाती है। वायु द्वारा उपजाऊ मिट्टी वाले खेतों में रेत जमा दी जाती है।

**मिट्टी अपरदन रोकने के उपाय**

मिट्टी अपरदन को रोकने का सबसे अच्छा तरीका अधिक पेड़ लगाना है। खासकर अरावली के पहाड़ी ढालों, अर्द्धशुष्क व शुष्क भागों में पेड़ों की अधिक आवश्यकता है। मिट्टी कटाव वैज्ञानिक पद्धति की कृषि अपना कर भी नियन्त्रित किया जा सकता है। राज्य में पशुओं द्वारा अविवेकपूर्ण चराई को रोक कर पशुओं के लिए अलग चरागाह बनाने से भी अपरदन को नियन्त्रित किया जा सकता है। मरुस्थलीय भाग में वायु चलने की दिशा में खेतों में दो ढ़ाई मीटर ऊँची लोहे की चादरें लगा दी जाए तब भी मिट्टी कटाव रोकने में काफी मदद मिलेगी।

# अध्याय 9

## जल संसाधन
## Water Resources

पृथ्वी पर जीवन को बनाए रखने के लिए वायु के पश्चात् दूसरा महत्त्वपूर्ण स्थान जल को दिया जाना संगत ही है। यह नागरिक समृद्धि जो हम आज अपने चारों ओर देख रहे है, मनुष्य द्वारा जल के विभिन्न उपयोगों को समझने तथा उन्हें प्रयोग में लाने का परिणाम ही है। राजस्थान का उत्तर पश्चिमी रेगिस्तान प्राचीनकाल में सरस्वती नदी के तट पर एक समुद्र संस्कृति की लीलास्थली रहा है। यह हरी भरी घाटी बाद में रेतीले टिब्बों के नीचे दब गई तथा इसने जल संसाधनों को सोखकर इस क्षेत्र को भयानक मरुस्थल में बदल दिया। परन्तु गंग नहर योजना के कार्यान्वयन तथा इन्दिरा गांधी नहर परियोजना के मुख्य कार्यों के पूरा होने के उपरान्त स्थिति में तेजी से सुधार हो रहा है। जल पीने, सिंचाई आदि जैसे मूल उपयोगकारी उद्देश्यों के साथ-साथ औद्योगिक, विद्युत उत्पादन, नौवहन और मनोरंजन के साधनों जैसे-उद्देश्यों के लिए जल की आवश्यकता बहुत तेजी से बढ़ रही है और परिणामस्वरूप, यह प्राकृतिक सम्पदा बहुत दुर्लभ होती हो जा रही है।

### जल स्त्रोत/जल संसाधन

जल संसाधन की उपलब्धता के सन्दर्भ में भारत के विभिन्न राज्यों की तुलना में राजस्थान इतना भाग्यशाली नहीं है। राजस्थान का भू-भाग अरावली पर्वतमाला द्वारा पश्चिमी रेगिस्तान तथा पूर्वी जल ग्रहण क्षेत्र के दो भागों में बंटा हुआ है। उत्तर पूर्वी क्षेत्र का जल यमुना नदी में व दक्षिण-पश्चिमी क्षेत्र का जल अरब सागर में गिरता है। जहाँ पश्चिमी क्षेत्र में औसतन 310 मिलीमीटर वार्षिक वर्षा होती है, जो कि देश में न्यूनतम है, वहाँ दूसरी ओर पूर्वी क्षेत्र में 700 मिलीमीटर वर्षा होती है,जो कि देश में अन्य अर्द्ध सूखे प्रदेशों जितनी ही है, इसके अतिरिक्त जहाँ देश का कुल क्षेत्र का लगभग 10वां भाग राजस्थान राज्य के अन्तर्गत आता है, वहाँ देश के कुल जल प्रवाह का केवल एक प्रतिशत भाग ही इस भू-भाग पर बहता है। भूमि के नीचे के जल के सम्बन्ध में भी स्थिति उतनी ही खराब है। देश के कुल भू-जल संसाधनों का मात्र 3.5 प्रतिशत भाग ही इस राज्य में उपलब्ध है। परिणामस्वरूप पश्चिमी और पूर्वी क्षेत्रों को क्रमश: मरुस्थल और अर्द्ध सूखा संभावी कहा जाता है। इस भू-भाग के 50 जिलों में से 21 जिले जो कि इसके कुल क्षेत्रफल का लगभग 62 प्रतिशत है। सूखा प्रवण क्षेत्र है, पिछले 17 वर्षों में से इस राज्य को केन्द्रीय सहायता के रूप में लगभग 525 करोड़ रुपया दिया जा चुका है, जो कि मेरे ख्याल में देश में अन्य किसी भी राज्य से अधिक है। केवल पिछले वर्ष में ही करीब 100 करोड़ रुपए सूखाग्रस्त क्षेत्रों में राहत पहुँचाने के लिए केन्द्रीय सहायता के रूप में दिए गए इस वर्ष भी यह राज्य पीने के पानी की अत्यधिक कमी को महसूस कर रही है और भी भयानक सूखे की स्थिति हो गई है। इस प्रमुख प्राकृतिक सम्पदा के महत्त्व को देखते हुए इसके संरक्षण तथा इससे किफायत ढंग से उपयोग करने का राजस्थान के लिए विशेष महत्त्व है।

### राजस्थान के जल स्त्रोत

नदियाँ
तालाब
झील
वर्षा जल (संचित टांकों, पोखरों व तालाबों में)
कुएँ
भूमिगत जल

भारत में राजस्थान ही एक ऐसा राज्य है जिसमें जल साधनों की सबसे ज्यादा अभाव पाया जाता है राज्य में जल साधनों की कमी का अनुमान नीचे दी गई जानकारी से लगाया जा सकता है जिसमें कुछ सूचकों में राजस्थान की स्थिति भारत की तुलना में दर्शाई गई है।

(1) भौगोलिक क्षेत्र में राजस्थान का अंश 10.4%
(2) कृषित क्षेत्र में राजस्थान का अंश 13.9%
(3) 2011 की जनसंख्या में राजस्थान का अंश 5.7%
(4) जल की उपलब्धि में राजस्थान का अंश 10.4%

इस प्रकार जल-साधनों में राजस्थान का अंश है जो अन्य सूचकों की तुलना में काफी नीचा है।

जल-साधनों में सतह-जल साधन व भूजल जल-साधन दोनों आते हैं।

**(1) सतह जल साधन (Surface water sources)**

राजस्थान में आन्तरिक व बाहरी साधनों से कुल काम के लायक सतह जल साधन 29.28 मिलियन एकड़ फीट, (MAF) आँके गए है, जिनमें से 15.86 (MAF) आन्तरिक साधनों से है (जिनमें से फिलहाल 8.19 एकड़ का उपयोग हो रहा है) तथा शेष 13.42 एकड़ बाहरी साधनों से है जो इस प्रकार है।

| | | |
|---|---|---|
| (1) | गंग नहर | 1.11 |
| (2) | भाकड़ा नहर | 1.41 |
| (3) | नर्मदा | 0.50 |
| (4) | रावी-व्यास | 8.60 |
| (5) | यमुना का जल | 0.91 |
| (6) | माही का जल | 0.37 |
| (7) | चंबल | 1.60 |
| | कुल | 14.50 |

**राजस्थान की प्रमुख नदियाँ (Main Rivers of Rajasthan)**

**(1) चम्बल नदी**—चम्बल नदी तन्त्र सम्भवत: यमुना नदी तन्त्र से भी पुराना है। टरशीयरी और प्लुइस्टोसिन युगों में यमुना, सिन्धु नदी की सहायक थी। इसके बाद में अपना मार्ग परिवर्तन किया और गंगा की सहायक नदी के रूप में बहने लगी जिससे चम्बल तन्त्र भी सम्मिलित हो गया। सम्पूर्ण राजस्थान में केवल चम्बल ही पूरे वर्ष तक बहने वाली नदी है। यह मध्य प्रदेश में मऊ के निकट विन्ध्याचल पर्वत के ऊपरी ढाल से निकलती है। अपने उद्‌गम स्थल से 325 किलोमीटर उत्तर दिशा की ओर बहने के पश्चात् चौरासीगढ़ के निकट चम्बल राजस्थान में प्रवेश करती है। यहाँ से लगभग 60 किलोमीटर तक संकरे एवं गहरे गार्ज में बहने के बाद खुली घाटी में काली सिन्धु, पार्वती एवं बनास के संगम तक बहती है। लगभग 153 किलोमीटर तक यह नदी पूर्णतया राजस्थान में बहती है। पालिया से पिनाहट तक लगभग 241 किलोमीटर राजस्थान मध्य प्रदेश की सीमा बनाती है। 965 किलोमीटर की दूरी तय करने के पश्चात् उत्तर प्रदेश में यमुना में मिल जाती है। इसकी मुख्य सहायक नदियां काली सिन्ध, पार्वती, बनास, कुराई तथा बामनी है। चम्बल नदी पर बनाए गांधी सागर, जवाहर सागर, राणा प्रताप सागर बांध और कोटा बेराज, सिंचाई, जल व विद्युत के प्रधान स्त्रोत है।

**(2) बनास नदी**—यह नदी उदयपुर जिले से कुम्भलगढ़ के निकट खमनौर की पहाड़ियों से निकलती है। वर्ष के अधिकांश भाग तक इसमें जल प्रवाहित रहता है। इसकी सहायक नदियाँ बेड़च, कोठारी, माशी, खारी, मुरेल व धन्धु है यह सहायक नदियाँ मौसमी है। अजमेर, भीलवाड़ा, चित्तौड़गढ़, सवाई माधोपुर व टोंक जिलों में लगभग 480 किलोमीटर तक बहने के पश्चात् सवाई माधोपुर के समीप यह चम्बल में गिरती है। बीगौद और मांडलगढ़ के बीच बनास, बेड़च और मेनाल नदियों का संगम स्थान है जिसे त्रिवेणी भी कहा जाता है।

**(3) बेड़च नदी**—बनास नदी की सहायक बेड़च नदी उदयपुर शहर के समीप गोगुन्दा पहाड़ियों से निकल कर 200 किलोमीटर बहने के बाद मांडलगढ़ के समीप त्रिवेणी संगम पर बनास में मिल जाती है।

**(4) लूनी नदी**—पश्चिमी राजस्थान की यह प्रमुख नदी है। इसका उद्‌गम अजमेर के समीप

अरावली श्रेणी में है। इस नदी की कुल लम्बाई लगभग 350 किलोमीटर है। इसका प्रवाह क्षेत्र (बेसिन) लगभग 35,000 वर्ग किलोमीटर है। वह अजमेर, जोधपुर, पाली, ब्यावर, बाड़मेर, बालोतरा और जालोर जिलों में बहती हुई गुजरात में प्रवेश करती है। यह नदी मौसमी है और वर्ष के अधिकांश समय तक सूखी रहती है। बालोतरा तक इसका जल मीठा है। इसके आगे इस नदी के पानी में खारापन बढ़ता जाता है। इसकी प्रमुख सहायक नदियों में लीलरी, बांडी, गुहिया, जोजरी, जवाई व सागी है।

(5) **माही नदी**—इसका उद्‌गम स्थल मध्य प्रदेश है। राजस्थान में यह बांसवाड़ा व डूंगरपुर जिलों में बहती हुई गुजरात में प्रवेश करती है। यह नदी खम्भात की खाड़ी में गिरती है। इसकी कुल लम्बाई 580 किलोमीटर है।

(6) **घग्घर नदी**—यह गंगानगर व अनुपगढ़ जिले की एक मात्र नदी है। यह हिमाचल प्रदेश में शिमला के पास हिमालय से निकलती है। यह प्राचीन नदी घाटी का अवशेष है जो वर्षा ऋतु में कभी-कभी बाढ़ का कारण बन जाती है। इसका जल लगभग 500 किलोमीटर की यात्रा के बाद थार रेगिस्तान में विलीन हो जाता है।

(7) **बाणगंगा**—जयपुर जिले की बैराठी पहाड़ियों से निकलकर भरतपुर जिले में बहती है। लगभग 300 किलोमीटर तक बहने के पश्चात् आगरा के समीप यमुना में गिर जाती है।

(8) **अन्य नदियां**—चम्बल नदी की सहायता पार्वती तथा काली सिंध नदियां मध्यप्रदेश में उत्तर विन्ध्याचल पर्वत से निकलकर राजस्थान के झालावाड़ तथा कोटा जिलों में बहती हुई चम्बल नदी के दाहिने किनारे पर मिल जाती है।

साबरमती नदी का उद्‌गम स्थल उदयपुर जिले की अरावली की 1,165 मीटर ऊँची दक्षिणी पूर्वी पहाड़ियों है। यह राजस्थान में बहुत थोड़ी दूर बहती है। इसका अधिकांश भाग गुजरात में है। यह खम्भात की खाड़ी में गिर जाती है।

## राजस्थान की झीलें (Lakes of Rajasthan)

राजस्थान में झीलें दो प्रकार की होती है :—

(1) खारे पानी की झीलें,

(2) मीठे पानी की झीलें।

### खारे पानी की झीलें

खारे पानी की झीलें पश्चिमी राजस्थान में स्थित है। यह आन्तरिक जल अपवाद का क्षेत्र है।

**सांभर झील**—यह झील जयपुर से 65 किलोमीटर दूर फुलेरा रेल मार्ग के समीप है। यह समस्त भाग में खारे पानी की सबसे बड़ी झील है। इसकी लम्बाई दक्षिण पूर्व से उत्तर पश्चिम तक 30 किलोमीटर व चौड़ाई 4 से 13 किलोमीटर तक है। इसका अपवाह क्षेत्र लगभग 480 क्षेत्रफल किलोमीटर क्षेत्र में फैला हुआ है। इस झील से नमक का उत्पादन किया जाता है जिसे अन्य राज्यों में भी भेजा जाता है।

**पदपदरा झील**—यह झील बालोतरा जिले में पचपदरा तहसील में स्थित है। इस झील में भूमिगत स्त्रोतों से जल प्राप्त होता रहता है। इस झील के पानी से उत्पन्न नमक अपेक्षाकृत उच्च कोटि का माना जाता है।

**फलोदी झील**—जोधपुर जिले की फलोदी तहसील की खारे पानी की झील से काफी मात्रा में नमक प्राप्त किया जाता है जो देश के अन्य भागों में भेजा जाता है।

**डीडवाना झील**—यह सांभर झील से 50 किलोमीटर उत्तर पश्चिमी में नागौर जिले के डीडवाना व कुचामनसिटी कस्बे के पास स्थित है इसका फैलाव 10 वर्ग किलोमीटर क्षेत्र में है इस झील में भूमि की सतह के नीचे खारे पानी के विपुल भण्डार है। डीडवाना के समीप सोडियम सल्फेट संयन्त्र लगाया गया है जहाँ से तैयार किए गए सोडियम को कागज बनाने के काम में लिया जाता है।

**लूणकरणसर झील**—बीकानेर जिले में उत्तरी रेल्वे से बीकानेर भटिण्डा मार्ग पर बीकानेर से लगभग 68 किलोमीटर उत्तर पूर्व में लूणकरणसर कस्बे के पास यह झील स्थित है। यह खारे पानी की छोटी झील है।

इससे नमक निकाल कर स्थानीय माँग को पूरा किया जाता है।

## राजस्थान में मीठे पानी की झीलें

(1) **जयसमन्द झील**—उदयपुर के निकट स्थित यह झील विश्व की दूरी सबसे बड़ी कृत्रिम झील मानी जाती है। अरावली के मध्य स्थित होने से इस झील को पर्याप्त मात्रा में पानी उपलब्ध हो जाता है। वर्तमान में इस झील के जल का प्रयोग सिंचाई के लिए किया जाता है।

(2) **राजसमन्द झील**—यह झील उदयपुर अजमेर राजमार्ग पर कांकरोली कस्बे के पास उदयपुर नगर के 59 किलोमीटर उत्तर में स्थित है। इसकी लम्बाई 6.44 किलोमीटर व चौड़ाई 2.50 किलोमीटर से 3 किलोमीटर तक है। इस झील के पानी का प्रयोग भी वर्तमान में सिंचाई के लिए होता है।

(3) **पिछोला व फतहसागर झील**—उदयपुर में स्थित यह दोनों झीलें पर्यटन की दृष्टि से महत्त्वपूर्ण है। उदयपुर नगर को इन झीलों के कारण ही झीलों की नगरी कहा जाता है। इन झीलों से उदयपुर को पेयजल भी उपलब्ध कराया जाता है।

(4) **आनासागर झील**—अजमेर नगर के दक्षिण में अरावली की पहाड़ियों से घिरी आनासागर झील है। प्राकृतिक सौन्दर्य की दृष्टि से अधिक महत्त्वपूर्ण माना जाता है। यह झील अजमेर के दर्शनीय स्थलों में से एक है।

(5) **अन्य झीलें**—अलवर-जयपुर मार्ग पर अलवर नगर से 12 किलोमीटर दूर सीलीसेड झील पहाड़ियों के मध्य रमणीक प्राकृतिक दृश्य उपस्थित करती है। इसके जल के आसपास की भूमि पर सिंचाई की जाती है। बूंदी की नवलखा झील, बीकानेर से 50 किलोमीटर दूर कपिल मुनि के आश्रम के पास कोलायत झील तथा डूंगरपुर के पास गैव सागर झील है। राजस्थान में सबसे अधिक ऊँचाई पर स्थित है नक्की झील।

जोधपुर से 8 किलोमीटर दूर स्थित कायलाना झील अत्यन्त ही रमणीक व मनोहारी है। इसकी जल क्षमता 170 मिलियन क्यू. फीट है। इसकी गहराई 58 फीट है। यह जोधपुर का प्रमुख पर्यटक आकर्षण है। वर्तमान में समीपस्थ पहाड़ी क्षेत्र में एक सफारी पार्क का निर्माण किया गया है। यह नगर की पेयजल आवश्यकता की पूर्ति करती हैं। पिछले कुछ वर्षों से इस झील के जलग्रहण क्षेत्रों में छितरियाँ पत्थर की खानों की खुदाई के कारण इस झील में पहुँचने वाले पानी की मात्रा में कमी आई है।

## भूजल (Ground water)

राज्य के विभिन्न क्षेत्रों में पेयजल व सिंचाई की समस्या के समाधान हेतु भू-जल विकास महत्त्वपूर्ण है। अपर्याप्त वर्षा अकाल व सतही जल का अभाव प्रति वर्ष यहाँ के रहवासियों विशेषकर किसानों के सामने परीक्षा की कठिन घड़ी के रूप में आता है, अत: केवल मात्र उपलब्ध भू-जल की आपूर्ति का प्रमुख साधन रह जाता है। राज्य में उपलब्ध भू-जल की खोज और दोहन के भागीरथ प्रयत्नों का ही परिणाम है कि आज राज्य में जगह-जगह नलकूप हैण्डपंप व खुले कुओं ने हर वर्ष परीक्षा की कठिन घड़ियों में जनमानस को राहत पहुँचाई है।

राजस्थान के दक्षिण पूर्वी भाग में भू-गर्भिक जल के उसी प्रकार पर्याप्त स्त्रोत हैं जिस प्रकार उत्तर के बड़े मैदानी क्षेत्रों में है। यहाँ पानी की सतह ऊँची है। साधारण 15 से 20 मीटर की गहराई पर पानी मिल जाता है। इन क्षेत्रों में सिंचाई के लिए कुआं से पानी चरस, रहट तथा नलकूपों द्वारा निकाला जाता है। इन क्षेत्रों में वर्षा पर्याप्त मात्रा में हो जाती है। राजस्थान के उत्तरी पश्चिमी मरुस्थलीय क्षेत्रों में स्थित जैसलमेर, बाड़मेर, जोधपुर, बीकानेर आदि जिलों में भूमि के नीचे अथाह जल राशि के विद्यमान होने का अनुमान लगाया गया है। इस प्रकार राजस्थान के मरुस्थलीय क्षेत्रों में भी भू-गर्भिक पानी द्वारा सिंचाई सम्भव है। राज्य के सिंचाई विभाग द्वारा किए गए सर्वेक्षणों के अनुसार भू-गर्भिक जल के अनुमानत: 149 लाख एकड़ फीट के भण्डार है। इस प्रकार पश्चिमी राजस्थान की जल समस्या के निराकरण के लिए यह महत्त्वपूर्ण योगदान है।

भू-जल की उपलब्धि राज्य की जल विज्ञान सम्बन्धी दशाओं के कारण काफी परिवर्तनशील व असमान रहती है लेकिन अधिकांश भागों में भू-जल की किस्म घटिया पाई जाती है।

इस प्रकार राज्य में भू-जल की प्रयोज्य मात्रा का लगभग आधा काम में लिया जा रहा है लेकिन इसमें प्रादेशिक अन्तर बहुत ज्यादा हैं। 28 सितम्बर, 2022 तक राज्य के 302 खण्डों में से 219 विकास खण्ड काली श्रेणी (Dark Category) में आ चुके हैं तथा 22 विकास खण्ड भूरी श्रेणी (Grey Category) में आ चुके है। इसका आशय है कि उसमें पानी की सतह बहुत नीची चली गयी है इसलिए राज्य में भूमि के नीचे जल का उपयोग अधिक सावधानी से करने की आवश्यकता है।

| | | MAF में |
|---|---|---|
| (1) | कुल भूतल जल साधन | 10.183 |
| (2) | पीने, औद्योगिक व अन्य उपयोगों के लिए निर्धारित | 1.527 |
| (3) | शेष सिंचाई के लिए प्रयोज्य | 8.656 |
| (4) | इसमें अब तक प्रयुक्त मात्रा | 4.354 |
| (5) | भूतल जल की बकाया मात्रा जो भविष्य के लिए उपलब्ध होगी। | 4.302 |
| (6) | भूतल जल के उपयोग का वर्तमान स्तर (4) का (3) से अनुपात। | 52.30% |

राज्य के भू-जल संसाधनों के विकास एवं प्रबन्धन हेतु भू-जल विभाग की महत्वपूर्ण भूमिका है। राजस्थान में, जहां हर दूसरे वर्ष अकाल की स्थिति बन जाती है, पेयजल एवं सिंचाई की समस्या के समाधान हेतु भू-जल विभाग महत्वपूर्ण भूमिका निभा रहा है। राज्य में सतत् एवं सफल प्रयासों से रेगिस्तानी व पहाड़ी जिलों में सिंचाई के लिए अतिरिक्त भूमिगत जल जुटाने के साथ स्वच्छ पेयजल उपलब्धता बढी है। भू-जल विभाग मुख्यतः निम्नलिखित गतिविधियां संचालित करता है:-

- सर्वेक्षण एवं अनुसंधान कार्यक्रम के अन्तर्गत नलकूपों व पीजोमीटर की संरचना का निर्माण एवं जल संसाधनों की खोज, मूल्यांकन एवं विकास करना।
- पेयजल एवं अन्य उद्देश्य हेतु नलकूपों व हैण्डपम्पों का निर्माण करवाना।
- सरकार की विभिन्न व्यक्तिगत लाभार्थी योजनाओं के अन्तर्गत रॉक ड्रिलिंग और विस्फोटन द्वारा कुओं को गहरा करना।
- भू जल आंकलन रिपोर्ट 2021 के अनुसार, राज्य का 78 प्रतिशत क्षेत्र अतिदोहित श्रेणी के अंतर्गत आता है एवं राज्य के कुल भूजल दोहन की दर 150 प्रतिशत है।

वर्ष 2022-23 में किसानों के लिए 126 नलकूप, 192 हैण्डपम्प बोरवेल एवं 21 पिजोमीटर को स्थापित किया गया है। इसके अतिरिक्त सर्वेक्षण एवं अनुसंधान कार्यक्रम के अन्तर्गत 15,717 कुओं का सर्वेक्षण, 11,446 जल नमूनों का एकत्रीकरण, 7, 189 जल नमूनों के रासायनिक विश्लेषण एवं 229 स्थानों पर भू-भौतिकीय सर्वेक्षण कार्य नवम्बर 2022 तक पूर्ण हो चुके हैं।

राष्ट्रीय जल विज्ञान परियोजना विश्व बैंक व केन्द्र सरकार (100 प्रतिशत अनुदान) द्वारा वित्त पोषित है। इस परियोजना की अवधि वर्ष 2016-2024 तक है। परियोजना का नोडल विभाग जल संसाधन विभाग, राजस्थान है एवं भू-जल विभाग इसमें सहयोगी विभाग है राजस्थान राज्य के लिए परियोजना की कुल लागत रु. 140.33 करोड़ में से भू-जल विभाग को रु. 22.94 करोड़ आवंटित किए जा चुके हैं।

इस योजना के अन्तर्गत विगत 3 वर्षों में 150 टेलीमैट्रिक डिजिटल वाटर लेवल रिकॉर्डर (टी.डी.डबल्यू.एल.आर.) स्थापित किए गए है। इससे भू-जल स्तर के रियल टाईम डाटा उपलब्ध हो रहे है। इस योजना में रसायन प्रयोगशालाओं हेतु उपकरण खरीदे गये है जिनसे भू-जल की गुणवता जांची जा रही है।

### राज्य में जल साधनों के सदुपयोग के लिए सुझाव

(1) अन्तर्राज्यीय जल-साधनों में राज्य के अंश का शीघ्रतापूर्वक पूरा उपयोग किया जाना चाहिए। इसके लिए इन्दिरा गांधी नहर परियोजना नर्मदा, सिंधमुख व नोहर सिंचाई परियोजनाओं को पूरा किया जाना चाहिए। इस कार्य को सम्पन्न करने के लिए भारत सरकार को पर्याप्त धन उपलब्ध करना चाहिए ताकि इनकी लागत न बढ़े।

(2) पानी का उपयोग इस प्रकार किया जाना चाहिए ताकि उत्पादन अधिकतम हो सके। इसके लिए फव्वारा सिंचाई (Sprinkler Irrigation) व बूँद-बूँद सिंचाई (Drip Irrigation) की विधियां अपनाई जा सकती हैं जिनमें पानी की किफायत होती है और कम पानी से ज्यादा लाभ उठाया जाता है।

(3) इन्दिरा गांधी नहर परियोजना क्षेत्र में भूतल जल व सतह जल का मिला-जुला उपयोग (Conjunctive use) इस प्रकार का होना चाहिए जिससे सर्वाधिक लाभ हो सकें।

(4) जिन क्षेत्रों में पानी की सतह (Watertable) सूखे की दशाओं के कारण बहुत नीचे जा रही है। उनमें भू-जल के उपयोग में विशेष सावधानी बरतनी होगी तथा अन्य उपाय भी करने होंगे।

(5) सरकार को जल आपूर्ति के विकास पर अधिक विनियोग करना होगा। इससे पेयजल की सुविधा भी बढ़ेंगी।

उपयुक्त विवेचन से स्पष्ट होता है राज्य में पानी के अभाव की स्थिति को ध्यान में रखते हुए जल-साधनों का उपयोग सावधानीपूर्वक करना होगा ताकि मनुष्यों व पशुओं को पेयजल मिल सके, फसलों को सिंचाई के लिए पानी मिल सके तथा भवन निर्माण, औद्योगिक क्षेत्र व अन्य प्रकार की जल की आवश्यकताओं की यथासम्भव पूर्ति की जा सके।

# अध्याय 10

## वन्य पशु-पक्षी
## Wildlife and Birds

राजस्थान में इस प्रदेश के विस्तार एवं विभिन्नता के अनुसार कई प्रकार के वन्य पशु-पक्षी पाए जाते हैं। राज्य की वन्य जीवन सम्पदा यद्यपि मात्रा में सीमित है, तथापि इस प्रदेश की सीमित पारिस्थितिक क्षमताओं के सन्दर्भ में यह एक प्रकार से असाधारण है। वन्य जीवों के पारिस्थितिक वितरण के दृष्टिकोण से इस राज्य को दो मुख्य प्रदेशों में बाँटा जा सकता है—(1) पश्चिम का मरुस्थलीय प्रदेश, और (2) पूर्व एवं दक्षिण-पूर्व का पहाड़ी वन प्रदेश।

पश्चिम के मरुस्थलीय प्रदेश में मुख्यत: जैसलमेर, बाड़मेर, बालोतरा, बीकानेर, अनुपगढ़, चुरू, झुंझुनूं, सीकर, नीमकाथाना, गंगानगर, जोधपुर, जोधपुर ग्रामीण फलौदी तथा डीडवाना-कुचामन सिटी, नागौर, जिले आते हैं। इस भाग में वार्षिक वर्षा बहुत कम (50 से 300 मिलीमीटर तक) होती है तथा ग्रीष्मकाल में प्रचण्ड गर्मी एवं शीतकाल में कड़ी शीत पड़ती है। यह स्थान बदलते बालू के टीलों का प्रदेश है, जहाँ भूमिगत जल की सतह भी बहुत नीची (100 से 150 मीटर तक) है। फिर भी प्रकृति की ऐसी अनुपम देन है कि इस भाग में सेवन, धामन आदि उत्तम पौष्टिक घासों के विस्तृत मैदान हैं। वन्य जीवों के वितरण की दृष्टि से इस प्रदेश को पुन: दो भागों में बाँटा जा सकता है-(क) रेतीले भाग, और (ख) पथरीले भाग। रेतीलों भागों में पाए जाने वाले मुख्य वन्य जीव निम्नलिखित हैं :-(i) स्तनपोषी-मरुस्थलीय चूहे (gerbils), मरुस्थलीय बिल्ली, मरुस्थलीय लोमड़ी, छोटा सुनहरा नेवला तथा झाऊ चूहा; (ii) सृपी-बालू मछली, बालू छिपकली, बालू अजगर, बालू सर्प, चन्दन गोह तथा गिरगिट; और (iii) पक्षी-गुडावन छोटी भूरी फाख्ता, कंठीदार फाख्ता, खूसटिया (कोचर), सफेद मुँह बुलबुल, लाल पूँछ बुलबुल, सतभैया, लुटेरा, शकर खोरा, पतरिंगा, तीतर, सफेद मला मुनिया तथा चपक (नाइटजार); मरुस्थल के पथरीलें भागों में पाए जाने वाले मुख्य वन्य जीव निम्नलिखित हैं—(i) स्तनपोषी— चिंकारा, नीलगाय, खरगोश, काला हिरण, शाही, सियार, भेड़िया, नेवला, लंगूर तथा चमगादड़ें; (ii) सृपी— पाटा गोह, नाग, केत, सांडा तथा छिपकलियां; और (iii) पक्षी— तीतर, अबाबिल, बतासी, सफेद गला मुनिया, खूसटिया (कोचर), सामान्य मट तीतर, बर्सिरी (अश्म करलू) तथा भारतीय क्षिप्रचला।

इनके अतिरिक्त मरुस्थलीय प्रदेश में कई प्रकार के प्रवासी पक्षी भी पाए जाते हैं, जैसे चाट्स, लार्क्स, तिलोर, शाही मट तीतर, तिल्यर (रौजी पैस्टर) तथा कई प्रकार की बत्तखें और बाज। पश्चिमी मरुप्रदेश की अधिकांश जनसंख्या हिन्दू है जिसमें से लगभग 60 प्रतिशत शाकाहारी है। इस प्रदेश में निवास करने वाले विश्नोई सम्प्रदाय के लोग वन्य जीवों, विशेषकर काला हिरण तथा चिंकारा के प्रमुख रक्षक हैं। दूसरी ओर, इस प्रदेश की कुछ भ्रमणशील कबीली जातियां, जैसे-मीणा, साँसी, बवारिया आदि वन्य जीवों का व्यापक शिकार भी करती है।

राज्य के पूर्व एवं दक्षिण-पूर्व के पहाड़ी वन प्रदेश में मुख्यत: सिरोही, उदयपुर, चित्तौड़गढ़, बांसवाड़ा, झालावाड़, डूंगरपुर, कोटा, बूंदी, सवाई माधोपुर, भरतपुर, पाली, अलवर और अजमेर जिलों के कुछ भाग आते हैं। इस भाग में पर्याप्त वार्षिक वर्षा (600 मिलीमीटर से अधिक) होती हैं और कहीं-कहीं अच्छे एवं सघन वन पाए जाते हैं। इस पहाड़ी वन प्रदेश

में पाए जाने वाले मुख्य वन्य जीव निम्नलिखित हैं :— (i) स्तनपोषी— चिंकारा, बाघ, तेन्दुआ, जरख (लकड़ बघ्घा), जंगली सुअर, जंगली बिल्ली, साँभर, चीतल, नीलगाय, काला हिरण, भालू (रीछ), चौ सिंगा तथा लंगूर; (ii) सृपी— नाग तथा अजगर और (iii) पक्षी— हरित पंडुक, मोर, जंगली मुर्गा, चोटीदार बुलबुल, तीतर, मक्षिकाभक्षी, बसन्धा, तुइया तोता, धनेश तथा पीलक।

## वन्य जीव संरक्षण

अन्य राष्ट्रीय संसाधनों की भाँति वन्य जीवों का संरक्षण भी आवश्यक है। वन्य जीव संरक्षण का उद्देश्य प्रत्येक वन्य जीव को लुप्तप्राय होने से बचाना है, पर फसल को हानि पहुँचाने वाले और नरभक्षी खतरनाक पशुओं पर नियंत्रण भी आवश्यक है। वन्य जीव संरक्षण के लिए उनको अनुकूल वातावरण उपलब्ध कराना और अवैध शिकार से बचाना आवश्यक है।

राजस्थान बनने से पूर्व देशी रियासतों में वन्य जीवों का विशेष संरक्षण था। स्वतन्त्रता के बाद रियासतों में विलय पर यह अनमोल वन्य जीव सम्पदा हमें विरासत में मिली, किन्तु इसकी यथावत सुरक्षा न रह सकी। राजाओं का अंकुश हट जाने पर आदिवासी ग्रामीण जन एवं अनधिकृत शिकारी वन्य जीवों के निर्मम विनाश में तत्पर हो गए। परिणामस्वरूप, सदियों की संचित, प्रतिपालित, परिवर्द्धित अमूल्य वन्य जीव सम्पदा कुछ ही वर्षों में अत्यन्त क्षीण हो गई। इस ओर राज्य सरकार का ध्यान सर्वप्रथम सन् 1950 में गया जब 'राजस्थान वन्य जीवों की सुरक्षा अधिनियम, 1950' लागू किया गया। किन्तु इससे विशेष लाभ नहीं हुआ। क्योंकि इसमें कबूतर एवं मोर की ही सुरक्षा का प्रावधान था। अत: सन् 1951 में 'राजस्थान वन्य पशु-पक्षी सुरक्षा अधिनियम, 1951 लागू किया जो वन्य जीवों की सुरक्षा के लिए महत्त्वपूर्ण वैधानिक प्रावधान है। 'राजस्थान वन अधिनियम, 1953 के अनुसार भी रक्षित एवं आरक्षित वन खण्डों में बिना आज्ञा आखेट वर्जित है। वन्य जीवों की सुरक्षा के लिए सन् 1952 में सैण्ट्रल वाइल्ड लाइफ बोर्ड की स्थापना के पश्चात् वन्य जीवों की सुरक्षा की दृष्टि से राजस्थान में भी सन् 1955 में राजस्थान वाइल्ड लाइफ बोर्ड की स्थापना की गई।

राज्य में विशेषकर गत दस वर्षों में वन्य जीवों की सुरक्षा के लिए अनेक कदम उठाए गए हैं। इनमें शिकार सम्बन्धी कानून लागू करना; कुछ वन्य पशुओं (काला हिरण, चिंकारा, गुडावण, चौसिंगा आदि) एवं पक्षियों को 'सुरक्षित' घोषित करना; दुर्लभ और नष्टप्राय नस्लों और उनकी खालों आदि के निर्यात पर रोक लगाना तथा अभयारण्यों, राष्ट्रीय उद्यानों एवं जन्तु शालाओं की स्थापना करना शामिल हैं। वन्य जीवों को संरक्षण देने तथा उनकी संख्या में वृद्धि करने के लिए प्रदेश में वर्तमान में 10 वन्य जीव अभयारण्य, 10 बन्द क्षेत्र तथा 5 जन्तुशालाएँ (जयपुर, जोधपुर, उदयपुर, बीकानेर और कोटा) स्थापित हैं। राज्य में 7 गश्ती दल पूर्णतया पृथक् रूप से वन्य जीव संरक्षण के कार्य में संलग्न हैं। उक्त 10 वन्य जीव अभयारण्यों के अतिरिक्त राजस्थान, उत्तर प्रदेश एवं मध्य प्रदेश में चम्बल नदी के दोनों और कोटा से यमुना संगम तक के क्षेत्र को राष्ट्रीय घड़ियाल अभयारण्य घोषित किया गया है। मरुस्थलीय वन्य जीवों के संरक्षण तथा पारिस्थितिक संतुलन बनाए रखने के लिए जैसलमेर एवं बाड़मेर जिलों की अन्तर्राष्ट्रीय सीमा से 20 किलोमीटर अन्दर की ओर 3,162 वर्ग किलोमीटर क्षेत्र में विस्तृत एक राष्ट्रीय मरु उद्यान स्थापित किया जा रहा है। इस क्षेत्र में अनेक दुर्लभ वन्य जीव पाए जाते हैं। चिंकारा, देशी भेड़िया, मरुस्थलीय बिल्ली, मरुस्थलीय लोमड़ी, पाटा गोह, सांडा हिरण, गुडावण आदि यहाँ लुप्तप्राय होते जा रहे हैं। सांडा, बालू मछली, झाऊ चूहा एवं पक्षियों की विभिन्न जातियाँ यहाँ पाई जाती है। इस मरुस्थलीय क्षेत्र में तिलोर शाही, मट तीतरों के झुण्ड, लार्क्स, फाख्ता, चार्ट्स कबूतर और मोर भी पाए जाते हैं। थार मरुस्थल के नाजुक पर्यावरण एवं स्थान बदलते हुए बालू के टीलों के कारण पौधों एवं वन्य जीवों को बहुत नुकसान पहुँचता है। राष्ट्रीय मरु उद्यान कार्यक्रम इस दिशा में एक प्रभावी कदम सिद्ध होगा क्योंकि यहाँ दुर्लभ एवं लुप्तप्राय मरुस्थल वन्य जीवों एवं वनस्पति को संरक्षण प्राप्त हो सकेगा। नाहरगढ़ क्षेत्र को भी राष्ट्रीय उद्यान

बनाने की योजना राज्य सरकार के विचाराधीन है।

केवल उपर्युक्त उपायों से ही वन्य जीवों के संरक्षण का कार्य पूरा नहीं हो जाता। उनके संरक्षण के लिए सबसे महत्त्वपूर्ण कार्य इस पक्ष में जनमत का तैयार करना है। जनमत के अभाव में वन्य जीवों के संरक्षण के सभी उपाय निरर्थक सिद्ध होंगे।

राज्य के विभिन्न वन्य पशु-पक्षी का संक्षिप्त विवरण निम्न प्रकार से है :—

## राजस्थान के वन्य पशु

### स्तनीय जीव

साधारणतया चौपायों को ही स्तनीय जीव (मैमल) समझा जाता है, किन्तु जैसे मेढ़क के चार पाँव होते हुए भी वह स्तनीय-वर्ण की श्रेणी में नहीं आता और व्हेल के पाँव नहीं होते हुए भी वह मछली नहीं, वरन् एक स्तनीय जीव है। स्तनीय जीव की मुख्य विशेषता स्तन हैं जिनसे मादा अपने बच्चों को दूध पिलाती है। लगभग सभी स्तनीय जीव पूरे बच्चे देते हैं, यद्यपि कुछ जीव (जैसे डकबिल आदि) अण्डे देते हैं, किन्तु वह भी अण्डों में से बच्चे निकलने पर उन्हें दूध पिलाते हैं। सभी स्तनीय जीवों के शरीर पर बाल होते हैं।

स्तनीय जीव ''जीव जगत'' के ''रीढ़वाली'' श्रेणी में प्रमुख हैं। इनके निचले जबड़े की विशेष बनावट होती है जो अन्य रीढ़ वाले जानवरों में नहीं होती। इनका निचला जबड़ा एक ही हड्डी का बना होता और सिर की हड्डियों से जुड़ा हुआ होता है। जीवों के विकास-क्रम में स्तनीय जीवों का स्थान काफी ऊँचा है। मनुष्य भी एक स्तनीय जीव ही है, जिसका मस्तिष्क जानवरों की अपेक्षा अधिक विकसित होता है। यद्यपि अब भी अनेक प्रकार के स्तनीय जीव हैं, किन्तु सृष्टि के आरम्भ में इनकी विविधताएँ अनगिनत थीं। अनेक विशालकाय स्तनीय जीव अब लुप्त हो गए हैं। मनुष्य ने अनेक पशुओं को पालतू बना लिया है और वे एक प्रकार से उनके निजी आर्थिक आधार बन गए हैं। अवशिष्ट वन्य जीव भी मनुष्य के लिए उपयोगी हैं और उनकी सुरक्षा एवं विकास करना भी हमारा कर्त्तव्य है।

### शेर

वनराज शेर वर्तमान पशुओं में सबसे अधिक बलिष्ठ होता है और लड़ाई में विशाल हाथी को भी परास्त कर देता है। राजस्थान में यह अत्यन्त उष्ण पश्चिमी मरुभूमि को छोड़ कर सर्वत्र जहाँ-जहाँ उपयुक्त वन है, पाया जाता है। शेर के लिए अच्छे वन या घास के जंगल अत्यन्त आवश्यक है। जलवायु की विषमता शेर के लिए महत्त्वपूर्ण नहीं है, यह अत्यन्त शीत तथा उष्ण प्रदेशों में रह सकता है, लेकिन अच्छे वन या घने घास के जंगलों के अभाव में नहीं रह सकता। कर्नल टॉड के संस्मरणों के अनुसार राजस्थान में आज वृक्षविहीन मेड़ता, पचपदरा, भवानी मंडी आदि स्थानों में शेर बहुतायत से पाए जाते थे। अभी केवल 20-25 वर्ष जयपुर नगर के अत्यन्त समीप आमेर, नाहरगढ़, घाट तथा झालाना की पहाड़ियों में भी शेर थे। वन निरन्तर कम होते जा रहे हैं। इसलिए अब शेर बहुत कम रह गए हैं। उदयपुर, बांसवाड़ा, चित्तौड़गढ़ आदि अच्छे वन्य प्रदेशों में भी आदिवासियों ने शेरों को लगभग समाप्त कर दिया है। यहां अब बघेरा ही मुख्यतया पाया जाता है। कोटा, झालावाड़, सवाई माधोपुर, भरतपुर, अलवर, चित्तौड़गढ़, उदयपुर आबू में जहाँ अच्छे वन अवशिष्ट हैं, कहीं-कहीं शेर पाए जाते हैं।

प्राप्त जीवाश्म अवशेषों (फौसिल) के अनुसार शेर का आदिकालीन स्थान उत्तरी एशिया में था। जहाँ उस समय अच्छे वन थे। सबसे प्राचीन अवशेष साइबेरिया द्वीप-समूहों में मिले हैं जो कि शीत कटिबन्ध के अन्दर हैं। वहाँ से यह दक्षिण तथा पूर्व में चीन मलाया, बर्मा, भारत तथा जावा सुमात्रा में फैल गया। शेर का शीत प्रदेशीय उद्गम इस बात से भी स्पष्ट है कि यह रात्रि की शीतलता में ही विचरता है और दिन की उष्णता में वृक्षों व झाड़ियों की शीतल छाँह एवं तलों में रहता है। यद्यपि शेर भारत में कब आया यह समय निश्चित करना सम्भव नहीं, किन्तु शेर लंका में नहीं पाया जाता। यह उस समय तक वहाँ नहीं पहुँचा था जब तक यह द्वीप भारत के साथ जुड़ा हुआ था। शेर उत्तर की ओर से भारत में आया, किन्तु इसने

तिब्बत के वीरान (वनविहीन) पठार को अपना स्थान नहीं बनाया, यद्यपि यह हिमालय में 330 मीटर की अत्यन्त शीत ऊँचाई तक तथा दक्षिण में उष्ण प्रदेशों में पाया जाता है।

आदिकाल में शेर आखेट का मुख्य लक्ष्य रहा है। इसके आखेट के सम्बन्ध में अपार साहित्य भरा पड़ा है। शेर का शिकार वीरता सूचक समझा जाता रहा है। भारत में प्राचीनकाल में शेर के आखेट के बड़े-बड़े आयोजन किए जाते थे, किन्तु उस समय इसे विशेष राजकीय संरक्षण भी था। आखेट की आम अनुमति नहीं थी। उस समय वीर लोग पैदल या घोड़े से साधारण हथियारों द्वारा ही शिकार किया करते थे जो आज के आधुनिक साधन जीप, गाड़ियों, सर्च-लाइटों, राइफलों के समान सरल नहीं था। वास्तव में पिछले पचास वर्षों में शेर का अत्यन्त विनाश हुआ है और अब इनकी संख्या नाम मात्र रह गई है।

शेर भव्य वन्य पशु है। इसके बलिष्ठ, सुडौल व सुनहरे शरीर पर काली धारियाँ बड़ी मनोरम लगती हैं। नर शेर की औसत लम्बाई 2.5 से 3 मीटर और वजन 150-200 कि.ग्रा. होता है। मादा की लम्बाई तथा वजन कम होता हैं शरीर भारी होते हुए भी इसमें बड़ी स्फूर्ति होती है। यह बहुत तेज दौड़ सकता है तथा एकदम कूद कर अपने शिकार को पकड़ लेता है। शेर के अगले पंजों में पांच तथा पिछले पंजों में चार अंगुलियाँ व नाखून होते हैं, किन्तु इसके पंजों द्वारा धरती पर बनाए गए निशान (खोज) में केवल चार अंगुलियाँ ही दिखाई देती हैं, क्योंकि एक अँगुली ऊपर उठी हुई होती है। इसका पाँव अत्यन्त गद्देदार होता है जिससे इसके चलने पर आवाज नहीं होती। यह साधारणतया पेड़ पर नहीं चढ़ता किन्तु आवश्यकता पड़ने पर चढ़ सकता है। शेर की आँख व कान की शक्तियाँ अच्छी विकसित होती है। यह आवश्यकतानुसार देखने तथा सुनने की शक्तियों का उपयोग करता है। इसकी गंध-शक्ति कम होती है।

शेर साधारणतया जंगली जानवरों का ही शिकार करता है और छोटी सेहली से लेकर हिरण, सांभर, नीलगाय, भैंसा और हाथी तक का शिकार करता है। मनुष्य के अतिक्रमण या इसके प्राकृतिक भोज्य जीवों की कमी हो जाने पर पालतू जानवरों जैसे-बकरी, गाय, भैंस, बैल, घोड़ा आदि का शिकार करने लगता है। यह घायल हो जाने या अत्यन्त वृद्धावस्था के कारण भी ऐसा कर सकता है। शेर साधारणतया मनुष्य पर आक्रमण नहीं करता किन्तु विशिष्ट परिस्थितियों में जैसे छोटे बच्चों वाली मादा शेरनी के पास सहसा पहुँच जाने पर, आत्म-रक्षा के लिए या अचानक तथा घायल होने पर मनुष्य पर आक्रमण कर देता है। इस प्रकार शेर को यह ज्ञान हो जाने पर कि मनुष्य को मारना अत्यन्त सरल है तो वह नरभक्षी हो जाते हैं।

शेर प्रजनन काल को छोड़कर अकेला ही रहता है। बच्चे होने से कुछ समय पूर्व ही या बच्चे होते ही शेर-शेरनी से अलग हो जाता है। लेकिन कभी-कभी अधिक समय तक भी इन्हें साथ-साथ देखा जाता है। शेरनी का गर्भाधान का समय निश्चित नहीं है, किन्तु अधिकांशतया इसे बरसात के बाद शेर के साथ देखा जाता है। गर्भ की अवधि 15-16 सप्ताह होती है और प्रसव काल फरवरी से अप्रेल तक का होता है। साधारणतया एक बार में 2-3 और 6 तक बच्चे होते हैं। बच्चे 6 महीने की आयु होते ही शिकार के लिए माँ के साथ जाने लगते है और 2 वर्ष के होने पर अलग हो जाते हैं। शेर की उम्र 25 वर्ष मानी जाती है।

शेर की चरबी का गठिया के दर्द में प्रयोग किया जाता है। इसकी कुछ हड्डियों, नाखूनों तथा मूँछों के लिए तांत्रिक मान्यताएँ हैं और इन्हें आभूषणों के साथ पहिना जाता है। शेर की खाल आदि का मकानों को सजाने में उपयोग किया जाता है। शेर की मुख्य उपयोगिता आखेट के लिए है। आज भी देश विदेश में अनेक पर्यटक शेर के शिकार के लिए सहस्रों रुपया व्यय करते हैं। शेर अन्य वन्य जानवरों जैसे-नीलगाय, हिरण आदि की जो अधिक संख्या में हो जाने पर कृषि को हानि पहुँचाते हैं, अभिवृद्धि रोकने में सहायक होता है। अनेक पर्यटक तो विदेशों से शेर को वनों में देखने के लिए ही आते हैं, जिससे देश को विदेशी मुद्रा का लाभ होता है। अत्यधिक आखेट के कारण अब शेर बहुत कम रह गए हैं। अत: इन्हें संरक्षित रखने के

लिए आखेट का नियंत्रण, अच्छे वनों की सुरक्षा तथा उनका विकास आवश्यक है। राजस्थान में शेर का शिकार वर्जित है।

**भगेरा (बघेरा)**

यह शेर से छोटा होता है, किन्तु यह काफी बलिष्ठ एवं फुर्तीला होता है। लम्बाई 1.75 मीटर से 2.4 मीटर तक तथा वजन 40-70 किलोग्राम तक होता है। इसके सुनहरे शरीर पर गोल-गोल काले वृत्त अत्यन्त सुहाने लगते हैं। यह शेर की अपेक्षा अधिक खुले स्थानों पर रह सकता है, उष्णता अधिक सहन कर सकता है तथा शेर से अधिक चुस्त भी है। इसी कारण जहाँ शेर लगभग समाप्त हो गए हैं, वहाँ यह अब भी पाया जाता है। यह अधिकतर गांवों तथा बस्तियों के समीप रहता है और छोटे पशु, बकरी, भेड़, गधा, कुत्ता, हिरण, बकरे, सेहली आदि का शिकार करता है। नर भगेरा घायल हो जाने से या बच्चों वाली मादा अनायास कारणों से मनुष्य पर आक्रमण कर सकते हैं तथा नरभक्षी भी हो जाते हैं। इसका गर्भाधान समय लगभग पूरे वर्ष ही रहता है। गर्भ की अवधि लगभग 12-13 सप्ताह होती है तथा एक साथ 2 से 4 तक बच्चे पैदा होते हैं। भगेरे को पालतू नहीं बनाया जा सकता।

भगेरे की खाल, सिर आदि भवनों में सजावट के लिए रखे जाते हैं। इसकी खाल के महिलाओं के कोट व जूते आदि भी बनवाए जाते हैं। विदेशों में इसकी खाल की काफी मांग है, किन्तु भारत से इसके निकास पर प्रतिबन्ध है।

**जंगली बिल्ली**

इसका रंग हल्का भूरा होता है और पूंछ के अंतिम भाग पर धारियाँ होती हैं तथा सिरे पर काली होती हैं। नीचे पेट पर भी हल्की धारियाँ दिखाई देती हैं और पाँव लम्बे होते हैं। जंगली बिल्ली की लम्बाई (पूंछ 30 से.मी. के अलावा) लगभग 50-60 सेन्टीमीटर और वजन लगभग 5-6 किलोग्राम होता है। बिल्ली बलिष्ठ तथा अत्यन्त फुर्तीली होती है और अपने से बड़े जानवरों का भी शिकार कर लेती है। यह साधारणतया छोटे-छोटे चौपाए जानवरों तथा चिड़ियों का शिकार करती है। यह खुले जंगलों, घास के मैदानों तथा नदियों के किनारे विशेष रूप से प्रात: और संध्या काल में दिखाई देती है। यह बहुधा गांव के समीप आ जाती है और पालतू मुर्गे-मुर्गियों को उठा ले जाती है।

इसका काफी शिकार किया जा चुका है और अब बहुत कम कहीं-कहीं दिखाई देता है।

**कुत्ता-परिवार**

भेड़िया, गीदड़, लोमड़ी तथा कुत्ता अपनी शारीरिक बनावट तथा प्राकृतिक आदतों के अनुसार एक ही परिवार के सदस्य माने गए हैं। गीदड़ तथा भेड़िये का कुत्ते के साथ पारस्परिक प्रजनन प्राकृतिक स्थिति में भी होता है। अत्यन्त तीव्रगति इनकी विशेषता है। ये बहुत दूर तक काफी समय दौड़ सकते हैं। ये देर तक पीछा कर अपने शिकार को थका देते हैं और फिर पकड़ लेते हैं। ये झुंड में शिकार करके अपने से काफी बड़े जानवरों (सांभर आदि) तक का शिकार करते हैं। एक ही परिवार के सदस्य तथा कई परिवार भी एक साथ मिल कर शिकार करते हैं। साधारणतया ये मांसाहारी ही होते हैं। इनकी देखने, सूंघने व सुनने की शक्ति तीव्र होती है। इस विशेषता के कारण यह अपने शिकार का पीछा करते हैं।

**भेड़िया**

भेड़िया लगभग 70 से.मी. ऊँचा, पूंछ सहित 110-140 से.मी. और 18-27 किलोग्राम वजन का एक छोटा जीव है। देखने में यह अलसेशियन कुत्ते जैसा लगता है। साधारणतया छोटे पशु हिरण, खरगोश, भेड़, बकरी, चिड़ियों आदि का यह शिकार करता है, किन्तु सांभर, नीलगाय आदि बड़े पशुओं का भी शिकार कर लेता है। यह सामूहिक रूप से शिकार का दौड़कर दूर तक पीछा करते हैं। इनकी दौड़ने की शक्ति अभूतपूर्व है। राजस्थान में यह सर्वत्र पाया जाता है। खासतौर से यह खुले गाँव व बस्तियों के निकट पाया जाता है।

इसके हल्के भूरे रोम में काले बाल कम-ज्यादा मिश्रित होते हैं जो सुहावने लगते हैं। यह छोटे हानिकारक पशु-पक्षियों की संख्या नियन्त्रित रखने में

मनुष्य के लिए उपयोगी हैं इसे छोटी अवस्था में ही पकड़कर पाला भी जा सकता है। इसका प्रजनन काल वर्ष भर और प्रमुखतया शरद ऋतु है और इसके एक साथ तीन से लेकर सात-आठ बच्चे होते हैं। भेड़िये की औसत आयु लगभग 10 से 15 वर्ष तक होती है।

**गीदड़**

गीदड़ को सियार या श्याल भी कहते हैं। इसका आकार भेड़िये के समान और उससे छोटा होता है। यह राजस्थान में सर्वत्र पाया जाता है तथा बस्तियों के समीप आ जाता है। इसका रंग हल्का काला व सफेद मिश्रित और कंधों पर गहरा होता है। लोक-कथाओं के अनुसार यह एक चतुर व चालाक जीव है और अन्य सभी जानवरों से दोस्ती रखकर अपना काम चलाता है। यह मुख्यतया मृत जानवरों को खाता है और सफाई सेवक का काम करता है। यह कभी-कभी छोटे बकरे-बकरी व मुर्गियों को भी मार देता है। दो, तीन या अधिक गीदड़ मिलकर छोटे हिरण आदि का शिकार भी करते हैं। गिरगट, छिपकली व कीड़े-मकोड़े भी खाता है। यह साधारणता मांसाहारी है, किन्तु शाकाहारी भी है। इसे गन्ने और तरबूज पसंद है और यह जंगल में बेर भी खाता है। इसका प्रजनन काल लगभग सारे वर्ष ही रहता है। इसकी औसत आयु लगभग 10-12 वर्ष मानी जाती है।

गीदड़ों की संख्या पर वन्य जीव संरक्षण स्थलों (सैन्चुएरी) का नियंत्रण रखा जाता है और इनकी संख्या अधिक होने पर इन्हें नष्ट भी किया जाता है, क्योंकि यह अन्य छोटे जीव जन्तुओं को खा जाता है।

**लोमड़ी**

लोमड़ी एक छोटा, किन्तु बहुत फुर्तीला तथा चालाक जानवर है जिसकी चतुराई की अनेक कहानियाँ है। इसकी लम्बाई लगभग 40-60 सेन्टीमीटर (पूंछ 25-35 से.मी.) तथा वजन 2-3 कि.ग्रा. होता है। इसका हल्का भूरा रंग सुहावना होता है। यह जमीन खोदकर उसके अन्दर रहती है। मरी हुई लोमड़ी को मंढ कर सजावट के रूप में घरों में रखा जाता है। लोमड़ी का आहार चूहे, सांप, चिड़ियाँ और कीड़े-मकोड़े आदि हैं। लोमड़ी को दीमक खाना भी प्रिय है। इस प्रकार यह खेती के लिए हानिकारक जन्तुओं को नष्ट करके कृषक की सहायता करती है। कभी-कभी छोटे जानवरों का शिकार भी करती है। यह शाकाहारी भी है और बेर के फल व नई कोपलें खाती है तथा बागों में नुकसान भी कर देती है। इसका प्रजनन काल सर्दी में होता है।

**जंगली कुत्ता**

यह लगभग पालतू कुत्ते के समान होता है, किन्तु इसका शरीर भेड़िये के समान लम्बा और पतला होता है। इसकी कंधों तक की ऊँचाई 40-50 सेन्टीमीटर एवं शरीर की लम्बाई 80-90 सेन्टीमीटर होती है तथा पूंछ (40 से.मी) के सिरे पर बालों का गुच्छा होता है। इसका रंग साधारणतया लाल भूरा होता है इसकी शिकार करने की आदतें और ढंग भेड़िये जैसा होता है। यह भी देर तक पीछा करके और शिकार को थका कर झुंडों में शिकार करते हैं। आमतौर पर यह छोटे जानवरों व हिरणों आदि का शिकार करते हैं। यह सामूहिक रूप में एकत्र हो कर सांभर, भैंसा और शेर को भी मार सकते हैं। इसका प्रजनन काल मुख्यतया नवम्बर-दिसम्बर है तथा इसके एक बार में 4-6 तक बच्चे होते हैं। जंगली कुत्ते अब बहुत कम कहीं-कहीं ही पाए जाते हैं। वन्य प्राणी संरक्षण स्थलों में इन्हें मार दिया जाता है, क्योंकि यह अन्य पशुओं को नष्ट करते हैं।

**हिरण और कुरंग परिवार**

हिरण और कुरंग खुर वाले पशुओं में उस मूल श्रेणी के पशु हैं जिनके कुछ गुण बैल एवं भैंस तथा कुछ भेड़ व बकरी से मिलते हैं। इसीलिए ये विकास-क्रम में इन श्रेणियों के पशुओं के मूल स्त्रोत कहे जा सकते हैं। इस श्रेणी में चिंकारा एवं काला हिरण आदि अत्यन्त सुन्दर वन्य पशु हैं। ये जुगाली करते हैं तथा इनके सींग के अन्दर की हड्डी तथा ऊपर की खोल (मुख्य सींग) दो भाग होते हैं। इनका मुख्य बचाव इनकी तीव्रगति है। इनके चमड़े से अनेक वस्तुएँ बनाई जाती है। सींग तथा सिर व चमड़े को कमरों की सजावट के काम में लिया जाता है।

यह अधिकतर तो खुले घास के मैदानों में रहना पसन्द करते हैं, किन्तु पहाड़ी क्षेत्रों में भी पाए जाते हैं।

हिरण (Antelope) तथा मृग (Deer) में अन्तर होता है। हिरण के सींग छल्लेदार होते हैं व गिरते नहीं है। यह अधिकतर खुले क्षेत्र में अथवा घास के मैदानों में रहना पसन्द करते हैं।

राजस्थान में निम्न चार प्रकार के हिरण पाए जाते हैं:—

(1) चिंकारा (छोटा हिरण);
(2) काला हिरण;
(3) चौसिंगा; और
(4) नीलगाय।

**चिंकारा (छोटा हिरण)**

चिंकारा एक छोटे कद का बहुत सुन्दर पशु है जो राजस्थान में मुख्यत: मरुस्थलीय भाग बीकानेर, जैसलमेर, बाड़मेर व जोधपुर आदि स्थानों में अत्यधिक पाया जाता है। इसके सुन्दर सींग एवं चमड़े के लिए इसका काफी संख्या में शिकार किया जा चुका है जिससे इनकी संख्या अब बहुत कम रह गई है। इसकी कंधों तक की ऊँचाई साधारणतया 60-70 सेन्टीमीटर तथा वजन लगभग 20-25 किलोग्राम होता है। इसके सुन्दर चक्राकार सींग, हल्का भूरा अखरोटी रंग तथा छोटा भोला मुंह बड़ा सुहावना लगता है। सींग लगभग 25-30 सेन्टीमीटर लम्बे होते हैं। पेट के नीचे के भाग का रंग सफेद होता है। मादा के 1-2 बच्चे होते हैं जो अत्यन्त सुन्दर लगते हैं और पाले भी जा सकते हैं। मादा के सींग बहुत छोटे 10-12 सेन्टीमीटर के होते हैं। बिना सींग की मादाएँ भी होती हैं। यह राजस्थान के जंगलों में सर्वत्र पाया जाता है। घास, फल तथा पत्तियाँ इनका मुख्य भोजन है। इन्हें 10-15 के झुंड में भी देखा जाता है।

**काला हिरण, कृष्णसागर**

काला हिरण अपनी श्रेणी में सबसे सुन्दर पशु होता है। नर की पीठ तथा ऊपरी भाग का रंग काला भूरा तथा पेट पर व नीचे सफेद होता है। लगभग 3 वर्ष की आयु पर ही इस पर यह काला रंग आता है। इसकी कन्धे तक ऊँचाई साधारणतया 70-80 सेन्टीमीटर होती है और औसत वजन 40 कि.ग्रा. होता है। इसके लम्बे चक्राकार सींग बड़े सुन्दर होते हैं जो 50 सेन्टीमीटर अथवा कभी-कभी इससे भी अधिक (लगभग 80 सेन्टीमीटर) लम्बे होते हैं। सींग वाली मादाएँ बहुत कम होती हैं। यह समतल घास के मैदानों को अधिक पसंद करता है और विशेष रूप से बड़े-बड़े झुण्डों में रहता है। यह राजस्थान में घना (भरतपुर) व सीकर से नोखा मार्ग पर ताल-छापर संरक्षण स्थल में सैकड़ों की संख्या में पाए जाते हैं। अत्यधिक शिकार तथा स्वतन्त्र चरागाहों के अभाव में अब इनकी संख्या बहुत कम रह गई है। इसका प्रजननकाल मुख्यतया फरवरी-मार्च है।

काले हिरण संसार के अधिक से अधिक तेज दौड़ने वाले जानवरों में से एक होते हैं। यह लगभग 90 किलोमीटर प्रति घण्टे की रफ्तार से दौड़ सकता है। इसकी सूंघने व सुनने की शक्ति भी तीव्र होती है।

**चौसिंगा**

चौसिंगा के दो जोड़ी सींग होते हैं। इसके सामने के सींग छोटे व 1-2.5 सेन्टीमीटर तथा पीछे के सींग 8-10 सेन्टीमीटर लम्बे होते हैं। इसके सींग चक्राकार नहीं होते। मादा के भी सींग नहीं होते। इसकी कन्धे तक की ऊँचाई साधारणतया 60-65 सेन्टीमीटर होती है। इसके ऊपरी भाग का रंग हल्का भूरा, लाल तथा नीचे का सफेद होता है। यह राजस्थान के वनों में पहाड़ी क्षेत्र में सर्वत्र पाया जाता है और पानी के समीप स्थलों में रहता है। यह एक अथवा दो ही एक साथ दिखाई देते हैं। इसका प्रजननकाल जनवरी-फरवरी होता है। इसे बाल्यावस्था से ही पालतू बनाया जा सकता है। अलवर के सरिस्का वन्य पशु-पक्षी विहार में इन्हें सड़क के समीप ही देखा जा सकता है।

**नीलगाय (रोझ)**

यह एक घोड़े जैसा भारी, मजबूत, भूरे आसमानी रंग का हिरण श्रेणी का बड़ा पशु है। नर नीलगाय का रंग गहरा व काला-नीला-सा होता है, परन्तु मादा भूरी-सी ही होती है। इसका ऊँचाई 1.25 मीटर से 1.5 मीटर तक होती है। यह राजस्थान में सर्वत्र पाया जाता है। यह खेतों में फसल को नुकसान पहुँचाता है।

इन्हें 8-10 और इससे अधिक के झुंड में देखा जा सकता है। यह बहुत तेज दौड़ सकता है। इसकी खाल की रंगाई कई प्रकार की हो सकती है जिसे जूते, कोट, सूटकेस, बिस्तरबन्द आदि वस्तुएँ बनाने व अन्य विभिन्न कार्यों के लिए उपयोग में लाया जाता है। कई स्थानों पर इसे गाय के समकक्ष धार्मिक दृष्टि से भी देखा जाता है। इसीलिए बहुत से शिकारी इसे मारते नहीं हैं। नीलगाय को छोटी आयु में पकड़ कर पालतू भी बनाया जा सकता है।

## मृग (Deer) परिवार

मृग वैसे तो हिरण के सदृश होते है और जुगाली भी करते हैं, किन्तु हिरणों की भांति इनके सींग के दो भाग नहीं होते। मृग के सींग की एक ठोस हड्डी होती है। इनके सींग 1-2 वर्ष में गिरते रहते हैं और फिर नए आते रहते हैं। यह अपने सींगों से अपनी रक्षा करते हैं। मृग श्रेणी में सांभर तथा चीतल अत्यन्त सुन्दर वन्य पशु हैं। ये शाकाहारी होते हैं और घास, पत्तियाँ व फल आदि खाते हैं। राजस्थान में निम्न दो प्रकार के मृग पाए जाते हैं।

(1) सांभर, और

(2) चीतल।

**(1) सांभर**— सांभर एक बड़ा वन्य पशु है जिसकी कन्धे तक की ऊँचाई 150-152 सेन्टीमीटर तथा वजन वजन 200-300 किलोग्राम होता है। साधारणत: सींगों की लम्बाई 70-80 सेन्टीमीटर होती है। 100-125 सेन्टीमीटर लंबे सींग वाले सांभर भी पाए जाते हैं। प्रत्येक सींग में तीन शाखाएं होती हैं। मादाओं को प्राप्त करने के लिए नर सांभरों में भंयकर और कभी-कभी घातक लड़ाई होती है। कई बार इनके सींग आपस में उलझ जाते हैं और सुलझते नहीं। इस प्रकार उलझे हुए सींगों में दो सांभरों को मृत भी देखा गया है। इनका प्रजननकाल मुख्यतया शरद ऋतु में है, किन्तु वर्ष भर अन्य समय भी होता है। मादाएँ बड़ी तत्परता से बच्चों की रक्षा करती है। सांभर को लम्बे सींग तथा सुनहले भूरे उपयोगी चमड़े के कारण शिकार के लिए पसन्द किया जाता है। पहले ये 10-12 के झुंडों में देखे जाते थे, किन्तु अब अत्यधिक शिकार के कारण इनकी संख्या बहुत कम रह गई है। सांभर का चमड़ा जूते, कोट, सूटकेस आदि अनेक कार्यों में लिया जाता है। इसी कारण इसकी अत्यधिक माँग रहती है। सांभर के सींग व सिर आदि कमरों की सजावट की वस्तु भी हैं।

**(2) चीतल**— चीतल सबसे सुन्दर मृग है। इसके चमकदार सुनहले भूरे रंग पर सफेद गोल धब्बे बहुत सुहावने लगते हैं। सांभर की भांति नर चीतल के प्रत्येक सींग में तीन शाखाएं होती हैं। सींगों की लम्बाई 70-90 सेन्टीमीटर होती है। इसके सींग लगभग प्रति वर्ष ही गिरते रहते हैं और नए आते रहते हैं। सींगों की पूरी वृद्धि होने तक उन पर मखमल जैसा आवरण रहता है। इसकी ऊँचाई लगभग 70-100 सेन्टीमीटर तथा वजन 80-90 किलोग्राम होता है। यह अच्छे घने वन में पाया जाता है। यह घास के मैदानों तथा जंगल के किनारे खेतों में अन्य हिरण, सांभर, नीलगाय तथा पालतू पशुओं के साथ-साथ चरते रहते हैं। इसकी सूंघने, देखने व सुनने की शक्ति तीव्र होती है। भरतपुर के समीप घना में तो यह 100 से भी अधिक झुंडों में देखे जाते हैं। इसका प्रजनन वर्ष भर होता है। परन्तु संवेशन काल में मादाओं को पाने के लिए नर आपस में काफी झगड़ते हैं।

चीतल के सुन्दर सींग तथा सुहावनी खाल सजावट के काम आते हैं।

## कुतरने वाले जन्तु

कुतरने वाले जन्तुओं की मुख्य विशेषता उनके दांतों की बनावट है जिनके कारण वे अत्यन्त तीक्ष्ण एवं कठोर चीजों को भी कुतरने में सक्षम हैं। चूहा, गिलहरी, खरगोश, सेहली आदि इसी श्रेणी में आते हैं। शारीरिक दृष्टि से ये बहुत निर्बल होते हैं और छोटे मांसाहारी पशुओं जैसे बिल्ली और नेवला आदि के शिकार बन जाते हैं। इनका प्रजनन बहुतायत से होता है और प्राकृतिक सन्तुलन रखने वाले पशुओं के अभाव में इनकी संख्या में भंयकर वृद्धि हाती है।

यह शहरों व गांवों में मनुष्य के भोजन पदार्थ अनाज, फलों एवं वृक्षों आदि के लिए बहुत हानिकारक हैं। इन जन्तुओं में चूहे से प्लेग जैसी

भंयकर बीमारी भी उसके शरीर पर पाई जाने वाली एक प्रकार की मक्खी द्वारा फैलती है।

### गिलहरी

गिलहरी की चपल, कूद-फांद, विचित्र बोली उसका पेड़ों, घरों व दीवारी आदि पर इधर-उधर कूद-कूद कर बार-बार चढ़ना-उतरना बड़ा ही मनोरंजक होता है। इसके शरीर पर पाँच भूरी व सफेद धारियाँ तथा लम्बी मोटी पूँछ काफी सुन्दर लगती है। इसकी कुल लम्बाई 25-30 सेन्टीमीटर होती है जिसमें से आधी से अधिक लम्बाई पूँछ की होती है। यह अब जंगलों के स्थान पर बस्तियों में अधिक रहती है। यह फल, छाल तथा पेड़ों की नई कोपलों को खाती है, फूलों का रस भी पीती है और वृक्षों के प्रजनन में सहायक होती है। यह छोटे कीड़ों तथा चिड़ियों के अण्डों को भी खाती है। गिलहरी वृक्षों की शाखाओं पर सादा-सा घोंसला बना कर 2-3 बच्चे देती है। इसके बच्चे की आंखें जन्म के समय बन्द होती है।

### चूहा (जरबिल)

जरबिल को उसकी पूंछ पर बालों के गुच्छे से अन्य चूहों में पहिचाना जा सकता है। इसकी लम्बाई साधारणतया 10-12 सेन्टीमीटर होती है जिसमें आधी लम्बाई पूँछ की होती है। पिछले पाँव आगे के पाँवों से बड़े होते है, जिससे यह आसानी से फुदक (कूद-फाँद) कर तेजी से चलता है। इसका रंग भूरा मटमैला होता है। यह घास, झाड़ियाँ, पेड़ों की जड़ें तथा अनाज व फल आदि मनुष्य की खाद्य-वस्तुओं को खाता है और बहुत ही हानिकारक है। यह खाद्य वस्तुओं का अपने बिलों में भी संग्रह करता है। इसके बिल भूमि की सतह से 20-25 सेन्टीमीटर नीचे होते हैं। इसके बिल के अन्दर का तापक्रम सदैव एक सा रहता है और ऊपर के तापक्रम से प्रभावित नहीं होता है। केन्द्रीय मरु अनुसंधान संस्थान, जोधपुर द्वारा इन पर अनेक प्रयोग किए जा रहे हैं और इन्हें नष्ट करने के उपाय ढूंढे जा रहे हैं।

### अन्य चूहे

अनेक दूसरे चूहे व मैदानी चूहे, झाड़ियों और पेड़ों में रहने वाले चूहे तथा घरों में रहने वाले चूहे आदि राजस्थान में पाए जाते हैं। चूहों की प्रजनन शक्ति बड़ी तीव्र होती है। इनकी अत्यधिक संख्या के कारण ये खाद्य वस्तुओं का बहुत अधिक नुकसान करते हैं। चूहे अनाज का तो अत्यधिक ही नुकसान करते हैं। इन्हें नष्ट करने वाले अन्य जीवों को नष्ट कर देने से प्राकृतिक सन्तुलन में बाधा उत्पन्न हो गई है और हानिकारक जीवों की संख्या अनियन्त्रित हो गई है।

### सेही

सेही के सारे शरीर पर काले सफेद गोलधारियों के लगे 15 से 20 सेन्टीमीटर लम्बे कांटों के कारण सरलता से पहिचाना जा सकता है। इसके शरीर की लम्बाई 60-90 सेन्टीमीटर तक होती है और 8 से 10 सेन्टीमीटर लम्बी पूंछ होती है। इसका वजन लगभग 10 से 15 किलोग्राम होता है और जमीन के अन्दर 1 मीटर से भी अधिक गहरे बिलों में रहती है। यह फल, अनाज, पौधों की जड़ें आदि खाती है और ज्यादा संख्या में होने पर खेतों, उद्यानों को हानि पहुँचाती है। अपने कांटों को यह अस्त्र के रूप में प्रयुक्त करती है और छोड़े गए कांटों से बड़े से बड़ा जानवर भी घायल हो जाता है तथा मर भी सकता है। सेही के छोड़े हुए कांटों के हृदय तथा फेफड़ों पर लगने से शेर तथा भगेरे को भी मरता हुआ देखा गया है। ये कांटे इसके बचाव के साधन है। इस प्रकार सेही एक छोटा, सुहावना किन्तु विचित्र जीव है।

### खरगोश

मुलायम खाल व छोटे-छोटे बाल वाले इस छोटे से जानवर से सभी परिचित हैं। अनेक घरों में छोटे बच्चों के खेलने के लिए खरगोश को पाला जाता है। खरगोश कई तरह का होता है। जंगल में मुख्यतया भूरे रंग का, पीठ व रंगों पर कुछ कालापन वाला बड़ा खरगोश पाया जाता है। इसे रात में मोटर की रोशनी में सड़कों के किनारे दौड़ते हुए देखा जाता है। इसकी लम्बाई 50-60 सेन्टीमीटर तथा वजन 2-3 किलोग्राम होता है। यह विशेषत: घास तथा अन्य वनस्पति खाता है। इसके लोमड़ी, कुत्ता, गेण्डा आदि अनेक दुश्मन हैं। यह जंगल में चुपचाप छिपा हुआ

रहता है। इसे मालूम करना बड़ा कठिन होता है। यह झाड़ियों के बीच, घास के मैदानों और खेतों तथा बिलों में भी रहता है। इसका प्रजननकाल शरद ऋतु है और इसके एक बार में एक या दो बच्चे होते हैं।

## अन्य वन्य पशु

**बड़ा नेवला**— बड़ा नेवला राजस्थान में सर्वत्र पाया जाता है। यदि जंगलों झाड़ियों, घास के मैदानों, खेतों, बस्तियों आदि विभिन्न स्थानों में रहता है। इसका छोटे कद का लम्बा भूरा शरीर, छोटे-छोटे पाँव एवं लम्बी पूंछ सुहावनी लगती है। इसके शरीर का प्रत्येक बाल क्रमश: काला सफेद होता है जो एक सुन्दर आभा देता है। नेवला अपने लम्बे पंजों से धरती खोदने में निपुण है। यद्यपि यह मांसाहारी है किन्तु फल,दूध व जड़ भी खाता है। इसका शिकार करने का तरीका बड़ा शौर्यपूर्ण है। यह सीधा सामने से आक्रमण करता है। इसकी कुल लम्बाई लगभग 90 सेन्टीमीटर होती है। जिसमें आधी लम्बाई पूंछ की है। इसका वजन लगभग 1-2 किलोग्राम होता हैं इतना छोटा होते हुए भी यह अपने से काफी बडे. जानवरों को मार देता है। इसकी विशेषता स्फूर्ति है। यह चूहे, खरगोश, मुर्गी, सांप, छिपकली, मेढ़क, चिड़िया तथा अनेक प्रकार के कीड़े-मकोड़ों का शिकार करता है। यह चिड़ियों के अण्डों का बड़ा शौकीन है। यह भयानक जहरीले सर्प को भी मार देता है। सर्प-नेवले की लड़ाई प्रसिद्ध है। अपनी स्फूर्ति के कारण सांप की गर्दन पकड़ लेता है और उसे मार देता है। साधारणतया इसकी आयु 5-6 वर्ष होती है। मादा एक वर्ष में तीन बार तक बच्चे देती है। गर्भ की अवधि लगभग दो माह होती है। सात माह में बच्चे पूर्ण वयस्क हो जाते हैं। नेवला मनुष्य के लिए बड़ा उपयोगी है। यह हानिकारक चूहों, सर्पों और कीड़े-मकोड़ों को समाप्त कर देता है तथा इस कार्य में बिल्लियों से ज्यादा प्रभावशील है। इसलिए इसे पाला भी जाता है।

**छोटा नेवला**— राजस्थान में इसकी रेगिस्तानी किस्म पाई जाती है। यह स्वयं के बनाए हुए बिलों में रहता है। बड़े नेवले के मुकाबले यह ज्यादा छिपकर रहता है। इसका आकार बड़े नेवले से लगभग आधा होता है। इसकी शिकार आदि की आदतें बड़े नेवले जैसी ही हैं और चूहों, सांपों आदि को नष्ट करने में उतना ही उपयोगी है। इसे भी पाला जाता है। भारत से इसे जैमेका में वृक्षारोपण स्थलों से चूहे व सर्प को नष्ट करने के लिए ले जाया गया था, जहाँ यह काफी उपयोगी सिद्ध हुआ है।

**स्याहखोश**— यह लगभग जंगली बिल्ली के बराबर ही होता है। इसके पांव छोटे-छोटे होते हैं और पिछले पांव अगले पांवों से बड़े होते हैं इसका कत्थई भूरा रंग सुहावना लगता है। नीचे पेट की ओर बिल्कुल हल्का रंग या लगभग सफेद होता है। बहुत हल्के धब्बे भी दिखाई देते हैं। यह खुले में छोटी-छोटी झाड़ियों के जंगल में पाया गया है। यह अत्यन्त स्फूर्तिवान होता है और हिरण, चिड़ियों, कबूतर, चूहों, सांप और खरगोश आदि की शिकार करता है। कभी-कभी यह मनुष्य पर भी हमला कर देता है।

प्राचीन काल में इसे शिकारी चीते की भांति पालतू बनाकर शिकार के लिए प्रयुक्त किया जाता था। अब यह लुप्त प्राय: हो गया है और साधारणतया दिखाई नहीं देता।

**सिवेट**— अपने छोटे पांवों, लम्बे शरीर तथा लम्बे नुकीले मुँह से यह आसानी से पहिचाना जा सकता है। ये मांसाहारी एवं शाकाहारी दोनों ही हैं। अधिकतर यह रात्रि को ही शिकार करते हैं। यह हानिकारक चूहों, गिलहरियों आदि को मारकर मनुष्य की बड़ी सेवा करते हैं। इनके शरीर के अन्दर से एक सुगन्धित पदार्थ निकलता है, जिसकी व्यापारिक (औषधियाँ तथा सुगन्धित पदार्थ, सेण्ट आदि के लिए) उपयोगिता है। राजस्थान में इस प्रजाति में केवल बिज्जू (लकटी) पाया जाता है।

**बिज्जू (लकटी)**— राजस्थान में जहाँ कहीं अच्छे घने जंगल जैसे सरिस्का, धौलपुर, उदयपुर, सवाई माधोपुर आदि है वहाँ कहीं-कहीं बिज्जू पाया जाता है। इसका रंग गहरा भूरा लगभग काला होता है। इसके शरीर की लम्बाई लगभग 60 सेन्टीमीटर होती है और इतनी ही लम्बी इसकी पूंछ होती है। इसका वजन 3-4 किलोग्राम होता है। इसे इसके मोटे लम्बे बालों

से तथा आँखों के नीचे व ऊपर सफदे धब्बों से आसानी से पहिचाना जा सकता है। यह मुख्यतया छोटी चिड़ियों, चूहों आदि का शिकार करने में अत्यन्त लाभकारी है। यह फलों को भी खाता है। दिन में यह पेड़ों के नीचे या खोखले तनों में छिपा रहता है। कई स्थानों पर बस्तियों के काफी समीप भी रहने लगता है और मुर्गे-मुर्गियों तथा उद्यानों में फलों को हानि पहुँचाता है। इसके हर मौसम में बच्चे होते हैं तथा एक साथ 3-4 बच्चे तक होते हैं।

**जरख**— जरख को लकड़बग्घा भी कहते हैं। यह राजस्थान के सभी भागों में पाया जाता है। इसे खुला जंगल, झाड़ियाँ, घास के मैदान ज्यादा पसन्द हैं, किन्तु बहुत घने जंगल में कम रहता है। यह बस्तियों के काफी समीप आ जाता है। मुख्यतया शेर, भगेरा आदि हिंसक पशुओं द्वारा छोड़ी हुई शिकार को खाता है। इसके जबड़ों में हड्डियाँ तोड़ने की अद्भुत शक्ति है। इसके दांतों की विशिष्ट बनावट के कारण यह हड्डियों को आसानी से चबा सकता है। साधारणतया यह रात में निकलता है और दिन में गुफाओं आदि में रहता है। कभी-कभी छोटे पालतू जानवरों जैसे-भेड़, बकरी व कुत्तों को भी मार देता है। वैसे तो मनुष्य से यह डरता है, किन्तु इसके द्वारा बच्चों को उठा ले जाना तथा अकेली औरतों पर आक्रमण करने की घटनाएँ दिल्ली व लखनऊ में घटी है।

इसके अगले पाँव मजबूत तथा लम्बे होते हैं। इसको लड़ाई पसन्द नहीं है, किन्तु विवश-मुठभेड़ में भगेरे जैसे खूंखार पशु को भी परास्त कर देता है।

**भालू (रीछ)**— भालू भारी भीमकाय शरीर का बड़े-बड़े बालों वाला विचित्र जीव है। भालू का मानसिक विकास निम्न स्तर का होता है और इसकी गतिविधियों से यह जान लेना बड़ा कठिन है कि यह कब क्या करेगा? यह कभी भी तनिक संदेह में आक्रमण कर सकता है। इसके सूंघने की शक्ति तीव्र होती है और देखने व सुनने की शक्ति बहुत कम। यह मुख्यतया शाकाहारी है, किन्तु अवसर मिलने पर मांस भक्षण भी करता है। राजस्थान में काले बालों वाला केवल ''स्लोथ बियर'' ही पाया जाता है। इससे बड़ा काला भालू (हिमालयन ब्लेक बियर) हिमालय में होता है जो केवल कश्मीर, आसाम व हिमालय पर्वत के क्षेत्र में पाया जाता है। भूरे रंग का ''बर्फ का भालू'' (ब्राउन बियर) बर्फीले क्षेत्र में पाया जाता है। भालू मदारियों के पास तथा सर्कस में खेल करते देखा जाता सकता है। इसका मानसिक विकास निम्न स्तर का होने पर भी यह सिखाने से कई प्रकार की बातें व खेलकूद करना सीख जाता है। यह राजस्थान शाहबाद, छबड़ा, जलवाड़ा, उदयपुर, सवाई माधोपुर, धौलपुर और आबू के घने वनों में विशेष रूप से पाया जाता है। इसकी ऊँचाई 60-70 से.मी. तथा लम्बाई 100-120 से.मी. होती है तथा वजन लगभग 100-150 किलोग्राम होता है। इसके बाल काफी लम्बे, घने व बिखरे हुए रहते हैं। यह बेर, बड़, पीपल, गूलर, जामुन, आम, महुआ, बहेड़ा आदि जंगल के सभी प्रकार के फल खाता है तथा मिट्टी खोदकर जड़ें व कन्द खाता है। पेड़ पर चढ़ने तथा जमीन खोदने के उपयुक्त इसके पांवों की बनावट विशेष प्रकार की है। यह मधुमक्खी के छत्तों को तोड़कर बड़े चाव से शहद पीता है। दीमक के टीले को तोड़कर यह सांस के बल कीड़ियों को खींच लेता है। यह अन्य छोटे कीड़े-मकोड़े भी खाता है। इस प्रकार यह कृषि का रक्षक भी है, किन्तु कभी-कभी गन्ने तथा मक्का के खेतों में नुकसान भी करता है। साधारणतया यह मनुष्य से डरता है, किन्तु अचानक सामना होने पर या बच्चों वाली मादा अपनी रक्षा में हमला कर देती है और कई बार तो बहुत खतरनाक भी बन जाती है। इसका प्रसवकाल शरद ऋतु है। इसके बच्चे 2-3 साल पश्चात् मां से अलग हो जाते हैं। रीछ की औसत आयु लगभग 35-40 साल की मानी जाती है।

**ऊदबिलाव**— यह एक छोटा काले भूरे बाल वाला सुन्दर वन्य पशु है। साधारणतया इसकी लम्बाई 100-120 सेन्टीमीटर होती है जिसमें 30-40 सेन्टीमीटर लम्बी पूंछ होती है। इसका वजन 8-10 किलोग्राम होता है। यह जंगल में नदी व तालाब आदि पानी के स्थलों के किनारे रहता है। यह फैले हुए छोटे पंजों से पानी में तैरता हुआ बड़ा सुन्दर लगता है। यह

साथ अनेक ऊदबिलाव मिलकर अर्द्धवृत्ताकार पंक्ति में पानी में तैरते हुए मछली का शिकार करते हैं। मछलियों के अभाव में यह छोटे जानवरों व चिड़ियाओं आदि का शिकार भी करता है। इसका प्रजननकाल शरद ऋतु है।

इसकी सुन्दर खाल के लिये इसका शिकार अधिकांश में कर लिया गया है। अत्यधिक शिकार के कारण यह अब बहुत कम संख्या में कहीं-कहीं और कभी-कभी देखा जाता है।

भरतपुर के घना पक्षी विहार संरक्षण स्थल में यह देखा जा सकता है।

**बेजू**— बेजू छोटे रीछ के समान लगता है, किन्तु शारीरिक बनावट में यह ऊदबिलाव से अधिक मिलता है। यह निर्भीक, साहसी और मांसाहारी है। अपनी आत्म-रक्षा के लिए यह अपने से अधिक शक्तिशाली पशुओं से भी बड़ी निर्भयता से लड़ सकता है और मनुष्य पर भी आक्रमण कर सकता है।

यह एक साधारण छोटा पशु है और इसकी शरीर की लम्बाई लगभग 60-70 सेन्टीमीटर तथा पूंछ छोटी व 10-15 सेन्टीमीटर लम्बी होती है। इसका वजन 8 से 10 किलोग्राम होता है। इसके शरीर का ऊपरी लगभग आधा भाग हल्का भूरा, सफेद तथा पेट व नीचे का हिस्सा और पांव आदि काले होते हैं। यह छोटे पशु, कीड़े, सांप, चूहे और चिड़िया आदि का शिकार करता हैं। इसके पंजे जमीन को खोदने के काम के लिए बहुत उपयुक्त होते हैं और कब्र को खोद कर तथा अन्य मृत शरीर को भी खाता है और इस प्रकार यह सफाई सेवक का कार्य करता है। यह बस्तियों के समीप आकर कुक्कुट शालाओं में हानि पहुँचाता है। इसके तेज पंजे, मोटी खाल व बाल इसके मुख्य बचाव के साधन है। राजस्थान में यह अब बहुत कम और कहीं-कहीं पाया जाता है। अनेक लोग इसे सजावट के लिए मार कर और पूरा भर कर भी रखते हैं।

**छुछुन्दर**— छुछुन्दर दूर से चूहा जैसा लगता है, किन्तु यह अपने लम्बे नुकीले मुंह और दबे हुए कान से सरलता से पहिचाना जा सकता है। इसके शरीर की लम्बाई लगभग 20-30 सेन्टीमीटर होती है जिसमें लगभग 8-10 से.मी. लम्बी पूंछ होती है।

यह सर्वत्र पाया जाता है और सन्ध्या समय घरों में आ जाता है। इसकी चूं-चूं करती हुई तीखी आवाज से सब परिचित हैं। इसमें कस्तूरी जैसी गंध के कारण इसे कस्तूरी-चूहा भी कहते हैं। यह हानिकारक कनखजूरा, झींगर आदि कीड़े-मकोड़ों को खा जाताहै और चूहों को भी नष्ट करता है। प्लेग कमीशन ने भी इसके पक्ष में मत व्यक्त किया है। इससे कोई हानि नहीं होती। यह पदार्थों को भी खराब नहीं करता। इसका प्रजनन भी चूहे जितना बहुतायत से नहीं होता। इसके एक साथ केवल 2-3 बच्चे होते हैं। इसको शुभ समझा जाता है तथा इसे मारते नहीं है। इसका संरक्षण करना चाहिए, क्योंकि यह हानिकारक कीड़े-मकोड़े व क्रोंच आदि को नष्ट करता है।

**झाऊ चूहा**— झाऊ चूहा का शरीर मोटा एवं पाँव एवं पूंछ बहुत छोटे होते हैं। इसकी लम्बाई 15-16 से.मी. होती है। इसके शरीर का सम्पूर्ण ऊपरी भाग छोटे भूरे रंग के कांटों से ढ़का रहता है। खतरे के समय वह अपने में सिमट जाता है और कांटों की गोल गेंद बन जाता है जिसे खोलना सरल नहीं होता। यह रेगिस्तानी भाग में बिलों में रहता है और रात्रि में ही निकलता है। इसका मुख्य भोजन छोटे-छोटे कीड़े, चूहे, छिपकलियां, चिड़ियों के अण्डे, फल व जड़ें आदि हैं। हानिकारक चूहों आदि को नष्ट करने के कारण यह उपयोगी भी है।

**चमगादड़**— चिमगादड़ एक ऐसा स्तनीय जीव (मैमल) है जो पक्षियों के समान उड़ता है। चमगादड़ कई प्रकार के होते हैं। इनमें कुछ फलाहारी तथा कई उड़ते हुए कीड़े-मकोड़े खाने वाले होते हैं। यह वृक्षों पर, गुफाओं, पुराने मकानों और किलों आदि में रहते हैं। राजस्थान में बड़े फलाहारी चमगादड़ व छोटे चमगादड़ ही पाए जाते हैं। चमगादड़ की यह विशेषता है कि यह अन्धेरे में अच्छी तरह उड़ता है। इस पर अनेक प्रयोग भी किए गए हैं। चमगादड़ आंखें बन्द कर पास-पास बांधे हुए धागों के बीच बड़ी सफलता से बिना टकराए उड़ सकता है। यह एक प्रकार की ध्वनि करता है जो आसपास की चीजों से टकराकर

प्रतिध्वनित होती है। इस ध्वनि को वापस ग्रहण करने की इसमें विशेष प्रकार की रेडार क्षमता होती है। कीटाहारी चमगादड़ हानिकारक कीड़ों को नष्ट करते हैं तथा यह फलाहारी बीज बिखेर कर पेड़ों की उपज के विस्तार में भी सहायक होते हैं।

**जंगली सूअर**— जंगली सूअर मध्यम आकार का बड़ा साहसी एवं निडर वन्य पशु है। यह क्रुद्ध होने पर शेर तथा चीते आदि से भी लड़ने को उद्यत हो जाता है और अपने बाहर निकले मजबूत पैने दांतों से उसे परास्त कर देता है। प्राचीन काल में राजाओं का यह मुख्य आखेट बिन्दु रहा है। उस समय वनों में मैदानों में इसे दौड़ा कर घोड़े पर बैठ कर भालों व बल्लमों से इसका शिकार किया जाता था। अत्यधिक शिकार के कारण जंगलों में इनकी संख्या अब बहुत कम रह गई है।

इसका आकार मध्यम, कन्धों तक ऊँचाई लगभग 80-100 सेन्टीमीटर तथा वजन 200-250 किलोग्राम होता है। इसका मुँह लम्बा तथा पांव छोटे व पतले होते हैं। इसके शरीर का रंग गहरा भूरा होता है जिस पर काले, सफेद व भूरे बाल होते हैं। बाहर निकले हुए दांतों की लम्बाई 20-25 सेन्टीमीटर तक नापी गई है। यह मुख्यतया शाकाहारी है तथा फल, जड़ें, कन्द, अनाज आदि खाता है, किन्तु कीड़े व सांप आदि भी खाता है।

इसका प्रजननकाल वर्ष में दो बार वर्षा से पूर्व तथा बाद में हैं। इस के एक समय में 4-6 बच्चे होते हैं।

**सीलू**— सीलू एक विचित्र जानवर है जिसका सारा शरीर परतों से ढ़का होता है। इसकी लम्बाई लगभग 75 सेन्टीमीटर होती है जिसमें लगभग 40 सेन्टीमीटर लम्बी पूंछ होती है। यह राजस्थान के अच्छे जंगलों में जैसे-अलवर, सवाई माधोपुर, धौलपुर, उदयपुर आदि में पाया जाता है। इसके शरीर की परतें इसके बचाव की मुख्य साधन हैं। यह गोल गेंद की शक्ल में हो जाता है, जिसे आसानी से खोला नहीं जा सकता। यह मुख्यतया जमीन के अन्दर 1-1.5 मीटर गहरे बिलों में रहता है। इसके दाँत नहीं होते। इसका भोजन चींटियाँ तथा दीमक हैं। दीमक को खोद कर यह अपनी लम्बी लसदार चिकनी जीभ से शीघ्रता से खाता है। जमीन खोदने के लिए इसके पाँव व पंजे उपयुक्त है। यह कीड़ियों के लोभ में पेड़ पर भी चढ़ जाता है और इसकी पकड़ बहुत मजबूत है। यह अधिकांशत रात्रि में निकलता है, इसलिए कम देखा जाता है। दीमक तथा हानिकारक कीड़ियों को नष्ट करने के कारण यह एक उपयोगी जानवर है।

**लंगूर (कालो मुँडारो बांदरों)**— यह कुछ नगरों विशेषकर पहाड़ी क्षेत्र व तीर्थ स्थलों पर मिलता है धार्मिक द्वारा संरक्षण भोजन देने के कारण। रामायण में बंदरों द्वारा भगवान रामचन्द्रजी को लंका विजय सहायता वर्णन के कारण भारतीय लोग बंदरों को हनुमानजी का प्रतीक मान कर संरक्षण देते हैं। इस लंगूर को हनुमान लंगूर भी कहते हैं पर यह नगरों में हनुमानजी की प्रकार उत्पात मचा हानि ही पहुँचाता है। उर्दू में एक मजेदार कहावत है "लंगूर के हाथ में अंगूर खुदा की कुदरत" अर्थात् योग्य को भाग्य का ईश्वर कृपा से बहुमूल्य वस्तु हाथ आ जाना।

**चन्दन गोह (चन्दन गोयड़ी)**— इसका रंग हल्का पीला होने से ऐसा नाम पड़ा। लोगों की मिथ्या धारणा है कि इसकी फुँकार विषैली होती है, पर यह विषैला नहीं है। यह भी मिथ्या धारणा लोकप्रिय है कि इस पर बिजली जल्दी गिरती है। बिजली ऊँचे पेड़ पर जल्दी गिरती है, यह पुराने पेड़ की खोखलों में यह रहता है, लोगों ने ऐसे पेड़ों पर बिजली गिरती देख यह बात फैला दी कि चन्दन गोह पर बिजली जल्दी गिरती है।

**नाग (गोगाजी)**— नाग जी को राजस्थान ही नहीं अधिकांश भारत में ग्रामीण देवता के रूप में मानते हैं सम्भवत: क्योंकि इसके काट खाने से तुरन्त मृत्यु का भय हो जाता है। यह शीघ्र काट उत्तेजित होने वाला खतरनाक सर्प है। नाग के कोई मणि नहीं है जैसी कई कहानियाँ सुनने को मिलती है। सांप सांपनी द्वारा मारने वाले के विरूद्ध बदला की बात भी अतिशयोक्ति पूर्ण है, ये जोड़े नहीं रहते हैं। कंजूस मरकर सर्प बन अपने धन की रक्षा करता है यह भी गप्पोड़ा है। सर्पदंश पर भोपा द्वारा विष खींचना प्राथमिक उपचार के रूप में

ठीक है पर चिकित्सालय में सर्पविष प्रतिरोधी इंजेक्शन लगाना आवश्यक है मरने से बचने के लिए।

**पीणियों सर्प**— इस सर्प के बारे में जैसलमेर आदि क्षेत्रों में अधिक चर्चा रहती है सर्प विशेषज्ञों के अनुसार यह कैरत प्रजाति का सर्प है जो इस क्षेत्र में काफी होता है और नाग से भी अधिक विषैला होता है। लोगों में धारणा है कि यह सर्प सोए हुए मनुष्य के नाक व मुंह की हवा ले उसमें विष वमन कर भाग जाता है, बाद में उस व्यक्ति की मृत्यु हो जाती है वस्तुत: सोए मनुष्य के उसके हिलने पर इसके द्वारा काट खाने पर काटे स्थान पर जलन व सून नहीं के बराबर होती है और शीघ्र ही बाद में नाक व मुंह से झाग आने से (यह विष का प्रभाव है) लोगों ने कल्पना कर ली कि यह सर्प नाक या मुंह से विष वमन कर भाग जाता है।

**सांडा (सांडों)**— यह एक छिपकली है जो शाकाहारी है अन्यथा छिपकलियाँ मांसाहारी होती है। इसकी वसा (तेल) को नीम हकीम पुरुषत्व वर्द्धक औषधि बताकर सड़कों पर कामशक्ति वर्द्धक औषधि के रूप में बेच कर लोगों को ठगते हैं। इसकी कामशक्ति वर्द्धक के कोई वैज्ञानिक प्रमाण नहीं मिले हैं, मनोवैज्ञानिक कारणों और वसा ऊर्जा के कारण से सेवन कर्त्ता को भले ही ऐसा मिथ्या भान हो सकता है।

## वन्य-प्राणी संरक्षणस्थल

राजस्थान में वन्य प्राणियों के संरक्षण के लिए राज्य वन्य जीव मंडल के सुझावों के अनुरूप राज्य में आठ विशेष वन्य-प्राणी संरक्षण-स्थल बनाए जा चुके हैं। अन्य दो संरक्षण-स्थल और बनाने पर विचार किया जा रहा है। निर्मित संरक्षण स्थलों को राष्ट्रय वन्य-उद्यान में परिवर्तन करने की योजना भी विचाराधीन है। दस वर्ष की अल्प-अवधि में ही इन संरक्षण-स्थलों में अनेक प्रकार के वन्य-पशु-पक्षियों की संख्या में काफी वृद्धि हुई है। यह संरक्षण-स्थल देश और विदेश के पर्यटकों के लिए महत्त्वपूर्ण आकर्षण केन्द्र बन गए हैं। वन्य-जीव- संरक्षण-स्थलों में आखेट सर्वथा वर्जित है। यहाँ पर्यटकों के लिए प्रकृति के स्वच्छन्द आँगन में विचरते, खेलते-कूदते पशुओं तथा चहकते-गाते पक्षियों को देखने की पूरी सुविधाएँ है। राज्य के बारह संरक्षण-स्थलों का संक्षिप्त विवरण आगे की पंक्तियों में दिया गया है :—

1. **सरिस्का**—यह अभयारण्य अलवर जिले में नगर से लगभग 38 किलोमीटर दूर अरावली की विशाल पहाड़ियों के मध्य स्थित है। इस अभयारण्य का 800 वर्ग किलोमीटर का विस्तृत क्षेत्र सघन वन तथा बीहड़ता के कारण वन्य जीवों के मुक्त स्वच्छन्द एवं स्वाभाविक विचरण के लिए आदर्श दशाएँ प्रस्तुत करता है। सरिस्का अभयारण्य अपने अनोखे एवं असाधारण प्राकृतिक सौंदर्य के कारण राष्ट्रीय एवं अन्तर्राष्ट्रीय ख्याति का स्थान बन गया है। यहाँ दूर-दूर से पर्यटक वन्य जीवों मुख्यत: बाघ के स्वच्छेद विचरण को देखने के लिए आते हैं। वर्ष इस अभयारण्य में साँभर, चीतल, नीलगाय, चौसिंगा, चीता, तेंदुए, बाघ, जंगली सुअर तथा बड़ी संख्या में हरिण से ही खरगोश आदि पशु थे। सन् 1978 में प्रारम्भ की गई बाघ परियोजना के अन्तर्गत इस अभयारण्य में विभिन्न विकास कार्यों पर लगभग साढे सत्तर लाख रुपए के व्यय का प्रावधान है। बाघ परियोजना का मुख्य ध्येय बाघों की रक्षा करने के साथ-साथ वन्य जीवों पर वातावरण के प्रभाव का अध्ययन करना भी है।

2. **घना केवलादेव**—यह अभयारण्य भरतपुर से केवल 5 किलोमीटर पूर्व में स्थित है। यह लगभग 29 वर्ग किलोमीटर क्षेत्र में विस्तृत एक दलदली प्रदेश है। यहाँ विभिन्न प्रकार के पक्षी अपने प्राकृतिक वातावरण में विचरण करते हैं। ये पक्षी शीतकाल में यहाँ दूर-दूर से प्रवास को आते हैं, जैसे तिब्बत, चीन, अफगानिस्तान तथा मध्य एशिया से। यहाँ सैकड़ों प्रकार के पक्षी देखे जाते हैं जिनमें बगुले, बत्तखें, जल कौए, लगलग तथा जलमुर्गियाँ प्रमुख है। बुलबुलें और तोते भी असंख्य हैं। पक्षियों के अतिरिक्त इस अभ्यारण्य में चीतल, काला हरिण, बारहसिंगा, जंगली सुअर और नीलगाय भी पाई जाती हैं। यहाँ चीतल, काले हरिण, नीलगाय तथा जंगल सुअर थे।

3. **ताल छापर**—यह चुरू जिले में 8 वर्ग किलोमीटर क्षेत्र में विस्तृत एक छोटा-सा अभयारण्य है। यहाँ मुख्यत: काला हरिण ही पाया जाता है।

4. **दर्रा**—यह अभयारण्य कोटा से 48 किलोमीटर दूर लगभग 380 वर्ग किलोमीटर क्षेत्र में विस्तृत है। उस वनाच्छादित मनोरम घाटी में बाघ, हरिण, जंगली सुअर, चीतल, सांभर, नीलगाय, भालू आदि पशु तथा अनेक प्रकार के पक्षी पाए जाते हैं जो सभी संरक्षित हैं। यहाँ विभिन्न वन्य जीवों में बाघ, चीता, चीतल, नीलगाय, जंगली सुअर तथा भालू थे।

5. **रणथम्भौर**—यह अभयारण्य सवाई माधोपुर से 11 किलोमीटर दूर लगभग 392 वर्ग किलोमीटर सघन वन क्षेत्र में विस्तृत है। इस अभयारण्य की गणना देश के चुने हुए अभयारण्यों में की जाती है। देश में लुप्त होती हुई बाघों की नस्ल को बचाने के लिए केन्द्र सरकार तथा विश्व वन्य जीव कोष के सहयोग से इसकी स्थापना की गई थी। यहाँ वन्य जीवों बाघ, चीता, चीतल, नीलगाय, जंगली सुअर तथा भालू थे।

6. **जयसमन्द**—यह अभयारण्य उदयपुर से 50 किलोमीटर दूर लगभग 59 वर्ग किलोमीटर के क्षेत्र में वनाच्छादित पहाड़ियों एवं घाटियों के बीच विस्तृत हैं। इस अभयारण्य में अनेक वन्य पशु एवं प्रवासी पक्षी पाए जाते हैं। वन्य पशुओं में सांभर, चीतल, चिंकारा, नीलगाय, हरिण, चौसिंगा, जंगली सुअर तथा चीता प्रमुख हैं।

7. **माउण्ट आबू**—सिरोही जिले में आबू पर्वत के ढालों पर यह अभयारण्य लगभग 113 वर्ग किलोमीटर क्षेत्र में विस्तृत है। यहां अनेक प्रकार के पेड़-पौधों एवं पशु-पक्षी पाए जाते हैं। हरिन पंडुक, मोर, तीतर, जंगली मुर्गी, मक्षिकाभक्षी पक्षी, बुलबुलें, हरिण, चिंकारा, चीता, नीलगाय, जंगली सुअर तथा भालू यहाँ पाए जाने वाले प्रमुख वन्य-जीव हैं।

8. **कुम्भलगढ़**—यह अभयारण्य उदयपुर से 100 किलोमीटर उत्तर-पश्चिम में लगभग 500 वर्ग किलोमीटर क्षेत्र में विस्तृत है।

9. **गजनेर**—यह अभ्यारण्य बीकानेर से 31 किलोमीटर दक्षिण-पश्चिम में गजनेर के महल के चारों ओर विस्तृत है। वास्तव में यह क्षेत्र एक झीलें के चारों ओर हरा-भरा चट्टानी भूप्रदेश है। इस वन प्रदेश में अनेक पक्षी तथा वन्य पशु पाए जाते हैं जिनमें चिंकारा, बारहसिंगा, जंगली सुअर, मोर, कबूतर, नीला फीरोजा, मक्षिकाभक्षी पक्षी, तोता आदि मुख्य है। शीतकाल में यहाँ साइबेरियाई सारस तथा अन्य भागों से प्रवासित पक्षी भी आते हैं।

10. **धौलपुर वन विहार**—धौलपुर से 20 किलोमीटर दूर एक सुन्दर झील के किनारे स्थित है। यहां सांभर, चीतल, नीलगाय, हिरण आदि है शेर भी दिखाई देता है।

11. **माचिया डेजर्ट सफारी पार्क**—जोधपुर व जोधपुर ग्रामीण से 5 किलोमीटर दूर कायलाना झील के पास माचिया किला पर्वतीय क्षेत्र में डेजर्ट सफारी पार्क की एक महत्त्वपूर्ण योजना निर्माणाधीन है। इस उद्यान की पहाड़ी आँचल में फैली हुई लगभग 11 हजार मीटर दीवार बन चुकी है। इस योजना पर अब तक 30 लाख रुपये खर्च हो चुके हैं। इसमें मरुस्थल के वन्य जीव चिंकारा, काला हिरण, नीलगाय, जंगली सुअर आदि खुले छोड़े जाएंगे। माचिया सफारी पार्क को हैदराबाद के सफारी पार्क के समकक्ष बनाए जाने की योजना है। इस डेजर्ट सफारी पार्क के जलकुंडों व जलाशय तटों पर भेड़िया, तीतर, सियार, खरगोश व अन्य वन्य जीव पर्यटकों को स्वतंत्र विहार करते हुए दिखलाई देंगे।

12. **राष्ट्रीय मरु उद्यान**— मरुस्थल विकास कार्यक्रम के अन्तर्गत जैसलमेर, बाड़मेर तथा बालोतरा जिलों में राष्ट्रीय मरु उद्यान की स्थापना का कार्य किया जा रहा हैं। इस योजना के तहत मरुस्थलीय क्षेत्रों की वनस्पति तथा जीव-जन्तुओं को सुरक्षित व विकसित किए जाने का कार्यक्रम है। पिछले कुछ वर्षों में इस क्षेत्र में पाए जाने वाले जीव-जन्तुओं का ह्रास हुआ है। विशेषत: सुन्दर पक्षी गोडावण की जाति लुप्त हो रही है। चिंकारा, काले हिरण, भेड़िये आदि भी वनस्पति के अभाव व निरन्तर अकाल के कारण प्राय: समाप्त हो रहे हैं। इनकी सुरक्षा व विकास के लिए भारत सरकार द्वारा राष्ट्रीय मरु उद्यान के लिए कुल 247 लाख रुपये की राशि 1980-81 में स्वीकृत की गई।

राजस्थान राज्य में वर्तमान में दो बाघ आरक्षण क्षेत्रों की बाघ परियोजना के अन्तर्गत संचालन

व्यवस्था है। प्रथम सवाई माधोपुर रणथम्भौर बाघ आरक्षण क्षेत्र हैं। जो कि योजना के प्रथम चरण में सन् 1973 में सम्मिलित किया गया था। जबकि सरिस्का बाघ आरक्षण क्षेत्र वर्ष 1978-79 में बाघ परियोजना को द्वितीय चरण में शामिल किया गया।

विगत चार दशकों की अवधि में भारत में अनेक अभयारण्य तथा राष्ट्रीय उद्यान, प्राकृतिक आवास और वन्य जीवों की तीव्र क्षति पर नियन्त्रण के एक सफल प्रयास के अन्तर्गत स्थापित किए गए हैं। इनमें से कई आरक्षण उष्ण कटिबंधीय नमी/शुष्क पर्णपाती वनों से आवास संयुक्त हैं, जो दीर्घायु मांसभक्षी जैसे कि बाघ। पेन्थरा टाइग्रिस तेन्दुआ (पेन्थेरा पाइँस) और हर्बीवोरस के एक प्रभावशाली प्रदर्शन के नानाविध जमाव को सहायता देता है। तथापि इन आरक्षणों में से अधिकांश छोटे तथा संकीर्ण होते हुए इन मानव द्वारा भांति-भांति रूप में भूमि प्रयोग के प्रतिमानों से घिरे हुए हैं।

पर्यावरण का अर्थ बड़ा व्यापक है। जल, वायु, भूमि, पेड़, पौधे, वनस्पति, जीव जन्तु सभी पर्यावरण के अभिन्न और महत्त्वपूर्ण घटक हैं। पर्यावरण के सन्तुलन में उक्त सभी घटकों का समुचित समन्वय आवश्यक है। यदि इन घटकों में से किसी भी घटक का सन्तुलन बिगड़ता है तो पर्यावरण का सन्तुलन भी स्वत: ही बिगड़ता चला जाता है और जब पर्यावरण का सन्तुलन बिगड़ जाता है तो प्राणी मात्र का जीवन भी खतरे में पड़ जाता है यही कारण है कि जब जब भी पर्यावरण को दूषित होने अथवा इसके सन्तुलन के बिगड़ने की आशंका उत्पन्न होती है तो विश्व भर में इसकी चिन्ता की जाती है और पर्यावरण संतुलन को बनाए रखने के प्रयास किए जाते हैं।

अब हम थोड़ी सी इस बात की भी चर्चा कर लें कि राजस्थान के पर्यावरण संतुलन को बनाए रखने में सरिस्का व रणथम्भौर बाघ परियोजनाओं का क्या योगदान है। सबसे पहले हम पर्यावरण के जल घटक को ही लें। सच पूछा जाए तो जल ही जीवन का आधारभूत तत्त्व है। पृथ्वी की उत्पत्ति और मानव सभ्यता के विकास की कहानी में जल की अहम भूमिका रही है। पर्यावरण के इस महत्त्वपूर्ण घटक को आकर्षित करने में सरिस्का तथा रणथम्भौर के जंगलों का बड़ा योगदान है।

**वन्य जीव संरक्षण**—पर्यावरण संतुलन राज्य के वन्य जीवों के संरक्षण प्रदान की दृष्टि से राज्य में 3 राष्ट्रीय उद्यान, 26 अभयारण्य, 19 कन्जर्वेशन रिजर्व चिड़ियाघर एवं 33 सीमाबद्ध क्षेत्र घोषित हैं। (मानचित्र 36 और 37) वन्य जीवों के संरक्षण में स्थानीय स्टॉफ की मदद के लिए राज्य में 5 वन्यजीव गश्ती दल भी कार्यरत है। वन्य जीवों को प्रभावी सुरक्षा के लिए भारत सरकार की निम्नलिखित केन्द्र प्रवर्तित योजनाएं क्रियान्वित की जा रही है:—

(1) बाघ परियोजना, रणथम्भौर
(2) बाघ परियोजना, सरिस्का
(3) केवलादेव राष्ट्रीय उद्यान का विकास
(4) चिड़ियाघरों का विकास
(5) राष्ट्रीय मरु उद्यान का विकास
(6) अभयारण्यों का विकास (10 अभयारण्य)

ऊपर वर्णित योजनाओं में से चिड़ियाघरों की विकास योजना-50:50 व्यय आधारित है। रणथम्भौर एवं सरिस्का की योजनाओं के आवर्तक व्यय में राज्य सरकार व केन्द्र सरकार के मध्य 50:50 की हिस्सेदारी होती है जबकि अनावर्तक व्यय का 100% व्यय भारत सरकार द्वारा व किया जाता है। शेष सभी योजनाओं में भी भारत सरकार 100% अनावर्तक व्यय उपलब्ध कराती है। इन योजनाओं के तहत मुख्य रूप से राष्ट्रीय उद्यानों और अभयारण्यों में नीचे लिखे कार्य कराए जाते हैं:-

(1) जल स्त्रोतों का विकास,
(2) हैबीटॉट सुधार कार्य,
(3) इन्टरप्रिटेशन सर्विस,
(4) सुरक्षा चौकियों का निर्माण,
(5) सड़कों का निर्माण,
(6) राष्ट्रीय उद्यानों से ग्रामों को हटाने के लिए एवजाना राशि प्रदान करना,
(7) चिड़ियाघरों में पिंजरों का निर्माण और विकास कार्य करवाना।

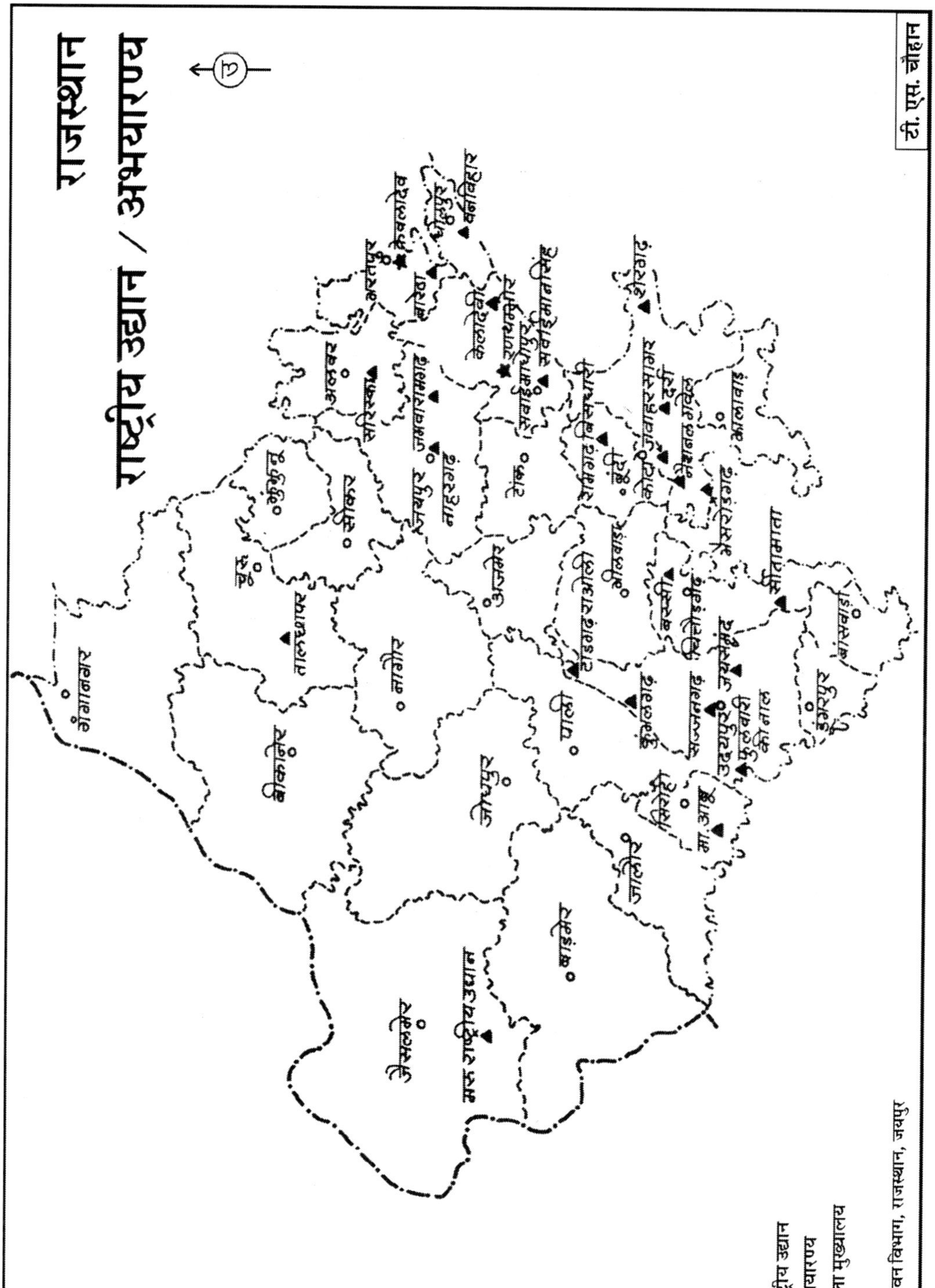

राजस्थान
राष्ट्रीय उद्यान / अभयारण्य
टी. एस. चौहान
★ राष्ट्रीय उद्यान
▲ अभयारण्य
○ जिला मुख्यालय
स्रोत :- वन विभाग, राजस्थान, जयपुर
गंगानगर
बीकानेर
चूरू
झुंझुनू
सीकर
अलवर
भरतपुर
केवलादेव
धौलपुर
वनविहार
जयपुर
टोंक
अजमेर
नागौर
जोधपुर
जैसलमेर
मरू राष्ट्रीय उद्यान
बाड़मेर
जालोर
सिरोही
पाली
उदयपुर
डूंगरपुर
बांसवाड़ा
भीलवाड़ा
बूंदी
कोटा
झालावाड़
सवाई माधोपुर
रणथम्भौर
सरिस्का
तालछापर
सीतामाता
कुंभलगढ़
फुलवारी की नाल
जयसमंद
बस्सी
दर्रा
शेरगढ़
केलादेवी
नाहरगढ़
जमवारामगढ़
टाडगढ़ रावली
सज्जनगढ़
मा. आबू
भैंसरोड़गढ़


मानचित्र 36

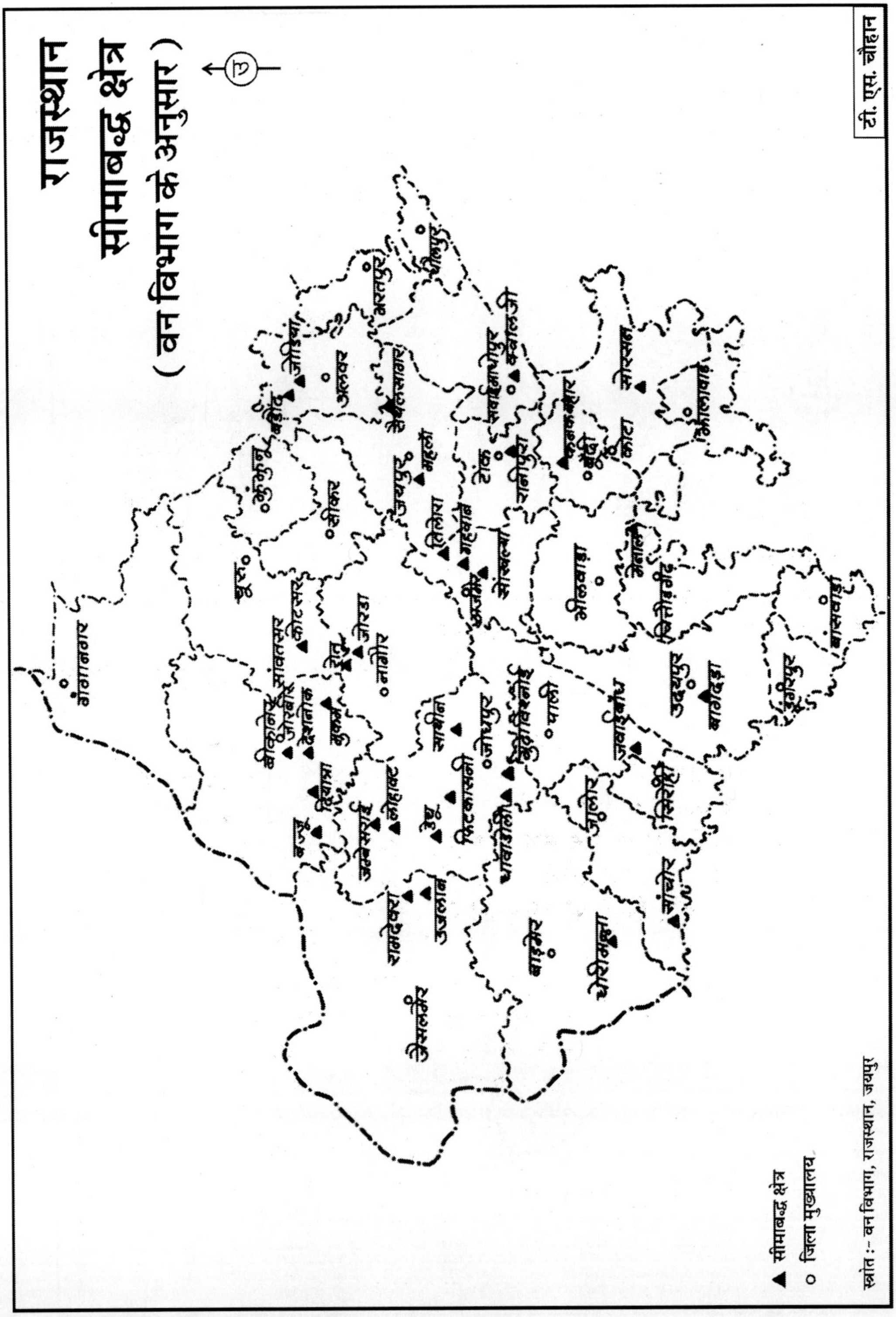
राजस्थान
सीमाबद्ध क्षेत्र
( वन विभाग के अनुसार )
उ
टी. एस. चौहान
▲ सीमाबद्ध क्षेत्र
○ जिला मुख्यालय
स्रोत :– वन विभाग, राजस्थान, जयपुर
गंगानगर
बीकानेर
चूरू
झुंझुनू
सीकर
अलवर
भरतपुर
धौलपुर
जयपुर
टोंक
सवाईमाधोपुर
अजमेर
नागौर
जोधपुर
पाली
जैसलमेर
बाड़मेर
जालोर
सिरोही
उदयपुर
डूंगरपुर
बांसवाड़ा
चित्तौड़गढ़
भीलवाड़ा
बूंदी
कोटा
झालावाड़
रणथम्भौर
केवलादेव
सरिस्का
कुम्भलगढ़
माउंट आबू
जवाई बांध
डेजर्ट नेशनल पार्क
ताल छापर


मानचित्र 37

वित्तीय वर्ष (2022-23) में वन्य जीव संरक्षण हेतु राज्य योजना में विभिन्न कार्यों पर रुपये 842.42 करोड़ के प्रावधान विरूद्ध दिसम्बर, 2022 तक रुपये 415.60 करोड़ व्यय किए गये है। केन्द्रीय सहायता के रूप में विकास कार्य करवाए जा रहे हैं, जिनसे निम्न कार्य करवाए गए :—

(अ) जयपुर के समीप ही 'बायोलॉजिकल पार्क' का निर्माण,

(ब) राज्य के सभी राष्ट्रीय उद्यानों, अभयारण्यों एवं क्लोज्ड एरिया में हैबीटॉट सुधार एवं जल स्त्रोतों के विकास के कार्य करना,

(स) क्लोज्ड एरिया एवं अभयारण्य की प्रभावी सुरक्षा के लिए नवीन पदों का सृजन,

(द) राष्ट्रीय उद्यानों में बफर क्षेत्र को विकसित करना,

(क) सुरक्षा चौकियों का निर्माण।

### पक्षी

पक्षी अपने लुभावने और मनुष्यों के काफी कुछ सदृश्य कार्यकलापों के कारण जन रुचि के कारण रहे हैं। सामान्य लोगों द्वारा बिना गहराई के अवलोकन और फिर कवियों द्वारा प्रशंसा में अतिशयोक्तियों पूर्ण वर्णनों के कारण कई पशु-पक्षियों के बारे में कालान्तर भ्रांति पूर्ण कथन लोक प्रिय धारणाऐं बन गई। मैं अपने लगभग बीस वर्षों के अवलोकन व अध्ययन के आधार पर थार मरुस्थल के पशु-पक्षियों सम्बन्धित जन भ्रांतियों और वास्तविक सत्य का जिक्र संक्षेप में कह रहा हूं जो पाठकों को सूचनात्मक मनोरंजक सिद्ध हो सकता है।

### मोर

सामान्य धारणा है कि मोर वर्षा की काली घटाऐं देख 'मेह आओ' (मेआओ) की पुकार देता है और वर्षा की खुशी में नाचता है। वस्तुत: वर्षा ऋतु मोर की प्रजनन ऋतु है, मेघ आने पर वातावरण ठंडा सा हो जाता है जो प्रणय नृत्य के लिए उपयुक्त है अत: मोर पहले मोरनी (ढेलड़ी) की 'मेआओ' की प्रणय पुकार देता है और उसके पास आने पर प्रणय नृत्य करता है। मोरनी पास न होने पर भी दूर से आकर्षित करने का प्रयत्न करता है। मोर व मोरनी में बराबर प्रसंग होता है अण्डे देने के दिनों के समय ही। अत: बहुत ही कम देखने में आता है इस कारण लोगों ने गलत धारणा बना ली कि मोरनी मोर के आँसू पीकर अण्डे देती है। मोर सांप को मारता है पर निगलता नहीं है, केवल कुछ भाग ही खाता है।

### उल्लू

स्वभाविकत: पक्षी की मस्ती में बोली भरी होगी और कष्ट में खाली अत: उसका सुगन सम्बन्ध पास के लोगों के साथ भी जोड़ना अंधविश्वास है।

### तिलोर (हाऊबरा बसटार्ड)

यह पक्षी सर्दियों में पश्चिमी व मध्य एशियाई क्षेत्रों से यहां आता है और बसन्त के बाद वापिस चला जाता है, कई लोगों में यह गलत धारणा है कि यह साइबेरिया से आता है।

### तीतर

यह अधिकतर जोड़े व अपने बच्चों सहित परिवार के छोटे झुंड में रहता है भोजन की तलाश में या शत्रु के आक्रमण पर ये बिछुड़ जाते हैं फिर पुकार देकर परस्पर मिल जाते हैं। विधुर या बिछुड़ा नर पास कोई मादा को भी प्रणय पुकार देता है। इस प्रकार इसकी कई पुकारों को ग्रामीण लोग विभिन्न सुगन लेते हैं जो अंधविश्वास ही है।

### चील

सामान्य धारणा है कि यह पक्षी सोने (स्वर्ण) की वस्तु अपने घोंसले में रखता है तभी इसके बच्चों की आँखें खुलती है, पर यह सही नहीं है। इसके घोंसले में मिट्टी के ढेले व चिथड़े ही विशेषता है।

### भट तीतर (बाडबट)

यह पक्षी समूह में उड़ता है व लगभग निश्चित समय पर पानी पीने आता है उस समय शिकारी इसका अंधाधुंध शिकार कर डालते हैं। इसका निश्चित समय पर पानी विशेषता है, यह पानी के लिए दूर उड़ान व नदियाँ, तालाब पर अन्य जन्तुओं द्वारा पानी समयचक्र के अनुसार नियमित है।

**राजहंस**

तिब्बत के मानसरोवर व अन्य झीलों से आने वाला राजहंस और महाकवि वर्णिती यह पक्षी जिसका अंग्रेजी नाम 'बार हेडेड गूज' है सर्दियों में तालाबों व खेतों पर झुण्ड में आता है। हंस मोती चुगता है नीर-क्षरी अलग करने की विवेक क्षमता की बात केवल कवियों की अतिशयोक्तिपूर्ण कल्पना मात्र है। हंस का भोजन जल के भीतर व किनारों की वनस्पति है।

**कुरज (क्रौंच)**

यह पक्षी सर्दियों में समूह में आता है और खेतों में उतरकर गेहूँ व चना इत्यादि खाता है। यह पक्षी 'V' आकार की पंक्ति में आता है। रात्रि में उड़ते है उस समय आवाज करते हैं उसे ग्रामीण लोग देवताओं के रथ की आवाज मानते हैं।

**सारस**

यह नदियों के किनारे व बड़े खेतों में भी दिख जाता है, यह सदैव जोड़े में रहता है अत: आदर्श युगल (जोड़ा) के प्रतीक रूप में सम्मानित व संरक्षित पक्षी है।

राजस्थान राज्य का पक्षी गोडावण (सोहन चिड़ी) दी ग्रेट इंडियन बस्ट्रड के सम्बन्ध और भी कुछ बतलाना चाहूंगा। राजस्थान में प्राय: सभी जिलों में इस पक्षी को देखा गया है। जिसके अनुसार यह कहा जा सकता है कि राजस्थान में अन्य राज्यों की अपेक्षा यह पक्षी अधिक स्वतंत्र एवं प्राकृतिक वातावरण में विचरण एवं प्रजनन करता है। इस पक्षी को निम्न जिलों में देखा गया है :-1. जोधपुर 2. बीकानेर 3. नागौर 4. जैसलमेर 5. बाड़मेर 6. पाली व 7. जालोर आदि। सबसे अधिक संख्या का झुंड 22 पक्षियों का रामदेवरा के ओरण में सन् 1963-64 में देखा। यह पक्षी शुतर्मुग की तरह होता है लेकिन उस आकार में बहुत छोटा होता है एवं इसकी ऊँचाई 100 से.मी. की होती है। गर्दन का रंग सफेद व बाकी का बदन मटमैला व टांगें मटमैली पीली होती है। पैरों में पिछला अंगूठा न होने के कारण यह पक्षी पेड़ पर नहीं बैठ सकता। इसमें उड़ान शक्ति होती है। सर्वप्रथम 1962 की 1 अक्टूबर को जन्तुआलय में रखने का व पालन-पोषण का भार मैंने ही संभाला था। इससे पहले यह पक्षी किसी जंतुआलय में नहीं था।

गोडावन पक्षी को अंग्रेजी में ग्रेट बस्टर्ड कहते हैं। सारे संसार में ये एक ही नाम "कोरोयोटिस नोग्रोसेप्स" से जानी जाने वाली चिड़ियाँ है। यह पक्षी भारतीय उप-महाद्वीप के अलावा स्वच्छन्द विचरण करते हुए विश्व में कहीं नहीं मिलता है। पाकिस्तान में भी अब इसकी संख्या नगण्य है। भारत में ये पक्षी उत्तर से दक्षिण तक पाया जाता था, तभी तो इसके अनेकों नाम विभिन्न क्षेत्रों में थे। हिन्दी में सोहन, हूंकान, गुघनमेर, पंजाबी में लुकदार, गुडायिन, राजस्थानी में गोडावण, गुजन, कच्छी में गड़ाड़, गुजराती में धोड़ाड़, मराठी में हुम, मासढोक, कन्नड़ में हेरी हुइकी, अडलकुजीना हुक्की, येरेलड़ तेलगू में बटमेका, तामिल में कानल मायले इसी नाम के हैं। सिंध में इसके नाम गुडाहरना, गुडुम्बा हैं। इतने व्यापक क्षेत्र में विस्तीर्ण, अब ये पक्षी अत्यन्त ही दुर्लभ हो गया है और सम्भवतया सारे भारत में इसकी संख्या दो हजार भी नहीं होगी। राजस्थान में सौभाग्यवश अभी इसकी संख्या सबसे अधिक हैं। यह ही नहीं इसका प्रजनन भी राजस्थान में अपेक्षाकृत सबसे ज्यादा है। राजस्थान में गोडावन चिड़िया खासतौर से जैसलमेर व बाड़मेर जिले में अधिक मिलती है और इसकी वंशवृद्धि के निमित्त वहाँ के लगभग तीन हजार वर्ग किलोमीटर क्षेत्र में राष्ट्रीय मरु उद्यान बनाया गया है। वैसे तो पश्चिमी राजस्थान में ये थोड़ी बहुत संख्या सभी जगह मिल जाती है। रामदेवरा, पोखरन, जैसलमेर क्षेत्र में अभी भी इसका प्रजनन अच्छा है। वैसे गोडावन अजमेर, भीलवाड़ा, कोटा जिले में भी पाई गई है और अजमेर जिले में नसीराबाद के पास साँकलिया में लगभग एक सौ सत्तर वर्ग किलोमीटर का निषिद्ध क्षेत्र भी इसके लिए राज्य सरकार ने घोषित किया है।

गोडावन, लगभग सारस के आकार जैसा एक मीटर तक ऊँचा पक्षी होता है। इसके बदन का रंग ऊपर भूरा बदामी जिस पर सैकड़ों काली लकीरें सी बनी होती हैं। नीचे की छड़ सफेद होता है। सिर पर काले

रंग के पंखों का तुर्रा सा होता है। इसके सीने पर भी एक काले पंखों की चौड़ी पट्टी होती है, जो कंठी या हार सी शोभायमान होती है। इसकी टांगें लम्बी व पंख रहित होती हैं, गर्दन भी लम्बी होती है, तथा चोंच भी मजबूत और बड़ी होती है। नर और मादा के रंग रूप में कोई अन्तर नहीं होता किन्तु नर का आकार मादा से काफी बड़ा होता है। नर का वजन जहाँ चौदह किलोग्राम तक का होता है वहाँ मादा आठ किलोग्राम तक की होती है। गर्मी के अन्त में तथा वर्षाकाल के शुरू होते-होते इनके जोड़े बांधने का समय आ जाता है और तब हर नर गला फुला-फुला कर, पंख फैला कर, पूंछ के परों को सिर की तरफ झुका कर खूब जोर से आवाज करता है। दरअसल इस समय नर के गले में एक हवा भरा लम्बा थैला सा लटकने लगता है जो करीब-करीब पैरों तक पहुंच जाता है इसी की मदद से नर जोर से आवाज निकालता है जो ढ़ोल गूंजने जैसी सुनाई पड़ती है और इसी कारण इसका नाम गुंजन और हूकना भी पड़ा है। बोडवान खुली समतल भूमि में रहना पसन्द करता है। पहाड़ों में ये नहीं मिलता है और न घने वनों में ये पाया जाता है। इसे तो खुले घास के मैदान जिनमें थोड़ी बहुत झाड़ी हो पसन्द है। राजस्थान के थार के रेगिस्तान में ''मगरा'' जमीन में ज्यादा मिलता है जहाँ छोटे-छोटे कंकर भी ये खाता है।

ये लुप्तप्राय: पक्षी एक ऐसी धरोहर है जिसे सुरक्षित रखना हमारे लिये गर्व की बात हैं। घास के मैदानों में जब ये पक्षी मस्ती से चलता दिखता है तो बड़ा आनन्द आता है और हम प्रकृति की सृजनात्मक कृति की प्रशंसा किए बिना नहीं रह सकते। हमारी मानसिक क्लांति को ये हर लेता है। जोड़े बांधने के समय जब ये नाचता है, गूंजता है तो मन पुलकित हो उठता है। गोडावन पक्षी हमारे पर्यावरण को सन्तुलित रखने में मदद कर, खेती को बर्बाद करने वाले जीव जन्तु, कीड़े-मकोड़े खा, खेतीहरों का भी बड़ा अच्छा दोस्त है। तभी तो ग्रामीणों के ग्वालों के निकट आ जाता है और निर्भय घूमता है। मवेशियों और चरवाहों को जहरीले सांप के काटने से बचाने के इसके कई किस्से किसान भाई सुनाते हैं। अत: इस समाजोपयोगी पक्षी की रक्षा विश्नोई, जैन ही नहीं समाज के सभी समुदायों को करनी चाहिए। गोडावन की संख्या इतनी कम हो गई है कि वन्य जीव संरक्षण अधिनियम, 1972 के अन्तर्गत इसे लुप्त प्राय: श्रेणी में रखा गया है और इसको मारना दंडनीय अपराध है। जिसमें कम से कम छ: माह की जेल और पाँच सौ रुपया जुर्माना होता है। धूर्त शिकारियों से इसे बचाना हमारा धर्म है। विशेषज्ञों ने बताया है कि गोडावन का मांस न तो स्वादिष्ट होता और न ही कामवर्द्धक हैं। इस सुन्दर पक्षी का ह्रास हो यह दुर्भाग्यपूर्ण है। हमारे समाज में इसका मारना एक घृणित काम माना जाना चाहिए तथा हमें अपराधी का सामाजिक बहिष्कार भी करना चाहिए।

# अध्याय 11

## आपदा प्रबन्धन

## Disaster Management

सामान्य वर्षा का अतिक्रम आमतौर पर होता रहता है परन्तु जब कभी अधिक विस्तृत क्षेत्र में और या लम्बी अवधि तक होता है तो सूखे के हालात पैदा हो जाते हैं। सूखे की परिभाषाएँ क्षेत्रानुसार काफी बदलती रहती है। सूखे के मूल्यांकन से संबंधित रिपोर्ट में 60 से भी अधिक परिभाषाएं दी गई है। अमेरिका के पालमेर ने सूखे को समय के अन्तराल सामान्य तौर पर महिनों या वर्षा की अवधि में जिसके दौरान किसी दिए गए स्थान पर वास्तविक आर्द्रता आपूर्ति जलवायु की सम्भावित आर्द्रता आपूर्ति से कम हो जाती है के रूप में परिभाषित किया है। संयुक्त राज्य अमेरिका के मौसम ब्यूरो ने सूखे की काफी लम्बी और प्रचण्ड सूखे की अवधि, जिससे फसल कम से कम आंशिक तौर पर खराब हो जाए, के रूप में परिभाषित किया है। संयुक्त राज्य अमेरिका की अनाज की उपज पर मौसम और जलवायु के प्रभाव से संबंधित प्रशासन की रिपोर्ट में जो दिसम्बर, 1973 में तैयार की गई थी कृषि सूखे की परिभाषा इस प्रकार दी गई हैं कई महिनों की अवधि में ताप और वर्षण के सहयोग से एक या अधिक मुरक खाद्यान्नों (गेहूँ, सोयाबीन, मक्का) की उपज में पर्याप्त कमी होना (बुशलर प्रति एकड़) पर्याप्त कम को दीर्घकाली औसत मूल्यों के समान ताप वर्षण से सम्भावित उपज के 90 प्रतिशत से कम उपज (बुशल प्रति एकड़) के रूप में परिभाषित किया गया है परन्तु वर्षा जो मुख्य कसौटी है पूरी स्थिति को स्पष्ट नहीं करती और कम वर्षा जो एक प्रदेश में फसलों के लिए साधतिक हो वह दूसरे प्रदेश में वृद्धि के लिए पर्याप्त हो सकती है वर्षा के अतिरिक्त वाष्पीकरण की सघनता, धूप, मृदा, फसल वृद्धि आदि की अवस्था जैसे घटकों को भी दृष्टि में रखना होगा। थॉर्न्थवेट ने सूखे को उस अवस्था के रूप में परिभाषित किया है जिसमें वाष्पोत्सर्जन और सीधे वाष्पीकरण के लिए अपेक्षित जल की मात्रा मृदा में उपलब्ध जल की मात्र से बढ़ जाती है।

प्रयोग में आ रही कुछ अन्य परिभाषाएँ इस प्रकार है—

(1) ब्रिटिश वर्षा संगठन के अनुसार आंशिक सूखा, बहुत थोड़ी वर्षा होती है और पूर्ण सूखा, कम से कम 15 दिन निरन्तर की वह अवधि हैं जिसके दौरान वर्षा 0.25 मिलीमीटर से अधिक नहीं होती है।

(2) आस्ट्रेलिया के मौसम के विज्ञान ब्यूरो के सुझाव के अनुसार सूखे को विर्निदिष्ट करने वाला वस्तुनिष्ट तरीका किसी विशेष उद्देश्य के लिए अपेक्षित न्यूनतम जल का निर्धारण करना है। सूखा तभी है जब किसी अन्तराल के दौरान वर्षा अपेक्षित न्यूनतम जल से कम होती है।

(3) रूस के सूखे को 10 दिन की अवधि में परिभाषित किया गया है जिसमें कुल वर्षा 5 मिलीमीटर से अधिक नहीं होती है।

### सूखे का वर्गीकरण

सूखे को मोटे तौर पर निम्नलिखित तीन प्रकार के वर्गीकृत किया जा सकता है।

(1) मौसमी सूखा (Meteorological Drought)—यह ऐसी स्थिति है जब किसी क्षेत्र में सामान्य वर्षण से काफी कम (2.5 प्रतिशत से अधिक) वर्षा होती है।

(2) जलीय सूखा (Hydrological Drought)—मौसमी सूखा यदि काफी समय तक चलता हैं तो उसके परिणामस्वरूप जलीय सूखा हो जाता है जिससे सतही जल में कमी आ जाती है जिसके कारण झीलों,

नाले और नदियों का पानी सूख जाता है। स्रोतों का प्रवाह रूक जाता है और भूमिगत जलस्तर गिर जाता है। पहले के मौसम में कम बर्फ गिरने के कारण बर्फ गलने से जलीय सूखा पड़ जाता है और इसके परिणामस्वरूप बिजली पैदा करने में कमी आ जाती है और इसका उद्योग तथा कृषि पर प्रभाव पड़ सकता है।

(3) कृषि सूखा (Agricultural Drought)—यह तब पड़ता है जब वर्धन मौसम के दौरान अच्छी फसल वृद्धि से फसल परिपक्वता तथा मृदा आर्द्रता तथा वर्षा अपर्याप्त होने के कारण फसल पर काफी दबाव पड़ता है और वह सूख जाती है।

सिंचाई आयोग ने (1972) में निम्न प्रकार से सूखा और सूखे के प्रभावित क्षेत्रों का उल्लेख किया है।

(1) सूखा क्षेत्र (औसत वर्षा से 25 प्रतिशत से अधिक की कमी 20 प्रतिशत संभावना वाले) 16 जिले राजस्थान राज्य में आते हैं।

(2) सूखे से निरन्तर प्रभावित क्षेत्र (औसत वर्षा से 25 प्रतिशत से अधिक की संभाव्य वर्षा की कमी की 40 प्रतिशत संभावना वाले) इसके अन्तर्गत पश्चिमी राजस्थान आता है।

## राजस्थान में सूखा एवं अकाल

सूखा एवं अकाल की स्थिति के अवसर उत्पन्न हो जाना राज्य की प्रमुख विशेषता है। राजस्थान में जल अत्यल्प है अत: अपर्याप्त तथा अनिश्चित वर्षा पर निर्भर रहना पड़ता है फलस्वरूप राज्य अक्सर सूखा एवं अकाल की चपेट में आता रहता है। सारणी 15 में 1991-92 से 2022-2023 पर्यन्त सूखे की स्थिति को दर्शाया गया है।

वर्ष 1957 के बाद से हर दो वर्ष सूखा पड़ने के बाद एक सामान्य वर्ष के होने की प्रकृति नहीं है राज्य में सूखा पड़ने की बारम्बारता में निरन्तर वृद्धि होती रही है। गत 30 वर्षों में सूखे की बारम्बारता (मानचित्र 38 एवं 39) में दर्शाया गया है।

## राजस्थान में अकाल के क्षेत्र व जिले

सर्वप्रथम हमें यह जानना चाहिए कि राजस्थान में अकाल के कौन से क्षेत्र प्रमुख है। वैसे विभिन्न वर्षों में अकाल से प्रभावित होने वाले जिलों की संख्या अलग-अलग होती है, फिर भी राजस्थान का पश्चिमी भाग तो प्राय: अकाल की चपेट में आता ही रहता है। अकाल के संबंध में निम्न दोहा काफी मशहूर माना गया है। इसमें अकाल के प्रदेशों का स्पष्ट उल्लेख मिलता है।

**''पग पूंगल धड़ कोटडे, बाहु बाहड़मेर।**
**जोये लादे जोधपुर, ठावो जैसलमेर।।''**

इसका अर्थ यह है कि अकाल के पैर पूंगल (बीकानेर) में, धड़ कोटड़ा (मारवाड़) में भुजाएँ बाड़मेर (मालानी) में स्थाई रूप से हैं एवं लेकिन तलाश करने पर यह जोधपुर में भी मिल जाता है एवं जैसलमेर में तो इसका खास ठिकाना (ठायों) है ही।

राष्ट्रीय कृषि आयोग ने राजस्थान के निम्न 11 जिलों को मरुस्थलीय जिले माना है इनमें राज्य के क्षेत्रफल का 60% तथा जनसंख्या का 40% भाग शामिल है। राज्य में कुल व्यर्थ भूमि (Total wastelands) का लगभग 2/3 अंश इन्हीं ग्यारह जिलों में पाया जाता है। व्यर्थ में (परती भूमि को छोड़कर) बंजर व अकृषित भूमि (जिसे अकृषि योग्य व्यर्थ भूमि कहते हैं तथा कृषि योग्य व्यर्थ भूमि (Culturalable wasteland) दोनों शामिल माने जाते है। इन ग्यारह जिलों में 1985-86 में कुल व्यर्थ भूमि 58.6 लाख हैक्टेयर थी जो उनके कुल रिपोर्टिंग क्षेत्र 208 लाख हैक्टेयर का 28% थी इन ग्यारह क्षेत्रों में व्यर्थ में पड़ी भूमि के आकार का पता चलता है। इन ग्यारह जिलों की लगभग दो लाख नौ हजार वर्ग किलोमीटर भूमि में प्राय: अकाल एक अनचाहे मेहमान की तरह जमा बैठा रहता है। ये 21 जिले इस प्रकार है- जैसलमेर, बाड़मेर, बालोतरा, बीकानेर, जोधपुर, फलौदी, गंगानगर, हनुमानगढ़, नागौर, डीडवाना-कुचामनसिटी, चुरू, पाली, ब्यावर, जालौर, सीकर व झुंझुनू। इन जिलों की मरुभूमि अकाल जैसे दानव के पंजों में जकड़ी हुई है। इन क्षेत्रों में वर्षा कम व अनियमित होती है। बढ़ते जल व भूमि के नीचे जल की कमी होती है पानी के भाप बनकर उड़ जाने की रफ्तार तेज होती है। ग्रीष्म ऋतु में प्राय: धूलभरी

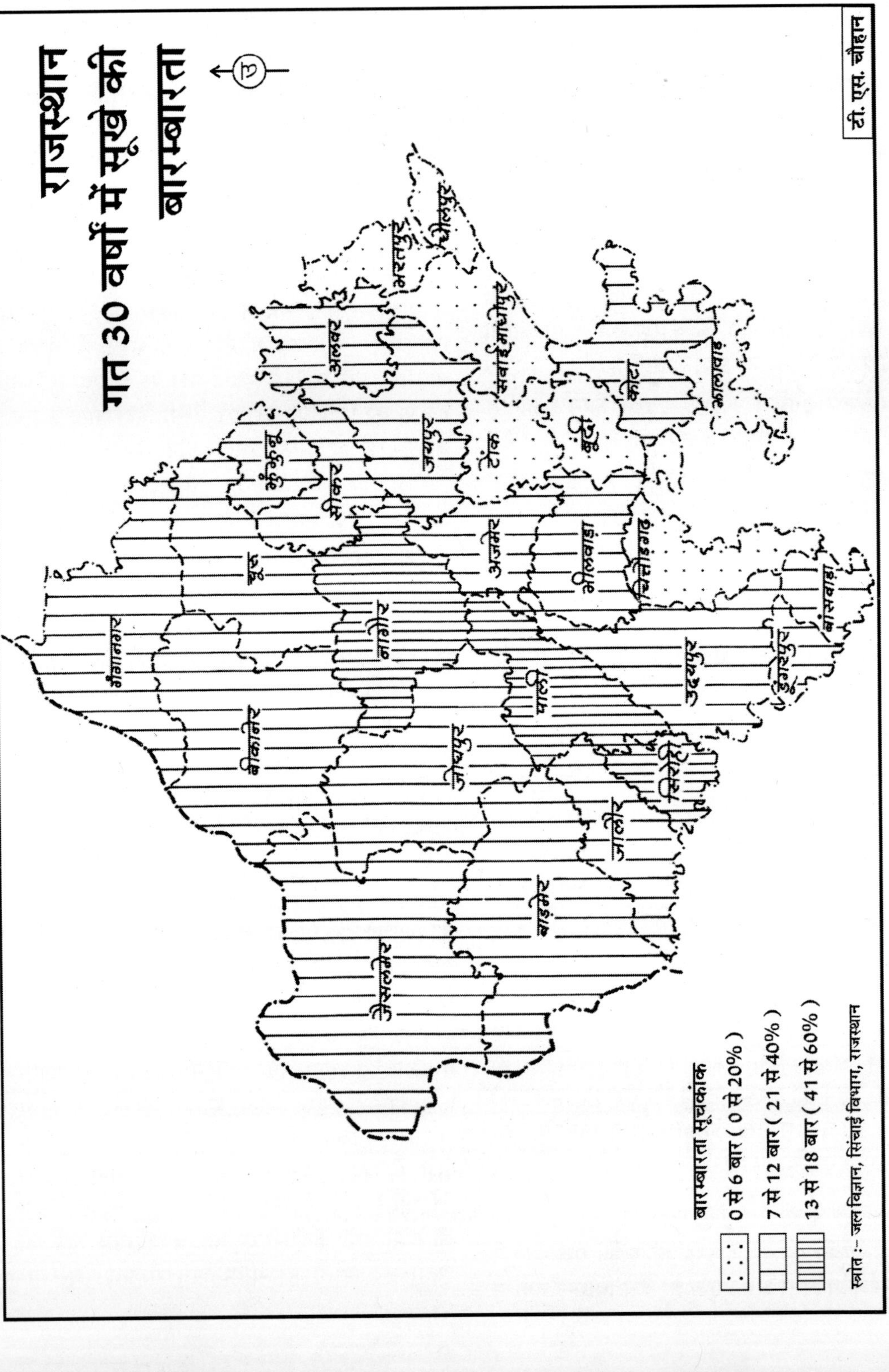
राजस्थान
गत 30 वर्षों में सूखे की
बारम्बारता
उ
डी. एस. चौहान
गंगानगर
बीकानेर
चूरू
झुंझुनूं
सीकर
अलवर
भरतपुर
धौलपुर
सवाई माधोपुर
जयपुर
टोंक
बूंदी
कोटा
झालावाड़
नागौर
अजमेर
भीलवाड़ा
चित्तौड़गढ़
बांसवाड़ा
डूंगरपुर
उदयपुर
पाली
सिरोही
जालौर
जोधपुर
बाड़मेर
जैसलमेर
बारम्बारता सूचकांक
0 से 6 बार ( 0 से 20% )
7 से 12 बार ( 21 से 40% )
13 से 18 बार ( 41 से 60% )
स्रोत :- जल विज्ञान, सिंचाई विभाग, राजस्थान

मानचित्र 38

आंधियाँ चलती है एवं बालू मिट्टी का हवा से कटाव होता रहता है। दुनिया के अन्य भागों के मरुस्थलों की तुलना में राजस्थान के मरुस्थल में जनसंख्या का घनत्व अधिक पाया जाता है। जिससे यहाँ पर अकाल की समस्या का अधिक जटिल होना स्वाभाविक है।

### भीषण सूखा वर्ष

भीषण सूखा वर्ष वह होगा जिसमें कुल सूखे से भीषण सूखा सम्मिलित करते हुए, राज्य का 20 प्रतिशत या अधिक भौगोलिक क्षेत्र प्रभावित हो।

### मध्यम सूखा वर्ष

मध्यम सूखा वर्ष वह होगा जिसमें भीषण सूखा नहीं होगा लेकिन राज्य का 20 प्रतिशत या अधिक भौगोलिक क्षेत्र सूखे से प्रभावित होगा।

### पिछले बीस वर्षों में अकाल से हुई क्षति

यह कहना गलत न होगा कि राजस्थान में प्रतिवर्ष न किसी जगह अकाल व अभाव की स्थिति अवश्य पाई जाती है। सारणी-15 से स्पष्ट होता है कि 2002-03 का अकाल भीषणतम रहा था। 2002-03 में राज्य के सभी 32 जिलों के 40990 गाँव अकाल से प्रभावित हुए थे।

इसमें लगभग 4.5 करोड़ जनसंख्या व करोड़ों पशु अकाल से प्रभावित हुए थे। 2009-10 के अकाल में भी 27 जिलों के 33464 गाँव अकाल से प्रभावित हुए थे और 2019-20 के अकाल मे 21 जिलों के 14,331 गांव अकाल से प्रभावित हुए थे।

सारणी-15

राजस्थान में सूखे की स्थिति और राहत व्यय 2004-05 से 2022-23

| वर्ष | प्रभावित जिलों की संख्या | प्रभावित ग्रामों की संख्या | प्रभावित जनसंख्या (लाखों में) | भू-राजस्व* की निलंबित (लाख रु.) |
|---|---|---|---|---|
| 1 | 2 | 3 | 4 | 6 |
| 2004-05 | 31 | 19814 | 227.65 | 167.77 |
| 2005-06 | 22 | 15778 | 198.44 | 123.21 |
| 2006-07 | 22 | 10529 | 136.73 | 36.49 |
| 2007-08 | 12 | 4309 | 56.12 | 39.86 |
| 2008-09 | 12 | 7402 | 100.12 | 47.69 |
| 2009-10 | 27 | 33464 | 429.13 | 459.04 |
| 2010-11 | 2 | 1249 | 13.67 | 9.53 @ |
| 2011-12 | 11 | 3739 | 49.95 | 30.77 @ |
| 2012-13 | 12 | 8030 | 120.90 | 65.44 @ |
| 2013-14 | 17 | 10225 | 159.38 | 101.44 |
| 2014-15 | 13 | 5841 | 74.30 | 15.35 |
| 2015-16 | 19 | 14487 | 194.87 | 171.55 @ |
| 2016-17 | 13 | 5656 | 90.38 | 62.00 @ |
| 2017-18 | 16 | 6838 | 106.50 | 89.38 @ |
| 2018-19 | 9 | 5555 | 72.50 | 14.85 @ |
| 2019-20 | 21 | 14331 | 150.72 | — |
| 2020-21 | 6 | 2062 | 21.62 | — |
| 2021-22 | 10 | 6122 | 74.28 | — |
| 2022-23 | 1# | 92 | 2.36 | — |

* वित्तिय वर्ष के समंक @ संभावित # तहसीलों की संख्या (तहसील-पाली)

स्त्रोत :- सहायता विभाग, राजस्थान सरकार, जयपुर

सरकार ने सूखा राहत कार्यों पर लगातार व्यय किया ताकि लोगों को रोजगार व आमदनी मिल सके एवं साथ में उत्पादक सामुदायिक परिसम्पत्तियों का निर्माण किया जा सके। 1991-92 के बाद के वर्षों के लिए अकाल व अभाव की स्थिति के आवश्यक आँकड़े सारणी 15 में दिए गए। इस प्रकार राज्य विभिन्न जिलों में अकाल की काली छाया निरन्तर मंडराती रहती है जिससे काफी जनसंख्या व पशुपालन पर दुष्प्रभाव पड़ता है और सरकार को राहत कार्यों पर काफी धनराशि व्यय करनी पड़ती है एवं भू-राजस्व की वसूली में भी ढील देनी पड़ती है।

**अकाल व सूखे की समस्या के कारण**

निरन्तर पड़ने वाले अकाल प्रकृति व पुरुष के बीच कठिन संघर्ष की दशा को सूचित करते है। इसके लिए प्राकृतिक कारण प्रमुख होते है लेकिन साथ में आर्थिक, सामाजिक व राजनीतिक परिस्थितियों को भी सीमा तक उत्तरदायी ठहराया जा सकता है। उन पर नीचे प्रकाश डाला जा रहा हैं।

**(1) प्राकृतिक कारण**— (अ) धरातल की बनावट और जलवायु दूर-दूर तक फैला मरुस्थल या मरु प्रदेश जहाँ ग्रीष्म ऋतु में तपती धरती तपता आसमान, तपते इन्सान व तपते पशु सब नियति के जाल के फंसे होते हैं। जिससे छुटकारा पाना कठिन होता है। क्योंकि 11 मरुस्थलीय जिलों में सर्वत्र बालू के टीले है तथा धरती के नीचे व इसकी सतह पर जल का नितान्त अभाव होता है। हम पहले बतला चुके है कि इन ग्यारह जिलों की दो लाख नौ हजार वर्ग किलोमीटर भूमि इस मरु दानव के पंजों में बुरी तरह से जकड़ी हुई है। इन क्षेत्रों में हवा से मिट्टी का कटाव निरन्तर होता रहता है आगे चल कर अन्य राज्यों की उपजाऊ धरती को भी इससे खतरा उत्पन्न हो सकता है।

(आ) वर्षों की कमी के अनियमितता व अनिश्चितता अकाल सूखे की स्थिति का प्रधान कारण मानसून का विफल होना माना गया है राजस्थान के उपयुक्त 11 मरुस्थलीय जिलों में साल भर में सामान्यता वर्षा 500 मिलीमीटर से अधिक नहीं होती। जैसलमेर में औसतन 160 मिलीमीटर वर्षा ही हो पाती है। पिछले 100 वर्षों में वहाँ केवल 25 वर्ष ही सामान्य वर्षा हुई जिससे इस इलाके में वर्षा के अभाव का अनुमान लगाया जा सकता है अत: आवश्यकता के अनुसार वर्षा होनी, कभी-कभी वर्षा का बिल्कुल न होना तथा कभी देर से होना, ये सब अकाल व सूखे की स्थितियों को जन्म देते है। अभाव की ये स्थितियां कभी-कभी नियंत्रण से बाहर होने लगती है तब लोग अपने मवेशियों को लेकर निकटवर्ती राज्यों में चारे व पानी की तलाश में पलायन या निकटवर्ती राज्यों में भी अभाव व सूखे के कारण उनमें पशुओं के प्रवेश से कोई लाभ नहीं होता बल्कि पड़ौसी राज्य इसका विरोध भी करते हैं। उनकी स्वयं की कठिनाइयां भी दिनों-दिन बढ़ती जा रही है।

**(2) आर्थिक कारण**—आर्थिक विकास के अभाव से सभी जगह अकाल व सूखे की समस्या अधिक जटिल होती गयी है। मरुप्रदेश या मरु जैसे प्रदेश में इन्फ्रास्ट्रक्चर का पर्याप्त विकास नहीं हो पाया। जनसंख्या के बढ़ने में आर्थिक साधनों पर दबाव बढ़ा है। लोगों के लिए रोजी रोटी की समस्या काफी गम्भीर हो गई है परम्परागत कुटीर व ग्रामीण उद्योगों का ह्रास हुआ है तथा सिंचाई के साधनों के अभाव में कृषि को उन्नत करने में बाधा पहुँचती है। बालू मिट्टी उपजाऊ नहीं होती है जोधपुर की सेन्ट्रल एरिड जोन रिसर्च इन्स्टीट्यूट (काजरी) की एक ताजा रिपोर्ट के अनुसार चारे की कमी का कारण बढ़ती हुई पशु संख्या है। 1972-77 की अवधि में पशुओं की संख्या 44.5 लाख बढी थी जिससे प्रति पशु चराई की भूमि घट गई थी जनसंख्या का दबाव बढ़ने के कारण अधिक भूमि पर खेती की जाने लगी है। जिससे सन्तुलित चारे के अभाव में इनके दाम बढ़ जाते हैं। फलस्वरूप दुग्ध व दुग्ध पदार्थों के दाम बढ़ाने पड़ते है। मरुस्थलीय प्रदेशों में कृषिगत उत्पादकता भी नीची पाई जाती है जिससे कृषकों की आमदनी कम होती है। सहायक धन्धों के अभाव में आमदनी बढ़ाना भी सुगम नहीं होता अत: बेरोजगारी व अल्प रोजगार की समस्या भी काफी तीव्र हो गई है। लघु कृषकों, भूमिहीन किसानों व ग्रामीण काश्तकारों के श्रम का पूरा उपयोग नहीं हो पाता जिससे अकाल के समय इनकी आर्थिक हालत बड़ी दयनीय हो जाती है। सरकार राहत कार्य चलाकर इन लोगों को लाभ पहुँचाने का प्रयास करती है।

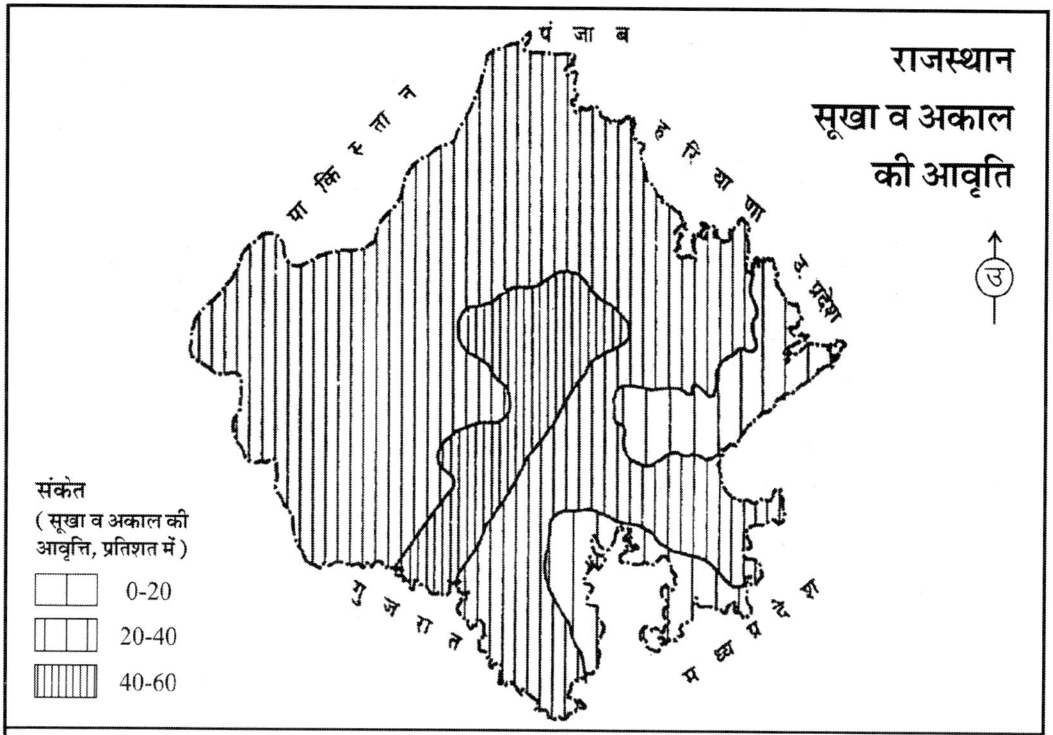
राजस्थान
सूखा व अकाल
की आवृति
पंजाब
पाकिस्तान
हरियाणा
उ. प्रदेश
मध्य प्रदेश
गुजरात
उ
संकेत
( सूखा व अकाल की आवृत्ति, प्रतिशत में )
0-20
20-40
40-60

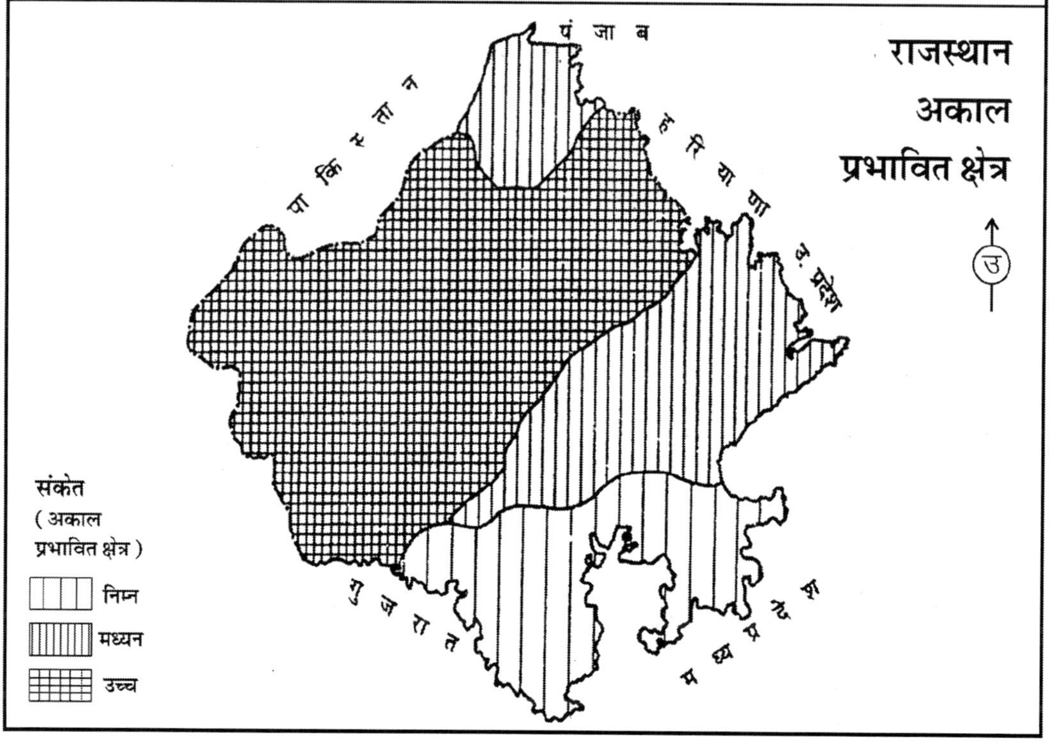
राजस्थान
अकाल
प्रभावित क्षेत्र
पंजाब
पाकिस्तान
हरियाणा
उ. प्रदेश
मध्य प्रदेश
गुजरात
उ
संकेत
( अकाल प्रभावित क्षेत्र )
निम्न
मध्यन
उच्च

मानचित्र 39

**(3) सामाजिक कारण**—जलाने की लकड़ी के अभाव की समस्या काफी जटिल रूप धारण कर चुकी है। लोगों ने अंधाधुंध पेड़ काट डाले हैं व अनियंत्रित चराई से मिट्टी के कटाव की समस्या को तीव्र कर दिया है। कृषिगत भूमि वन आदि का परस्पर सन्तुलन बिगड़ जाने से परिवेश असन्तुलन (Ecological imbalance) की समस्या उत्पन्न हो गई है। इसके लिए उचित जल व भूमि प्रबन्ध की आवश्यकता है।

**(4) राजनीतिक कारण**—अकाल व सूखे की समस्या का सम्बन्ध राजनीतिक कारणों से भी माना गया है। विभिन्न योजनाओं की अवधि में सरकार ने स्थाई व उत्पादन राहत कार्यों की बजाय अस्थाई राहत पर ध्यान दिया जिससे उत्पादक सामुदायिक परिसम्पत्तियों का निर्माण तेजी से नहीं हो पाना। फलस्वरूप राहत कार्यों पर किया गया व्यय दीर्घकालीन दृष्टि से पर्याप्त प्रतिफल नहीं दे पाया है और अकाल को रोकने की दृष्टि से उनकी उपयोगिता सीमित रही है। यदि प्रारम्भ से ही सुनियोजित तरीके से अकालों से लड़ने का प्रयास किया जाता हो इस अनचाहे मेहमान को अपने घर वापस भेजना सम्भव हो सकता था।

इस प्रकार अकाल व सूखे की समस्या प्राकृतिक, आर्थिक, सामाजिक व राजनीतिक कारणों की देन है राज्य सरकार के पास वित्तीय साधनों की कमी रही है जिससे वह राज्य को अकाल के दबाव से मुक्त नहीं करा सकी है। फिर भी कई प्रकार के राहत कार्यक्रम चलाकर सरकार लोगों को भूख प्यास से मरने नहीं देती और अकाल से जूझने के लिए सदैव कृत संकल्प रहती है जैसा कि निम्न विवरण से स्पष्ट हो जाएगा।

## राजस्थान में अकाल व सूखे की समस्या के लिए सरकारी नीति

### (1) अल्पकालीन नीति

**अकाल राहत कार्य**—अकाल की समस्या को हल करने के सम्बन्ध में सरकार की मुख्य नीति राहत कार्य चालू करने की रही है। इसके लिए केन्द्र से वित्तीय सहायता देने की मांग की जाती है। वित्तीय साधनों के आधार पर भू-संरक्षण, सड़क निर्माण, पाठशाला व औषधालय निर्माण, सिंचाई के लिए कुओं निर्माण, तालाबों व अन्य सिंचाई के साधनों के निर्माण व उनकी मरम्मत तथा रख-रखाव एवं जल की सप्लाई बढ़ाने के प्रयास किए जाते हैं ताकि लोगों को पेयजल उपलब्ध किया जा सके तथा पशुओं को भी पीने का पानी मिल सके। इसके अलावा चारे की उपलब्धि बढ़ाने जैसे अनेक प्रकार के कार्यक्रम चलाए जाते हैं ताकि लोगों को रोजगार व आमदनी मिल सकें।

अकाल राहत कार्य (1991-92 के अकाल के सन्दर्भ में) जैसा कि पहले बताया जा चुका है। 1991-92 का अकाल काफी भीषण किस्म का रहा था और इसमें 32 में से 30 जिलों को प्रभावित किया था इससे राज्य के 30,041 गाँवों की जनसंख्या व 3 करोड़ से अधिक पशु प्रभावित हुए थे। अन्न का अभाव उत्पन्न हो गया था।

राज्य सरकार ने अक्टूबर 1991 से जुलाई 1992 तक विभिन्न प्रकार के अकाल राहत कार्य संचालित किए थे जिससे लोगों के लिए रोजगार व आमदनी की व्यवस्था की जा सकी थी तथा कई स्थानों में टैंकरों, बैलगाड़ियों, ऊँटगाड़ियों आदि की सहायता से पीने का पानी पहुँचाया गया था एवं पशुओं के लिए चारे व पानी की सुविधा बढ़ाई गई थी। जैसलमेर जिले में दिसम्बर 1991-92 तक के चार महिनों में 1.2 लाख क्विंटल घास कटवा कर सूखाग्रस्त जिलों को भेजी गई थी और उससे राज्य सरकार को करीब 2 करोड़ रुपये की नगद आय हुई थी। जैसलमेर के उत्तरी, पश्चिमी भाग में भारत पाकिस्तान सीमा पर 125 किलोमीटर लम्बी व 25-30 किलोमीटर चौड़ी भूमि की पट्टी पर सेवण घास ईश्वर का वरदान मानी जाती है यह 45 सेल्सियस तक के तापमान में उग व पनप सकती हैं इस पट्टी पर 50 से 80 लाख क्विंटल घास रहती है यह पशुओं के लिए पौष्टिक आहार का काम देती है सरकार को जैसलमेर के इस घास के खजाने का विस्तार करना चाहिए। लाखों-श्रमिकों को अकाल राहत कार्यों में रोजगार दिया गया था।

1991–92 में अकाल राहत कार्यों की दो विशेषताएँ रही।

(1) मजदूरी का भुगतान अनाज के रूप में किया गया तथा भारत सरकार से जो सहायता मिली उसे सामग्री के अंश के रूप में व्यय किया गया।

1991–92 में अकाल राहत पर कुल व्यय लगभग 88.9 करोड़ रुपये हुआ था।

(2) दूसरी विशेषता यह थी कि स्थाई महत्त्व एवं उत्पादक किस्म के कार्यों को प्राथमिकता दी गई हैं ताकि सिंचाई, भू-संरक्षण, वन एवं सड़क निर्माण के कार्यों का भली–भांति विस्तार किया जा सके।

निर्माण कार्यों में सर्वाधिक राशि का सिंचाई कार्यों पर व्यय करने का प्रावधान था। दूसरा स्थान सड़क निर्माण कार्यो को दिया गया था। इसके बाद भू-संरक्षण, वनों के विस्तार व विकास आदि का स्थान आता है।

पंचायती राज-संस्थाओं के माध्यम से भी व्यापक निर्माण हाथ में लिये गये थे। इसके लिए उनको विभिन्न विभागों जैसे शिक्षा व जनजाति विकास आदि से एवं भूमिहीन श्रमिक रोजगार गारंटी योजना के अन्तर्गत धनराशि उपलब्ध कराई गई ताकि पाठशाला भवनों आदि का निर्माण कराया जा सके अन्य कार्य पटवारी के घर, पंचायत, घर औषधालय भवन पंचायत की दुकाने पेयजल, कुओं का निर्माण, कुओं को गहरा कराने खरंजा नाली एवं सम्पर्क सड़कों का निर्माण सामुदायिक भवन का निर्माण तथा तालाब की मरम्मत व गहरा कराने आदि के कार्य सम्मिलित है। ये कार्य सामान्य ग्रामीण रोजगार कार्यक्रम व अकाल राहत कार्यों के अतिरिक्त थे।

1991–92 के भीषण अकाल से सम्बन्धित राहत कार्य।

1991–92 के भीषण अकाल का दुष्प्रभाव 30,041 गांवों 2.89 करोड़ लोगों व 3.27 करोड़ पशुओं पर पड़ा था।

अकाल राहत कार्य निम्न विभागों द्वारा चलाए गए थे।

(1) राहत विभाग, (2) राष्ट्रीय ग्रामीण रोजगार कार्यक्रम के तहत, (3) सार्वजनिक निर्माण विभाग, (4) सिंचाई विभाग, (5) वन विभाग, (6) पंचायत समितियों के माध्यम से।

राहत कार्यों में कुओं के निर्माण भवन, निर्माण सिंचाई के कार्य सड़क निर्माण, भू-संरक्षण आदि शामिल थे। 1991–92 में 2.89 लाख लोगों को राहत कार्यों पर रोजगार उपलब्ध कराया गया था। भारत सरकार ने राजस्थान को राहत सहायता के बतौर 2 लाख टन गेहूँ आवंटित किया था।

अगस्त 1991–92 में राज्य सरकार ने अकाल से निपटने के लिए निम्न उपाय घोषित किए गए थे।

(1) राहत कार्यों पर तत्काल मजदूरों की संख्या 7 लाख बढ़ाने की घोषणा की गई थी।

(2) असिंचित क्षेत्रों में लगान व सहकारी कर्जों की वसूलियाँ तुरन्त स्थगित करने का फैसला किया गया था।

जिन गाँवों में लगातार चार साल से अकाल पड़ रहा था वहां एक साल का लगान माफ करने की कार्यवाही करने का निर्माण किया गया था। अल्पावधि सहकारी कर्जों को मध्यावधि कर्जों में परिवर्तन किया गया था।

(3) राठी, थारपारकर, कांकरेज आदि उन्नत नस्ल की गायों को बेचने के लिए एक विशेष कार्यक्रम लागू किया गया था। इसके अनुसार ऐसी गायों को विशेष रूप से गंगानगर के कैम्पों में रखा गया जहाँ उन्हें चारा, पानी, दवाइयाँ आदि उपलब्ध हों और साथ में उनका दूध बिक सके।

(4) एक सौ ट्यूब वैल जो उस समय उपयोग में नहीं आ रहे थे उनका विद्युतीकरण करने घास उगाने का काम कराने का निर्णय किया गया।

(5) सूरतगढ़ व जैतसर कृषि फार्मों में चारा उगाने की व्यवस्था की गई।

(6) पीने का पानी के लिए जयपुर, जोधपुर, आबू,

पाली, राजसमंद, भरतपुर, अजमेर, ब्यावर, किशनगढ़ आदि शहरों में हैण्डपंप व ट्यूब वैल खुदवाने का कार्य प्रारम्भ किया गया।

(7) सार्वजनिक वितरण की दुकानों की संख्या बढ़ाई गई। आदिवासी क्षेत्रों में भ्रमणशील दुकानें खोली गई।

(8) पंजाब व हरियाणा से चारा खरीदने की व्यवस्था की गई।

(9) अभाव ग्रस्त क्षेत्रों में चारा पहुँचाने के लिए केन्द्र जो अनुदान देता है उसे 30 रुपये प्रति क्विंटल से बढ़ाकर भाड़े का वास्तविक खर्च वहन करने की सिफारिश की गई। सरकार ने एक वृहद् आपात योजना को लागू करने का निश्चय किया।

उपयुक्त विवरण से स्पष्ट होता है कि अकाल की समस्या राज्य सरकार के समक्ष महान् चुनौती है। सरकार ने राहत कार्यों को कुशलतापूर्वक चलाने का प्रयास किया है लेकिन प्रमुख कठिनाई वित्त के अभाव की सही है। सरकार केन्द्र से अधिक सहायता लेने का प्रयास करती है ताकि सूखे पर काबू पाया जा सके। 1985-86 में गुजरात व मध्यप्रदेश में भी सूखा पड़ने के कारण राजस्थान से पशुओं का निष्क्रमण वहाँ नहीं हो पाया था और दो लाख से अधिक पशुओं को जैसलमेर के चारागाहों में भेजा गया था और उनके लिए वहाँ के पशु आहार उपलब्ध कराने के लिए सरकार ने व्यवस्था की थी तथा गांवों में पेयजल की व्यवस्था बढ़ाई गई थी। 2013-14 के अकाल का मुकाबला करने के लिए सरकार को पुन: सक्रिय होना पड़ा था और विभिन्न राहत कार्यों पर निर्माण कार्य चलाए गए थे ये राहत कार्य जून 2014 के बाद भी कुछ अवधि तक जारी रखने पड़े थे। राज्य सरकार ने केन्द्र से राहत कार्यों के लिए सहायता मांगी थी।

### 2021-2022 के अकाल राहत कार्य

जैसा कि पहले कहा जा चुका है 2021-2022 में 10 जिलों को अकालग्रस्त घोषित किया गया। इसमें 6,122 गाँव प्रभावित हुए जिनमें 74.28 करोड़ जनसंख्या अकाल की चपेट में आ गई थी। इतनी विशाल जनसंख्या को जीविकोपार्जन के साधन उपलब्ध कराना एक चुनौती भरा कार्य था।

राजस्थान पर प्राय: अकाल के काले बादल छाए रहते है। विद्वानों का मत है कि राज्य को अकाल से पूर्णतया छुटकारा मिलना तो कठिन जान पड़ता है लेकिन सतत् प्रयास करने पर अकालों की भीषणता व इनसे होने वाली क्षति में कमी अवश्य की जा सकती है और की भी जानी चाहिए।

### आपदा

आपदा में अंग्रेजी में डिजास्टर (disaster) कहा जाता है। इस शब्द की उत्पत्ति फ्रेंच शब्द 'दीजास्त्र' से हुई है जो दो शब्दों से मिल कर बना है-`des' जिसका अर्थ है अशुभ और `astre' जिसका अर्थ है सितारा। इस प्रकार अक्षरश: डिजास्टर का अर्थ होता है अशुभ-सितारा। इस परिभाषा में एक अलौकिक तत्व सन्निहित है जो आज दुनिया भर में आपदाओं की घटनाओं के साथ जुड़ा है। हालांकि कई अंतरराष्ट्रीय एजेंसियों और आधिकारिक दस्तावेजों ने इस शब्द को अपने विशिष्ट तरीके से परिभाषित किया है। संयुक्त राष्ट्र आपदा को आकस्मिक या बड़ी आफत के रूप में परिभाषित करता है जो समाज या समुदाय की मूलभूत संरचना और सामान्य कामकाज को तितर बितर कर देती है।

भारतीय आपदा प्रबंधन अधिनियम 2005 के अनुसार-'आपदा से किसी क्षेत्र में प्राकृतिक या मानवकृत कारणों से दुर्घटना या उपेक्षा से उद्भूत ऐसी कोई महाविपत्ति, अनिष्ट, विपत्ति या घोर घटना अभिप्रेरित है जिसका परिणाम जीवन की सारवान् हानि या मानवीय पीड़ाएं या संपत्ति का नुकसान और विनाश या पर्यावरण का नुकसान या अवक्रमण है और ऐसी प्रकृति या परिमाण का है, जो प्रभावित क्षेत्र के समुदाय की सामना करने की क्षमता से परे है।' यह परिभाषा आपदा के एक बहुत ही महत्वपूर्ण पहलुओं पर ध्यान केंद्रित करती है क्योंकि यह आपदा को ऐसी घटना मानती है जो प्रभावित क्षेत्र के समुदाय की सामना करने की क्षमता से परे हे और इस प्रकार से यह समाज से समग्र रूप से प्रयासों की मांग करती है।

आपदाओं के अध्ययन के लिए आरंभ में

जोखिमों के भीतर भौगोलिक परिवर्तनशीलता व उनके प्रभावों, आबादियों में खतरे पर भौगोलिक परिवर्तनशीलता, आबादी की दुर्बलताओं तथा उस संदर्भ की समझ की आवश्यकता होती है जिसमें ये तीनों एक दूसरे को प्रभावित करते हैं। सबसे पहले आपदा, खतरा और दुर्बलताओं शब्दों के मतलब को समझना जरूरी है।

'इंटरनेशनल फेडरेशन ऑफ रेड क्रास एण्ड रेस क्रीसेंट सोसायटीज के अनुसार-आपदा एक आकस्मिक, प्रलयंकारी घटना होती है जो किसी समुदाय या समाज के कामकाज को गंभीर रूप से अस्त-व्यस्त कर देती है' तथा जान, माल और आर्थिक या पर्यावरणीय नुकसानों का कारण बनती है। ये नुकसान अपने खुद के संसाधनों का इस्तेमाल कर इन घटनाओं का सामना करने की समुदाय की या समाज की क्षमता से अधिक होते हैं। यद्यपि अक्सर प्रकृति की आपदाओं का कारण होती है, लेकिन इनके पीछे मनुष्यों का भी हाथ हो सकता है। कोई आपदा तब घटित होती है जब एक जोखिम दुर्बल लोगों पर प्रभाव डालता है। जोखिमों दुर्बलता और खतरे के संभावित नकारात्मक परिणामों को घटाने की अक्षमता के संयोजन का नतीजा आपदा होती है। 'आपदा एक संकटपूर्ण स्थिति है जो क्षमताओं से काफी बढ़कर होती है।'

आपदा किसी समुदाय या समाज के कामकाज में गंभीर विघ्न है जिसमें व्यापक जान, माल और आर्थिक या पर्यावरणीय नुकसान और प्रभाव शामिल होते हैं जो अपने खुद के संसाधनों का इस्तेमाल कर इन घटनाओं का सामना करने की समुदाय की या समाज की क्षमता से अधिक होते हैं।

**भारत में प्राकृतिक और मानव निर्मित आपदाएं**— प्राकृतिक भौगोलिक रूप से विविधतापूर्ण विभिन्न मौसमी परिस्थितियों के साथ विविध भूदृश्य- भारत अपने हिस्से की प्राकृतिक और मानव निर्मित दोनों की आपदाएं वार्षिक रूप से अनुभव करता है। बाढ़, चक्रवात, भूस्खलन और भूकंप कुछ ऐसी प्राकृतिक आपदाएं हैं जो देश में हर सात विनाश करती हैं। विमानन आपदाएं, भगदड़, इमारत का ढहना और ट्रेन हादसे जैसी आपदाएं ऐसी घटनाएं हैं जो मानवीय भूल से उत्पन्न होती है और मानवीय ठिकानों के निकट घटित होती हैं।

**आपदा**

प्राकृतिक- 1. बड़ी प्राकृतिक आपदाएं : बाढ़ चक्रवात, सूखा, भूकम्प आदि।

2. छोटी प्राकृतिक आपदाएं: शीत लहर, आंधी-पानी, लू, कीचड़ धंसना, तूफान आदि।

मानव निर्मित- 1. बड़ी मानव निर्मित आपदाएं: आग लगना, महामारी, वनों की कटाई, प्रदूषण, युद्ध आदि।

2. छोटी मानव आपदाएं: सड़क/ट्रेन दुर्घटना, दंगा, भोजन में जहर, औद्योगिक तबाही, पर्यावरण प्रदूषण आदि।

**आपदा का प्रकार**

1. भूकंप
2. बाढ़ और नदी
3. चक्रवात और सुनामी
4. सूखा

**कुल आपदा संभावित क्षेत्र का अनुपात**

1. 58.6 प्रतिशत भूभाग
2. 12 प्रतिशत भूभाग
3. 75.8 प्रतिशत (7561 कि.मी. लंबी तट रेखा में से तकरीबन 5,700 कि.मी. आपदा संभावित)
4. खेती योग्य क्षेत्र का 68 प्रतिशत

**आपदा दो तरह की होती है**—प्राकृतिक और मानवजनित। प्राकृतिक आपदा को रोक पाना मानव की क्षमता से बाहर है। प्राकृतिक आपदा में भूकंप, भूस्खलन, ज्वालामुखी विस्फोट, बाढ़ और चक्रवात शामिल है। प्राकृतिक आपदा न केवल जन धन को हानि पहुंचाती है, बल्कि पर्यावरण के ढांचे को भी प्रभावित करती है। जहां तक प्राकृतिक आपदा का

सवाल है यह संभावित स्थानों पर ही ज्यादा होता है। जैसे बाढ़ आमतौर पर नदी के किनारे वाले स्थानों पर ज्यादा आती है। नदी से दूर के क्षेत्र कम प्रभावित होते हैं। इसी तरह कुछ स्थान भूकंप की दृष्टि से नाजुक होते हैं। भू वैज्ञानिकों ने भूकंप की दृष्टि से कुछ स्थानों को चिन्हित भी कर रखा है। मिसाल के तौर पर जापान प्राकृतिक कारणों से भूकंप की दृष्टि से काफी संवेदनशील माना गया है। दूसरी तरफ मानव जनित आपदा ऐसी आपदा होती है जिसके लिए सीधे तौर पर मानव जिम्मेदार होता है। इसका प्रबंधन और नियंत्रण हो सकता है। सरकार के स्तर पर आतंकवादी गति-विधियों को रोकना संभव है। समाज में दंगा और उपद्रव रोका जा सकता है। दूसरे शब्दों में समाज में आपदा के लिए मानव भी जिम्मेदार है। लेकिन यह सब कुछ प्रशासनिक स्तर पर ही नियंत्रित किया जा सकता है।

### बाढ़

बाढ़ उस स्थिति को कहते हैं जब पानी अपने दायरे से बाहर निकल कर जमीन को अपने आगोश में लेता है। यूरोपियन यूनियन फ्लड्स डाइरेक्टिव के मुताबिक बाढ़ उस स्थिति को कहते हैं। आमतौर पर नदी, झील का पानी अपनी सीमा को तोड़कर जमीनी सतह पर फैलने से बाढ़ की स्थिति बनती है। कभी कभी किसी दूरस्थ स्थानों पर बरसात का काफी पानी जमा होने पर भी बाढ़ के हालात पैदा हो सकते हैं। हालांकि झील के आकार और मौसम के अनुसार इसमें पानी की मात्रा निर्धारित होती, लेकिन वह तब तक उतनी घातक नहीं होती, जब तक कि वह जन धन की हानि न करें। नदियों द्वारा बाढ़ की स्थिति तब आती है जब उसमें पानी को वहन करने की क्षमता से ज्यादा पानी भर जाए। खासतौर से जिन स्थानों पर नदियों मुड़ती हैं, वहां खतरा ज्यादा होता है। ये बाढ़ यदि मैदानी क्षेत्र में है तो संपत्ति का नुकसान ज्यादा होता है। ऐसे समय में नदियों से दूर रहकर इंसानी जान बचाई जा सकती है। चूंकि परम्परागत रूप से मानव नदियों के किनारे ही रहता आया है, क्योंकि यह न केवल समतल होता है, बल्कि उपजाऊ भी होता है। नदियां यात्रा के लिए सुगम होती हैं और साथ ही वाणिज्यिक और औद्योगिक क्रियाकलापों के लिए भी नदियाँ सहायक होती है। इसीलिए नदियों के किनारें ही रहना लोग पसंद करते आए हैं। कुछ बाढ़ धीरे-धीरे आती है तो कुछ काफी तेज के साथ। इसके लिए बारिश होना जरूरी नहीं है। साथ ही बाढ़ स्थानीय हो सकती है, एक समुदाय को प्रभावित कर सकती है, या फिर व्यापक पैमाने पर भी हो सकती है, जिससे पूरा नदी बेसिन प्रभावित हो सकता है। हालांकि हमारे देश में बाढ़ के मुख्य रूप से बारिश ही जिम्मेदार होती है।

भारत में मुख्य रूप से बारिश तीन से चार खास महीनों के बीच होता है। यदि काफी अधिक बारिश होती है तो नदियां उस पानी को संभाल नहीं पातीं, जिससे बाढ़ आती है। देश में अभी तक 40 मिलियन हैक्टेयर जमीन को बाढ़ग्रस्त के रूप में चिन्हित किया गया है। सालाना औसतन 18.6 हैक्टेयर जमीन बाढ़ की चपेट में आती है। हम कह सकते हैं कि भारत में जितनी भी तरह की आपदाएं आती हैं, उसमें सबसे ज्यादा नदियों से उत्पन्न होने वाली बाढ़ होती है, सबसे ज्यादा नुकसान भी इसी बाढ़ के कारण होता है। नदियों में बरसात के पानी को वहन करने की क्षमता से ज्यादा पानी हो जाता है तो वह अपने आसपास की जमीनी सतह पर फैल जाता है जो बाढ़ के रूप में सामने आता है। खराब ड्रेनेज व्यवस्था के कारण भी जब पानी इकट्ठा हो जाता है बाढ़ की स्थिति पैदा हो जाती है।

साथ ही नदियों में क्षरण के कारण गाद जमा हो जाने से वह उथली होती है, इससे उनकी क्षमता प्रभावित होती है। यह भी बाढ़ का कारण बनती है। दूसरी तरफ भूकंप या भूस्खलन के कारण नदियों के बहाव की दिशा कभी कभी बदल जाती है, इससे भी बाढ़ का खतरा पैदा हो जाता है। मुख्य नदियों में पानी का अधिक जमाव होने से ज्वार जैसे हालात हो जाते हैं जो बाढ़ का रूप ले लेते हैं। इस देश में नदियों का प्राकृतिक प्रसार है और जहां ये प्रत्येक सभ्यता की लाइफलाइन रही हैं वहीं उनमें भारी वर्षा की स्थिति के कारण प्रत्येक वर्ष बाढ़ भी आ जाती है। दक्षिण-

पश्चिमी मानसून भारी वर्षा लेकर आते हैं जो इनमें से कुछ नदियों में बाढ़ का कारण होते हैं–इनमें से सबसे महत्वपूर्ण है गंगा और ब्रह्मपुत्र नदियां। बाढ़ प्राकृतिक घटना है तथा महीन गाद और बालू के जमाव के कारण मिट्टी की बढ़ी हुई उर्वरता के लिए जिम्मेदार होती है। लेकिन बढ़ती हुई आबादी के परिणामस्वरूप विशुद्ध रूप से कृषि संबंधी भूमि को निर्मित क्षेत्रों में परिवर्तित करना बाढ़ के विनाशकारी प्रभावों की ओर ले गया है। दूसरे शब्दों में, बाढ़ एक प्राकृतिक आपदा बन गई है जो प्रत्येक वर्ष जीवन और संपत्ति को नुकसान पहुंचाती है।

बाढ़ संभावित क्षेत्रों में आबादी के उच्च घनत्व ने इन क्षेत्रों को अधिक संवेदनशील बना दिया है। वर्ष 2013 में देश के विभिन्न क्षेत्रों ने बाढ़ की परिस्थितियों का सामना किया। बाढ़ की कुछ परिस्थितियों तो बहुत विकट थीं और उनमें संपत्ति का अच्छा खासा नुकसान हुआ। बेहद खराब मौसम के कारण जून 2013 में भारी बाढ़ से उत्तराखंड पर बहुत गहरा असर पड़ा। भारी वर्षा, चोराबाड़ी ग्लेशियर के पिघलने से भूदृश्य में भारी मात्रा में पानी उत्पन्न हो गया जिसके परिणामस्वरूप मंदाकिनी नदी में बाढ़ आ गई। केदारनाथ, बद्रीनाथ, रुद्रप्रयाग और यहां तक कि ऋषिकेश में भी भारी भूस्खलनों और आकस्मिक बाढ़ ने संपत्तियों को काफी नुकसान पहुंचाया और इसमें बहुत ज्यादा लोगों की जानें गई। बाढ़ ने केदारनाथ से रामबाड़ा तक पूरी सड़क को जलप्लावित कर दिया तथा रामबाड़ा को घिंदुरपानी से जोड़ने वाली सड़क पूरी तरह से क्षतिग्रस्त हो गई थी, जिससे हजारों तीर्थयात्री वहां फंस गए। इस आपदा में 5,000 से भी अधिक लोगों ने अपनी जानें गंवाई।

### चक्रवात

7516 कि.मी. तटरेखा के साथ भारत पर दुनिया के तकरीबन 10 प्रतिशत ऊष्णकटिबंधीय चक्रवातों का खतरा मंडराता रहता है। पूर्वी तट पर आंध्र प्रदेश, ओडिशा, तमिलनाडु और पश्चिम बंगाल तथा पश्चिमी तट पर गुजरात चक्रवात आपदाओं के प्रति अधिक संवेदनशील हैं। ऊष्णकटिबंधीय चक्रवात मुख्य रूप से मई, जून और अक्टूबर-नवम्बर में घटित होते हैं। नवम्बर में यह अपने शिखर पर होता है और उसके बाद में मई में।

### भूकंप

भूकंप को साधारण शब्दों में धरती का हिलना या कांपना कहा जाता है यदि भूगोल में भूकम्प की परिभाषा तलाशें तो 'धरातल के ऊपरी भाग में वह कम्पन विधि है, जो धरातल के ऊपरी और निचली चट्टानों के लचीलेपन व गुरुत्वाकर्षण की स्थिति में न्यून अवस्था में शुरू होता है।' ज्वालामुखी विस्फोट जिन क्षेत्रों में अधिक होता है वहां भूकम्प के झटके अधिक आते हैं। सूर्य से अलग होकर पृथ्वी के छिटकने के बाद से पृथ्वी सिकुड़ रही है, इस कारण भी भूकम्प आते हैं पृथ्वी के ऊपर चट्टानें हैं, जिनसे कम्पन पैदा होता है उससे भी भूकम्प पैदा होता है, उससे भी भूकम्प दस्तक देता है भूसंतुलन का बिगड़ना भी बड़ा कारण है पृथ्वी का धरातल कई प्लेटों से मिलकर बना है प्लेटें स्थानान्तरित होती है प्लेटें एक-दूसरे के नजदीक आती है, इससे भी भूकम्प आते हैं। भारत में भूकम्पों का मुख्य कारण है भारतीय प्लेट का एशियाई प्लेट के साथ तकरीबन 45 मि.मी./वर्ष की दर से टकराना। इसके अलावा, यह धीरे धीरे वामावर्त (ऐंटीक्लॉकवाइज) होकर घूम रही है (सेला और अन्य 2002)। इस घूर्णन और स्थानान्तरण के परिणामस्वरूप बलूचिस्तान में तकरीबन 42 मि.मी./वर्ष की दर से वाम-पार्श्विक रचनांतर सर्पण (लेफ्ट लेटरल ट्रांसफॉर्म स्लिप) होता है।

धरती के अंदर से अचानक ऊर्जा उत्सर्जन से सिसमिक तरंगें पैदा होती हैं, जिसके कारण भूकंप आता है। भूकंप के असर से धरती हिलने लगती है, कभी-कभी कुछ स्थान अपने मूल स्थान से हट जाते हैं। लेकिन यदि भूकंप का केन्द्र बिन्दु समुद्र के भीतर हो तो यह सुनामी का कारण बनता है। भूस्खलन से भी भूकंप हो सकता है खासतौर से ज्वालामुखी विस्फोट के समय। सामान्य शब्दों में सिसमिक घटनाओं के कारण भूकंप आता है। ये सिसमिक घटनाएं मानव या प्रकृति द्वारा उत्पन्न किसी सिसमिक तरंगों के कारण

होती है। हालांकि सामान्य तौर पर यही माना जाता है कि भौगोलिक कारणों से भूकंप होता है, लेकिन ज्वालामुखी विस्फोट, भूस्खलन, माइन ब्लास्ट, नाभिकीय परीक्षण के कारण भी भूकंप हो सकता है।

जहां तक प्रकृति की भयावहता की बात है तो भूकंप उन सब से सबसे खतरनाक आपदा के रूप में शामिल है। आमतौर पर भूकंप अचानक आता है और इसकी पहले से कोई खबर नहीं लग पाती है, इसलिए इसके बारे में कोई अनुमान लगा पाना कठिन होता है। साथ ही इस आपदा से बचाव की कोई पूर्व तैयारी कर पाना संभव नहीं हो पाता। देश में कुल 50-60 फीसदी भूभाग भूकंप की दृष्टि से काफी संवेदनशील है। हिमालय और इससे सटे हुए क्षेत्र, अंडमान और निकोबार द्वीपसमूह खासतौर से इसके जद में आते हैं। भूकम्प की दृष्टि से पूर्वी राजस्थान प्रभावित क्षेत्र-राजस्थान को भूकम्प की दृष्टि से अतिसंवेदनशील या संवेदनशील क्षेत्र नहीं माना जाता है प्रदेश के करीब 100 सौ साल के इतिहास में सन् 1901 में श्रीगंगानगर में 7.1 रिक्टर पैमाने पर भूकम्प के झटके महसूस किए गए थे। उस समय अधिक जनसंख्या नहीं होने से जन और माल हानि नहीं हुई थी। उसके बाद कभी भी इतने रिक्टर पैमाने पर भूकम्प के झटके महसूस नहीं किए गए। प्रदेश के भरतपुर, अलवर और धौलपुर में 6.5 रिक्टर के भूकम्प के झटके महसूस किए गए हैं।

भूकंप के मुख्य प्रभाव-जमीन का हिलना और धंसना। यह भवनों और अन्य निर्माणों को काफी क्षति पहुंचाना है। भूकंप से होने वाली क्षति इसकी भीषणता पर निर्भर करती है। भू सतह का टूटना, धंसना और अपने स्थान से हट जाना भूकंप में मुख्य रूप से होता है। अत: इससे इंजीनियरिंग निर्माण जैसे-बांध, पुल, न्यूक्लीयर पॉवर स्टेशन आदि को नुकसान पहुंचाता है। इलेक्ट्रिक लाइनों और गैस पाइप लाइनों को क्षति पहुंचने से आग लगने का भी खतरा उत्पन्न हो जाता है। संरचनात्मक जटिलताओं के कारण, ये गति किसी भी फॉल्ट प्रणाली में स्पष्ट नहीं होती है। भारतीय मौसम विभाग के अनुसार देश को 4 भूकंपीय क्षेत्रों या जोन में बांटा गया है:- जोन 2, 3, 4, 6 और राजस्थान दूसरे जोन में आता है। जोन 5 में हिमालय क्षेत्र आता है।

**भूस्खलन**-भूस्खलन एक तीव्र प्रकार की बड़े पैमाने की हलचल है जो पहाड़ी क्षेत्रों में घटित होता है। भारत में यह अधिकांश जुलाई से सितंबर की अवधि में मानसून के दौरान होता है जब पहाड़ों पर भारी वर्षा होती है और जनवरी से मार्च तक बर्फबारी के बाद होता है। जबरदस्त भूकंप भी भूस्खलनों का कारण होते हैं, विशेषकर उन क्षेत्रों में जहां गंभीर रूप से झुकी हुई है व अस्थिर ढलानें होती हैं।

पहाड़ी ढलानों से मिट्टी और तलछट हटाने वाली मानव गतिविधि भी व्यापक तीव्र और भारी हलचलों का कारण बन सकती है।

**मानव निर्मित आपदाएं-**

अंतर्राष्ट्रीय नागरिक उड्डयन पर कन्वेंशन के अनुलग्नक 13 द्वारा विमानन दुर्घटनाओं का विमान के संचालन से जुड़ी घटना के रूप में परिभाषित किया गया है जो उड़ान भरने के इरादे से कुछ यात्रियों के विमान में बैठने और ऐसे सभी यात्रियों के जहाज से उतरने के समय के बीच घटित होती है और जिसमें किसी व्यक्ति की मृत्यु हो जाती है या वह गंभीर चोट ग्रस्त हो जाता है और जिसमें मृत्यु या चोट का कारण क्रैश, आग, भिड़ंत, तोड़-फोड़ या दुर्घटना थी।

**आपदा के कारण-**

यूं तो प्राकृतिक आपदा को नियंत्रित कर पाना मानव के वश में नहीं है, लेकिन कुछ आपदा निश्चित रूप से टाली जा सकती है या उसकी विभीषिका कम की जा सकती है। ऐसा समझा जाता है कि खराब विकास योजनाएं बार बार मानवीय और आर्थिक आपदा का कारण बन जाती हैं। बाढ़ वाले क्षेत्रों में ज्यादा आबादी की अनुमति देना, भूकंपीय क्षेत्र में गैर नियोजित निर्माण की अनुमति ठीक उसी तरह की आपदा को दावत देने जैसा है जैसे कि जन धन हानि के मामले में प्राकृतिक आपदा होती है।

अपने अद्वितीय भौगोलिक और वातावरण परिस्थितियों के कारण भारत को परंपरागत रूप से प्राकृतिक आपदा का क्षेत्र माना गया है। बाढ़,

अकाल, चक्रवात, भूकंप और भूस्खलन जैसी आपदाएं तो इसके साथ होती ही रहती हैं। अपने अद्वितीय भू वातावरण परिस्थितियों के कारण भारतीय उपमहाद्वीप दुनिया में सबसे अधिक प्राकृतिक आपदा वाला संभावित क्षेत्र है। बाढ़, सूखा, चक्रवात और भूकंप के मामले में यह बहुज संवेदनशील उपमहाद्वीप है। प्राकृतिक ही नहीं मानव जनित आपदा के लिए भी यह उपमहाद्वीप अपनी भौगोलिक स्थिति और मानसून के व्यवहार के कारणों से अति संवेदनशील है। इसीलिए भारत बाढ़, सूखा, चक्रवात, भूकंप, भूस्खलन, जंगल में आग जैसी आपदाओं के मामले में काफी संवेदनशील हैं।

## आपदा प्रबंधन के कुछ उपकरण

उचित प्रबंधन-प्राकृतिक आपदा के समय आपदा प्रबंधन अति विकट होता है, लेकिन ठोस योजना और कार्यक्रमों के माध्यम से जन धन की हानि को काफी कम किया जा सकता है। संवेदनशील क्षेत्रों से प्रापर्टी और लोगों को विस्थापित करके और त्वरित गति से समय पर राहत कार्य द्वारा बचाव संभव है। इस मामले में आपदा के प्रभाव को कम करने का सबसे अच्छा उपाय है पूर्व तैयारी। इसी तरह हम सभी को भी प्राकृतिक आपदा से निपटने के लिए पूरी तैयारी करके रखनी चाहिए।

राहत-आपदा प्रबंधन के सबसे महत्वपूर्ण पहलुओं में से एक है राहत कार्य। किसी भी प्राकृतिक आपदा के बाद आपदा प्रबंधन का सबसे अहम लक्ष्य होता है राहत पहुंचाना। राहत कार्यों में बचाव, विस्थापित, खाद्य और पेयजल मुहैया कराना, बीमारी से रोकथाम, आवश्यक सेवाओं की पुनर्बहाली जैसे दूरसंचार, बिजली, यातायात, अस्थायी निवास और आकस्मिक स्वास्थ्य सेवाएं आदि।

बाढ़ से पहले चेतावनी-कुछ पूर्व चेतावनियां भी काफी मददगार साबित होती हैं। हर किसी को अपने निकट के शरणस्थल की जानकारी होनी चाहिए। अपने निवास को काफी मजबूत बनाना चाहिए, इसके लिए ईंटों की दीवार सबसे उचित होती है क्योंकि बाढ़ के समय मिट्टी की दीवार सुरक्षित नहीं रह जाती है। संभावित बाढ़ग्रस्त क्षेत्रों में रहने वालों को एक इमरजेंसी किट हमेशा तैयार रखना चाहिए, जिसमें पीने का पानी, ड्राई फ्रूट्स, मोमबत्ती, माचिस की डिब्बी, पॉलीथीन बैग, कपड़े, कीमती सामान और फर्स्ट एड के समान।

बाढ़ के समय जरूरी कदम-पीने का पानी उबला हुआ होना चाहिए, जो हर समय ढका हुआ हो। बच्चों को खाली पेट न रखें और अपने आसपास ब्लीचिंग पाउडर का छिड़काव करें। हमें सांपों से भी सावधान रहना चाहिए, क्योंकि बाढ़ के समय सांपों द्वारा डसने की घटनाएं बढ़ जाती हैं।

## आपदा प्रबंधन

मानव के सामने सबसे बड़ी समस्या है- आपदा प्रबंधन के तरीके और साधन। सच तो यह है कि सदियों से मानव प्राकृतिक आपदा में अपना अस्तित्व बचाता चला आया है। यहां तक कि पौराणिक मान्यताओं के अनुसार जब महाप्रलय आया था उस समय भी मनु के प्रयास से सृष्टि की रक्षा हुई थी। बावजूद इसके भयानक बाढ़ या भूकंप के समय मानव प्रकृति के हाथ का खिलौना बन जाता है। बाढ़ ज्वालामुखी और भूकंप के आदिकाल से ही मानव बेबस होता आया है। समय के साथ साथ प्राकृतिक आपदा की संख्या दुनिया में बढ़ती जा रही है साथ ही इसका प्रभाव भी व्यापक होता जा रहा है। ऐसी स्थिति में आपदा प्रबंधन वास्तव में एक प्रमुख मंथन का विषय बन जाता है। आपदा प्रबंधन की जरूरत काफी बाद में तब महसूस की गई, जब प्राकृतिक और मानव जाति आपदा की बारम्बारता बढ़ गई।

आपदा प्रबंधन प्राकृतिक और मानवजनित आपदा के प्रभाव को कम करने या टालने के प्रयास का अनुशासन है। इसमें पूर्व तैयारी, आपदा के समय त्वरित सक्रियता, पुनर्निर्माण शामिल है, ताकि आपदा के प्रभाव को कम से कम किया जा सके। यह समझना महत्त्वपूर्ण है कि आपदा प्राकृतिक या मानवजनित किसी भी तरह की हो सकती है। यह व्यापक पैमाने पर जन धन की हानि करती है। यह वातावरण में भी आमूलचूल परिवर्ततन कर सकती है। आपदा प्रबंधन

का मकसद जनधन के नुकसान को कम से कम करना है, चाहे वह प्राकृतिक हो या प्रौद्योगिकीय। इसका उद्देश्य आपदा की स्थिति को रोकना, नियंत्रण करना और प्रबंधन करना है। इस समय हम कह सकते हैं कि मौजूदा समय में समाज में आपदा प्रबंधन या आपदा प्रबंधन की कला अति महत्वपूर्ण है।

आपदा प्रबंधन के सिद्धांत के परिप्रेक्ष्य में एक ऐसा परिवर्तन आया है जिसे 23 दिसम्बर 2005 को आपदा पंबंधन आपदा उपरांत राहत एवं पुनर्वास तक सीमित था लेकिन यह महसूस किया गया कि आपदा के प्रभावशाली प्रबंधन के लिए एक अधिक अग्रसक्रिय दृष्टिकोण की आवश्यकता है और इस प्रयोजन के लिए यह आवश्यक है कि समुदाय के क्षमता विकास पर ध्यान केंद्रित किया जाना चाहिए, जहां दुर्बलता को कम करने और आपदा से पहले तैयारी और शमन पर जोर हो। इस तरह आपदा प्रबंधन को अब दो चरणों में विभाजित कर दिया है–आपदा पूर्व तैयारी व शमन तथा आपदा उपरांत राहत, पुनर्वास और दीर्घकालिक बहाली चरण।

- दीर्घकालिक बहाली का विचार आपदा प्रबंधन के विचार के लिए महत्वपूर्ण हैं, क्योंकि बहाली ऐसी होनी चाहिए जो भविष्य में आने वाली आपदाओं के प्रभाव को झेल सके। दीर्घकालिक बहाली का यह दृष्टिकोण दीर्घकालिक विकास के विचार के साथ ही संबंधित है, जहां विकास प्रक्रिया इस तरह डिजाइन की गई है कि यह आपदा के प्रभाव को सहन कर सके। आपदा प्रबंधन अधिनियम 2005 के अनुसार आपदा प्रबंधन से योजना संगठन, समन्वयन और कार्यान्वयन की निरंतर और एकीकृत प्रक्रिया अभिप्रेत है जो निम्नलिखित के लिए आवश्यक है:–
    - किसी आपदा के खतरे या उसकी आशंका का निवारण
    - किसी आपदा या उसकी गंभीरता या उसके परिणामों के जोखिम का शमन या कमी
    - क्षमता निर्माण
    - किसी आपदा से निपटने के लिए तैयारियां
    - किसी आपदा की आशंका की स्थिति या आपदा से तुरंत बचाव
    - किसी आपदा के प्रभाव की गंभीरता या परिमाण का निर्धारण
    - निष्क्रमण बचाव और राहत
    - पुनर्वास और पुनर्निर्माण

आपदा प्रबंधन इसलिए एक एकीकृत प्रक्रिया है जो न केवल आपदा उपरांत राहत को लक्ष्य करती है, बल्कि जोखिम के आपदा पूर्व शमन पर भी ध्यान केंद्रित करती है। यदि जोखिम उत्पन्न करने वाले कारकों की पहचान की जा सके तो उन कारकों पर ध्यान देने का प्रयास किया जा सकता है जो क्षति और जीवन के नुकसान का निवारण करने में मदद करेगा।

भारत सरकार ने हाल ही में राष्ट्रीय जोखिम न्यूनीकरण मंच (एनपीडीआरआर) का निर्माण किया है जिसे फरवरी 2013 में प्रकाशित राजपत्र में अधिसूचित किया गया था। इस मंच का लक्ष्य है विविध प्रकार की दुर्बलताओं पर निरंतर कार्रवाई करते हुए आपदा के जोखिम को कम करना।

सूखा एवं अकाल क्षेत्र में सरकार द्वारा की गई नई पहल—

- आपदा प्रबंधन एवं सहायता विभाग–आपदा प्रबन्धन एवं सहायता विभाग द्वारा राज्य आपदा प्रबंधन योजना तैयार की गई जिसका राज्य कार्यकारी समिति द्वारा दिनांक 26.03.2014 को तथा आपदा प्रबन्धन प्राधिकरण द्वारा दिनांक 08.07.2014 को अनुमोदन किया गया।

राज्य आपदा नीति तैयार की गई–

- अभाव संवत् 2070 में अभावग्रस्त घोषित जिलों के अभावग्रस्त व गैरअभावग्रस्त क्षेत्रों की 1206 पंजीकृत गौशालाओं को अनुदान प्रदान किया गया।
- अभाव संवत् 2070 में अभावग्रस्त जिलों में राहत गतिविधियां यथा पशु संरक्षण, पेयजल परिवहन एवं अनुग्रह सहायता संचालित की गई।

- राज्य में खोज, बचाव व संचार व्यवस्था को विकसित किऐ जाने तथा उपकरणों के क्रय हेतु वित्तीय वर्ष 2014-15 में रुपए 769.99 लाख की राशि उपलब्ध करवाई गई।
- क्षमता संवर्द्धन योजना के अन्तर्गत वर्ष 2014-15 में कुल रुपए 485.56 लाख की प्रशासनिक स्वीकृति जारी की गई।
- विभागीय वेब एप्लीकेशन http://www.dmrd.raj.gov.in के माध्यम से जिलों की मांग के अनुसार तत्काल ऑनलाइन बजट आवंटन किया जा रहा है। इस एप्लीकेशन का आई एफ एम एस के साथ इन्टीग्रेशन किया गया है।
- आपदाओं के प्रबन्धन में संसाधनों व जनशक्ति की उपलब्धता के संबंध में जानकारी http://www.ddrn.govt.in वेबसाईट है जिसे समय-समय पर जिलों द्वारा अद्यतन किया जाता है।

सूखे हेतु क्राईसिस मैनेजमेंट प्लान तैयार किया गया-

- संवत् 2071 में राज्य के कुल 32 जिलों में 14613 ग्रामों (खरीफ फसल में 13 जिलों के 5841 ग्राम तथा रबी फसल में 29 जिलों के 8322 ग्राम) को जिलों से प्राप्त गिरदावरी रिपोर्ट के आधार पर अभावग्रस्त घोषित किया गया।
- अभाव संवत् 2071 में आदिनांक तक राज्य में 3336 पशु शिविरों (567469 पशुओं) 432 गौशालाओं में (236295) एवं 180 चारा डिपों के संचालन की स्वीकृति प्रदान की गई।
- संवत् 2070 में खरीफ फसल में हुए नुकसान हेतु कृषि आदान अनुदान के अन्तर्गत 78027.32 लाख रुपए का आवंटन किया गया।
- संवत् 2070 में ओलावृष्टि से हुए नुकसान हेतु कृषि आदान-अनुदान के अन्तर्गत 47701.89 लाख रुपए को आवंटन किया गया।
- वित्तीय वर्ष 2014-15 में राहत गतिविधियों के संचालन हेतु 157153 लाख रुपए का व्यय किया गया।
- संवत् 2071 में ओलावृष्टि से प्रभावित कृषकों को कृषि आदान अनुदान सहायता हेतु जिला कलेक्टरों को 2543.59 करोड़ रुपए का आवंटन किया जा चुका है।

# अध्याय 12

## प्रदूषण एवं प्रबन्धन
## Pollution and Management

राजस्थान में बढ़ते औद्योगीकरण, गरीबी, जनसंख्या वृद्धि, मरुस्थल आदि के कारण प्रदूषण की समस्या गम्भीर होने लगी है। राज्य के पश्चिमी तथा उत्तर-पश्चिमी भाग में स्थित 11 जिले राज्य के कुल भू-भाग का 61.11% है, अर्द्धमरुस्थलीय या मरुस्थलीय है। यह भाग वृहत भारतीय मरुस्थल 'थार' मरुस्थल कहलाता है। इस भाग में वनस्पतियों का नितान्त अभाव है । वनों के अभाव में निरन्तर मरुस्थल का विस्तार हो रहा है। राज्य के कुल भू-भाग का केवल 9.3% क्षेत्र ही वनाच्छादित है जो बहुत ही कम है। राज्य में बढ़ता जनसंख्या दबाव, शहरीकरण, कृषि भूमि विस्तार आदि के कारण वनों का ह्रास अधिक हुआ है तथा अपेक्षित गति से विकास नहीं हो सका है । वनाभाव के कारण राज्य में तापमान में वृद्धि हुई है तथा मृदा अपरदन की समस्या मुखर हुई है।

राज्य में जल संसाधन का अत्यधिक अभाव है। देश के कुल सतही जल का केवल 1.04% ही राज्य में है। राज्य के लगभग दो तिहाई भाग में जल या तो अत्यधिक गहराई पर मिलता है । या फिर काफी दूर-दूर उपलब्ध होता है। राजस्थान की अर्थव्यवस्था की विशिष्टता अकाल एवं सूखा हैं।

औद्योगिक इकाइयों से जल प्रदूषण की समस्या न्यूनाधिक राज्य के सभी क्षेत्रों में है। केन्द्रीय प्रदूषण नियंत्रण बोर्ड ने राजस्थान के पाली और जोधपुर को गंभीर रूप से प्रदूषित क्षेत्रों में माना है। केन्द्रीय पर्यावरण मंत्रालय के अनुसार जयपुर, अलवर, उदयपुर, जोधपुर और कोटा में प्रदूषण की स्थिति जोखिमपूर्ण हो गई है। पाली शहर में स्थित सूती कपड़े की रंगाई और छपाई की औद्योगिक इकाइयों का प्रदूषित जल बांड़ी नदी में गिरता है। जमीन के भीतर तेजाबी पानी की परत बन गई है। एशिया का सबसे पहला संयुक्त जल परिशोधन संयंत्र (ट्रीटमेंट प्लाण्ट) पाली में स्थापित किया गया है। फिर भी पाली में प्रदूषण की समस्या यथावत् बनी हुई है। सांगानेर में जल प्रदूषण की समस्या नियंत्रण से बाहर होती जा रही है।

मानव ने विज्ञान एवं तकनीकी के क्षेत्र में बहुत उपलब्धियाँ हासिल की है। इसके परिणामस्वरूप औद्योगीकरण, जनसख्या में वृद्धि, उपभोक्ता सामानों की बाहुलता एवं अन्य विकास परियोजनाओं के साथ-साथ बहुराष्ट्रीय कंपनियों का आगमन जैसी घटनाओं ने जन्म लिया है। ये सभी घटनाऐं प्रगति एवं विकास का प्रतीक चिन्ह मानी जाती है। दूसरी तरफ इसके फलस्वरूप कई गम्भीर समस्याओं का सामना करना पड़ रहा है। हमारे प्राकृतिक संसाधन घटते जा रहे है। हमारी नदियाँ, झीलें, वायु तथा समुद्र प्रदूषित हो रहे है। खाद्यान्न, जल तथा भूमि कम पड़ती जा रही है। इसके अतिरिक्त भूमि एवं समुद्र में विषैला कचरा डाले जाने तथा बढ़ते घरेलू कचरे की समस्या भी विकराल रूप धारण करती जा रही है। इससे पर्यावरण प्रदूषण का खतरा दिनों दिन बढ़ता ही जा रहा है।

पर्यावरण प्रदूषण का प्रश्न न सिर्फ जीवन की गुणवत्ता से जुड़ा हुआ है बल्कि यह लाखों, करोड़ों लोगों के अस्तित्व से भी जुड़ा हुआ है। मनुष्य विकास की दौड़ में अंधा होकर हमारे प्राकृतिक संसाधनों का सीमा से कहीं अधिक दोहन कर रहा है जिसके फलस्वरूप पर्यावरण दिनों दिन प्रदूषित हो रहा है तथा प्रकृति की सौन्दर्यता समाप्त हो रही है। आज जल, जंगल, जमीन तथा वायु का कोई भी भाग प्रदूषण से अछूता नहीं रहा हैं अतः आवश्यकता इस बात की है

कि विकास की अवधारणा को भलीभांति समझा जाये तथा पर्यावरण को अक्षुण रखते हुये स्वपोषित विकास जाये जिससे मानव की भावी पीढ़ी को स्वच्छ पर्यावरण तथा इसे प्रदूषित करने वाले कारणों तथा इससे होने वाले प्रभाव के साथ-साथ नियंत्रण के उपायों को समझना आवश्यक है।

## पर्यावरण प्रदूषण

प्रदूषण शब्द अंग्रेजी के शब्द पोल्युट (Pollute) से बना है। पोल्युट का अर्थ गंदा करना, अपवित्र करना या अशुद्ध करना है। परिभाषा की दृष्टि से प्रदूषण हमारी हवा, भूमि एवं जल के भौतिक, रसायनिक अथवा जैविक लक्षणों में एक अवांछनीय परिवर्तन है जो मानव जीवन तथा अन्य जीवाणुओं, औद्योगिक प्रक्रिया, जीवन दशाओं और सांस्कृतिक संपत्तियों को हानि पहुचा सकता है। इस प्रकार पर्यावरण के भौतिक, रसायनिक अथवा जैविक घटकों से अनिच्छित व विपरीत परिवर्तन पर्यावरण प्रदुषण कहलाता है या प्राकृतिक संसाधनों की शुद्धता को प्रभावित करके उनकी जीवन उपयोगिता छ को नष्ट या कम करने वाले पदार्थ प्रदूषक व ऐसी प्रक्रिया प्रदूषण कहलाती है।

## प्रदूषक

आधुनिक युग में वैसे तो मानवजनित सभी औद्योगिक पदार्थ प्रदूषक का कार्य करते हैं परन्तु नित्यप्रति उपयोगी रूप से परिवर्तित हो जाते हैं। इसके विपरीत कुछ पदार्थ उपयोग के पश्चात् गंभीर समस्या उत्पन्न करते हैं। विभिन्न प्रभाव के पदार्थों के इसी गुण के आधार पर रसायनिक दृष्टिकोण से प्रदूषकों को निम्न दो श्रेणियों में विभक्त किया गया है :-

(i) **जैव-विघटनात्मक प्रदूषक :** ऐसे प्रदूषक जो सूक्ष्म जीवों द्वारा एक निश्चित समय में सरल एवं हानि रहित पदार्थों में परिवर्तित कर दिये जाते है, उन्हें जैव-विघटनात्मक प्रदूषक कहते है । उदाहरणतः फल व सब्जियों के छिल्के, कागज, कपड़ा एवं अन्य जीव अंश।

(ii) **अविघटनात्मक प्रदूषक :** ऐसे प्रदूषक जो वातावरण में लंबे समय तक बने रहते हैं तथा जो सूक्ष्म जीवों द्वारा सरल पदार्थों में परिवर्तित नहीं होते, अविघटनात्मक प्रदूषक कहलाते हैं। उदाहरणः प्लास्टिक, पॉलीथीन, टिन व कांच से बनी वस्तुऐं आदि। इस प्रकार के प्रदूषकों का विघटन बहुत धीरे-धीरे होता है अथवा कभी इनका विघटन नहीं भी होता है। यह सामान्यतः खाद्य श्रृंखला में सम्मिलित होकर जीव के शरीर में प्रवेश कर जाते हैं जहाँ इनकी सांद्रता सदैव बढ़ती रहती है।

## पर्यावरण प्रदूषण के प्रकार

पर्यावरण प्रदूषण को मुख्यतया निम्न भागों में बांटा जा सकता है-

(i) वायु प्रदूषण
(ii) ध्वनि प्रदूषण
(iii) जल प्रदूषण
(iv) भूमि प्रदूषण।

## विभिन्न प्रकार के पर्यावरणीय प्रदूषण

### वायु प्रदूषण

भू-मण्डल में व्यापत विभिन्न गैसों का मिश्रण वायु कहलाता है। वायु में 78.034% नाइट्रोजन, 20.94% कार्बनडाई ऑक्साइड, 0.000125% मिथेन तथा 0.9364587% अन्य गैसो का अनुपात है। वायुमण्डल में पाई जाने वाली इन गैसों का अनुपात जब तक संतुलित बना रहता है, तब तक सभी जीवधारी सामान्य रूप से जीवन व्यतीत करते हैं। परन्तु इनका अनुपात बिगड़ जाने से वायु प्रदूषित हो जाती है जो जीवों के लिए हानिकारक होती है। वर्तमान में नगरीयकरण, औद्योगिकरण तथा बढ़ते हुए यातायात के परिणामस्वरूप अनेक विषैली गैसों से वायु में पाई जाने वाली गैसों के अनुपात का संतुलन बिगड़ जाता है और यही स्थिति वायु प्रदूषण का रूप ले लती है।

नगर तथा महानगरों में स्थित कारखानों की चिमनियों से निकलने वाले धुएं के कारण तथा बढ़ते हुये वाहनों की संख्या के कारण वायुमण्डल में कार्बनडाईऑक्साइड, सल्फरडाईऑक्साइड, नाईट्रोजन ऑक्साइड तथा एरोसोल्स का स्तर दिनों-

दिन बढ़ता जा रहा है। इन जहरीले कणों को वातावरण में निरन्तर छोड़े जाने से हृदय रोग, श्वास की बीमारियाँ बढ़ रही है। सीसा एक ऐसा जहर है जो रक्त संचार तंत्र, गुर्दों, मस्तिष्क, प्रजनन एवं अन्य शारीरिक तंत्रों को प्रभावित करता है।

वायु प्रदूषक, स्त्रोत् एवं इससे होने वाले मानव स्वास्थ्य पर दुष्प्रभाव को निम्न तालिका में दर्शाया गया है :

**सारणी-16**

**मुख्य वायु प्रदूषक स्त्रोत् एवं उनका मानव स्वास्थ्य पर प्रभाव**

| क्र.सं. | प्रदूषक | स्त्रोत | दुष्प्रभाव |
|---|---|---|---|
| 1. | सल्फर डाई ऑक्साइड | कोयला एवं तेल का दोहन, ईंट के भट्टे | सिरदर्द, उल्टी, श्वास संबंधी परेशानियाँ, सीने में जकड़न, दम घुटना, आँखों में जलन। यह वातावरण में उपस्थित पानी की भाप से मिलकर अम्लीय वर्षा करती है। |
| 2. | नाइट्रोजन डाई ऑक्साइड | गाड़ियों का धुआँ एवं कोयले का दोहन | श्वसन संबंधी विकार, दमा आदि। |
| 3. | कार्बन मोनो ऑक्साइड | कोयला एवं गैसोलिन का दहन, वाहनों का धुआँ | रक्त की ऑक्सीजन वहन क्षमता में कमी, बेहोशी, श्वास के रोगियों पर विशेष प्रभाव। |
| 4. | नाइट्रोजन | वाहनों का धुआँ | फेफड़ों में धुआँ जमाव ओजोन नाइट्रोजन के ऑक्साइड के साथ मिलकर फेफड़ों का कैंसर करने के लिए उत्तरदायी है व आँखों में जलन उत्पन्न करना। |
| 5. | क्लोरो फ्लोरो कार्बन | एयरोसॉल, रेफ्रिजरेटर, सुपर सॉनिक जेट प्लेन | त्वचा का कैंसर क्योंकि इन प्रदूषकों के बढ़ने से ओजोन परत में छेद बढ़ता जा रहा है जिससे पैराबैगनी किरणें धरती पर आ रही है। |
| 6. | सस्पैण्डेड पारटिकुलेट मैटर | अधिकांश औद्योगिक उत्पादन इकाईयाँ | इम्फायजीमा, आँखों में जलन, कैंसर |
| 7. | क्वार्ट्ज एवं सिलिका | पत्थर की खानें, बजरी आदि | सिलिकोसिस |
| 8. | शौर | स्वचालित वाहन, रेल, हवाई जहाज, दहन इंजन उद्योग, ध्वनि विस्तारक यंत्र | स्वास्थ्य एवं कार्यक्षमता में कमी, मानसिक विकार, श्रवण तंत्र के कुछ हिस्सों की क्षति, मानसिक एवं कार्यिकी विकार, सुनने की क्षमता में कमी। |

उपरोक्त सूची से अवगत होता है कि विभिन्न वायु प्रदूषकों से मनुष्य के स्वास्थ्य पर क्या हानिकारक प्रभाव पड़ते हैं। दीर्घकाल तक प्रदूषित वायुमण्डल में रहने पर अनेक रोग हो सकते हैं। ये रोग प्रदूषको की प्रकृति, सांद्रता व प्रदूषित वातावरण में रहने की अवधि आदि कारकों पर निर्भर करती है।

### वायु प्रदूषण

राजस्थान में वायु प्रदूषण मुख्यतः दो कारणो से होता है– 1. प्राकृतिक कारण 2. मानव जनित कारण।

### प्राकृतिक कारण

राजस्थान राज्य के 50 जिलों में से 21 जिलों में मरूस्थल फैला हुआ है ये जिले हैं गंगानगर,

हनुमानगढ़, अनुपगढ़, बीकानेर, चूरू, झुंझुनू, सीकर, नीमकाथाना, जोधपुर, पाली, ब्यावर, बाड़मेर, बालोतरा, जैसलमेर जालौर तथा सांचौर। यहाँ की जलवायु शुष्क है तथा बहुत बड़े क्षेत्र में रेतीली मृदा फैली हुई है। इस क्षेत्र में कम वर्षा के कारण प्राकृतिक वनस्पति की कमी है। इस क्षेत्र में वार्षिक औसत वर्षा 100 मिमि. से 500 मिमि. तक होती है। सर्दियों में यहाँ का तापमान जमाव बिन्दु तक पहुँच जाता है तथा गर्मी में कभी-कभी 50ओ सेन्टीग्रेड तक छूने लगता है। अप्रैल से जून महीने के बीच जब तापमान बढ़ने लगता है तब इस क्षेत्र में तेज हवाएँ चलती है जो अपने साथ रेत लिये होती है, इन्हें आँधी कहा जाता है। ये हवाऐं 50 से 150 कि.मी. की रफ्तार से चलती है। इनका न्यूनतम समय एक या आधे घंटे होता है परन्तु अधिकतम समय 10 से 15 दिनों तक रहता है। पश्चिमी भाग विशेषतर बीकानेर, अनुपगढ़, जैसलमेर बाड़मेर तथा बालोतरा में आँधियाँ अधिकतम समय तक रहती है। इससे वायु में रेत के इतने सघन कण समाहित रहते हैं कि कभी-कभी सूर्य की रोशनी भी बाधित रहती है। इस तरह प्राकृतिक कारण से पश्चिमी राजस्थान वायु प्रदूषण से प्रभावित सबसे बड़ा क्षेत्र है।

**मानव जनित कारण**

(i) **खनन :** राजस्थान एक खनिज प्रधान राज्य है। यहाँ देश के कई महत्वपूर्ण खनिजों के 80-100 प्रतिशत भाग की पूर्ति होती है। इनमें मुख्य रूप से तांबा, सीसा, जस्ता, खड़िया पत्थर, सिलिका रेत, चूना पत्थर, जिप्सम तथा संगमरमर शामिल हैं। पर्यावरण प्रदूषण की दृष्टि से राज्य में खनन को दो भागों में बांटा जा सकता है। पहला प्रधान खनिज खनन क्षेत्र तथा दूसरा अखनिज खनन क्षेत्र। प्रधान खनिज में सीसा जस्ता जो कि भीलवाड़ा जिले के आगुचा क्षेत्र, दरीबा-बिथुम्नी जिला राजसमंद, तथा उदयपुर जिले का जावर क्षेत्र पर्यावरण प्रदूषण की दृष्टि से अतिसंवेदनशील क्षेत्र है। खनन के दौरान सीसे का हवा में घुल जाने से मनुष्य के स्वास्थ्य पर शीघ्र ही विपरीत प्रभाव पड़ता है। अखनिज प्रधान खनन क्षेत्र जिसमें सेन्डस्टोन, चूना पत्थर, ईमारती पत्थर व संगमरमर शामिल है। मुख्य रूप से बिजौलिया (भीलवाड़ा), कोटा स्टोन (रामगंजमण्डी), झालावाड़, धौलपुर, करौली, जोधपुर सेन्डस्टोन, स्लेट स्टोन जिला अलवर, संगमरमर का मकराना क्षेत्र, राजसमंद आदि जिलों में खनन होता है। खनन का कार्य खुली खदानों में बारूद से विस्फोटों के माध्यम से किया जाता है जिससे भारी मात्रा में वायु प्रदूषित होती है। वायु में पत्थर तथा मृदा के कण श्वास द्वारा मानव तथा पशुओं के शरीर में प्रवेश करते हैं। जिससे स्वास्थ्य पर इसका विपरीत प्रभाव पड़ता है तथा कई प्रकार की बीमारियाँ होती हैं जिनमें सिलिकोसिस मुख्य है।

(ii) **औद्योगीकरण :** राजस्थान में पिछले दशक से औद्योगीकरण में बहुत प्रगति हुई हैं। राजस्थान राज्य औद्योगिक विकास एवं विनियोग निगम ने सन् 2005 तक राज्य में 257 औद्योगिक विकास केन्द्र (Growth Centres) विकसित किये हैं। इन क्षेत्रों में लगभग 2,63,250 औद्योगिक इकाईयाँ कार्य कर रही है। इन औद्योगिक इकाईयों में से कुछ इकाईयाँ वायु प्रदूषण उत्सर्जित प्रकृति की है जैसे सीमेंट उद्योग, संगमरमर तथा ग्रेनाइट कटिंग एवं पॉलिशिंग तथा ताप विद्युतघर आदि। राज्य में में स्थित 41 वृहत तथा 150 लघु सीमेंट इकाईयों में से 117 लघु इकाईयाँ अलवर, चूरू, जयपुर, जोधपुर, नागौर तथा सीकर जिलें में स्थापित है। इसी तरह से संगमरमर पत्थर कटाई तथा पॉलिश संबंधित औद्योगिक इकाईयाँ अजमेर, राजसमंद तथा उदयपुर में स्थित है तथा कोटा तथा सूरतगढ़ में ताप विद्युत गृहों से वायु प्रदूषित करने वाली राख का उत्सृजन होता है।

(iii) **वाहन जनित वायु प्रदूषण :** शहरों में मोटर वाहन तथा दो पहिये वाहनों की बढ़ती हुई संख्या वायु प्रदूषण का मुख्य स्रोत् है। राज्य में सन् 1991 में पंजीकृत वाहनों की संख्या 11.44 लाख थी जो

सन् 2005 में बढ़कर 42.60 लाख हो गयी। वर्तमान में वाहनो की पंजीकृत दर 4 से 5 लाख वाहन प्रतिवर्ष आंकी गई है। इन वाहनों में सबसे अधिक वृद्धि दर दो पहिया, ऑटोरिक्शा, कार, जीप तथा बसों की है। पेट्रोल तथा डीजल आधारित वाहनों से कई प्रकार की वायु प्रदूषित करने वाली गैसों का उत्सर्जन होता है। इसमें हाइड्रोकार्बन एवं नाइट्रोजन तथा कार्बन मोनोऑक्साइड प्रमुख हैं जिनका मुख्य रूप से स्वास्थ्य पर विपरीत असर पड़ता है।

## वायु प्रदूषण नियंत्रण

भारत में वायु प्रदूषण को नियंत्रित करने के लिए कुछ कानूनी उपाय किये गये जैसे सन् 1981 में केन्द्रीय सरकार ने वायु प्रदूषण (नियंत्रण एवं रोकथाम) अधिनियम बनाया जिसमें कानूनी रूप से वायु प्रदूषित करनें पर सजा का प्रावधान रखा गया है। इसके अलावा 1986 में पर्यावरण को शुद्ध रखने के लिए पर्यावरण संरक्षण अधिनियम बनाया गया जिसमें वायु प्रदूषण सहित अन्य प्रदूषकों पर नियंत्रण के प्रभावी उपाय किये गये हैं । इसी तरह 1988 में मोटर वाहन कानून पास किया गया जिसमें वाहनजनित प्रदूषण के प्रभावी रोकथाम के उपाय किये गये हैं ।

इस तरह से सरकारी स्तर पर वायु प्रदूषण के नियंत्रण के कई उपाय किये गये हैं परन्तु वर्तमान में आवश्यकता इस बात की है कि वायु प्रदूषण संबंधी समस्याओं, उनकी पालना एवं औद्योगिक क्षेत्रो का सघन सर्वेक्षण एवं मॉनिटरिंग की जायें जिससे वायु प्रदूषण की स्थिति का ज्ञान हो सके।

## ध्वनि प्रदूषण

ध्वनि प्रदूषण को परिभाषित करना कठिन है क्योंकि जो ध्वनि किसी एक के लिए असहनीय हो सकती है वही दूसरे के लिए नहीं । यदि उसे परिभाषा में बांधा जाये तो 'यह वह ध्वनि है जो समुदाय को अनचाही भी लगे तथा यह मनुष्य के लिए हानिप्रद भी हो ।' विश्व स्वास्थ्य संगठन के अनुसार अवाछित और अप्रिय आवाज ही ध्वनि प्रदूषण है, जो मानव के दिन-प्रतिदिन के क्रियाकलापों में उत्पन्न होती है। हमारे कान जिस कम से कम ध्वनि को सुन सकते हैं उसे डेसिबल यूनिट कहा है, जो सामान्य कान के लिए शून्य होता है। ध्वनि, तरंग या फ्रीक्वेंसी की होती है। इसके ऊपर और नीचे वाली फ्रीक्वेंसी को 'ध्वनि विहीन ध्वनि' भी कहा जा सकता है क्योंकि हमारे कान इसे सुन नहीं सकते हैं। हमारे कान के पास से जाने वाली रक्त धमनी जिसे केरोटिड़ कहते हैं, उसके रक्त प्रवाह की ध्वनि कान नही सुन सकते हैं क्योंकि वह 7 फ्रीक्वेंसी की होती है। प्रकृति का वरदान है, यदि हम उसे सुन सकते होते तो शायद हम में से कोई भी बिना पागल हुये नहीं रह सकता था। ध्वनि की तीव्रता डेसीबल में व्यक्त की जाती है, इसे संक्षेप में डी.बी. कहते हैं अर्थात् शोर की तीव्रता की इकाई डी. बी. है। निम्न तालिका में पर्यावरण सुरक्षा अधिनियम, 1986 में उल्लेखित विभिन्न क्षेत्रों में ध्वनि तीव्रता मानदण्ड दर्शाया गया है।

**सारणी-17 : ध्वनि के मानक**

| क्षेत्र | ध्वनि तीव्रता (डी.बी.) | |
|---|---|---|
| | दिन में | रात में |
| औद्योगिक क्षेत्र | 75 | 70 |
| व्यवसायिक क्षेत्र | 65 | 55 |
| आवासीय क्षेत्र | 55 | 45 |
| शांत क्षेत्र | 50 | 40 |

स्रोतः अम्बित नॉइज इण्डिया, पर्यावरण (संरक्षण) अधिनियम, 1986 के अन्तर्गत

साधारणतः 50 डी.बी. की ध्वनि कानों को बुरी नहीं लगती है लेकिन 95 डी.बी. की ध्वनि को तेज माना जाता है। विशेषज्ञों की राय है कि 85 डी.बी. की ध्वनि में अधिक समय तक रहने से मनुष्य में श्रवण दोष उत्पन्न हो सकता है जबकि 130 डी. बी. से अधिक ध्वनि तमाम सुरक्षा बावजूद घातक हो सकती है।

## ध्वनि प्रदूषण के स्रोत

(i) **वाहन :** आधुनिकीकरण और औद्योगीकरण के साथ वाहनों का बढ़ना इसका मुख्य कारण है। स्कूटर, मोटर साईकिल, कार, बस, ट्रक का सड़कों पर चलना।

(ii) **फैक्टरी एवं कारखानें :** मनुष्यों की सहायक सिद्ध होने वाली मशीने अपने ही शोर अप्रत्यक्ष रूप से उनके स्वास्थ्य के लिए हानिकारक सिद्ध हो रही है। इनमें कार्य करने वा लोगों को लगातार कम से कम 8 घंटे का 100 डेसिबल या इसके ऊपर का शौर सहन पड़ता है। मद्रास की औद्योगिक प्रशिक्षण के द्वारा सर्वेक्षण किया गया है कि 20 प्रतिशत कामगार अपनी श्रवण शक्ति खोते जा रहे हैं।

(iii) **मनोरंजन के साधन :** पॉप संगीत, लाउडस्पीकर, ईयर फोन, बच्चों के खिलौने जो ज्या शौर उत्पन्न करते हों, कार या मोटर साईकिल रेस कान तथा स्वास्थ्य के लिए हानिप्रद है।

(iv) **घरेलू वस्तुऐं :** आधुनिकीकरण के कारण घरों में कूलर, फ्रिज, वेक्यूम क्लीन एयरकंडीशनर, मिक्सी, काल बेल, टेलिफोन, रिकार्ड प्लेयर, टी.वी., रेडियो का लगा ज्यादा समय तक उपयोग।

(v) **विमानों से शोर :** ध्वनि प्रदूषण के लिए वायुयान व तेज उड़ने वाले जेट विमान सबसे अधिक दोषी माने जाते हैं। हवाई अड्डों के पास रहने वाली आबादी पर ध्वनि प्रदूषण का कुप्रभाव बहुत अधिक पाया जाता है। यह 100 से 130 डेसिबल के बीच होता है।

### ध्वनि प्रदूषण के प्रभाव

(i) श्रवण शक्ति पर ध्वनि प्रदूषण का बहुत ज्यादा असर होता है और सुनने की ताकत क्रमशः कम होती है।

(ii) शरीर को स्थिर रखने की शक्ति भी कानों के वेस्टिबुलर भाग में होती है। एकाएक तेज ध्वनि से चक्कर, उल्टी, तथा फेन्ट होकर गिर जाना भी संभव है।

(iii) मस्तिष्क पर ध्वनि प्रदूषण का अत्यधिक प्रभाव पड़ता है। दिमाग के हाइपोथेलमस भाग के ज्यादा क्रियाशील हो जाने से पिटुटरी तथा एडरनल कारटेक्सल से हारमोन ज्यादा बनतें है जो कि शरीर के अन्य भार्गो को प्रभावित करते हैं। इससे नींद का ठीक से न आना, एकाग्रता का खत्म होना, स्मृति का कमजोर होना, तनावग्रस्त बने रहना, सिरदर्द का होना, ज्यादा शोर वाली आबादी में पाया गया है। मानसिक बीमारियों के रोगियों की संख्या में वृद्धि होती जा रही है।

(iv) हृदय रोग के रोगी ध्वनि प्रदूषण के कारण भी बढ़ते जा रहे है। एकाएक तेज ध्वनि से सूक्ष्म रक्तवाहनियों का रक्त प्रवाह कुछ समय के लिए रूक जाता है जिसे 'स्टेसिस ऑफ माइक्रो सरकूलेशन' कहते है। ऐसे व्यक्ति को हृदयघात होने की ज्यादा संभावना होती है। यही नहीं हृदय गति बढ़ जाने से व्यक्ति घबराहट महसूस करता है। पाया गया है कि हृदय की मांसपेशियो में भी ध्वनि प्रदूषण से कुछ अपूरणीय बदलाव आ जाते है।

(v) रक्तचाप आयेनामिक नर्वस सिस्टम में अस्थिरता आ जाने से रक्तचाप घटता-बढ़ता रहता है जो कि बाद में उच्च रक्तचाप में बदल जाता है फैक्टरी में काम करने वाले अनुसंधानों से पता चला है कि पर्यावरण में ध्वनि की तीव्रता पिछले 10 वर्षों में दुगुनी हुई है। इसके मुख्य प्रभाव निम्न तालिका द्वारा दर्शाये गये है -

**सारणी-18**

**ध्वनि तीव्रता (डेसीबल में) प्रभाव**

| ध्वनि तीव्रता (डेसीबल में) | प्रभाव |
|---|---|
| 0 | सुनने की शुरूआत |
| 30 | स्वाभाविक निद्रा में से जागना |
| 50 | निंद्रा न आना |
| 80 | कानों पर प्रतिकूल प्रभाव |
| 90 | कार्यकुशलता का कम होना |
| 130-135 | संवेदना आरम्भ (मितली, चक्कर आना, स्पर्श तथा पेशी संवेदना में अवरोध) |

| ध्वनि तीव्रता (डेसीबल में) | प्रभाव |
|---|---|
| 140 | पीड़ा आरम्भ (कानों में पीड़ा, बहुत देर होने पर पगला देने वाली स्थिति) |
| 150 (बहुत देर तक) | त्वचा में जलन |
| 160 (बहुत देर तक) | छोटे मगर स्थायी परिवर्तन |
| 190 | थोड़े समय में बड़ें स्थायी परिवर्तन |

Source : Agrawal K.C. (2001), Environmental Pollution Cause Effecta and Controls.

राजस्थान के शहरी क्षेत्र में ध्वनि प्रदूषण मुख्यता तीज–त्यौहारों पर निकलने वाले संगीत में बजने वाले संगीत वाद्यों के कारण होता है या फिर शादी–ब्याह या जन्म दिन की पार्टियो के आयोजन के दौरान होता है इसी मौके पर एक सर्वेक्षण से राज्य के 6 शहरों के आँकड़े (सारणी–19) में प्रस्तुत है। आँकड़ों से स्पष्ट है कि आवासीय क्षेत्र में 45 से 55 डेसीबल सामान्य मानदण्ड के विरूद्ध सबसे अधिक ध्वनि प्रदूषण 74 डेसीबल उदयपुर में तथा सबसे कम 56 डेसीबल किन्तु सामान्य से अधिक कोटा में है। यह आँकड़ा व्यावसायिक क्षेत्र में सामान्य मानदण्ड 55 से 65 डेसीबल की तुलना में अधिक है।

**सारणी–19**

**राजस्थान के विभिन्न शहरों में दीपावली पूर्व एवं पश्चात् ध्वनि प्रदूषण (डेसीबल)**

| क्र.सं. | शहर का नाम | वर्ष 2016 | | वर्ष 2018 | |
|---|---|---|---|---|---|
| | | दीपावली के दिन | दीपावली के बाद | दीपावली के दिन | दीपावली के बाद |
| 1. | अलवर | 75 | 79 | 16 | 75 |
| 2. | बीकानेर | 59 | 66 | 67 | 69 |
| 3. | जयपुर | 74 | 75 | 72 | 77 |
| 4. | जोधपुर | 69 | 73 | 76 | 87 |
| 5. | कोटा | 56 | 62 | 66 | 75 |
| 6 | उदयपुर | 71 | 77 | 74 | 74 |

इसी प्रकार सन् 2003 में करवाये गये एक अध्ययन के अनुसार अलवर एवं भरतपुर जिले के आवासीय तथा वाणिज्यिक क्षेत्र में ध्वनि प्रदूषण की मात्रा औसत से काफी ऊपर पहुँचने लगी है। अलवर शहर में आवासीय क्षेत्र में 65 डेसीबल की तुलना में 114.1 डेसीबल, वाणिज्यिक क्षेत्र में 70 के स्थान पर 106 तथा शांत क्षेत्र में 103 डेसीबल तक पहुँच गयी है। इसके अलावा भरतपुर जिले में औसत ध्वनि का स्तर 89.6 तक रहा जयपुर के बाजार में ध्वनि का स्तर औसतन 75 से 80 डेसीबल तक रहता है। शादी विवाह के दौरान यह 90–100 से ऊपर तक चला जाता है।

## ध्वनि प्रदूषण नियंत्रण

ध्वनि प्रदूषण नियंत्रण हेतु (राजस्थान कोलाहल नियंत्रण एक्ट 1963) बना हुआ हैं। इसकी विभिन्न धाराओं के अंतर्गत व्यवस्था कि रात्रि 11.00 बजे से प्रातः 5.00 बजे तक ध्वनि विस्तार यंत्र (लाउडस्पीकर) काम में नही लिये जा सकते हैं। प्रतिबंधित समय में अनुमति लेकर ही इनका उपयोग किया जा सकता है। भारतीय संविधान की धारा 39 (ई) 47, 48ए तथा 51 (ए.से.जा.) में शोर नियंत्रण के कई कानून की व्यवस्था की गई है। राजस्थान कोलहाल नियंत्रण नियम–1964 की धारा में ऐसी व्यवस्था है कि चिकित्सालयों, टेलीफोन एक्सचेंजों, विद्यालयों, विश्वविद्यालयों, हॉस्टल, न्यायालयों व

सरकारी कार्यालयों के परिसर में 150 मीटर की दूरी के अंदर ध्वनि विस्तारक यंत्र (लाउडस्पीकर) काम में नही लिये जा सकते है। भारतीय मोटर वाहन कानून 1939 में भी शोर नियंत्रण के प्रावधान है। कानून में यह प्रावधान है कि उपरोक्त अधिनियम नियम की अवहेलना करने वाले व्यक्ति, संस्था का दोष प्रथम बार प्रमाणित होने पर 250 रुपये जुर्माना और इसी व्यक्ति/संस्थान पर दूसरी बार दोष प्रमाणित होने पर 250 रुपये अथवा एक माह की कैद अथवा दोनों ही सजा दी जा सकती है।

ध्वनि प्रदूषण पर कानूनी नियंत्रक के अलावा इससे होने वाले नुकसान हेतु कुछ निम्न उपाय किये जा सकते है।

(i) व्यक्तिगत तौर पर अपने को ध्वनि प्रदूषण से बचाने का प्रयत्न करना चाहिये। ज्यादा ध्वनि वाले क्षेत्रो में ईयर मक लगाना चाहिये।

(ii) घरों का ऐसा निर्माण, जिनका मुख्य द्वार ज्यादा यातायात वाली सड़क की तरफ न हो । दीवारों को मोटा रखने से ध्वनि कम मात्रा में घरो में प्रवेश कर पाती है। छत की ज्यादा ऊँचाई न हो ऊपर वाली मंजिलो में ध्वनि प्रदूषण ज्यादा पहुचता हैं क्योंकि उनकी दीवारें पतली होती जाती है।

(iii) पेड़-पौधे ध्वनि प्रदूषण को कम करते हैं अतः कारखानों के अहाते, सड़क के किनारे पर व रेल्वे लाइनों के दोनों तरफ भी पेड़ लगाये जाने चाहिये।

जैसा कि हम देख चुके है कि वृक्षों भी ध्वनि को अवशोषित कर ध्वनि प्रदूषण कम करने में मदद करते है। यहाँ कुछ वृक्षो के नाम दिये गये हैं जो ध्वनि प्रदूषण को कम करने में महत्वपूर्ण भूमिका निभाते हैं जैसे- सदाबहार, जामुन, पीपल, रोहिड़ा, आम, नारियल, खजूर, केवड़ा, थुअर, वेलपज, इमली, ताड़, सुपारी, सेंजना, तेंदू, ग्वारपाठा, अशोक, गुलमोहर तथा नीम आदि।

(iv) कारखानों में होने वाले शोर को कम या नियंत्रित करने के लिए जिन मशीनों में साइलेंसर लग सकते है लगाये जाने चाहिये तथा उनको चलाने के लिए मजदूरों को आवश्यक रूप से ईयर प्लगस, ईयर पफ्स अथवा हेलमेट का प्रयोग करना चाहिये। मशीनों की समय समय पर सफाई करके तेल व ग्रीस देकर शोर कम किया जा सकता है।

इसके साथ ही कारखाने में काम करने वाले कर्मचारियों को हफ्ते में दो दिन का आराम देने से उन्हें शोर से होने वाली हानियों से बचाया जा सकता है।

(v) हवाईअड्डों, रेल्वेस्टेशनों व कारखानों का निर्माण घरों से दूर किया जाना चाहिये। खराब इंजिनो वाले वाहनों पर प्रतिबंध लगाया जाना चाहिये।

## जल प्रदूषण

पृथ्वी पर जल प्रचुरता में उपलब्ध है। अधिकांश जल सागर में पाया जाता है । जल प्रत्येक मानव की प्रथम आवश्यकता है। जैव मण्डल में विद्यमान प्राकृतिक संसाधनो में जल सबसे महत्वपूर्ण संसाधन है क्योंकि यह न केवल मानव जीवन बल्कि समस्त जीव-जन्तु तथा वनस्पति जगतको जीवित रखनें के लिए आवश्यक है। जल प्रदूषण से हमारा अभिप्राय जल में अवांछित एवं हानिकारक पदार्थो के समिश्रण से है। जल प्रदूषण धरातलीय, भूमिगत तथा समुद्री जल से संबंधित है। विश्व स्वास्थ्य संगठन ने जल प्रदूषण की परिभाषा देते हुये कहा है बाहरी पदार्थ चाहे वे प्राकृतिक स्त्रोतों से हों अथवा अन्य स्त्रोतों से, जल पूर्ति के साथ-साथ जल को प्रदूषित करते हैं तथा जीवन के लिए हानिकारक होते हैं क्योंकि उनमें जहीरालापन होता है। जल का सामान्य ऑक्सीजन स्तर गिर जाता है, जल स्वाद में अपेय बन जाता है तथा इस प्रदूषित जल को पीने से अनेक प्रकार की बीमारियाँ फैल जाती है।

सामान्यतः समुद्र के जल को छोड़कर कुल जल का चौथाई भाग कृषि तथा अन्य उद्योग धंधों, पीने और घरेलू जरूरतों में काम आता है किन्तु लगातार विकास एवं औद्योगीकरण दोनों के कारण जल की मांग दिन-प्रतिदिन बढ़ती जा रही है।

### जल प्रदूषण के स्रोत

सतही तथा भूमिगत जल विभिन्न प्रकार के अवांछनीय एवं हानिकारक पदार्थों के मिलने से प्रदूषित हो जाता है। नदी, नालों, झरनों एवं तालाबों के जल में शहर के गन्दे नालों का पानी, घरेलू तथा नगरीय अवशिष्ट पदार्थो की भारी मात्रा, औद्योगिक बहिस्त्राव तथा अपघटित पशु तथा वनस्पति पदार्थों आदि के मिलने से पानी प्रदूषित हो जाता है तथा उस प्रदूषित पानी को उपयोग में लाने से कई प्रकार की बीमारियाँ तथा समस्याऐं उत्पन्न हो जाती है। महीन धूल के कण, बालू मृदा, अम्लों, क्षारों, ताँबा, शीशा, जस्ता, पारा तथा कीटनाशक आदि का मिश्रण भी जल को प्रदूषित करता है।

जल प्रदूषण उत्पन्न करने वाले अनेक स्त्रोत जैसे:- कृषि क्षेत्र से निकले पदार्थों में मुख्यतः खाद, कीटनाशक, खरपतवारनाशी, पादप पौषक पदार्थ आदि होते है। यह निकासी और सिंचाई के कारण जलाशयो में मिल जाते है। अनेक विषैले तत्व जैसे- आयरन, लैड, आरसेनिक, कोबाल, मैगनीज, मर्करी, क्रोमियम, केडमियम आदि भी वाहित मल और कारखानों से निकले पदार्थों के साथ जलाशयों में मिल जाते हैं। पौषकों की जल में वृद्धि यूट्रोफिकेशन कहलाती है। यह जलीय पौधों और जल सतही शैवालों की वृद्धि को प्रेरित करता है। पहाड़ियो से आने वाली धाराऐं अपने साथ मृदा कण लाती है जो गादीकरण करती है। तापीय प्रदूषण शीत यंत्रो, विशेषतः तापीय विद्युत शक्ति यंत्रो द्वारा उत्पन्न होता है। इनमें मुक्त हुये पदार्थो का तापमान 40 डिग्री सेंटीग्रेड तक बढ़ सकता है। यह ऑक्सीजन को अपचयित करते हैं और जैविक आक्सीजन मांग बढ़ाते है जिससे जीवाणुओं की संख्या तीव्रता से बढ़ती है।

जल प्रदूषण के प्रकार जल प्रदूषण भौतिक, रसायनिक या जैविक हो सकता है।

**भौतिक प्रदूषण :** यह जल के भौतिक गुणों जैसे रंग, स्वाद, गंध, स्वच्छता, तापमान आदि में परिवर्तन के कारण उत्पन्न होता है।

**रसायनिक प्रदूषण :** यह जल में रसायनिक परिवर्तनों के कारण उत्पन्न होता है। इनमें मुख्यतः कि (अम्लता/क्षारता), घुलित ऑक्सीजन और अकार्बनिक प्रदूषक होते हैं। पहला पक्ष अजैव अक्रमणीय है जबकि बाद का सामान्यः जैव अक्रमणीय होता है। रसायनिक प्रदूषण क्लोरीन, सलफरडाई ऑक्साइड, हाईड्रोजन सल्फाइड, फीनोल, कीटोन, एमीन आदि के कारण उत्पन्न होता है। यह कभी-कभी क्रियात्मक प्रदूषण भी कहलाता है।

**जैविक प्रदूषण :** यह जल में सजीवों जैसे शैवाल, कवक, जीवाणु, विषाणु, प्रोटोजोआ, कृमियों आदि के कारण होता है।

### जल प्रदूषण के प्रभाव

कार्बनिक प्रदूषक अपमार्जको के अवशिष्ट, कीटनाशकों के अवशिष्ट से आते है। अपमार्जको में एल्काइल बेंजीन सल्फोनेट का प्रयोग किया जाता है जो जल को दूषित करता है। एल्ड्रिन, डाइएल्ड्रिन, क्लोरडेन आदि कीटनाशक मस्तिष्क, हृदय, यकृत, और गुर्दो को प्रभावित करते है। कार्बनिक फॉस्फेट तंत्रिका तंत्र पर प्रभाव डालते है। मैलाथियोन और पैराथियोन पक्षियों पर प्रभाव डालते है। सूक्ष्म जीव मानव जाति में अनेक रोग जैसे टिटनेस, रेबीज एनक्स, मलेरिया, टाइफस, हैजा, मियादी ज्वर, पोलियो, यकृत- शोध आदि उत्पन्न करते हैं जिनमें अधिकतर जल द्वारा संक्रमित होते है।

### जल प्रदुषण

(i) **शहरी जल प्रदूषण :** राज्य की जनसंख्या के साथ औद्योगिक तथा प्रौद्योगिकी विकास भी हुआ है। फलस्वरूप राज्य में जल की मांग तथा आपूर्ति के कार्य में भी वृद्धि हुई है। शहरों में घरेलू उपयोग के जल आपूर्ति का कार्य जन स्वास्थ्य अभियांत्रिकी विभाग करता है। राज्य के कुल 222 शहरों/ कस्बों में से 23 कस्बों में 100 लीटर प्रति व्यक्ति की दर से पानी की आपूर्ति होती है। शेष 40 प्रतिशत कस्बों में 60 लीटर प्रति व्यक्ति की दर से पानी की आपूर्ति होती है तथा 30 प्रतिशत कस्बों में 81-100 लीटर प्रति

व्यक्ति की दर से जलापूर्ति होती है। यही जल घरेलू उपयोग के बाद नालियों द्वारा निस्तारित किया जाता है तथा बिना उपचार के सीधा नदी व नालों में मिल जाता है। इतना ही नहीं बल्कि शहर की कुल बस्तियों में से 77 प्रतिशत बस्तियों में जल निस्तारण की सुव्यवस्थित व्यवस्था ही नहीं है। जिससे यह प्रदूषित जल वैसे ही फैल जाता है। इसके अलावा सन् 2004 में राज्य में करवाये गये सर्वेक्षण के अनुसार 2653 कच्ची बस्तियाँ है जिसमें 3.82 लाख परिवार रहते है। यहाँ का घरेलू दूषित पानी भी सुव्यवस्थित जल निकासी के अभाव में या तो आसपास में फैलकर भूगर्भिक जल को प्रदूषित करता है या किसी पास के नदी/नाले में प्रवाह तंत्र को प्रदूषित करता है।

(ii) **औद्योगिक जल प्रदूषण :** राज्य में प्रदूषित जल उत्सृजित करने वाली औद्योगिक इकाईयों में कपड़ा मिल, कपड़ा रगांई व छपाई, रसायनिक खाद व कीटनाशक उत्पादन करने वाली इकाईयाँ प्रमुख है। राज्य में कुल 123 बड़ी व मध्यम आकार की कपड़ा मिल तथा सहयोगी इकाईयों में से 46 भीलवाड़ा, 15 अलवर, 7 बांसवाड़ा में स्थित है तथा शेष अजमेर, डूंगरपुर, जयपुर, झालावाड़, जोधपुर, कोटा, पाली, सिरोही, श्रीगंगानगर, टोंक तथा उदयपुर में भी एक-एक दो-दो इकाईयाँ है। इसके अलावा छोटी टेक्सटाइल इकाईयाँ जिसमें मशीनों से रसायनिक रंगाई व छपाई की लगभग 1600 से भी अधिक इकाईयाँ पाली, बाड़मेर तथा जोधपुर में स्थित है। यह सभी इकाईयाँ भारी मात्रा में प्रदूषित जल उत्सृजित करती है। जिससे वर्तमान में स्थापित जलशोधक क्षमता से अधिक मात्रा में प्रदूषित जल प्रवाहित होता है। साथ ही कई इकाईयाँ से जलशोधक क्षमता से अधिक संयंत्र शुद्ध समर्थ नहीं है। क्योंकि इन इकाईयों से जलशोधक क्षमता से अधिक मात्रा में प्रदूषित जल प्रवाहित होता है। साथ ही कई इकाईयाँ इन संयंत्रो से जुड़ी हुई नहीं है अतः उनका प्रदूषित जल सीधा प्राकृतिक प्रवाह तंत्र में मिल जाता है।

दूसरा बड़ा जल प्रदूषित करने वाला क्षेत्र उदयपुर तथा खेतड़ी है जहाँ सीसा, जस्ता तथा तांबे के भण्डार है तथा इनका खनन किया जाता है। खनन के पश्चात इन्हें पिघलाया जाता है। इस प्रक्रिया के दौरान जो इसका सहउत्पादक पदार्थ (By product) निकलता है। वह रसायनिक खाद तथा कीटनाशक बनाने के काम आता है जिसकी उत्पादक इकाईयाँ भी इसी क्षेत्र में स्थापित है। इनसे निकलने वाला जल अत्यन्त प्रदूषित होता है जो आसपास के प्रवाह तंत्र को तथा भूगर्भिक जल को भी प्रदूषित कर रहा है।

राज्य की कुल 13 बड़ी रसायनिक खाद की इकाईयों में से 7 इकाईयाँ केवल उदयपुर में स्थित है। शेष भीलवाड़ा, चित्तौड़गढ़, जयपुर तथा कोटा में स्थित है। इसी प्रकार कीटनाशक उत्पादन की कुल 37 लघु इकाईयों में से 26 इकाईयाँ सिर्फ जयपुर में स्थित है तथा शेष अलवर, हनुमानगढ़, श्रीगंगानगर, कोटा व टोंक में स्थित है। इससे भारी मात्रा में प्रदूषित जल उत्सर्जित होता है।

### जल प्रदूषण नियंत्रण

हमारे देश में जल प्रदूषण बहुत तीव्रता से बढ़ रहा है। इसे अनेक माध्यमों द्वारा नियंत्रित करते रहना चाहिये। नगरीय जल का शुद्धीकरण, जल स्त्रोतो द्वारा इनका वातायन बढ़ाकर, इनकी कठोरता को दूर करके जीवाणुओं को मारने के लिए क्लोरीन मिलाकर करते है। वाहित जल प्रदूषण को प्राथमिक, द्वितीयक और तृतीयक उपचार देकर न्यूनतम कर सकते हैं। नागपुर में 'राष्ट्रीय पर्यावरण इंजीनियरिंग अनुसंधान संस्थान' ने अवशिष्ट जल को पुनः चक्रीकरण की विधी विकसित की है। अवशिष्ट जल का चक्रीकरण ओखला (दिल्ली) में भी किया जाता है। सरकारी स्तर पर जल प्रदूषण का उपाय सर्वप्रथम 1974 में जल प्रदूषण एवं रोकथाम अधिनियम पारित किया गया।

### मृदा प्रदूषण

मृदा सर्वाधिक मुल्यवान संसाधन है । विश्व के 71 प्रतिशत खाद्य पदार्थ मृदा से प्राप्त होते हैं। यह संसाधन इसलिए भी अधिक महत्वपूर्ण है कि संपूर्ण पृथ्वी का मात्र 2 प्रतिशत भाग ही कृषि योग्य भूमि है।

इस प्रकार से भूमि या मृदा एक सीमित संसाधन है। खाद्य पदार्थो की समुचित उपलब्धि के लिए इस सीमित संसाधन को बचाना आज की अनिवार्यता है। मृदा की ऊपरी पतली परत पर मानव तथा स्थलीय प्राणियों व पौधों का जीवन निर्भर है । आज कीड़ों को मारना के लिए नये-नये रसायन बनाये जा चुके है। इन रसायनों के लापरवाही से उपयोग करने से पर्यावरण पर बहुत विनाशकारी प्रभाव पड़ रहा है व इसका सबसे ज्यादा प्रभाव भूमि पर पड़ा है जो भूमि प्रदूषण का मुख्य कारण है।

**भूमि प्रदूषण :** ''भूमि के भौतिक, रसायनिक या जैविक गुणों में ऐसा कोई भी अवांछनीय परिवर्तन जिसका प्रभाव मनुष्य तथा अन्य जीवों पर पड़े या जिससे भूमि की प्राकृतिक गुणवत्ता तथा उपयोगिता नष्ट हो, भू-प्रदूषण कहलाता है।''

**मृदा प्रदूषण के स्त्रोत**

मृदा प्रदूषण निम्न अवशिष्टों के कारण उत्पन्न होता है :

(i) औद्योगिक अवशिष्ट
(ii) कृषि अवशिष्ट
(iii) नगरीय अवशिष्ट
(iv) जैविक अवशिष्ट

(i) **औद्योगिक अवशिष्ट :** अनेक उद्योग मुख्यतः कागज, रसायन, रबर, पैट्रोलियम उत्पाद सीमेंट, शर्करा, वस्त्र, कीटनाशक निर्माण करने वाले उद्यम, चर्मशोधक एवं तेल शोधनशालाएँ अनेक हानिकारक अवशिष्ट निकालते हैं जो मृदा प्रदूषण उत्पन्न करते हैं। भटिट्यो से उड़ने वाली मृदा का प्रदूषण मुख्यतः सोडियम, कैल्शियम, पोटेशियम, आयरन, मैगनीज मैग्नीशियम के कार्बोनेट, सल्फेट, सल्फाइट, क्लोराइड़ और फ्लोराइड की अधिकता के कारण उत्पन्न होता है। निलम्बित ठोसों के अतिरिक्त कागज उद्योग के अवशिष्ट ठोसों के अतिरिक्त कागज उद्योग के अवशिष्ट में क्लोराइड़ प्रचुरता से होते हैं जबकि स्टील कारखानों के अवशिष्ट में क्लोराइड प्रचुरता से होते हैं जबकि स्टील कारखानों के अवशिष्ट में सायनाइड़ और फिनोल होते हैं। मद्य-निर्माणशालाओं से पोटेशियम लवण और नाइट्रोजन अवशिष्ट क्लोराइड आयन में धनी होता है।

(ii) **कृषि अवशिष्ट :** कृषि अवशिष्ट में खाद, कीटनाशक, फार्म अवशिष्ट और धुआँ उत्पन्न करने वाले पदार्थ निहित है। खादों में पादप पौषक पदार्थ विशेषतः सोडियम, फासफोरस, और पोटेशियम होते हैं। परन्तु मृदा उपस्थित कार्बनिक प्रदूषकों के कारण भी प्रदूषित होती है। इनके अतिरिक्त विभिन्न प्रकार के जैव नाशक जैसे- डी. डी.टी., एल्ड्रिन, डाइ-एलिड्रन, क्लोरडेन आदि भी मृदा प्रदूषण उत्पन्न करते हैं। घरेलू जानवरों के अवशिष्ट से भी मृदा प्रदूषित होती है। सूअरों का मंल पदार्थ फॉस्फेट धनी होता है और अन्य जन्तुओं के मल में असंख्य रोगजनक सूक्ष्म जीव उपस्थित होते हैं जो मृदा जनित संक्रमण के लिए उत्तरदायी हैं। हाल ही में फलों एवं सब्जियों में उपर्युक्त वर्णित कीटनाशकों के खतरनाक स्तर पाये गये हैं।

(iii) **नगरीय अवशिष्ट :** नगरीय अवशिष्ट में अपवाहित मल और फेंके गये ठोस अवशिष्ट, कागज, प्लास्टिक, और पैकिंग सामग्री, जूते और पढ़ने का सामान (समाचार पत्र, पत्रिकाएँ, पुस्तकें) आदि। यद्यपि कुछ अवशिष्ट जैव-क्षयकारी होते है जबकि कुछ जैव-अक्षयकारी होते हैं।

(iv) **जैविक रोगजनक :** मृदा में असंख्य सूक्ष्म जीव उपस्थित होते है, जैसे शैवाल, कवक, वाणु, विषाणु, प्रोटोजोआ, निमैटोड (गोलकृमि), एनीलिड़, कीट और रोडेन्ट्स । ये जातियाँ रोगजनित या अरोगजनित जातियाँ होती है जो पौधों और जन्तुओं के साथ-साथ मानव जाति में भी मृदा- जनित रोग उत्पन्न कर सकती है।

**मृदा प्रदूषण के प्रभाव**

औद्योगिक प्रदूषक मृदा के विषैले स्तर को बढ़ाते हैं। प्रत्येक वर्ष हजारों लोग इस बहिस्त्राव से

प्रभावित होते हैं। बहिस्त्राव में उपस्थित अनेक भारी तत्व मृदा में पाये जाने वाले उपयोगी सूक्ष्म जीवों को नष्ट करते हैं। वाहितमल के कारण उत्पन्न मृदा प्रदूषण, वाहितमल प्रदूषित जल के समान प्रभाव डालता है। मृदा/जल में उपस्थित रोगजनक जातियों के कारण मानव जाति अनेक रोगों द्वारा संक्रमित हो जाती है। सबसे सामान्य रोग है प्लेग, फाइलेरिएसिस, मलेरिया, पेचिश (अमीबीय और जीवाण्विक), जिआर्डिएसिस, टाइफस, जठरांत्रशोध, आन्त्र ज्वर, टिटनेस, एन्थ्रेक्स, Q-ज्वर आदि । इसी प्रकार पौधों में नाइट्रेट स्तर बढ़ जाता है। यह ब्लू बेबी सिन्ड्रोम उत्पन्न करता है । कीटनाशकों, विशेषत: पॉलीक्लोरिनेटिड बाइफिनाइल का प्रभाव बहुत हानिकारक होता है। ये तंत्रिका अनियमितता, फेफड़े के रोग और कैंसर भी उत्पन्न करते है।

राजस्थान में मृदा प्रदूषणों के मुख्य स्त्रोतों में ठोस अवशिष्ट का सही ढंग से निरूर नही होना है। प्रदूषित जल चाहे वह औद्योगिक इकाई से निकले या फिर घरेलू कच्ची बस्तियों से उस अव्यवस्थित निस्तारण, कृषि में रसायनिक खाद तथा कीटनाशक का प्रयोग व ताप विद्युत गृह से निकलने वाली राख का चारों और फैलना मृदा प्रदूषण के मुख्य कारण है।

(i) **नगरीय अवशिष्ट :** शहरों तथा कस्बों से निकलने वाले ठोस अवशिष्ट को एकत्रित कर उनका सही एंग से निस्तारण करने की जिम्मेदारी नगर निकायों की है। राजस्थान के शहरों से प्रतिदिन लगभग 6600 मेट्रिक टन कचरा निकलता है। इसमें से अधिकांश कचरा या तो धरातल के समतल बनाने के काम में लिया जाता है या फिर शहर के आसपास के गढ्ढों में फेंक दिया जाता है। जयपुर शहर में ठोस अपशिष्ट प्रबंधन पर करवाये गये शोध के अनुसार यहाँ प्रतिदिन प्रतिव्यक्ति 0.75 किलोग्राम कचरा बनता है जिसके अनुसार पूरे शहर में 1750 मेट्रिक टन कचरा सृजित होता है। इसमें से नगर निकाय सिर्फ 975 मेट्रिक टन कचरा ही इकट्ठा कर पाते है । इस तरह से लगभग 50 प्रतिशत कचरा यों ही बिखरा पड़ा रहता है जो कि मृदा को प्रदूषित करता है। इस कचरे में जैव क्षयकारी तथा जैव अक्षयकारी पदार्थ भी मिले रहते है। इससे यह अनुमान लगाया जा सकता है कि राज्य के बाकी हिस्सों में भी ठोस अवशिष्ट के निस्तारण की कोई पुख्ता व्यवस्था नहीं है। इसके अलावा शहरों के अस्पताल भी जहरीले ठोस अवशिष्ट सृजित करते हैं जिनके सही ढंग से निस्तारण न करने पर भी मृदा प्रदूषण होता है।

(ii) **औद्योगिक अवशिष्ट :** राज्य में 191 वृहत् तथा लघु सीमेंट इकाईयों से वायु द्वारा फैलने वाली सीमेंट आसपास के क्षेत्र में जमा हो जाती है जिससे मृदा की उर्वरक क्षमता पर विपरीत प्रभाव पड़ता है। ये सीमेंट इकाईयाँ मुख्यतः चित्तौड़गढ़, जोधपुर, नागौर, अलवर, चूरू तथा सिरोही जिलों में है। इसी तरह से ईमारती पत्थर, संगमरमर तथा ग्रेनाइट के काटने तथा इनकी पॉलिशिंग के लिए स्थापित इकाईयों में से निकलने वाले तरल मलबे का जमाव भी अजमेर, राजसमंद, उदयपुर तथा सिरोही जिलो में फैला हुआ देखा जा सकता है। इस मलबे के फैलने के कारण भी मृदा की उर्वरता समाप्त हो जाती है। कोटा तथा सूरतगढ़ स्थित ताप विद्युत गृह से निकलने वाली राख औद्योगिक इकाईयों के चारों ओर 1 से 2 किलोमीटर की दूरी में फैल जाती है जिससे खेती की जमीन प्रदूषित होती है। इसके अलावा बाड़मेर, पाली, जोधपुर तथा भीलवाड़ा में स्थित कपड़ा मिल तथा रंगाई छपाई के कारखानें से निकलने वाले प्रदूषित जल के वाष्पीकृत होने के पश्चात बचा हुआ ठोस अपशिष्ट अत्यन्त ही खतरनाक व जहरीला होता है । उसके निस्तारण की पुख्ता व्यवस्था होना अति आवश्यक है।

### मृदा प्रदूषण का नियंत्रण

विभिन्न माध्यमों से उत्पन्न मृदा प्रदूषण को अनेक विधियों द्वारा कम किया जाता सकता है। रसायनिक उपचार के समय मीथेन गैस निकलती है जिसका उपयोग ऊर्जा उत्पादन में किया जाता है। जल को अलग करने के पश्चात् बच्चे पदार्थ को सुखाकर खाद

के रूप में उपयोग करते है। हमारे देश में मृदा प्रदूषण उत्पन्न करने वाले पशु–मल पदार्थ का प्रयोग बचे पदार्थ को सुखाकर खाद के रूप में उपयोग किया जाता है। 'गोबर गैस' मुख्यतः मीथेन और कार्बनडाई ऑक्साइड का एक मिश्रण होती है। जिसका उपयोग खाना पकाने और प्रकाश करने के लिया किया जाता है। ठोस अवशिष्ट को एकत्र कर उचित प्रकार से पुनः चकीक्रत किया जाता है। कुछ अवशिष्टो का पुनः चक्रीकरण बायो–स में किया जाता है। 'सीवर गैस' भी मीथेन और कार्बनडाई आक्साइड का मिश्रण होती है। मीथेन को पृथक कर तापन उद्देश्यों के लिए प्रयोग करते है। मृदा की विषक्तता को कम करने के लिए भी उचित उपाय किये जाने चाहियें। कृषि, चरागाह और वनों के लिए अधिक भूमि का उपयोग करना चाहिये।

जैव–अवक्षकारी रसायनों का प्रयोग कर कीटनाशकों द्वारा मृदा प्रदूषण को कम किया जा है डी.डी. टी. (प्रतिबंध लगाया जा चुका है) जैसे रसायनों के स्थान पर जैव–क्षयकारी कीटनाशक प्रयोग करना चाहिए। वास्तव में क्लोरीनयुक्त कीटनाशकों का प्रयोग नहीं करना चाहिये जैव कीटनाशकों का प्रयोग किया जा सकता है जैसे एजेडिरेक इण्डिका, बैम्बूसा अरून्डिनेसिया, कैनाबिस सेटाइवा, निकोटियाना टेबेकम, ओसिमम बेसिलिकम, रिसिनस कोम्युनिस आदि ।

**सेम की समस्या :** राजस्थान राज्य के नहरी क्षेत्र सेम की समस्या से ग्रस्त हैं। इंदिरा गाँधी नहर परियोजना क्षेत्र में सेम की समस्या विकराल रूप धारण कर चुकी है। सेम समस्या का प्रमुख कारक नहरों से होने वाला रिसाव है। भूमि में जिप्सम होना भी सेम का कारण है। सेम के कारण हनुमानगढ़, सूरतगढ़, गंगानगर आदि क्षेत्रों के कई इलाकों में सैकड़ों बीघा भूमि दलदल के रूप में परिवर्तित हो गई है। सेम की समस्या से किसान बरबादी के कगार पर पहुँच सकते हैं।

इसके अलावा खनन कार्य वाले क्षेत्रों में प्रदूषण में वृद्धि हुई है। जयपुर, जोधपुर तथा उदयपुर में खनन से जमीन में खार की मात्रा बढ़ी हैं। सारिस्का, करौली आदि वन क्षेत्रों में खनन से पर्यावरण प्रदूषण बढ़ा है। खनन श्रमिकों में क्षय की बीमारी बढ़ रही है। वायु प्रदूषण के साथ ध्वनि प्रदूषण की समस्या में वृद्धि हुई है। शहरों और गाँवों में जगह–जगह कचरों के देर से बैक्टीरिया और वायरसजन्य रोग बढ़े हैं। पॉलीथीन की थैलियों के कारण प्रदूषण की समस्या में वृद्धि हुई है।

### प्रदूषण नियंत्रण के उपाय

वर्तमान में प्रदूषण एक ज्वलंत समस्या बन चुकी है। प्राकृतिक सम्पदा और मानव अस्तित्व को बचाने के लिए प्रदूषण नियंत्रण आवश्यक है। प्रदूषण को रोकने के लिए सरकारी प्रयासों के साथ जन सहभागिता आवश्यक है। प्रदूषण नियंत्रण में निम्न उपाय कारगर सिद्ध हो सकते हैं।

(1) प्रदूषण नियंत्रण में वृक्षों का अत्यधिक महत्व है। सभी स्तरों पर अधिकाधिक वृक्ष लगाने के प्रयास किये जाने चाहिये। वृक्षों की अवैध कटाई पर नियंत्रण होना चाहिए।

(2) जल संसाधनों नदियों, तालाबों, झीलों तथा कुओं को स्वच्छ रखना आवश्यक है। नदियों, तालाबों में दूषित जल नहीं बहाना चाहिए। कुओं के पानी में कूड़ा–करकट नहीं डाला जाये तथा समय–समय पर कुओं में पोटैशियम परमेंग्रेट डालने से पानी स्वच्छ रहता है। घरों का कूड़ा व पानी सड़क पर नहीं फैलना चाहिए।

(3) लाउडस्पीकरों, रेडियो, टी. वी. आदि को जोर से बजाने पर प्रतिबंध लगाया जाए। वाहन भी तेज आवाज करके ध्वनि प्रदूषण फैलाते हैं। इनसे निकलने वाला धुआँ वायु प्रदूषण फैलाता है। इनको समय–समय पर चैक किया जाना चाहिए।

(4) शहरों में खाना पकाने के लिए रसोई गैस, धुआँ रहित चूल्हे का प्रयोग किया जाए तथा गाँवों में गोबर गैस संयंत्र बनवाये जाएँ। इनसे गैस, खेतों के लिए कम्पोस्ट खाद तथा रोशनी उपलब्ध होती है।

(5) प्लास्टिक की थैलियों, पाउच आदि का प्रयोग कम से कम किया जाना चाहिए। राजस्थान सरकार ने 1 जनवरी, 2001 से राज्य में बीस माइक्रोन या इससे अधिक मोटाई वाली थैलियों के निर्माण एवं बिक्री पर रोक लगा दी है। खाद्य सामग्री के लिए रंगीन पालीथीन की शैलियों डिब्बों लॉ टिफिन व कन्टेनर के उपयोग को पूरी तरह प्रतिबंधित कर दिया गया है। इसके स्थान पर कागज की थैलियों व कपड़े/जूट के थैले काम में लिये जाने चाहिए।

## स्लरी की समस्या

**पर्यावरण प्रदूषण (स्लरी) :** सांसों में घुलता स्लरी का जहर-एक आकलन के अनुसार राज्य की स्टोन कटिंग इंडस्ट्री से रोज निकलने वाली दो हजार मीट्रिक टन से अधिक स्लरी से हजारो मजदूर और बच्चे सिलिकोसिस जैसी गंभीर बीमारियों की चपेट में हैं। आपपास के इलाकों में खेती की जमीन तक स्लरी की मार से बंजर हो गई है। मकराना, राजसमंद व उदयपुर ही नहीं जालौर व अजमेर के पास किशनगढ़ तक में स्लरी के ढेर खासी समस्या बने हुए हैं।

खनन व्यवसायियों की शिकायते हैं कि उन्हें डंपिंग ग्राउण्ड जरूरत के हिसाब से उत्पलब्ध नहीं कराए गए। प्रोसेसिंग यूनिट और स्लरी का चोली-दामन का साथ है। जहाँ-जहाँ कटिंग एवं प्रोसेसिंग यूनिट हैं, वहाँ-वहाँ स्लीर के पहाड़ खड़े हैं । ये यूनिट मकराना, जयपुर, अलवर, अजमेर, उदयपुर, नाथद्वारा, राजसमंद, आबू रोड़, किशनगढ़, बांसवाड़ा, चित्तौड़गढ़ और सिरोही में हैं। इसके अलावा ग्रेनाइट की यूनिट्स जालौर, सीकर, आबूरोड़, अलवर, झुंझुनूं, जयपुर, बांसवाड़ा, शाहपुरा, अजमेर, चित्तौड़गढ़, उदयपुर, पाली और जोधपुर में हैं।

**क्या है स्लरी ?** आमतौर पर मार्बल ब्लॉक्स में 20 एमएम मोटाई की शीट काटी जाती है। इसमें पाँच एमएम का ब्लेड इस्तेमाल होता है। मोटे तौर पर 25 एमएम की मोटाई में पाँच एमएम मार्बल स्लरी में बदल जाता है। यानी मार्बल कटिंग के दौरान मार्बल के कुल भार का बीस फीसदी हिस्सा स्लरी में तब्दील हो जाता है।

स्लरी के ये हैं खतरे-स्लरी इकोसिस्टम को प्रभावित करने के साथ भूमि की उर्वरा शक्ति कम करती है। बरसाती पानी के बहाव के साथ नदी, ड्रेनेज और जलाश्यों में जाने वाली स्लरी से पानी भी दूषित होता है। ग्रामीण विकास विज्ञान समिति के अध्ययन के मुताबिक प्रदेश में 56 फीसदी मजदूरों में सिलिकोसिस के लक्षण, सांस की तकलीफ, अस्थमा, सिलिकोट्यमबरक्लोसिस, तपेदित या क्षय रोग का बड़ा कारण भी स्लरी है।

स्लरी इस काम में भी सेंट्रल रोड़ रिसर्च इंस्टीट्यूट (सीआरआरआई) की रिपोर्ट बताती है कि मार्बल स्लरी से वेहतर सड़कें बनाने के साथ इसका इस्तेमाल फुटपाथ, ईंट, ट्री गार्ड, पेवमेंट ब्लॉक्स, रूफिंग टाइल्स, वॉल पैनल, फ्लोर टाइल्स में भी किया जा सकता है। मार्बल स्लरी से बनी ईंटें सामान्य ईंटों से ज्यादा मजबूत होती हैं।

## अवैध खनन

कभी नैसर्गिक सौन्दर्य के लिए विख्यात रही अरावली पर्वतमाला का आंचल अब तार-तार हो चला है। अवैध रूप से खनन करने वाले अपनी जेब भरने के लिए पहाड़ों पर अंधाधुंध हथौड़े चला रहे हैं। सरकारी अनदेखी की हद यह है कि अलवर में खनन माफिया पाँच पहाड़ों को ही 'चट' कर गए। यही स्थिति लगभग संपूर्ण अरावली क्षेत्र में अलवर से वेदब्रह्मा तक पाई जाती है।

अलवर जिले में करीब एक अरब रूपये की सरकारी सम्पत्ति लूटने के बाद भी कोई चर्चा तक नहीं। यह कारगुजारी हुई है। अरावली की पहाड़ियों में, जहाँ अवैध खनन करने वाले पाँच पहाड़ियों को चट कर गए।

अरावली पर्वतमाला में भिवाड़ी क्षेत्र में सौ से तीन सौ मीटर तक लम्बी और इतनी ही ऊँची पाँच

पहाड़ियाँ जब समतल मैदान बन गई हैं। भिवाड़ी औद्योगिक क्षेत्र के समीप कहरानी, मिलकपुर गुर्जर, खुशखेड़ा औद्योगिक क्षेत्र के समीप स्थित पहाड़ियों का मात्र आठ साल में नामोनिशान मिट गया है। जबकि इन क्षेत्रों मे कोई माइनिंग लीज नहीं दी गई है। सारा पत्थर अवैध खनन के जरिये निकाला गया।

करीब एक अरब का पत्थर-भू-वैज्ञानिकों की माने तो इस आकार की पहाड़ी में दस से 15 लाख टन पत्थर निकलता है। स्थानीय बाजार में इसका भाव 70 से 100 रूपये प्रति टन है। इस लिहाज से पाँच पहाड़ियों से करीब एक अरब रुपए का पत्थर अवैध खनन माफिया डकार चुका हैं। पड़ोसी राज्य हरियाणा में अरावली की पहाड़ियों में खनन पर उच्चतम न्यायालय की रोक के कारण यह पत्थर स्थानीय बाजार की बजाय हरियाणा और दिल्ली में बेचा जाता है। जहाँ इसकी कीमत तीन गुना तक है।

**सुप्रीम कोर्ट की रोक :** उच्चतम न्यायालय ने 1992 में दिये आदेश में अरावली पर्वतमाला में सौ मीटर से ऊँचे पहाड़ को संरक्षित वन क्षेत्र मानते हुए इनके खनन पूरी तरह प्रतिबंधित किया था। लगातार अवैध खनन के चलते वर्ष 2008 में न्यायालय ने राजस्थान सरकार से अरावली पर्वतमाला की सैटेलाइट इमेज उपलब्ध कराने को भी कहा था। इस ओर सरकार का ध्यान भी गया है।

# अध्याय 13

## परती भूमि/बंजर भूमि
## Wasteland

सभ्यता के प्रारम्भ से मानव अपनी विभिन्न आवश्यकताओं के लिए भूमि का उपयोग करता रहा है। समय के साथ उसकी आवश्यकताएँ बढ़ीं और भूमि का उपयोग भी इतना अधिक बढ़ गया कि अब वह विनाश का रूप ले चुका है। केवल पिछले 30 वर्षों में ही पृथ्वी की भूमि का सातवाँ भाग नष्ट हो चुका है। अनुमान है कि हर वर्ष 2,500 करोड़ टन मिट्टी कट कर बह जाती है, जिससे पृथ्वी का एक बड़ा हिस्सा बंजर और बेकार होता जा रहा है। हमारी पृथ्वी की 70 प्रतिशत सतह पर जल है और सिर्फ 30 प्रतिशत सतह पर भूमि है। परन्तु इसमें से भी सिर्फ कुछ ही भाग खेती के योग्य हैं। ऐसी उपजाऊ भूमि का क्षेत्रफल पृथ्वी का कुल तीन प्रतिशत ही है। बढ़ती हुई जनसंख्या और उसकी निरन्तर बढ़ती भोजन की आवश्यकता को ध्यान में रख कर-यह उपजाऊ भूमि कितनी कम है।

परन्तु मानव अपनी गतिविधियों से इसी उपजाऊ मिट्टी को नष्ट करता जा रहा है। फसल, ईंधन, चारा और कितनी ही अन्य वस्तुएँ-सभी कुछ वह भूमि से प्राप्त करता है। परन्तु जब इन्हें पाने के लिए वह गलत तरीके इस्तेमाल करता है तो उपजाऊ भूमि बंजर बन जाती है, जिस पर कुछ नहीं उग सकता। ऐसी भूमि को परती भूमिबंजर भूमि कहते हैं। आप ऐसी भूमि कहीं भी देख सकते हैं-चाहे गाँव हो या शहर।

लेकिन वे कौन-सी गतिविधियाँ हैं जिनसे भूमि परती हो जाती है ?

(1) जनसंख्या व गरीबी अधिक होने के कारण खेती पर बहुत अधिक दबाव पड़ता है जिसके फलस्वरूप खेती के गलत तरीके भूमि के पोषक तत्त्वों को कम कर देते हैं और उसकी उर्वरता घटने लगती है। कुछ समय बाद उस भूमि पर उपज बन्द हो जाती है और भूमि बेकार हो जाती है।

(2) ईंधन की लकड़ी, इमारती लकड़ी और चारा, ये सभी हमें जंगल से मिलते हैं। लेकिन इनकी माँग बढ़ने से जंगल घटते ही जा रहे हैं। जो मिट्टी पहले वनों से ढ़की सुरक्षित थी, अब हवा से कट कर उड़ जाती है और पानी से कट कर बह जाती है। उपजाऊ मिट्टी की ऊपरी परत हट जाने से सिर्फ बंजर भूमि रह जाती है।

(3) मवेशियों की अंधाधुंध बढ़ती संख्या भी इसके लिए जिम्मेदार है। अधिक मवेशियों के चरने से घास के मैदानों को दुबारा उगने का समय नहीं मिल पाता। लगातार चराई के कारण धीरे-धीरे ये घास के मैदान खाली हो जाते हैं। सूर्य की गर्मी से तप कर नंगी जमीन सूखी पड़ने लगती है। हवा और पानी अब मिट्टी को काट कर बहा ले जाते हैं और भूमि बंजर हो जाती है।

(4) सिर्फ सूखी जमीन ही बंजर होती हो ऐसा नहीं। सिंचाई के गलत तरीकों से कई बार भूमि पर पानी खड़ा हो जाता है और कभी-कभी भूमि के नीचे पाए जाने वाले क्षार, लवण, पानी में घुल कर सतह पर आ जाते हैं। ऐसी जलमग्न या क्षारीय भूमि भी अपनी उपजाऊ शक्ति खो कर बंजर बन जाती है।

(5) अनियंत्रित खान उद्योग का भी इसमें बड़ा हाथ है। खनिज के लिए की जाने वाली खुदाई और खान उद्योगों द्वारा फेंके गए अवशेष, दोनों ही से भूमि का विनाश होता है।

(6) उद्योगों द्वारा लापरवाही से फेंके गए प्रदूषक और अपशिष्ट पदार्थों से भी भूमि बिगड़ती है।

(7) सड़कें, बस्तियाँ, उद्योग और सिंचाई व विद्युत परियोजनाएँ सभी के लिए भूमि की आवश्यकता पड़ती है। उपलब्ध भूमि की कमी होने से इन परियोजनाओं के लिए या तो कृषि भूमि को ले लिया जाता है या वन भूमि को, जिसके फलस्वरूप उपजाऊ भूमि और वनों का क्षेत्रफल घटता जा रहा है।

तो आपने देखा कि चाहे कोई भी गतिविधि हो, जब भूमि पर से वृक्षों और वनस्पति का आवरण हट जाता है तभी बंजरीकरण की प्रक्रिया शुरू होती है, क्योंकि अब मिट्टी को बांधे रखने वाली जड़ें और ढ़कने वाली वनस्पति नहीं रहती जो उसे वायु और जल के वेग से कटने से बचा सके। कारण कोई भी हो, बंजरीकृत भूमि पर पैदावार घटती ही जाती है और अन्तत: वह बेकार हो जाती है क्योंकि अब वह वनस्पति और प्राणियों का आधार नहीं बन सकती।

हर वर्ष लाखों को बेघर करने वाली और देश को अरबों रुपए की क्षति पहुँचाने वाली इन विपदाओं-बाढ़ और सूखा-को हम ''प्राकृतिक' या ''दैवी'' विपत्तियाँ कह देते हैं। परन्तु हम में से अधिकांश यह नहीं जानते कि इन विपदाओं के पीछे भी वही कारण हैं जो भूमि विनाश के लिए जिम्मेदार हैं। जिस भूमि पर ये वनस्पति का कवच हट जाता है। यह सारी मिट्टी बह कर नदी-नालों में पहुँच जाती है और उनके तल में बैठ कर उन्हें ऊँचा कर देती है। जब वर्षा का पानी नदियों में बहता है तो उनकी पानी को एकत्रित करने की क्षमता पहले से कम हो जाने के कारण उनमें बाढ़ आ जाती है और किनारे तोड़ कर पानी आसपास के क्षेत्रों को जलमग्न कर देता है। कुछ वर्ष पहले तक भारत में बाढ़ से 2 करोड़ हैक्टेयर क्षेत्र प्रभावित होता था। अब यह बढ़ते-बढ़ते 5.9 करोड़ हैक्टेयर हो गया है।

इसी विनाश का दूसरा रूप है सूखा। जब भूमि पर वनस्पति नहीं रहती और बंजरीकरण की प्रक्रिया शुरू हो जाती है, तब वहाँ वर्षा भी कम होने लगती है, क्योंकि उसका वनों से सीधा सम्बन्ध है। वर्षा की लगातार कमी से क्षेत्र की धरती सूख जाती है और वहाँ कुछ भी नहीं उगाया जा सकता। वर्ष-प्रति-वर्ष देश में सूखे का प्रकोप बढ़ता ही जा रहा है। अनुमान है कि देश का 35 प्रतिशत क्षेत्रफल अब सूखे से प्रभावित होने लगा है।

देश की लगभग आधी भूमि परती हो चली है। कृषि क्षेत्र, वन, घास के मैदान और यहाँ तक की आवासीय भूमि भी इसमें शामिल है, कहीं कम तो कहीं ज्यादा। आज से तीस वर्ष पहले तक भारत की कृषि-योग्य भूमि की प्रति-व्यक्ति उपलब्धता 0.48 हैक्टेयर थी, आज यह घट कर मात्र 0.26 हैक्टेयर रह गई है। इतना अधिक भूमि का विनाश हो रहा है कि अनेक परस्पर सम्बन्धित समस्याएँ एक के बाद एक सिर उठा रही है। पर्यावरण का असंतुलन बढ़ता जा रहा है। देश में गरीबी, भूखमरी और बेरोजगारी नियंत्रण से बाहर हो चली हैं और जीवन का स्तर गिर रहा है। प्राकृतिक असंतुलन और गरीबी का आपसी सम्बन्ध अब स्पष्ट हो चुका है और साथ ही यह भी कि यदि देश में फिर से संतुलन लाना है तो सब से पहले इस प्राकृतिक असंतुलन को तोड़ना होगा।

भारत के राज्यों में परती भूमि की समस्या भिन्न-भिन्न रूपों में विद्यमान है। परती भूमि का सबसे बड़ा क्षेत्रफल राजस्थान में है, जिसके बाद मध्य प्रदेश और महाराष्ट्र आते हैं। परती भूमि की नौ प्रकार पहचानी गई हैं, जिनमें जलक्षरित, वायुक्षरित, जलमग्न, क्षारीय, अति-लवणीय तथा अवनित क्षेत्र शामिल हैं, साथ ही खेती की ''झूम'' प्रणाली से प्रभावित और खाइयों से प्रभावित भूमि भी। राष्ट्रीय परती भूमि विकास बोर्ड, भारतीय अन्तरिक्ष विभाग और भारतीय सर्वे विभाग के सहयोग से इस समय देश में परती भूमि की वर्तमान स्थिति का सही पता लगाने की चेष्टा कर रहा है। मानचित्रण के पुराने तरीकों और उपग्रहों की सहायता से 24 राज्यों में कुल 3 करोड़ हैक्टेयर परती भूमि पहचानी व मापी जा सकेगी, ऐसी आशा है।

भौगोलिक वितरण के अनुसार, राजस्थान में सर्वाधिक 18 मिलियन हैक्टेयर (मानचित्र 40) तत्पश्चात् मध्यप्रदेश में 13 मिलियन हैक्टेयर और महाराष्ट्र में 12 मिलियन हैक्टेयर परती भूमि का क्षेत्र है राज्यवार वितरण सारणी 16 में दर्शाया गया है।

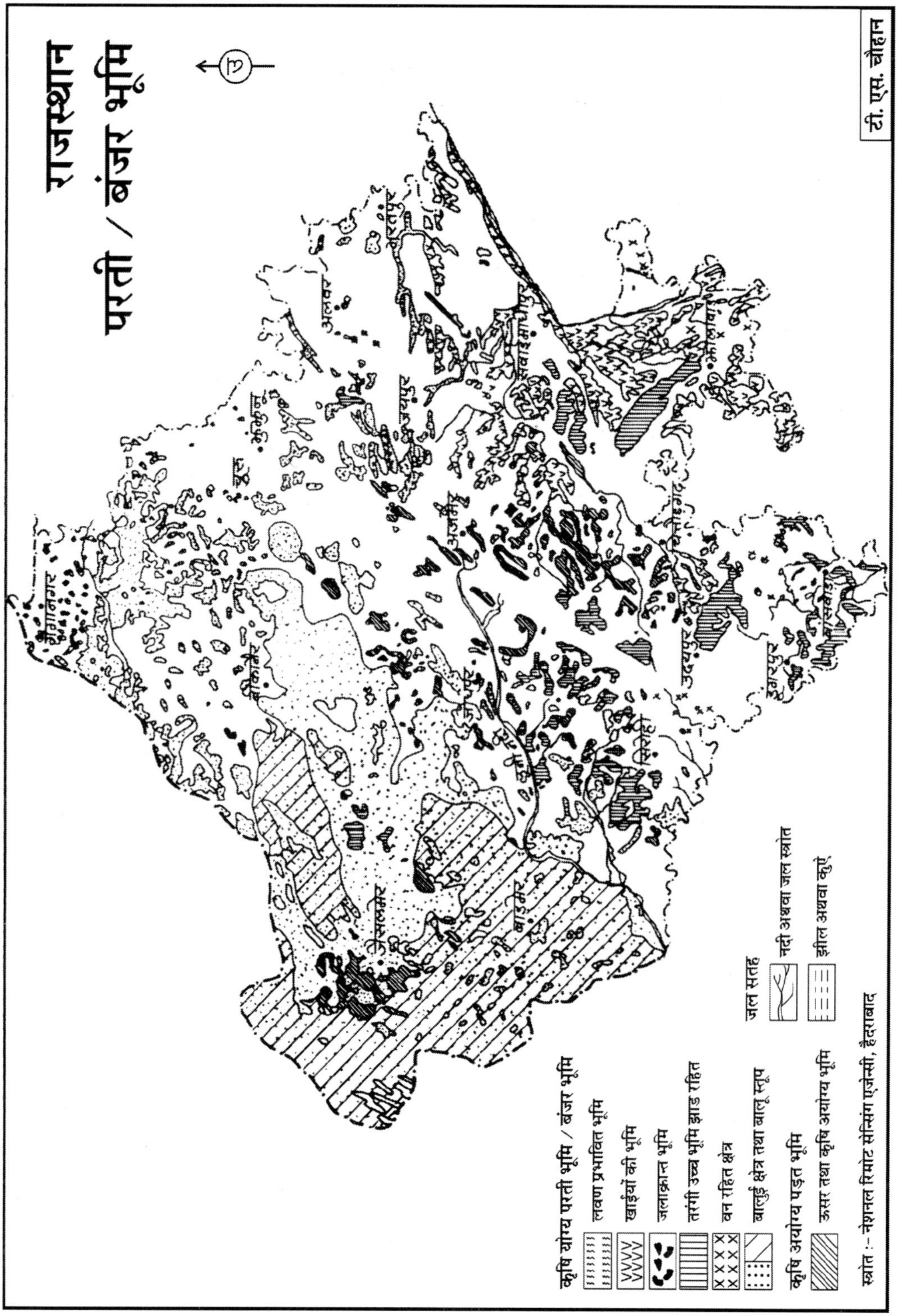
राजस्थान
परती / बंजर भूमि
उ
कृषि योग्य परती भूमि / बंजर भूमि
लवण प्रभावित भूमि
खाईयों की भूमि
जलाक्रान्त भूमि
तरंगी उच्च भूमि झाड़ रहित
वन रहित क्षेत्र
बालुई क्षेत्र तथा बालू स्तूप
कृषि अयोग्य पड़त भूमि
ऊसर तथा कृषि अयोग्य भूमि
जल सतह
नदी अथवा जल स्रोत
झील अथवा कुएं
स्रोत :- नेशनल रिमोट सेन्सिंग एजेन्सी, हैदराबाद
टी. एस. चौहान

मानचित्र 40

**सारणी–20**
**भारत में परती भूमि का अनुमान**
(केवल गैर वानिकी क्षेत्र)

**(लाख हैक्टेयर में)**

| राज्य/संघ शासित क्षेत्र | खारीय तथा क्षारीय भूमियाँ | आयु अपरदित क्षेत्र | जल अपरदित क्षेत्र | कुल |
|---|---|---|---|---|
| आन्ध्र प्रदेश | 2.40 | — | 74.42 | 76.82 |
| असम | — | — | 9.35 | 9.35 |
| बिहार | 0.04 | — | 38.92 | 38.96 |
| गुजरात | 12.14 | 7.04 | 52.35 | 71.53 |
| हरियाणा | 5.26 | 15.99 | 2.76 | 24.04 |
| हिमाचल प्रदेश | — | — | 14.24 | 14.24 |
| जम्मू कश्मीर | — | — | 5.31 | 5.31 |
| कर्नाटक | 4.04 | — | 67.18 | 71.22 |
| केरल | 0.16 | — | 10.37 | 10.53 |
| मध्य प्रदेश | 2.42 | — | 127.05 | 129.47 |
| महाराष्ट्र | 5.34 | — | 110.26 | 115.60 |
| मणिपुर | — | — | 0.14 | 0.14 |
| मेघालय | — | — | 8.15 | 8.15 |
| नागालैण्ड | — | — | 5.08 | 5.08 |
| उड़ीसा | 4.04 | — | 27.53 | 31.57 |
| पंजाब | 6.88 | — | 4.63 | 11.51 |
| राजस्थान | 7.28 | 106.23 | 66.59 | 180.01 |
| सिक्किम | — | — | 1.31 | 1.31 |
| तमिलनाडू | 0.04 | — | 33.88 | 33.92 |
| त्रिपुरा | — | — | 1.08 | 1.08 |
| उत्तर प्रदेश | 12.95 | — | 53.40 | 66.35 |
| पश्चिम बंगाल | 8.50 | — | 13.27 | 21.77 |
| संघ शासित क्षेत्र | 0.16 | — | 8.73 | 8.89 |
| **कुल** | **71.65** | **129.26** | **736.00** | **836.91** |

स्त्रोत:– परती भूमि विकास को बढ़ावा देने के लिए सोसाइटी, नई दिल्ली, 1984

सही रूप में देखा जाए तो देश की लगभग सारी परती भूमि मानवनिर्मित है। इसका अर्थ है कि यदि योजना और दूरदर्शिता से काम लिया जाए तो उन सभी कारणों को रोका जा सकता है जिनसे भूमि का यह स्वरूप बनता है। परन्तु अब तो समस्या इतनी बढ़ चुकी है कि हमारे सामने सबसे बड़ा कार्य है देश भर में फैले परती भूमि वाले क्षेत्रों की सही पहचान और उनका पुनर्विकास। इसके लिए सब से आवश्यक है वनीकरण और भूमि संरक्षण।

## राजस्थान में वर्तमान परती भूमि की स्थिति

यह सामान्य जानकारी की बात है कि राज्य में काफी क्षेत्रफल ऐसा है जो कृषि योग्य नहीं है और जिसे वृक्षारोपण या घास उत्पादन द्वारा विकसित किया जाकर पर्यावरण के सुधार के साथ आर्थिक आय प्राप्त की जा सकती है। इस प्रकार की बंजड़ (पड़त) भूमि के अतिरिक्त खातेदारों की भूमि में भी ऐसी पड़त भूमि उपलब्ध होती है जिस पर खेती नहीं होती है जिस पर वृक्षारोपण द्वारा आर्थिक लाभ प्राप्त किया जा सकता है। इस प्रकार बंजड़ (पड़त) भूमि पर वृक्षारोपण द्वारा विकास का कार्यक्रम निम्नांकित भूमियों पर किया जा सकता है:-

(1) कृषि के अयोग्य (गैर-मुमकिन) भूमि हो पहले ही से पंचायती राज संस्थाओं में निहित है, जैसे चारागाह भूमि, गंवाई भूमि।

(2) राजकीय विभागों तथा सार्वजनिक क्षेत्र के संस्थाओं के पास कृषि अयोग्य भूमि।

(3) कृषि अयोग्य बंजड़ (पड़त) भूमि वृक्षारोपण हेतु व्यक्तियों अथवा संस्थाओं को आवंटन हो।

(4) खातेदारी भूमि जो खेती के अयोग्य या कम योग्य हो और जिस पर वृक्षारोपण द्वारा आर्थिक लाभ प्राप्त किया जा सके।

इस कार्यक्रम के अन्तर्गत उपरोक्त सभी भूमियों पर वृक्षारोपण द्वारा विकास किया जाना है।

## राजस्थान में बंजड़ भूमि परती भूमि

राजस्थान में वन विकास के काम आने योग्य बंजड़ (पड़त) भूमि के क्षेत्रफल के सम्बन्ध में विभिन्न आंकड़े दिए गए हैं। इस क्षेत्रफल का निश्चित निर्धारण व्यापक सर्वेक्षण के पश्चात् ही सम्भव है। राष्ट्रीय बंजड़ भूमि विकास बोर्ड द्वारा राजस्थान में बंजड़ भूमि का क्षेत्रफल 1.8 करोड़ हैक्टेयर अनुमानित किया गया है।

राजस्थान में परती भूमि का प्रकार एवं वितरण निम्न सारणी 17 में जानकारी होती है, भारत की परती भूमि एटलस, 2005-06 में जिलेवार विस्तृत आंकड़े से स्पष्ट है कि ऊसर तथा कृषि अयोग्य भूमि में प्रथम स्थान उदयपुर जिला जबकि सबसे कम चुरू जिला है। इसी प्रकार स्थाई चरागाह तथा अन्य गोचर भूमि के अन्तर्गत प्रथम स्थान बाड़मेर जिला तथा सबसे कम इस भूमि में भरतपुर जिला आता है। तीसरी प्रकार की परती भूमि के अन्दर बंजर (कृषि योग्य भूमि) में प्रथम स्थान जैसलमेर जिला है जबकि सबसे कम क्षेत्रफल में भरतपुर जिला आया हुआ है।

जिले-वार परती भूमि के आँकड़े सारणी-17 में दिए गए हैं।

## वनीकरण

सिर्फ परती भूमि को विकसित करने ही नहीं, हमारी विशाल जनसंख्या की ईंधन और चारे की मांग पूरी करने के लिए भी, वनीकरण ही एकमात्र साधन है। अनुमान लगाया गया है कि आज देश में प्रति वर्ष 13.3 करोड़ टन ईंधन की लकड़ी की आवश्यकता है, जबकि सरकारी तौर पर ज्ञात उपलब्धता केवल 3.9 करोड़ टन ही है। बाकी माँग को पूरा करने के लिए जंगल गैर-कानूनी ढंग से काटे जा रहे है। चारे की स्थिति भी कुछ ऐसी ही है। जबकि वार्षिक मांग 70 करोड़ टन है, वास्तव में सिर्फ 54 करोड़ टन ही चारा मिल पाता है।

इस अभाव का सबसे अधिक असर पड़ता है गांवों पर और खासतौर से महिलाओं पर, जिन्हें ईंधन और चारा जुटाना पड़ता है। हिमालय के गाँवों में महिलाओं को चारे और जलावन की तलाश में हर रोज छह से दस घंटे तक पैदल भटकना पड़ता है।

वनीकरण से यह समस्या तो हल होगी ही साथ ही बहुत-सी उन पर्यावरणीय समस्याओं का भी समाधान

हो सकेगा जो आज हाथ से निकली जा रही है। अनुमान है कि भारत के वर्तमान वन क्षेत्रफल की भूमि में इतनी क्षमता है कि यदि उस पर जंगलों का पर्याप्त आवरण होता तो साल भर की वर्षा के आधे से भी अधिक जल को संचयित किया जा सकता। एक ओर जहाँ जल उपलब्धि बढ़ती वहीं दूसरी ओर बाढ़ नियंत्रण करना होता हैं, जो कई करोड़ रुपयों के बराबर है।

खेतों तथा वनों के बीच घनिष्ट संबंध होता है। गांवों के पास स्थित पेड़ों से ईंधन व हरा चार प्राप्त होता है। मवेशियों से जो गोबर प्राप्त होता है उसे खाद के रूप में खेतों में प्रयोग में लाया जाता है। यदि वन न होंगे तो ईंधन की लकड़ी के अभाव में गोबर को कण्डे के रूप में इस्तेमाल कर लिया जाएगा जिसके फलस्वरूप प्राकृतिक खाद जो खेती के लिए अत्यधिक आवश्यक है तब उपलब्ध नहीं होगी तथा खेती का उपजाऊपन काफी कम हो जाएगा।

## भूमि संरक्षण

वनीकरण के लिए सिर्फ पेड़ लगा देना ही काफी नहीं, भूमि की उपजाऊ ऊपरी मिट्टी की परत और उसकी उर्वरता बनाए रखना भी नितान्त आवश्यक है। इसके लिए कई उपाय किए जा सकते है :

(1) मिश्रित फसल; दो या अधिक किस्म की फसलें एक साथ लगाने से किसी एक फसल को चौपट होने का खतरा कम हो जाता है।

(2) फसल के साथ ही वृक्ष या चारे वाली घास लगाना।

(3) रासायनिक खाद की जगह प्राकृतिक खाद का प्रयोग। पिछली फसल को काटने के बाद बचने वाले ठूंठ अक्सर धरती में से निकाल कर फेंक दिए जाते हैं या जला डाले जाते हैं। यदि उन्हें खेत में ही पड़े रहने दिया जाए तो ये दुहरा लाभ पहुँचाते हैं। एक तो इनसे खेतों को प्राकृतिक खाद मिलती है, दूसरे इन का आवरण मिट्टी को बांधे रखता है और भूमि को जल संचय करने में भी मदद करता है।

(4) शुष्क क्षेत्रों में वर्षा का पानी जो सामान्यत: बह जाता है, जो यदि जलाशयों में एकत्रित कर लिया जाए तो सूखे मौसम में भी फसलों की सिंचाई हो सकती है।

(5) कान्टूअर बांध; वर्षा ऋतु में पानी के बहाव के कारण मिट्टी कट जाती है और भूस्खलन की संभावना बढ़ जाती है। इसके बचाव के लिए कान्टूअर बांध बनाना आवश्यक है। मिट्टी के इस बांध के दोनों ओर खस जैसी घास की कतार लगानी चाहिए, जिसकी जड़ें मिट्टी को आपस में जकड़ कर मजबूती प्रदान करती हैं।

## सरकार तथा गैर–सरकारी संस्थाओं का योगदान

ईंधन और हरे चारे की समस्या को हल करने के लिए यह आवश्यक है था कि सामाजिक वानिकी को एक जन आन्दोलन का रूप दिया जाए।

सरकार द्वारा चलाई जा रही विभिन्न योजनाओं में स्कूल के बच्चों तथा गैर–सरकारी संस्थाओं ने करोड़ों वृक्ष तथा नर्सरी लगाकर प्रशंसनीय कार्य किया। राष्ट्रीय ग्रामीण रोजगार योजना (NREP) तथा ग्रामीण भूमिहीन रोजगार योजना (RLEGP) के माध्यम से भूमिहीन किसानों को आर्थिक सहायता तथा सामाजिक वानिकी को प्रोत्साहन मिलता है। परती भूमि विकास बोर्ड ने देश की लगभग 50% बंजर भूमि को पुन: हरा भरा करने का दृढ़ निश्चय किया है। इस विशाल कार्य में सफलता प्राप्त करने के लिए बोर्ड ने सामाजिक वानिकी को एक जन आन्दोलन का रूप दिया। इस कार्य में आज बड़ी तेजी से प्रगति हो रही है।

## बंजर भूमि का सूचीकरण तथा आवंटन

1. जो भूमियाँ पहले ही से पंचायती राज संस्थाओं, राजकीय विभागों अन्य संस्थाओं तथा व्यक्तियों में निहित हैं या आवंटित हैं उन पर वृक्षारोपण द्वारा विकास कार्य तुरन्त प्रारम्भ किया जा सकता है।

2. इसी प्रकार खातेदार भी अपनी खातेदारी भूमि की मेड़ पर अथवा खेत के उपयुक्त भाग पर वृक्षारोपण कार्य तुरन्त प्रारम्भ कर सकते हैं।

## सारणी–21

### परती भूमि का जिलेवार विवरण

| Cate-gory | Ajmer | Alwar | Barmer | Banswara | Baran | Bharatpur | Bhilwara | Bikaner | Bundi | Chittaur-garh | Churu | Dausa | Dholpur | Dungar-pur | Ganga-nagar | Hanuman-garh | Jaipur |
|---|---|---|---|---|---|---|---|---|---|---|---|---|---|---|---|---|---|
| 1. | 0.09 | 56.69 | 0.00 | 0.00 | 78.30 | 59.41 | 12.32 | 59.16 | 99.29 | 0.00 | 0.00 | 73.49 | 68.06 | 0.00 | 0.00 | 0.00 | 3.31 |
| 2. | 0.00 | 67.94 | 20.22 | 0.00 | 100.47 | 0.00 | 0.00 | 37.25 | 210.29 | 0.00 | 0.00 | 33.23 | 120.08 | 0.00 | 0.00 | 0.00 | 17.89 |
| 3. | 654.08 | 449.93 | 1032.84 | 169.50 | 191.44 | 193.16 | 1618.22 | 1430.39 | 247.19 | 866.63 | 52.82 | 129.78 | 315.96 | 371.09 | 21.95 | 13.66 | 181.24 |
| 4. | 910.43 | 83.24 | 384.68 | 164.26 | 131.87 | 58.70 | 768.28 | 265.73 | 37.20 | 442.76 | 343.38 | 93.33 | 83.08 | 552.60 | 89.39 | 33.61 | 874.92 |
| 5. | 8.31 | 0.00 | 0.00 | 0.00 | 0.00 | 0.00 | 0.00 | 0.37 | 0.00 | 0.00 | 1.32 | 0.00 | 0.00 | 0.00 | 0.00 | 5.00 | 10.10 |
| 6. | 0.00 | 0.00 | 0.00 | 0.00 | 0.00 | 0.00 | 0.00 | 0.00 | 0.00 | 0.00 | 0.00 | 0.00 | 0.00 | 0.00 | 2.97 | 1.40 | 0.00 |
| 7. | 11.98 | 0.20 | 123.12 | 0.00 | 0.00 | 0.25 | 0.00 | 0.00 | 0.00 | 2.54 | 14.71 | 0.17 | 0.00 | 0.00 | 0.00 | 0.00 | 19.12 |
| 8. | 19.90 | 0.00 | 9.93 | 0.00 | 0.00 | 0.00 | 0.00 | 0.00 | 0.00 | 0.00 | 0.39 | 0.15 | 0.00 | 0.00 | 0.00 | 0.00 | 39.87 |
| 9. | 0.00 | 0.00 | 0.00 | 0.00 | 0.00 | 0.00 | 0.00 | 0.00 | 0.00 | 0.00 | 0.00 | 0.00 | 0.00 | 0.00 | 0.00 | 0.00 | 0.00 |
| 10. | 0.00 | 0.00 | 0.00 | 0.00 | 0.00 | 0.00 | 0.00 | 0.00 | 0.00 | 0.00 | 0.00 | 0.00 | 0.00 | 0.00 | 0.00 | 0.00 | 0.00 |
| 11. | 210.79 | 111.10 | 124.69 | 629.12 | 1197.68 | 57.07 | 363.48 | 70.87 | 770.48 | 892.10 | 0.00 | 75.97 | 297.98 | 324.88 | 0.00 | 23.12 | 385.51 |
| 12. | 0.00 | 40.59 | 0.75 | 25.97 | 130.61 | 0.19 | 9.11 | 0.00 | 0.00 | 183.16 | 0.00 | 1.24 | 56.96 | 18.22 | 0.00 | 0.00 | 0.00 |
| 13. | 128.01 | 0.00 | 279.09 | 23.57 | 106.82 | 0.00 | 324.26 | 485.71 | 27.20 | 50.57 | 128.12 | 15.10 | 0.00 | 27.97 | 0.00 | 21.46 | 55.98 |
| 14. | 0.00 | 0.00 | 0.00 | 0.00 | 0.00 | 0.00 | 0.00 | 0.00 | 0.00 | 0.00 | 0.00 | 0.00 | 0.00 | 0.00 | 0.00 | 0.00 | 0.00 |
| 15. | 0.08 | 0.35 | 0.00 | 0.00 | 46.52 | 6.94 | 0.00 | 0.00 | 0.00 | 0.00 | 0.00 | 0.90 | 0.15 | 0.00 | 0.00 | 0.00 | 23.23 |
| 16. | 0.00 | 0.00 | 0.00 | 0.00 | 0.00 | 0.00 | 0.00 | 0.00 | 0.00 | 0.00 | 0.00 | 0.00 | 0.00 | 0.00 | 0.00 | 0.00 | 0.00 |
| 17. | 19.14 | 0.08 | 402.27 | 0.00 | 0.00 | 6.04 | 0.08 | 1111.56 | 0.35 | 0.00 | 58.42 | 0.48 | 0.00 | 0.00 | 154.59 | 330.54 | 97.69 |
| 18. | 0.00 | 0.00 | 1728.70 | 0.00 | 0.00 | 0.00 | 0.00 | 1278.94 | 0.00 | 0.00 | 0.00 | 0.00 | 0.00 | 0.00 | 1088.21 | 20.44 | 0.00 |
| 19. | 0.00 | 0.00 | 2598.27 | 0.00 | 0.00 | 0.00 | 0.00 | 5907.50 | 0.00 | 0.00 | 109.99 | 0.00 | 0.00 | 0.00 | 171.83 | 0.00 | 0.00 |
| 20. | 3.37 | 0.75 | 1.95 | 3.71 | 0.00 | 1.41 | 2.65 | 0.00 | 0.41 | 4.99 | 0.04 | 0.72 | 0.22 | 2.23 | 0.00 | 0.00 | 3.20 |
| 21. | 0.00 | 0.00 | 0.00 | 0.34 | 0.00 | 0.00 | 0.00 | 0.00 | 0.00 | 0.00 | 0.00 | 0.00 | 0.00 | 0.14 | 2.57 | 0.00 | 0.00 |
| 22. | 182.53 | 273.70 | 299.06 | 102.90 | 35.27 | 196.08 | 206.16 | 19.63 | 88.81 | 98.87 | 4.94 | 26.70 | 20.50 | 52.80 | 0.00 | 0.00 | 80.79 |
| 23. | 0.00 | 0.00 | 0.00 | 0.00 | 0.00 | 0.00 | 0.00 | 0.00 | 0.00 | 0.00 | 0.00 | 0.00 | 0.00 | 0.00 | 0.00 | 0.00 | 0.00 |
| **Total** | **2148.69** | **1084.56** | **7005.56** | **1119.37** | **2018.97** | **579.25** | **3304.55** | **10667.12** | **1481.21** | **2541.62** | **714.14** | **451.25** | **963.00** | **1349.93** | **1531.49** | **449.23** | **1792.85** |
| TGA | 8481 | 8380 | 28387 | 5037 | 6955 | 5092 | 10455 | 27244 | 5550 | 10856 | 16830 | 3432 | 3008 | 3770 | 10978 | 9656 | 10636 |
| **% to TGA** | **25.34** | **12.94** | **24.68** | **22.22** | **29.03** | **11.38** | **31.61** | **39.15** | **26.69** | **23.41** | **4.24** | **13.15** | **32.01** | **35.81** | **13.95** | **4.65** | **16.86** |

1. Gullied and/ or ravinous land (Medium)
2. Gullied and/ or ravinous land (Deep)
3. Land with Dense Scrub
4. Land with Open Scrub
5. Waterlogged and Marshy land (Permanent)
6. Waterlogged and Marshy land (Seasonal)
7. Land affected by salinity/alkalinity (Medium)
8. Land affected by salinity/alkalinity (Strong)
9. Shifting Cultivation - Current Jhum
10. Shifting Cultivation - Abandoned Jhum
11. Under-utilised/degraded forest (Scrub domin)
12. Under-utilised/degraded forest (Agriculture)
13. Degraded pastures/ grazing land
14. Degraded land under plantation crop
15. Sands-Riverine
16. Sands-Coastal
17. Sands-Desertic
18. Sands-Semi Stab.-Stab>40m
19. Sands-Semi Stab.-Stab 15-40m
20. Mining Wastelands
21. Industrial wastelands
22. Barren Rocky/Stony waste
23. Snow covered /Glacial area

Total - Total Wasteland Area

TGA - Total Geographical Area

## सारणी–21
## परती भूमि का जिलेवार विवरण ..... लगातार

| Cate-gory | Jaisalmer | Jalore | Jhalawar | Jhunjhunu | Jodhpur | Karauli | Kota | Nagaur | Pali | Rajsamand | Sikar | Sirohi | Sawai-madhopur | Tonk | Udaipur | Total |
|---|---|---|---|---|---|---|---|---|---|---|---|---|---|---|---|---|
| 1. | 0.00 | 51.89 | 19.71 | 1.42 | 11.72 | 134.53 | 96.61 | 0.00 | 14.35 | 0.00 | 21.43 | 42.62 | 114.95 | 0.83 | 0.00 | 1020.17 |
| 2. | 0.00 | 20.42 | 0.26 | 27.46 | 0.00 | 26.95 | 156.24 | 0.00 | 0.00 | 0.00 | 2.64 | 10.74 | 9.36 | 3.32 | 0.00 | 864.75 |
| 3. | 8352.40 | 233.51 | 731.81 | 30.23 | 439.60 | 310.24 | 238.47 | 291.82 | 1188.03 | 1478.24 | 50.38 | 526.85 | 163.49 | 324.15 | 1362.60 | 23661.70 |
| 4. | 3870.31 | 80.84 | 374.63 | 324.37 | 945.42 | 60.69 | 19.84 | 289.53 | 361.50 | 328.08 | 392.10 | 400.07 | 156.77 | 269.22 | 1428.55 | 14619.38 |
| 5. | 0.00 | 0.00 | 0.00 | 0.00 | 0.00 | 0.00 | 0.00 | 38.05 | 0.00 | 0.00 | 0.09 | 1.62 | 0.00 | 0.00 | 0.00 | 64.88 |
| 6. | 15.33 | 0.00 | 0.00 | 0.00 | 27.57 | 0.00 | 0.00 | 0.00 | 7.01 | 0.00 | 0.67 | 0.00 | 0.00 | 0.00 | 0.00 | 54.94 |
| 7. | 11.36 | 11.91 | 0.00 | 0.00 | 48.97 | 0.00 | 0.00 | 18.09 | 77.78 | 0.00 | 6.93 | 0.00 | 0.00 | 0.00 | 0.00 | 347.12 |
| 8. | 40.67 | 36.66 | 0.00 | 0.00 | 6.18 | 0.00 | 0.00 | 102.56 | 7.72 | 0.00 | 4.48 | 0.00 | 0.62 | 0.00 | 0.00 | 269.12 |
| 9. | 0.00 | 0.00 | 0.00 | 0.00 | 0.00 | 0.00 | 0.00 | 0.00 | 0.00 | 0.00 | 0.00 | 0.00 | 0.00 | 0.00 | 0.00 | 0.00 |
| 10. | 0.00 | 0.00 | 0.00 | 0.00 | 0.00 | 0.00 | 0.00 | 0.00 | 0.00 | 0.00 | 0.00 | 0.00 | 0.00 | 0.00 | 0.00 | 0.00 |
| 11. | 145.87 | 161.06 | 604.36 | 169.99 | 57.53 | 1121.07 | 521.43 | 127.64 | 197.16 | 41.21 | 309.74 | 504.43 | 388.69 | 102.92 | 1377.87 | 11365.78 |
| 12. | 0.04 | 0.00 | 12.83 | 0.00 | 0.00 | 243.21 | 0.00 | 0.00 | 4.16 | 10.66 | 0.00 | 14.84 | 15.14 | 0.00 | 86.67 | 854.34 |
| 13. | 85.98 | 286.88 | 16.15 | 56.71 | 661.95 | 1.38 | 6.08 | 528.26 | 395.64 | 30.73 | 68.08 | 50.28 | 11.68 | 4.18 | 40.60 | 3918.42 |
| 14. | 0.00 | 0.00 | 0.00 | 0.00 | 0.00 | 0.00 | 0.00 | 0.00 | 0.00 | 0.00 | 0.00 | 0.00 | 0.00 | 0.00 | 0.00 | 0.00 |
| 15. | 0.00 | 0.03 | 0.00 | 15.48 | 4.10 | 0.00 | 0.34 | 0.00 | 69.59 | 0.09 | 19.85 | 4.51 | 2.59 | 1.94 | 0.00 | 196.69 |
| 16. | 0.00 | 0.00 | 0.00 | 0.00 | 0.00 | 0.00 | 0.00 | 0.00 | 0.00 | 0.00 | 0.00 | 0.00 | 0.00 | 0.00 | 0.00 | 0.00 |
| 17. | 528.99 | 285.73 | 0.00 | 19.21 | 1084.12 | 0.05 | 0.00 | 327.84 | 8.87 | 0.00 | 178.00 | 33.16 | 8.54 | 0.16 | 0.00 | 4655.88 |
| 18. | 6905.69 | 20.57 | 0.00 | 0.00 | 145.66 | 0.00 | 0.00 | 0.00 | 0.00 | 0.00 | 0.00 | 0.00 | 0.00 | 0.00 | 0.00 | 11188.21 |
| 19. | 5058.99 | 132.30 | 0.00 | 0.00 | 1349.97 | 0.00 | 0.00 | 248.36 | 0.00 | 0.00 | 0.00 | 9.24 | 0.00 | 0.00 | 0.00 | 15586.44 |
| 20. | 0.84 | 0.91 | 3.30 | 0.00 | 20.59 | 0.56 | 0.53 | 4.27 | 5.85 | 12.52 | 0.12 | 4.97 | 0.36 | 0.17 | 26.21 | 106.86 |
| 21. | 0.00 | 0.61 | 0.00 | 0.00 | 0.99 | 0.00 | 0.00 | 0.00 | 1.37 | 0.00 | 0.00 | 2.08 | 0.00 | 0.00 | 0.97 | 9.06 |
| 22. | 1228.13 | 173.30 | 13.90 | 32.69 | 500.21 | 55.44 | 11.32 | 92.67 | 289.24 | 392.05 | 28.33 | 117.27 | 12.33 | 22.49 | 247.63 | 4905.72 |
| 23. | 0.00 | 0.00 | 0.00 | 0.00 | 0.00 | 0.00 | 0.00 | 0.00 | 0.00 | 0.00 | 0.00 | 0.00 | 0.00 | 0.00 | 0.00 | 0.00 |
| **Total** | **26244.58** | **1496.61** | **1776.94** | **677.56** | **5304.56** | **1954.13** | **1050.85** | **2069.09** | **2628.27** | **2293.56** | **1082.84** | **1722.69** | **884.51** | **729.38** | **4571.11** | **93689.47** |
| TGA | 38401 | 10640 | 6219 | 5928 | 22850 | 5524 | 5481 | 17718 | 12387 | 4689 | 7732 | 5136 | 5003 | 7194 | 12590 | 342239 |
| **% to TGA** | **68.34** | **14.07** | **28.57** | **11.43** | **23.21** | **35.38** | **19.17** | **11.68** | **21.22** | **48.91** | **14.00** | **33.54** | **17.68** | **10.14** | **36.31** | **27.38** |

1. Gullied and/ or ravinous land (Medium)
2. Gullied and/ or ravinous land (Deep)
3. Land with Dense Scrub
4. Land with Open Scrub
5. Waterlogged and Marshy land (Permanent)
6. Waterlogged and Marshy land (Seasonal)
7. Land affected by salinity/alkalinity (Medium)
8. Land affected by salinity/alkalinity (Strong)
9. Shifting Cultivation - Current Jhum
10. Shifting Cultivation - Abandoned Jhum
11. Under-utilised/degraded forest (Scrub domin)
12. Under-utilised/degraded forest (Agriculture)
13. Degraded pastures/ grazing land
14. Degraded land under plantation crop
15. Sands-Riverine
16. Sands-Coastal
17. Sands-Desertic
18. Sands-Semi Stab.-Stab>40m
19. Sands-Semi Stab.-Stab 15-40m
20. Mining Wastelands
21. Industrial wastelands
22. Barren Rocky/Stony waste
23. Snow covered /Glacial area

Total - Total Wasteland Area
TGA - Total Geographical Area

3. जो राजकीय बंजर (गैर मुमकिन) भूमि उपलब्ध है उसके सूचीकरण एवं वृक्षारोपण हेतु आवंटन की कार्यवाही अभियान के रूप में की जानी है। राजस्थान में पहले से ही राजस्थान भू-राजस्व (निजी वन विकास हेतु अकृष्य बंजर भूमि का आवंटन) नियम, 1983 विद्यमान हैं। इन नियमों में संशोधन हेतु भारत सरकार से प्राप्त मार्गदर्शन किया जा रहा है। इन नियमों में संशोधन के उपरान्त मुख्य विशेषताएँ निम्नांकित होंगी :-

(1) बंजर राजकीय भूमि को वृक्षारोपण हेतु व्यक्तियों एवं संस्थाओं को आवंटित किया जा सकता है। इन भूमियों में नहरों तथा सड़कों के किनारे की राजकीय भूमि भी सम्मिलित है।

(2) आवंटित भूमि पर आवंटिती को वृक्षारोपण करने का अधिकार होगा।

(3) भूमि राजकीय रहेगी पर वृक्ष लगाने वाले का वृक्ष पर स्वामित्व रहेगा। वह उसकी पैदावार लेने का अधिकारी होगा।

(4) वृक्ष की निर्धारित आयु हो जाने के उपरान्त उसे पेड़ काटने का भी अधिकार होगा बशर्ते इससे पूर्व वह एक काटे जाने वाले पेड़ के बजाय दो नए पेड़ लगा दे।

(5) आवंटिती को वृक्षारोपण का अनुज्ञा-पत्र तथा वृक्षों का पट्टा दिया जाएगा।

(6) कम से कम 50 प्रतिशत भूमि ग्रामीण निर्धनों को आवंटित की जाएगी।

4. इन नियमों के अन्तर्गत बंजर भूमि की सूचियाँ तैयार करने तथा आवंटन के लिए आवेदन पत्र मांगने हेतु लोक सूचना जारी करने एवं अभियान चला कर इन भूमियों का पात्र व्यक्तियों को आवंटन करने का परिपत्र हैं। राजस्व अभियान भी जिलों में चलाया जा रहा है। बंजर भूमि का वृक्षारोपण हेतु आवंटन भी राजस्व अभियान के साथ-साथ ही पूरा कर लिया जाना है।

## कार्यक्रम में पंचायती राज संस्थाओं का योगदान

1. कार्यक्रम में पंचायती राज संस्थाओं का महत्त्वपूर्ण योगदान रहेगा। पंचायत समिति एवं पंचायतों को कार्यक्रम की क्रियान्विति में पूरी तरह संयुक्त किया जावेगा। इन संस्थाओं का इस कार्यक्रम में दोहरा योगदान होगा। स्वयं ग्रामीण वन विकास एवं पौधशालाएँ स्थापित करने के साथ-साथ पंचायत समिति तथा पंचायत अन्य संस्थाओं तथा ग्रामीण क्षेत्र के व्यक्तियों को कार्यक्रम की क्रियान्विति में मार्गदर्शन एवं सहयोग प्रदान करेगा।

2. राज्य स्तर पर कार्यक्रम की क्रियान्विति के लिए ग्रामीण विकास एवं पंचायती राज विभाग रहेगा जो वन, राजस्व, विशिष्ट योजना संगठन, कृषि, सिंचाई एवं सार्वजनिक निर्माण आदि सम्बन्धित विभागों के समन्वय एवं सहयोग से कार्यक्रम का संचालन करेगा।

3. कार्यक्रम के पर्यवेक्षण एवं संचालन के लिए राज्य पर मुख्य सचिव की अध्यक्षता में एक निर्देशन समिति गठित की गई है।

## तकनीकी मार्ग-दर्शन एवं प्रशिक्षण

1. कार्यक्रम के लिए तकनीकी मार्ग-दर्शन एवं सहायता राज्य, जिला, खण्ड एवं ग्राम सभी स्तरों पर वन विभाग द्वारा उपलब्ध कराई जाएगी। कार्यक्रम की व्यापकता तथा वन विभाग के अधिकारियों की सीमित संख्या के कारण इस कार्यक्रम के लिए जिला एवं नीचे स्तरों पर पूर्णकालिक अधिकारी नियुक्त किया जाना यद्यपि सम्भव नहीं है, किन्तु तकनीकी मार्ग-दर्शन एवं सहायता निरन्तर उपलब्ध होती रहे यह सुनिश्चित किया जावेगा। इसके लिए वन विभाग द्वारा जिला स्तर एवं खण्ड स्तर पर अधिकारी मनोनीत किए जाऐंगे, जिनका दायित्व अपने सामान्य कार्यों के अतिरिक्त इस कार्यक्रम को देखने का भी होगा। वन विभाग के अधिकारी जिला खण्ड एवं पंचायत स्तर की समितियों में नियमित रूप से भाग लेने के अतिरिक्त कार्यक्रम सम्बन्धी निर्णयों की क्रियान्विति तथा अनुवर्तन में निरन्तर अपना तत्पर सहयोग देंगे।

2. सर्वाधिक महत्त्वपूर्ण बात यह है कि इस कार्यक्रम को जन-आन्दोलन का स्वरूप देकर सफल बनाया जाता है।

## कार्यक्रम के लक्ष्य

1. जैसा कि ऊपर उल्लेख किया गया है, इस कार्यक्रम के दो मुख्य अंग हैं-(1) बंजर भूमि पर घास, चारा एवं वृक्षारोपण एवं (2) विकेन्द्रित पौधशालाओं की स्थापना।

2. पंचायत एवं पंचायत समितियों को इन दोनों ही प्रकार के कार्यों में भाग लेना है। प्रत्येक पंचायत समिति क्षेत्र में औसतन 100-125 हैक्टेयर बंजर भूमि के विकास तथा 4 लाख पौध लगाने के आधार पर वर्ष 1986-87 के लिये पंचायत एवं पंचायत समितियों द्वारा 25,000 हैक्टेयर बंजर भूमि का विकास तथा 8 करोड़ पौध विकेन्द्रित पौधशालाओं में तैयार करने के लक्ष्य रखे गए थे।

## पंचायत/पंचायत समिति द्वारा बंजर भूमि विकास

1. अधिकांश पंचायत समितियों के पास कृषि फार्म हेतु भूमि हैं। ग्राम पंचायतों के पास चारागाह भूमि है तथा कई पंचायतों को सिवाय चक भूमि भी आवंटित है। जिन पंचायत/पंचायत समितियों के पास पहले से वृक्षारोपण या पौधशाला के लिए भूमि नहीं है उन्हें उपरोक्त नियमों के अन्तर्गत बंजर भूमि आवंटन करा लेना चाहिए। लक्ष्य यह है कि प्रत्येक पंचायत समिति का कम से कम 25 से 40 हैक्टेयर बंजर क्षेत्रफल ऐसा हो जिसे गंवाई वन के रूप में विकसित किया जा सके। इसी प्रकार प्रत्येक पंचायत समिति क्षेत्र में कम से कम दस पंचायतें ऐसी हों जो 10-10 हैक्टेयर भूमि पर गंवाई वन विकास योजना इस वर्ष में लें। इस प्रकार प्रत्येक पंचायत समिति क्षेत्र में 100-125 हैक्टेयर भूमि पर गंवाई वन विकास का कार्य इस वर्ष प्रारम्भ किया जाना चाहिए।

2. गंवाई वन विकास के लिए चयनित बंजर भूमि पर वृक्षारोपण से पूर्व निम्नांकित कार्य कराने होंगे :-

(1) भूमि के आस पास खाई खोदकर, पत्थरों की दीवार अथवा कच्चा डोला लगाकर सुरक्षा बाड़ लगवाना; पक्की दीवार बनाना अथवा कांटेदार तार की बाड़ लगाना अधिक खर्चीला होता है, अत: यह नहीं किया जाना चाहिए। भूमि पर बाड़ लगाने में स्थानीय साधनों और तरीकों का उपयोग किया जाना चाहिए जैसे थोर, पूला-पानी की बाड़ लगाना, झाड़ियों एवं पेड़ों की छड़ों की बाड़ लगाना।

(2) भूमि की सफाई, हल चलाना तथा वृक्ष लगाने के लिए गड्ढे खुदाना।

3. ये कार्य मानसून के आने से पहले करा लिए जाने चाहिए ताकि वर्षा आते ही वृक्षारोपण का कार्य कराया जा सके। वर्तमान राजकीय नीति के अनुसार वन विभाग द्वारा वृक्षारोपण के लिए पौधे नि:शुल्क प्रदत्त किए जाते हैं।

## पंचायत/पंचायत समिति द्वारा विकेन्द्रित पौध-शालाएँ

1. सघन वृक्षारोपण कार्यक्रम के लिए विकेन्द्रित छोटी-छोटी पौधशालाएँ स्थापित करना अत्यन्त महत्त्वपूर्ण है ताकि वृक्ष लगाने वालों को स्थानीय रूप से पौधे उपलब्ध हो सके तथा पौधों के लाने-ले जाने में पौधों को हानि से बचाया जा सके। स्थानीय रूप से उपलब्ध कराए गए पौधे निश्चित रूप से अधिक प्रतिशत में पनपेंगे।

2. लक्ष्य यह है कि प्रत्येक पंचायत समिति की कम से कम एक लाख पौधों की अपनी पौधशाला हो और पंचायत समित क्षेत्र में कम से कम 20 छोटी पौधशालाएँ (प्रत्येक पौधशाला 15-20 हजार पौधा की) पंचायतों एवं विद्यालयों द्वारा लगाई जावे। पंचायत समिति, पंचायत तथा विद्यालयों में प्राय: पौधशाला लगाने के लिए भूमि पहले से उपलब्ध होगी। जहाँ भूमि उपलब्ध नहीं हो वहाँ आवंटित भूमि में से पौधशाला के लिए भूमि का चयन किया जा सकता है। यथासम्भव पौधशाला ऐसे स्थान पर लगाई जानी चाहिए जहाँ पानी का साधन (कुआं या हैण्डपंप आदि) पहले से उपलब्ध हो। जहाँ साधन उपलब्ध नहीं हो वहाँ साधन विकसित किया जा सकता है।

3. वर्तमान राजकीय नीति के अनुसार पौधशाला लगाने के लिए पोलीथीन की थैलियाँ तथा पौधों के बीज वन विभाग द्वारा नि:शुल्क प्रदत्त किए जाते हैं। इन पौधशालाओं से वन विभाग द्वारा पौधे वापस क्रय करने की भी व्यवस्था है। वन विभाग द्वारा पौधशालाओं से (चाहे ऐसी पौधशालाएँ किसी सार्वजनिक संस्था द्वारा लगाई गई हों या निजी संस्था या व्यक्तियों द्वारा), पौधों के लिए सरकारी दर से भुगतान किया जावेगा, जिसमें से आधा पैसा पौधा पौधशाला स्थापित करने के समय अगाऊ तथा शेष प्रति पौधा, पौधों के वास्तविक वितरण के बाद भुगतान किया जाएगा।

## बंजर भूमि विकास एवं पौधशालाओं के लिए वित्त व्यवस्था

1. राजकीय विभागों एवं सार्वजनिक संस्थाओं (जैसे पंचायत, पंचायत समिति, विद्यालय आदि) द्वारा बंजर भूमि विकास एवं पौधशालाएँ स्थापित करने के लिए वित्तीय सहायता पहल से चली आ रही निम्नांकित योजनाओं से किया गया।

1. राष्ट्रीय ग्रामीण रोजगार कार्यक्रम (एन.आर.- ई.पी.)।
2. ग्रामीण भूमिहीन रोजगार गारन्टी योजना (आर.- एल.ई.जी.पी.)।
3. एकीकृत ग्रामीण विकास (आई.आर.डी.)।
4. सूखा सम्भाव्य क्षेत्र विकास (डी.पी. ए.पी.)।
5. मरुस्थल विकास योजना (डी.डी.पी.)।
6. अनुसूचित जनजाति विकास (टी.ए.डी.)।
7. अनुसूचित जाति संघटक योजना।
8. सामाजिक वानिकी।
9. बैंक तथा वित्तीय संस्थाओं से ऋण।

2. एन.आर.ई.पी., आर.एल.ई.जी.पी., डी.पी. ए.पी. तथा डी.डी.पी. आदि के अन्तर्गत इस कार्यक्रम के लिए वित्तीय सहायता के लिए विस्तृत निर्देश विशिष्ट योजना संगठन द्वारा जिला विकास अभिकरणों को जारी किए जा रहे हैं। अन्य सम्बन्धित विभागों (जैसे वन, कृषि, अनुसूचित जनजाति विकास निगम, समाज कल्याण विभाग आदि) द्वारा भी कार्यक्रम को सम्बल प्रदान करने हेतु निश्चित निर्देश जारी किए गए। बंजर भूमि विकास के कार्यों को एन.आर.ई.पी. में तो तुरन्त ही लिया जा सकता है।

3. यह उल्लेखनीय है कि एन.आर.ई.पी. तथा आर.एल.ई.जी.पी. के अन्तर्गत राज्य को आवंटित धनराशि में से न्यूनतम 25 प्रतिशत राशि वानिकी कार्यक्रम के लिए आरक्षित है जो मुख्यत: बंजर भूमि विकास एवं विकेन्द्रित पौधशालाओं के लिए ही व्यय की जानी है। अन्य कार्यक्रमों से भी बंजर भूमि विकास के लिए उपयुक्त धनराशि आवंटित की जा सकेगी।

4. राजकीय वित्तीय सहायता के अतिरिक्त इस कार्यक्रम के लिए बैंकों से ऋण प्राप्त हो सकेंगे। 'नाबार्ड' द्वारा बंजर (पड़त) भूमि विकास एवं पौधशालाओं के लिए बैंकों द्वारा स्वीकृत किए गए ऋणों के लिए नाबार्ड से पुनर्वित्त की सुविधा प्राप्त होगी। नाबार्ड द्वारा लगभग एक दर्जन किस्म के पेड़ों के लिए (यूकेलिप्टस, अरण्ड, बबूल, सुबबूल, विलायती बबूल, इजरायली बबूल, बांस, सिरस, शीशम, बेर आदि) वृक्षारोपण की नमूने की योजना एवं अनुमान बना कर बैंकों से वित्त की सुविधाएँ प्राप्त कर बंजर (पड़त) भूमि विकास एवं पौधशालाओं की स्थापना का कार्य लेकर इस राष्ट्रीय महत्त्व के कार्यक्रम में योगदान देने के साथ-साथ स्थाई आर्थिक लाभ प्राप्त कर सकते हैं।

## राजस्थान में वन विकास की योजनाएँ

प्राकृतिक संतुलन बनाए रखने के लिए यह आवश्यक है कि समस्त भू-भाग का कम से कम एक तिहाई भाग वनों से आच्छादित हो, किन्तु राजस्थान में वन केवल 9 प्रतिशत ही है, जिसमें भी अधिकांश क्षेत्र परिभाषित वनों, बंजर भूमि तथा नंगी पहाड़ियों के रूप में हैं। वनों की दिन-प्रतिदिन घटती हुई सघनता का प्रमुख कारण बढ़ती हुई वन उपज की मांग की पूर्ति के लिए वनों की कटाई एवं प्रतिवर्ष बढ़ रही पशुधन की वनों की चराई का भाग ही है। प्रदेश में ईंधन की आवश्यकता की पूर्ति के लिए नवें दशक में प्रतिवर्ष

लगभग 60 लाख टन जलाऊ लकड़ी की आवश्यकता होती थी, जबकि राजस्थान में वनों से 7 लाख टन अतिरिक्त जलाऊ लकड़ी की मांग प्रतिवर्ष बढ़ रही थी और ऐसा अनुमान था कि सन् 2001 तक यह माँग लगभग 100 लाख टन हो गई जबकि उत्पादन के स्त्रोत कम होते चले गए।

ग्रामीण क्षेत्रों में कृषक ईंधन की पूर्ति खेतों व सिवाय चक भूमि पर खड़े वृक्षों को काटकर, गोबर के उपले बनाकर या कृषि उपज के अवशेषों को जलाकर करते हैं। अब स्थिति इतनी विकट हो गई है कि यदि वनों की रक्षा तथा युद्ध स्तर पर वनारोपण नहीं किया गया तो उस वैज्ञानिक की यह भविष्यवाणी सही साबित होगी कि ''इस शताब्दी के अन्त तक भारत में अन्न का उत्पादन तो होगा पर उसको पकाने के लिए ईंधन नहीं रहेगा।'' राज्य सरकार ने वृक्षारोपण कार्य को व्यापक जन–आन्दोलन बनाने के उद्देश्य से कई जनोपयोगी योजनाएँ प्रदेश में लागू की है।

इन सभी योजनाओं की जनहित की दृष्टि से निम्न श्रेणियों में विभक्त किया जा सकता है :-

1. व्यक्तिगत लाभकारी योजनाएँ
2. सामुदायिक लाभकारी योजनाएँ
3. जन हितकारी योजनाएँ
4. ग्रामीण रोजगार योजनाएँ

**1. व्यक्तिगत लाभकारी योजनाएँ**

*1. कृषि वानिकी पौध वितरण योजना :*

कृषि वानिकी का उद्देश्य ग्रामीण जनता की जलाऊ लकड़ी, चारा तथा छोटी इमारती लकड़ी की पूर्ति स्वयं की अथवा अन्य प्रकार की निजी भूमि पर वृक्षारोपण करके करना है। इस योजना में वन विभाग कृषकों को पौधे नि:शुल्क उपलब्ध कराता है, जिन्हें वे स्वयं की भूमि पर रोपित करते हैं। कृषकों को उपलब्ध कराए जाने वाले पौधों में उनकी स्वयं की पसन्द तथा वहाँ की स्थानीय जलवायु का ध्यान रखा जाता है। कृषकों द्वारा राज्य के पूर्व तथा सिंचित क्षेत्रों में सफेदा, शीशम, अरडू फलदार पौधे तथा पहाड़ी क्षेत्रों में बाँस, महुआ तथा आम पसंद किया जाता है। राज्य में मरु क्षेत्रों में कृषक बेर, सिरस, नीम तथा खेजड़ी पसंद करते हैं।

इस योजना के अन्तर्गत कृषकों को पौधे आसानी से उपलब्ध कराने की दृष्टि से वन विभाग ने प्रदेश की 236 पंचायत समितियों में पौधशालाएँ स्थापित की है। प्रदेश के विभिन्न जिलों में जहाँ 1981 में मात्र 150 पौधशालाऐं थीं वहाँ इनकी संख्या वर्ष 1985 में बढ़कर 925 हो गई। जिनमें 477 लाख पौधे उगाकर वितरित किए गए। वर्ष 1986 में प्रदेश में 1,395 पौधशालाएं स्थापित की जाकर 11 करोड़ से अधिक पौधे वितरण हेतु तैयार करने का लक्ष्य रखा गया।

*2. वृक्षों की खेती*

वन और आदिवासी एक दूसरे के पूरक हैं। वनों का आदिवासियों के जीवन से गहरा सम्बन्ध है। आदिवासियों के आर्थिक एवं सामाजिक उत्थान की कोई भी योजना वनों के बिना अधूरी है। इसी पृष्ठभूमि में राज्य के जनजाति बाहुल्य क्षेत्रों में कृषि वानिकी योजना को 'वृक्षों की खेती' के नाम से क्रियान्वित किया जा रहा है। यह योजना जनजाति विकास क्षेत्र में केवल आदिवासियों के लिए चलाई जा रही है।

*3. किसान पौधशालाएँ*

इस योजना का उद्देश्य समाज के कमजोर वर्गों वृक्षारोपण में अभिरुचि जागृत करने के साथ-साथ,उनकी आर्थिक एवं सामाजिक स्थिति सुधारना है। इस योजना के अन्तर्गत कृषक अपनी भूमि पर वन विभाग के सहयोग से पौधशाला स्थापित कर पौधे उगाता है। 40×50 के छोटे से भू–खण्ड से लगभग 10,000 पौधे उगाए जा सकते हैं। पौधे उगाने के लिए वन विभाग द्वारा बीज, खाद, पोलीथीन थैलियाँ, कीटनाशक दवाइयाँ तथा आवश्यक तकनीकी जानकारी नि:शुल्क उपलब्ध कराई जाती है। कृषक इन पौधों को उगाने के समस्त कार्य जैसे-सिंचाई, निराई, गुड़ाई एवं सुरक्षा का प्रबन्ध करता है। इस प्रकार उगाए गए पौधे जब रोपण योग्य हो जाते हैं तो वन विभाग उन्हें वृक्षारोपण काल में सरकारी खरीद दर से क्रय कर लेता है। इस योजना के अन्तर्गत कृषकों को उनकी

माँग एवं जलवायु को ध्यान में रखते हुए बाँस, खेजड़ी, अरडू, बेर, सूबबूल, सफेदा तथा फलदार वृक्षों के पौधे तैयार कराए जाते हैं और ये पौधे उसी क्षेत्र में कृषकों को नि:शुल्क वितरित कर दिए जाते हैं।

इस प्रकार एक कृषक अपने खेत में 10,000 पौधे उगाकर खेती के साथ-साथ आठ माह में अच्छी-खासी रुपये की अतिरिक्त आय अर्जित कर सकता है। यह योजना पहले केवल अनुसूचित जाति एवं जनजाति के किसानों के लिए थी, किन्तु बाद में सभी किसानों के लिए लागू कर दी गई है। इस प्रकार की प्रदेश की कुल 300 पौधशालाएं स्थापित की जा चुकी है।

*4. सड़कों के किनारे रोपित वृक्षों की उपज के उपयोग का अधिकार*

राजस्थान टीनेन्सी अधिनियम की धारा 97 में यह संशोधन किया गया है कि यदि कृषक अपने खेत तथा राजमार्ग के बीच पड़ी खाली भूमि पर वृक्ष लगायेगा तो उसे उन वृक्षों से फल, फूल तथा चारा आदि प्राप्त करने का अधिकार होगा।

*5. पड़त भूमि पर निजी व्यक्तियों द्वारा वनीकरण के लिए भूमि आवंटन*

प्रदेश में वनीकरण को बढ़ावा देने के उद्देश्य से ऐसे नियम बनाए गए हैं जिनके अन्तर्गत कृषि के आयोग्य भूमि को निजी वन उगाने के लिए लोगों को लीज पर आवंटित किया जा रहा है। इन नियमों के अन्तर्गत भूमि का आवंटन सम्बन्धित उप जिलाधीश द्वारा आवंटन हेतु गठित समिति, जिसमें जन प्रतिनिधियों को भी समुचित स्थान मिला हुआ है कि सिफारिश पर ही होता है। भूमि का आवंटन एक व्यक्ति का तो 10 हैक्टेयर तक किया जा सकता है परन्तु सहकारी समितियों आदि को 25 हैक्टेयर तक भी आवंटन किया जा सकता है। आवंटन के पश्चात् आवंटी इस क्षेत्र में वृक्षारोपण करता है जिसके लिए तकनीकी सहायता वन विभाग उपलब्ध कराता है। इस भूमि को गिरवी रखकर भूमि विकास बैंक आदि से राशि कर्जे पर प्राप्त करने का भी नियमों में प्रावधान है।

**2. सामुदायिक लाभकारी योजनाएँ**

*(अ) ग्राम्य-वन योजना*

राजस्थान में वन अरावली एवं विंध्याचल की पर्वतमालाओं पर पाए जाते हैं, जो राज्य की घनी आबादी वाले जिलों से काफी दूर हैं। इतनीं दूरी से जलाऊ लकड़ी लाना न तो आसान है और न ही लाभकारी। इसलिए कृषकों को विवश होकर गोबर का ईंधन के रूप में जलाना पड़ता है। इस योजना के अन्तर्गत ग्रामीण क्षेत्रों में उपलब्ध भूमि पर, जैसे-राजस्व पड़त भूमि, गोचर भूमि एवं वनों की सीमाओं पर उपलब्ध पड़त भूमि पर गंवाई जंगल लगाने का कार्य पंचायतों के सहयोग से विभाग द्वारा सम्पन्न कराया जाता है। इस वृक्षारोपण में ग्रामीण जनता को विभिन्न प्रकार की वन उपज की आवश्यकताओं की पूर्ति के लिए वहाँ की जलवायु को ध्यान में रखते हुए मिश्रित प्रकार के वृक्ष लगाए जाते हैं जिनमें कम से कम 5 या 10 प्रतिशत पौधे फलदार वृक्षों के होते हैं और शेष लकड़ी एवं चारा देने वाले वृक्ष होते हैं।

इस योजना के अन्तर्गत पंचायतें अपनी चारागाह तथा पड़त भूमि में कम से कम चार हैक्टेयर भूमि वन विकास को वन लगाने हेतु 5 वर्षों के लिए देती है : विभाग उसमें पौधे रोपित करके उन्हें भली प्रकार पनपाकर उस वृक्षारोपण क्षेत्र को लगभग 5 वर्ष बाद पुन: सम्बन्धित पंचायत को लौटा देता है। पांच वर्ष की इस अवधि में भी उस क्षेत्र में घास एवं अन्य लघु वन उपज के निष्पादन के अधिकार ग्राम पंचायत को ही होते हैं। जब यह क्षेत्र पंचायत को पुन: लौटा दिया जाता है तब पंचायत इस क्षेत्र की सुरक्षा का प्रबन्ध कार्यकारी योजना के अनुसार स्वयं करता है। इस प्रकार इस वृक्षारोपण से ग्रामीण जनता की ईंधन एवं अन्य वन उपज की मांग भी निरन्तर पूरी होती रहेगी और पंचायत की वार्षिक आय से वृद्धि होगी।

*(ब) विद्यालयों द्वारा पौध उगाने की योजना*

इस योजना में पौधशालायें शिक्षण संस्थाओं के परिसर में जहाँ सिंचाई तथा रखरखाव की पर्याप्त व्यवस्था हो, विद्यालय के अध्यापकों तथा छात्रों द्वारा

स्थापित की जाती है। आवश्यक सामग्री जैसे-बीज, पोलीथीन- थैलियाँ, खाद, कीटनाशक दवाएँ तथा तकनीकी जानकारी (मार्ग-दर्शन) वन विभाग प्रदान करता है और जब पौधे तैयार होते हैं, उन पौधों को सरकारी दर से क्रय करता है। उगाए गए पौधों के विक्रय से पाठशालाओं को जो धनराशि प्राप्त होती है उसे छात्र कल्याण कोष में जमा करा दिया जाता है। इस प्रकार इस योजना से छात्रों में वृक्ष-प्रेम ही जागृत नहीं होता, बल्कि वे अपने आमोद-प्रमोद तथा अन्य आवश्यकताओं को क्रय करने के लिए आर्थिक अनुदान भी प्राप्त कर सकते हैं।

*(स) पंचायतों को अनुदान की योजना*

वर्ष ......... में अनुसूचित जाति एवं जनजाति के कृषकों तथा विद्यालयों के माध्यम से पौध उगाने की योजनाओं को राज्य सरकार ने एक आदेश जारी कर पंचायतों के माध्यम से क्रियान्वित करने का निर्णय लिया कि इस प्रकार उगाए गए पौधों को 30 पैसे के स्थान पर 35 पैसे प्रति पौध की दर से वन विभाग द्वारा क्रय किया जाएगा। इन 35 पैसे में से 30 पैसे सम्बन्धित कृषक या स्कूल को देय होंगे और बाकी 5 पैसे सम्बन्धित पंचायत को दिए जाऐंगे। इस प्रकार यह योजना व्यक्ति विशेष या स्कूल को लिए ही हितकर नहीं वरन् समूचे क्षेत्र के लिए वरदान सिद्ध होगी, क्योंकि जो पैसा पंचायतों को प्राप्त होगा वह क्षेत्र में विकास कार्यों पर व्यय किया जा सकता है।

**3. जन हितकारी योजनाएं**

वन विभाग द्वारा निम्नांकित सार्वजनिक वानिकीय योजनाओं को क्रियान्विति की जा रही है :-

*(अ) पहाड़ियों को हरा-भरा करने एवं नष्ट वनों के पुनरारोपण की योजना :*

इस योजना के अन्तर्गत नंगी पहाड़ियों को हरा-भरा करने तथा नष्ट वनों के पुनरारोपण हेतु खड्डे एवं खाइयां खोदकर पौधारोपण तथा बीजारोपण किया जाता है।

*(ब) सड़कें, रेल्वे लाइनों तथा नहरों के किनारे वृक्षावली रोपण :*

इस योजना के अन्तर्गत वन विभाग द्वारा सड़कों/रेल्वे लाइनों तथा नहरों के किनारे वृक्षारोपण किया जाता है जिससे पर्यावरण में सुधार के साथ-साथ यात्रियों को यात्रा में सुविधा प्राप्त होती है।

*(स) विश्व बैंक की सहायता से राष्ट्रीय सामाजिक वानिकी परियोजना :*

वन विभाग द्वारा एक परियोजना 39 करोड़ रुपये की बनाकर केन्द्रीय सरकार को प्रस्तुत की गई है जिसे केन्द्र सरकार को संस्तुति के पश्चात् विश्व बैंक को प्रेषित किया गया है।

*(द) रेत के टीबों का स्थिरीकरण एवं चरागाह विकास :*

मरुस्थल विकास कार्यक्रम इन्दिरा गांधी नहर क्षेत्रीय विकास कार्यक्रम के अन्तर्गत टीबों के स्थिरीकरण का कार्य किया जाकर उनसे होने वाले नुकसान को कम किया जाता है। मरुस्थलीय क्षेत्र के लिए यह कार्यक्रम अत्यन्त महत्त्वपूर्ण एवं उपयोगी है।

**4. ग्रामीण रोजगार की योजनाएँ**

ग्रामीण क्षेत्रों में रोजगार सुलभ कराने के लिए भारत सरकार द्वारा राष्ट्रीय ग्रामीण रोजगार कार्यक्रम तथा ग्रामीण भूमिहीन गारन्टी रोजगार योजना चालू की गई है। इन दोनों योजनाओं के अन्तर्गत वानिकी कार्य भी स्वीकृत किया जाकर क्रियान्वित किया गया। भारत सरकार के निर्देशानुसार अब इन दोनों योजनाओं के अन्तर्गत आवंटित राशि में से न्यूनतम 25 प्रतिशत राशि सामाजिक वानिकी कार्यक्रम के लिए आरक्षित की गई है।

वृक्षारोपण कार्य कई अन्य प्रकार के कार्यों की तुलना में अधिक रोजगार उपलब्ध कराता है। साथ ही वृक्षारोपण तथा वनों के संवर्धन से ग्रामीणों की आर्थिक एवं सामाजिक उन्नति के साथ-साथ पर्यावरण में सुधार भी होता है।

## राज्य के विभिन्न क्षेत्र के लिए उपयुक्त पौधे

वृक्षारोपण की सफलता और विफलता के सिर्फ पौधों की पर्याप्त लम्बाई, लगाने का तरीका और प्रजातियों का चुनाव, ये तीन ही कारण हैं। अगर तीनों

का सही तरीके से प्रयोग किया जाए तो कोई कारण नहीं बचता कि वृक्षारोपण में पौधों के मरने की संख्या अधिक हो। इन तीनों में महत्त्वपूर्ण है पौधों का चुनाव। अगर आप सही लम्बाई के पौधे का सही तरीके रोपण कर दें किन्तु पौधे की प्रजाति का चुनाव सही नहीं किया गया, जैसे किसी पौधे के लिए उस स्थान की जलवायु और मिट्टी अनुकूल नहीं होगी और वहाँ सही साइज का पौधा बिल्कुल सावधानी से और ठीक विधि से लगायेंगे तो भी सफलता जरूरी नहीं है। इसलिए जरूरी है कि पौधारोपण की सफलता-फायदेमंद वृक्षारोपण करने के लिए उपयुक्त प्रजातियों का चुनाव करना जरूरी है।

### किन-किन जिलों में कौन-कौन से पौधे लगाएं?

राजस्थान के विभिन्न क्षेत्रों की भौगोलिक परिस्थितियों को देखते हुए निम्नांकित पौधारोपण की सिफारिश (सारणी 18) की गई है :-

### मिट्टी के किस्म के अनुसार प्रजाति चयन :

यदि एक ही जिले में कई प्रकार की मिट्टी पाई जाती है तो मिट्टी के अनुसार पौधों का चुनाव करने हेतु प्रजाति की मृदा की आवश्यकता को ध्यान में रखकर चुनाव किया जा सकता है। हल्की मिट्टी, अर्थात् बालुई, दोमट मिट्टी के लिए खैर, शीशम, अशोक, अरडू, अमलतास और महुआ व बाँस लगाए जा सकते हैं।

भारी मिट्टी-अर्थात् दोमट, मटियार अथवा चिकनी मिट्टी के लिए बेल, सिरस, सफेदा, बांस, खैर, चुरैल, खिरनी, शहतूत, सहजना, महुआ, चिरोंजी, सीताफल, इमली, खिरनी आदि वृक्ष उचित रहते हैं।

क्षारीय लवण युक्त मिट्टी के बबूल, सिरस, प्रोसाफिस, ज्यूलीफ्लोरा, खेजड़ी, पार्किनसोनिया, फरास, कैजूरीना तथा सिल्वर ओक प्रजातियाँ लगाई जा सकती हैं।

इस प्रकार जब भी वृक्षारोपण करें तो यह ध्यान में रखा जाए कि स्थल को देखते हुए तथा अपने उद्देश्य को देखते हुए सही प्रजातियाँ ही चुने ताकि वृक्षारोपण में की गई मेहनत में सफलता प्राप्त हो सके।

**सारणी–22**
**किन–किन जिलों में कौन–कौन से पौधे लगाएं**

| क्रमांक | क्षेत्र/जिला | प्रयोजन | भूमि/उपयोगी पौधे | |
|---|---|---|---|---|
| | | | सिचिंत | असिंचित |
| 1. | **पूर्वी–मैदानी** जयपुर, अजमेर, अलवर, भरतपुर, धौलपुर, टोंक, सवाई माधोपुर, करौली | चारा | सुबबूल, ढॉढोन, शहतूत | अरडू, बकायन, बेर, सहजना, पीपल, गूलर। |
| | | लकड़ी | शीशम, सूलिया–बबूल, ज्यूलीफ्लोरा, विलायती खेजड़ी (खारवाली मिट्टी में) | |
| | | फल | आम, नींबू, अमरूद, जामुन, पपीता, अनार, अंजीर, संतरा। | बेर, गूंदी, इमली, आँवला, इत्यादि । |
| | | कुटीर उद्योग | नीम, करंज, बांस, मूँज, पापड़ी, और अरडू। | |
| 2. | **दक्षिणी पहाड़ी** सिरोही, बारां, उदयपुर, राजसमन्द, डूँगरपुर, बाँसवाड़ा, चित्तौड़गढ़, भीलवाड़ा, बूंदी, कोटा, झालावाड़, प्रतापगढ़ | लकड़ी | सागवान, शीशम, सफेदा, बांस, सु–बबूल। | खैर, रौंझ बंगाली बबूल, चुरैला (नंगा पहाड़ी पर) विलायती खेजड़ी और खिरनी। |
| | | चारा | शहतूत, ढाँढ़ोन, सुबबूल। | बकाइन, गूलर, पीपल, बेर। |
| | | फल | आम, जामुन, नींबू, पपीता, अनार, सफेदा अंजीर। | महुआ, चिरौंजी, सीताफल, गूंदा, आँवला, करौंदा, बेर, इमली, बेलपत्र । |
| | | | नीम, करंज, रतनजोत, अर्जुन, खिरनी, शहतूत, गूगल, रामबांस, ढाक, अरडू, चुरैल। | |
| 3. | **मरुस्थलीय** बाड़मेर, जैसलमेर, पाली, जोधपुर, नागौर, बीकानेर, चुरू, झुंझुनू, सीकर, जालोर, गंगानगर, हनुमानगढ़ | लकड़ी | शीशम, सरस, सु–बबूल, सफेदा, नीम, रोहिड़ा। | देशी खेजड़ी, विलायती खेजड़ी, बेरा, रोहिड़ा, इजरायली बबूल। |
| | | चारा | सु–बबूल, ढाँढ़ोन। | देशी खेजड़ी, बेर। |
| | | फल | नीबू, किनों, अनार, अमरूद। | बेर, गूंदी, जंगल जलेबी, करौंदा। |
| | | कुटीर उद्योग | पिंडखिजूर | नीम, रोहिड़ा, मूंज। |

स्त्रोत :– वन विभाग, जोधपुर

# अध्याय 14

## कृषि संसाधन
## Agriculture Resources

राजस्थान भारत के समान, मूलत: कृषि प्रधान तथा ग्रामीण है। यद्यपि खनिजों में समृद्ध है, संसाधन पूर्णरूप से इतने विकसित नहीं हुए हैं कि राज्य की आधार-भूत कृषि अर्थव्यवस्था को बदल सकें। लगभग 75 प्रतिशत जनसंख्या कृषि और सम्बन्धित कार्यों में संलग्न है। भू-उपयोग और उपज का वितरण क्रम, तापक्रम, वर्षा वितरण, धरातलीय और मिट्टी की दशाओं में वृहत् प्रभाव और नियंत्रण को दर्शाता है। निम्नलिखित सारणी-23 एवं मानचित्र 41, 42, 43, 44 एवं 45, राज्य में भू-उपयोग क्रम को दर्शाती है। कुल 174.8 लाख हैक्टर क्षेत्रफल में से लगभग 51.0 प्रतिशत कुल बोया क्षेत्र है।

**सारणी-23**
**राजस्थान में भूमि का उपयोग (2020-21)**

| क्र.सं. | भूमि उपयोग का वर्गीकरण | क्षेत्रफल (लाख हैक्टैयर में) | कुल क्षेत्रफल का प्रतिशत |
|---|---|---|---|
| | राज्य का कुल सूचित क्षेत्र | 342.7 | 100.00 |
| 1. | वन | 27.5 | 8 |
| 2. | कृषि के लिए अनुपलब्ध | 42.7 | 12.4 |
| | (a) गैर कृषि कार्यों में प्रदत्त भूमि | | |
| | (b) बंजर तथा अकृषित भूमि | | |
| 3. | अन्य अकृषित भूमि (परती भूमि को छोड़कर) | 41.5 | 12.01 |
| | (a) स्थाई चरागाह भूमि | | |
| | (b) बंजर तथा अकृषित भूमि | | |
| | (c) कृषि योग्य खाली भूमि | | |
| 4. | परती भूमि | 38.9 | 11.4 |
| | (a) चालू परती के अतिरिक्त अन्य परती | | |
| | (b) चालू परती | | |
| 5. | शुद्ध बोया गया क्षेत्रफल | 174.8 | 51.0 |
| 6. | एक बार से अधिक बोया गया क्षेत्रफल | 64.7 | 19.0 |
| 7. | कुल फसली क्षेत्रफल | 239.5 | 70.0 |

Source : Agricultural Statistics Rajasthan, 2020-21. Directorate of Economics and Statistics, Rajasthan, Jaipur

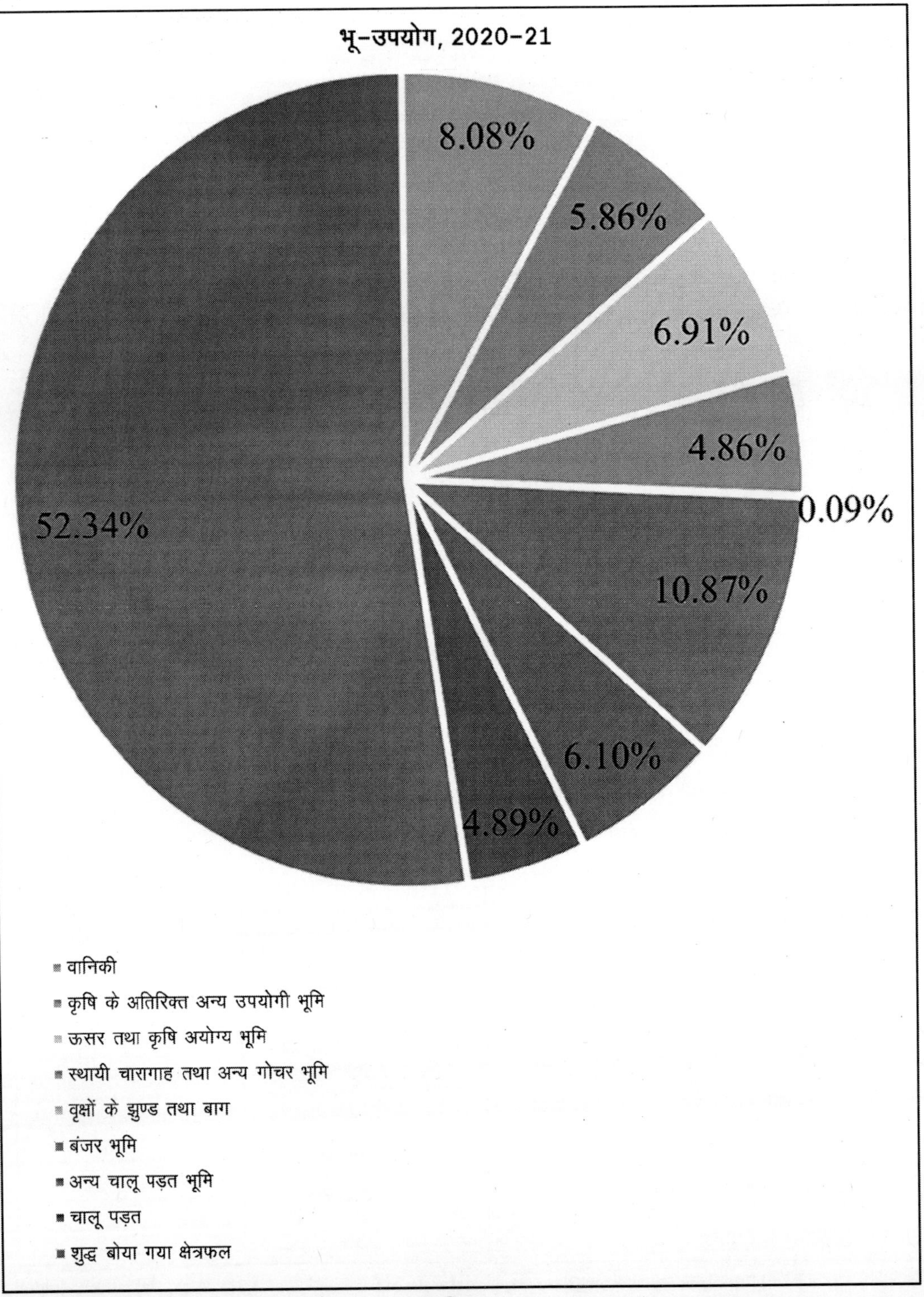
भू-उपयोग, 2020-21
8.08%
5.86%
6.91%
4.86%
0.09%
10.87%
6.10%
4.89%
52.34%
वानिकी
कृषि के अतिरिक्त अन्य उपयोगी भूमि
ऊसर तथा कृषि अयोग्य भूमि
स्थायी चारागाह तथा अन्य गोचर भूमि
वृक्षों के झुण्ड तथा बाग
बंजर भूमि
अन्य चालू पड़त भूमि
चालू पड़त
शुद्ध बोया गया क्षेत्रफल

मानचित्र 41

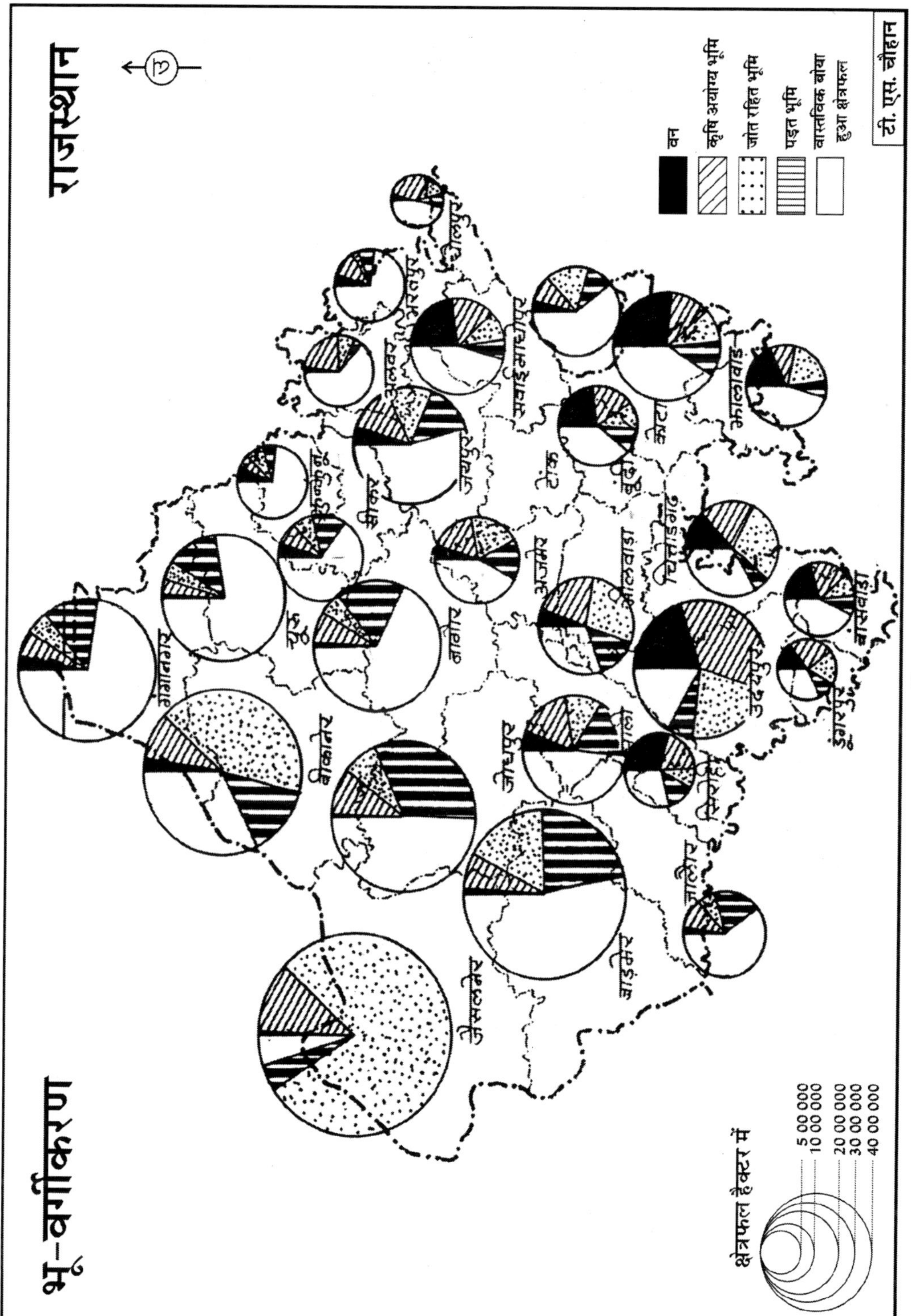
भू-वर्गीकरण
राजस्थान
उ
वन
कृषि अयोग्य भूमि
जोत रहित भूमि
पड़त भूमि
वास्तविक बोया हुआ क्षेत्रफल
टी. एस. चौहान
क्षेत्रफल हैक्टर में
5 00 000
10 00 000
20 00 000
30 00 000
40 00 000
गंगानगर
बीकानेर
जैसलमेर
बाड़मेर
जोधपुर
नागौर
चुरू
झुंझुनूं
सीकर
जयपुर
अलवर
भरतपुर
धौलपुर
सवाईमाधोपुर
टोंक
अजमेर
पाली
जालौर
सिरोही
उदयपुर
भीलवाड़ा
चित्तौड़गढ़
बूंदी
कोटा
झालावाड़
बांसवाड़ा
डूंगरपुर

मानचित्र 42

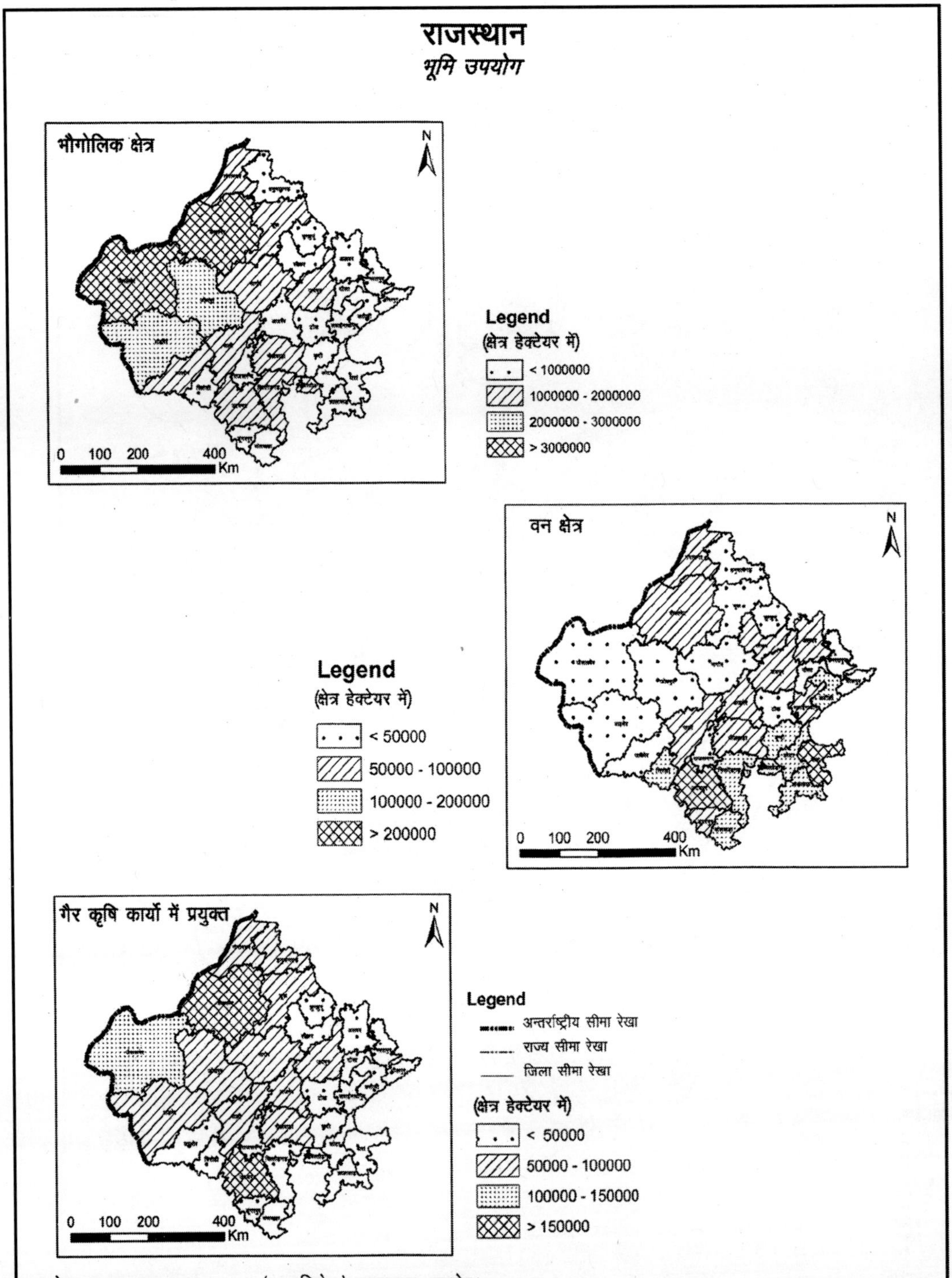


स्रोत– राजस्थान राजस्व मण्डल (भू–अभिलेख) राजस्थान, अजमेर।

मानचित्र 43

## राजस्थान
*भूमि उपयोग*

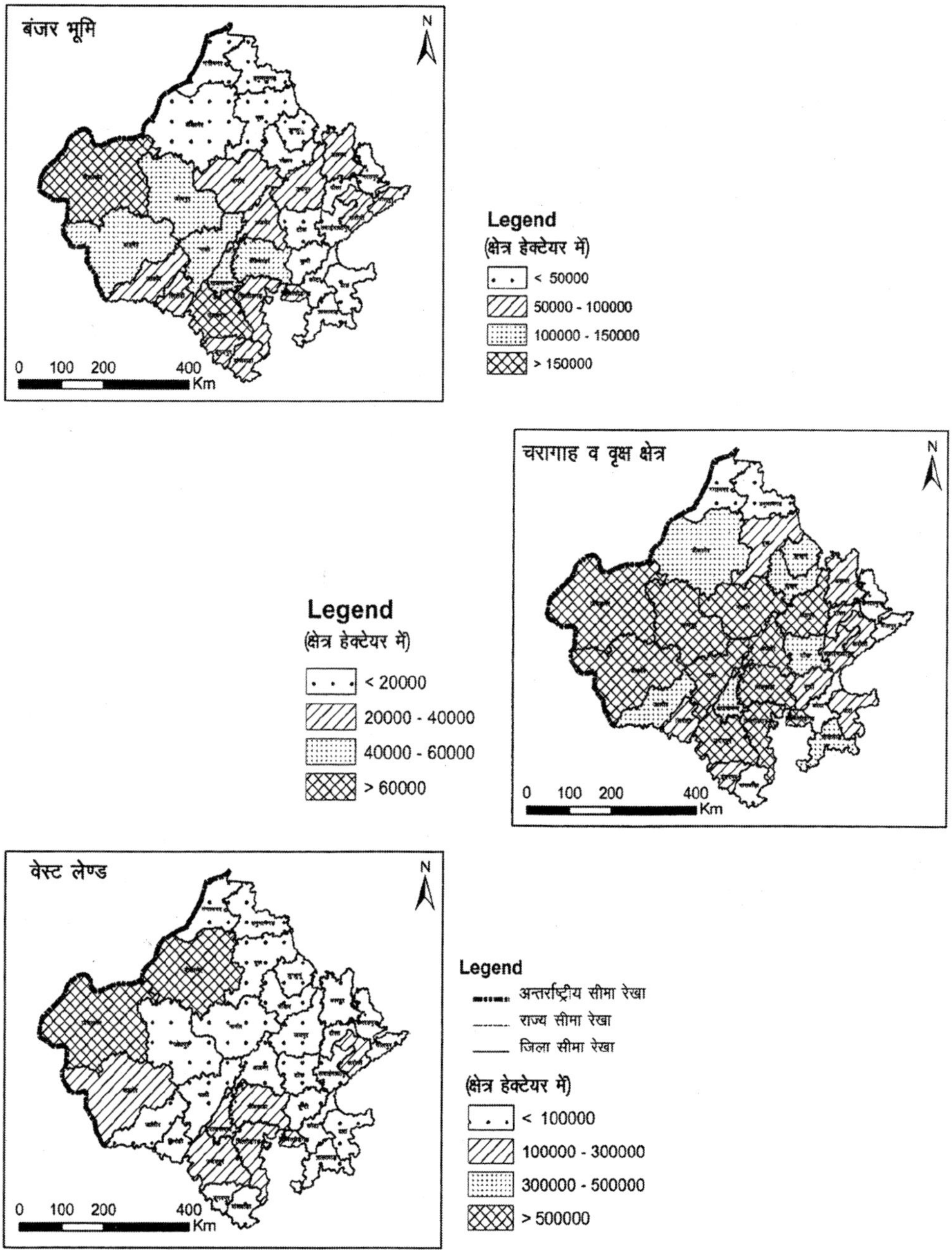


स्त्रोत– राजस्थान राजस्व मण्डल (भू–अभिलेख) राजस्थान, अजमेर।

**मानचित्र 44**

## राजस्थान

*भूमि उपयोग*

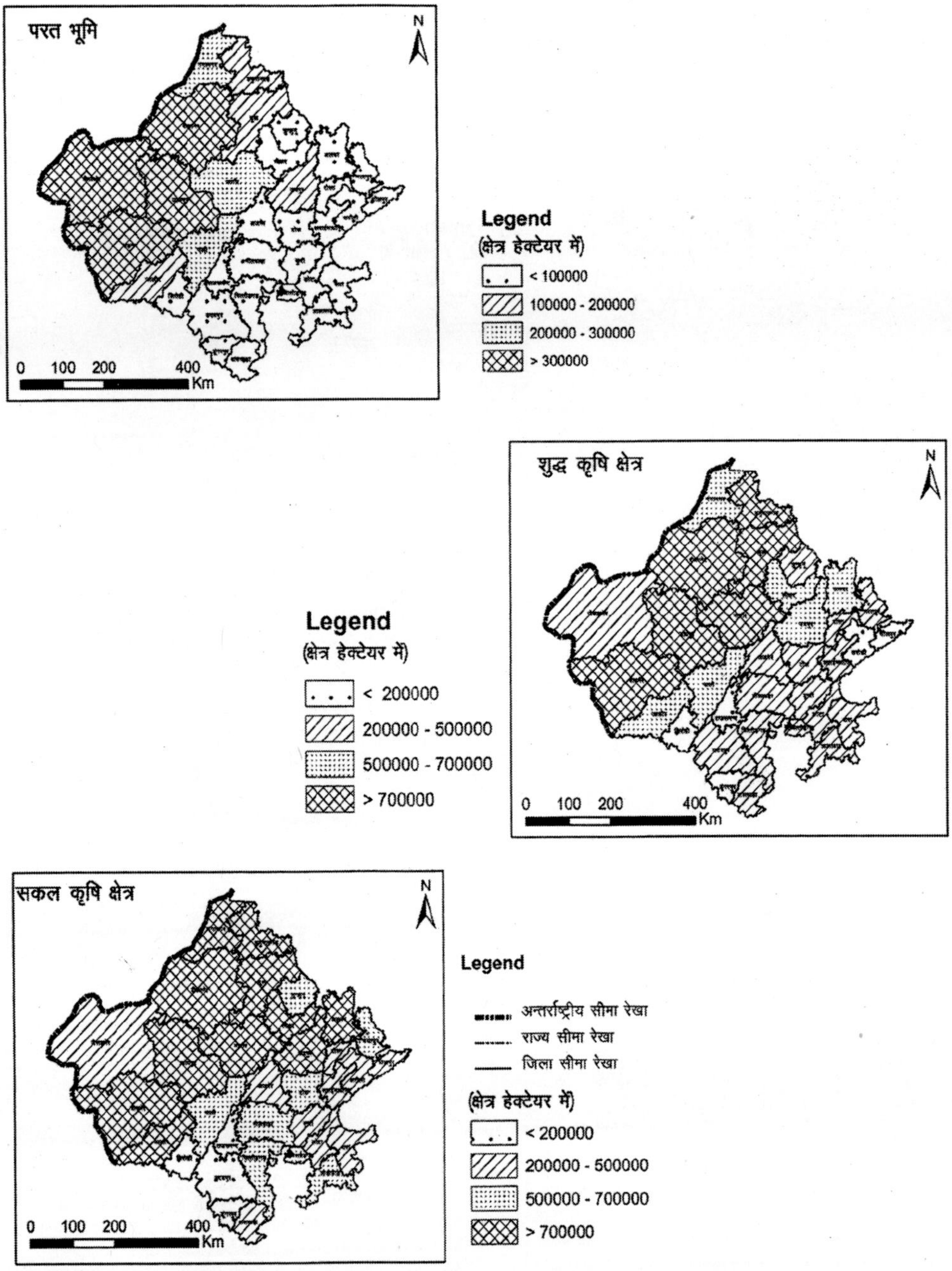


स्रोत– राजस्थान राजस्व मण्डल (भू–अभिलेख) राजस्थान, अजमेर।

मानचित्र 45

भू-उपयोगों के आधार पर दो भागों में बाँटा जा सकता है : (1) कृषि भूमि एवं (2) गैर-कृषि भूमि।

**1. कृषि भूमि (Agricultural Land)**—कृषि भूमि में हम शुद्ध बोए गए क्षेत्र, वर्तमान परती भूमि (current fallow lands) तथा वृक्षोपवन के अन्तर्गत क्षेत्र को शामिल करते हैं। राज्य का कुल सूचित क्षेत्रफल 342.7 लाख हैक्टेयर है। इस सूचित क्षेत्र का लगभग 50 प्रतिशत भाग कृषि भूमि वर्ग के अन्तर्गत आता है। यह क्षेत्रफल, बड़े आकार अथवा मध्यम आकार वाले देशों की तुलना में यह अनुपात सर्वाधिक है। अमेरिका में यह अनुपात 40 प्रतिशत, सोवियत संघ में 27 प्रतिशत और ब्राजील में 16 प्रतिशत के लगभग है। यदि सारे विश्व के लिए हिसाब लगाया जाए तो इस कोटि में आने वाली भूमि 32 प्रतिशत के लगभग बैठेगी।

कुल क्षेत्रफल में कृषि योग्य भूमि का ऊँचा अनुपात कुछ महत्त्वपूर्ण बातों का संकेत देता है, जिनमें से प्रमुख ये है :

(a) भौतिक तत्त्व विकास के अनुकूल हैं इन तत्त्वों में हम शामिल कर सकते हैं-(i) विस्तृत क्षेत्र तथा अनुपजाऊ भूमि का सीमित क्षेत्र;

(b) मैदानी क्षेत्र का विस्तृत आकार। (i) कृषि योग्य भूमि के बड़े हिस्से पर खेती-बाड़ी किया जाना सम्भव होना, आदि।

यह सच है कि कृषि भूमि का कुल क्षेत्रफल में अनुपात काफी ऊँचा है, किन्तु इस बढ़ती कुल जनसंख्या के सन्दर्भ में यदि इस तथ्य पर गौर किया जाए तो हम पाते है कि उपलब्ध प्रति व्यक्ति कृषि योग्य केवल 0.4 हैक्टेयर ही है। यह विश्व के बाकी सब विकसित और विकासशील जैसे देशों की तुलना में बहुत ही कम है। राज्य के कुल जोती गई भूमि के लगभग 17 प्रतिशत भाग पर एक बार से अधिक फसलें बोई जाती है।

**गैर कृषि भूमि (Non-Agricultural)**— इस वर्ग में उस भूमि को जोड़ा जाता है जहाँ खेती-बाड़ी नहीं की जाती जैसे जंगल और वन तथा स्थाई चरागाह आदि।

**(1) वन (Forests)**— राज्य में वनों के अन्तर्गत क्षेत्रफल में वृद्धि हुई है। पहले यह प्रतिशत लगभग 4 था जो बढ़कर 8 प्रतिशत हो गया है। लेकिन यह राज्य की दृष्टि से बहुत ही कम है। सम्पूर्ण देश में यह औसत रूप से 22.1 प्रतिशत है जबकि आवश्यकता 33 की है। राज्य में इस क्षेत्र में वृद्धि की तरफ विशेषज्ञ शंकालु है क्योंकि इस क्षेत्र में काफी भाग में मामूली वृक्ष व झाड़ियाँ ही है। जो क्षेत्र वन-विभाग के दायरे में आता है उसे वन क्षेत्र मान लेते हैं, चाहे उसमें एक भी वृक्ष न हो। ऐसी स्थिति में वन-क्षेत्र को सही नहीं माना जा सकता है। वन क्षेत्र में वृद्धि करने का तो एक ही तरीका है और वह है जितने पेड़ काटे जाएँ उससे कई गुना ज्यादा लगाए जाएँ और सिर्फ लगाने से ही अपने कर्त्तव्य की इतिश्री नहीं मान लें उनकी देखभाल भी की जाए।

**(2) शुद्ध बोया गया क्षेत्रफल (Net Area Sown)**— शुद्ध बोए गए क्षेत्रफल में भी वृद्धि हुई है। 1983-84 में यह 44.6 प्रतिशत था इसमें मामूली-सी वृद्धि हुई है और यह 2012-13 में बढ़कर 51.0 प्रतिशत हो गया है। भविष्य में इसे और भी बढ़ाकर 60 प्रतिशत तक किया जा सकता है। लेकिन इसमें वृद्धि करने के लिए अधिक या भारी मात्रा में विनियोग करने की आवश्यकता होगी। राज्य में विस्तृत खेती की सम्भावनाएँ कम हैं लेकिन गहरी खेती की अधिक। अत: इसे अपनाकर ही उत्पादन बढ़ाने की आवश्यकता है। 1983-84 में एक बार अधिक बोया गया क्षेत्रफल 20.82 लाख हैक्टेयर हो गया है। अत: सिंचाई की सुविधाओं में विस्तार करके इस क्षेत्रफल में वृद्धि की जा सकती है।

**(3) बंजर एवं अकृषित भूमि (Barren and Culturable Waste)**— राज्य में योजनाकाल में बंजर तथा अकृषित भूमि (barren and unculturable waste land)—की मात्रा में मामूली सी कमी आई है।

**(4) पड़त (परत) भूमि (Fallow Land)**— वह होती है जिस पर किन्हीं कारणों से खेती का कार्य कुछ समय तक स्थगित रखना पड़ता है। यदि एक वर्ष तक परती भूमि छोड़ी जाती है तो उसे चालू परती भूमि

(Current Fallow Land) कहते हैं और एक से पाँच वर्ष तक परती भूमि छोड़ी जाती है तो उसे चालू परती के अतिरिक्त अन्य परती भूमि कहा जाता है। परती भूमि छोड़ने के कई कारण हो सकते हैं : जैसे–भूमि की उर्वरा शक्ति को पुन: प्राप्त करना, किसान की गरीबी, अपर्याप्त वर्षा, जलवायु आदि। लेकिन चालू परती भूमि चूँकि कृषि योग्य है अत: यह कृषि के लिए उपलब्ध क्षेत्रफल का ही आवश्यक अंग मानी जाती है। चालू परती के क्षेत्रफल में कमी आई है।

राजस्थान में जोत का औसत आकार बड़ा है और पश्चिम के शुष्क प्रदेश में तो और भी बड़ा है। भूमि इस क्षेत्र में गहरी नहीं जोती जा सकती और इस प्रकार केवल वे ही फसलें उगाई जाती हैं, जिन्हें कम आर्द्रता की आवश्यकता होती है और शुष्क एवं अर्द्धशुष्क दशाओं के अन्तर्गत उगाई जा सकती हैं। ये फसलें बहुत परिपुष्ट प्रकार की होती हैं और उन्हें पूर्वी प्रदेश की फसलों की अपेक्षा कम ध्यान और परिश्रम की आवश्यकता होती है। गेहूं, जौ और कपास जैसी फसलों का औसत उत्पादन दोनों प्रदेशों में और चावल, मक्का, बाजरा तथा तिल का औसत उत्पाद पूर्वी आर्द्र प्रदेश में ऊँचा है। बाजरा, ज्वार और लघु-मिलेट का उत्पादन भारत में औसत उत्पादों की अपेक्षा शुष्क प्रदेश में बहुत कम है। गौण अनाजों, दालों और लघु-मिलेट्स का प्रतिशत बहुत अधिक है। (कुल फसल-क्षेत्र का लगभग दो-तिहाई) जिसके परिणामस्वरूप इस राज्य में कृषि की उत्पादकता कम हो जाती है। ये फसलें यहाँ होनेवाली निम्न वर्षा पर या इस क्षेत्र में प्राप्त घटिया और अपर्याप्त सिंचाई सुविधाओं के अन्तर्गत उगाई जाती है। फसल उत्पाद को विपरीत रूप से प्रभावित करनेवाला अन्य कारक, विशेष रूप से पश्चिमी बालुका मैदानों में, गर्मियों में, उच्च तापक्रम और निम्न वर्षा है। ग्रीष्म का उच्च तापक्रम वाष्पीकरण की दर को बहुत अधिक बढ़ा देता है जो अंतत: इस प्रदेश में फसलों के लिए उच्चतर आर्द्रता की आवश्यकता को बढ़ा देता है। नागौर, बीकानेर, बाड़मेर, चुरू और जोधपुर जिलों में पानी की बड़ी कमी होते हुए भी कृषि के अन्तर्गत विशाल क्षेत्र लाए गए हैं जो भौगोलिक कारकों के कारण कृषि के लिए उचित नहीं है। परिणामस्वरूप यहाँ राज्य के पूर्वी अधिक आर्द्र भागों की अपेक्षा प्रति एकड़ उत्पाद कम हुआ है।

## राजस्थान में कृषि जोतें (Agricultural Holdings in Rajasthan)

### प्रचालित जोत धारक

राज्य में कृषि गणना, 2015-16 के अनुसार कुल प्रचालित भूमि जोतों की संख्या 76.55 लाख है, जबकि वर्ष 2010-11 में यह संख्या 68.88 लाख थी, अर्थात् भूमि जोतों की संख्या में 11.14 प्रतिशत की वृद्धि हुई (सारणी 24)। सीमान्त, लघु अर्द्ध मध्यम, मध्यम एवं बड़े आकार की वर्गीकृत जोत, कुल जोतों का क्रमशः 40.12 प्रतिशत, 21.90 प्रतिशत, 18.50 प्रतिशत, 14.79 प्रतिशत एवं 4.69 प्रतिशत है। वर्ष 2010-11 की तुलना में वर्ष 2015-16 में सीमान्त, लघु, अर्द्ध मध्यम, एवं मध्यम आकार वर्गों की जोतों में वृद्धि हुई है व बड़े आकार वर्गों की जोतों में कमी हुई है। बड़े आकार की भू-जोतों की संख्या में 11.14 प्रतिशत की कमी दर्ज की गई है। इससे यह प्रतीत होता है कि संयुक्त परिवारों के विघटन के कारण भूमि नामान्तरण में वृद्धि हुई है।

वर्ष 2010-11 में कुल जोत्तों का क्षेत्रफल 211.36 लाख हैक्टेयर था, जो वर्ष 2015-16 में घटकर 208.73 लाख हैक्टेयर हो गया अर्थात् जोतों के कुल क्षेत्रफल में 1.24 प्रतिशत की कमी दर्ज हुई है।

वर्ष 2010-11 की तुलना में वर्ष 2015-16 में क्षेत्रफल की दृष्टि से सीमान्त, लघु व अर्द्ध मध्यम आकार की जोतों के क्षेत्रफल में क्रमशः 19.79 प्रतिशत, 10.50 प्रतिशत व 5.67 प्रतिशत की वृद्धि हुई है (सारणी 24)। इसके विपरीत बड़े आकार एवं मध्यम आकार की जोतों के कुल क्षेत्रफल में क्रमशः 13.20 प्रतिशत एवं 0.27 प्रतिशत की कमी दर्ज हुई है। कृषि गणना, 2015-16 के अनुसार राज्य में भूमि जोतों का औसत आकार 2.73 हेक्टेयर रहा है, जो

वर्ष 2010-11 में 3.07 हैक्टेयर था, जो 11.07 प्रतिशत की कमी दर्शाता है।

**महिला प्रचालित जोत धारक**

राज्य में कृषि गणना, 2015-16 के अनुसार कुल महिला प्रचालित भूमि जोतों की संख्या 7.75 लाख है, जबकि वर्ष 2010-11 में यह संख्या 5.46 लाख थी, अर्थात् महिला भूमि जोतों की संख्या में 41.94 प्रतिशत की वृद्धि हुई (सारणी-24)। सीमान्त, लघु, अर्द्ध मध्यम, मध्यम एवं बड़े आकार की वर्गीकृत महिला जोत धारकों का कुल जोतों से क्रमशः 49.55 प्रतिशत, 20.77 प्रतिशत, 14.97 प्रतिशत, 11.74 प्रतिशत एवं 2.97 प्रतिशत है। वर्ष 2010-11 की तुलना में वर्ष 2015-16 में सभी आकार वर्गों की जोत्तों में वृद्धि हुई है।

राज्य में वर्ष 2010-11 में महिला भूमि जोतों का क्षेत्रफल 13.30 लाख हेक्टेयर था, जो वर्ष 2015-16 में बढ़कर 16.55 लाख हैक्टेयर हो गया, अर्थात् महिला भूमि जोतों के कुल क्षेत्रफल में 24.44 प्रतिशत की वृद्धि दर्ज की गई है (सारणी-24)।

**सारणी-24 : कृषि गणना 2015-16**

**लिंगानुसार जोतों के मुख्य आकार वर्ग के अनुसार प्रचालित जोतों की संख्या एवं क्षेत्रफल का प्रतिशत विचलन (समस्त सामाजिक वर्ग)**

| क्र. सं. | आकार वर्ग (हैक्टेयर में) | लिंग | जोतों की संख्या (000) | | | जोतों का क्षेत्रफल (000 हैक्टेयर) | | |
|---|---|---|---|---|---|---|---|---|
| | | | 2010-11 | 2015-16 | % विचलन | 2010-11 | 2015-16 | % विचलन |
| 1 | सीमान्त (1.0 हैक्टेयर से कम) | पुरुष | 2268 | 2683 | 18.30 | 1120 | 1304 | 16.43 |
| | | स्त्री | 239 | 384 | 60.67 | 116 | 177 | 52.59 |
| | | संस्थागत | 4 | 4 | 0.00 | 2 | 2 | 0.00 |
| | **योग** | | **2511** | **3071** | **22.30** | **1238** | **1483** | **19.79** |
| 2 | लघु (1.0-2.0 हैक्टेयर) | पुरुष | 1389 | 1514 | 9.00 | 1988 | 2158 | 8.55 |
| | | स्त्री | 120 | 161 | 37.17 | 171 | 227 | 32.75 |
| | | संस्थागत | 2 | 2 | 0.00 | 3 | 4 | 33.33 |
| | **योग** | | **1511** | **1677** | **1099** | **2162** | **2359** | **10.50** |
| 3 | अर्ध-मध्यम (2.0-4.0 हैक्टेयर) | पुरुष | 1240 | 1297 | 4.60 | 3509 | 3655 | 4.16 |
| | | स्त्री | 92 | 116 | 26.09 | 258 | 325 | 25.97 |
| | | संस्थागत | 3 | 3 | 0.00 | 7 | 8 | 14.29 |
| | **योग** | | **1335** | **1416** | **6.07** | **3774** | **3988** | **5.67** |
| 4 | मध्यम (4.0-10.0 हैक्टेयर) | पुरुष | 1051 | 1038 | -1.24 | 6459 | 6334 | -1.94 |
| | | स्त्री | 74 | 91 | 22.97 | 445 | 549 | 23.37 |
| | | संस्थागत | 2 | 3 | 50.00 | 14 | 16 | 14.29 |
| | **योग** | | **1127** | **1132** | **0.44** | **6918** | **6899** | **-0.27** |

| लिंगानुसार जोतों के मुख्य आकार वर्ग के अनुसार प्रचालित जोतों की संख्या एवं क्षेत्रफल का प्रतिशत विचलन (समस्त सामाजिक वर्ग) | | | | | | | | |
|---|---|---|---|---|---|---|---|---|
| क्र. सं. | आकार वर्ग (हैक्टेयर में) | लिंग | जोतों की संख्या (000) | | | जोतों का क्षेत्रफल (000 हैक्टेयर) | | |
| | | | 2010-11 | 2015-16 | % विचलन | 2010-11 | 2015-16 | % विचलन |
| 5 | बड़े (10.0 हैक्टेयर एवं अधिक | पुरुष | 381 | 334 | −12.34 | 6621 | 5657 | −14.56 |
| | | स्त्री | 21 | 23 | 9.52 | 340 | 377 | 10.88 |
| | | संस्थागत | 2 | 2 | 0.00 | 83 | 80 | −3.61 |
| | **योग** | | **404** | **359** | **−11.14** | **7044** | **6114** | **−13.20** |
| **समस्त** | | | 6329 | 6866 | 8.48 | 19697 | 19108 | −2.99 |
| | | पुरुष | 546 | 775 | 41.94 | 1330 | 1655 | 24.44 |
| | | स्त्री | 13 | 14 | 7.69 | 109 | 110 | 0.92 |
| | | संस्थागत | 6888 | 6866 | 8.48 | 19697 | 19108 | −2.99 |
| **योग** | | | **6329** | **7655** | **11.14** | **21136** | **20873** | **−1.24** |

स्त्रोत : आर्थिक समीक्षा, राजस्थान सरकार, जयपुर

राज्य में अधिकांश जोतें बहुत छोटे आकार की हैं और समय के साथ-साथ यह आकार और छोटा होता जा रहा है। (मानचित्र 46, 47, 48, 49, 50, 51 और 52)

**(1) सीमान्त एवं उपसीमान्त जोतें (Marginal and Sub-marginal)**— सीमान्त एवं उपसीमान्त जोतें उन जोतों को कहा गया है जिनका आकार एक हैक्टेयर से कम है। 2010-11 में सीमान्त जोतों की संख्या 25.1 लाख थी, 2015-16 में 30.71 थी और उसके अधीन क्षेत्रफल 12.4 लाख हैक्टेयर था अर्थात् लगभग 30 प्रतिशत जोतों के अधीन लगभग 3 प्रतिशत क्षेत्रफल था। परन्तु 1985-86 में जोतों की संख्या में वृद्धि हुई है और ये बढ़कर 22.30 लाख हो गई और इस प्रकार एक हैक्टेयर क्षेत्र था। 1976-77 से 1985-86 के दौरान 1 हैक्टेयर से कम भूमि जोतने वाले काश्तकारों के अनुपात में सिर्फ 2 प्रतिशत की वृद्धि हुई परन्तु इसके द्वारा जोतें गए कार्यशील जोतों के क्षेत्र में लगभग 18 प्रतिशत की वृद्धि हुई। अत: जोतों के अधीन क्षेत्रफल में वृद्धि न केवल जोतों की संख्या क्षतिपूर्ति ही हो पायी बल्कि जोतों का औसत आकार भी बढ़ा। 1976-77 में यह औसत आकार 0.44 हैक्टेयर था जो बढ़कर 1985-86 में 0.47 हैक्टेयर हो गया। लेकिन औसत वृद्धि इतनी थोड़ी है कि इससे किसानों की सम्पन्नता नहीं बताई जा सकती है। यह औसत तो यही जाहिर करता है कि राज्य के किसानों का यह वर्ग निर्धनता रेखा के नीचे से गुजर बसर करता रहा है। इससे राज्य में किसानों का और कृषि में बढ़ते हुए दरिद्रीकरण का संकेत मिलता है जिसका प्रमाण सीमान्त या लगभग भूमिहीन श्रमिकों की संख्या में लगातार वृद्धि में मिलता है।

**(2) छोटी तथा अर्द्ध मध्यम जोतें (Small and Semi-medium Holdings)**—इस वर्ग में 1 से 4 हैक्टेयर की अधिसीमा में आने वाली जोतें शामिल की जाती हैं। 2015-16 में इस वर्ग में केवल 30.9 जोतें थी परन्तु इसका तात्पर्य यह हुआ कि इस वर्ग में सापेक्ष और परम दोनों ही रूपों में (जोतों की संख्या और उनके अधीन क्षेत्रफल) थोड़ी वृद्धि हुई है।

**(3) मध्यम आकार वाली जोतें (Medium Sized Holdings)**—इस वर्ग में 4 से 10 हैक्टेयर की अधिसीमा में आने वाली जोतें शामिल की जाती हैं। इस आकार वर्ग में जोतों की संख्या 2015-16 में 68.1 थी। लेकिन कुल जोतों में इनका प्रतिशत

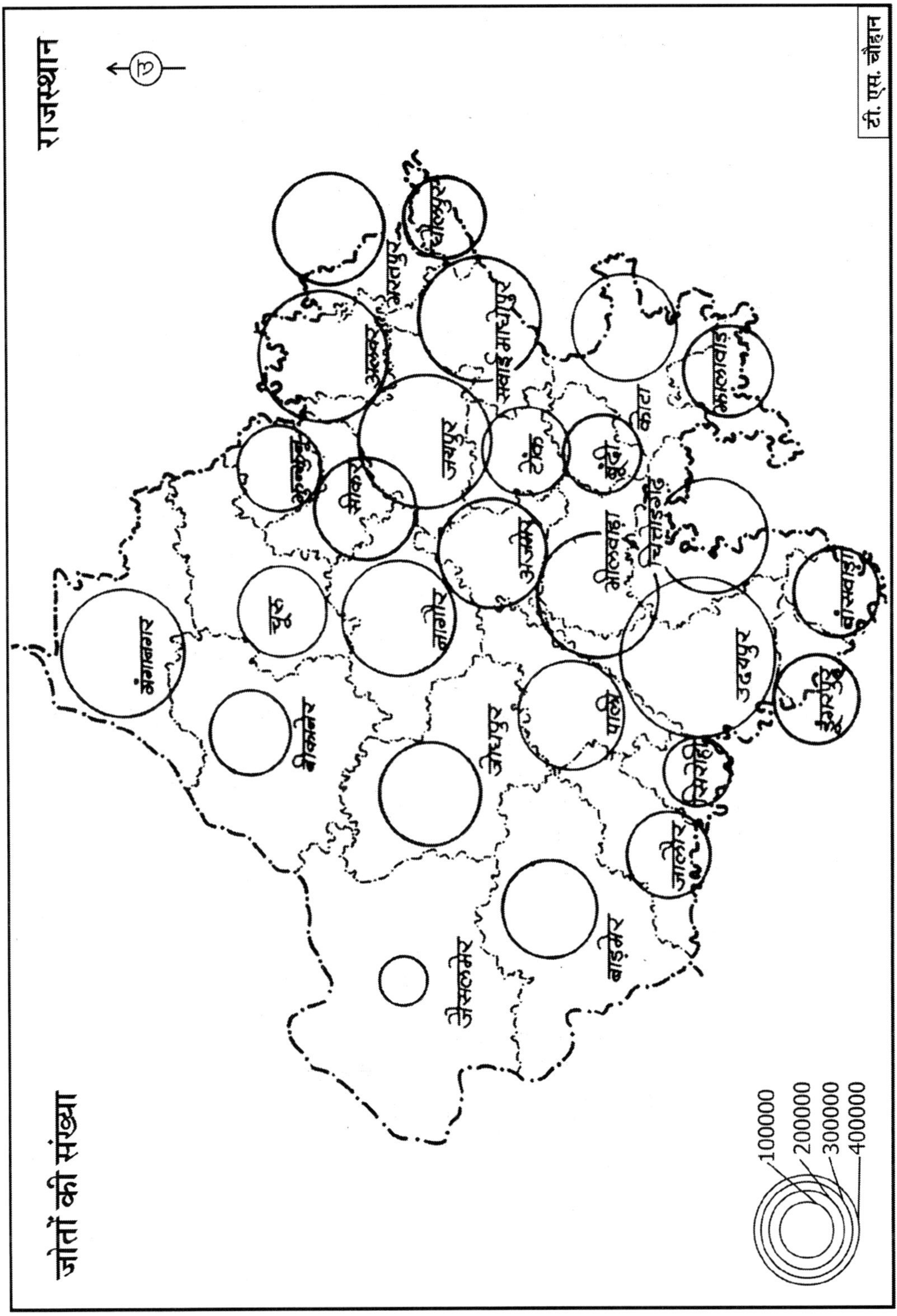
जोतों की संख्या
राजस्थान
उ
टी. एस. चौहान
गंगानगर
बीकानेर
चूरू
झुंझुनू
सीकर
अलवर
भरतपुर
धौलपुर
सवाई माधोपुर
जयपुर
टोंक
बूंदी
कोटा
झालावाड़
चित्तौड़गढ़
भीलवाड़ा
अजमेर
नागौर
जोधपुर
जैसलमेर
बाड़मेर
जालौर
सिरोही
पाली
उदयपुर
डूंगरपुर
बांसवाड़ा
100000
200000
300000
400000

मानचित्र 46

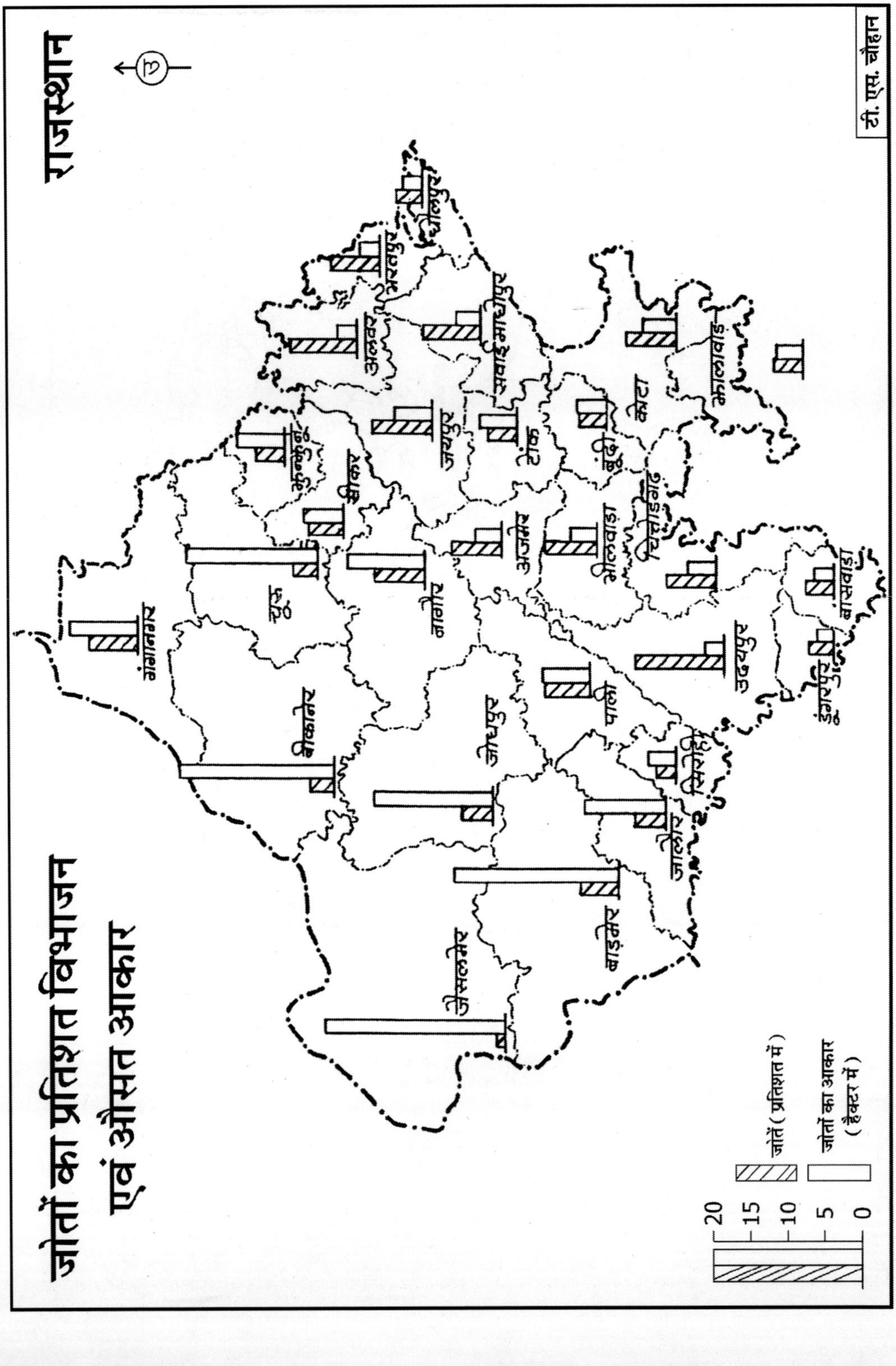
जोतों का प्रतिशत विभाजन
एवं औसत आकार
राजस्थान
उ
20
15
10
5
0
जोतें ( प्रतिशत में )
जोतों का आकार
( हैक्टर में )
गंगानगर
बीकानेर
जैसलमेर
बाड़मेर
जोधपुर
चूरू
नागौर
झुंझुनूं
सीकर
जयपुर
अलवर
भरतपुर
धौलपुर
सवाई माधोपुर
टोंक
अजमेर
बूंदी
कोटा
झालावाड़
भीलवाड़ा
चित्तौड़गढ़
उदयपुर
डूंगरपुर
बांसवाड़ा
पाली
सिरोही
जालौर
टी. एस. चौहान

मानचित्र 47

# राजस्थान

## *कृषि जोत के आधार पर कृषकों की संख्या*

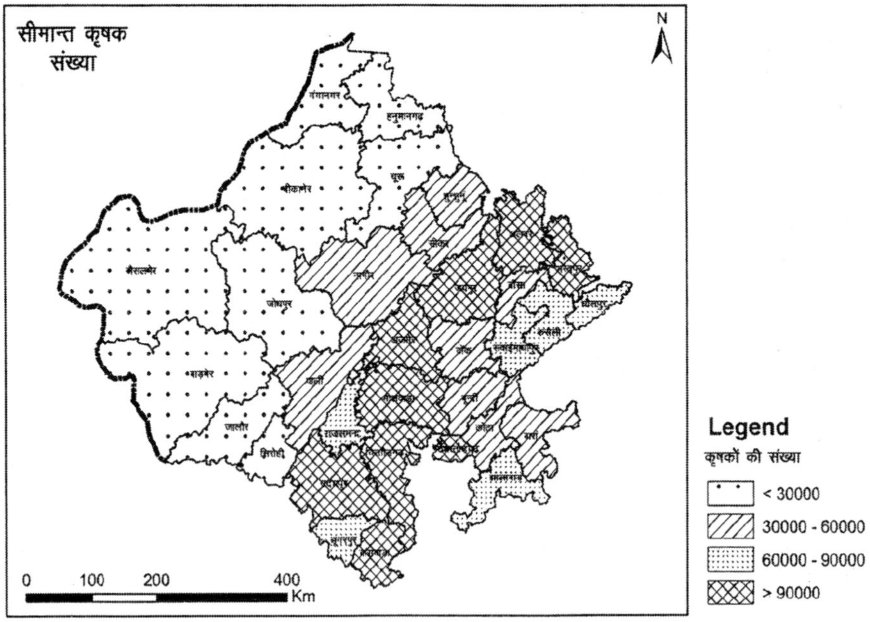


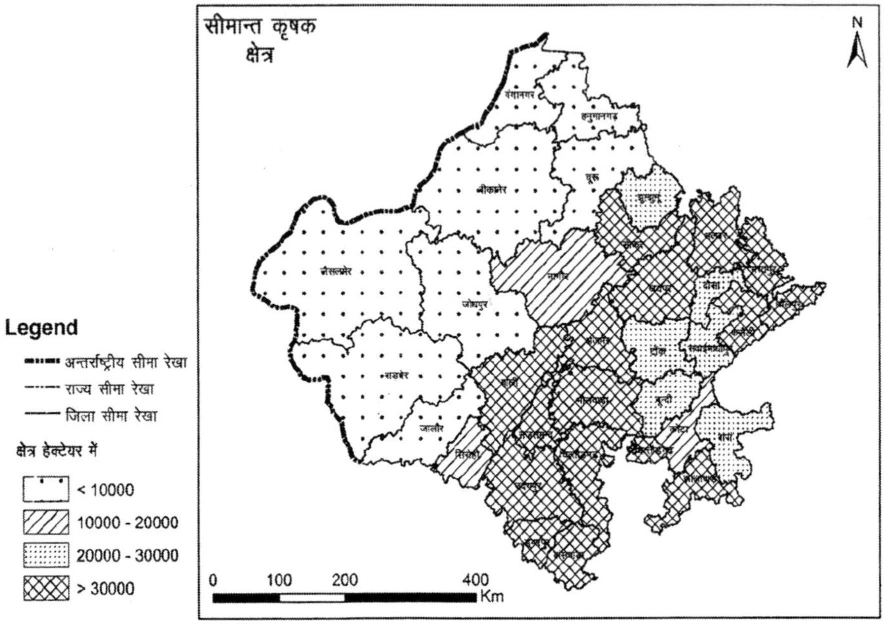


स्त्रोत : कृषि गणना विभाग, राजस्थान एवं जनगणना प्रतिवेदन, राजस्थान।

**मानचित्र 48**

# राजस्थान

*कृषि जोत के आधार पर कृषकों की संख्या*

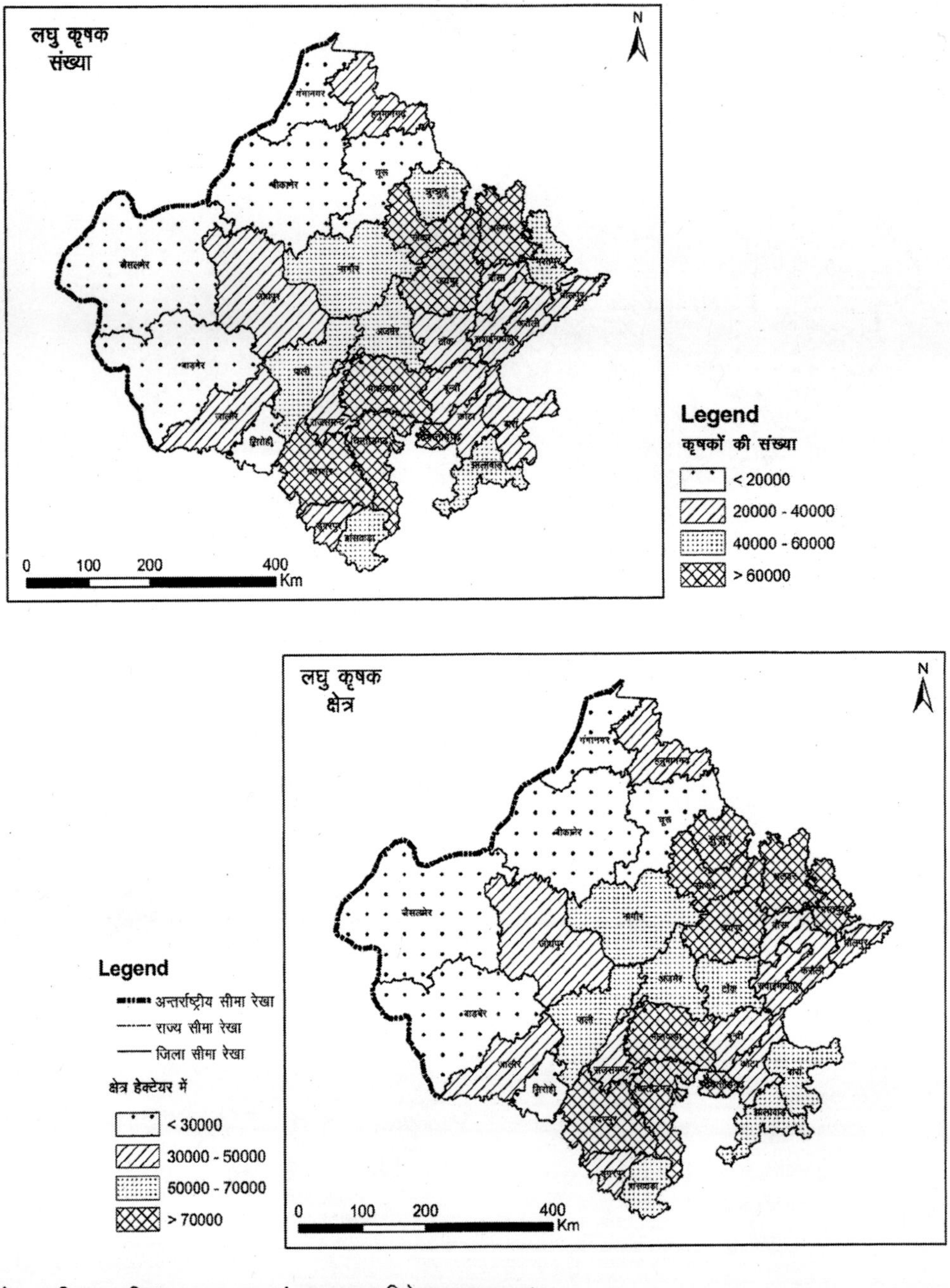


स्त्रोत : कृषि गणना विभाग, राजस्थान एवं जनगणना प्रतिवेदन, राजस्थान।

**मानचित्र 49**

# राजस्थान

## कृषि जोत के आधार पर कृषकों की संख्या

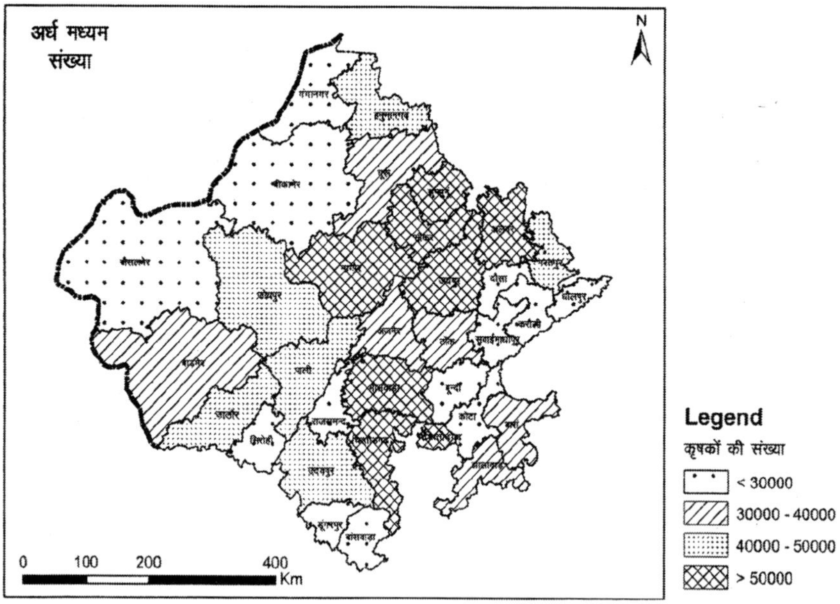


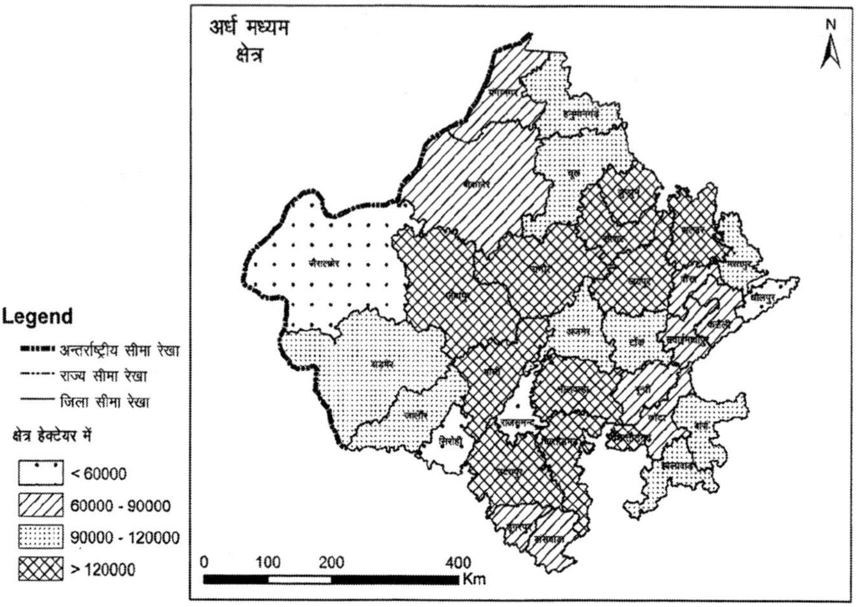


स्त्रोत : कृषि गणना विभाग, राजस्थान एवं जनगणना प्रतिवेदन, राजस्थान।

मानचित्र 50

# राजस्थान

## *कृषि जोत के आधार पर कृषकों की संख्या*

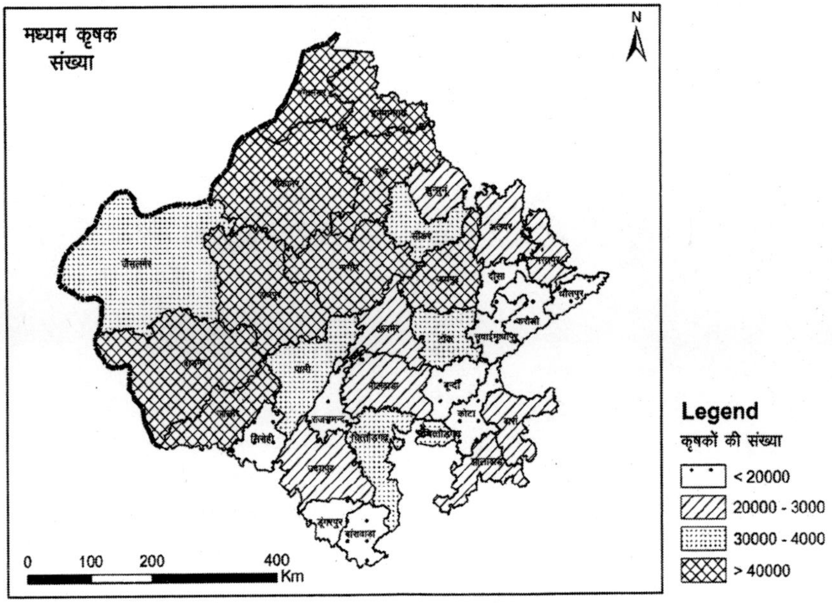


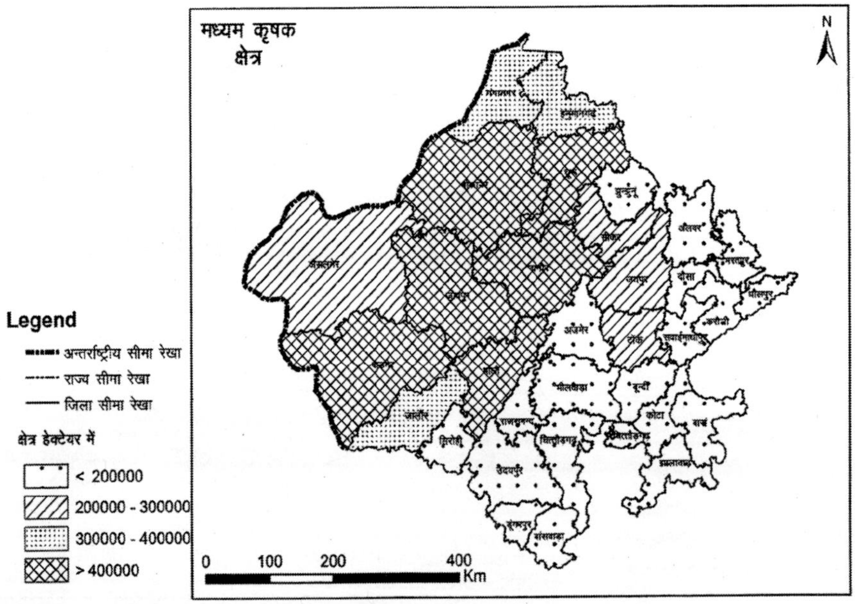


स्त्रोत : कृषि गणना विभाग, राजस्थान एवं जनगणना प्रतिवेदन, राजस्थान।

मानचित्र 51

# राजस्थान

## *कृषि जोत के आधार पर कृषकों की संख्या*

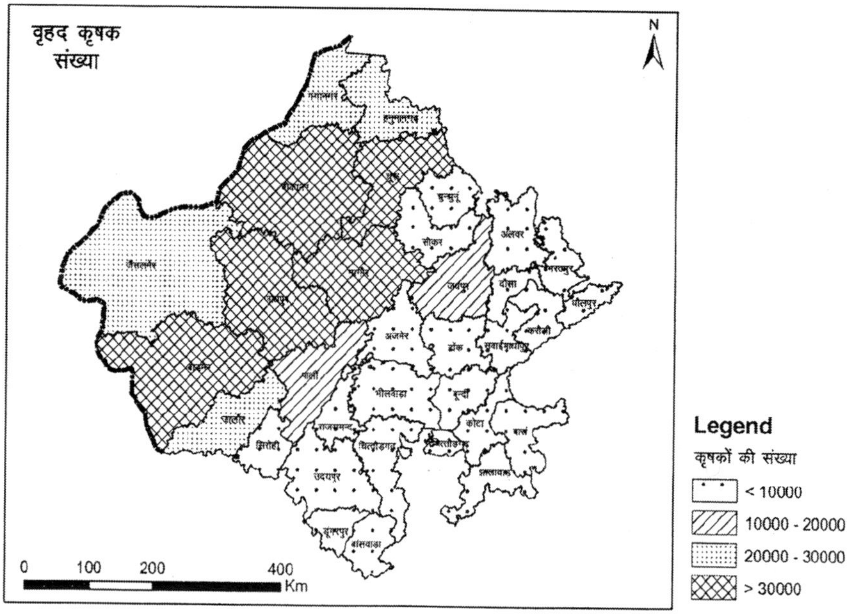


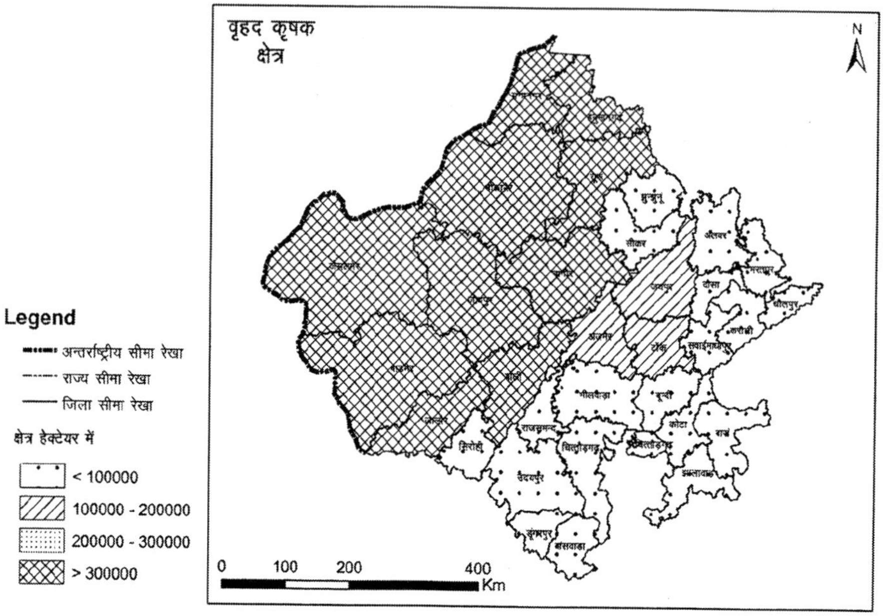


स्त्रोत : कृषि गणना विभाग, राजस्थान एवं जनगणना प्रतिवेदन, राजस्थान।

**मानचित्र 52**

लगभग स्थिर ही रहा है। किन्तु इसी अवधि में इस वर्ग में कृषि के अधीन क्षेत्रफल 69.2 लाख हैक्टेयर से बढ़कर 69.2 लाख हैक्टेयर हो गया। पहले यह कुल कार्यशील जोतों के क्षेत्रफल का 27 प्रतिशत था अब बढ़कर 30 प्रतिशत हो गया। लेकिन जोतों का औसत आकार लगभग स्थिर ही रहा है।

**(4) बड़ी जोतें (Large Holdings)**— इस वर्ग में 10 हैक्टेयर या इससे अधिक आकार वाली जोतें शामिल की जाती हैं। इस वर्ग में 2010-11 में 4 लाख जोतें थी, 2015-16 में 35.9 लाख जोतें थी। इनकी संख्या में कोई खास परिवर्तन नहीं हुआ। वास्तव में इस वर्ग में जोतों के क्षेत्रफल में गिरावट आई है ।

कार्यशील जोतों के आकार वितरण से राज्य में मध्यम और बड़े किसानों के हाथों में भूमि का संकेन्द्रण (Concentration) की अत्यधिक मात्रा का संकेत मिलता है। इसके विरूद्ध लगभग 30 प्रतिशत उपसीमान्त और सीमान्त किसानों के पास राज्य के कुल कृषि क्षेत्र का लगभग 3 प्रतिशत है। कार्यशील जोतों की संख्या में वृद्धि का कारण सरकार द्वारा कमजोर वर्गों को भूमियों का आवँटन है और सम्भवत: कुछ हद तक सरकारी भूमियों पर नाजायज कब्जा भी है। परन्तु इसका प्रतितुलन बहुत हद तक नगरीकरण के कारण कृषि भूमि में होने वाली लगातार कमी और पिछड़े इलाकों का औद्योगिकीकरण की राज्य सरकार की नीति रहा है। राजस्थान में कृषि के कुछ लक्षण है जो औद्योगिकृत प्रदेशों में नहीं मिलते। इसके प्रमुख लक्षण निम्नलिखित है:—

1. शुष्कता और धरातलीय स्वरूपों का राज्य की कृषि में महत्त्वपूर्ण भाग रहा है। 250 मिलीमीटर की वर्षा-रेखा राज्य को दो बड़े विभागों में बांट देती है-(i) पश्चिमी शुष्क और अर्द्ध-शुष्क बालुका मैदान और, (ii) पूर्वी अरावली पहाड़ी प्रदेश तथा बनास बेसिन, पठारी क्षेत्र जहां वर्षा 2,000 मिलीलीटर तक है।
2. राज्य के कुल क्षेत्रफल का लगभग दो-तिहाई कृषि में निरत है।
3. कृषि में निरत क्षेत्रफल का एक वृहत् भाग, लगभग 90.0 प्रतिशत, अन्न फसलों के अन्तर्गत है। इसका लगभग 65.0 प्रतिशत खाद्यान्नों में निरत है और 25.0 प्रतिशत दालों में। बाजरा अकेला फसलों के अन्तर्गत क्षेत्र का लगभग 30.8 प्रतिशत अधिकृत करता है।
4. राज्य के क्षेत्रफल का लगभग 45.0 प्रतिशत क्षेत्र राज्य के पश्चिमी अर्द्ध भाग में स्थित, बीकानेर, जैसलमेर, बाड़मेर, जोधपुर, नागौर और चुरू जिलों द्वारा आवृत्त है। इन सभी जिलों में कुल शस्य क्षेत्र लगभग 26 प्रतिशत है जबकि प्राय: इतना ही क्षेत्र कृषि योग्य बेकार में वर्गीकृत है। इन जिलों के कुल शस्य क्षेत्र का लगभग 7/10 भाग बाजरा के अन्तर्गत है।
5. बीकानेर और जैसलमेर जिले शुष्कतम भाग में स्थित है और राज्य के कुल क्षेत्र का लगभग पांचवां भाग आवृत्त करते हैं। इस क्षेत्र का लगभग 8.8 प्रतिशत फसलों के अन्तर्गत है जिसका 3/5 बाजरा की कृषि के अन्तर्गत है। इन दो जिलों में क्षेत्रफल का लगभग 54.2 प्रतिशत कृषि योग्य बेकार वर्गीकृत है।
6. इस राज्य में चारे के लिए अलग से कोई भी फसल नहीं उगाई जाती।
7. प्रति एकड़ उत्पादन कम है और अधिकांश फसलों की औसत उत्पाद भारत के औसत उत्पाद की अपेक्षा बहुत कम है।
8. भारतवर्ष में खेत साधारणतया वर्ष में दो या अधिक फसलें उत्पन्न करते हैं। परन्तु यहाँ शुष्कता, उच्च ग्रीष्म तापक्रमों और पश्चिम में वृहत् बालू फैलावों के कारण द्विफसली क्षेत्र खालिस बोए क्षेत्र का लगभग 6.8 प्रतिशत मात्र है।
9. कृषि में उर्वरकों और खादों का प्रयोग बहुत कम है। गोबर, जो खाद की तरह उपयोग में लाया जा सकता है, अधिकांशत: जलाया जाता है।
10. बहुत कम क्षेत्र व्यावसायिक फसलों के लिए निरत है। कपास और गन्ना कुल फसली क्षेत्र का

लगभग 1.7 और 0.6 प्रतिशत क्रमशः अधिकृत करते हैं।

11. राज्य के उत्तर में स्थित गंगानगर जिला चने-क्षेत्र का लगभग 32.0 प्रतिशत, गेहूँ और जौ का 11.0 प्रतिशत, 16.6 प्रतिशत, गन्ने का और राज्य के कपास क्षेत्र का लगभग 30.0 प्रतिशत उगता है।

## फसलों की काश्त

### गेहूँ

गेहूँ भारतवर्ष के महत्त्वपूर्ण अन्नों में एक है। यह प्रारम्भिक रूप से सीधे मानव उपभोग के लिए उगाया जाता है। जनसंख्या के एक वृहद् भाग द्वारा यह एक प्रमुख खाद्य के रूप में पसन्द किया जाता है। इस देश में और संसार के अन्य देशों में गेहूँ का, मुख्य खाद्यान्न के रूप में कोई प्रतिद्वन्द्वी नहीं है।

भारतवर्ष में गेहूँ की कृषि मुख्यतः दो जातियों तक सीमित है, अर्थात् ट्रिटिकम वल्गेर (Triticum Durum) जो मकरोनी (Macaroni) गेहूँ की तरह जाना जाता है। अभी तक भारतवर्ष में (राजस्थान को सम्मिलित करते हुए) गेहूँ की कृषि के अन्तर्गत वृहत्तम क्षेत्र में वल्गेर गेहूँ ही उगाया जाता है। गेहूँ की वल्गेर जाति में अनेक प्रकार होते हैं जो वनस्पतीय रूप से प्रजातियों के नाम से जाने जाते हैं। एक विशिष्ट जाति में प्रजातियाँ, जो हजारों तक होती हैं, एक-दूसरे से कुछ लक्षणों में भिन्न होती हैं। इन विभिन्न प्रजातियों में शूक के विकास की विभिन्न मात्राएँ होती हैं-पूरी दाढ़ीवाले से लेकर दाढ़ीहीन तक, विभिन्न आकार की बालियों वाले, विभिन्न रंगों के छिलके वाले, छिलके के ऊपर विभिन्न मात्राओं में रोएंवाले, बनाती अथवा अबनाती, दानों के विभिन्न रंगोंवाले श्वेत, लाल, ऐम्बर वर्ण, दानों के विभिन्न आकारों-प्रकारों वाले और दानों की विभिन्न मात्राओं के कड़ेपन वाले-मुलायम, चूर्णी से लेकर कड़े खुरदुरे तक।

निम्नलिखित सारणी-25 में गेहूँ की उन प्रजातियों को दिखाया गया है जो राजस्थान के विभिन्न भागों में कृषि के लिए अधिक उपयुक्त है :

यद्यपि गेहूँ विभिन्न प्रकार की जलवायु के अन्तर्गत उगाया जाता है, प्रारम्भिक रूप से वह माध्यम तापक्रम और उपार्द्र तथा अर्द्ध शुष्क दशाओं वाले क्षेत्र में उगाया जाता है। राजस्थान में वह उच्च तापक्रम के अन्तर्गत उगाया जाता है, परन्तु यह काल उच्च वायुमण्डलीय आर्द्रता के काल से नहीं मिलना चाहिए। एक ही समय में ये दोनों दशाएँ गेहूँ के पौधे के लिए हानिकारक हैं। यह शीत, आर्द्र जलवायु में सफलतापूर्वक उगता है और गर्म शुष्क जलवायु फसल के पकने के लिए अनुकूल है। शीत का तापक्रम 10° सेन्टीग्रेट से 15.6° सेन्टीग्रेट के बीच होना चाहिए। 500 मिलीमीटर से 750 मिलीमीटर तक की वार्षिक वर्षा उसके लिए उत्तम है। गेहूँ मिट्टी की विभिन्न किस्मों के अन्तर्गत उगाया जाता है। गेहूँ के लिए उत्तम मिट्टियां हैं-उपजाऊ, उत्तम जल-ग्रहण क्षमता और अच्छी जलप्रवाह वाली मिट्टियाँ। इस दृष्टि से पश्चिमी राजस्थान की अत्यन्त बालुकामय मिट्टियाँ गेहूँ की कृषि के लिए उत्तम नहीं हैं। अत्यधिक नमकीन व अल्केलाइन मिट्टियां भी इस फसल के लिए उपयुक्त नहीं हैं। अच्छी मिट्टी के लिए कुछ जैव पदार्थ वांछनीय है चूँकि यह अच्छी जुताई में सहायक होता है। कुछ नाइट्रोजन का निकलना भी उपयोगी है, क्योंकि यह बाढ़ को उत्तेजित करता है और उच्च किस्म के गेहूँ के उत्पादन में भी मदद करता है।

गेहूँ लगभग उतना ही क्षेत्र अधिकृत करता है जितना चने की फसल, यानी 305.0 लाख हैक्टेयर या कुल फसल क्षेत्र का 12.0 प्रतिशत (2017-18)। इस फसल का सबसे अधिक केन्द्रीयकरण गंगानगर में और राज्य के पूर्वी और दक्षिण-पूर्वी में मिलता है। गेहूँ के क्षेत्रफल का लगभग 85 प्रतिशत लूनी बेसिन, अरावली श्रेणी और पहाड़ी प्रदेश, मारवाड़ प्रदेश और दक्षिण लावा पठार में मिलता है। इस क्षेत्र का वृहद् भाग 500 मिलीमीटर से अधिक वर्षा प्राप्त करता है जो गेहूँ की फसल के लिए आदर्श है। एकमात्र अपवाद गंगानगर है जहाँ उसकी कृषि अधिकांशतः सिंचाई पर आधारित है। यहाँ फसल के लिए उपयुक्त उपजाऊ जलोढक मिट्टी है। इस जिले में गेहूँ के अन्तर्गत कुल शस्य क्षेत्र का लगभग 11.0 प्रतिशत है।

**सारणी-25**

**गेहूं की कुछ सुधरी प्रजातियाँ और राजस्थान के लिए उपयुक्त उनके कुछ प्रमुख लक्षण**

| फसल एवं उन्नत किस्में | खेत की तैयारी व जैविक खाद (खाद प्रति हैक्टेयर) | बुवाई और बीज मात्रा (प्रति हैक्टेयर) | रासायनिक उर्वरक प्रयोग (प्रति हैक्टेयर) | अन्तरा कृषि क्रियाएँ सिंचाई निराई-गुड़ाई | कीड़े और बीमारियों से फसल संरक्षण |
|---|---|---|---|---|---|
| **गेहूं सामान्य**<br>बुवाई (सिंचित) कल्याण सोनाडी. 65 राज. 1114 राज. 911, राज. 1482, राज. 821, राज. 1,555, अर्जुन एच. डी. 2009, एच. डी. 2,204 (सामान्य बुवाई अर्सि) कल्याण सोना, अर्जुन ए. 9-30-1, डी. 134, नर्वदा (देर से बुवाई सिंचित) सोनालिका राज. 821 लोक।<br>(देर से बुवाई असिंचित) सोनालिका, राज. 821)<br><br>(लवणीय व क्षारीय भूमि) खारचिया 65 (नेड, सेवज क्षेत्र असि.) राज. 1482 (पानी भरा असिंचित) सोनालिका | जुताई करके खेत को अच्छी तरह तैयार करें, 15-20 मै. टन गोबर खाद डालें दीमक व भूमिगत कीड़ों की रोकथाम हेतु बी. एच. सी. या एल्ड्रिन या हेप्टाक्लोर बुवाई से पूर्व मिट्टी में मिला दें। हर तीसरे साल गोबर की अच्छी सड़ी हुई खाद बुवाई के लगभग एक माह पूर्व अवश्य डालने से भूमि की बनावट अच्छी रहती है। जहाँ खरीफ में यह खाद डाल दिया जाए वहाँ रबी में डालना जरूरी नहीं है। | सामान्यत: बुवाई नवम्बर के प्रथम सप्ताह में कर दें। देर से बुवाई नवम्बर के तीसरे से दिसम्बर के दूसरे सप्ताह तक कर दें। बुवाई से पूर्व ओरगेनों मरक्यूरियल दवा से बीजोपचार करें। बीज को 5 से.मी. से गहरा न बोयें। सामान्य बुवाई में 100 किलो तथा देर से बुवाई में 125 किलो बीज बोना चाहिए। कोटा व उदयपुर खण्ड की भारी से मध्यम भूमि में सिंचित में 125 किलो व असिंचित में 100 किलो बीज बोना चाहिए। | मिट्टी की जांच कर दी गई सिफारिश के अनुसार उर्वरकों का प्रयोग करे। सामान्यत: 60 से 90 किलो नत्रजन एवं 20 से 35 किलो फॉस्फेट देना चाहिए और यदि जरूरी हो तो पोटाश भी देना चाहिए।<br>सिंचित फसल में आधा नत्रजन और पोटाश की पूरी मात्रा बुवाई से पूर्व ऊर दें और शेष नत्रजन दूसरी सिंचाई के तुरन्त बाद दे दें। जिन खेतों में जस्ते की कमी हो, 24 किलो जिंक सल्फेट दें। बुवाई के बाद यदि जस्ते की कमी महसूस हो तो 5 किलो जिंक सल्फेट घोलकर दें। | सामान्यत: हल्की मिट्टी में 6-8 और भारी मिट्टी में 4-6 सिंचाई करें। प्रथम सिंचाई बुवाई के 20 दिन बाद जड़ जमते वक्त करें एवं बाद में फुटानबालियां निकलते वक्त व दाना पकते वक्त पानी दें। पहली सिंचाई के 10-12 दिन बाद निराई करें एवं बाद में आवश्यकतानुसार घास फूस निकालते रहे। खरपतवार नष्ट करने हेतु रसायन टू. फोर. डी. रसाइन टू. फोर. डी. एस्टर सक्रिय तत्त्व या टू. फोर. डी. अमाइन साल्ट सक्रिय तत्त्व नींदानाशी का भी प्रयोग कर सकते हैं। | मोयला, तेला व मकड़ी नियन्त्रण हेतु फार्मोथियान, मिथाइल डिमेफोस्फोमिडान या डाई मिथोयट छिड़के। आमीवर्म, पायरिला, फ्लीं बिटल, फिल्ड क्रिकेट के नियंत्रण हेतु वी. एच. सी. या मिथाइल पेराथियन भुरकें। झुलसा व पत्ती धब्बे रोग की रोकथाम हेतु जाइनेव छिड़कें। रोली रोधक किस्में बोयें। रोली दिखाई देते ही रोधक चूर्ण भुरकें। मोल्या ग्रस्त में बुवाई से पूर्व कारवोपयूरान ग्रेन्यूल डालें। टूण्डू व ईथर कोकल रोग नियन्त्रण हेतु नमक के घोल से बीजोपचार करें। |

पश्चिमी बालुका मैदान बहुत कम गेहूँ उत्पन्न करता है क्योंकि यह क्षेत्र बहुत शुष्क है और सिंचाई-सुविधाओं का अभाव है। जैसा कि भारत के दूसरे भागों में है, गेहूँ इस राज्य में भी शीतकालीन फसल है क्योंकि शीतकाल में ही तापक्रम उसकी कृषि के उपयुक्त रहता है।

साधारणतया मिट्टी की तैयारी प्रति वर्ष 15 सितम्बर से 15 नवम्बर के बीच की जाती है। जब मानसूनी वर्षा को समाप्त हुए लगभग तीन सप्ताह बीत चुके हैं, अर्थात् रातें ठण्डी हो जाती हैं अक्टूबर के मध्य लगभग खेतों में कुहरा बनता है, तब बोने का समय आरम्भ होता है और नवम्बर के मध्य तक चलता है। जिन खेतों में गेहूँ उगाया जाता है, पिछले ग्रीष्म में परती रहते हैं। इस समय मिट्टी में कुछ खाद दिया जाता है। गेहूँ जुताई द्वारा सावधानीपूर्वक तैयार की गई उथली गूलों में बोया जाता है। चूँकि सिंचाई गेहूँ की कृषि में एक महत्त्वपूर्ण तत्त्व है, नियमित पानी देना उसका एक आवश्यक भाग बन जाता है। इस फसल में पानी देने का कार्य दिसम्बर, जनवरी और फरवरी महिनों के अन्त में किया जाता है और दो बार मार्च के महीने में भी। पौधे के लिए उसकी प्रारम्भिक बाढ़ में आर्द्रता आवश्यक है और दिसम्बर का शीत तापक्रम अंकुरण में सहायता करता है और इस समय में पौधे की पूर्ण वानस्पतिक बाढ़ होती है। मार्च के आरम्भ में पौधे में दाना बनता है और उसी समय तापक्रम बढ़ता है। यह फसल के पकने में मदद करता है और मई के मध्य तक चलती है। तापक्रम कुछ ही दिनों में ऊँचा उठ जाता है। इससे दाना जल्दी परिपक्व हो जाता है। शुष्क हवाएँ चलनी आरम्भ हो जाती हैं जो दाने को जल्दी सुखाने में सहायता करती हैं। उन देशों के गोल दानों के विपरीत, जहां तापक्रम में परिवर्तन क्रमशः होता है, इस गेहूँ के दाने सिकुड़े होते हैं। मानचित्र 53 में गेहूँ का क्षेत्रफल एवं उत्पादन दर्शाये गए है।

### मक्का

मक्का लगभग 8.59 हैक्टेयर (2017-18) क्षेत्र आवृत्त करता है जो राज्य के कुल शस्य क्षेत्र का लगभग 5.52 प्रतिशत है। यह एक घटिया अन्न माना जाता है। कृषि उपजाऊ मिट्टी, मुख्यत: दोमट के क्षेत्रों में केन्द्रित है। अधिकतम केन्द्रीयकरण अरावली श्रेणी, पहाड़ी प्रदेश और बनास बेसिन में है। इन प्रदेशों के जिले मक्का क्षेत्रफल का लगभग 90.0 प्रतिशत आवृत्त करते हैं। लगभग तीन-चौथाई फसल उदयपुर, डूंगरपुर, बांसवाड़ा, भीलवाड़ा, चित्तौड़गढ़ और अजमेर जिलों में उत्पन्न की जाती है। मानचित्र 54 में मक्का का क्षेत्रफल एवं उत्पादन को दर्शाया गया है। मक्का की कुछ सुधरी प्रजातियाँ और राजस्थान के लिए उपयुक्त उनके कुछ प्रमुख लक्षण इस फसल के लिए मिट्टी मार्च के अन्त से अप्रेल के अन्त तक तैयार की जाती है। बोने का कार्य मध्य जून से मध्य जुलाई के बीच होता है, विशेषकर प्रथम ग्रीष्म बरसात के साथ। कटाई सितम्बर के अन्त से आरम्भ हो जाती है और नवम्बर के मध्य तक चलती है। इस राज्य में अगेती मक्का सिंचाई के अन्तर्गत अप्रेल और मई में बोया जाता है। इसके डंठल चारे के लिए उपयुक्त होते हैं।

मक्के के पौधे के विकास में जल का विशेष महत्त्व है। यदि वर्षा देर से आती है तो फसल विपरीत रूप से प्रभावित होती है। पौधे की वानस्पतिक बाढ़ के समय पानी का होना आवश्यक है। यदि बारिश के बीच समय का अन्तर लम्बा हो जाता है तो भी फसल नष्ट हो जाती है। (सारणी-26)

### जौ

इस राज्य में 9.35 हैक्टेयर (2010-11), अर्थात् कुल शस्य क्षेत्र का 1.60 प्रतिशत, जौ के अन्तर्गत है। यह एक शीतकालीन फसल है जो एक मुख्य अन्न की तरह गेहूँ और चने की श्रेणी में आती है। लगभग 90.0 प्रतिशत क्षेत्रफल-उदयपुर, भीलवाड़ा, अजमेर, पाली, टोंक, जयपुर, सीकर, सवाई माधोपुर, भरतपुर, अलवर और गंगानगर जिलों में पाया जाता है। गंगानगर को छोड़कर ये सभी जिले 500 मिलीमीटर वर्षा-रेखा के पूर्व में स्थित हैं। इस राज्य में शुष्क आर्द्र अथवा बालुकामय मिट्टी के क्षेत्र और वे क्षेत्र जहाँ सिंचाई-सुविधाओं का अभाव है, इस फसल के लिए निरत है। (सारणी-27)

सारणी-26

मक्का की कुछ सुधारी हुई प्रजातियाँ और राजस्थान के लिए उपयुक्त उनके कुछ प्रमुख लक्षण

| फसल एवं उन्नत किस्में | खेत की तैयारी व जैविक खाद (खाद प्रति हैक्टेयर) | बुवाई और बीज मात्रा (प्रति हैक्टेयर) | रासायनिक उर्वरक प्रयोग (प्रति हैक्टेयर) | अन्तरा कृषि क्रियाएँ सिंचाई व निराई-गुड़ाई | कीड़े और बीमारियों से फसल-संख्या |
|---|---|---|---|---|---|
| 1 | 2 | 3 | 4 | 5 | 6 |
| **मक्का (संकरमक्का)** | | | | | |
| गंगा सफेद गंगा-5 मालन (कुम्भलगढ़) संकुल मक्का विजय | लवण क्षार रहित भूमि का समतल खेत जल निकास प्रबन्ध युक्त चुनें। प्रथम जुलाई मिट्टी पलटाऊ हल से और बाद में देशी हल बक्खर या त्रिफालों से खेत अच्छी प्रकार तैयार करें। बीज अंकुरण के लिए मिट्टी में नमी होनी चाहिए। | 20-25 किलो प्रमाणित बीज बोएं बुवाई जून अन्त से जुलाई के प्रथम सप्ताह तक कर दें। असिंचित क्षेत्र में सिंचाई करके 15 से 30 जून तक बीज बो दें। 5 से. मी. से गहरा न बोएं, बुवाई हल के पीछे कतारों में करें। यदि बीज उपचारित न हो तो उसे उपचारित करके बुवाई करें। | सिंचित में 60-90 किलो नत्रजन, 30 किलो फॉस्फेट, असिंचित में 30-45 किलो नत्रजन व 15 किलो फॉस्फेट दें। मिट्टी जाँच से पोटाश जरूरी हो तो दें। आधा नजत्रजन एवं फॉस्फोरस व पोटाश की पूरी मात्रा बुवाई पूर्व दें। शेष नत्रजन दो बराबर-बराबर किस्तों में बुवाई के एक माह बाद एवं छर्रे निकलने से पूर्व दें। | आवश्यकतानुसार सिंचाई करें। खड़ी फसल में उर्वरक देकर पानी दें पौधों की बढ़वार और फूल आते वक्त पानी की विशेष जरूरत होती है, अवश्य तब सिंचाई करें। आवश्यकतानुसार निराई गुड़ाई करके घास-फूस निकाल दें। खरपतवार नष्ट करने हेतु बुवाई के प्रथम सप्ताह में खरपतवार उगने से पूर्व एल्ट्राजीन छिड़कें। | सफेद लट क्षेत्र में फोरेट या क्यूनालफास कतारों में ऊरे। दीमक प्रकोप क्षेत्र में बी. एच. सी. या एल्ड्रिन का प्रयोग करें। थ्रिप्श व एफिंडस को रोकने हेतु मिथाइल डिमेटान या फॉस्फोमिडान छिड़कें। |

इसके लिए मिट्टी 10 सितम्बर से 15 नवम्बर तक तैयार की जाती है। बुवाई मध्य अक्टूबर से मध्य दिसम्बर तक की जाती है। इस फसल के लिए जनवरी के प्रारम्भ में, फरवरी के मध्य और मार्च के शुरूआत में पानी देना आवश्यक है। कटाई मार्च के अन्त से अप्रेल के मध्य तक होती है। मानचित्र 55 में जौ का क्षेत्रफल एवं उत्पादन को दर्शाया गया है।

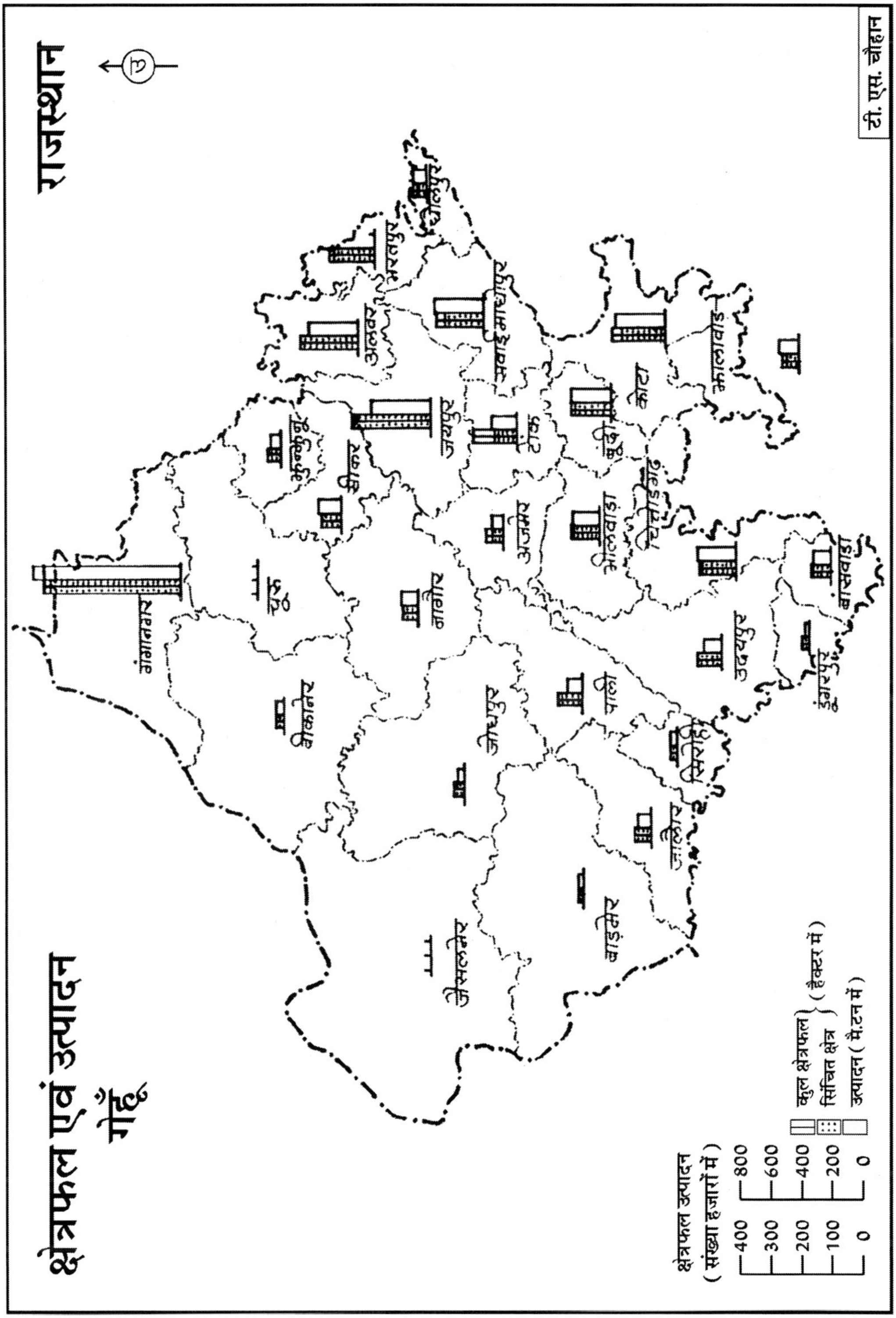
क्षेत्रफल एवं उत्पादन
गेहूँ
राजस्थान
उ
टी. एस. चौहान
गंगानगर
चूरू
झुन्झुनूं
सीकर
अलवर
भरतपुर
धौलपुर
सवाई माधोपुर
जयपुर
टोंक
बूंदी
कोटा
झालावाड़
अजमेर
भीलवाड़ा
चित्तौड़गढ़
बांसवाड़ा
उदयपुर
डूंगरपुर
नागौर
बीकानेर
जोधपुर
पाली
सिरोही
जालोर
बाड़मेर
जैसलमेर
क्षेत्रफल उत्पादन
(संख्या हजारों में)
400 300 200 100 0
800 600 400 200 0
कुल क्षेत्रफल
सिंचित क्षेत्र
(हेक्टर में)
उत्पादन (मै.टन में)

मानचित्र 53

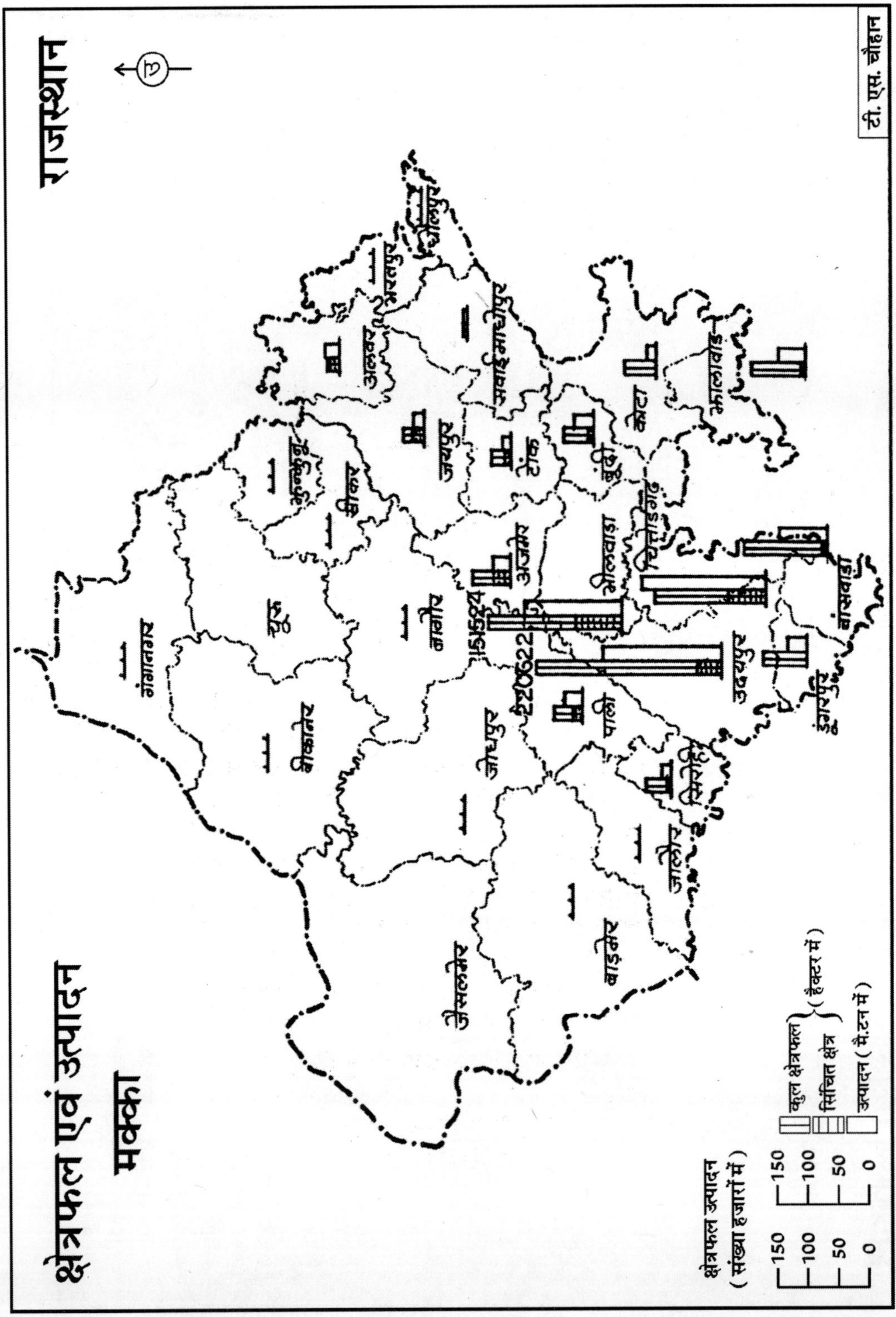
क्षेत्रफल एवं उत्पादन
मक्का
राजस्थान
उ
टी. एस. चौहान
गंगानगर
बीकानेर
चूरू
झुन्झुनूं
सीकर
अलवर
भरतपुर
धौलपुर
सवाई माधोपुर
जयपुर
टौंक
अजमेर
नागौर
जोधपुर
जैसलमेर
बाड़मेर
जालौर
सिरोही
पाली
उदयपुर
डूंगरपुर
बांसवाड़ा
चित्तौड़गढ़
भीलवाड़ा
बूंदी
कोटा
झालावाड़
151524
220622
क्षेत्रफल उत्पादन
( संख्या हजारों में )
कुल क्षेत्रफल
सिंचित क्षेत्र
( हैक्टर में )
उत्पादन ( मै.टन में )
150
100
50
0

मानचित्र 54

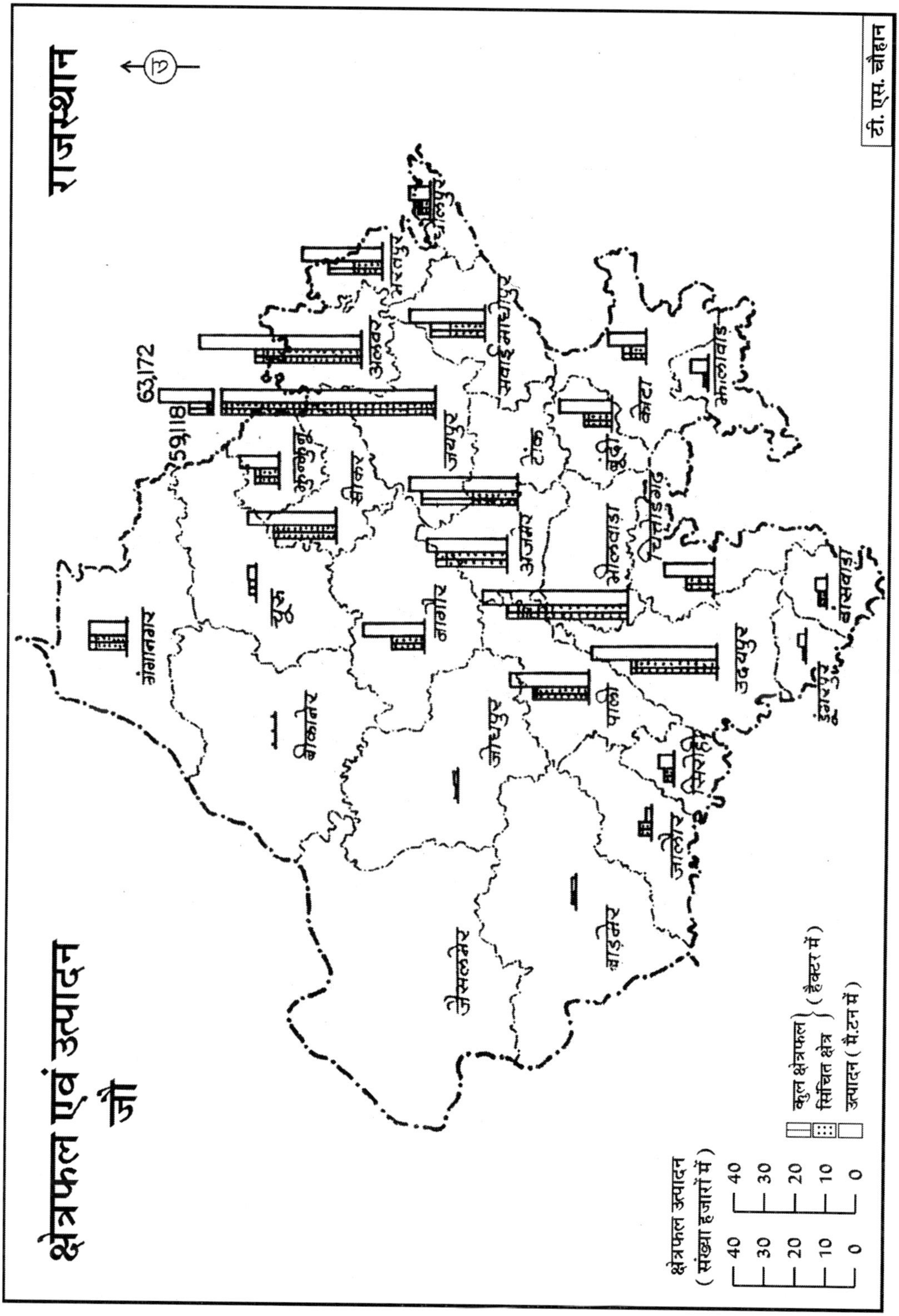
क्षेत्रफल एवं उत्पादन
जौ
राजस्थान
उ
टी. एस. चौहान
63,172
59,118
गंगानगर
बीकानेर
चूरू
झुन्झुनू
सीकर
नागौर
जैसलमेर
बाड़मेर
जोधपुर
जालौर
सिरोही
पाली
अजमेर
जयपुर
अलवर
भरतपुर
धौलपुर
सवाईमाधोपुर
टोंक
बूंदी
कोटा
झालावाड़
भीलवाड़ा
चित्तौड़गढ़
उदयपुर
डूंगरपुर
बांसवाड़ा
क्षेत्रफल उत्पादन
( संख्या हजारों में )
40 30 20 10 0
कुल क्षेत्रफल
सिंचित क्षेत्र
( हैक्टर में )
उत्पादन ( मै.टन में )

मानचित्र 55

जौ की कुछ सुधरी हुई प्रजातियाँ और राजस्थान के लिए उपयुक्त, उनके कुछ प्रमुख लक्षण सारणी–27 में दिए गए है।

**सारणी–27**

**जौ की कुछ सुधरी हुई प्रजातियाँ और राजस्थान के लिए उपयुक्त कुछ प्रमुख लक्षण**

| फसल एवं उन्नत किस्में | खेत की तैयारी व जैविक खाद (खाद प्रति हैक्टेयर) | बुवाई और बीज मात्रा (प्रति हैक्टेयर) | रासायनिक उर्वरक प्रयोग (प्रति हैक्टेयर) | अन्तरा कृषि क्रियाएँ सिंचाई व निराई–गुड़ाई | कीड़े और बीमारियों से फसल–संख्या |
|---|---|---|---|---|---|
| 1 | 2 | 3 | 4 | 5 | 6 |
| (सामान्य बुवाई सिंचित) आर.डी.बी. 1 आर.डी.बी. 103 आर.बी. 57 (देर से बुवाई सिंचित) आर.डी. 6 (असिंचित क्षेत्र) आर.डी. 31 आर.डी.बी. 1 (पानी भराव क्षेत्र) आर.डी. 31 (लवणीय भूमि) बिलाड़ा–2 (मोल्या ग्रसित क्षेत्र) आर.डी. 387 | जुताई करके खेत को अच्छी तरह तैयार कर लें। अन्तिम जुताई में और बुवाई के लगभग एक माह पूर्व 8–10 गाड़ी गोबर की अच्छी सड़ी खाद भूमि में मिला दें। प्रति तृतीय वर्ष कम से कम एक बार जैविक खाद अवश्यडालना चाहिये अन्तिम जुताई से पूर्व दीमक एवं भूमिगत अन्य कीड़ों की रोकथाम के लिए बी. एच. सी. या एल्ड्रिन या हेप्टा क्लोर मिट्टी में अच्छी तरह मिला दें। | सामान्य बुवाई मध्य अक्टूबर से नवम्बर तक और देर से मध्य दिसम्बर तक कर दें। सिंचित फसल में 100 किलो व असिंचित देर से बुवाई, पानी भराव व लवणीय भूमि में 125 किलो बीज बोयें। हल्की व दोमट भूमि में कतार से कतार 22 से.मी. और भारी मिट्टी व लवणीय भूमि में 25 से.मी. एवं असिंचित व पानी भराव क्षेत्र में दूरी 30 से.मी. रखें। बुवाई से पूर्व बीज का दवा से उपचार करें। | मिट्टी जाँच कर दी गई सिफारिश के अनुसार उर्वरक का प्रयोग करें। सामान्यत: सिंचित क्षेत्र में 40–60 किलो नत्रजन 20–40 किलो फॉस्फोरस, असिंचित .या पानी भराव क्षेत्र में 20–40 किलो नत्रजन व 20 किलो फॉस्फोरस दें। नत्रजन की आधी मात्रा और पूरा फॉस्फोरस अन्तिम जुताई के साथ औरने से ऊर दें। शेष नत्रजन प्रथम या द्वितीय सिंचाई के बाद कतारों में छिड़क दें। | हल्दी दोमट भूमि में 3–5 और भारी मिट्टी में 2–3 सिंचाई दें। प्रथम बुवाई के 25–30 दिन बाद करें और बाद में आवश्यक–तानुसार पानी दें। पहली सिंचाई के 10–12 दिन बाद निराई– गुड़ाई अवश्य करें एवं बाद में आवश्यकतानुसार खेत में खरपतवार निकालते रहे। कण्डवाग्रस्त सभी पौधे उखाड़ कर जला दें। नियंत्रण हेतु उपचारित बीज ही बोये मोल्याग्रसित क्षेत्र में कार्बोफ्यूरानग्रेन्युल डालें या एल्डीफार्ब कण ऊर कर बुवाई करें। | ब्लू बिटल और फिल्ड क्रिकेट क्षेत्र में बी.एच.सी. भुरकें। माइटस और मोयला नियन्त्रण हेतु फॉस्फोमिडान या डाइमिथोयट छिड़कें। खड़ी फसल में दीमक नष्ट करने हेतु एल्ड्रिन या लिण्डेन सिंचाई के साथ दें। रोली रोग दिखाई देते ही गन्धक भुरकें या केलेक्सनी छिड़कें। |

**बाजरा**

यदि क्षेत्रफल को आधार माना जाए तो बाजरा राजस्थान में सबसे महत्त्वपूर्ण खाद्य फसल है। राज्य के कुल 176 लाख हैक्टेयर बोवाई क्षेत्र में से लगभग 42.36 लाख टन 2017-18 इस फसल के अन्तर्गत है। यह कुल बोवाई का 29.96 प्रतिशत होता है। मानचित्र 45 में बाजरा का क्षेत्रफल एवं उत्पादन को दर्शाया गया है।

बाजरा की फसल मामूली जलवायु और मिट्टी दशाओं के अन्तर्गत उगाई जाती है। इसका लगभग 75.0 प्रतिशत राज्य के पश्चिमी भाग में है, अर्थात् बाड़मेर, जोधपुर, नागौर, सीकर, झुंझुनू, गंगानगर, बीकानेर और जैसलमेर जिलों में है। (मानचित्र 56)। बाजरा की प्रमुख कृषि पश्चिमी बालुका मैदानों तक सीमित है। यह सम्पूर्ण क्षेत्र राजस्थान का शुष्कतम भाग है जहाँ वार्षिक वर्षा 500 मिट्टी से कम है। इस क्षेत्र के एक बड़े भाग में मिट्टी मरुस्थलीय है, केवल पूर्वी सीमान्त को छोड़कर, जहाँ वह अंशत: धूसर, भूरी और अभेदित है। इस क्षेत्र में गंगानगर को छोड़कर, जिलों के कुल शस्य क्षेत्र से बाजरा के क्षेत्र का प्रतिशत 35 से 90.0 प्रतिशत के बीच है। यह प्रतिशत पश्चिम की ओर इतना बढ़ता जाता है कि राजस्थान के शुष्कतम भाग जैसलमेर के शस्य क्षेत्र का लगभग 90.0 प्रतिशत बाजरा के अन्तर्गत है। इस फसल के लिए निरत लघुतम क्षेत्र दक्षिण में हैं जहाँ उच्चतर वर्षा और उत्तम मिट्टी होने से भूमि अन्य फसलों के लिए प्रयुक्त होती है। इस प्रकार राज्य में बाजरा के क्षेत्रफल का लगभग तीन-चौथाई क्षेत्र पश्चिमी बालुकामय शुष्क और अर्द्धशुष्क मैदानों में है। (सारणी-28) बाजरा के लिए मिट्टी की तैयारी मार्च के अन्त से अप्रेल के अन्त होती है, जबकि बोवाई नियमित वर्षा की प्रथम बरसात से प्रारम्भ होती है। वास्तविक बोवाई 25 जून से 20 जुलाई के बीच होती है। बाजरा की कटाई सितम्बर के अन्त से अक्टूबर के अन्त तक होती है। सिंचाई इस फसल के लिए आवश्यक नहीं है। गंगानगर नहर कालोनी में सितम्बर में केवल एक बार पानी दिया जाता है। बाजरा का निस्तूषीकरण (Thrashing) रबी की बोवाई के पश्चात् किया जाता है।

**ज्वार**

ज्वार राजस्थान के लगभग 5.16 लाख हैक्टेयर (2017-18) आवृत्त करती है जो कुल कृषि क्षेत्र का 5.71 प्रतिशत है। क्षेत्रफल की दृष्टि से यह गेहूं की फसल के जितना ही क्षेत्र आवृत्त करती है। यह फसल की तरह उगाई जाती है।

ज्वार एक मुख्य फसल है और उसकी कृषि राज्य के मुख्यत: मध्य और पूर्वी भाग में विस्तृत रूप में फैली हुई है। इस प्रदेश में लगभग 90.0 प्रतिशत क्षेत्र केन्द्रित है। पांच जिलों-जोधपुर, नागौर, पाली, अजमेर और टोंक-में ज्वार क्षेत्रफल का लगभग आधा है। इस फसल के लिए मिट्टी की तैयारी मार्च के अन्त और अप्रेल के अन्त के बीच की जाती है। बुवाई का समय जून के अन्त से आरम्भ होता है और जुलाई के मध्य तक चलता है। इस फसल की कटाई नवम्बर के मध्य दिसम्बर के मध्य तक होती है। ज्वार चारे के लिए भी उगाई जाती है। इसके लिए ज्वार सदैव अप्रेल-मई में बोई जाती है और चारे की कटाई मई के अन्त में की जाती है। जिन क्षेत्रों में वर्षा 500 मिलीमीटर से कम है, सिंचाई आवश्यक है।

यह फसल अधिकांशत: काली कपास मिट्टी से सम्बद्ध है, परन्तु यह दूसरी मिट्टियों पर भी उगती है। पथरीली, कंकड़मय और अन्य घटिया मिट्टियाँ इसकी कृषि के लिए उपयुक्त नहीं है। यह फसल दोमट मिट्टी पर बहुत अच्छी उगती हैं, चाहे वह रंग में लाल हो अथवा काली। सिंचित क्षेत्रों में इसके लिए पर्याप्त जल-प्रवाह की आवश्यकता है। (मानचित्र 57) में ज्वार का क्षेत्रफल एवं उत्पादन को दर्शाया गया है ज्वार की कुछ सुधरी हुई प्रजातियाँ और राजस्थान के लिए उपयुक्त उनके कुछ प्रमुख लक्षण। (सारणी-29)

**चना**

क्षेत्रफल में चना, बाजरा के बाद ही आता है, लगभग 15.7 लाख टन (2017-18) अर्थात् कुल कृषि क्षेत्र का लगभग 8.00 प्रतिशत इस फसल के अन्तर्गत है। यह शीतकालीन फसलों में से एक है। राज्य का लगभग एक-तिहाई चना क्षेत्र उत्तर में

गंगानगर जिले तक सीमित है। राजस्थान नहर परियोजना से प्राप्त उत्तम सिंचाई सुविधाओ के परिणामस्वरूप ही चना-क्षेत्र का यह भारी केन्द्रीयकरण हुआ है। जिले के अन्दर चने के अन्तर्गत वृहत्तम क्षेत्र शुष्क, बालुकामय अथवा न क्षेत्रों में है और उन क्षेत्रों में भी जहां सिंचाई सुविधाओं का अभाव है। यह राज्य के उत्तर-पूर्वी भाग में भी उगाया जाता है, यानि चुरू, झुंझुनूं, अलवर, भरपुर, जयपुर, टोंक, सवाई माधोपुर और अजमेर जिलों में। ये जिले और गंगानगर मिला कर चने चने के अन्तर्गत शस्य क्षेत्र का लगभग 4/5 आवृत्त करते हैं। अलवर, भरतपुर, डूँगरपुर और बाँसवाड़ा जिलों में शस्य क्षेत्र का लगभग 20 से 30 प्रतिशत चने के अन्तर्गत है। राज्य के शुष्क पश्चिमी भाग में यह बहुत कम उगाया जाता है। (सारणी-30)

मिट्टी की तैयारी सितम्बर के अन्त से प्रारम्भ होती और अक्टूबर के मध्य तक चलती है। बोवाई का समय 1 अक्टूबर से 20 तक विस्तृत है। कटाई 20 मार्च से 15 अप्रेल के बीच होती है। गंगानगर में सिंचाई दो बार की जाती है-बोवाई के समय और जनवरी के अन्त में, जब पुष्प लगने का समय होता है। (मानचित्र 58) में चना का क्षेत्रफल एवं उत्पादन को दर्शाते है।

**सारणी-28**

**बाजरा की कुछ सुधरी हुई प्रजातियाँ और राजस्थान के लिए उपयुक्त उनके कुछ प्रमुख लक्षण**

| फसल एवं उन्नत किस्में | खेत की तैयारी व जैविक खाद (खाद प्रति हैक्टेयर) | बुवाई और बीज मात्रा (प्रति हैक्टेयर) | रासायनिक उर्वरक प्रयोग (प्रति हैक्टेयर) | अन्तरा कृषि क्रियाएँ सिंचाई व निराई-गुड़ाई | कीड़े और बीमारियों से फसल-संख्या |
|---|---|---|---|---|---|
| 1 | 2 | 3 | 4 | 5 | 6 |
| **बाजरा (संकर बाजरा)** | | | | | |
| बी.जे. 104<br>बी.डी. 111<br>बी.के. 560-230<br>आर.सी.बी. 2<br>एम.पी. 15<br>एम.एच. 36<br>सी.जे. 104<br>डब्ल्यु.सी.सी. 75 | बलुई दोमट मिट्टी का समतल खेत जो जल निकास युक्त हो, चुनें। प्रथम वर्षा के साथ एक अच्छी जुताई करें। बुवाई से 2-3 सप्ताह पूर्व 10-15 गाड़ी गोबर खाद मिट्टी में मिला दें। | 4-5 किलो प्रमाणित बीज बोयें, प्रथम वर्षा के साथ जून-जुलाई में बुवाई करें, 3 से 5 से.मी. गहरा बोयें, कतार से कतार 40-50 से.मी. और मि.ली. पौधे से पौधा 15 से.मी. दूर रखें। इन्टर क्रापिंग में बाजरे के साथ मूंग, मोठ, भारी मिट्टी में अरहर बोयें। | असिंचित फसल या 25 मिलीमीटर से कम वर्षा वाले क्षेत्र में 40 किलो नत्रजन एवं 20 किलो फॉस्फोरस तथ सिंचित या 25 सेन्टीमीटर से अधिक वर्षा के क्षेत्र में 60 किलो नत्रजन व 40 किलो फॉस्फेट दें। | आवश्यतानुसार सिंचाई दें। फूटान, सिट्टे निकलते समय व दाना बनते वक्त पानी की विशेष जरूरत होती है, उस समय सिंचाई अवश्य करें। निराई-गुडाई करके फसल में से तुरन्त घास-फूस निकाल दें। खरपतवार नष्ट करने हेतु एट्राजिन छिड़के। | क्षारीय लवणीय भूमि के लिए बीज का सोडियम साल्ट से, गूंदिया रोग नियंत्रण हेतु नमक घोल से बीजोपचार करें। कातरा कीट नष्ट करने हेतु बी.एच.सी. भुरकें। कंडुआ व जोगिया रोग नियंत्रण हेतु जाइनेव या डायथेन या बी.एच.सी. छिड़कें। |

## सारणी–29

### ज्वार की कुछ सुधरी हुई प्रजातियाँ और राजस्थान के लिए उपयुक्त उनके कुछ प्रमुख लक्षण

| फसल एवं उन्नत किस्में | खेत की तैयारी व जैविक खाद (खाद प्रति हैक्टेयर) | बुवाई और बीज मात्रा (प्रति हैक्टेयर) | रासायनिक उर्वरक प्रयोग (प्रति हैक्टेयर) | अन्तरा कृषि क्रियाएँ सिंचाई व निराई–गुड़ाई | कीड़े और बीमारियों से फसल–संख्या |
|---|---|---|---|---|---|
| 1 | 2 | 3 | 4 | 5 | 6 |
| **संकर ज्वार** | | | | | |
| संकर–5 मध्यम व अधिक वर्षा वाले क्षेत्र) संकर 1 कम वर्षा वाले क्षेत्र) संकर–6 मध्यम वर्षा वाले क्षेत्र | रेतीली दोमट भूमि का समतल खेत जल निकास युक्त हो, चुनें। वर्षा से पूर्व देशी हल, त्रिफाली या बक्खर से अच्छी जुताई करें। अन्तिम जुताई के समय 20–25 गाड़ी गोबर खाद डालकर मिट्टी में मिला दें। सफेद लट ग्रस्त भूमि में फोरेट या क्यूनालफास या एल्डीकार्ब से और दीमक ग्रस्त क्षेत्र में बी. एच. सी. एल्ड्रिन से भूमि उपचार करें। | 9–10 किलो प्रमाणित बीज वर्षा शुरू होते ही बोयें। बुवाई 4–5 से.मी. से अधिक गहरी न करें। कतारें 45 से.मी. और पौधे से पौधा 12–15 से.मी. दूर रखें। यदि बीज उपचारित नहीं हो तो पारद फफूंदनाशी थाइरम या गन्धक चूर्ण से बीजोपचार करें। इन्टर क्रापिंग में दलदली फसलें ज्वार की दो कतारों के बीच–बीच में बोयें। | कम वर्षा वाले क्षेत्र या असिंचित फसल में 40 किलो नत्रजन एवं 20 किलो फॉस्फेट और भारी वर्षा क्षेत्र या सिंचित फसल में 80 किलो नत्रजन व 40 किलो फॉस्फेट दें। बुवाई से पूर्व कतार में आधा नत्रजन व पूरा फॉस्फेट ऊर दें और शेष नत्रजन खड़ी फसल में वर्षा वाले दिन दें या उर्वरक देकर सिंचाई कर दे। | आवश्यतानुसार सिंचाई करें। सिट्टे निकलते वक्त पौधों को पानी की जरूरत रहती है, वर्षा नहीं हो तो उस वक्त सिंचाई जरूर करें। बुवाई के 15–20 दिन बाद निराई–गुड़ाई कर घास–फूस निकालें खरपतवार नष्ट करने हेतु रासायनिक भी आधा किलो एट्राजोन 600 लीटर पानी में घोल कर बुवाई के तुरन्त बाद छिड़कें। | पत्ती चिकत्ता, जोनेट पत्ती धब्बा अंगमारी एन्थ्रकनोज रोगों की रोकथाम हेतु प्रतिरोधी किस्में बोयें एवं प्रकोप होने पर जाइनेब छिड़कें। तनाछेदक के पतंगों को प्रकाशपाश से नष्ट करें व इनका प्रकोप कम करने के लिए एन्डोसल्फान, लिन्डेन या क्यूनालफॉस प्रयोग करें। |

**सारणी–30**

**चना की कुछ सुधरी हुई प्रजातियों और राजस्थान के लिए उपयुक्त उनके कुछ प्रमुख लक्षण**

| फसल एवं उन्नत किस्में | खेत की तैयारी व जैविक खाद (खाद प्रति हैक्टेयर) | बुवाई और बीज मात्रा (प्रति हैक्टेयर) | रासायनिक उर्वरक प्रयोग (प्रति हैक्टेयर) | अन्तरा कृषि क्रियाएँ सिंचाई व निराई–गुड़ाई | कीड़े और बीमारियों से फसल–संख्या |
|---|---|---|---|---|---|
| 1 | 2 | 3 | 4 | 5 | 6 |
| **चना** | | | | | |
| आर.एस. 10 (अजमेर, श्रीगंगानगर क्षेत्र) आर.एस. 11 (सिंचित क्षेत्र) सी. 235 (झालावाड़, भरतपुर, गंगानगर, सवाई माधोपुर, कोटा, जयपुर) जी. 130 (अजमेर, जयपुर जिले) एच. 208 (श्रीगंगानगर, एवं उदयपुर खण्ड) जी.एन.जी. 16 उदयपुर, कोटा असिंचित व श्री गंगानगर सिंचित क्षेत्र) आर. एस. जी. 2 (किरण) (हल्की मिट्टी व असिं) दोहद यलो (असिंचित क्षेत्र) | अच्छी वर्षा के बाद बाह आते ही जुताई करें जहाँ खरपतवार अधिक हो दुबारा जुताई करें। जहाँ सिंचाई व्यवस्था है और चना लिया जाता है, वहाँ आवश्यक हो तो, पलेवा देकर खेत तैयार करें। कटवर्म वायरवर्म, दीमक रोकथाम हेतु बी. एस. सी या हेप्टाक्लोर या क्लोरोडिन या एल्ड्रिन से भूमि उपचार करें। | असिंचित क्षेत्रों में बुवाई अक्टूबर के शुरू में या मानसून के तुरन्त बाद सिंचित क्षेत्र में नवम्बर के प्रथम सप्ताह में तथा धान उगाए गये क्षेत्र में दिसम्बर के मध्य बुवाई कर दें। 70–80 किलो उपचारित बीज बोयें। कतार से कतार की दूरी 30 से. मी. रखें। सिंचित में 5–7 से.मी. व असिंचित में 10 से.मी. गहरा बोयें। | मिट्टी परीक्षण पर दी गई सिफारिश के अनुसार उर्वरकों का प्रयोग करें। सामान्यत: असिंचित क्षेत्र में 10 किलो नत्रजन 40 किलो फॉस्फेट पहली जुताई के वक्त ऊर दें। | अधिकतर चने की बारानी फसल ली जाती है किन्तु जहाँ सिंचाई सुविधा हो, वहाँ मिट्टी व वर्षा को ध्यान में रखकर पहलीसिंचाई लगभग 45 दिन बाद और दूसरी फली आने पर करनी चाहिए। आवश्यकतानुसार खेत में निराई करके खरपतवार निकालें। पहली निराई–गुड़ाई 30–35 दिन बाद अवश्य करें। | यदि फसल में कटवर्म दिखाई दे तो ट्राईक्लोरोफोन या हैप्टाक्लोर या क्लोरोडेन भुरकें। फली छेदक के लिए कारबेयिल या मेलाथियान या क्यूनालफॉस भुरकें। फूल आने से पूर्व और फली लगने के बाद यह उपचार करें। आवश्यक हो तो छिड़काव पन्द्रह दिन बाद फिर दोहराएँ। बीज व उपचार व कीटनाशक के प्रयोग से मिश्रित उखटा रोग का भी नियन्त्रण होता है। |

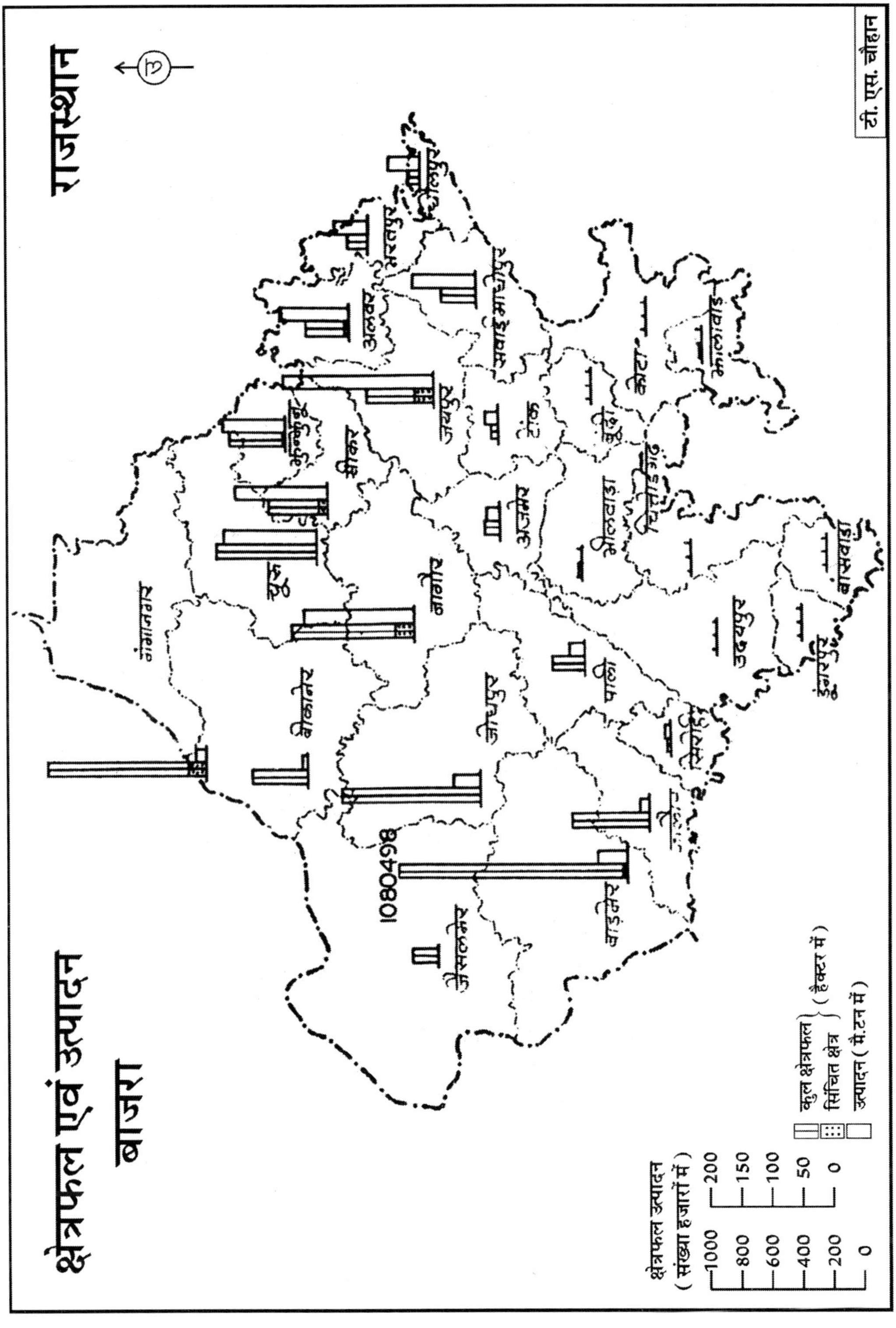
क्षेत्रफल एवं उत्पादन
बाजरा
राजस्थान
उ
टी. एस. चौहान
1080498
गंगानगर
बीकानेर
चूरू
झुंझुनूं
सीकर
अलवर
भरतपुर
धौलपुर
सवाई माधोपुर
जयपुर
टोंक
अजमेर
नागौर
जैसलमेर
जोधपुर
बाड़मेर
पाली
जालोर
सिरोही
भीलवाड़ा
बूंदी
कोटा
झालावाड़
चित्तौड़गढ़
उदयपुर
डूंगरपुर
बांसवाड़ा
क्षेत्रफल उत्पादन
( संख्या हजारों में )
1000 200
800 150
600 100
400 50
200 0
0
कुल क्षेत्रफल
सिंचित क्षेत्र
( हैक्टर में )
उत्पादन ( मी.टन में )

मानचित्र 56

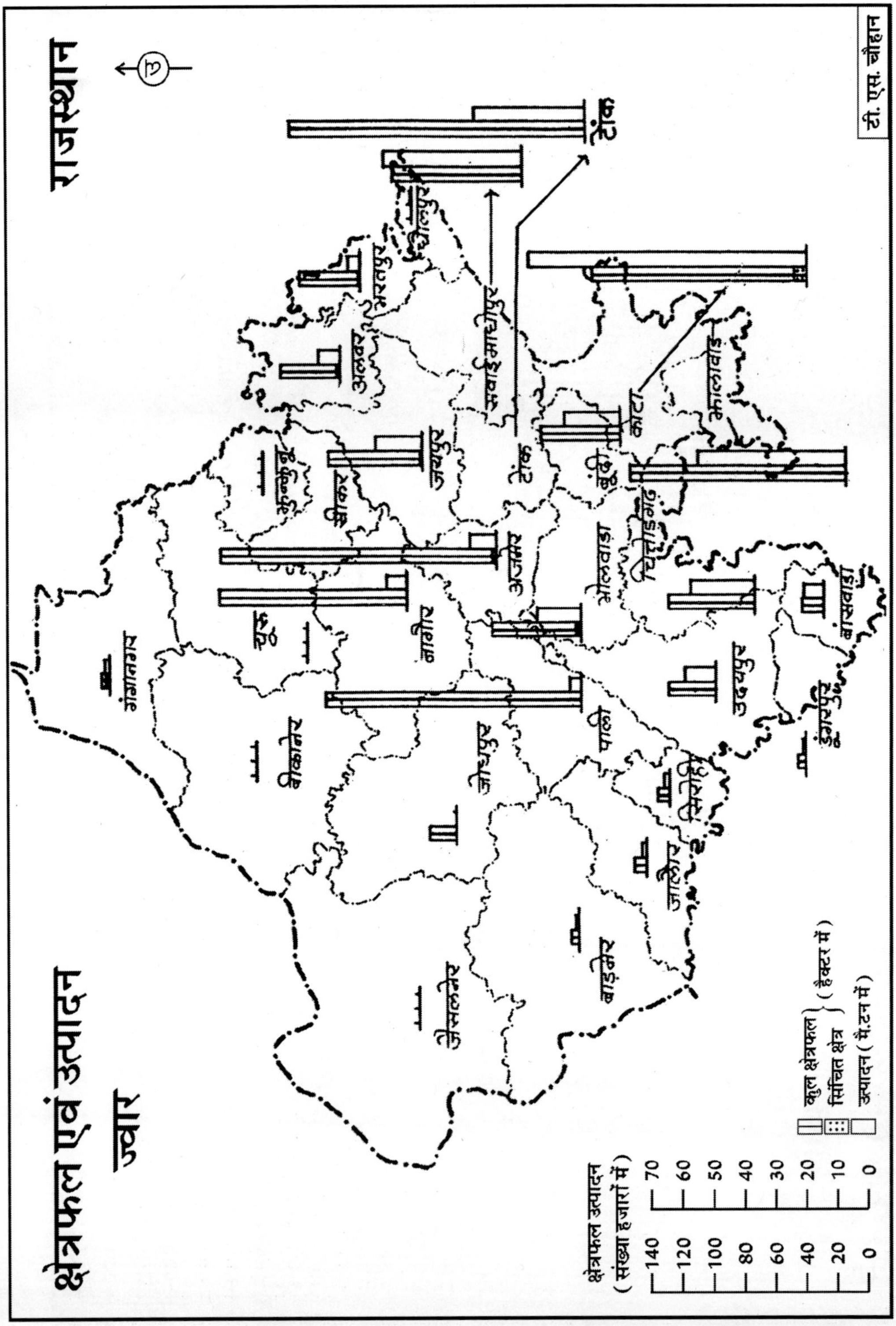
क्षेत्रफल एवं उत्पादन
ज्वार
राजस्थान
उ
टी. एस. चौहान
गंगानगर
बीकानेर
चुरू
झुन्झुनू
सीकर
अलवर
भरतपुर
धौलपुर
जयपुर
सवाईमाधोपुर
टोंक
अजमेर
नागौर
जोधपुर
जैसलमेर
बाड़मेर
जालौर
सिरोही
पाली
भीलवाड़ा
बूंदी
कोटा
झालावाड़
चित्तौड़गढ़
उदयपुर
डूंगरपुर
बांसवाड़ा
क्षेत्रफल उत्पादन
( संख्या हजारों में )
140 120 100 80 60 40 20 0
70 60 50 40 30 20 10 0
कुल क्षेत्रफल
सिंचित क्षेत्र
( हैक्टर में )
उत्पादन ( मै.टन में )
मानचित्र 57

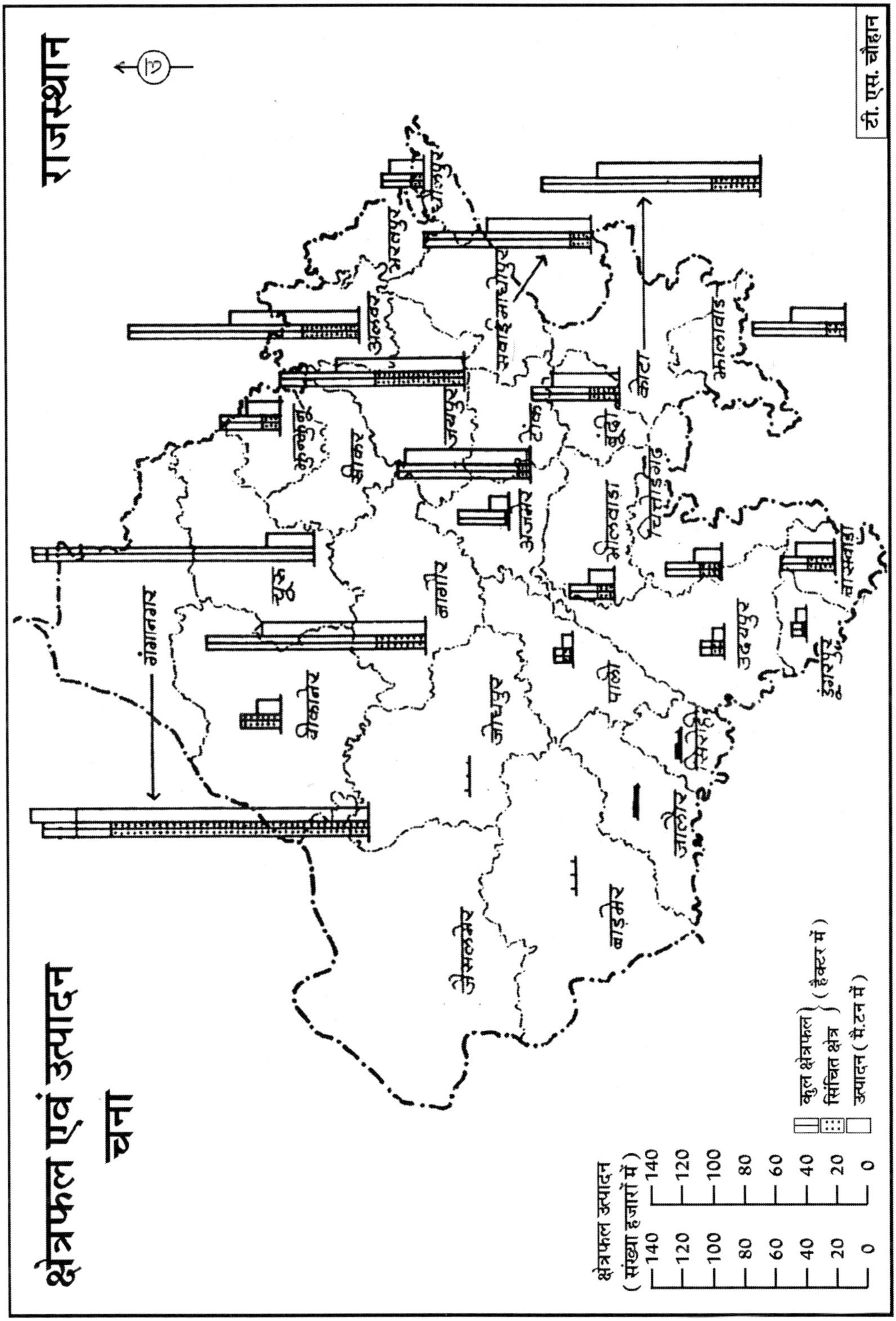
क्षेत्रफल एवं उत्पादन
चना
राजस्थान
उ
टी. एस. चौहान
गंगानगर
बीकानेर
चूरू
झुन्झुनूं
सीकर
अलवर
भरतपुर
धौलपुर
सवाईमाधोपुर
जयपुर
नागौर
अजमेर
टोंक
बूंदी
कोटा
झालावाड़
भीलवाड़ा
चित्तौड़गढ़
बांसवाड़ा
डूंगरपुर
उदयपुर
पाली
जोधपुर
सिरोही
जालौर
बाड़मेर
जैसलमेर
कुल क्षेत्रफल
सिंचित क्षेत्र
( हैक्टर में )
उत्पादन ( मै.टन में )
क्षेत्रफल उत्पादन
( संख्या हजारों में )
140 120 100 80 60 40 20 0

मानचित्र 58

### दालें

दालों की कृषि राजस्थान के कुल बोए हुए क्षेत्र का काफी बड़ा क्षेत्र आवृत्त करती हैं। चने को छोड़कर अन्य दालें 42.2 लाख टन (2017-18) आवृत्त करती हैं। यदि चने को भी शामिल किया जाए तो कुल शस्य क्षेत्र का लगभग 1/5 दालों के अन्तर्गत है। इस प्रकार बाजरा और दालों की कृषि कुल शस्य क्षेत्र का लगभग आधा आवृत्त करती है।

दालों के क्षेत्र का अधिकतम केन्द्रीयकरण राज्य के शुष्क और अर्द्धशुष्क प्रदेशों में पाया जाता है। दालों के अन्तर्गत क्षेत्र का लगभग 85.0 प्रतिशत जयपुर, झुंझुनूं, सीकर, नीमकाथाना, नागौर, डीडवाना, कुचामनसिटी, जोधपुर, बीकानेर, अनुपगढ़ और चुरू जिलों में है। अन्तिम चार जिले राज्य में दालों के अन्तर्गत क्षेत्र का लगभग आधा आवृत्त करते हैं।

### राई व सरसों

इसकी ''पूसा कल्याणी'' किस्म समस्त राजस्थान के लिए उपयुक्त है। 125 से 130 दिनों में पक कर तैयार होने वाली भूरे रंग के बीज वाली यह फसल औसतन 8 से 10 क्विंटल प्रति हैक्टर उपज देती है। इसके बीजों में 32 प्रतिशत तेल हेाता है। मानचित्र 59 का राई व सरसों का क्षेत्रफल एवं उत्पादन को दर्शाती है।

*राया एवं सरसों की सुधरी हुई प्रजातियाँ और राजस्थान के लिए उपयुक्त, उनके कुछ प्रमुख लक्षण :*

राया की उन्नत किस्में वरुणा (टी-59), दुर्गामणी व आर.एल. 18 है। वरुणा किस्म सम्पूर्ण राजस्थान के लिए उपयुक्त है। 125 दिन से 130 दिन में पक कर तैयार होने वाले काले रंग के मोटे दानों वाली यह किस्म औसतन 10-12 क्विं. प्रति हैक्टर उपज देती है। दानों में तेल 36 प्रतिशत होता है। बीकानेर एंव जयपुर खण्डों के कम नमी वाले क्षेत्रों के लिए दुर्गामणि किस्म व अधिक नमी वाले क्षेत्रों के लिए आर.एल.-18 किस्म उपयुक्त पाई गई है। (मानचित्र 59)

राय एवं सरसों सुधरी प्रजातियाँ और राजस्थान के लिए उपयुक्त उनके कुछ प्रमुख लक्षण (सारणी 31)।

### चावल

चावल के अन्तर्गत राजस्थान में 1.9 लाख टन क्षेत्रफल वर्ष 2017-18 में है। राज्य के कुल कृषि क्षेत्रफल का वह 0.8 प्रतिशत है। उन्नत किस्मों के अन्तर्गत 0.5 लाख हैक्टर क्षेत्रफल है। धान की बुआई वर्षाश्रित व सिंचित दोनों ही प्रकार के खेतों में की जाती है। वर्षाश्रित खेती का क्षेत्रफल (1.0 लाख हैक्टर) सिंचित खेती के क्षेत्रफल (0.4 लाख हैक्टर) की तुलना में काफी अधिक है। क्षेत्रफल व उत्पादन का समन्वय करते हुए विभिन्न जिलों में इस फसल का वितरण (मानचित्र 60) में दर्शाया गया है। राज्य स्तरीय औसत सूचकांक की तुलना में बांसवाड़ा, डूँगरपुर, श्रीगंगानगर व बूंदी जिले अग्रणी हैं जबकि उदयपुर, कोटा, चित्तौड़गढ़, सवाई माधोपुर व भरतपुर, धौलपुर में इस फसल का सूचकांक काफी कम है। (सारणी-32)

*चावल कुछ सुधरी हुई प्रजातियाँ और राजस्थान के लिए उपयुक्त उनके कुछ प्रमुख लक्षण :*

यह उष्ण व उपोष्ण जलवायु की फसल है। फसल की अच्छी पैदावार के लिए 25° से 30° से.ग्रे. व पकने के लिए 20° से 25° से.ग्रे. तापमान उपयुक्त है।

इस फसल के लिए पानी की बहुत आवश्यकता रहती है जो वर्षा से या सिंचाई से प्राप्त होना आवश्यक है। अच्छी जलधारण क्षमता वाली मृदाएँ धान की खेती के लिए उपयुक्त रहती हैं। दुमट, मटियारी, चिकनी मटियारी, काली मिट्टियाँ धान की खेती के लिए सबसे अच्छी मानी जाती है। लवणीय व क्षारीय मृदाओं में भी धान की उपयुक्त किस्मों की खेती की जा सकती है। मृदा की जलधारण क्षमता व अन्य गुणों को ध्यान में रखकर धान की किस्म का चुनाव किया जाता है। अच्छी जलधारण क्षमता वाली मृदाओं में देर से पकने वाली किस्में व कम जलधारण क्षमता वाली मृदाओं में जल्दी पकने वाली किस्में बोना लाभदायक है।

**सारणी–31**

**राई एवं सरसों कुछ सुधरी हुई प्रजातियाँ और राजस्थान के लिए उपयुक्त उनके कुछ प्रमुख लक्षण**

| फसल एवं उन्नत किस्में | खेत की तैयारी व जैविक खाद (खाद प्रति हैक्टेयर) | बुवाई और बीज मात्रा (प्रति हैक्टेयर) | रासायनिक उर्वरक प्रयोग (प्रति हैक्टेयर) | अन्तरा कृषि क्रियाएँ सिंचाई व निराई–गुड़ाई | कीड़े और बीमारियों से फसल–संख्या |
|---|---|---|---|---|---|
| 1 | 2 | 3 | 4 | 5 | 6 |
| **सरसों** | | | | | |
| पूसा कल्याणी (राजस्थान के सभी क्षेत्र बीकानेर खण्ड छोड़कर) राया वरुणा (टी. 59) (राजस्थान के सभी क्षेत्र) दुर्गामणि (जयपुर, बीकानेर खण्ड) आर. एल. 18 (बीकानेर खण्ड) | दोमट या हल्की दोमट भूमि के खेत में प्रथम जुताई मिट्टी पलटने वाले हल से वर्षा ऋतु में करें, बाद में 3–4 जुताई और कर खेत तैयार कर ले। जुताई के समय, सिंचित में 8–10 टन व असिंचित में 4–5 टन जैविक खाद डालें अन्तिम जुलाई के समय भूमिगत कीड़ों के नियन्त्रण करने हेतु बी. एच. सी. या एल्ड्रिन से भूमि उपचार करें। | सिंचित व असिंचित फसल अक्टूबर तक बो दें। सिंचित में 2.5 किलो बीज कतारों में 5 सेन्टीमीटर गहरा 30 से 45 सेन्टीमीटर के फासले पर बो दें। असिंचित में गहराई नमी के अनुसार रखें। बीज को मैन्कोजेब से उपचार करके बोये। | सिंचित फसल में 60 किलो नत्रजन एवं 30–40 किलो फॉस्फोरस व जिप्सम डालना चाहिए।नत्र– जन की आधी मात्रा एवं पूरा फॉस्फोरस व जिप्सम बुवाई के समय ऊर दें और शेष नत्रजन फसल में सिंचाई के साथ दें श्रीगंगानगर में जिप्सम देने की जरूरत नहीं है। असिंचित क्षेत्र में उर्वरकों की आधी मात्रा बुवाई के समय डालें। | फसल में प्रथम सिंचाई 40–60 दिन बाद फूल आने से पूर्व करें। बाद में आवश्यकतानुसार दूसरी सिंचाई 70–80 दिन में दें। बुवाई के 20–25 दिन बाद निराई के साथ छटाई करें। पौधों की दूरी 8–10 से.मी. कर दें। प्याजी की रोकथाम हेतु वैसलिन सक्रिय तत्त्व का छिड़काव करें। | आरा मक्खी, पेन्टड बग नियन्त्रण का करने हेतु बी. एच. सी. मेलाथियान या कारबेरिल भुरकें। हिरक तितली की रोकथाम के लिए क्युनालफॉस और एफिडस हेतु मैथा–थियान या एण्डो– सल्फान छिड़कें। झुलसाऔर तुलासिता के लिए जाइनेव और छाछियाँ हेतु गन्धक छिड़कें। आग्या के नियंत्रण के लिए रोग रोधी किस्म 'दुर्गामणी' बोएं। |

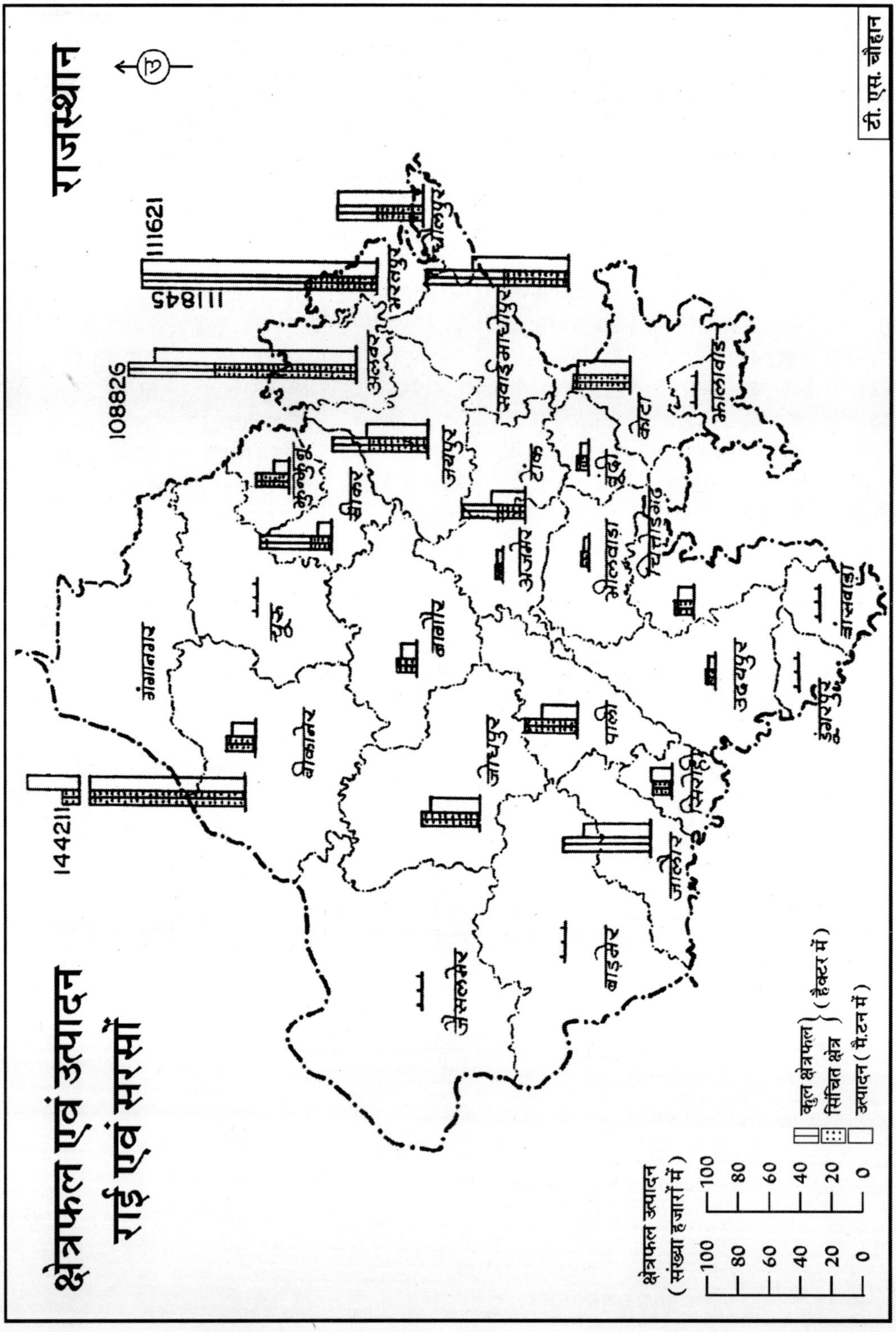
क्षेत्रफल एवं उत्पादन
राई एवं सरसों
राजस्थान
उ
टी. एस. चौहान
क्षेत्रफल उत्पादन
( संख्या हजारों में )
100 80 60 40 20 0
कुल क्षेत्रफल
सिंचित क्षेत्र
( हैक्टर में )
उत्पादन ( मै.टन में )
144211
108826
111845
111621
गंगानगर
बीकानेर
चूरू
झुंझुनूं
सीकर
अलवर
भरतपुर
धौलपुर
जयपुर
सवाईमाधोपुर
टोंक
अजमेर
नागौर
जोधपुर
जैसलमेर
बाड़मेर
जालोर
सिरोही
पाली
भीलवाड़ा
बूंदी
कोटा
झालावाड़
चित्तौड़गढ़
उदयपुर
डूंगरपुर
बांसवाड़ा

मानचित्र 59

### सारणी-32
### चावल की कुछ सुधरी हुई प्रजातियाँ और राजस्थान के लिए उपयुक्त उनके कुछ प्रमुख लक्षण

| फसल एवं उन्नत किस्में | खेत की तैयारी व जैविक खाद (खाद प्रति हैक्टेयर) | बुवाई और बीज मात्रा (प्रति हैक्टेयर) | रासायनिक उर्वरक प्रयोग (प्रति हैक्टेयर) | अन्तरा कृषि क्रियाएँ सिंचाई व निराई-गुड़ाई | कीड़े और बीमारियों से फसल-संख्या |
|---|---|---|---|---|---|
| **चावल** | | | | | |
| रतना, बाला, पूसा-221, चम्बल, जया | समतल खेत चुनें जिसमें जल निकास का प्रबन्ध हो, रोपाई से तीन सप्ताह पूर्व 25-30 गाड़ी गोबर खाद डालें और खेत में पानी भर कर अच्छा गारा तैयार करें। पौध-नर्सरी में दस मीटर लम्बी व एक मीटर चौड़ी क्यारियाँ तैयार कर लें। भूमि उपचार करें। | मई के अन्त से जून के प्रथम या द्वितीय सप्ताह तक नर्सरी लगा दें। प्रति वर्ग मीटर 50-60 ग्राम बीज बोयें। 20-30 दिन की स्वस्थ पौध की खेत में रोपाई करें, 20 से.मी. दूर की कतार में 15 से.मी. फासले पर 2-3 पौध लगाएं। बुवाई से पूर्व बीज को सोडियम हाइपो क्लोराइड से व पारद फफूंद नाशी से उपचारित करें। | 80-120 किलो नत्र- जन, 40-60 किलो फॉस्फोरस 30-45 किलो पोटाश डालें। अन्तिम गारा करते वक्त आधा नत्रजन और पूरा फॉस्फोरस व पोटाश डाल दें, शेष नत्रजन दो बार बराबर-बराबर क्रमश: कल्ले व बालियाँ निकलने से पूर्व दें। | खेत में 5 से.मी. पानी भरा रहने दें। नत्रजन देने के 1-2 दिन पूर्व पानी निकाल दें, बाद में 24 घण्टे में फिर पानी दें। फसल पकने के दो सप्ताह पूर्व पानी निकाल दें। खरपतवार उखाड़ते रहें। इनके नियन्त्रण के लिए बेन्थीयोकार्ब ब्यूटाक्लोर एवं स्टेन एफ. 34 को क्रमश: 3-5, 5-6 व 15-20 दिन बाद छिड़कें। | तना छेदक व फुदका कीड़ों की रोकथाम हेतु एण्डोसल्फान या मोनोक्रोटोफॉस के प्रति तीन पखवाड़े छिड़कावकरें गंधीबग हेतु कारबेरिल या बी. एच. सी. भुरकें। जीवाणु अंगमारी रोग नियन्त्रण हेतु एग्रो- माइसीन या कोसा-माइसीन के दो छिड़काव के घोल में जाइनेव भी मिला दें। |

**गन्ना**

यह श्री गंगानगर, उदयपुर, चित्तौड़गढ़, कोटा, बूंदी, भरतपुर, धौलपुर व सवाई माधोपुर जिलों में मुख्य रूप से उगाया जा सकता है। (मानचित्र 62) इसकी खेती के लिए जल निकास युक्त दोमट मिट्टी उपयुक्त है। 2017-18 में गन्ने का उत्पादन 3.82 लाख टन हुआ।

मृदा क्षारीय नहीं होनी चाहिए। कोटा व उदयपुर खण्डों के लिए गन्ना की किस्म "को-449, को-527, को-1007, को-927 एवं को-419 किस्में" उपयुक्त हैं। श्री गंगानगर खण्ड के लिए को.ल.-29 व को-1253 किस्में उपयुक्त है। सवाई माधोपुर, भरतपुर व अलवार पाई गई हैं। बुआई से पूर्व बीज के टुकड़ों को घुलनशील पारद फफूंदनाशी के घोल से उपचारित किया जाता है। गन्ने की बुआई मार्च व अक्टूबर में की जा सकती है। कतार से कतार की दूरी 75 से.मी. रखी जाती है। इस फसल को नत्रजन अधिक मात्रा में आवश्यक है।

इस फसल को लगने वाले मुख्य कीट-दीमक, छेदक, पायरिला व सफेद मक्खी हैं। मुख्य रोगों में लाल सड़न रोग, कण्डवा रोग, पत्ती का सफेद पड़ना आदि।

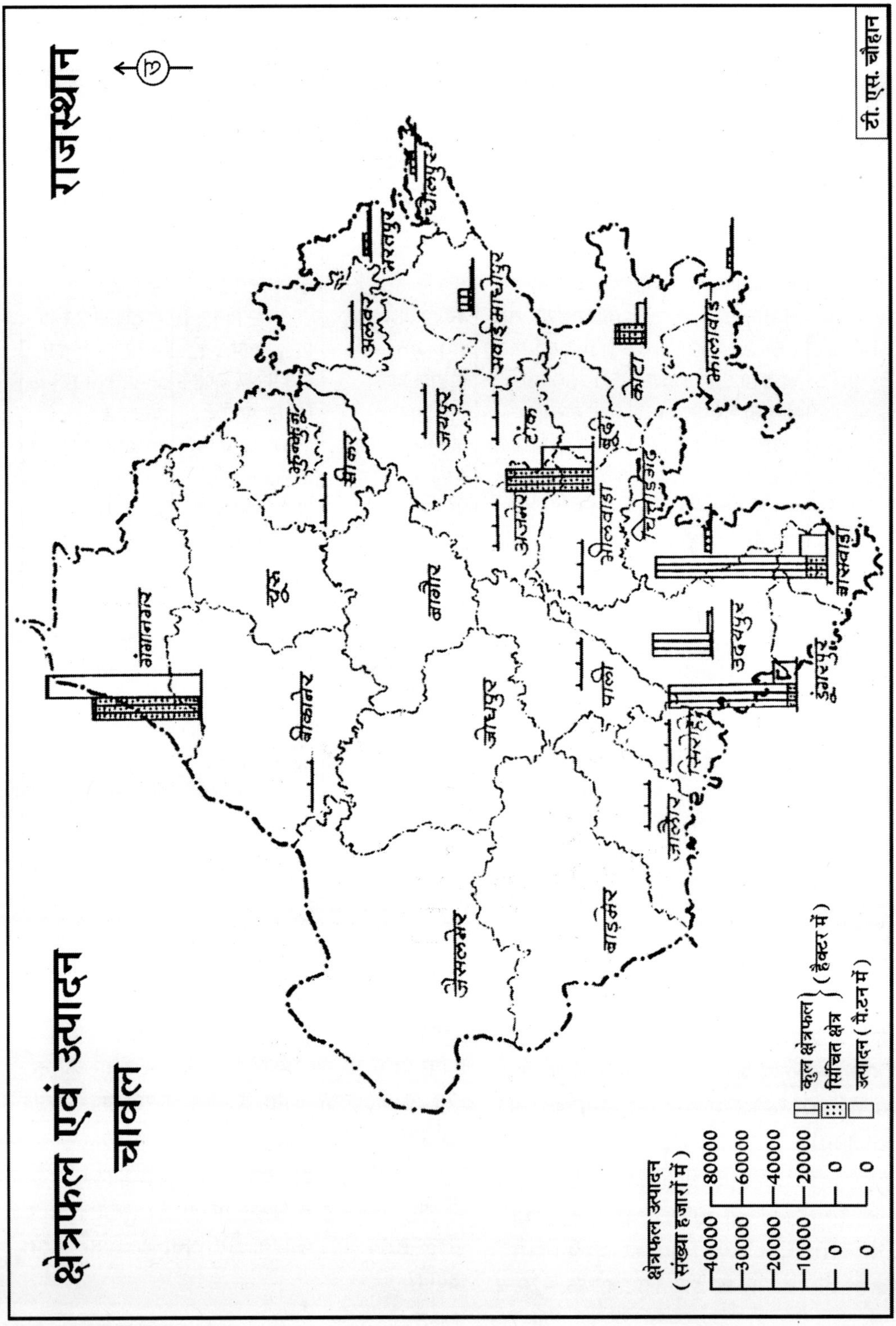
क्षेत्रफल एवं उत्पादन
चावल
राजस्थान
उ
टी. एस. चौहान
गंगानगर
बीकानेर
चूरू
झुन्झुनूं
सीकर
अलवर
भरतपुर
धौलपुर
जयपुर
सवाई माधोपुर
टोंक
अजमेर
नागौर
जोधपुर
जैसलमेर
बाड़मेर
जालौर
सिरोही
पाली
उदयपुर
डूंगरपुर
बांसवाड़ा
चित्तौड़गढ़
भीलवाड़ा
बूंदी
कोटा
झालावाड़
क्षेत्रफल उत्पादन
( संख्या हजारों में )
40000 80000
30000 60000
20000 40000
10000 20000
0 0
0 0
कुल क्षेत्रफल
सिंचित क्षेत्र
( हैक्टर में )
उत्पादन ( मै.टन में )

मानचित्र 60

**सारणी–33**

**गन्ना की कुछ सुधरी हुई प्रजातियाँ और राजस्थान के लिए उपयुक्त उनके कुछ प्रमुख लक्षण**

| फसल एवं उन्नत किस्में | खेत की तैयारी व जैविक खाद (खाद प्रति हैक्टेयर) | बुवाई और बीज मात्रा (प्रति हैक्टेयर) | रासायनिक उर्वरक प्रयोग (प्रति हैक्टेयर) | अन्तरा कृषि क्रियाएँ सिंचाई व निराई–गुड़ाई | कीड़े और बीमारियों से फसल–संख्या |
|---|---|---|---|---|---|
| 1 | 2 | 3 | 4 | 5 | 6 |
| **गन्ना** | | | | | |
| को. 449, 419 को. 997, को. 527 को. 1007, को. 1111 को. 1253 एवं को. ल. | दोमट या मध्य चिकनी मिट्टी जो क्षारीय नहीं हो व जल निकास हो चुने व अच्छी जुताई करें व पाटा चलाए। अन्तिम जुताई के वक्त 25–30 टन गोबर खाद डाल दें। भूमिगतकीट नियंत्रण हेतु बी. एच. सी. या एल्ड्रिन या हेप्टाक्लोर या क्लोरोडेन से भूमि उपचार करें। | कोटा व उदयपुर क्षेत्र में मध्य फरवरी से मध्य मार्च तक फसल बो दें। शीतकालीन बुवाई अक्टूबर मध्य तक कर दें। अंकुरण कम हो तो 25–30 दिन बाद रोपणी कर दें। गन्ने के टुकड़ों का बुवाई से पूर्व पारा फफूंदनाशी से उपचार करें। तीन आँख के टुकड़े सपाट विधि से बोएं। खेत में 75–90 से.मी. दूर कूंड निकालें व इनमें कीट नियंत्रण औषधि व उर्वरक डाल कर गना बोयें व पाटा चलाए। | कोटा व उदयपुर क्षेत्र में 150 किलो नत्रजन व 60 किलो फॉस्फेट, व 40 किलो पोटाश और श्रीगंगानगर क्षेत्र में 120–125 किलो नत्रजन, 45–50 किलो फॉस्फेट व 30–40 किलो पोटाश बुवाई से पूर्व कूंडों में डालें। शेष नत्रजन 15 जून एवं 15 जुलाई के लगभग खड़ी फसल में दें। फसल को गिरने से बचाने हेतु गन्ने से बांध दें। | वर्षा से पूर्व कोटा एवं उदयपुर क्षेत्र में 10–15 दिन तथा गंगानगर क्षेत्र में 10 दिन के अन्तर से सिंचाई करें। खरपतवार नष्ट करने हेतु साइमेजिन दवा छिड़के, शीतकालीन फसल में नहीं छिड़कें। अंकुरण के बाद सूखी पत्तियाँ बिछाकर के भी खरपतवार नियंत्रण कर सकते हैं। | अंकुर तना, व शीर्ष छेदक, पायरिल्ला व सफेद मक्खी नियंत्रण हेतु मोनो–क्रोटोफॉस या मेलाथियान या एण्डोसल्फान छिड़कें। लालसड़न कण्डवा रोग नियंत्रण हेतु रोधक किस्में बोयें। सफेद पत्ती रोग होने पर हराकसिस या टाट्रिक छिड़कें व ग्रासीनतारोग नियंत्रण के लिए बीज नर्सरी से लें एवं रोगी पौधे उखाड़ दें। |

उचित औषधियों के प्रयोग से इन पर नियंत्रण पाया जा सकता है।

एक बार बोने के बाद लगातार तीन फसलें ली जा सकती हैं। गन्ने की पैदावार 65 से 85 टन प्रति हैक्टर ली जा सकती है। (सारणी–33)

## तिल और मूँगफली

तेल बीजों में तिल और मूँगफली राजस्थान में उगाई जाने वाली सबसे महत्त्वपूर्ण फसलें हैं। तिलों से, दक्षिण की तरह इस राज्य में भी घरेलू उपयोग के लिए बहुत काम का तेल पाया जाता है। उच्च कोटि का तिल

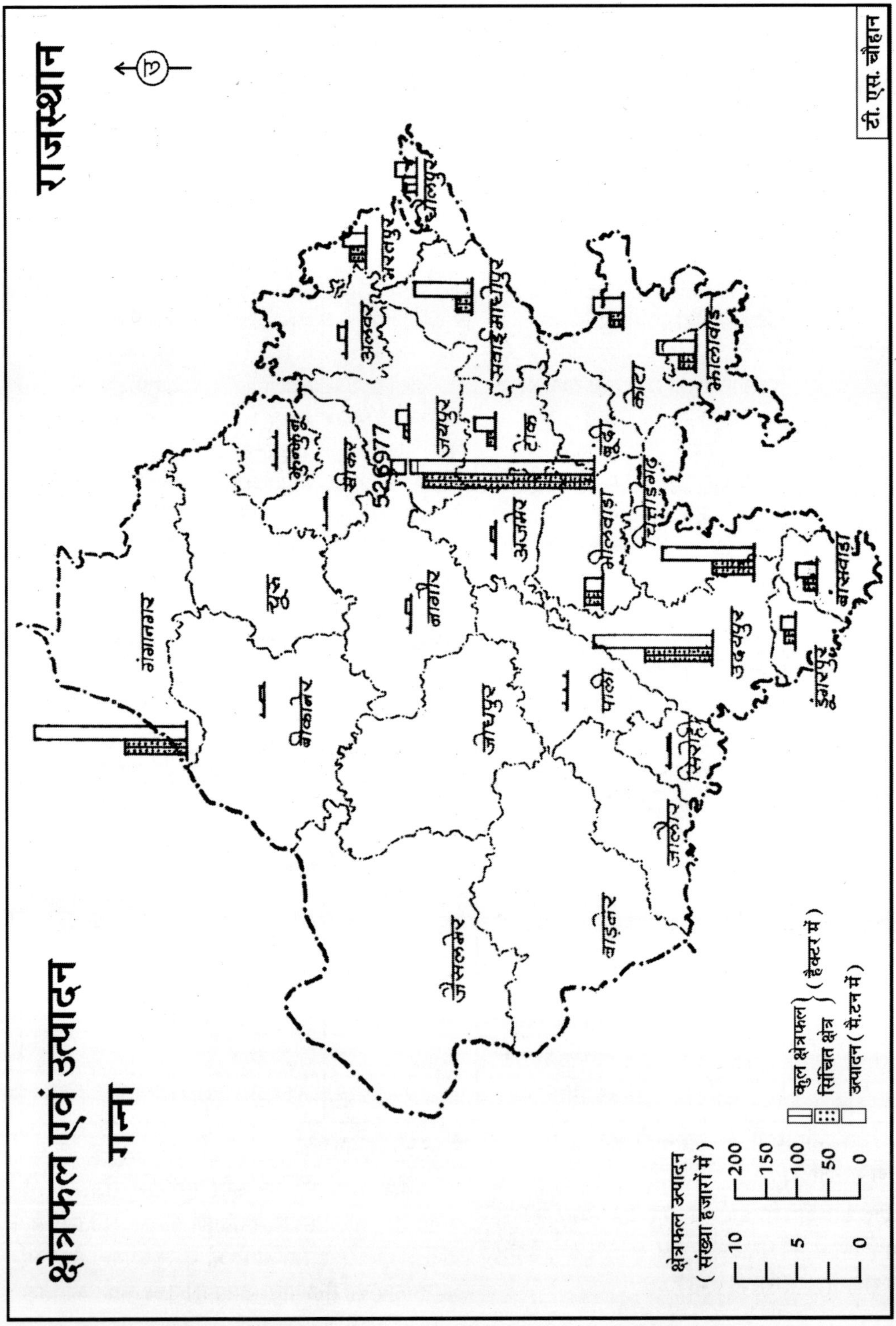
राजस्थान
क्षेत्रफल एवं उत्पादन
गन्ना
उ
टी. एस. चौहान
गंगानगर
बीकानेर
चूरू
झुन्झुनूं
सीकर
अलवर
भरतपुर
धौलपुर
जयपुर
सवाईमाधोपुर
नागौर
अजमेर
टोंक
बूंदी
कोटा
झालावाड़
जैसलमेर
जोधपुर
बाड़मेर
पाली
जालौर
सिरोही
भीलवाड़ा
चित्तौड़गढ़
उदयपुर
डूंगरपुर
बांसवाड़ा
526977
क्षेत्रफल उत्पादन
( संख्या हजारों में )
10
5
0
200
150
100
50
0
कुल क्षेत्रफल
सिंचित क्षेत्र
( हैक्टर में )
उत्पादन ( मै.टन में )

मानचित्र 61

का तेल खाना पकाने के लिए प्रयुक्त होता है, जब कि साधारण कोटि का तेल साबुन बनाने के काम आता है। इसके बीज खाए जाते हैं।

राजस्थान में यह खरीफ फसल की तरह बोया जाता है। इसकी कृषि मैदानों और भूमि के उठे हुए भागों में समान रूप से सीमित है। तिल वहाँ अच्छा उगता है जहाँ ज्यादा गर्म महिनों का ताप 21° सेन्टीग्रेट या इससे अधिक होता है। यह उन क्षेत्रों में वर्षा-पोषित फसल की तरह उगाया जाता है जहां फसली ऋतु में वर्षा 50 सेन्टीमीटर से अधिक होती है। फसल के पकने में 3-4 महिने लग जाते हैं। दोनों फसलों के लिए मिट्टी की तैयारी पहली बारिश मुख्यत: जून के अन्त और जुलाई के प्रारम्भ से की जाती है। बुवाई का समय मध्य जुलाई से मध्य अगस्त तक होता है। कटाई सितम्बर के अन्त में प्रारम्भ होती है और अक्टूबर तक चलती है।

राजस्थान भारत का लगभग 10.0 प्रतिशत तिल उत्पन्न करता है। तिल के अन्तर्गत क्षेत्र का लगभग 3/5 पाली, नागौर, जालौर, सिरोही, बाँसवाड़ और अजमेर जिलों में पाया जाता है। अधिकांश मूँगफली क्षेत्र, यानि लगभग 4/5 चित्तौड़गढ़, सवाई माधोपुर, जयपुर, उदयपुर, भीलवाड़ा, भरतपुर और झालावाड़ जिलों में है। (मानचित्र 62) में मूँगफली का उत्पादन एवं क्षेत्रफल को दर्शाया गया है। तिल और मूँगफली की कुछ सुधरी हुई प्रजातियाँ और राजस्थान के लिए उपयुक्त उनके प्रमुख लक्षण (सारणी-34)।

**सारणी-34**

**तिल और मूँगफली की कुछ सुधरी हुई प्रजातियाँ और राजस्थान के लिए उपयुक्त उनके कुछ प्रमुख लक्षण**

| फसल एवं उन्नत किस्में | खेत की तैयारी व जैविक खाद (खाद प्रति हैक्टेयर) | बुवाई और बीज मात्रा (प्रति हैक्टेयर) | रासायनिक उर्वरक प्रयोग (प्रति हैक्टेयर) | अन्तरा कृषि क्रियाएँ सिंचाई व निराई-गुड़ाई | कीड़े और बीमारियों से फसल-संख्या |
|---|---|---|---|---|---|
| 1 | 2 | 3 | 4 | 5 | 6 |
| **मूँगफली** | | | | | |
| आर. एस. 1 (फैलने वाली किस्म) आर. एस. 57 (अर्द्ध विस्तारी) ए. क. 12-24 (झूमका किस्म) एम. 13 (फैलने वाली किस्म) | फैलने वाली किस्म की खेती के लिए रेतीली दुमट व झूमका के लिए भारी मटियार भूमि चुने। एक बार मिट्टी पलटने वाले हल से और बाद में देशी हल या हेरो से 2-3 बार जुताई कर मिट्टी को भुरभुरी कर लें। | झूमका में 100 कि. बीज बोयें। कतारें 30 से.मी. व पौधे से पौधा 1.5 से.मी. दूर रखें। फैलने वाली किस्म का 80-90 किलो बीज बोयें कतारें 40-50 से.मी. व पौधे से पौधा 20-25 से.मी. दूर रखें। | खेत में 15 किलो नत्रजन व 60 किलो फॉस्फेट बुवाई से पूर्व नायले से ऊरा दें। बीज थीरम या कप्तान से बाद में क्लोरोपायरीफॉस से और फिर राईजोबियम कल्चर से उपचार करके बोयें। | आवश्यकतानुसार एक दो सिंचाई कर विशेष रूप से फूल आने और दाना बनते वक्त पानी दें। 40 दिन निराई-गुड़ाई नहीं करें। बुवाई के एक माह बाद झूमका वाली फसल में मिट्टी चढ़ायें। | फसल में दीमक होने पर एल्ड्रिन सिंचाई के साथ दें। कातरा नष्ट करने हेतु बी.एच.सी. या क्यूनॉलफास या पेराथियान भुरकें। मोयला का नियंत्रण करने हेतु मेलाथियान व टिक्का रोग की रोकथाम हेतु बेबीस्टीन छिड़कें। |

| 1 | 2 | 3 | 4 | 5 | 6 |
|---|---|---|---|---|---|
| **तिल** | | | | | |
| प्रताप (सी. 50) (शाखा रहित किस्म) टाइप 13 (शाखा वाली किस्म) टी.सी. 25 (शाखा वाली किस्म) | मानसून की पहली वर्षा आते ही एक जुताई करें। | प्रथम मानसून (जुलाई प्रथम सप्ताह) के बाद बुवाई कर दें। दो ढ़ाई किलो बीज बोयें। शाखावाली में कतारें 35 से.मी. व पौधे से पौधा 15 से.मी. और शाखा रहित में कतारें 30 से.मी. व पौधे 10 से.मी. दूर रखें। | निश्चित वर्षा क्षेत्र में 20 किलो फॉस्फेट डालें। आधा नत्रजन व पूरा फॉस्फेट बुवाई पूर्व कूड में नायले से ऊर दें। शेष नत्रजन बुवाई के 4–5 सप्ताह बाद हल्की वर्षा के साथ भुरक दें। कम वर्षा वाले क्षेत्र में मात्रा कम कर दें। | खरपतवार नष्ट करने हेतु बुवाई के एक महिने बाद कुदाली या हेण्ड हो से गुड़ाई कर दें। | पत्ती व फली छेदक नियंत्रण हेतु मोनोक्रोटोफॉस या सेवीमोल छिड़कें। गाल मक्खी, फड़का, सैन्यकीट नियंत्रण हेतु बी. एच. सी. प्रयोग करें। झुलसा व अंगमारी नियंत्रण हेतु जाइनेव या केप्टान छिड़कें। |

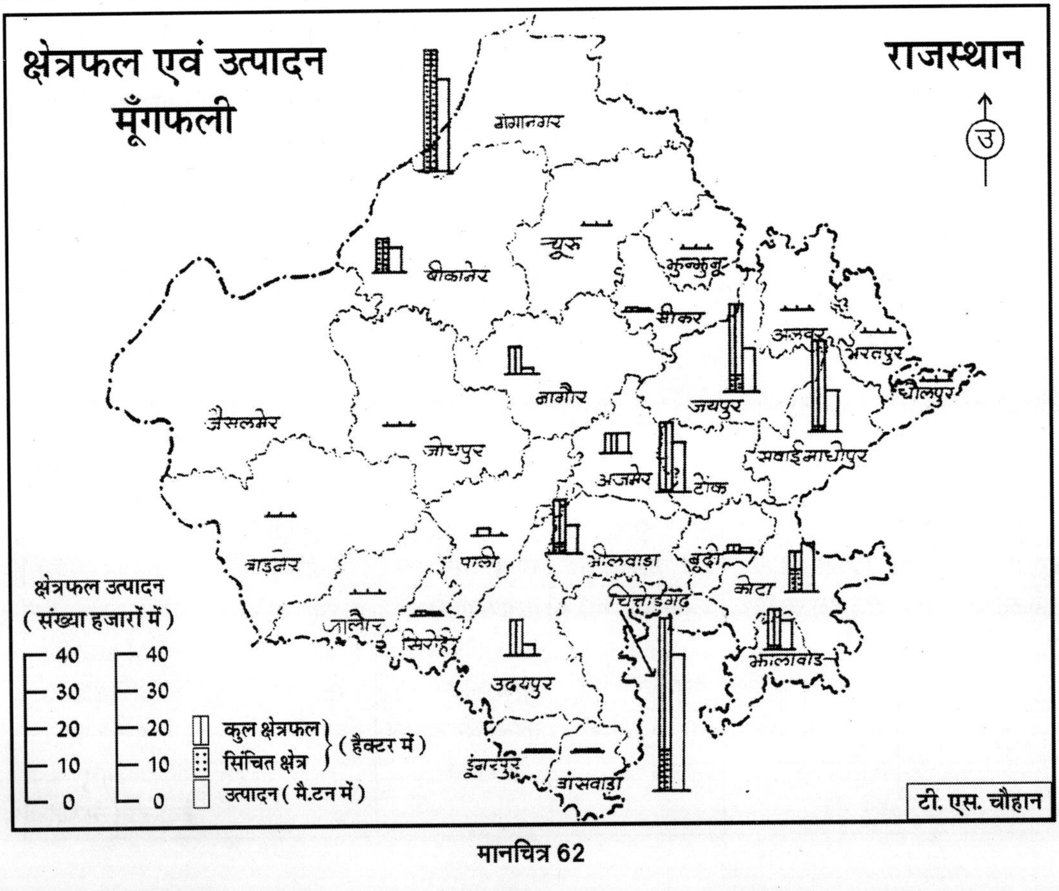


मानचित्र 62

**कपास**

राजस्थान में कपास उत्पादक प्रदेशों के अंग नहीं है। यह फसल 18.93 लाख गाँठ आवृत्त करती है (2017-18)। केवल गंगानगर के कपास के अन्तर्गत क्षेत्र का लगभग 30 प्रतिशत है, जबकि लगभग तीन चौथाई क्षेत्र, उदयपुर, चित्तौड़गढ़, भीलवाड़ा, अजमेर और झालावाड़ के दक्षिण पूर्वी जिलों में केन्द्रित है। भारत के प्रमुख कपास उत्पादक प्रदेशों के समान कपास की खेती मिट्टी के वितरण से बहुत निकट रूप से सम्बन्धित है। राजस्थान में मुख्य कपास उत्पादक क्षेत्र वहाँ स्थित है जहाँ लाल और पीली मिट्टियाँ, मिश्रित लाल और काली मिट्टियाँ मिलती हैं तथा मध्यम काली मिट्टी के प्रदेशों में भी।

कपास की खेती के लिए मिट्टी अप्रेल के महिने में तैयार की जाती है। बुवाई अप्रेल के दूसरे सप्ताह से प्रारम्भ होती है और मध्य जून तक चलती है। कपास के पौधे के लिए पानी की आवश्यकता को उपयुक्त अन्तरों पर रखना होता है। फसल को चार बार पानी दिया जाता है, यानि मई और जून के प्रारम्भ और अन्त में और यदि वर्षा न हुई तो पाँचवी बार पानी अक्टूबर के अन्त में दिया जाता है। कपास की चुनाई उसकी प्रजाति और बोने के समय पर निर्भर करती है। साधारणतया चुनाई सितम्बर के अन्त से प्रारम्भ होती है और दिसम्बर के अन्त तक चलती है। कपास की खेती में मिट्टी और जल प्रदाय बड़े महत्त्व के हैं, चाहे वह वर्षा द्वारा हो अथवा सिंचाई से। बहुत अधिक वर्षा से वनस्पति की बाढ़ अत्यधिक हो जाती है और पौधे की बाढ़ मारी जाती है। (मानचित्र 64) में कपास का क्षेत्रफल एवं उत्पादन को दर्शाया गया कपास की कुछ सुधरी हुई प्रजातियाँ और राजस्थान के लिए उपयुक्त उनके कुछ प्रमुख लक्षण। (सारणी-35)

**संयोजन फसल**

राजस्थान के कुछ क्षेत्रों में तापमान व आर्द्रता का वितरण एवं परास इतना अनुकूल है कि जहाँ पर्याप्त सुविधा उपलब्ध है वहाँ एक वर्ष में एक के बाद एक तीन फसलें लगातार उगाई जा सकती हैं। अपर्याप्त सिंचाई साधनों के क्षेत्र में यह संभव नहीं हो पाता और केवल एक या दो ही फसलें एक खेत में एक वर्ष में बोई जा सकती हैं। किसी एक खेत में एक वर्ष की अवधि में फसलों के उगाने को ''संयोजन फसल'' कहते हैं। कुछ क्षेत्रों में खरीफ या रबी मौसम में एक ही फसल उगाई जाती है तो अन्य क्षेत्रों में खरीफ में फसल लेकर फिर उस खेत में रबी मौसम में दूसरी फसल ली जाती है। जहाँ सिंचाई के पर्याप्त साधन हों वहाँ उसी खेत में जायद की फसल भी तीसरी फसल के रूप में ली जा सकती है। वर्षाश्रित एवं नमी संरक्षित खेती में कहीं-कहीं मिश्रित खेती प्रचलन में है। बाजरा-मूँग, बाजरा-मोठ, बाजरा-तिल, ज्वार- उड़द, चना-सरसों आदि की मिश्रित खेती प्राय: की जाती है। जहाँ पर्याप्त सिंचाई सुविधाएँ उपलब्ध हैं वहाँ सघन खेती संभव है। सिंचाई के अतिरिक्त कुशल व सामान्य श्रमिकों, आवश्यक उर्वरकों, पौध संरक्षण औषधियों, कृषि यंत्रों आदि की उपलब्धता एवं अनाज भंडारण व विपणन की पर्याप्त सुविधा सघन खेती के क्षेत्रों के लिए आवश्यक है।

राजस्थान में विभिन्न फसलों के अन्तर्गत क्षेत्रफल की दृष्टि से कुल काश्त का लगभग 50 प्रतिशत क्षेत्र में मिलेट्स व सिरियल का फैलाव है। इन फसलों में भी आधे से अधिक क्षेत्रफल बाजरे का है। राज्य के कुल कृषि क्षेत्रफल का लगभग एक चौथाई भाग बाजरे के अन्तर्गत है। गेहूँ का नम्बर बाजरे के बाद दूसरे स्थान पर आता है और इस फसल का फैलाव लगभग 10 प्रतिशत क्षेत्रफल में है। जौ के अन्तर्गत 2.5 प्रतिशत क्षेत्र है, चावल व लघुतर मिलेट्स भी काफी कम क्षेत्र में बोये जाते हैं। मक्का व ज्वार के अन्तर्गत लगभग बराबर क्षेत्रफल हैं। दलहनी फसलों में चना के अन्तर्गत सर्वाधिक क्षेत्र हैं इस फसल की खेती समस्त काश्त के लगभग 10 प्रतिशत क्षेत्रफल में हो रही है। खरीफ दलहनों का क्षेत्रफल भी चने के क्षेत्रफल से केवल एक प्रतिशत ही कम है। अरहर व रबी दलहनों के फैलाव बराबर क्षेत्रफल हैं। तिलहनी फसलों में राई व सरसों के अन्तर्गत सर्वाधिक क्षेत्रफल है जिसके बाद में तिल का स्थान दूसरे नम्बर पर आता है। मूँगफली के अन्तर्गत कुल काश्त का लगभग एक प्रतिशत क्षेत्रफल है। अलसी का फैलाव आधे प्रतिशत क्षेत्र में ही है।

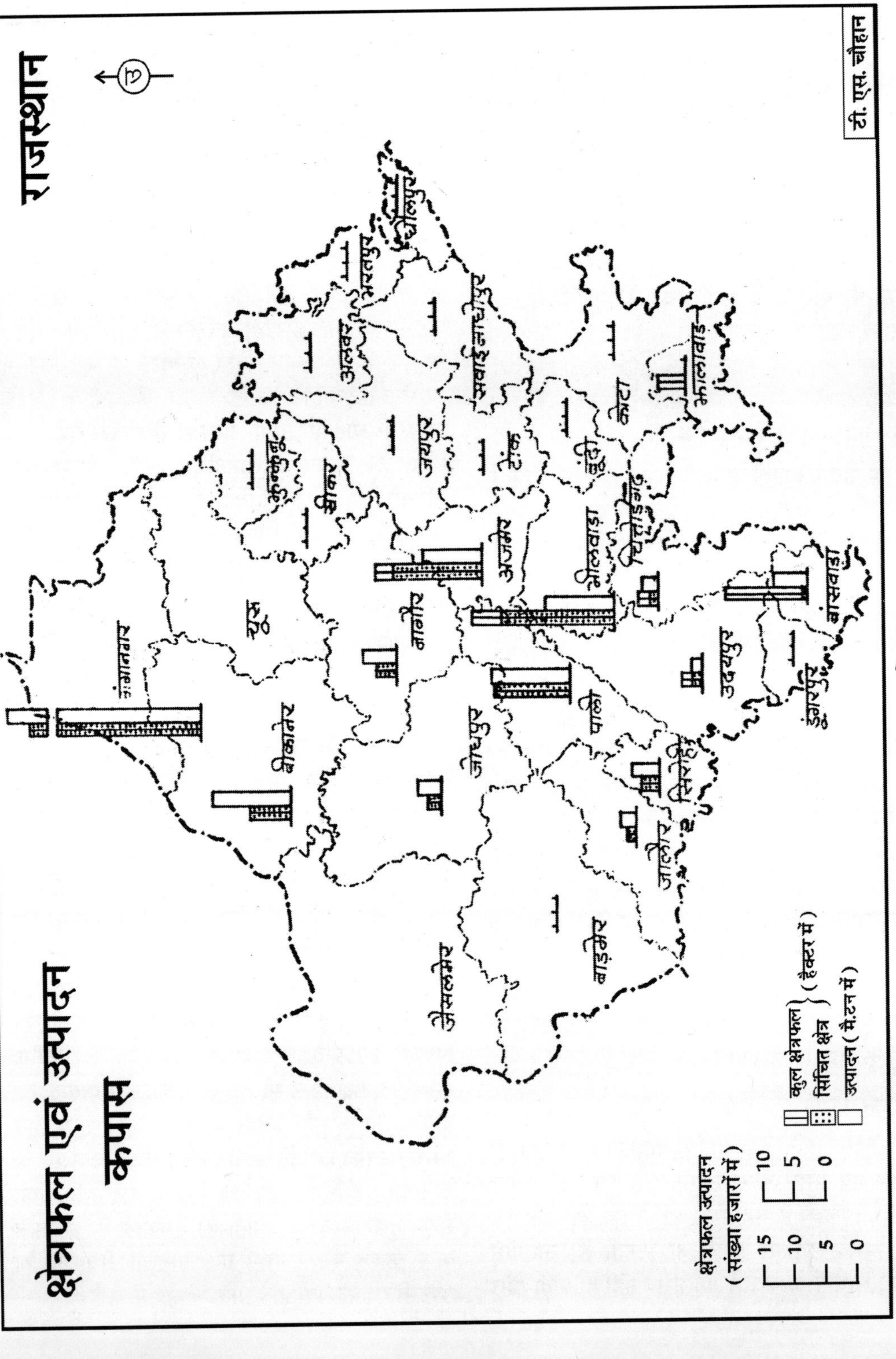
राजस्थान
उ
टी. एस. चौहान
क्षेत्रफल एवं उत्पादन
कपास
गंगानगर
बीकानेर
चूरू
झुंझुनूं
सीकर
अलवर
भरतपुर
धौलपुर
सवाईमाधोपुर
जयपुर
टोंक
बूंदी
कोटा
झालावाड़
अजमेर
नागौर
जोधपुर
जैसलमेर
बाड़मेर
जालौर
सिरोही
पाली
भीलवाड़ा
चित्तौड़गढ़
उदयपुर
डूंगरपुर
बांसवाड़ा
क्षेत्रफल उत्पादन
( संख्या हजारों में )
15 10 5 0
10 5 0
कुल क्षेत्रफल
सिंचित क्षेत्र
( हैक्टर में )
उत्पादन ( मै.टन में )

मानचित्र 63

**सारणी-35**

**कपास की कुछ सुधरी हुई प्रजातियाँ और राजस्थान के लिए उपयुक्त उनके कुछ प्रमुख लक्षण**

| फसल एवं उन्नत किस्में | खेत की तैयारी व जैविक खाद (खाद प्रति हैक्टेयर) | बुवाई और बीज मात्रा (प्रति हैक्टेयर) | रासायनिक उर्वरक प्रयोग (प्रति हैक्टेयर) | अन्तरा कृषि क्रियाएँ सिंचाई व निराई-गुड़ाई | कीड़े और बीमारियों से फसल-संख्या |
|---|---|---|---|---|---|
| **कपास** | | | | | |
| 320 एफ. (पाली, जालौर, सिरोही, जिले<br>बीकानेरी नरमा (राजस्थान प्रदेश- डूँगरपुर, बाँसवाड़ा, झालावाड़ छोड़कर)<br>जी-1 (श्री गंगानगर, टोंक व जयपुर जिले माधोपुर का कुछ भाग व बिलाड़ा (जोधपुर)<br>पी.एस.टी 9 (उदयपुर, भीलवाड़ा, चित्तौड़ व अजमेर जिले)<br>गंगानगर अगेती (गंगानगर, जोधपुर संभाग)<br>बिरनार (झालावाड़ मेवाड़ क्षेत्र)<br>दिग्विजय (बाँसवाड़ा जिला)<br>देवीराज (डूँगरपुर जिला | दोमट या चिकनी मिट्टी के खेत की एक बार मिट्टी पलटाऊ हल से तथा बाद में 2-3 बार त्रिफाली या हेरो से जुताई करें। गंगानगर क्षेत्र में अप्रेल तक, मेवाड़ में मई मध्य तक खेती तैयार कर लें। अंतिम जुताई के समय बुवाई के 3-4 सप्ताह पूर्व 25-35 गाड़ी गोबर खाद डाल दें। भूमिगत कीड़ों की रोकथाम के लिए बी. एच. सी. या एल्ड्रिन आदि से भूमि उपचार करें।<br>320, एक विरनार का 12-20, बीकानेरी नरमा, गंगानगर अगेती का 15-16 जी-1 व देवीराज | श्रीगंगानगर में मई मध्य, मेवाड़ में मई अन्त, बाँसवाड़ा, डूँगरपुर व झालावाड़ में सिंचित फसल जून प्रथम सप्ताह तथा असिंचित फसल वर्षा प्रारम्भ में जून से जुलाई मध्य और जोधपुर क्षेत्र में जून के प्रथम सप्ताह तक कपास बो दें। कतार से कतार व पौधे से पौधा अमेरिकन कपास में गंगानगर में 75×35, देशी कपास गंगानगर में 60×30, मेवाड़ में 45×30, डूँगरपुर, बाँसवाड़ा में 50×60 संकर 4 में कतारें। 150 से.मी. पौधे 60 से.मी. रखें व 1×1 वर्ग | मिट्टी परीक्षण की सिफारिश के अनुसार उर्वरक प्रयोग करें। सामान्यतः अमेरिकन कपास में 75 किलो नत्रजन, 35 किलो फॉस्फेट, देशी किस्म में 50 किलो नत्रजन व 25 किलो फॉस्फेट दें और आवश्यकतानुसार पोटाश दें। संकर-4 में 100 किलो नत्रजन व 40-50 किलो फॉस्फेट दें। फॉस्फेट व पोटाश की पूरी मात्रा व आधा नत्रजन बुवाई से पूर्व डालें। शेष नत्रजन फूलों में कलियां बनते देना चाहिये। | बुवाई के बाद गंगानगर क्षेत्र में 6-7 और मेवाड़ में 3-4 सिंचाई दें। उर्वरक देने के बाद व फूल आते वक्त सिंचाई जरूर करें। अंकुरण के बाद गंगानगर में 35-40 दिन में व अन्य क्षेत्रों में 20-30 दिन प्रथम सिंचाई करें। इसी वक्त छंटनी करें व दूसरी किस्मों के पौधे निकाल दें। प्रथम निराई-गुड़ाई खुरपी या कसिये से करें बाद में हैण्ड हो या कुलपा से कर सकते हैं। | सफेदमक्खी ग्रेविबिल, जेसिड़ व थ्रिप्स कीड़ों के नियंत्रण हेतु अमेरिकन कपास के सिंचित क्षेत्र में कीटनाशी मिश्रण के 4-5 छिड़काव करें। कीड़े दिखाई देने पर थाईमिथोएट या फॉस्फोमिडोन या बी.एच.सी. और डी.डी.टी. के घोल का प्रथम छिड़काव करें। जुलाई के द्वितीय-तृतीय सप्ताह में द्वितीय छिड़काव करें। तृतीय छिड़काव अगस्त में तृतीय सप्ताह तक कर दें। चतुर्थ सितम्बर के तृतीय सप्ताह तक क्यूनाल- फॉस आदि दवा का मिश्रण करें और यदि कीट प्रकोप अधिक हो तो |

| फसल एवं उन्नत किस्में | खेत की तैयारी व जैविक खाद (खाद प्रति हैक्टेयर) | बुवाई और बीज मात्रा (प्रति हैक्टेयर) | रासायनिक उर्वरक प्रयोग (प्रति हैक्टेयर) | अन्तरा कृषि क्रियाएँ सिंचाई व निराई–गुड़ाई | कीड़े और बीमारियों से फसल–संख्या |
|---|---|---|---|---|---|
| संकर–4 (उदयपुर खण्ड व बूंदी, सिरोही, पाली, अजमेर, जालौर आदि। | का 10–15 पी. एस. टी. का 20.25 और संकर–4 का 2.5 किलो बीज बोयें। | मीटर दूरी रखकर बोयें। बुवाई से पूर्व बीज का गुलाबी लट की सूंडी नष्ट करने हेतु एल्युमीनियम फॉस्फाइड से धूमित करें। रेशे दूर करने हेतु गंधक के तेजाब से उपचार करें। | | | अक्टूबर में पुनः घोल का छिड़काव करें। बीज जनित रोगों के नियंत्रण हेतु पारा फफूंदनाशी से बीज उपचार करें। जड़ गलन में ब्रेसी– कोल से बीजोपचार करें। |

राजस्थान में ग्वार, कपास, गन्ना आदि नकदी फसलें हैं। मरुस्थलीय जिलों में ग्वार एक नकदी फसल है। जिसका फैलाव कुल काश्त के लगभग 9 प्रतिशत क्षेत्र में है। कपास का फैलाव राज्य के कुछ थोड़े से जिलों तक ही सीमित है। क्षेत्रफल की दृष्टि से कुल काश्त में केवल 2 प्रतिशत क्षेत्र में इसकी बुआई होती है। गन्ना भी एक महत्त्वपूर्ण नकदी फसल है, जिसका फैलाव केवल कुछ जिलों तक ही सीमित है। इसके अन्तर्गत कुल काश्त का केवल 0.2 प्रतिशत क्षेत्र ही है। गत 30 वर्षों में राजस्थान में विभिन्न फसलों के अन्तर्गत समस्त काश्त के प्रतिशत क्षेत्रफल में एक वर्ष से दूसरे वर्ष में काफी उतार–चढ़ाव आया है। जहाँ चना, तिल, बाजरा व जौ ऐसी फसलें हैं जिनके प्रतिशत बुआई क्षेत्र में काफी उतार–चढ़ाव रहा है, वहीं कपास, मक्का व चावल ऐसी फसलें हैं जिनका प्रतिशत काश्त क्षेत्र लगभग एक समान ही रहा है। गेहूँ की फसल के अन्तर्गत प्रतिशत क्षेत्रफल में जहाँ प्रति वर्ष बढ़ोतरी हुई है, वहीं ज्वार के अन्तर्गत प्रतिशत क्षेत्र में गत वर्षों में गिरावट आई है।

उक्त विवरण राजस्थान के प्रचलित संयोजन फसल का मोटे तौर पर दृश्य प्रस्तुत करता है। राज्य के लगभग सभी जिलों में भौताकृतिक अवस्था, मृदाएँ, सिंचाई, सुविधा व जलवायु में काफी भिन्नता होने से राज्य स्तर के संयोजन फसल के आँकड़ें, राज्य में विभिन्न भागों में अपनाए जा रहे फसल क्रम का सही स्वरूप नहीं दर्शाते हैं। जिले के समस्त काश्त क्षेत्रफल के 1 प्रतिशत से अधिक क्षेत्र में उगाई जा रही फसलों की संख्या इस मानचित्र में दर्शाई गई है। (मानचित्र 64) में प्रत्येक जिले में प्रतिशत क्षेत्रफल की दृष्टि से खरीफ व रबी मौसम में प्रथम व द्वितीय स्थान पर आ रही फसलों को भी बताया गया है।

राज्य के पश्चिमी छोर पर बसे हुए सबसे कम वर्षा वाले और सबसे कम सिंचाई–सुविधा वाले जैसलमेर जिले में कुल काश्त के 1 प्रतिशत से अधिक क्षेत्र में बोई जाने वाली फसलों की संख्या केवल दो है जो अन्य जिलों की तुलना में सबसे कम है। पश्चिमी राजस्थान के गंगानगर, पाली व नागौर जिले जहाँ सिंचाई–सुविधा थोड़ी अच्छी है, को छोड़कर अन्य जिलों में फसलों की संख्या सात तक है। राजस्थान के पूर्वी व दक्षिणी भाग में स्थित सभी जिलों में, पश्चिमी राजस्थान की तुलना में, जहाँ वर्षा की मात्रा व वितरण अच्छा है और सिंचाई के अन्तर्गत काफी क्षेत्र है,

फसलों की संख्या का परास 8 से 13 तक का है। इन जिलों में उदयपुर जिला ऐसा है जिसमें राज्य में सर्वाधिक संख्या में फसलें उगाई जाती हैं।

प्रथम व द्वितीय स्थान पर खरीफ और रबी मौसम की जो फसलें दर्शाई गई हैं उससे इन विभिन्न फसलों के फैलाव का रूप स्पष्ट रूप से उभर कर सामने आता है।

खरीफ में सर्वाधिक क्षेत्रफल की दृष्टि से प्रथम नम्बर पर बाजरा फसल राज्य के 13 जिलों में-जैसलमेर, बाड़मेर, जालौर, जोधपुर, नागौर, चुरू, पाली, सीकर, झुंझुनं, अलवर, भरतपुर, धौलपुर, सवाई माधोपुर व जयपुर में है। इन जिलों में अलवर, भरतपुर, जयपुर व सवाई माधोपुर को छोड़कर अन्य सभी मरुस्थलीय कम वर्षा वाले जिले हैं। दो जिलों-टोंक व बीकानेर में बाजरा दूसरे स्थान पर है। मक्का फसल का मुख्य क्षेत्र उदयपुर संभाग है। उदयपुर, भीलवाड़ा, डूंगरपुर, बांसवाड़ा, चित्तौड़गढ़ व सिरोही जिलों में मक्का खरीफ फसलों में प्रथम स्थान पर है। झालावाड़, कोटा, बूंदी व अजमेर जिलों में मक्का द्वितीय स्थान पर है। कोटा संभाग ज्वार फसल का प्रमुख क्षेत्र है। इस फसल का जिले के कुल काश्त के प्रतिशत की दृष्टि से प्रथम कोटा, झालावाड़, बूंदी, टोंक, अजमेर जिलों में है। सवाई माधोपुर ही केवल एक जिला है जहाँ ज्वार दूसरे स्थान पर है।

खरीफ दलहनें प्रतिशत क्षेत्रफल की दृष्टि से केवल बीकानेर जिले में ही प्रथम स्थान पर हैं किन्तु द्वितीय स्थान पर इनका फैलाव आठ जिलों में हैं जिनमें चार जिले-चुरू, झुंझुनूं, जोधपुर व नागौर मरुस्थलीय है और अन्य चार चित्तौड़गढ़, जयपुर, सिरोही व उदयपुर अच्छी वर्षा वाले जिले हैं। ग्वार की फसल प्रथम स्थान पर किसी भी जिले में नहीं है। द्वितीय स्थान पर जैसलमेर, बाड़मेर, श्रीगंगानगर, जालौर, सीकर, भरतपुर, धौलपुर व अलवर जिले है। कपास प्रथम स्थान पर केवल श्रीगंगानगर में है। रबी फसलों में गेहूँ प्रथम स्थान पर पश्चिमी राजस्थान के केवल तीन जिलों जोधपुर, पाली व सिरोही में ही है। पूर्वी व दक्षिणी राजस्थान के अलवर, भरतपुर, धौलपुर, जयपुर, सवाई माधोपुर, टोंक, कोटा, बूंदी, उदयपुर, भीलवाड़ा व डूँगरपुर जिलों में इसका प्रथम स्थान है। यह फसल पाँच जिलों-श्री गंगानगर, जालौर, अजमेर, चित्तौड़गढ़, बांसवाड़ा में द्वितीय स्थान पर है। जौ प्रथम स्थान पर सीकर और द्वितीय स्थान पर उदयपुर व झुंझुनूं में है।

चने की फसल बीकानेर, चुरू, श्रीगंगानगर, झुंझुनू, अजमेर, चित्तौड़गढ़, बांसवाड़ा व झालावाड़ जिलों में प्रथम स्थान पर है जबकि सीकर, नागौर, अलवर, जयपुर, सवाई माधोपुर, टोंक, बूंदी, कोटा, डूँगरपुर व भीलवाड़ा जिलों में यह द्वितीय स्थान पर है। राई व सरसों प्रथम पर बाड़मेर, जालौर, नागौर और द्वितीय स्थान पर जोधपुर, पाली, सिरोही व भरतपुर, धौलपुर जिलों में हैं। जैसलमेर ही एक ऐसा जिला है जिसमें रबी मौसम में कोई भी फसल एक प्रतिशत से अधिक क्षेत्र में न होने से दर्शाई गई है। इस प्रकार इस मानचित्र के आधार पर बाजरा, अन्य खरीफ दलहनें, गेहूँ, चना, ज्वार, मक्का के बाहुल्य क्षेत्र बड़ी सरलता से विभाजित किए जा सकते हैं।

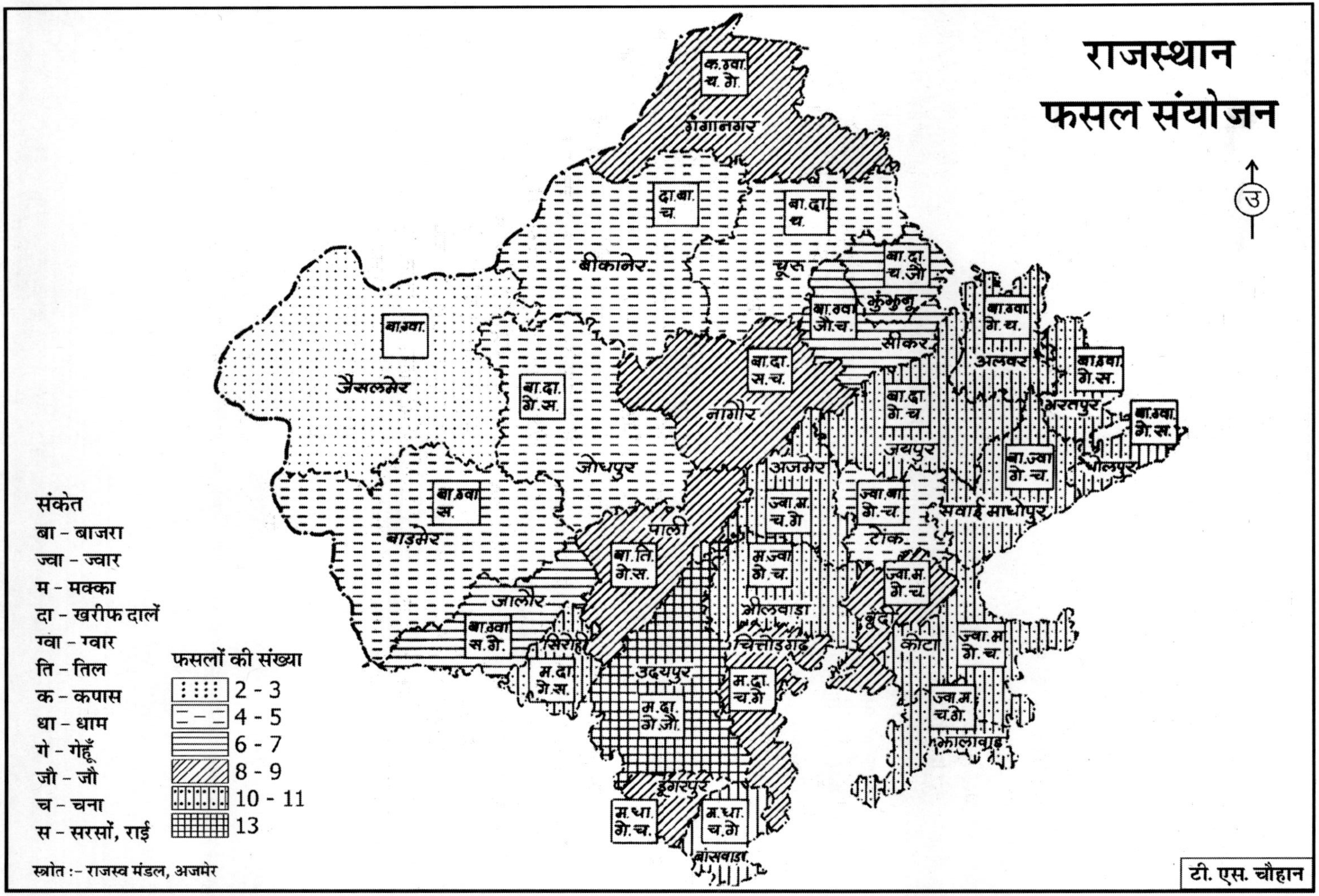
राजस्थान
फसल संयोजन
उ
संकेत
बा - बाजरा
ज्वा - ज्वार
म - मक्का
दा - खरीफ दालें
ग्वा - ग्वार
ति - तिल
क - कपास
धा - धाम
गे - गेहूँ
जौ - जौ
च - चना
स - सरसों, राई
फसलों की संख्या
2 - 3
4 - 5
6 - 7
8 - 9
10 - 11
13
स्त्रोत :- राजस्व मंडल, अजमेर
टी. एस. चौहान
गंगानगर
क.ग्वा.
च.गे.
बीकानेर
दा.बा.
च.
चूरु
बा.दा.
च.
झुंझुनू
बा.दा.
च.जौ
सीकर
बा.ग्वा.
जौ.च.
अलवर
बा.ग्वा.
गे.च.
भरतपुर
बा.ग्वा.
गे.स.
धौलपुर
बा.ग्वा.
गे.स.
जैसलमेर
बा.ग्वा.
जोधपुर
बा.दा.
गे.स.
नागौर
बा.दा.
स.च.
जयपुर
बा.दा.
गे.च.
बा.ग्वा.
गे.च.
सवाई माधोपुर
बाड़मेर
बा.ग्वा.
स.
अजमेर
ज्वा.म.
च.गे.
टोंक
ज्वा.बा.
गे.च.
पाली
बा.ति.
गे.स.
भीलवाड़ा
म.ज्वा.
गे.च.
बूंदी
ज्वा.म.
गे.च.
जालौर
बा.ग्वा.
स.गे.
सिरोही
म.दा.
गे.स.
चित्तौड़गढ़
म.दा.
च.गे.
कोटा
ज्वा.म.
गे.च.
झालावाड़
ज्वा.म.
च.गे.
उदयपुर
म.दा.
गे.जौ.
डूंगरपुर
म.धा.
गे.च.
बांसवाड़ा
म.धा.
च.गे.

मानचित्र 64

**राजस्थान– कृषि जलवायु प्रदेश**

महानिदेशक कृषि तथा मौसम विज्ञान विभाग के सहयोग से सम्पूर्ण देश को 14 चौदह शस्य जलवायु खण्डों में बांटा गया था। राजस्थान एक कृषि प्रधान राज्य हैं। यह पश्चिमी अन्तराष्ट्रीय सीमा क्षेत्र पर अवस्थित देश का सबसे बड़ा राज्य हैं। यहां जनसंख्या का घनत्व यद्यपि अन्य राज्यों की अपेक्षा कम पाया जाता हैं। किन्तु फिर भी अधिकांश कृषक वर्ग कही परिणाम और नियति तथा भाग्य पर भरोसा कर कृषि कार्य करता हैं। यहां की क्षेत्रवार विशेषता रही हैं। मेवाड़ का किसान कहता हैं कि "**मक्की खाना और मेवाड़ छोड़कर नही जाना**" मारवाड़ का किसान कहता हैं कि "**मोठ बाजरी खा**" वह भी इस बात से संतुष्ट हैं। किन्तु किसान के अलावा राजस्थान ने विश्वस्तरीय व्यापारी भी प्रदान किये हैं। बिड़ला, डालमियां, सेक्सरिया, बांगड़ आदि।

राज्य में फसल उत्पादन लगभग पूर्णतः वर्षा पर निर्भर हैं। अभी इन्दिरा गांधी नहर क्षेत्र, गंग नहर क्षेत्र, सिद्धमुख नहर क्षेत्र, हाड़ौती क्षेत्र, नर्मदा नहर क्षेत्र में सिंचाई के आधार पर भी कृषि की जाती हैं। किन्तु फिर भी वर्षा की नितान्त आवश्यकता होती हैं। राज्य का उत्तरी पश्चिमी भाग 61 प्रतिशत क्षेत्रफल का मरुस्थलीय या अर्द्ध मरुस्थलीय जलवायु का क्षेत्र हैं। राज्य का पर्वतीय एवं दक्षिणी–पूर्वी मैदानी क्षेत्र कुल राज्य के क्षेत्रफल का लगभग 39 प्रतिशत हैं। तुलनात्मक दृष्टि से उपजाऊ हैं। यही पर अधिकांश कृषि होती हैं। इस क्षेत्र की मिट्टी काली या बलुई दोमट हैं। राज्य को कृषि और जलवायु की उपलब्धता के आधार पर कृषि क्षेत्र को उन्नत करने के लिये निम्न जलवायु कृषि खण्ड़ों में विभक्त किया गया हैं। राष्ट्रीय कृषि अनुसंधान परिषद् एवं इस वर्गीकरण का आधार जलवायु के प्रमुख तत्व तथा तत्सम्बन्धी जलवायु में उत्पन्न होने वाली फसलों, उनका प्रतिरुप, चक्रण आदि सभी बातों को ध्यान में रखकर वर्गीकरण किया गया हैं। इन 14 विभागों में से राजस्थान राज्य को क्षेत्र सं. 6, 8, 9 और 14 में ही राजस्थान राज्य को सम्मिलित कर उनमें राज्य को 10 कृषि जलवायु खण्डों में विभक्त किया गया हैं। किन्तु कालान्तर में जलवायवीय वर्तमान अनुसंधान के आधार पर अब कृषि जलवायवीय प्रदेशों को 1 खण्डों में बांटा गया है। (मानचित्र सं. 65)

**राष्ट्रीय शस्य जलवायु प्रदेश (National Agro-Climate Zones)**–कृषि जलवायु प्रदेशों का सुनिश्चितिकरण वहां पर प्राप्त प्राकृतिक संसाधनों, मृदा प्रकार, मृदा की समस्याओं, सिंचाई के लिये पानी की प्राप्ति, फसल चक्रण, वर्षा की मात्रा, प्रमुख फसलों का उत्पादन आदि के आधार पर राष्ट्रीय एवं राजस्थान के जलवायु प्रदेशों में विभक्त किया हैं। यह विभाजन राष्ट्रीय कृषि एटलस में उपलब्ध हैं। राजस्थान में पहले प्रारम्भ में 5 ही शस्य जलवायु प्रदेश अंकित थे प्रदेश अंकित ने किन्तु तत्पश्चात प्रथम 4 प्रदेशों के दो–दो भाग कर 5 वें को यथावत रखा गया और इस प्रकार 9 शस्य जलवायु खण्ड़ों में राज्यों को बांटा गया। किन्तु अध्ययन की सुविधा एवं अन्य विशेषताओं के आधार पर वर्तमान में राज्यों को 10 शस्य जलवायु खण्डों और अब 9 कृषि जलवायु खण्डों में विभक्त कर दिया गया। वर्तमान में 10 कृषि जलवायु खण्ड राजस्थान में पाये जाते हैं जो मानचित्र सं. 65 से दर्शाये गए हैं। इनकी विशेषताओं का संक्षिप्त विवरण तालिका सं. 36 में दर्शाया गया हैं।

## सारणी–36
### राजस्थान के शस्य–जलवायुविक खण्ड (Agro-Climate Zones of Rajasthan)

| क्रम | शस्य–जलवायु खण्ड | खण्ड का नाम | मिट्टी | जिले | तहसीलें | भौगोलिक क्षेत्रफल लाख हैक्टेयर | राज्य के क्षेत्रफल का 1% | बोये गये क्षेत्र का सिंचित क्षेत्र 1% | सामान्य वर्षा मिमी | प्रमुख संस्तृत फसलें/उद्यानिकी फसलें |
|---|---|---|---|---|---|---|---|---|---|---|
| 1 | 2 | 3 | 4 | 5 | 6 | 7 | 8 | 9 | 10 | 11 |
| 1 | I-A | शुष्क पश्चिमी मैदानी क्षेत्र | रेतीली | बाड़मेर, जोधपुर | बाड़मेर जिले की सभी तहसीलें, जोधपुर की फलौदी, शेरगढ़, ओसियां, जोधपुर, चुरु जिले की डूंगरपुर, सुजानगढ़ | 124.32 | 36.14 | 1.62 | 100–300 | बाजरा, ग्वार, बेर, खरीफ, दालें, आंवला, खजूर, जीरा, मिर्च |
| 2 | I-B | सिंचित मैदानी उत्तरी पश्चिमी क्षेत्र | दोमट से चिकनी | श्रीगंगानगर, हनुमानगढ़ | श्रीगंगानगर, हनुमानगढ़ की सभी तहसीलें | 20.63 | 6.03 | 40.62 | 100–350 | गेहूं, जौ, चना, सरसों, कपास, किन्नू, ग्वार, बाजरा, टमाटर |
| 3 | I-C | अति शुष्क | रेतीली | बीकानेर, जैसलमेर | बीकानेर, जैसलमेर की सभी तहसीलें | – | – | – | 100–200 | चुकन्दर |
| 4 | II-A | अन्त:स्थलीय जलोत्सरण के अर्न्तवर्ती मैदानी क्षेत्र | मरुभूमि | नागौर, झुंझुनु, सीकर, चुरु का आंशिक भाग | नागौर, सीकर व झुंझुनु की सभी तहसीलें | 36.93 | 10.79 | 7.62 | 300–500 | बाजरा, ग्वार, बेर, अनार, तिल, खरीफ दालें, अंगूर, अमरुद, मैथी, मिर्च, गोभी |
| 5 | II-B | लूनी नदी का अर्न्तवर्ती क्षेत्र | बलुई व पथरीली | सिरोही, पाली, जालोर, जोधपुर का आंशिक भाग | पाली की सभी तहसीलें, सिरोही की रेवदर, सिरोही व शिवगंज, जोधपुर की बिलाड़ा व भोपालगढ़ तहसीलें | 30.10 | 8.79 | 18.96 | 300–500 | बाजरा, ज्वार, बेर, नींबू, तिल, खरीफ फसलें, गेंहू, सोयाबीन, टमाटर |

| | | | | | | | | | | |
|---|---|---|---|---|---|---|---|---|---|---|
| 6 | III-A | अर्द्ध शुष्क पूर्वी मैदानी क्षेत्र | मुरड़ युक्त | जयपुर, अजमेर, दौसा, टोंक | जयपुर, अजमेर, टोंक जिले की सभी तहसीलें, दौसा जिले की अधिकांश तहसीलें | 29.53 | 8.63 | 29.37 | 500–600 | बाजरा, ज्वार, बेर, तिल, गेंहू, जौ, अनार, चना, सरसों, लौकी |
| 7 | III-B | बाढ़ संभाव्य पूर्वी मैदानी क्षेत्र | हल्की दोमट भूरी | अलवर, भरतपुर, धौलपुर, सवाईमाधोपुर, करौली | अलवर, भरतपुर व धौलपुर जिले की सभी तहसीलें, सवाईमाधोपुर, करौली जिलें की सभी तहसीलें | 23.68 | 6.92 | 34.54 | 500–600 | बाजरा, ज्वार, बेर, आम, गेंहू, चना, सरसों, लौकी |
| 8 | IV-A | उप–अर्द्ध दक्षिणी मैदानी क्षेत्र | भूरी लाल एवं पथरीली | उदयपुर, भीलवाड़ा, चित्तौड़गढ़, प्रतापगढ़, सिरोही | चित्तौड़गढ़, उदयपुर, भीलवाड़ा, प्रतापगढ़, सिरोही | 33.59 | 9.81 | 32.35 | 500–700 | मक्का, ज्वार, तिल, चना, मूंगफली, गेंहू, जौ, सरसों, अमरुद, आंवला, सीताफल, गुलाब, मिर्च |
| 9 | IV-B | आर्द्र दक्षिणी मैदानी क्षेत्र | गहरी चिकनी पथरीली | डूंगरपुर, बांसवाड़ा, प्रतापगढ़, उदयपुर आंशिक | डूंगरपुर, बांसवाड़ा, प्रतापगढ़ | 17.22 | 5.03 | 20.61 | 500–1050 | मक्का, चावल, खरीफ, दालें, गेंहू, चना, नींबू, पपीता, चीकू, ककड़ी, टमाटर, भिण्डी |
| 10 | V | आर्द्र दक्षिणी पूर्वी मैदानी क्षेत्र | काली चिकनी पथरीली | भीलवाड़ा, कोटा, बूंदी, बांरा, झालावाड़ का उपरी शेष भाग | भीलवाड़ा, कोटा, बूंदी, बांरा, झालावाड़ का आंशिक क्षेत्रफल | 9.3 | 7.86 | 31.06 | 850–1000 | ज्वार, मक्का, तिल, गेंहू, चना, सरसों, आंवला, अमरुद, नींबू, संतरा, धनियां, टमाटर, आम |

नोट: शोधों के आधार पर मानक कृषि जलवायु खण्डों में ही राज्य की भौगोलिक स्थिति को दर्शाया गया है।

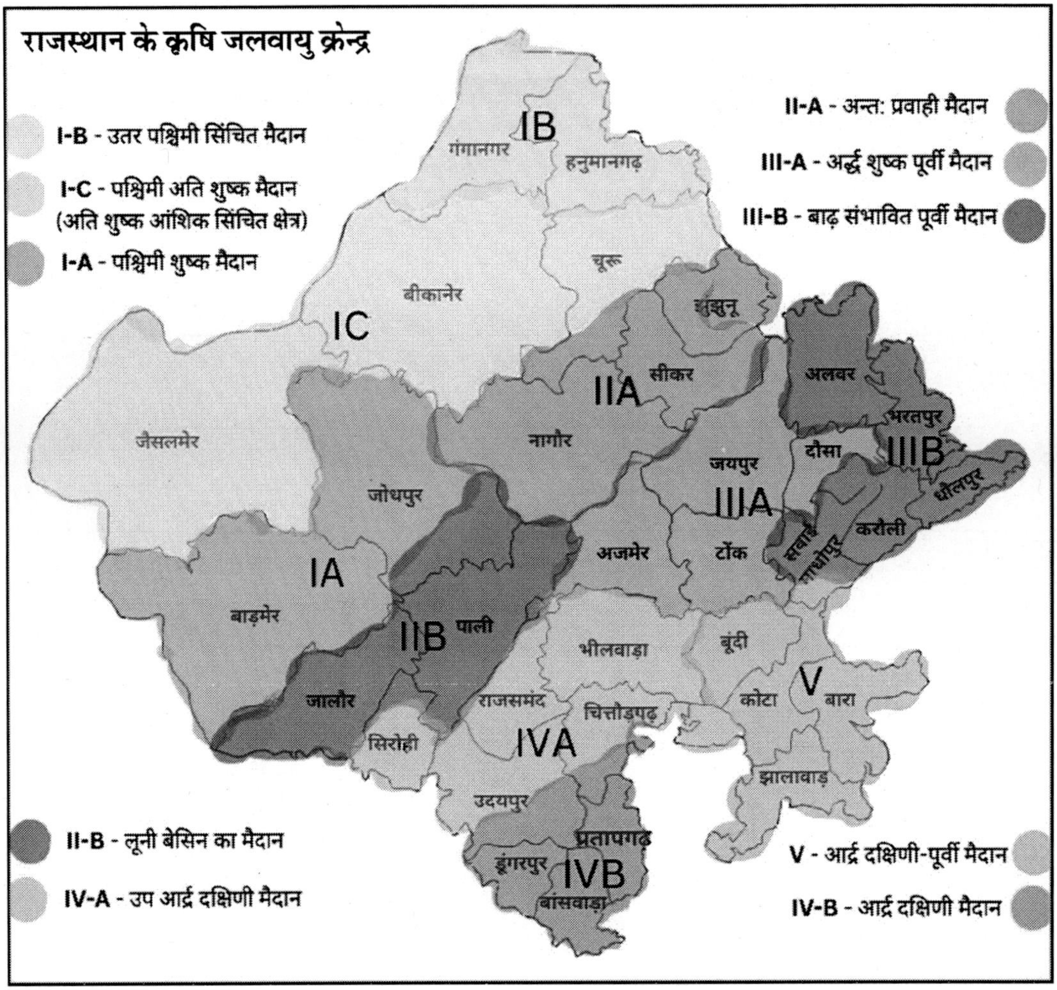


मानचित्र 65 : राजस्थान कृषि जलवायु प्रदेश

**राजस्थान के कृषि जलवायु खण्ड (Agro-climate Zones of Rajasthan)**

1. **शस्य जलवायु प्रदेश I-A शुष्क पश्चिमी मैदानी क्षेत्र–** इस जोन में बाड़मेर एवं जोधपुर जिले शामिल हैं। इस क्षेत्र की औसत वर्षा 200 से 300 मि.मी. क्रमशः पश्चिम से पूर्व में वृद्धि पाई जाती हैं। यहां की रेतीली मरुस्थली मिट्टी बालू का स्तूप, मोटे कणों वाली वायु प्रवाहित मिट्टी पाई जाती हैं। कहीं कहीं यहां की मिट्टी चूनायुक्त भी पाई जाती हैं। यहां की प्रमुख खरीफ की फसलों में बाजरा, ग्वार, मोठ, मूंग, त्सोरगम तथा रबी की फसलों में गेंहू, सरसों, जौ, तारामीरा आदि लवणता को सहन करने वाली फसलें उत्पन्न की जाती हैं। रबी की फसल पानी को भूजल से खींचकर ट्यूबवेल के आधार पर या कुंआ द्वारा सींचकर सिंचाई की जाती हैं। इस क्षेत्र का कृषि अनुसंधान केन्द्र मंडोर में स्थित हैं। पशु अनुसंधान केन्द्र बाड़मेर और जोधपुर में स्थित हैं। इस खंड हेतु बेर, आंवला, खजूर, जीरा, मिर्च, बैंगन आदि उद्यानिकी फसलों की अनुशंसा की गई हैं।

2. **शस्य जलवायु प्रदेश I-B उत्तरी–पश्चिमी सिंचित क्षेत्र–** इस जोन में श्रीगंगानगर एवं हनुमानगढ़ जिले सम्मिलित हैं। इस खण्ड की औसत वर्षा 100 से

350 मि.मी. हैं। वर्षा पश्चिम से पूर्व बढ़ती हैं। ये दोनों जिले ही इन्दिरा गांधी गंगनहर और सिद्धमुख नहर से सिंचित हैं। वहां की मिट्टी कछारी-कायीय है तथा उसमें चूना का अंश पाया जाता हैं। इसमें घुलनशीलता अधिक पाई जाती हैं। जिसमें कई तरह के तत्व पाये जाते हैं। सोडियम की मात्रा भी इस मिट्टी में पाई जाती हैं। इस क्षेत्र की फसलों में खरीफ में कपास, ग्वार, कलस्टर बीन, गन्ना आदि बोई जाती हैं। रबी की फसलों में मुख्यत: गेंहू, सरसों, चना, चुकन्दर, किन्नू आदि उद्यानिकी फसलें भी पैदा की जाती हैं। मंडियों में मार्च- अप्रैल में गेंहू, चना आदि के ढेर लग जाते हैं और कभी कभी वर्षा आने से भीग जाते हैं। बोरियों की धांने लग जाती हैं। यह राज्य का प्रमुख अन्न उपजाऊ राज्यों यथा-पंजाब, हरियाणा, हिमाचल प्रदेश, उत्तर प्रदेश में बिक्री एवं उपयोग हेतु विक्रय कर दी जाती हैं। यह **'अनाज का कटोरा'** राज्य के लिये खाद्यान की आपूर्ती का केन्द्र हैं। इस क्षेत्र में 'सेम' की जलाधिक्य या जलभराव की समस्या विकराल रुप लेकर आ चुकी हैं। परिणामस्वरुप जमीन दिन प्रतिदिन खराब हो रही हैं तथा बस्तियां भी इस समस्या से ग्रस्त हैं। इसका फनलों के उत्पादन पर भी विपरीत असर पड़ रहा है। इस खण्ड का कृषि अनुसंधान केन्द्र श्रीगंगानगर हैं। कृषि उपअनुसंधान केन्द्र हनुमानगढ़ में स्थापित हैं जो नोहर में कार्यरत हैं। इस खण्ड हेतु बेर, किनू, अनार, माल्टा, भिंडी, बैगन, गुलाब की खेती की अनुशंसा की गई हैं।

**3. अति शुष्क आंशिक सिंचित क्षेत्र I-C पश्चिमी मैदानी क्षेत्र**–इस खण्ड में जैसलमेर, बीकानेर, चुरु जोन का भाग आता हैं। इस क्षेत्र की औसत वर्षा 100 से 350 मि.मी. हैं। पूर्व में अधिक वर्षा होती हैं तथा क्रमश: पश्चिम में वर्षा कम होती जाती हैं। यहां पर मरुस्थलीय मिट्टी पाई जाती हैं जिसमें उड़कर वायु द्वारा लाई हुई मृदा अधिक हैं। दोमट मोटी मिट्टी और चूनायुक्त मिट्टी भी इस खण्ड में पाई जाती हैं। यहां खरीफ की फसल में बाजरा, मूंग, मोठ, मूंगफली तथा रबी की फसलों में गेंहू, सरसों, चना आदि की खेती होती हैं। यहां आंशिक सिंचित क्षेत्र इन्दिरा गांधी नहर परियोजना का पश्चिमी भाग है जहां रबी की फसल सीमा क्षेत्र के सहारे उत्पन्न की जाती हैं। यह खण्ड नया सृजित किया गया हैं। अत: अभी तक इसका अलग क्षेत्रफल नही निकाला जा गया हैं। इसका क्षेत्रफल पुराने में सम्मिलित हैं। इसका कृषि अनुसंधान केन्द्र, बीकानेर- बीछवाला क्षेत्र में हैं। उप-कृषि अनुसंधान केन्द्र, चुरु एवं जैसलमेर में हैं।

**4. अंत: स्थलीय जलोत्सरण के अर्न्तवर्ती मैदानी क्षेत्र II-A**– इस खण्ड में नागौर, सीकर, झुन्झुनु और आंशिक चुरु जिले आते हैं। इस खण्ड़ की मृदा बलुई, दोमट, छिछली गहराई वाली लाल मिट्टी नीची भूमि में पाई जाती हैं। यहां पर औसत वार्षिक वर्षा 300 से 350 मि.मी. तक पाई जाती हैं। यहा वर्षा की मात्रा पूर्व से पश्चिम घटती जाती हैं। पूर्व में 350 मि.मी. और पश्चिम में 300 मि.मी. तक वर्षा नापी जाती हैं। इस खण्ड में खरीफकी फसलों में तिल, बाजरा, मूंग, मूंगफली, मोठ, ग्वार आदि की फसलें जो वर्षा पर निर्भर होती हैं बोई जाती हैं तथा रबी की फसलें बिना सिंचाई बहुत कम होती हैं। रबी की फसलों में गेंहू, जौ, चना, सरसों, तारामीरा जहां सिंचाई की सुविधाओं, टयूबवेल से उपलब्ध हो जाती हैं। वहां बोई जाती हैं। इस क्षेत्र का कृषि अनुसंधान केन्द्र फतेहपुर शेखावटी हैं। कृषि उप-अनुसंधान केन्द्र उप केन्द्र नागौर में हैं। इस खण्ड हेतु बेर, मैथी, नीबू, अंगूर, अमरुद, मिर्च, गोभी, टमाटर, बैंगन आदि की उद्यानिकी फसलों की संस्तुती की गई हैं।

**5. शस्य जलवायु खण्ड II-D नदी का अर्न्तवर्ती मैदानी क्षेत्र**– इस खण्ड में पश्चिमी सिरोही पूर्वी जोधपुर, पाली और जालौर जिले सम्मिलित हैं। इस क्षेत्र का भौगोलिक क्षेत्रफल 30.10 लाख हैक्टेयर हैं। इसमें अरावली पर्वत श्रृंखलाओं की पश्चिमी तलहटी की 16 तहसीले जो इन जिलों में सम्मिलित हैक्टेयर का समावेश हैं। जोधपुर, जालौर, पाली क्षेत्र की मिट्टियां क्षारीय हैं। इस खण्ड में वर्षा पश्चिम में 300 मि.मी. और पूर्व 500 मि.मी. तक होती हैं। 2016 में इस संभाग में जोधपुर, पाली, जालौर जिलों में सम्मिलित हैं का भी समावेश हैं। जोधपुर, पाली, जालौर जिलों में 11, 12 अगस्त की वर्षा से बाढ़ की स्थिति हो गई। जोधपुर स्टेशन पर 11 फीट पानी भरा था। कोर्ट रोड पर 6' से 8' पानी भरा था। इस प्रकार

पाली में भी पानी भरा हुआ था। बालोतरा में लूनी नदी खतरे के संकेत से 6 से 8 तक ऊपर बह रही थी। यही हाल जालौर का था। अतः कभी बाढ़ की स्थिति बन जाती हैं। वो कभी पानी के लिये तरसता हैं। 2016, 20 जून तक जोधपुर में 11,333 मि.मी. पाली में 234.74 मि.मी. तथा संभाग जोधपुर में 129.29 मि.मी. वर्षा हुई थी किन्तु अगस्त में सारे रिकार्ड समाप्त हो गये। 2016 में इस संभाग में वर्षा औसत लगभग दुगुना हो गया हैं। इस क्षेत्र की मिट्टी जोधपुर में लाल मरुस्थली जालौर और पानी में सरनोजम, पाली, सिरोही में पहाड़ों की तलहटी में लीथोसोल्स (Litho sols) पाई जाती हैं। यहां का कृषि परिदृश्य नहरे आने से बदल रहा हैं। इन्दिरा गांधी नहर एवं अन्य नहरों के कारण क्षेत्र में सिंचाई साधन उपलब्ध हो गये हैं। अतः खरीफ की फसल में ग्वार, बाजरा, तिल, मूंग, मोठ आदि हैं। अब इस क्षेत्र में रबी की फसल में जीरा, ईसबगोल आदि व्यवसायिक फसलों की खेती भी बहुताय: से होने लगी हैं। रबी की अन्य फसलों में जौ, गेंहू, सरसों, चना आदि होते हैं। कुल फसली क्षेत्र के 27 प्रतिशत क्षेत्र में कुओं और नहरों से सिंचाई होती हैं। यहां का कृषि अनुसंधान केन्द्र जालौर जिले का केशवाना स्थान हैं। कृषि अनुसंधान उप केन्द्र सुमेरपुर में हैं। जो बढी मण्डी हैं। इस खण्ड हेतु बेर, अनार, नींबू, अरण्डी आदि की खेती टीलों पर भी वृहद स्तर पर स्प्रिंकलर प्रणाली से सिंचाई कर पैदा करने लगा हैं।

**6. शस्य जलवायु खण्ड III-B अर्द्ध शुष्क पूर्वी मैदानी क्षेत्र (Semi-arid Eastern) –** इस खण्ड में अर्द्ध-शुष्क जलवायु का क्षेत्र आता हैं। यह जलवायु अजमेर, जयपुर, दौसा एवं टोंक में पाई जाती हैं। यहा की औसत वर्षा 500 से 700 मि.मी. होती हैं। यहा खरीफ की फसल में बाजरा, ग्वार, मूंग, मोठ, मूंगफली, ज्वार, तिल आदि की खेती होती हैं जो पूर्णतः वर्षा पर निर्भर हैं। सरकार ने फार्म पौण्ड का निर्माण अनुदान से कराया हैं जिसका फायदा किसानों ने पूरा उठाया हैं। खरीफ की सूखती हुई फसल को इन फार्म पौण्डों से पानी देकर बचाया जा सकता हैं। इस क्षेत्र में खरपतवार का अधिक प्रकोप रहता हैं जिसे किसान निराई गुड़ाई कर पूर्ति करते हैं। इस क्षेत्र में रबी की फसल में जौ, गेंहू, चना, सरसों, तारामीरा आदि की फसलें होती हैं। इस क्षेत्र का कुल भौगोलिक क्षेत्र 2453 लाख हैक्टेयर हैं। इस क्षेत्र के उत्तर पश्चिम में वर्षा की मात्रा 500 मि.मी. तक होती हैं जो पूर्वी भाग में बढ़कर 600–650 मि.मी. हो जाती हैं। मिट्टियों में नमी कम पाई जाती हैं। यहां पूर्वी मैदानी भाग में सरनोजम तथा पश्चिमी भाग में भूरी मिट्टी पाई जाती हैं। क्षेत्र में कुल फसली भाग में 28 प्रतिशत भाग पर सिंचाई की सुविधा उपलब्ध हैं। इसका कृषि अनुसंधान केन्द्र दुर्गापुरा, जयपुर में हैं तथा उप-कृषि अनुसंधान केन्द्र तबीजी, अजमेर में हैं। इस खण्ड हेतु ग्रफटेड बेरे जिसकी आपूर्ति जोबनेर कृषि विश्वविधालय द्वारा अनुसंधान कर दी जाती हैं लगभग छोटी सेव के बराबर बेर प्राप्त किये जाते हैं। इसके अलावा अमरुद, आंवला, नीबू, अनार, गुलाब, गोभी, टमाटर, बैंगन आदि उद्यानिकी फसलों की संस्तुति की गई हैं। इनका अनुसंधान एवं प्रयोग बस्सी के पास उप-कृषि अनुसंधान केन्द्र से किया जाता हैं।

**7. शस्य जलवायु खण्ड III-A बाढ़ संभाव्य पूर्वी मैदानी खण्ड (Flood prone Eastern Plain)–** इस खण्ड अलवर, भरतपुर, धौलपुर, करौली, सवाई माधोपुर का कुछ भाग सम्मिलित हैं। इस भाग में नदी, घाटियों, बीहड़, नालों, समतल भूमि एवं उपजाऊ मिट्टी का क्षेत्र पाया जाता हैं। यहां बारानी एवं सिंचित दोनों ही प्रकार की फसलें पैदा होती हैं। इस खण्ड का भौगोलिक क्षेत्रफल 23.68 लाख हैक्टेयर हैं। यहां मुख्यतः दोमट मिट्टी पाई जाती हैं। यहां की मिट्टी कांपीय है जिसमें जलभराव की समस्या पाई जाती हैं। इस खण्ड में खरीफ की फसल में मक्का, मूंगफली, ज्वार, बाजरा, ज्वार, ग्वार, मूंग, मोठ, अरहर आदि ये पैदा की जाती हैं। रबी की फसलों में गेहूं, जौ, सरसों, चना, तारामीरा, सौफ की खेती होती हैं। यहां पर कायीय मिट्टी चूनायुक्त पाई जाती हैं जिसमें उद्यानिकी फसलें बैंगन, अनार, बेर, मिर्च, अमरुद आदि की खेती होती हैं। अमरुद के लिये सवाई माधोपुर का क्षेत्र प्रसिद्ध हैं। यहां मोटे, मीठे, स्वादिष्ट अमरुद पैदा किये जाते हैं। यहां औसत वार्षिक वर्षा 500 से 700 मि.मी. होती हैं। जो औसत रूप से

लगभग समान पाई जाती हैं। उत्तरी पश्चिमी भाग में 500 मि.मी. तथा दक्षिणी-पूर्वी भाग में 650 मि.मी.वर्षा होती हैं। इस क्षेत्र में कुल बोये गये क्षेत्र के 14 प्रतिशत भाग में सिंचाई कुओं, बावड़ियों, तालाबों, एनीकटों से होती हैं। इसका कृषि अनुसंधान केन्द्र नवगांव में हैं। कृषि अनुसंधान रप केन्द्र कुम्हेर (भरतपुर) में हैं। इस खण्ड के लिये ग्राफ्टेड बेरे, अमरुद, नीबू, आम, पपीता, टमाटर, मिर्च, अनार, लौकी, टिण्डा आदि उद्यानिकी फसलें उगाने की संस्तुति की गई हैं।

8. **शस्य जलवायु खण्ड IV-A अर्द्ध आर्द्र दक्षिण मैदानी क्षेत्र (Sub-Humid southern plain of Aravallis hills)**– यह खण्ड भीलवाड़ा, चित्तौड़गढ़, प्रतापगढ़, सिरोही तथा राजसमंद के कुछ भाग शामिल हैं। यहां की औसत वर्षा 500 से 800 मिलीमीटर होती हैं। इस क्षेत्र का कुल भौगोलिक क्षेत्र 33.59 हैक्टेयर हैं। इस क्षेत्र में उदयपुर एवं चित्तौड़गढ़ की पहाड़ियों की तलहटी जिसमें लिथ्सोल्स पाई जाती हैं सम्मिलित हैं। मैदानी क्षेत्र की मिट्टियां पुरानी दोमट प्रकार की पाई जाती है। इस क्षेत्र के उत्तरी-पश्चिमी भागों में 500 मि.मी. तथा दक्षिणी-पश्चिमी, पूर्वी भाग में 900 मि.मी. वर्षा पाई जाती हैं। इस क्षेत्र में खरीफकी फसल कहीं कहीं सिंचाई भी होती हैं। इसी की फसल के लिये सिंचाई का पानी उपलब्ध हो जाता हैं। सिंचाई कुओं, तालाबों, बांधों, ट्यूबवेल और एनीकटों से होती हैं। कुल फसली क्षेत्र के 38 प्रतिशत भाग पर सिंचाई की सुविधा उपलब्ध हैं। खरीफ की प्रमुख फसलें मक्का, ज्वार, मूंगफली, कपास, गन्ना, उड़द, मूंग, मिर्च और अरहर आदि का उत्पादन होता हैं तथा रबी की फसलों में गेंहू, जौ, चना, धनियां, सरसों, तारामीरा, सोयाबीन, अमरुद आदि की खेती होती हैं। इस खण्ड का कृषि अनुसंधान केन्द्र उदयपुर में हैं। उप कृषि अनुसंधान केन्द्र अराजिया (भीलवाड़ा) चित्तौड़गढ़ में हैं। इसका पशु अनुसंधान केन्द्र वल्लभनगर (उदयपुर) में हैं। इस खण्ड के लिये अमरुद, नीबू, आंवला, सीताफल, आम, टमाटर, गुलाब, मिर्च, बैगन आदि उद्यानिकी फसलों की संस्तुति की गई हैं। यह खण्ड उपजाऊ एवं कृषि के लिये उत्तम है।

9. **शस्य जलवायु खण्ड IV-B (आर्द्र दक्षिण मैदानी क्षेत्र) (Humid southern plain)**– इस खण्ड़ का विस्तार डूंगरपुर, उदयपुर का आंशिक भाग चित्तौड़गढ़, बांसवाड़ा, प्रतापगढ़ सम्मिलित हैं। यहां की औसत वार्षिक वर्षा 500 से 1100 मि.मी. होती हैं। यहा खरीफ की फसल में मक्का, चावल, सोरजम, उड़द, कपास, संकर बाजरा, मूंग हैं तथा रबी की फसलों में गेंहू, जीरा, धनिया होता हैं। यह क्षेत्र उपजाऊ क्षेत्र हैं इसलिये इसमें सोयाबीन भी होता हैं। यहां की मिट्टिया लाल रंग लिये होती हैं। पूर्ण वाली मुक्त छिछली, चूने युक्त पहाड़ियों पर तथा घाटियों में गहरी कछारी मिट्टी पाई जाती हैं। इसका भौगोलिक क्षेत्रफल 17.24 लाख हैक्टेयर हैं। इस क्षेत्र में कुल फसली क्षेत्र का 16 प्रतिशत भाग नहरो, कुओं, ट्यूबवेल तथा तालाबों से सिंचित हैं। इस क्षेत्र का कृषि अनुसंधान केन्द्र बोसावट/बांसवाड़ा में हैं। उप कृषि अनुसंधान केन्द्र प्रतापगढ़ में हैं। इस खण्ड में नीबू, पपीता, केला, चीकू, टमाटर, भिंडी, बैगन आदि उद्यानिकी फसलों उत्पादन की सिफारिश की गई हैं।

10. **अर्द्ध दक्षिण-पूर्वी मैदानी क्षेत्र शस्य जलवायु खण्ड VI (Humid southern plain)**– यह क्षेत्र श्रीगंगानगर क्षेत्र कोटा, बूंदी, बारा, झालावाड़ और टोंक की तहसीलों में विस्तृत हैं। यहा औसत वार्षिक वर्षा 600 से 1000 मिमी. होती हैं। खण्ड के उत्तरी पश्चिमी भाग में वर्षा 650 मिमी. और दक्षिण पूर्वी भाग में 1000 मिमी. होती हैं। यहा की मिट्टियां मूल रूप से काली मिट्टी हैं जो नदी को बहुत समय तक संजोये रखती हैं। क्ले लोयमी हैं। कहीं कहीं सिंचाई के कारण क्षारीयता एवं जल भराव की समस्या पैदा हो गई हैं। इस क्षेत्र की खरीफ की फसलों में चावल सोयाबीन, मक्का, बूंदी का बासमति चावल, ज्वार, मक्का, गन्ना, कपास दबी की फसलों में गेंहू, चना, सरसों, अरहर, अलसी कुछ फसली क्षेत्र के 26 प्रतिशत भाग पर नहरो, कुओं, तालाबों, एनीकटों, बाधों, तालाबों से सिंचाई होती हैं। बांरा और झालावाड़ में धनियां और संतरा बहुतायतः से होता हैं। धनियां और जीरा के उत्पादन में राजस्थान देश में प्रथम स्थान पर हैं। इस क्षेत्र मे कृषि अनुसंधान केन्द्र

उम्मेदगंज (कोटा) में हैं। उप कृषि अनुसंधान केन्द्र अकलेरा (झालावाड़) में हैं। इस खण्ड़ हेतु आंवला, संतरा, अमरुद, आम, नीबू, गुलाब, हजारा, बैंगन, टमाटर आदि की खेती की संस्तुति की गई है। यह क्षेत्र राज्य का श्रीगंगानगर क्षेत्र के बाद दूसरा नहरी क्षेत्र हैं जहां चम्बल घाटी परियोजना की नहरों से सिंचाई होती हैं। गंगानगर क्षेत्र में सिख लोग इस क्षेत्र में आकर खेती कर रहे हैं और उत्पादन कर रहे हैं।

**राजस्थान राज्य में कृषि अनुसंधान–** राजस्थान में कृषि को उन्नत बनाने के लिये विभिन्न संस्थान कृषि अनुसंधान में लगे हुए हैं। इन अनुसंधान केन्द्रों एवं उप कृषि अनुसंधान केन्द्रों, विश्वविद्यालयों, महाविद्यालयों द्वारा अनुसंधान का कार्य किया जा रहा हैं। इनके द्वारा–

1. समन्वित कृषि पद्धति
2. जल संरक्षण तथा प्रबंधन
3. शस्य फसल अनुसंधान
4. उद्यानिकी फसलों पर अनुसंधान
5. फसलों का अनुसंधान प्रदर्शन
6. कटाई उपरान्त प्रोद्यौगिकी एवं प्रसंस्करण
7. समन्वित कीट व्याधि प्रबन्धन
8. पादप क्रिया नियामको पर अनुसंधान
9. सामाजिक आर्थिक विषयक अनुसंधान
10. नवीन फसलोंत्पादन अनुसंधान आदि।

किये जाते हैं। इन सभी अनुसंधानों में शुष्क मरुक्षेत्र अनुसंधान केन्द्र 'काजरी' (Central Arid Zone Research Institute) जोधपुर कार्य कर रहा है और अनुसंधानों के परिणामों का लाभ जनता और किसानों तक पहुंचा रहा हैं। इसके अलावा कृषि अनुसंधान निदेशालय, जयपुर, राजस्थान कृषि महाविद्यालय; उदयपुर कृषि महाविद्यालय-उदयपुर, कृषि विश्वविद्यालय-बीकानेर, कृषि महाविद्यालय जोबनेर, श्री कर्ण नरेन्द्र कृषि महाविद्यालय जोबनेर तथा विभिन्न अनुसंधान केन्द्रों, 10 कृषि अनुसंधान उप केन्द्रों, 3 पशुधन अनुसंधान केन्द्रों, गृह विज्ञान महाविद्यालयों आदि कृषि अनुसंधान के क्षेत्र में अग्रणीय कार्य कर रहे हैं।

फसलों में लगने वाली बीमारियों की रोकथाम के लिये कृषि विभाग, राजस्थान ने रसायनों के स्थान पर 'ट्राईकोडर्मा' नाम की फफूंद के उपयोग की सलाह दी हैं। यह जैविक नियंत्रण हैं। ट्राईकोडमा से विभिन्न प्रकार के रोग यथा–जड़ गलन, उखटा, तना गलन, झुलसा और अन्य भूमि जनित रोगों के नियंत्रण में यह उपयोगी हैं। इसका प्रयोग कपास, मूंगफली, चना, सरसों, अरहर, जीरा, धनियां आदि फसलों में उपयोगी रहता हैं। कृषि विभाग, राजस्थान आज कृषि उत्थान हेतु निम्न कार्य कर रहा हैं–

1. राजस्थान किसान आयोग का कृषि हेतु योगदान
2. राष्ट्रीय कृषि विकास योजना
3. राष्ट्रीय खाद्य सुरक्षा मिशन
4. कृषि प्रोद्यौगिकी प्रबंधन अभिकरण (आत्मा योजना)
5. प्रबोधन एवं मूल्यांकन सर्वेक्षण
6. बीज वितरण
7. उर्वरक वितरण
8. पौध संरक्षण
9. जिप्सम वितरण का कार्यक्रम
10. गुण नियंत्रण
11. जिन्सों का समर्थन मूल्य
12. मृदा परीक्षण कार्यक्रम
13. जल उपयोगइ
14. मिनीकट प्रदर्शन एवं वितरण
15. फसल प्रदर्शन
16. कृषि यंत्र प्रदर्शन एवं बिक्री
17. ग्राह्य परीक्षण केन्द्र (ए.टी.सी.)
18. जैविक खेती कार्यक्रम
19. फसल बीमा योजना
20. कृषि सूचना

उपर्युक्त सभी खण्ड जलवायु के आधार पर कृषि की व्यवस्था, स्थिति एवं स्वरुप हैं उसके बारे में

जानकारी दे रहे हैं। इन खण्डों में धरातलीय संरचना, फसलों का प्रारुप, फसलों का चक्रण, जलवायु के विविध तत्वों एवं उनकी गहनता आदि सभी बातें फसलों के उत्पादन को प्रभावित करती हैं। अतः इनके बारे में प्रत्येक खण्ड के विवरण के साथ स्पष्ट किया गया हैं।

इन जलवायु खण्डों में कृषि विकास की कतिपय समस्यायें हैं जिनमें प्रमुख वर्षा की कमी एवं मानसून की प्रकृति, सिंचाई सुविधाओं की कमी, जोतो का आकार, कृषकों में शिक्षा का अभाव, कृषि उत्पादों के भण्डारण एवं वितरण की दोषपूर्ण व्यवस्था, कृषि फसलों के रोग, मृदा संरक्षण, सेम की समस्या आदि इन समस्याओं का वितरण एवं इनके निदान के उपाय कृषि एवं भूमि उपयोग के अगले अध्याय में विवरण दिया गया हैं। अतः तदनुसार अध्ययन सुविधा से किया जा सकता हैं। राष्ट्रीय कृषि विकास योजना एवं राष्ट्रीय स्तर पर जन मानस के हितार्थ कार्य किया जाना हैं। प्रत्येक व्यक्ति को रोजगार एवं प्रत्येक व्यक्ति को भोजन यहे आवश्यक आवश्यकतायें हैं जिनकी आपूर्ति के लिये कृषि विभाग एवं सरकार कटिबद्ध हैं। सन् 2015-16 का भारत सरकार एवं राज्य सरकार दोनों का कृषि बजट कृषि की दृष्टि से महत्वपूर्ण माना जा रहा हैं। बजट में कृषि विकास को विशेष बना दिया गया हैं। इस लिये कृषि में रोजगार सृजन की विशेष बात रखी गई हैं। इस दृष्टि से कृषि की ओर सरकार का एवं किसानों का ध्यान गया हैं। राष्ट्रीय खाद्य सुरक्षा मिशन इस ओर एक महत्वपूर्ण योजना हैं।

# अध्याय 15

## सिंचाई
## Irrigation

राजस्थान के किसी भी कृषि विकास कार्यक्रम में सिंचाई का प्रमुख स्थान हो सकता है राज्य के पश्चिमी भाग में लगभग आधा क्षेत्र 250 मिलीमीटर से कम वर्षा प्राप्त करता है। अरावली के अधिकांश पूर्व 1/3 क्षेत्र में वर्षा 500 मिलीमीटर से 750 मिलीमीटर तक होती है। पश्चिमी भाग में तापक्रम भी ऊँचा है और इन कारकों ने शुष्क और अर्द्धशुष्क दशाएं उत्पन्न कर दी है, जिनके अन्तर्गत कृषि-कार्य बहुत सीमित है। वस्तुत: राजस्थान का पश्चिमी बालुका मैदान एक बड़ी सीमा तक फसल की खेती और अन्य कृषि कार्य के लिए अनुपयुक्त क्षेत्र बन गया है। राज्य में सिंचाई की अत्यधिक आवश्यकता के निम्न कारण हैं।

**वर्षा की अनिश्चितता (Uncertainty of Rainfall)**—राज्य का लगभग 80 प्रतिशत फसली क्षेत्र पूर्णतया वर्षा पर निर्भर है। यह वर्षा भी अनिश्चित है। इसका अर्थ यह है कि वर्षा कब होगी तथा कितनी मात्रा में होगी, सब कुछ अनिश्चित है। साथ ही वर्षा अनियमित या असामयिक है, कभी तो वर्षा अधिक हो जाती है तो कभी सूखा पड़ता है। इसी कारण भारतीय कृषि को मानसून का जुआ कहा गया है। अत: सिंचाई साधनों का महत्त्व है।

**वर्षा की मौसमी प्रकृति (Seasonal Character of Rainfall)**—राज्य के अधिकांश भागों में वर्षा जुलाई से सितम्बर के बीच ही होती है जिससे खरीफ की फसलों को मानसून के सहारे छोड़ा जा सकता है लेकिन शेष महिनों के लिए तो सिंचाई की व्यवस्था होनी ही चाहिए। यद्यपि रबी की फसल के लिए कुछ वर्षा होनी ही चाहिए, लेकिन यह अपर्याप्त है तथा राज्य के सभी हिस्सों में नहीं होती है। अत: यदि हम सघन कृषि कार्यक्रम अपनाना चाहते हैं तो सिंचाई सुविधाओं का विस्तार आवश्यक है।

**विशेष फसलें (Special Crops)**—कुछ फसलें ऐसी होती हैं जिनमें नियमित एवं अधिक पानी की आवश्यकता होती है। जैसे-कपास, गन्ना, चावल आदि। अत: इन फसलों से अधिकाधिक उत्पादन लेने के लिए आवश्यक है कि सिंचाई में कृत्रिम साधनों का विस्तार किया जाए।

**विस्तृत खेती (Extensive Farming)**—राज्य में बढ़ती जनसंख्या (2011 में राज्य की जनसंख्या 6.86 करोड़ है) के लिए अधिक कृषि उत्पादन आवश्यक है जो बेकार भूमि का खेती के लिए प्रयोग करके ही सम्भव हो सकता है। इस प्रकार की भूमि के लिए सिंचाई व्यववस्था करनी होगी। इससे ही बेकार बंजर भूमि कृषि कार्यों में प्रयुक्त हो सकेगी।

**वर्षा का असमान वितरण (Uneven Distribution of Rainfall)**—राज्य के सभी जिलों में वर्षा एक समान नहीं होती। कुछ भाग ऐसे हैं जहाँ वर्षा अधिक होती है और परिणामस्वरूप बाढ़ आती है और कृषि कार्य को असम्भव बनाती है। इसके विपरीत पश्चिमी राजस्थान के क्षेत्र हैं जहाँ वर्षा बहुत थोड़ी मात्रा में होती है और लगभग सूखे की स्थिति रहती है। इस प्रकार यहाँ भी कृषि कार्य कठिन है। अत: आवश्यकता अत्यधिक वर्षा वाले स्थानों से नहरों द्वारा कम वर्षा वाले स्थानों पर पानी लाकर सिंचाई सुविधाएँ उपलब्ध कराने की है।

**अकाल से छुटकारा (Relief From Famines)**—राज्य में अकाल एक सामान्य प्रक्रिया है। सिंचाई की सुविधाओं के विस्तार से अकाल के भय से छुटकारा पाया जा सकता है।

**हरित क्रान्ति की सफलता (Success of Green Revolution)**—राज्य भी हरित क्रान्ति के दौर से गुजर रहा है। हरित क्रान्ति में गहन खेती, बहु फसली खेती, उत्पादकता वृद्धि आदि के कार्यक्रम अपनाए जाते हैं। लेकिन सिंचाई सुविधाओं के अभाव में हरित क्रान्ति की सफलता संदिग्ध है।

राज्य के लगभग 285.5 लाख हैक्टेयर भूमि कृषि योग्य हैं। इसमें से 187.9 लाख हैक्टेयर भूमि पर खेती हो रही है। जो राज्य के कुल कृषि योग्य क्षेत्र का 64 प्रतिशत है। शेष 36 प्रतिशत भाग में वर्षा कम होने और सिंचाई के साधनों के अभाव में कृषि नहीं हो पा रही हैं। राजस्थान का सिंचित क्षेत्र पड़ौसी राज्यों पंजाब, हरियाणा व उत्तर प्रदेश की तुलना में कम हैं। राज्य के आर्थिक विकास के लिए कृषि का विकास और उसके लिए सिंचाई सुविधाओं का विस्तार अत्यावश्यक है (मानचित्र 66)।

राजस्थान शुष्क व अर्द्धशुष्क जलवायु क्षेत्र हैं प्रदेश में वर्षा का औसत बहुत कम है राज्य के पश्चिमी के बड़े भाग पर 250 मिलीमीटर से कम वर्षा होती है पूर्वी व मध्य राजस्थान के विस्तृत क्षेत्र पर 500 से 600 मिलीमीटर तक ही वर्षा होती है यही कारण है कि राजस्थान में भारत में गिरने वाली कुल वर्षा का केवल 1 प्रतिशत भाग गिरता है जबकि राज्य का क्षेत्रफल देश के क्षेत्रफल का 10.5 प्रतिशत है। प्रदेश में अनिश्चित व अनियमित वर्षा के कारण अकाल पड़ते रहते हैं। अतः यहाँ बारहमासी (वर्ष भर बहने वाली) नदियों की कमी है। राज्य में चम्बल ही ऐसी नदी है जो वर्ष पर्यन्त बहती है। राजस्थान के पश्चिमी भाग में भूमि की सतह के ऊपर स्थित जलस्रोतों नदी, तालाब आदि की कमी है। राजस्थान में 2020-21 में विभिन्न स्रोतों से सिंचित क्षेत्र 87.79 लाख हैक्टेयर है।

**सारणी-37 : स्रोतवार शुद्ध सिंचित क्षेत्रफल, 2004-05 से 2020-21**

| कृषि वर्ष | नहरें | तालाब | कुऐं एवं नलकूप | अन्य स्रोत | योग |
|---|---|---|---|---|---|
| 2004-05 | 1457471 | 82407 | 4266653 | 73416 | 5879947 |
| 2005-06 | 1705767 | 76740 | 4426605 | 84834 | 6293946 |
| 2006-07 | 1703284 | 130791 | 4580694 | 80976 | 6495745 |
| 2007-08 | 1687753 | 101724 | 4572049 | 82534 | 6444060 |
| 2008-09 | 1583116 | 30565 | 4558657 | 72710 | 6245048 |
| 2009-10 | 1423923 | 16597 | 4338313 | 71081 | 5849914 |
| 2010-11 | 1628746 | 55676 | 4897427 | 78876 | 6660725 |
| 2011-12 | 1843797 | 68785 | 5111105 | 97888 | 7121575 |
| 2012-13 | 1900662 | 91686 | 5382149 | 124623 | 7499120 |
| 2013-14 | 1859107 | 67461 | 5561022 | 162037 | 7649627 |
| 2014-15 | 1928740 | 69699 | 5733278 | 149993 | 7881710 |
| 2015-16 | 1979480 | 66193 | 5775257 | 117067 | 7937997 |
| 2016-17 | 2018266 | 99296 | 5956495 | 182955 | 8257012 |
| 2017-18 | 1926523 | 68160 | 5870501 | 119753 | 7984937 |
| 2018-19 | 2016562 | 34978 | 6069433 | 161983 | 8282956 |
| 2019-20 | 2198456 | 78055 | 6368814 | 175651 | 8820976 |
| 2020-21 | 2145125 | 47051 | 6409749 | 176196 | 8778121 |

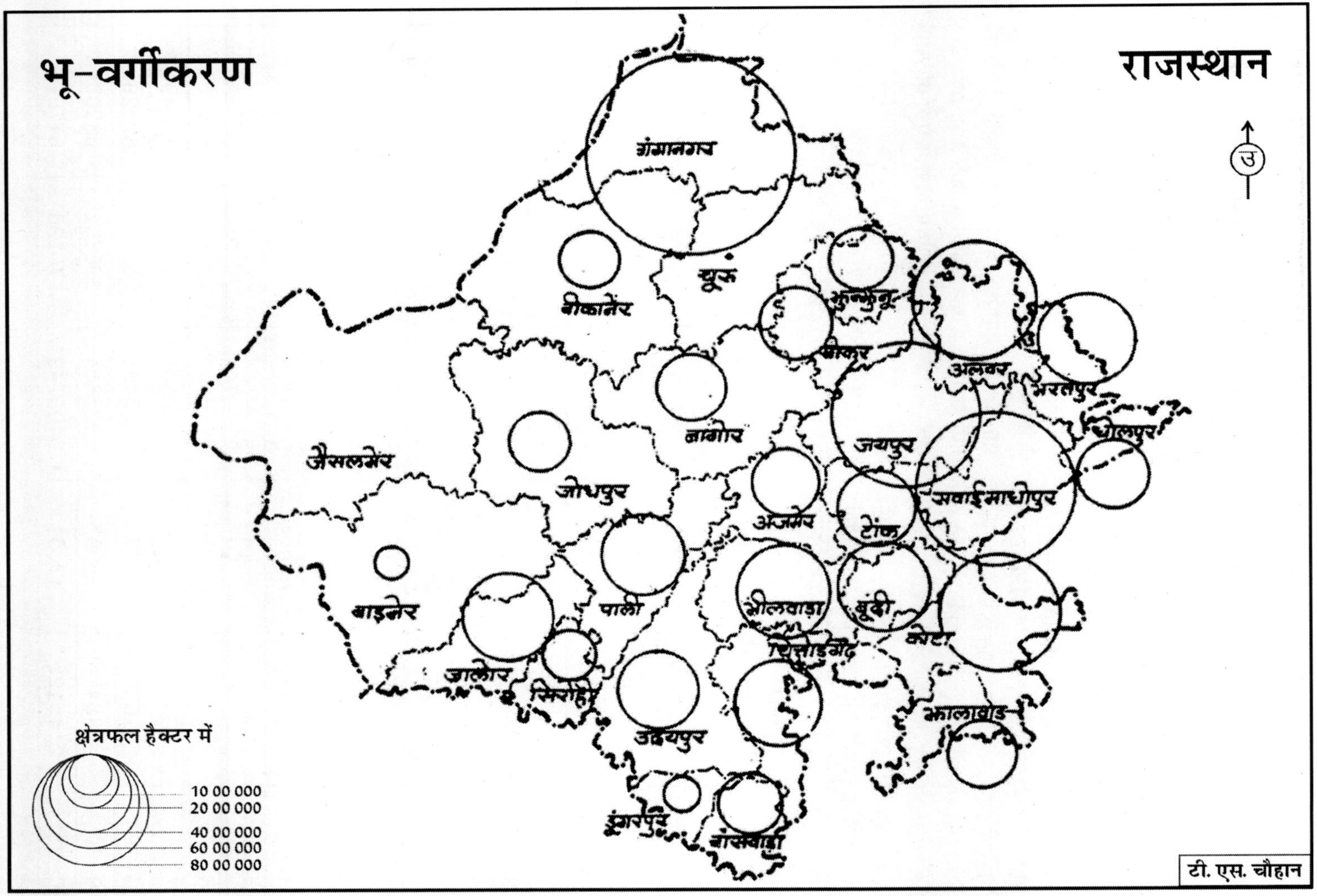
भू-वर्गीकरण
राजस्थान
उ
गंगानगर
बीकानेर
चूरू
झुन्झुनू
सीकर
अलवर
भरतपुर
धौलपुर
नागौर
जैसलमेर
जोधपुर
जयपुर
सवाईमाधोपुर
अजमेर
टोंक
बाड़मेर
पाली
भीलवाड़ा
बूंदी
कोटा
चित्तौड़गढ़
जालौर
सिरोही
उदयपुर
झालावाड़
डूंगरपुर
बांसवाड़ा
क्षेत्रफल हैक्टर में
10 00 000
20 00 000
40 00 000
60 00 000
80 00 000
टी. एस. चौहान

मानचित्र 66

## राज्य में सिंचाई के साधन

राजस्थान में सिंचाई के तीन प्रमुख साधन है- (मानचित्र 64)

1. नहरें 2. तालाब
3. कुएँ और नलकूप

### 1. नहरों द्वारा सिंचाई

नहरों द्वारा लगभग 2885 लाख हैक्टेयर क्षेत्र में सिंचाई की जाती है। यह घटता-बढ़ता रहा है। गंगानगर जिले में सम्पूर्ण सिंचाई नहरों द्वारा की जाती है। अरावली और मारवाड़ मैदान क्षेत्र में वर्षा की प्रकृति और धरातलीय दशाओं के कारण नहर निर्माण के लिए सीमित क्षेत्र है। अरावली प्रदेश में वार्षिक वर्षा की मात्रा 500 मिलीमीटर से 900 मिलीमीटर के बीच है। इस वर्षा का एक वृहद् भाग, औसतन लगभग 90.0 प्रतिशत 2-3 महिनों की लघु अवधि में होता है। दूसरी ओर वह मिट्टी जिस पर प्रवाह रेखाएँ बन चुकी हैं, हल्की असंपीडित और बालुकामय है। इससे जल-प्रवाह के समय बड़ी मात्रा में अंत: स्रवण होता है। तापक्रम भी मुख्यत: मारवाड़ मैदानों में ऊँचा है। इसके कारण बड़ी मात्रा में वाष्पीकरण होता है। इसके अतिरिक्त शैल-संरचना ऐसी है कि उसमें प्राकृतिक जलाशय नहीं बनते। इन सभी कारणों से इस प्रदेश में नहरों का कम विकास हुआ है। फिर भी, वर्षा से प्राप्त सारे जल का उपयोग सिंचाई में करने के प्रयत्न किए जा रहे हैं। उन क्षेत्रों में भी जहां नहरें बनाई गई हैं, पानी की बहुत कमी है। यह अनियमित वर्षा, वहन में पानी की हानि, अधिक प्रस्राव, क्षेत्र में प्रचलित ऊंचे तापक्रमों के कारण अधिक वाष्पीकरण, दोषपूर्ण खेत नालियों और नालों तथा कृषकों के बीच जल-वितरण की दोषपूर्ण पद्धति के कारण है। नहरों में पानी ठीक से नहीं भरा जाता। उस पर भरोसा नहीं किया जा सकता और इस कारण कृषकों के लिए फसलों का बदलना या गहरी कृषि-क्रियाएँ अपनाना कठिन होता है। इसके अतिरिक्त सिंचित कृषि पर अधिक खर्च होता है जिसके कारण इस क्षेत्र में इसको अपनाने या इसका विकास करने में एक बड़ी बाधा है। कृषकों ने इन परिस्थितियों के अन्तर्गत होनेवाली फसलों में एक फसल को ही अपनाया है। इस प्रकार सिंचाई के द्वारा कृषि उत्पादन में आदर्श परिणामों के लिए सुधार करने वाले उपाय अनिवार्य हैं। इन उपायों में ये होना चाहिए कि उन क्षेत्रों में पानी नियमित रूप से और ज्यादा पहुँचे, जहाँ सिंचाई की आवश्यकता है। प्रस्राव में कमी करने के लिए नहरों को ठीक करके, ढाल सुधार, जल-प्रवाह पद्धति में सुधार के द्वारा और नियंत्रित क्षेत्रों को और सघन करके, वितरण-पद्धति में सुधार करने की आवश्यकता है। इन विधियों से और अच्छा वितरण होगा और कृषि उत्पादन बढ़ाने में निश्चय में निश्चय ही सहायता मिलेगी।

### 2. तालाबों द्वारा सिंचाई

उत्तर-पूर्व में भरतपुर जिले और अरावली श्रेणी के पश्चिमी भाग में पाली जिले में तालाब सिंचाई के अन्तर्गत वृहत्तम क्षेत्र है। इन दोनों जिलों में राजस्थान में तालाब सिंचित क्षेत्र का लगभग 68.20 प्रतिशत है। अलवर, भरतपुर, जयपुर, सवाई माधोपुर, अजमेर, टोंक, भीलवाड़ा, पाली, उदयपुर और चित्तौड़गढ़ जिलों में लगभग 95.0 प्रतिशत क्षेत्र तालाब लगभग 3/4 क्षेत्र पाया जाता है। यह पद्धति जयपुर, अजमेर, भीलवाड़ा, उदयपुर और चित्तौड़गढ़ जिलों में अत्यन्त सामान्य हैं।

### 3. कुएँ और नलकूप द्वारा सिंचाईं

कुएँ और नलकूप इस राज्य में सिंचाई के अन्य स्रोत हैं। सिंचित क्षेत्र का लगभग 68.70 प्रतिशत इस स्रोत से आवृत्त है। बहुत से क्षेत्रों में नहर सिंचाई से कूप सिंचाई के अनेक लाभ हैं। कुओं द्वारा सिंचित क्षेत्रों में शस्य-प्रतिरूप पानी की नियमित और विश्वसनीय पूर्ति के कारण बहुत अच्छा विकसित है तथा प्रति हैक्टेयर औसत उत्पाद भी उच्चतम है। नहर सिंचाई की तुलना में कुओं पर खर्च कम होता हैं। कुएँ सुविधाजनक स्थानों पर खोदे जा सकते हैं और अन्य सिंचाई पद्धतियों की अपेक्षा जल-वितरण भी उत्तम होता है। फिर भी कूप सिंचाई की अपनी समस्याएँ भी हैं। कुओं से पानी खींचने के लिए शक्ति की कमी सबसे महत्त्वपूर्ण है। कई स्थानों में इस कार्य के लिए बैलों को उपयोग में लाया जाता है। परन्तु उनकी

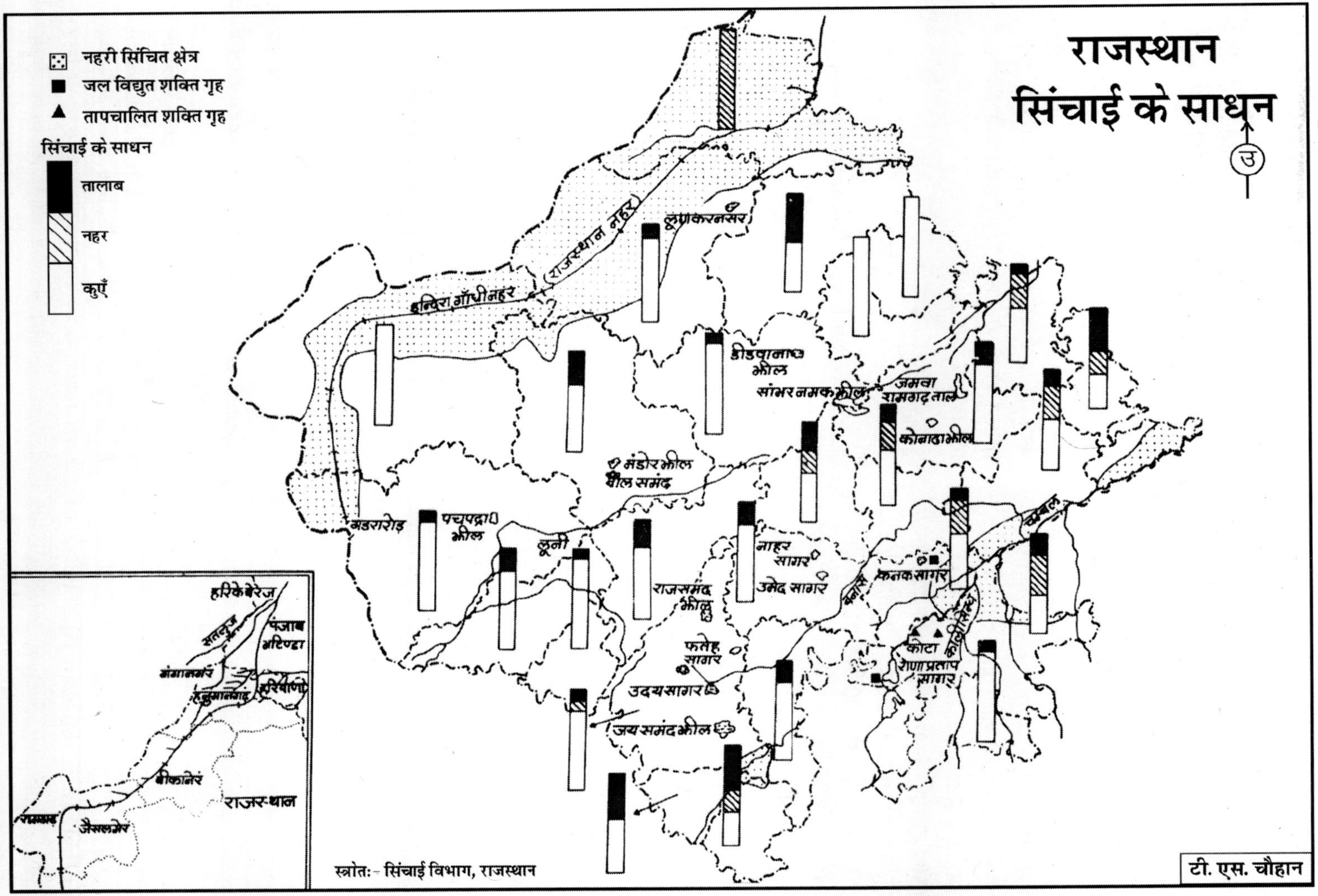
राजस्थान
सिंचाई के साधन
उ
नहरी सिंचित क्षेत्र
जल विद्युत शक्ति गृह
तापचालित शक्ति गृह
सिंचाई के साधन
तालाब
नहर
कुएँ
राजस्थान नहर
इन्दिरा गाँधी नहर
लूणकरनसर
डीडवाना झील
सांभर नमक झील
जमवा रामगढ़ ताल
कोनाडा झील
मंडोर झील
बील समंद
मंडरारोड़
पचपद्रा झील
लूनी
राजसमंद झील
नाहर सागर
उमेद सागर
कनक सागर
चम्बल
बनास
कोटा
राणाप्रताप सागर
फतेह सागर
उदयसागर
जयसमंद झील
हरिके बेरेज
सतलुज
पंजाब
भटिण्डा
गंगानगर
हनुमानगढ़
हरियाणा
बीकानेर
जैसलमेर
राजस्थान
स्रोतः- सिंचाई विभाग, राजस्थान
टी. एस. चौहान

मानचित्र 67

क्षमता सीमित होने से पूर्ण जल-पूर्ति निश्चित नहीं की जा सकती और बहुत से क्षेत्रों में कुओं का पूरा उपयोग नहीं किया जा सकता। इसके अतिरिक्त राज्य में सिंचाई के लिए पर्याप्त जलापूर्ति भूमि के अन्दर से भी उपलब्ध की जा सकती है।

## प्रमुख सिंचाई परियोजनाएँ

### चम्बल नदी घाटी परियोजना (Chambal River Valley Project)

चम्बल नदी के विशाल जल स्रोतों को विनाश से विकास की ओर मोड़ने के उद्देश्य से प्रेरित यह योजना मध्य प्रदेश एवं राजस्थान का एक संयुक्त प्रयास है। बाढ़ों तथा भूमि कटाव के लिए प्रख्यात इस नदी पर कई बांध बनाकर विद्युत उत्पादन, बाढ़-नियंत्रण, सिंचाई आदि से राजस्थान की अर्थव्यवस्था का कायापलट कर दिया गया है। (मानचित्र 68)

**योजना के उद्देश्य**—चम्बल नदी घाटी परियोजना एक बहुउद्देशीय योजना है, अत: यह निम्न कई उद्देश्यों से प्रेरित रही है-

(1) बाढ़ नियन्त्रण से जन-धन की हानि को रोकना;
(2) जल-विद्युत उत्पन्न करना;
(3) पेयजल की व्यवस्था करना;
(4) भूमि कटाव को रोकना;
(5) बांधों से नहरें निकालकर सिंचाई की व्यवस्था करना;
(6) मछली पालन;
(7) मलेरिया नियंत्रण तथा
(8) वृक्षारोपण आदि-आदि।

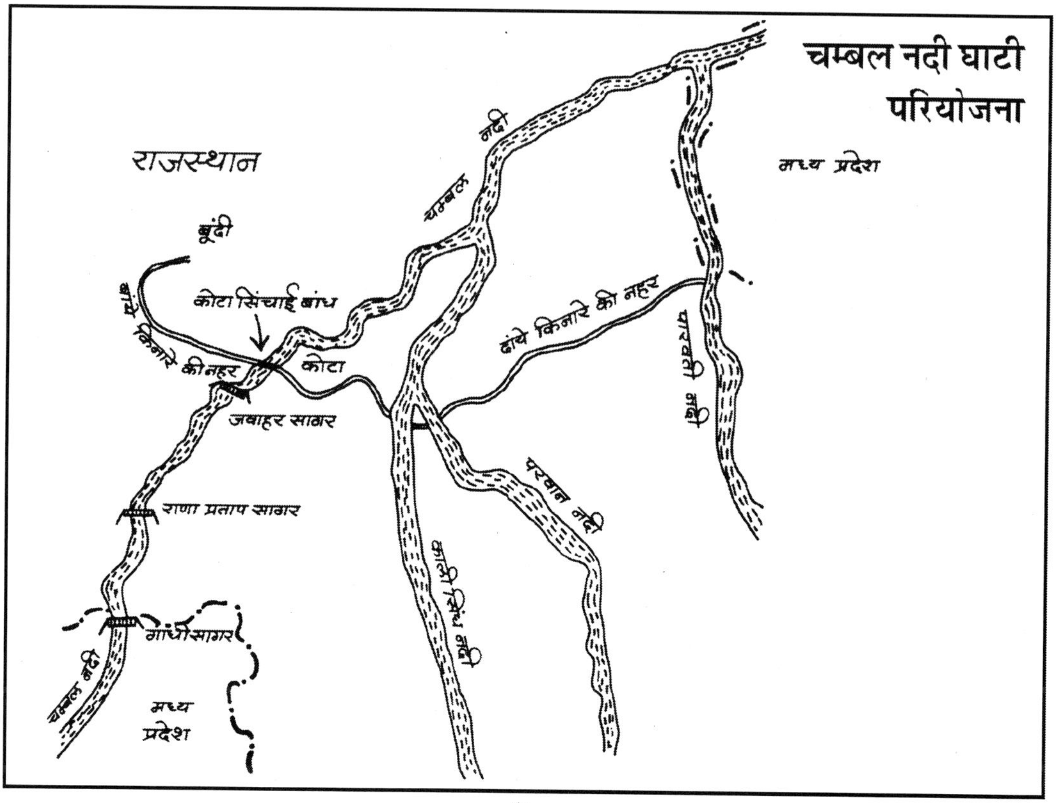


मानचित्र 68

1. प्रथम चरण- (I Stage)
   (i) गाँधी सागर बांध का निर्माण
   (ii) गाँधी सागर विद्युत-गृह का निर्माण
   (iii) कोटा सिंचाई बांध का निर्माण
   (iv) कोटा सिंचाई बांध के दायीं-बायीं तरफ नहरी व्यवस्था।
2. द्वितीय चरण- (II Stage)
   (i) राणा प्रताप सागर बांध का निर्माण
   (ii) राणा प्रताप सागर विद्युत-गृह का निर्माण
   (iii) बांध की भूमिका टनेल का निर्माण।
3. तृतीय चरण- (III Stage)
   (i) जवाहर सागर बांध का निर्माण
   (ii) जवाहरसागर विद्युत-गृह का निर्माण

**गाँधी सागर बांध एवं विद्युत गृह**—मध्य प्रदेश के मन्दसौर जिले में रामपुरा भानपुरा पठारों के बीच चम्बल नदी पर 513.5 मीटर लम्बा तथा 62 मीटर ऊँचा यह बांध 1959 में पूरा हुआ। तथा बांध पर विद्युत उत्पादन हेतु 23-23 हजार किलोवाट विद्युत क्षमता की पाँच इकाइयाँ स्थापित की गई जिनकी कुल विद्युत उत्पादन क्षमता 115 हजार किलोवाट है।

**कोटा सिंचाई बाँध (Kota Barrage)**—कोटा नगर के गढ़ के पास चम्बल नदी पर यह बांध 438 मीटर लम्बा तथा 42 मीटर ऊँचा है। यह 1960 में बनकर तैयार हुआ।

**सिंचाई नहरों की व्यवस्था**—कोटा सिंचाई बाँध के दोनों ओर से दायीं नहर तथा बायीं नहर निकाली हुई है। ये दोनों नहरें राजस्थान एवं मध्य प्रदेश की लगभग 5.6 लाख हैक्टेयर भूमि में सिंचाई करती हैं। बायीं नहर 65 किलोमीटर लम्ब बहती हुई अन्त में बून्दी की मेजा नदी में जा मिलती है। इससे कोटा एवं बूंदी जिलों में लगभग 2.1 लाख हैक्टेयर भूमि की सिंचाई होती है, जबकि दायीं नहर कुल मिलाकर 425 किलोमीटर लम्बी है। यह 120 किलोमीटर राजस्थान में तथा शेष 305 किलोमीटर मध्यप्रदेश में हैं। यह दोनों राज्यों की लगभग 3.5 लाख हैक्टेयर भूमि में सिंचाई करती है।

**राणा प्रताप सागर बाँध एवं विद्युत गृह**—यह बाँध चित्तौड़गढ़ जिले के रावतभाटा नामक स्थान पर चम्बल नदी पर बनाया गया है। यह बाँध 1,100 मीटर लम्बा तथा 42 मीटर ऊँचा है। इस बांध के नीचे की ओर एक विद्युत उत्पादन गृह बनाया गया है जिसमें 43-43 हजार किलोवाट विद्युत क्षमता की चार विद्युत इकाइयाँ हैं। इन सब इकाइयों की कुल विद्युत उत्पादन क्षमता 172 हजार किलोवाट है।

**जवाहर सागर बाँध एवं विद्युत-गृह-चम्बल**—चम्बल परियोजना के तृतीय चरण में कोटा सिंचाई बांध से 16 किलोमीटर दक्षिण में बोराबास के पास चम्बल नदी पर यह बाँध 440 मीटर लम्बा तथा 45 मीटर ऊँचा है। इस बाँध के नीचे की ओर निर्मित विद्युत गृह में 33-33 हजार किलोवाट विद्युत क्षमता की 99 हजार किलोवाट है।

## चम्बल नदी घाटी परियोजना के लाभ

चम्बल नदी घाटी परियोजना राजस्थान के लिए वरदान सिद्ध हुई है, इससे जहाँ एक ओर औद्योगिकीकरण एवं विद्युतीकरण का मार्ग प्रशस्त हुआ वहाँ दूसरी ओर सिंचाई में वृद्धि, भूमि कटाव पर नियंत्रण तथा बाढ़ की भयंकर विनाश-लीला से मुक्ति मिली है। इस परियोजना के लाभ इस प्रकार हैं :—

**(1) विद्युत उत्पादन**—चम्बल परियोजना से 3.86 लाख किलोवाट विद्युत उत्पादन क्षमता का विकास हुआ है जो औद्योगिकीरण एवं विद्युतीकरण के लिए वरदान सिद्ध हुई है। तीनों बांधों पर निर्मित विद्युत-गृहों की क्षमता इस प्रकार है:—

| | | | |
|---|---|---|---|
| (i) | गाँधीसागर बाँध | 5 विद्युत इकाइयाँ | 1,15,000 कि.वा. |
| (ii) | राणा प्रताप सागर बाँध | 4 विद्युत इकाइयाँ | 1,72,000 कि.वा. |
| (iii) | जवाहर सागर बाँध | 3 विद्युत इकाइयाँ | 99,000 कि.वा. |
| | | **कुल** | **3,86,000 कि.वा.** |

इसके अतिरिक्त राणा प्रताप सागर बाँध पर बने अणु-शक्ति परियोजना में 220-220 मेगावाट विद्युत

क्षमता के दो संयंत्र हैं। इसी प्रकार थर्मल पॉवर की 2 इकाईयाँ कोटा-बैराज पर प्रत्येक 220-220 मेगावाट क्षमता की कार्यरत है।

(2) **सिंचाई सुविधा में वृद्धि**—चम्बल परियोजना में कोटा बैराज से निकाली गई दायीं-बायीं नहरों से राजस्थान और मध्यप्रदेश की 5.6 लाख हैक्टेयर भूमि में सिंचाई सुविधा में वृद्धि हुई है जिससे कृषि उत्पादन में वृद्धि हुई है।

(3) **बाढ़ों से मुक्ति**—चम्बल परियोजना के कारण बाढ़ों से होने वाली विनाशलीला एवं जन-धन की क्षति से मुक्ति मिली है।

(4) **मिट्टी कटाव पर रोक**—चम्बल क्षेत्र में चम्बल की बाढ़ों से होने वाली अत्यधिक नालीदार कटाव पर रोक लग गई है।

(5) **औद्योगिकीकरण सम्भव हुआ है**—चम्बल परियोजना से प्राप्त विद्युत शक्ति, पेयजल तथा कृषि जन्य पदार्थों की पूर्ति में वृद्धि आदि से कोटा एक औद्योगिक केन्द्र बन गया है तथा राज्य के अन्य क्षेत्रों के औद्योगिकीकरण का मार्ग प्रशस्त हुआ हैं।

(6) वृक्षारोपण एवं चरागाहों का विकास सम्भव हुआ है।

(7) कृषि विकास की गति हुई तथा कृषि उपज की मण्डियों का विकास सम्भव हुआ है।

(8) मछली पालन से प्रतिवर्ष 12 से 15 करोड़ रुपये की आय होती है।

## इन्दिरा गाँधी नहर परियोजना
## (Indira Gandhi Nahar Canal Project)

राजस्थान के विशाल रेतीले भू-भाग में जहाँ कभी सरस्वती नदी बहती थी अब हिमालय के जल को प्रवाहित करने की महत्ती योजना मूर्त रूप ले रही है। राजस्थान नहर की परिकल्पना बीकानेर राज्य के तत्कालीन इंजीनियर श्री कँवरसेन ने सन् 1948 में की और अपने प्रारम्भिक अध्ययन की रिपोर्ट ''बीकानेर राज्य में पानी की आवश्यकता'' के रूप में भारत को प्रस्तुत की लेकिन 1957 तक इस सम्बन्ध में कुछ नहीं हो सका। राजस्थान के कुल 3.42 करोड़ हैक्टेयर क्षेत्र में से 37 प्रतिशत तो मरुस्थल ही है। इस भाग में 8 जिले गंगानगर, बीकानेर, जैसलमेर, बाड़मेर, जोधपुर, चुरू, नागौर व पाली हैं। दुर्भाग्य से यह क्षेत्र कृषि योग्य होते हुए भी थोड़े से सिंचित क्षेत्र को छोड़कर शेष सारा बंजर है। इस मरु प्रदेश को नवजीवन प्रदान करने के लिए ही राजस्थान नहर का निर्माण किया गया है। (मानचित्र 69) एशिया की सबसे बड़ी मानव निर्मित वह नहर इस क्षेत्र में सूर्योदय के समान सिद्ध हो रही है।

पंजाब राज्य में सतलज एवम् व्यास नदियों के संगम पर हरिके बेराज से ''राजस्थान फीडर नहर'' प्रारम्भ होती है। यह पंजाब एवम् हरियाणा राज्य के क्षेत्र में 177 किलोमीटर की दूरी तक बहने के बाद राजस्थान में प्रवेश करती है।

राजस्थान नहर परियोजना के प्रमुख निर्माण कार्यों को चार भागों में विभाजित किया जा सकता है। (सारणी-31)

(1) राजस्थान फीडर का निर्माण,
(2) राजस्थान मुख्य नहर का निर्माण,
(3) राजस्थान नहर की 9 शाखाओं, 21 उप-शाखाओं तथा वितरक नहरों का निर्माण,
(4) लिफ्ट नहरों के निर्माण की व्यवस्था।

**प्रथम चरण**—निर्माण की सुविधा के लिए इस योजना को दो भागों में विभक्त किया गया है। प्रथम चरण में 204 किलोमीटर की लम्बाई में राजस्थान फीडर जून 1964 में बनकर तैयार हो गई। इसी प्रकार राजस्थान मुख्य नहर 189 किलोमीटर की लम्बाई में जून 1975 में बनकर तैयार हो गई। प्रथम चरण के अन्तर्गत 3,075 किलोमीटर की लम्बाई में वितरण प्रणाली निर्मित किए जाने का लक्ष्य था जिसे मार्च, 1990 तक पूरा किया जा चुका है। प्रथम चरण में निकलने वाली प्रमुख शाखा सूरतगढ़, अनूपगढ़ शाखा व पूँगल शाखा हैं। प्रथम चरण का ही एक महत्त्वपूर्ण हिस्सा बीकानेर, लूणकरणसर जलोत्थान नहर 1976 में बनकर तैयार हो गई है। चौथे पम्पिंग स्टेशन तक वितरक प्रणाली 1980 में पूरी कर ली गई है। शेष कार्य भी मार्च, 1984 तक पूरा हो गया। इस प्रणाली में 1,342 किलोमीटर लम्बी पक्की जलधाराओं का

निर्माण किया जा चुका है। नौरंगदेसर, रावतसर, खेतावली, जाखपुरा वितरक नहरों का निर्माण कार्य भी पूरा हो चुका है। प्रथम चरण का निर्माण कार्य लगभग पूरा हो चुका है। प्रथम चरण में मार्च, 1990 तक 5.76 लाख हैक्टेयर सिंचाई क्षमता अर्जित कर ली गई तथा 4.63 लाख हैक्टेयर भूमि पर वास्तविक सिंचाई की गई व 100 करोड़ रुपये से अधिक का वार्षिक उत्पादन हुआ। 1986-87 में 110 प्रतिशत सघनता के अनुसार सिंचाई करने की योजना थी। 246 करोड़ रुपये की अनुमानित लागत के प्रथम चरण पर मार्च, 1990 तक 264.69 करोड़ रुपये व्यय किए जा चुके हैं।

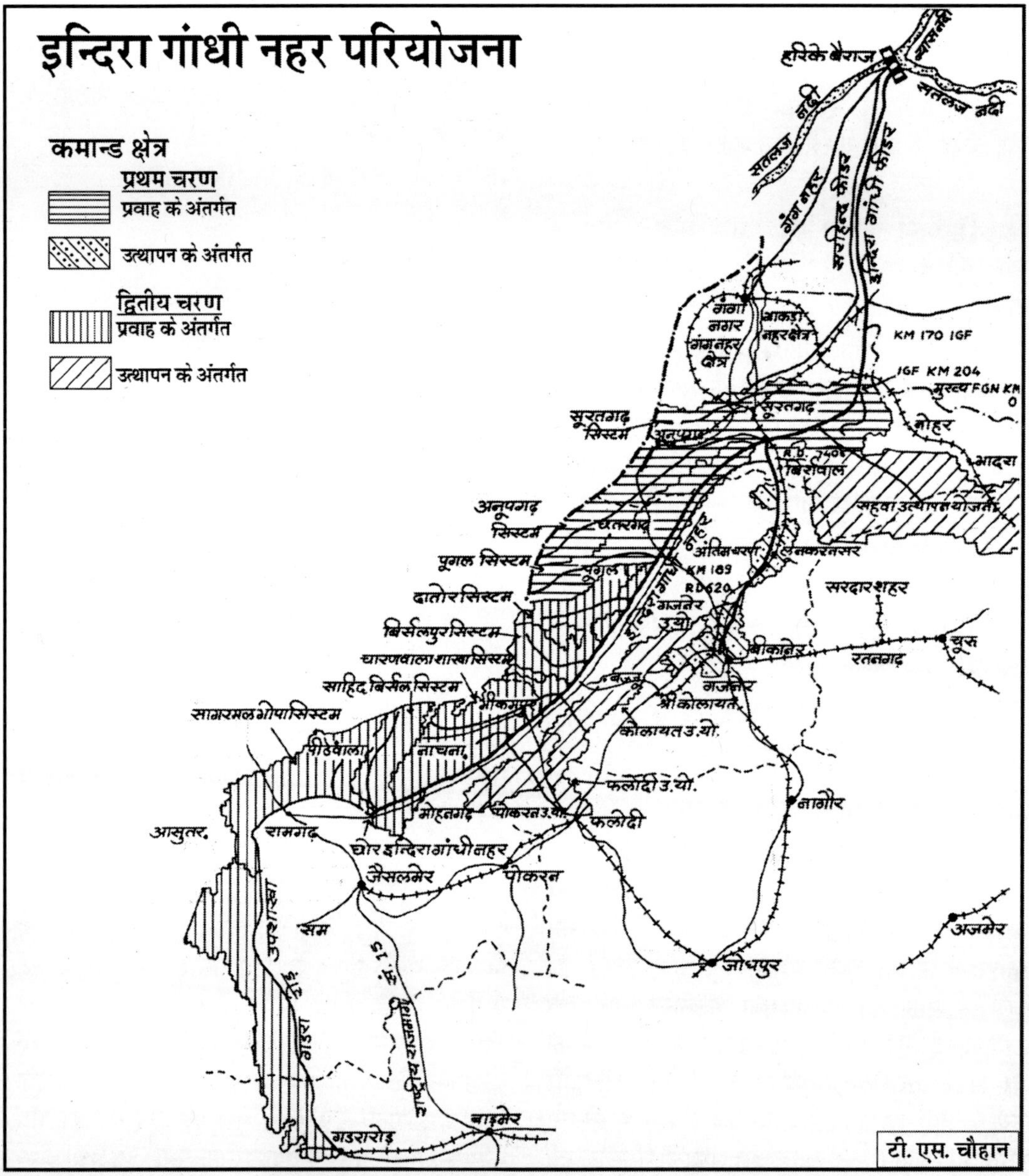


मानचित्र 69

**सारणी-38**
**इन्दिरा गाँधी नहर परियोजना-कुछ उपलब्धियाँ**

| विवरण | इकाई | प्रथम चरण | द्वितीय चरण | योग |
|---|---|---|---|---|
| **1. मुख्य नहर की लम्बाई** | | | | |
| (a) इन्दिरा गांधी फीडर | किलोमीटर | 204 | – | 204 |
| (b) इन्दिरा गांधी नहर | किलोमीटर | 189 | 256 | 445 |
| योग (किलोमीटर) | (किलोमीटर) | 393 | 256 | 649 |
| **2. वितरण प्रणाली की लम्बाई** | | | | |
| (a) प्रवाह क्षेत्र | किलोमीटर | 2.743 | 3,152 | 5,895 |
| (b) लिफ्ट क्षेत्र | किलोमीटर | 332 | 1,960 | 2,292 |
| योग (किलोमीटर) | (किलोमीटर) | 3,075 | 5,112 | 8,187 |
| **3. कृषि योग्य सिंचित क्षेत्र** | | | | |
| (a) प्रवाह क्षेत्र | लाख हैक्टेयर | 4.79 | 7.00 | 11.79 |
| (b) लिफ्ट क्षेत्र | लाख हैक्टेयर | 0.46 | 3.12 | 3.58 |
| योग (लाख हैक्टेयर) | (लाख हैक्टेयर) | 5.25 | 10.12 | 15.37 |
| 4. सिंचाई क्षमता | लाख हैक्टेयर | 5.78 | 8.10 | 13.88 |
| 5. निर्माण कार्य की लागत | करोड़ रुपये | 255 | 1,420 | 1,675 |
| 6. वार्षिक खाद्य उत्पादन | लाख टन | 14.5 | 22.5 | 37.00 |
| 7. औद्योगिक तथा पेयजल हेतु आरक्षण | घन फुट पानी प्रति सैकण्ड | | | 1200 |

**द्वितीय चरण**—परियोजना के द्वितीय चरण में 256 किलोमीटर मुख्य नहर व 5,112 किलोमीटर लम्बी वितरक प्रणाली का निर्माण कर 8.10 लाख हैक्टेयर क्षेत्र को सिंचित करने का लक्ष्य था। इसमें से मार्च, 1990 तक 256 किलोमीटर लम्बी नहर तथा 1,067 किलोमीटर लम्बी वितरकों का कार्य पूरा हो चुका है। पश्चिमी राजस्थान के लिए 1 जनवरी, 1987 ऐतिहासिक दिन हो गया जब 649 किलोमीटर लम्बी इन्दिरा गांधी नहर पूरी हुई। उस दिन देश के तत्कालीन वित्त मंत्री श्री विश्वनाथ प्रतापसिंह ने मोहनगढ़ के समीप नहर के अन्तिम छोर पर पानी की अगवानी की। 449 किलोमीटर लम्बी पक्की मुख्य नहर को बनाने में 28 वर्ष 9 महिने का समय व लगभग 500 करोड़ रुपये खर्च हुए। मुख्य नहर की चौड़ाई पैंदें में 125 फीट व ऊपर 200 फीट है जबकि गंगानगर में यही सिर्फ 52 फीट व 80 फीट है। जनवरी, 1987 को ही अन्तिम छोर पर 1,458.5 आर.डी. से सागरमल गोपा शाखा में भी जल प्रवाहित किया गया।

परियोजना के दूसरे चरण से होने वाले सिंचित क्षेत्र (8.1 लाख हैक्टेयर) का अधिकांश भाग अन्तिम छोर के आस-पास है। लगभग 4.5 लाख हैक्टेयर क्षेत्र में सिंचाई लीलवा, डिग्गा, सागरमल गोपा व बीरबल शाखा से होगी। मुख्य नहर का निर्माण कार्य तो पूरा हो चुका है लेकिन वितरक प्रणाली में लाईनिंग का कुछ कार्य अवश्य शेष रह गया है। इस धीमी गति का कारण धन, सीमेन्ट और कोयले की कमी है। परियोजना के द्वितीय चरण का संशोधित प्रारूप सितम्बर 1984 में भारत सरकार को प्रेषित किया गया। इसमें 7 लाख हैक्टेयर कृषि योग्य सिंचित क्षेत्र को लिफ्ट योजनाओं से सिंचित करने तथा औद्योगिक आवश्यकताओं एवं पेयजल आपूर्ति के लिए 1,200 क्यूसेक पानी का आरक्षण किया गया।

## इन्दिरा गांधी नहर जलोत्थान योजनाएँ

राजस्थान सरकार ने इन्दिरा गांधी नहर परियोजना के दूसरे चरण के अन्तर्गत जलोत्थान योजनाओं–साहबा, कोलायत, गजनेर, फलौदी, पोकरण व बागड़सर को प्रारम्भ करने का निर्णय लिया। इन जलोत्थान (लिफ्ट) नहरों से पानी को 60 मीटर ऊँचा उठाकर श्रीगंगानगर, चुरू, बीकानेर, जोधपुर एवं जैसलमेर जिलों में 3.12 लाख हैक्टेयर भूमि सिंचित करने की योजना तैयार की गई है। ये योजनाएं निम्न प्रकार से हैं।

**साहबा जलोत्थान नहर**—109 किलोमीटर लम्बी यह नहर इन्दिरा गांधी नहर की आर.डी. 109 से निकलकर धन्नासर, रामका, हमीरदेसर, रानीसर, (गंगानगर जिला), सोमतीसर, मिलोपरिया, भूरावत (चुरू जिला) गांवों के समीप से तारानगर पहुँचेगी। इस नहर में पांच स्थानों पर पानी को लिफ्ट किया जाएगा। नहर की वितरक प्रणाली 705 किलोमीटर लम्बी होगी व सभी नहरें पक्की बनाई जाएगी। इस योजना से श्रीगंगानर, चुरू व बीकानेर जिलों की 2.6 लाख जनसंख्या को जल उपलब्ध होगा। साहब योजना द्वारा प्रतिवर्ष 1.2 लाख हैक्टेयर क्षेत्र पर सिंचाई करके 2.5 लाख टन खाद्यान्न, तिलहन व दलहन के उत्पादन का अनुमान है। 52 करोड़ की अनुमानित लागत वाली इस योजना का कार्य सातवीं पंचवर्षीय योजना में प्रारम्भ किया गया।

**गजनेर जलोत्थान नहर**—32 किलोमीटर लम्बी यह नहर अमरपुरा गाँव के निकट आर.डी. 749.6 से निकलकर नीला, नोखा गांवों के समीप से होती हुई पिंजरापोल गोशाला के पास समाप्त होगी। इस नहर द्वारा प्रति वर्ष 1.2 लाख हैक्टेयर भूमि पर सिंचाई होगी व सिंचित क्षेत्र में वितरिकाओं की लम्बाई 240 किलोमीटर होगी। इस नहर के पानी को 6 स्थानों पर लिफ्ट किया जायेगा। इस योजना द्वारा बीकानेर जिले में 18 गांवों की 20 हजार जनसंख्या लाभान्वित होगी। 41 करोड़ की अनुमानित लागत वाली इस योजना का प्रारम्भ ही आठवीं योजना से किया जायेगा।

**कोलायत व बागड़सर जलोत्थान नहर**—31 किलोमीटर लम्बी यह नहर इन्दिरा गांधी मुख्य नहर की आर.डी. 958.6 निकलकर मोठड़िया, गाँधी सालकिया की ढाणी, गिराजसर आदि गांवों के समीप से होती हुई जेटुणां की ढाणी के पास समाप्त होगी। इस नहर के जल को 6 स्थानों पर लिफ्ट किया जायेगा। इसकी वितरिकाएँ 382 किलोमीटर लम्बी होगी। इस योजना से 25 हजार जनसंख्या लाभान्वित होगी। नहर से 2.1 लाख हैक्टेयर भूमि पर कृषि करके 1.25 लाख टन खाद्यान्न के उत्पादन का लक्ष्य है। 69 करोड़ की अनुमानित लागत वाली इस योजना को भी आठवीं पंचवर्षीय योजना से शुरू किया जाएगा। बागड़सर भी आठवीं योजना से चालू किया जाएगा।

**फलौदी जलोत्थान नहर**—यह नहर मादासर गाँव के पास इन्दिरा गांधी मुख्य नहर की आर.डी. 1,121 से निकलकर 32 किलोमीटर दूर रावरा गाँव पहुँचेगी। इसके पानी को 7 स्थानों पर लिफ्ट किया जाएगा। नहर की वितरिकाएँ 400 किलोमीटर लम्बी होगी। इस योजना से जोधपुर व जैसलमेर जिलों की 30 हजार आबादी लाभान्वित होगी। योजना पूरी होने पर 1.4 लाख हैक्टेयर भूमि में सिंचाई करके 1 लाख टन खाद्यान्न उत्पादित किए जा सकेंगे।

**पोकरण जलोत्थान नहर**—26 किलोमीटर लम्बी यह नहर इन्दिरा गांधी मुख्य नहर की आर.डी. 1,201.5 से निकल कर रोल गाँव के समीप धोलिया सड़क के पास तक 26 किलोमीटर की दूरी तय करेगी। नहर के पानी को 6 स्थानों पर लिफ्ट किया जाएगा। इस नहर की वितरिकाओं की लम्बाई 170 किलोमीटर होगी। इस योजना से जोधपुर एवं जैसलमेर में 23 हजार हैक्टेयर भूमि सिंचित होगी जिस पर प्रति वर्ष 50 हजार टन खाद्यान्न का उत्पादन होगा। 20.54 करोड़ इस योजना का सर्वेक्षण कार्य चल रहा है।

**अनुमानित लागत**—परियोजना के प्रारम्भ से लेकर वर्षों तक इसके लिए बहुत कम धनराशि आवंटित की गई। 1972-73 तक प्रतिवर्ष 5 से 11 करोड़ रुपए तक खर्च किए गए। इसके बाद हर वर्ष धीरे-धीरे 15 से 25 करोड़ रुपए की रकम आवंटित की गई। नहर का निर्माण प्रारम्भ होने के 19 वर्ष बाद 1978-79 में पहली बार 33 करोड़ रुपए की राशि दो सालों के लिए रखी गई। 1979-80 तथा 80-81 में

कोयले ढ़ोने की रेल की उपलब्धि में कमी होने से नहर निर्माण के लिए आवंटित राशि में से 8 से 10 करोड़ रुपए की कमी की गई। 1979–80 में नहर निर्माण के लिए 32.75 करोड़ रुपए और 1980–81 में 31 करोड़ रुपए का प्रावधान किया गया। द्वितीय चरण में अनुमानित लागत 1,676 करोड़ होगी जिस पर मार्च 1990 तक 720.20 करोड़ रुपए व्यय हो चुके हैं। जबकि परियोजना की शेष लागत (कुल लागत 1,675 करोड़ रुपए) 954.80 करोड़ रुपए होगी। इसमें से 8 वीं योजना में 650.88 करोड़ रुपए का व्यय का अनुमान है।

**उपनिवेशन (Colonisation)**—नहर प्रणाली द्वारा सिंचित उपलब्ध कराने के साथ-साथ भूमि आवँटन व कमाण्ड क्षेत्र के विकास की योजनाबद्ध प्रक्रिया प्रगति पर है। प्रथम चरण में असिंचित भूमि को मिलाकर कुल 23 लाख एकड़ में से केवल 2 लाख एकड़ भूमि ही पूर्व में खातेदारों और गैर खातेदारों के पास थी। शेष खाली पड़ी भूमि को राजस्थान सरकार ने भूमिहीन किसानों, कृषि मजदूरों आदि को आवंटन करने के लिए नियम बनाकर महत्त्वपूर्ण निर्णय लिए। इसके फलस्वरूप 74,783 व्यक्तियों को कुल 13.78 लाख एकड़ कृषि योग्य भूमि का आवंटन किया जा चुका है। आवंटित भूमि में से 7.74 लाख एकड़ भूमि सिंचित तथा 6.04 लाख एकड़ भूमि असिंचित है। कुल आवंटियों में से 23,713 व्यक्ति अनुसूचित जाति व जनजाति के हैं जिन्हें 3.36 लाख एकड़ भूमि आवंटित की गई है। सरकार का यह प्रयास गरीबी की रेखा से नीचे जीवन-यापन करने वाले व्यक्तियों के जीवन-स्तर को ऊँचा उठाने के लिए है।

इन सब सुविधाओं के अतिरिक्त परिवारों को बसाने के लिए कुछ आधारभूत सुविधाएँ जुटाना भी आवश्यक है। इसके लिए 265.13 लाख रुपये की योजनाएँ कार्यान्वित की जा रही हैं। जिसके अन्तर्गत 7 प्राथमिक शालाएँ, 2 माध्यमिक शालाएँ, 30 व 10 बिस्तरों वाले 2 अस्पताल व डिस्पेन्सरी, 2 पशु चिकित्सालय, 20 पशुओं के पीने के पानी के लिए खेलिया, चार श्रमिक विश्राम-गृह, चार विपणन केन्द्र, 5 बालोद्यान के अतिरिक्त एक चल सिनेमा वाहन की की जा रही है। इस पर कुल 47,965.00 लाख रुपए होगा।

लागत में लगातार वृद्धि होने के मुख्य कारण निम्न हैं–

(i) लागत वृद्धि का मुख्य कारण योजना का समय पर पूरा न होना है,

(ii) योजना का मौलिक स्वरूप बदल गया है।

(i) योजना में नहर से जलोत्थान योजनाओं की संख्या को बढ़ा दिया गया है।

(iii) नहर को बाड़मेर जिले के गडरा रोड तक बढ़ा दिया गया है।

(iv) नहर से पानी शीघ्र उपलब्ध करवाने के लिए पोलिथिन लाइनिंग पद्धति को अपनाया गया है।

इन सब कारणों में वृद्धि हुई है और अब भी यदि समय पर कार्य पूरा नहीं होगा तो लागतें और बढ़ जाएगीं।

### इन्दिरा गाँधी नहर परियोजना से लाभ (Benefits from Indira Gandhi Nahar Project)

इससे देश को कई लाभ हैं :

**(i) सिंचित क्षेत्र में वृद्धि**—इस परियोजना से राज्य के गंगानगर, बीकानेर, चुरू, जैसलमेर, नागौर, जोधपुर व बाड़मेर, जिलों की 15 लाख हैक्टेयर से अधिक भूमि को सिंचाई सुविधाएँ उपलब्ध होंगी।

**(ii) मरुस्थल रोकने में मदद**—इस परियोजना के कारण मरुस्थल के विकास को रोकने में मदद मिलेगी।

**(iii) कृषिगत पदार्थों का उत्पादन**—परियोजना पूर्ण होने पर लगभग 37 लाख टन कृषि उपज का प्रतिवर्ष उत्पादन होगा जिसकी कीमत लगभग 1,000 करोड़ रुपए होगी।

**(iv) पेयजल की उपलब्धि**—पश्चिमी राजस्थान के 7 जिलों में पेयजल की आपूर्ति के लिए इस परियोजना में 1,800 क्यूसेक पानी अतिरिक्त रहेगा जिसके लगभग 25 लाख जनसंख्या व लाखों पशुओं को पीने के लिए पानी उपलब्ध होगा।

**(v) पशुपालन**—परियोजना क्षेत्र अथवा पश्चिमी राजस्थान पहले से पशु–पालन के लिए प्रसिद्ध है। अब जल की उपलब्धता के चारागाहों का विकास होगा तथा उनके उत्पादन पर आधारित उद्योग खोले जाएंगे।

**(vi) उद्योगों का विकास**—कृषि उत्पादन होने पर इस क्षेत्र में कृषि पर आधारित उद्योगों तथा अन्य आवश्यक वस्तुओं के कारखाने स्थापित होंगे।

**(vii) पर्यटन विकास**—पश्चिमी राजस्थान अपनी विशिष्ट संस्कृति के कारण विश्व भर के पर्यटकों के आकर्षण का केन्द्र बना हुआ है। यातायात व संसार सम्बन्धी सुविधाओं के विकास के साथ-साथ अनेक पर्यटक स्थलों का विकास किया जा रहा है। भविष्य में यह क्षेत्र बहुत बड़ी में देशी-विदेशी पर्यटकों को आकर्षित कर सकेगा।

## भाखड़ा नागल परियोजना

भारत की प्रमुख बहुउद्देशीय योजनाओं में से एक है। इस परियोजना के अन्तर्गत पंजाब के होशियारपुर जिले में सतलज नदी पर भाखड़ा बाँध बनाया गया है। इस बाँध से सिंचाई के लिए नहरें निकाली गई तथा दो शक्तिगृह लगाए गए। 236 करोड़ रुपए की इस योजना में राजस्थान का हिस्सा 15.2 प्रतिशत है। भाखड़ा नागल परियोजना की नहरें राजस्थान में पाँच स्थानों से प्रवेश करती हैं-

**(1) पहली भाखड़ा मुख्य शाखा**—ढोबा नामक स्थान पर राजस्थान में प्रवेश करती है जहाँ से कर्णसिंह तथा सादूल शाखाऐं दो भागों में विभक्त होती है। भटिण्डा बीकानेर रेल्वे लाइन के दाहिनी और ढाबा से सूरतगढ़ तक और पश्चिम में गंगानगर के समीप तक इससे सिंचाई होती है। इस शाखा से लगभग 27 हजार हैक्टेयर भूमि को जल प्राप्त होता है।

**(2) दूसरी शाखा**—झुन्डेवाल उपशाखा है। इससे लगभग 40 हजार हैक्टेयर भूमि में सिंचाई होती है। इस शाखा से घग्घर नदी तथा रेलवे लाइन के बीच का क्षेत्र सिंचित होता है।

**(3) घग्घर उपशाखा**—यह गंगानगर जिले में सिंचाई के लिए महत्त्वपूर्ण है। इससे लगभग 42 हजार हैक्टेयर क्षेत्र में सिंचाई होती है।

**(4) जासना शाखा**—यह शाखा पंजाब में फतेहगढ़ से निकलती है तथा राजस्थान में जासना के समीप प्रवेश करती है। इससे लगभग 35 हजार हैक्टेयर भूमि पर सिंचाई होती है।

**(5) अमरसिंह उपशाखा**—यह शाख भी फतेहगढ़ से निकल कर आलमपुर नामक स्थान पर राजस्थान में प्रवेश करती है। इससे लगभग 40 हजार हैक्टेयर भूमि पर सिंचाई होती है।

भाखड़ा सिंचाई योजना से सम्पूर्ण गंगानगर जिला लाभान्वित होता है। विशेषकर भादरा, नोहर, रायसिंहनगर, हनुमानगढ़ व गंगानगर तहसीलों को अधिक लाभ मिलता है। राजस्थान में भाखड़ा नागल परियोजना की उपशाखाऐं 360 किलोमीटर व शेष वितरक प्रणाली लगभग 1,200 किलोमीटर लम्बी है। भाखड़ा नागल परियोजना से उत्पादित विद्युत राजस्थान के गंगानगर, सीकर, चुरू, झुंझुनूं तथा बीकानेर जिलों में ली जाती है।

**गंगनहर**— इस नहर का निर्माण 1927 में बीकानेर रियासत के महाराजा गंगासिंह द्वारा करवाया गया था। गंगनहर पंजाब में फिरोजपुर के समीप हुसैनीवाला पर सतलज नदी से निकाली गई। यहाँ से गंगानगर के शिवपुर तक इसकी लम्बाई 136 किलोमीटर है। शिवपुर से आगे यह अनेक शाखाओं में बँट जाती है। नहर की वितरक प्रणाली लगभग 1,150 किलोमीटर लम्बी है। प्रथम 8 किलोमीटर तक यह नहर कच्ची है तथा शेष चूना व कंकरीट से बनी हुई है। अब यह नहर बहुत खस्ता हालत में है। इसके मरम्मत की योजना बनाई गई है। इस नहर से शिवपुर, गंगानगर, पद्मपुर, रायसिंहनगर व अनूपगढ़ में सिंचाई होती है। इस नहर द्वारा कुल सिंचित क्षेत्र लगभग 1.4 लाख हैक्टेयर है।

**व्यास परियोजना (Beas Project)**—यह पंजाब, हरियाणा और राजस्थान राज्यों की मिली-जुली बहुउद्देशीय योजना है। इस योजना में सतलज, रावी और व्यास तीनों के जल का उपयोग किया जा रहा है। इसकी निम्न इकाइयाँ हैं :— (1) व्यास-सतलज कड़ी, (2) पोंग स्थान पर व्यास नदी पर बाँध तथा

(3) व्यास ट्रान्समिशन प्रणाली। पहली इकाई में पाण्डोह (Pandoh) नामक स्थान पर एक बाँध, दो सुरंगें, सात मील लम्बी खुली हाइडल चेनल (बग्गों से सुन्दरनगर तक) एवं एक शक्ति संयंत्र (देहर स्थान पर) शामिल किया गया है।

दूसरी इकाई में पोंग बाँध का उद्देश्य राजस्थान के लिए पानी एकत्र रखना है। इससे पंजाब, हरियाणा व राजस्थान में सिंचाई की व्यवस्था की जा सकेगी। इसमें एक शक्ति-संयंत्र को स्थापित करने की भी योजना है। इससे इन्दिरा गांधी नहर परियोजना को स्थाई रूप से जल-पूर्ति होगी। इस परियोजना से राज्य को 150 मेगावाट बिजली प्राप्त होगी।

**रावी-व्यास नदी जल विवाद**—पिछले दो दशकों से रावी-व्यास नदी जल विवाद चलता आ रहा है। अन्तर्राज्यीय जल विवाद (संशोधन) अधिनियम, 1986 पंजाब समझौते को लागू करने के लिए पारित किया गया था। इसके अन्तर्गत इराडी आयोग का गठन किया गया जिसे दो कार्य सौपें गए—

(i) यह निर्धारित करना कि पंजाब, राजस्थान व हरियाणा के किसान 1 जुलाई को रावी-व्यास नदियों का कितना-कितना पानी प्रयोग में ला रहे थे ताकि कम से कम उतना पानी उनको मिलता रहे।

(ii) आयोग यह निर्णय करेगा कि पंजाब व हरियाणा के बाकी बचे हुए अपने हिस्से में से कितना पानी किस राज्य (पंजाब व हरियाणा) को मिलेगा।

इस प्रकार इराडी आयोग की नियुक्ति किसी स्वतन्त्र न्यायिक निर्णय के लिए नहीं की गई थी। बल्कि लोंगोवाल-राजीव पंजाब समझौते में किए गए राजनीतिक निर्णय को लागू करने में मदद देने के लिए की गई थी।

पंजाब का यह तर्क रहा हैं कि रावी-व्यास नदियां राजस्थान से होकर नहीं गुजरती, इसलिए इनके पानी पर राजस्थान का कोई अधिकार नहीं है। वस्तु स्थिति यह है कि पंजाब व हरियाणा के आपसी विवाद में राजस्थान को अनावश्यक तरीके से घसीटा गया है। राजस्थान सिंध नदी का प्रदेश है और इस प्रकार इन नदियों के पानी का पूरा भागीदार माना जाना चाहिए।

इराडी आयोग ने अपनी रिपोर्ट मई 1987 में पेश कर दी है। जिसके अनुसार पंजाब, हरियाणा व राजस्थान के पानी के हिस्से इस प्रकार निश्चित किए गए हैं :

| | **नये निर्धारित अंश** | **पूर्व अंश** |
|---|---|---|
| पंजाब | 50 लाख एकड़ फुट | 42.2 लाख एकड़ फुट |
| हरियाणा | 30 लाख 30 हजार एकड़ फुट | 35 लाख एकड़ फुट |
| राजस्थान | 36 लाख एकड़ फुट | 36 लाख एकड़ फुट |

इस प्रकार इराडी आयोग की सिफारिशों से पंजाब व हरियाणा के हिस्से बढ़े हैं लेकिन राजस्थान का यथावत रहा है। इससे राजस्थान का वास्तविक अंश रावी-व्यास पानी में 3 प्रतिशत से कम हो गया है। इस बात को लेकर राजस्थान में असन्तोष है। अत: राजस्थान का हिस्सा भी आनुपातिक रूप से बढ़ाया जाना चाहिए।

### माही बजाज सागर परियोजना

यह राजस्थान व गुजरात की मिली-जुली परियोजना है। इससे दक्षिणी राजस्थान व उत्तरी गुजरात में सिंचाई की जाएगी। राजस्थान और गुजरात के बीच वर्ष 1966 में माही नदी के जल का उपयोग करने हेतु एक समझौता हुआ था। इसके अनुसार गुजरात में कडाना बाँध (Kadana Dam) बनाया जाना था जिसकी पूरी लागत गुजरात वहन करेगा और वही उसका लाभ लेगा। लेकिन समझौते में यह भी व्यवस्था दी गई थी कि नर्मदा का विकास होने पर कडाना का कुल जल राजस्थान को भी दिया जाएगा और इसके लिए राजस्थान गुजरात को बाँध की यथोचित लागत भरेगा। माही बजाज सागर परियोजना पर 1968 से कार्य चल रहा है। इसकी इकाई (प्रथम) (I) सिंचाई के लिए है, जिसमें राजस्थान व गुजरात दोनों का हिस्सा है; (जैसा कि ऊपर स्पष्ट किया गया है); इकाई (II) में सिंचाई व शक्ति दोनों में केवल राजस्थान का ही हिस्सा है; इकाई (III) भी मात्र राजस्थान का ही शक्ति वाला भाग (Portion) है,

इकाई (IV) में राजस्थान का ही सिंचाई वाला भाग शामिल है। सातवीं योजना में इकाई (V) पर भी कुछ व्यय किया गया था। यह भी राजस्थान के सिंचाई वाले भाग के लिए ही था। (मानचित्र 70)

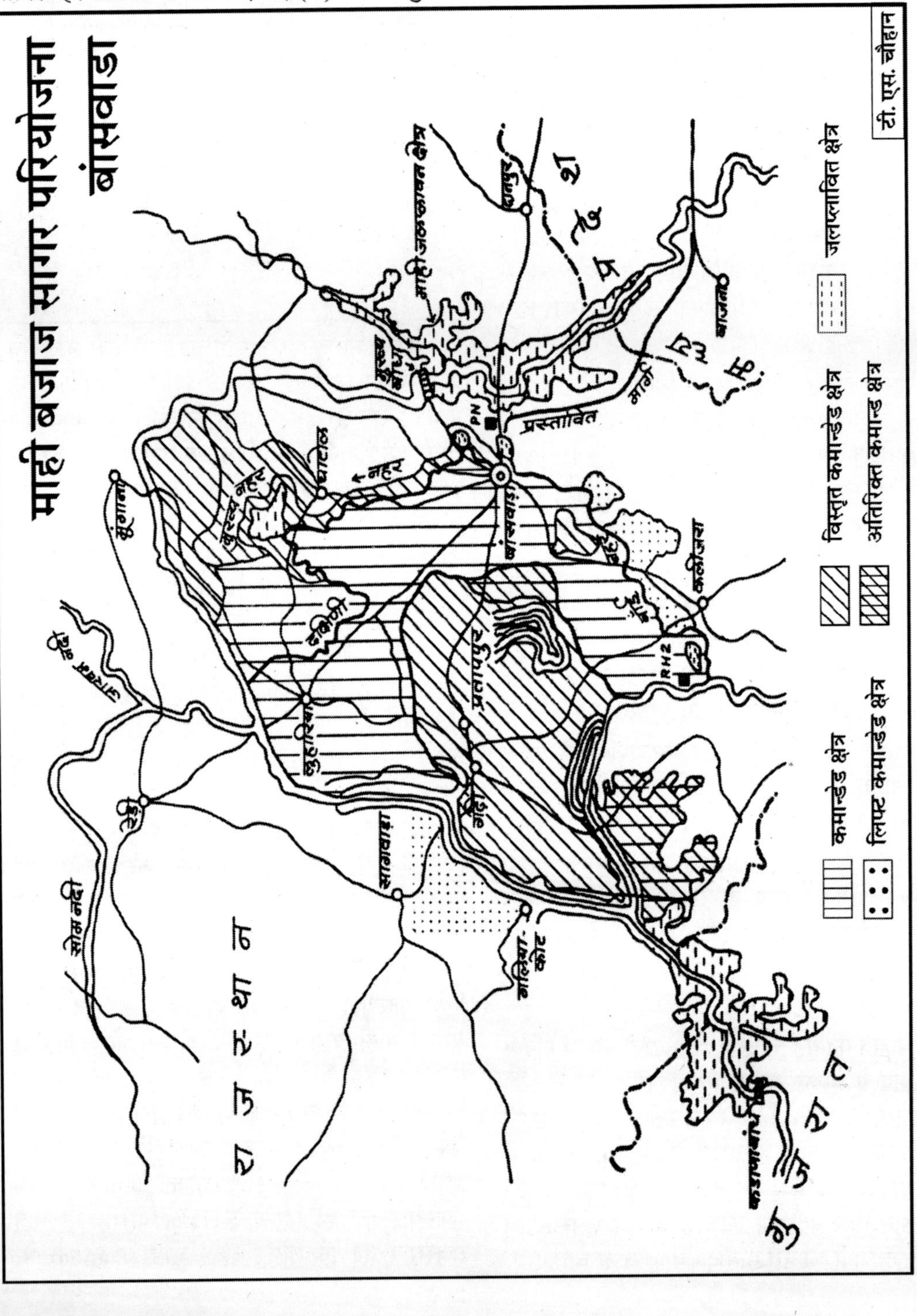


मानचित्र 70

सातवीं योजना के अंत तक परियोजना पर लगभग 306 करोड़ रु. व्यय किया जा चुका था जिसमें सिंचाई पर 229.6 करोड़ रु. तथा शक्ति पर 76.4 करोड़ रु. व्यय हुए थे। सिंचाई और शक्ति दोनों पर राजस्थान का हिस्सा 249.8 करोड़ रु. तथा गुजरात का हिस्सा इकाई I का) 56.2 करोड़ रु. रहा है। योजना की तीसरी इकाई में शक्ति का विकास किया जा रहा है। शक्ति-गृह नं. 2 का कार्य काफी आगे बढ़ गया है। इस पर 45-45 मेगावाट की दो इकाइयां लगायी जा रही हैं। प्रथम पॉवर में 25-25 मेगावाट की दो इकाइयाँ हैं। इसे जनवरी 1986 में राष्ट्र को समर्पित किया गया था। इस प्रकार इसकी पॉवर की कुल क्षमता (90+50)=140 मेगावाट है। पॉवर हाउस नं. 2 की पहली इकाई फरवरी 1986 में तथा दूसरी इकाई जुलाई 1989 में चालू की गई। राजस्थान व गुजरात राज्य में 8.8 लाख हैक्टेयर भूमि में सिंचाई का पानी मिलेगा।

### जाखम परियोजना (Jakham Project)

इस योजना के अन्तर्गत चित्तौड़ जिले की प्रतापगढ़ तहसील में अनूपपुरा गाँव के पास जाखम नदी पर 253 मीटर लम्बा तथा 81 मीटर ऊँचा बाँध बनाया गया है जिसकी जल संग्रह क्षमता 5,015 क्यूबिक फीट है। मुख्य बांध के 13 किलोमीटर आगे नागलियां गाँव के पास दो मुख्य नहरें बनाई गई हैं। दायीं नहर 23.8 किलोमीटर तथा बायीं नहर 39.9 किलोमीटर लम्बी है और वितरक नहरों की लम्बाई 250 किलोमीटर है।

**परियोजना लागत व्यय**–1958 में इस योजना पर 2.33 करोड़ रुपए व्यय की योजना थी, किन्तु लागत वृद्धि तथा परियोजना विस्तार से अब कुल अनुमानित लागत 60.25 करोड़ होने का अनुमान है। सिंचाई एवं विद्युत क्षमता-इस योजना के पूरा होने से उदयपुर की धरियाबद तहसील के 104 गाँवों तथा चित्तौड़गढ़ की प्रतापगढ़ तहसील के तीन गांवों में लगभग 21.2 हजार हैक्टेयर क्षेत्र में सिंचाई सुविधा मिलेगी। सातवीं योजना में इस परियोजना पर 11 करोड़ व्यय कर 4.5 व 4.5 मेगावाट क्षमता की दो पन बिजली इकाइयां स्थापित करने का प्रावधान है।

#### भरतपुर नहर

यह नहर 1964 में बनकर तैयार हो गई थी। यह नहर पश्चिमी यमुना नहर से निकली गई है। इसकी कुल लम्बाई 28 कि.मी. है जिसमें से 16 कि.मी. लम्बाई उत्तर प्रदेश में आती है। इससे ग्यारह हजार हैक्टेयर भूमि की सिंचाई हो सकती है।

भरतपुर जिले में इससे 8,500 हैक्टेयर भूमि में सिंचाई होती है। इससे खाद्यान्नों का उत्पादन बढ़ाने में भारी योगदान मिला है।

#### गुड़गांव नहर

यह नहर यमुना नदी से ओखला (दिल्ली) से पास से निकाली गई है। इसका निर्माण 1960 में शुरू किया गया था और यह 1965 में बनकर तैयार हो गई थी। राजस्थान में यह नहर भरतपुर जिले के कामां तहसील में जुरेरा गांव में प्रवेश करती है। राज्य में इसकी लम्बाई 35 मील तक है। इससे कामां व डीग तहसीलों में 28,200 हैक्टेयर भूमि में सिंचाई होती है। यह सिंचाई की वृहद् परियोजना में आती है।

#### सिद्धमुख नहर

इससे श्रीगंगानगर जिले की नोहर व भादरा तहसीलों तथा चुरू जिले की राजगढ़ व तारानगर तहसीलों को सिंचाई का लाभ मिलेगा। इसमें राजस्थान रावी-व्यास नदियों के सरप्लस पानी का उपयोग करेगा जो उसके हिस्से में दिसम्बर 1981 में पंजाब, हरियाणा व राजस्थान के बीच हुए एक समझौते के अन्तर्गत मिला है।

राजस्थान को मिलने वाला पानी नांगल हैड वर्क्स से भाखड़ा मुख्य नहर पंजाब में होते हुए फतेहाबाद शाखा तथा किशनगढ़ उपशाखा, हरियाणा के समानांतर नहर द्वारा लाया जायेगा। इसकी अनुमानित लागत 103 करोड़ रु. है।

नोहर परियोजना का लाभ श्रीगंगानगर जिले में नोहर तहसील को मिलेगा। ये दोनों परियोजनाएं एक ही कार्यक्रम का अंग है। इसमें रावी-व्यास नदियों के सरप्लस पानी का उपयोग किया जाएगा। इसकी अनुमानित लागत 40.60 करोड़ रु. है।

**नर्मदा परियोजना**

गुजरात की सरदार सरोवर नर्मदा परियोजना एक वृहद् परियोजना है। इस परियोजना की कुल अनुमानित लागत 548 करोड़ रुपए आँकी गई है। इससे राजस्थान को भी सिंचाई का लाभ जालौर जिले के 76 गाँवों तथा बाड़मेर जिले के 7 गाँवों को मिलेगा। राजस्थान में इसके लिए नहर निर्माण कार्य 8 वर्ष में पूरा होने का प्रस्ताव है। नर्मदा के जल के बंटवारे के बारे में राजस्थान व गुजरात में कोई मतभेद नहीं है।

## बिसलपुर परियोजना (Bisalpur Project)

इस परियोजना में बनास नदी पर बिसलपुर गांव के पास बाँध बनाया जा रहा है। इस गांव टोंक जिले में टोडारायसिंह कस्बे में 13 कि.मी. दूर है, इस पर 1986-87 में कार्यारम्भ हुआ था। यह परियोजना दो चरणों में पूरी की जाएगी। इस परियोजना का मुख्य उद्देश्य 6 नगरों को घरेलू उपयोग के लिए पानी देना और टोंक, अजमेर तथा बूंदी जिलों के गांवों को सिंचाई के लिए पानी उपलब्ध कराना है। ये 6 नगर अजमेर, ब्यावर, किशनगढ़, नसीराबाद, केकड़ी और सरवाड़ हैं, जहाँ आज भी पीने के पानी और घरेलू उपयोग व कल-कारखानों के लिए पानी की बहुत कमी है। इस कमी को दूर करने के लिए बनास नदी के बहाव-क्षेत्र में चार स्थानों पर नलकूप और कुएँ खोदे गए हैं। ये चार स्थान सांडला, छतरी, नेगड़िया और देवली हैं। सांडला में 20 नलकूप, छतरी में 16 नलकूप और एक कुआँ तथा नेगड़ियां और देवली में एक-एक कुआँ खोदा गया है। आगे चलकर इस परियोजना से पेयजल का लाभ जयपुर शहर को भी मिलेगा (मानचित्र 71)।

**जवाई बाँध**—यह बाँध जवाई नदी पर बना है जो पश्चिमी राजस्थान में लूनी नदी की सहायक है। जवाई नदी पाली जिले में अरावली पर्वत की पश्चिमी ढ़ाल पर बहती है। यहाँ एरिनपुरा रेलवे स्टेशन से 3 कि.मी. दूर जवाई बाँध बनाया गया है। इस बाँध को बनाने का काम 1946 में शुरू हुआ था और 1951-52 में बनकर तैयार हो गया था। इस बाँध से जोधपुर, सुमेरपुर और पाली शहरों को घरेलू उपयोग का पानी दिया जाता है। इसके अलावा पाली जिले में 26 हजार हैक्टेयर भूमि और जालौर जिले में 15 हजार हैक्टेयर भूमि पर सिंचाई होती है। इस परियोजना में एक पक्का बाँध बनाया गया है। इसके दोनों किनारे पर मिट्टी का बाँध है। इसके दोनों और ऊँची दीवारें है। बाँध से 176 कि.मी. लम्बी नहर निकाली गई है।

**जाखम बाँध**—यह बाँध जाखम नदी पर प्रतापगढ़ तहसील (जिला चित्तौड़गढ़) में बनाया गया है। जाखम नदी माही नदी की सहायक है। बाँध बनाने का काम 1962 में शुरू किया गया था। इसका मुख्य उद्देश्य धरियावाद (जिला उदयपुर) और प्रतापगढ़ के गाँवों में सिंचाई की सुविधा उपलब्ध कराने का है। इन क्षेत्रों में ज्यादातर भी आदिवासी रहते हैं। आदिवासी क्षेत्रों को इस योजना से बहुत लाभ पहुँचा है। मुख्य बाँध 13 कि.मी. नीचे नागरिया गांव में एक पिकअप बाँध बनाया गया है। ऊपरी बाँध के प्रवाह-क्षेत्र में ऊबड़-खाबड़ जमीन है जो खेती के लिए उपयोगी नहीं है। इसलिए निचले उपजाऊ भागों में सिंचाई करने के लिए एक पिकअप बाँध बनाना जरूरी था। पिकअप बाँध के दायें और बायें किनारों से दो नहरें निकाली गई हैं। मुख्य बाँध पर 4.5 मेगावाट जल-विद्युत बनाने की दो इकाइयाँ लगाई गई जिनसे 9 मेगावाट बिजली पैदा होती है। इस परियोजना से कुल 21,196 हैक्टेयर में सिंचाई की जा सकेगी। जाखम परियोजना का निर्माण जनजाति उप-योजना (ribal sub-plan) के अन्तर्गत किया गया है।

**मेजा बाँध**—यह बाँध भीलवाड़ा जिले के माण्डलगढ़ कस्बे से 8 कि.मी. दूर कोठारी नदी पर बनाया गया है। बाँध का निर्माण 1957 में शुरू हुआ था और यह 1972 में बनकर तैयार हो गया था। इससे भीलवाड़ा जिले में 10 हजार हैक्टेयर में सिंचाई होती है। इस बाँध भीलवाड़ा नगर को भी घरेलू उपयोग का पानी दिया जाता है। यहाँ पाईप लाइन भी फरवरी 1985 में बनकर तैयार हो गई थी।

**पांचना बाँध**—यह मिट्टी का बाँध करौली के समीप सवाई माधोपुर जिले में पांच छोटी नदियों के

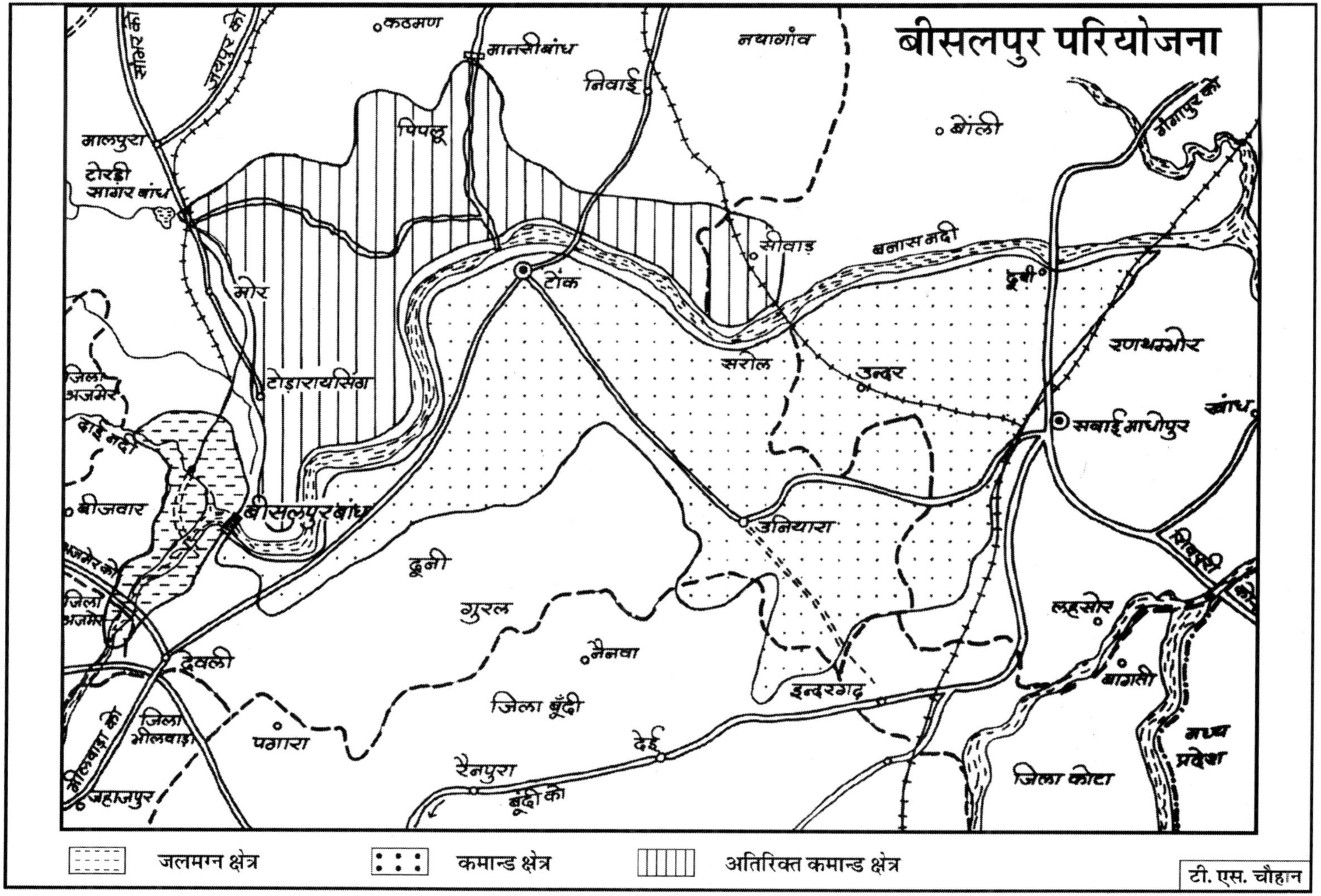
बीसलपुर परियोजना
कठमण
मानसीबांध
निवाई
नयागांव
पिपलू
मालपुरा
टोरड़ी सागर बांध
बोंली
मोर
टोंक
सीवाड़
बनास नदी
सरोल
उन्दर
रणथम्भोर
सवाई माधोपुर
टोड़ारायसिंह
जिला अजमेर
बीजवार
बीसलपुर बांध
उनियारा
दूनी
गुरल
नैनवा
जिला बूंदी
इन्दरगढ़
देवली
जिला भीलवाड़ा
पगारा
देई
रैनपुरा
बूंदी को
जहाजपुर
लहसोर
बागली
मध्य प्रदेश
जिला कोटा
जलमग्न क्षेत्र
कमान्ड क्षेत्र
अतिरिक्त कमान्ड क्षेत्र
टी. एस. चौहान

मानचित्र 71

संगम पर गंभीरी स्थान पर बनाया जा रहा है। बाँध पूरा भर जाने पर करौली कस्बे के कुछ भाग को खतरा उत्पन्न हो सकता है। बाँध से निकाली गई नहरों और पुलियाओं के निर्माण का काम चल रहा है। इससे गंगापुर, हिण्डौन, नादौती तथा टोडाभीम तहसीलों में 8,375 हैक्टेयर भूमि में सिंचाई हो सकेगी।

**मोरेल बाँध**—यह बाँध मोरेल नदी पर लालसोट से लगभग 16 कि.मी. दूर सवाई माधोपुर जिले में बनाया गया है। इससे 8.6 हजार हैक्टेयर भूमि पर सिंचाई की जाती है।

**पूर्वी राजस्थान नहर परियोजना (ई.आर.सी.पी.), राम सेतु**

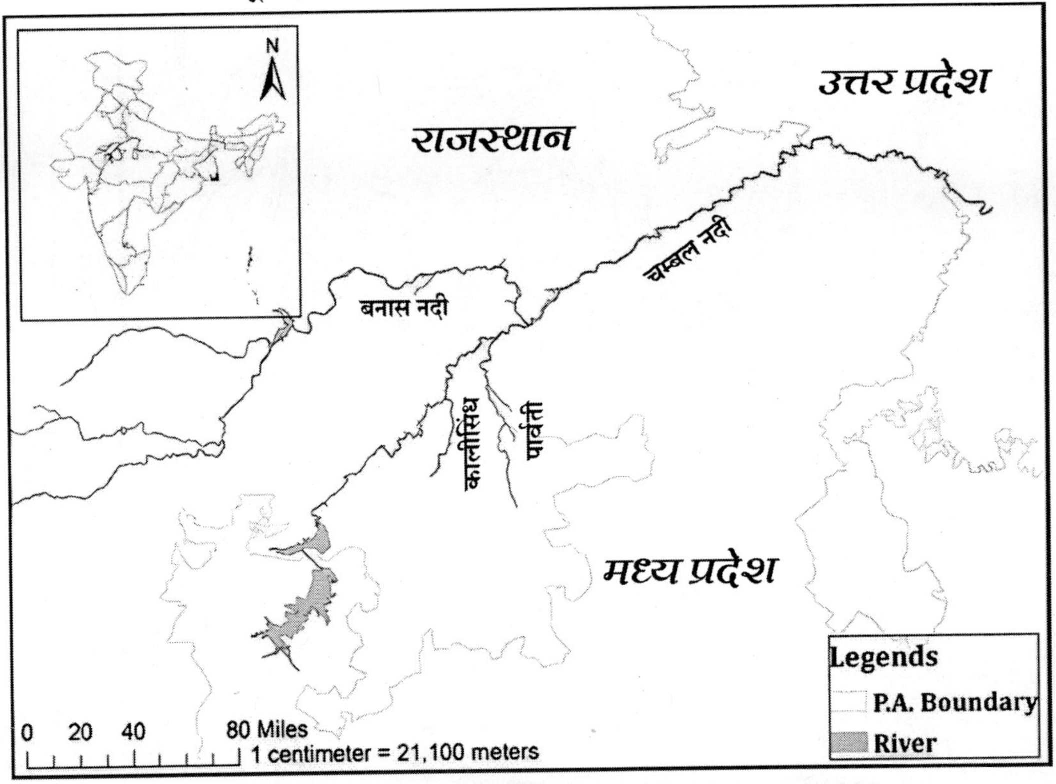


मानचित्र 72

राजस्थान प्रदेश की एक महत्वाकांक्षी परियोजना है, जिसमें मानसून के दौरान चम्बल नदी के सहायक नदी बेसिनों (कुन्नू, कूल, पार्वती, कालीसिंध, मेज) में उपलब्ध अधिशेष जल को बनास, मोरेल, बाणगंगा, पार्वती, कालीसिल, गंभीर इत्यादि नदी बेसिनों में जल अपवर्तन हेतु विस्तृत परियोजना रिपोर्ट तैयार की गई है। परियोजना द्वारा राजस्थान के 17 जिलों में वर्ष 2051 तक पेयजल उपलब्धता तथा 20 लाख हैक्टेयर नये क्षेत्र में सूक्ष्म सिंचाई पद्धति से सिंचाई सुविधा उपलब्ध कराया जाना संभव हो सकेगा।

इसके अंतर्गत परियोजना के प्रथम चरण में नवनेरा–गलवा–बीसलपुर–ईसरदा लिंक, कूल नदी पर रामगढ़ बैराज (क्षमता 50.49 एमसीएम) एवं पार्वती नदी पर महलपुर बैराज (क्षमता 162.20 एमसीएम) के निर्माण कार्य हेतु अनुमानित लागत्त राशि रु. 9,600 करोड़ का प्रावधान रखा गया हैं।

पूर्वी राजस्थान नहर परियोजना निगम (इ.आर. सी.पी.सी.) के गठन के प्रस्ताव को मेमोरेंडम ऑफ एसोसिएशन और आर्टिकल ऑफ एसोसिएशन से मंजूरी दे दी गई है एवं गठन के आदेश जारी हो चुके है।

परियोजना के विस्तृत भूगर्भीय सर्वेक्षण एवं विस्तृत तखमीना तैयार करने एवं वन, वन्यजीव एवं पर्यावरणीय स्वीकृतिया प्राप्त करने के लिये कन्सलटेन्सी सेवाएं प्राप्त करने हेतु मैसर्स वेप्कोस लिमिटेड गुरुग्राम को कार्यादेश जारी किया जा चुका है।

वर्तमान में रामगढ़ बैराज, महलपुर बैराज एवं नवनेरा-गलवा-बीसलपुर-ईसरदा लिंक में जल अपवर्तन हेतु हाईड्रोलोजिकल सिमुलेशन का कार्य किया जा चुका है। लिंक के संरेखण को अन्तिम रूप दिया जा चुका है। फील्ड सत्यापन, तकनीकी सर्वेक्षण एवं तखमीना तैयार करने की कार्यवाही प्रगतिरत है।

बहुप्रतीक्षित पार्वती-कालीसिंध-चंबल-ईर्स्टन राजस्थान कैनाल लिंक प्रोजेक्ट पर राजस्थान, मध्यप्रदेश और केन्द्र सरकार के बीच समझौता हस्ताक्षरित है। इससे मध्यप्रदेश और राजस्थान के 21 जिलों के पांच लाख 80 हजार से ज्यादा हेक्टेयर भूमि की सिंचाई और 30-40 वर्षों तक लाखों लोगों को पेयजल की सुविधा स्थाई रूप से मिल सकेगी।

**ईआरसीपी समझौता से राजस्थान को होने वाले लाभ :**

पूर्वी राजस्थान के झालावाड़, बारां, कोटा, बूंदी, सवाई माधोपुर, करौली, धौलपुर, भरतपुर, दौसा, अलवर, जयपुर, अजमेर और टोंक में पेयजल उपलब्ध होगा।

पहले जयपुर, झालावाड़, बारां, कोटा, बूंदी, सवाईमाधोपुर, अजमेर, टोंक, दौसा, करौली, अलवर, भरतपुर, धौलपुर जिले शामिल थे, लेकिन नये जिलों के गठन के बाद इस मार्ग (रूट) पर जिलों की संख्या बढ़कर 17 हो गई है।

नये जिलों में ब्यावर, कोटपुतली, बहरोड, खैरथल-तिजारा, डीग व जयपुर भी शामिल है। इस परियोजना में 41.13% आबादी शामिल होगी। राज्य की 13677 मिलियन क्यूबिक मीटर पानी राजस्थान को मिलेगा। इस परियोजना में 206 बैराज और एक बांध का निर्माण होग। परियोजन की कुल लागत 40 हजार करोड़ रुपए आंकी गई है। उपरोक्त परियोजना का 90% अनुदान केन्द्र सरकार देगी, राज्य सरकार 1700 करोड़ रुपए खर्च कर चुकी है।

2,80,000 हेक्टेयर क्षेत्र में सिंचाई के लिए पानी की उपलब्धता।

लगभग 25 लाख किसान परिवारों को सिंचाई जल और राज्य की लगभग 40 प्रतिशत आबादी को पेयजल उपलब्ध हो सकेगा।

ईआरसीपी में शामिल रामगढ़ बैराज, महलपुरा बैराज, नवनैरा बैराज, मेज बैराज, राठौड़ बैराज, डूंगरी बांध, रामगढ़ बैराज से डूंगरी बांध तक फीडर तंत्र, ईसरदा बांध का क्षमतावर्धन और पूर्वनिर्मित 26 बांधों का पुनरुद्धार होगा।

# अध्याय 16

## पशुपालन
## Animal Husbandry

पशुपालन राजस्थान की अर्थ-व्यवस्था में एक महत्त्वपूर्ण स्थान रखता है। चूंकि इस राज्य के क्षेत्रफल का आधा से अधिक क्षेत्र शुष्क और अर्द्धशुष्क है, पशुपालन यहाँ की जनसंख्या के एक बड़े भू-भाग का मुख्य व्यवसाय है। यह उद्योग मरुस्थल के निवासियों को, विशेषकर घुमक्कड़ कबीलों को, सहायक उद्योग प्रदान करता है जो अपने जीविकोपार्जन के लिए मुख्य रूप से पशुधन पर निर्भर है। इसके अतिरिक्त इस राज्य में, और भारत के अन्य भागों में भी, पशुधन कृषक की सम्पत्ति में सम्मिलित होता है। अत: यह स्वाभाविक है कि सम्पूर्ण राजस्थान में-पश्चिमी शुष्क प्रदेश में और अरावली के पूर्व के उपार्द्र प्रदेशों में-कृषक की स्वस्थ आर्थिक जीवन की क्षमता प्राथमिक रूप से उनके ढोरों की संख्या और किस्म पर निर्भर करती है।

**प्रदेश में पशुधन (Live-stocks in the State)**

राजस्थान राज्य की अर्थव्यवस्था में पशुपालन की एक महत्वपूर्ण भूमिका है। प्रदेश के 342 हजार वर्ग किलोमीटर क्षेत्रफल की पशुधन संख्या वर्ष 2019 के अनुसार 568.00 लाख है। यहाँ पर पशुधन घनत्व 169 प्रति वर्ग किलोमीटर है। प्रदेश की जनसंख्या का करीब 75.13 प्रतिशत भाग ग्रामीण क्षेत्र में निवास करता है तथा भौगोलिक दृष्टि से राज्य का लगभग एक चौथाई भाग मरूस्थलीय है। प्रदेश में अधिकांश जनसाधारण की जीविका कृषि एवं पशुपालन पर निर्भर है। वर्ष 2019 की 20वीं पशुगणना के प्रोवीजनल आंकडों के अनुसार राज्य में पशुधन का विवरण निम्न प्रकार है (सारणी-39) :-

**सारणी-32**
**पशुगणना-2012 एवं 2019 में तुलनात्मक विवेचन**

| वंश | 2012 | 2019 | प्रतिशत परिवर्तन | भारत में स्थान |
|---|---|---|---|---|
| गौवंश | 13324462 | 13937630 | 4.60 | 6 वाँ |
| भैंस वंश | 12976095 | 13693316 | 5.53 | दूसरा |
| भेंड़ वंश | 9079702 | 7903857 | -12.95 | चौथा |
| बकरी वंश | 21665939 | 20840203 | -3.81 | पहला |
| घोड़े/टट्टू वंश | 37776 | 33679 | -10.85 | तीसरा |
| खच्चर वंश | 3375 | 1339 | -60.33 | 11 वाँ |
| गधा वंश | 81468 | 23374 | -71.31 | पहला |
| उष्ट्र वंश | 325713 | 212739 | -34.69 | पहला |
| शूकर वंश | 237674 | 154808 | -34.87 | 17 वाँ |
| **कुल** | **57732204** | **56800945** | **-1.66** | **दूसरा** |
| खरगोश | उपलब्ध नहीं | 13,542 | 45.6 | - |
| कुत्ते | उपलब्ध नहीं | 5,69,575 | -54.29 | - |
| कुक्कुट | 8024424 | 14622975 | 82.23 | - |

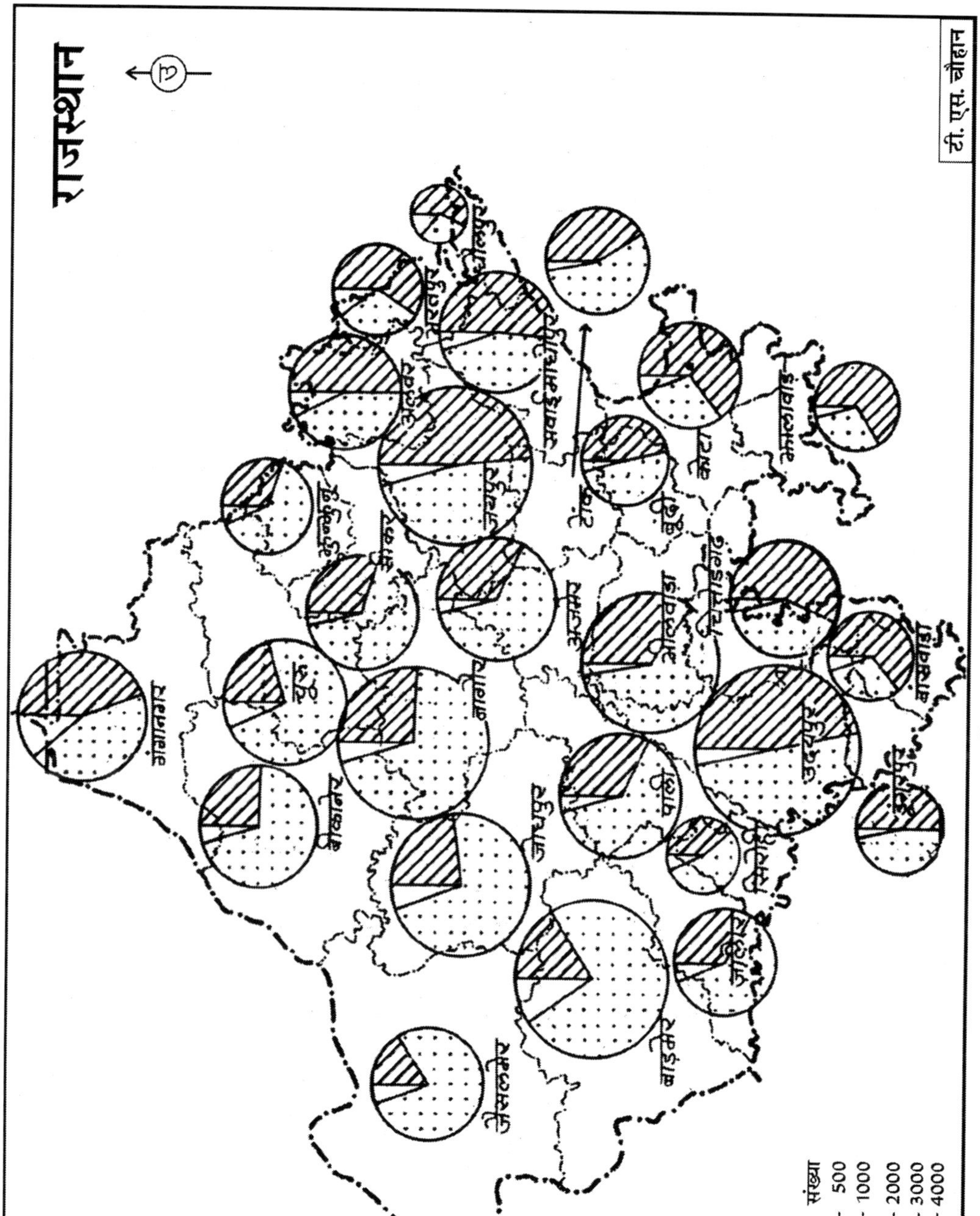
पशुधन
राजस्थान
उ
गाय एवं भैंस
भेड़ एवं बकरी
अन्य पशु
संख्या
500
1000
2000
3000
4000
गंगानगर
बीकानेर
चूरू
झुंझुनूं
सीकर
अलवर
भरतपुर
धौलपुर
जयपुर
सवाई माधोपुर
टोंक
कोटा
बूंदी
झालावाड़
अजमेर
भीलवाड़ा
चित्तौड़गढ़
बांसवाड़ा
डूंगरपुर
उदयपुर
सिरोही
पाली
जालोर
बाड़मेर
जैसलमेर
जोधपुर
नागौर
टी. एस. चौहान

मानचित्र 73

मरूस्थलीय क्षेत्र के जनसाधारण की जीविका का प्रमुख स्त्रोत पशुपालन ही है। प्रदेश की अर्थव्यवस्था में पशुपालन का 10 प्रतिशत से अधिक सकल घरेलू आय में योगदान है। इस प्रकार स्पष्ट है कि पशुपालन व्यवसाय का राज्य की अर्थव्यवस्था में एक महत्वपूर्ण स्थान है। प्रदेश में उपलब्ध पशुधन देश का लगभग 12 प्रतिशत दूध, 31 प्रतिशत ऊन का उत्पादन करता है ।

पशुपालन इस राज्य में कृषि का सहायक उद्योग नहीं है। कुछ भागों में वह प्रमुख आर्थिक धंधों में से एक है जबकि दूसरे भागों में वह जनसंख्या में एक वृहद् भाग की आय का एक मुख्य पूरक स्रोत है। पश्चिमी बालु-मैदान क्षेत्र में पशुपालन और उनका व्यापार मुख्य व्यवसाय है और लोगों की जीविकोपार्जन का प्रमुख साधन है। पूर्वी और दक्षिणी भागों में जो अपेक्षाकृत आधार है और जहाँ मिश्रित खेती आम धंधा है, पशुपालन कृषि के बाद आता है। ऐसे क्षेत्रों में पशुपालन कृषि के कामों में सहायता देता है और कृषक की आय का पूरक है। पशु-सम्पत्ति राज्य के कुल लघु पैमाने के उद्योगों, जैसे-दुग्ध-व्यवसाय, दरी बुनना, हड्डी पेरना और चर्मशोधन (Tanning) को कच्चा माल भी देती है।

## पशुधन की रचना

1951 की पशुगणना में पशुओं की संख्या 255.21 लाख थी वह 2019 में 1.66 प्रतिशत घटकर 5.68 लाख हो गई और 1983 में 4.97 लाख हो गई। 1988 में यह घटकर 4.09 लाख हो गई है। लगातार 4 साल तक पश्चिमी राजस्थान में सूखा पड़ने के कारण यह गिरावट आई है। राजस्थान में पशु संख्या को सारणी 40 में दर्शाया गया है।

**सारणी-40**

**राज्य में पशु संख्या 1951-2019 के बीच पशुओं की संख्या में परिवर्तन**

| वर्ष | पशुधन (करोड़ों में) |
|---|---|
| 1951 | 2.55 |
| 1961 | 3.36 |
| 1972 | 3.89 |
| 1977 | 4.14 |
| 1983 | 4.97 |
| 1988 | 4.09 |
| 1992 | 4.84 |
| 1997 | 5.47 |
| 2003 | 4.92 |
| 2007 | 5.67 |
| 2012 | 5.77 |
| 2019 | 5.68 |

स्त्रोत:- पशुपालन विभाग, जयपुर

सारणी-33 से स्पष्ट होता है कि 2019 में पशुओं की संख्या 2012 की तुलना में 1.66 प्रतिशत कम हो गई है।

## उत्तर-पश्चिमी विभाग

राज्य का आधे से अधिक क्षेत्र अरावली के उत्तर-पश्चिमी भाग में हैं। यहाँ की भूमि बालुकामय, जल-रहित, अधिकांशत: अनुपजाऊ और तापक्रम ऊँचे हैं। कृषि उत्तरी क्षेत्रों में मुख्यत: गंगानगर जिले में विकसित हो रही है, जहाँ सिंचाई सम्भव है। जैसे-जैसे आप अर्द्धशुष्क से पश्चिम में शुष्क प्रदेश की ओर बढ़ते हैं, भूमि यदा-कदा चूना पत्थर श्रेणियों से अंकित मिलती है। वर्षा इस सम्पूर्ण क्षेत्र में 350 मिलीमीटर से कम है।

इस भाग में मरुस्थल समानान्तर बालू-पहाड़ियों से अंकित है, जिनमें से कुछ दो मीटर से ज्यादा लम्बी और लगभग 150 से 300 मीटर तक ऊँची हैं। इन पहाड़ियों के पार्श्व में जल मिलता है। वर्षा ऋतु में यहाँ उगी हुई रुद्ध विकसित झाड़ियाँ और हरी घास की गुच्छियाँ ही पशुओं का प्रमुख भोजन है। ऐसे क्षेत्रों में राजस्थान के अत्युत्तम चौपाएँ, बकरे-बकरी और ऊँट पाले जाते हैं। पीने के पानी कमी, प्रजनकों और पशु-पालन में लगे व्यक्तियों को एक ग्राम से दूसरे की ओर चलायमान रखती है। न्यून वर्षा के केवल तीन महिनों में पशुओं के लिए इस क्षेत्र में आवश्यक भोजन उपलब्ध होता है। इस समय उत्तम किस्म की घास थार

क्षेत्र में उगती है। यह घास बहुत पोषक होती है, जिस पर राज्य की बड़ी पशु-संख्या निर्भर है। अरावली का निकटतम पश्चिम का अर्द्ध शुष्क प्रदेश मालानी या मारवाड़ी के नाम से जाने जानेवाले उत्तम घोड़े पैदा करता है।

इसी प्रदेश में गायों की प्रसिद्ध राठी-नस्ल (तीन-चौथाई साहीवाल) मिलती है जो अपना भोजन विस्तृत चरागाहों से प्राप्त करती है। गायों की थारपारकर नस्ल और कांकरेज (सांचौर) गाऐं भी यहाँ मिलती हैं। खानबदोश पशु पालक इस क्षेत्र में चौपाए पालने में व्यस्त रहते हैं। दूध का उत्पादन खूब है, परन्तु जनसंख्या विरली होने से प्राय: सारा का सारा दूध 'घी' निकालने में प्रयुक्त होता है। औसत रूप से एक परिवार के पास लगभग 100 से 200 तक गाएं होती है और 4-5 परिवारों के पास सामूहिक रूप से लगभग 1,000 चौपाएँ होते हैं।

इस क्षेत्र में भेड़-पालन भी महत्त्वपूर्ण है। यह क्षेत्र बीकानेरी, जैसलमेरी, मारवाड़ी और पुग्गल भेड़ों के लिए प्रसिद्ध है और जो सर्वोत्तम किस्म की ऊन पैदा करती हैं। ऊँट पालन इस क्षेत्र का एकाधिकार है। इस क्षेत्र से दो मुख्य नस्लें अर्थात् जैसलमेरी और बीकानेरी हजारों की तादाद में भारत के विभिन्न भागों को निर्यात की जाती है। बकरों की लोही और मारवाड़ी नस्लें भी इस क्षेत्र में पाली जाती हैं। पाकिस्तान और गुजरात सीमा के सहारे लगभग 366 किलोमीटर तक 80.5 किलोमीटर की चौड़ाई में फैली। पेटी, चौपाएँ, भेड़, बकरी और ऊँट पालने के लिए आदर्श हैं।

## दक्षिण-पूर्व विभाग

दक्षिण-पूर्वी विभाग में वह भूमि आती है जो राजस्थान में अरावली श्रेणी के दक्षिण और पूर्व में हैं। उच्चावच, वर्षा, तापक्रम, मिट्टी और वनस्पति अवस्थाओं की दृष्टि से इस विभाग में अधिक भिन्नता पाई जाती है। इसमें विस्तृत श्रेणियाँ, वनस्पति और चट्टानी अकृषित भूमि से विच्छिन्न वनों के लम्बे फैलाव तक हैं। इस क्षेत्र में अनेक नदियाँ एवं छोटी सहायक नदियाँ हैं और नदियों के किनारे पर अच्छी मिट्टियाँ हैं। मेवाड़ के पठार के पश्चात् कोटा का पठार औरउसके बाद करौली की पहाड़ी और ऊबड़-खाबड़ प्रदेश तथा यमुना-पार क्षेत्र के समतल मैदान है। वार्षिक वर्षा 500 मिलीमीटर से 1,000 मिलीलीटर के बीच होती है। इस क्षेत्र में राज्य की लगभग दो-तिहाई जनसंख्या है। ऊँट की द्वि-उद्देशी नस्लें, जैसे-हरियाणा, मेवात और राठ, भारवाहक मालवी, दूध देने वाली विशुद्ध किस्म और गिर अत्यन्त सामान्य है। अनेक प्रकार की घास, जैसे 'अन्जन', 'खबल' और 'चिम्बर', चरागाहों एवं चरागाह भूमियों में मिलती है। बकरे-बकरियों में जमनापारी, बरबारी और सिरोही महत्त्वपूर्ण नस्ले हैं। पंजाब की मुर्रा भैंसे ने इस क्षेत्र को अपना गृह बना लिया है और यह किस्म राज्य के विभिन्न भागों में फैल रही है।

चौपायों, भैंसों, ऊँटों, बकरों, भेड़ों और घोड़ों की विभिन्न नस्लों को उनके क्षेत्रीय वितरण को इस राज्य में सर्वेक्षण के आधार पर निश्चित किया गया है। राज्य दस क्षेत्रों में विभक्त किया गया है। (मानचित्र 74 व 75)

### 1. राठी क्षेत्र

राज्य के पश्चिमी भाग में इस क्षेत्र में, बीकानेर का एक भाग, गंगानगर और जैसलमेर जिले सम्मिलित हैं। पशु-पालन इस क्षेत्र में मुख्य आर्थिक धंधा है। दूध का उपयोग घी उत्पन्न करने के लिए किया जाता है, और लोग ऊँटनियों, बकरियों तथा भेड़ों के दूध का उपभोग करते हैं। ऊन का उत्पादन लगभग 17,000 मन है, बकरे और ऊँट के बाल भी निर्यात किए जाते हैं। भेड़ें और बकरे मांस के लिए मारे जाने को निर्यात किए जाते हैं। चौपायों का व्यापार बनजारों द्वारा किया जाता है, जो गांवों में घूमते हैं, उनकी खरीद करते है और झुण्डों के रूप में क्षेत्रों तथा निकटस्थ राज्यों में हांक कर ले जाते हैं।

### 2. सांचौर या कांकरेज क्षेत्र

इस क्षेत्र की अर्थ-व्यवस्था भी मुख्यत: पशु-पालन पर केन्द्रित है। चौपायों, भेड़ों और ऊँटों तथा उनके उत्पादनों का विक्रय ही पशु-पालन में लगे हुए लोगों की आय का एकमात्र साधन है। कांकरेज बैल

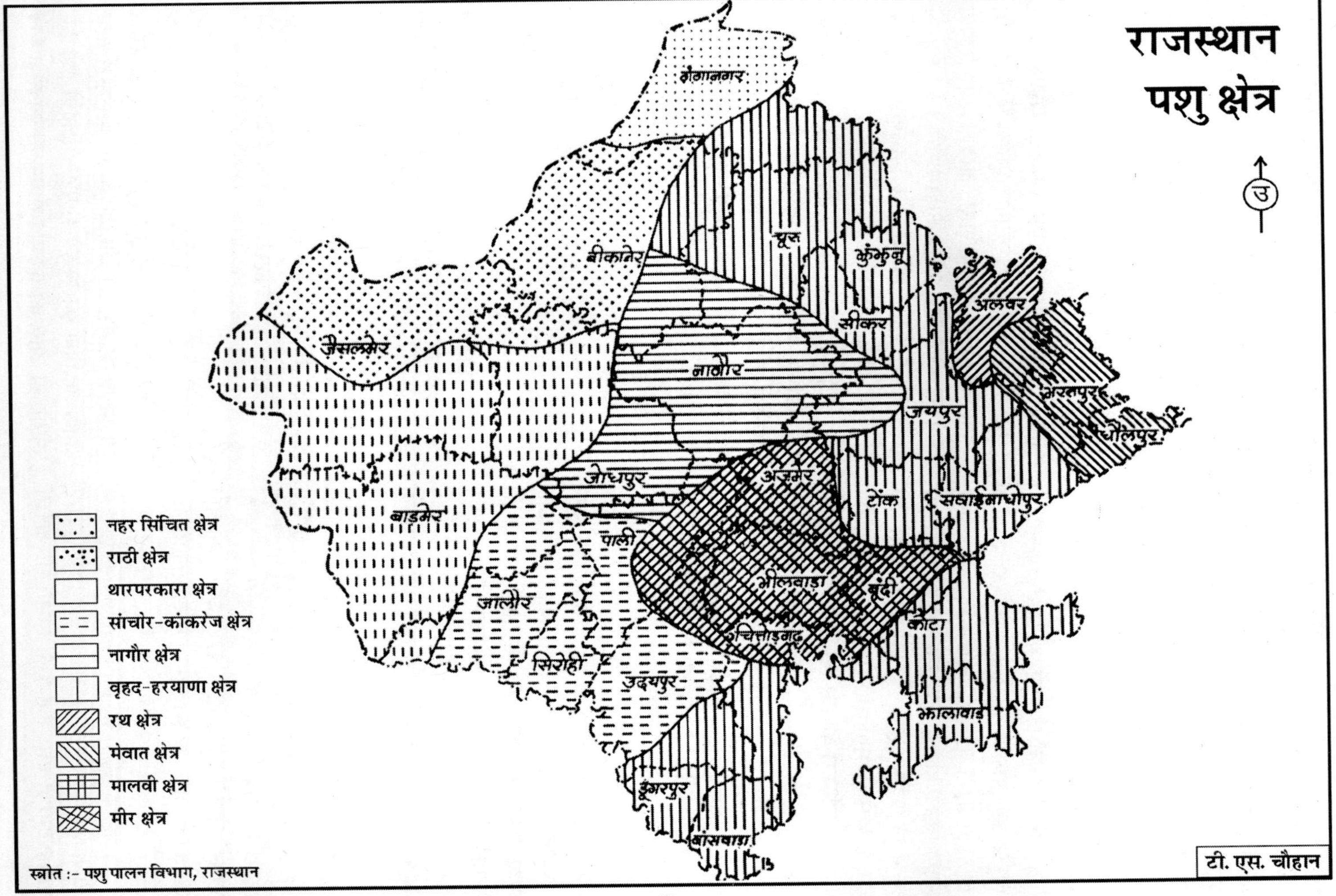
राजस्थान
पशु क्षेत्र
उ
गंगानगर
बीकानेर
चूरू
झुंझुनू
सीकर
अलवर
भरतपुर
धौलपुर
जैसलमेर
नागौर
जयपुर
जोधपुर
अजमेर
टोंक
सवाईमाधोपुर
बाड़मेर
पाली
भीलवाड़ा
बूंदी
जालौर
चित्तौड़गढ़
कोटा
सिरोही
उदयपुर
झालावाड़
डूंगरपुर
बांसवाड़ा
नहर सिंचित क्षेत्र
राठी क्षेत्र
थारपरकारा क्षेत्र
सांचोर-कांकरेज क्षेत्र
नागौर क्षेत्र
वृहद-हरयाणा क्षेत्र
रथ क्षेत्र
मेवात क्षेत्र
मालवी क्षेत्र
मीर क्षेत्र
स्रोत :- पशु पालन विभाग, राजस्थान
टी. एस. चौहान

मानचित्र 74

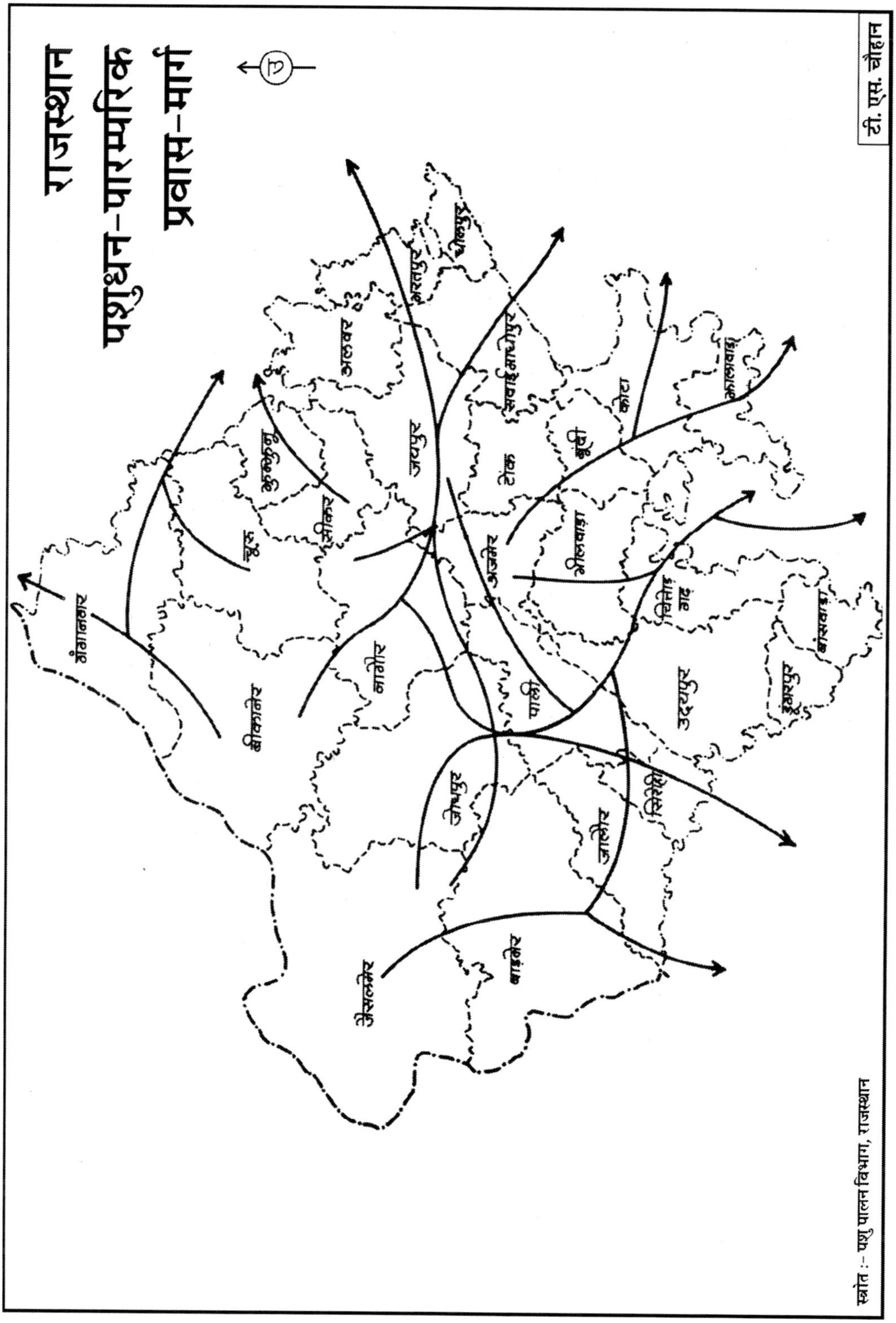
राजस्थान
पशुधन-पारम्परिक
प्रवास-मार्ग
उ
गंगानगर
बीकानेर
चूरू
झुन्झुनू
सीकर
अलवर
भरतपुर
धौलपुर
जयपुर
सवाई माधोपुर
टोंक
बूंदी
कोटा
झालावाड़
नागौर
अजमेर
भीलवाड़ा
चित्तौड़ गढ़
बांसवाड़ा
डूंगरपुर
उदयपुर
पाली
जोधपुर
सिरोही
जालौर
बाड़मेर
जैसलमेर
टी. एस. चौहान
स्रोत :- पशु पालन विभाग, राजस्थान
मानचित्र 75

इस क्षेत्र में महत्त्वपूर्ण है, क्योंकि वे अत्यन्त भारी किस्म के होते हैं। ये बहुत भारी वजन ढ़ोने के लिए होते हैं। ऊन, ऊँट और बकरों के बाल निर्यात की अन्य महत्त्वपूर्ण वस्तुएँ हैं। एक झुण्ड में 100 से 300 गाऐं होती हैं। अनेक परिवार एकत्रित होकर ग्राम बनाते हैं। जैसे राठी क्षेत्र में। 'चौपायें मेलों' में बैल बेचे जाते है और व्यापारी निकटस्थ राज्यों जैसे-मध्यप्रदेश, गुजरात और महाराष्ट्र से आते हैं।

**3. थारपारकर क्षेत्र**

यह क्षेत्र छोटा है, परन्तु थारपारकर नस्ल मुख्यत: अपनी दूध देने की क्षमता के लिए में विख्यात है। गाएं और औसतन 20 से 25 पौण्ड तक दूध प्रति दिन देती है। बांध कर खिलाने की दशाओं में गाएं 30 से 40 पौण्ड तक दूध देने के योग्य हैं। ये भी खानाबदोश प्रजनकों के हाथ में हैं जो नए चरागाहों और जल साधनों की खोज में घूमते रहते हैं। उच्च पोषक तत्त्व वाली घास मुख्य चारा है और ये चौपाये इस घास पर सर्वोत्तम रूप से पलते हैं। दूध का वार्षिक उत्पादन लगभग 41.8 लाख मन है और इस दूध के अधिकतम भाग से घी निकाला जाता है। जोधपुर को छोड़कर कोई स्थानीय बाजार नहीं है और सम्पूर्ण घृत-व्यवसाय स्थानीय व्यवसायियों के हाथ में है जो घी को, डिब्बो में ठीक तरह से बन्द करके, दूसरे राज्यों को निर्यात करते हैं।

ऊँट या तो जैसलमेरी नस्ल (सवारी ऊँट) के हैं या बीकानेरी नस्ल (भार वाहक) से मिलते जुलते हैं। वे भी झुण्डों में रखे जाते हैं और प्रजनक निर्यात व्यापार में संलग्न हैं। 'चौपाये-मेले' क्रय-विक्रय की सुविधाएँ प्रदान करते हैं। भेड़ें भी उत्तम किस्म की हैं, जैसे उत्तम और अधिक ऊन प्राप्त करने वाली जैसलमेरी और मारवाड़ी। बकरे-बकरियाँ मुख्यत: मारवाड़ी और लोही किस्म के हैं। ये मांस के लिए महत्त्वपूर्ण हैं और दूध छोटे बच्चों को पालने के लिए ही पर्याप्त होता है। ऊन का उत्पादन लगभग 36,800 किलोग्राम प्रति वर्ष हैं। प्राय: सम्पूर्ण ऊन अन्य देशों को निर्यात करने के लिए बम्बई भेजी जाती है।

**4. उत्तर का नहर सिंचित क्षेत्र**

यह क्षेत्र मुख्यत: राज्य के उत्तर में गंगानगर जिले के सिंचित क्षेत्र को आवृत्त करता है। गंगानगर से प्राप्त सिंचाई सुविधाओं ने इस जिले को एक उत्तम कृषीय-भूमि में परिवर्तित कर दिया है। सिंचित भूमियों में कृषकों ने मिश्रित कृषि को अपनाया है। नकदी-फसलों की कृषि के अतिरिक्त पशुओं को चराने के लिए चारा भी उत्पन्न किया जाता है। पशु-पालन, दूध, मांस, ऊन, चमड़े और खालें तथा खेतों के लिए खाद की पूर्ति भी करता है। कृषि उत्पादनों को बाजार तक ले जाने के लिए ऊँटों, घोड़ों और गधों का उपयोग किया जाता है। इस क्षेत्र में कृषि और पशु-पालन एक दूसरे पर निर्भर है। पशु-उत्पादनों के घी और ऊन निर्यात की मुख्य वस्तुएं हैं। अन्य वस्तुएँ हैं-चमड़े, खाल और हड्डियाँ। भैंसे नील-रावी और मुरी क्षेत्रों तथा गाएं राज्य के अन्दर हरियाणा और राठी क्षेत्रों से प्राप्त की जाती हैं। जैसलमेरी और बीकानेरी ऊँट की दोनों किस्में इस क्षेत्र में सामान्य है। ऊन के बड़े बाजार इस राज्य में हनुमानगढ़, सूरतगढ़ और गंगानगर हैं तथा पंजाब राज्य में अबोहर और गीदड़बाह हैं।

पशुशाला वाले पशुओं में, गायों की अपेक्षा भैंसे अधिक सामान्य है। घी मुख्य रूप से भैंसों के दूध से निकाला जाता है। भेड़ें अधिकांशत: कटी हुई फसलों के ठूठों पर पाली जाती हैं। छोटी कंटीली झाड़ियों के वन बकरों के लिए अच्छी चरने की भूमि प्रदान करते हैं। चराने के क्षेत्र कम हैं इसी कारण इस क्षेत्र में गायों की अपेक्षा भैसें अधिक है।

**5. नागौर क्षेत्र**

यह क्षेत्र पशुओं के उत्पादन और पशु-उत्पादनों के लिए महत्त्वपूर्ण हैं। इस क्षेत्र की लगभग 90.0 प्रतिशत अर्थ-व्यवस्था केवल पशुओं पर आधारित है। पशुपालन इस प्रदेश के लोगों का मुख्य व्यवसाय है। देश भर में प्रसिद्ध चौपायों की नागौर नस्ल इसी क्षेत्र में आती है। इसक अतिरिक्त मारवाड़ी भेड़ें और बकरे, मालानी घोड़े और बीकानेरी ऊँट समान महत्त्व के हैं और देश के सभी भागों में इनकी बड़ी माँग है।

घासों में अन्जान (Hardwockia bipinata) और पाला (Zizyphus numularia) अत्यन्त पोषक हैं। भेड़ें और बकरे तथा बकरियाँ ढाक (Butea frondesa) की पत्तियों पर पाले जाते हैं। ऊँट अपना भोजन खेजड़ा (Prosopis splcigra), नीम (Melia Indica) और शीशम (Dalbergis latifolia) के वृक्षों पर ढाक की पत्तियों से प्राप्त करते हैं।

इस क्षेत्र में बैल मजबूत, सुगठित है ऊँची कीमत वाले होते हैं। कड़ी, दोमट मिट्टी में जुताई के लिए भी ये अच्छे होते हैं। वे रहटों (Persian wheel), कोल्हुओं और बैल गाड़ियों में प्रयुक्त होते हैं। इस क्षेत्र की मारवाड़ी भेड़ अपनी ऊन और माँस की उत्तमता और अच्छी उत्पादन के लिए प्रसिद्ध है। भेड़ की यह नस्ल मोटी घास पर पलती है और बिना पानी के कुछ दिन रह जाती है। राजस्थान में भेड़ों की अधिकांश संख्या इसी नस्ल की है और इसके परिणामस्वरूप ऊन का उत्पादन अधिक होता है।

पशुधन उत्तम रूप से पोषित और पालित है। भेड़ों के समूह में 100 से 300 भेड़ें तक होती है और बकरे 50 से 100 तक के छोटे समूहों में पाए जाते हैं। ऊँटों के झुण्ड 10 से 20 तक के बीच होते हैं। पशु-व्यापार तीन महत्त्वपूर्ण पशु मेलों में किया जाता है। ये मेले देश के विभिन्न भागों में लोगों को आकर्षित करते हैं।

### 6. वृहत् हरियाणा क्षेत्र

इस राज्य में यह वृहत्तम क्षेत्र है और राज्य के उत्तर-पूर्वी से दक्षिण-पूर्वी भाग तक विस्तृत है। इसी क्षेत्र में गायों की प्रसिद्ध हरियाणा नस्ल राठी, थारपरकर और कांकरेज के उन क्षेत्रों में पाली पोसी जाती है जहाँ चराई भूमि विस्तृत है। अन्जन, भुरुत, चिम्बर और खब्बाल जैसे सर्वोत्तम पोषक घास इस क्षेत्र में मिलती हैं। चौपायों के बड़े झुण्ड नहीं होते परन्तु औसतन एक कृषक लगभग 10 से 20 गाएँ रखता है और उनसे बैल पैदा किए जाते हैं जो इस क्षेत्र के अन्तर्गत कृषि के कामों के लिए प्रयुक्त होते हैं और दूसरे क्षेत्रों को निर्यात भी किए जाते हैं।

बैल उत्तर प्रदेश, मध्य प्रदेश, बिहार, पश्चिमी बंगाल और यहाँ तक कि आसाम को भी निर्यात किए जाते हैं। भैंसें दूध के लिए पाली जाती हैं, जिससे घी प्राप्त किया जाता है। भेड़ों में चोकला, नाली और मारवाड़ी नस्लें अत्यधिक प्रसिद्ध है। चोकला की, उनकी ऊन की उत्तमता के लिए, बड़ी माँग हैं। सीकर जिला इस किस्म की भेड़ का प्रमुख केन्द्र है। बकरियाँ मुख्यत: दूध के लिए पाली जाती हैं। मुख्य नस्लें जमुनापारी, बरबरी, अलवरी और सिरोही हैं। भेड़ें हरी वनस्पति और कंटीली झाड़ियों के वनों पर भली-भांति पलती हैं। घोड़ों की मालानी नस्ल इस क्षेत्र में प्रसिद्ध है। अतिरिक्त पशुधन उत्तर प्रदेश, दिल्ली और पंजाब को निर्यात किया जाता है। इस क्षेत्र के लोगों की अर्थ-व्यवस्था में पशुओं का महत्त्वपूर्ण स्थान है। पशुओं का व्यापार, एक बड़े पैमाने पर पशु-मेलों में, जो यहाँ बड़ी संख्या में लगते हैं, किया जाता है।

### 7. मेवात क्षेत्र

यह क्षेत्र दिल्ली और उत्तर प्रदेश के निकटस्थ पूर्वी राजस्थान में स्थित है। मेवाती नस्ल प्रसिद्ध हैं और प्रजनकों द्वारा यह उनकी मिट्टी और प्राकृतिक दशाओं के अनुरूप विकसित की गई है। मेवाती गाय औसत रूप से 10 से 15 पौण्ड दूध प्रतिदिन देती है और यह हरियाणा नस्ल के बलवान चौपाएँ पैदा करती है। मध्य प्रदेश और उत्तर प्रदेश से बैलों की बड़ी मांग है। मुर्रा भैंसें और बकरे-बकरियाँ (अलवरी और बरबरी) इस क्षेत्र की एक महत्त्वपूर्ण पशु-सम्पदा हैं। भारी वर्षा के कारण वनस्पति खूब होती है और पशुओं की ये दोनों प्रजातियाँ भली-भांति पलती हैं। लोग गहन-खेती में संलग्न हैं। बड़े पैमाने पर भेड़ पालन के लिए कम क्षेत्र है।

### 8. राठ क्षेत्र

यह क्षेत्र उत्तर-पूर्वी राजस्थान में पंजाब के निकटस्थ है। इस क्षेत्र की विशेषता हैं चौपायों की रथ नामक नस्ल जो छोटी जोतों में जुताई के उपयुक्त है। गाएँ छोटी हैं और लगभग 12 से 15 पौण्ड दूध प्रति दिन उत्पन्न करती हैं। लोग गहन-कृषि में संलग्न है। खेत छोटे हैं और इसलिए बड़े-पैमाने पर चौपाएँ पालन के लिए क्षेत्र कम है, जैसा कि राज्य के कुछ अन्य भागों में होता है। मुर्रा भैंसे प्रारम्भिक रूप से दूध

के लिए पाली जाती हैं। राज्य में वरन् दिल्ली, उत्तर प्रदेश और मध्य प्रदेश में भी बड़ी माँग है।

### 9. मालवी क्षेत्र

मध्य प्रदेश के निकटस्थ इस क्षेत्र महत्त्व में हरियाणा क्षेत्र के बाद है। यह चौपायों की अपनी प्रचलित मालवी नस्ल के लिए विख्यात है। मालवी एक भारवाहक, मजबूत बैलों की किस्म है जो पथरीली मिट्टियों के लिए बहुत उपयुक्त है। यह पशु बलवान होने के कारण पर्याप्त भारी वजनों को खींचने के लिए बिल्कुल उपयुक्त है। इस क्षेत्र में वर्षा अच्छी होती है और कृषक गहन-कृषि में संलग्न है। यहाँ उत्तम वन और चराई के लिए चरागाह हैं। भैंसे इस क्षेत्र में महत्त्वपूर्ण है। ये दूध उत्पादन में मुर्रा नस्ल से कुछ घटिया हैं परन्तु दूध में चर्बी का प्रतिशत ऊँचा है। ढाक उनके लिए एक उत्तम भोजन है और यह मक्खन-चर्बी बढ़ाने में सहायता करता है। यहाँ सभी पशु बड़े समूहों और झुण्डों में मिलते हैं। इस क्षेत्र की लगभग आधी अर्थ-व्यवस्था पशुओं के उत्पादन पर आधारित है। भेड़ें सोनादी नस्ल की हैं जो अपने माँस और दूध में चर्बी के ऊँचे प्रतिशत के लिए विख्यात है। बकरियाँ सिरोही किस्म की मिलती है और दुग्ध उत्पाद अच्छा है। ऊँट अधिकांशत: भारवाह किस्म के हैं। यह क्षेत्र मुख्यत: चमड़े, खालें और हड्डियाँ निर्यात करता है। वृहद् घरेलू बाजार होने के कारण, लगभग सारा का सारा उत्पादित दूध और घी स्थानीय रूप से ही उपभोग में आ जाता है।

### 10. गीर क्षेत्र

पूर्वी राजस्थान के मध्य भाग में स्थित यह एक छोटा-सा क्षेत्र है। चौपायों की गीर नस्ल दुग्ध-उत्पाद के लिए प्रसिद्ध है और इस क्षेत्र में चौपायों की संख्या क्रमश: बढ़ रही है। उपयुक्त भरण सुविधाएँ होने पर यह उत्तम दुग्ध-पशु होता है। बैल भी भारवाहक पशुओं के रूप में उपयोग के लिए उत्तम हैं। वे खेत जोतने, गाड़ी खींचने और खेतों में सिंचाई हेतु पानी खींचने के लिए भी अच्छे हैं। गायें भी खूंटे पर चराई की अवस्था में प्रति दिन औसतन 16 से 20 पौण्ड दूध देती है। इस क्षेत्र में भैंसों की संख्या भी बढ़ रही है। स्थानीय नस्ल के सींग हंसिये के आकार के होते हैं और वे पंजाब की मुर्रा नस्ल का स्थान ले रही हैं। भेड़ की मारवाड़ी नस्ल इस क्षेत्र में सामान्य है। बकरियों की मिश्रित नस्ल मिलती है। वे अच्छा दूध देती हैं और सामान्यत: 100 से 300 तक के पशु समूहों में देखी जा सकती हैं। ऊँटों का उपयोग कृषि कार्यों और वस्तुओं के यातायात, दोनों के लिए काफी बड़े पैमाने पर किया जाता है। इन सभी कार्यों के लिए ऊँट पश्चिमी क्षेत्रों से आयात किए जाते हैं जो ऊँट पालन के लिए प्रसिद्ध हैं। गधे और घोड़े संख्या में बहुत कम हैं और कोई प्रसिद्ध स्थानीय नस्लें नहीं मिलती। ये पशु अब कृषकों द्वारा पाले पोसे जाते हैं, यद्यपि ये प्रारम्भिक अवस्था में ही है। गीर नस्ल भी खानाबदोशों की उत्पत्ति है। इस नस्ल के सर्वोत्तम पशु अजमेर जिले में नसीराबाद तहसील में और कोटा नगर के आस-पास खानाबदोशों के पास भी मिलते हैं। इन स्थानों पर उन्हें उनके दूध और घी को बेचने के लिए अच्छे बाजार मिल जाते हैं। दूध का उत्पादन पर्याप्त बढ़ गया है और इस क्षेत्र में दुग्ध-पाउडर कारखाने या 'क्रीमरीज' प्रारम्भ भी किया है।

### गाय व बैल

गाय और बैल सम्पूर्ण राज्य में पाए जाते हैं 2019 भी पशुगणना के अनुसार 13.9 मिलियन गाय-बैल थे। गाय-बैल की कुछ सर्वोत्तम नस्लें राजस्थान में उपलब्ध है। थारपारकर, कांकरेज (सांचोरी), राठी, हरियाणवी, नागौरी, मालवी आदि राजस्थान में उपलब्ध गाय-बैल की प्रमुख नस्लें हैं। गायों में राठी व थारपारकर गायें केवल राजस्थान में ही उपलब्ध है। राठी गायों की खुराक कम होती है किन्तु यह दूध अधिक देती है। थारपारकर गायें भी अधिक दूध देने के लिए प्रसिद्ध है व राज्य के सीमावर्ती जिले जैसलमेर में अधिक हैं। थारपारकर नस्ल का क्षेत्र भारतीय सीमा के पास पाकिस्तान का क्षेत्र भी है। उत्तरी जिले गंगानगर में हरियाणवी गायें अधिक है। यह शारीरिक दृष्टि से गठीली होती है व प्रतिदिन 6 से 9 किलोलीटर दूध देती है। राजस्थान में कांकरेज व नागौरी बैल अधिक प्रसिद्ध हैं। इन दोनों नस्लों के बैल अधिक शक्तिशाली

होते हैं व खेती सम्बन्धी कार्यों के साथ ही बोझा ढोने की दृष्टि से भी बहुत अच्छे माने जाते हैं।

## भैंस

भैंस पालन की दृष्टि से राजस्थान देश का एक प्रमुख राज्य हैं। कृषि की दृष्टि से विकसित क्षेत्र में भैंस पालन अधिक किया जाता है। अलवर, गंगानगर व भरतपुर में अधिक संख्या में भैंसे हैं। पश्चिमी शुष्क भाग में भैंसों की संख्या बहुत कम है। राजस्थान में लगभग 13.9 मिलियन भैंसे हैं। मुर्राह यहाँ की भैंस की एक प्रमुख नस्ल है। मुर्राह भैंस का शरीर सुसंगठित तथा भारी होता है। एक मुर्राह भैंस प्रतिदिन 20 से 25 किलोलीटर दूध देती है। इसके दूध में वसा की मात्रा अधिक होती है। अधिक मात्रा में दूध देने के कारण देश के अन्य भागों में भी इस भैंस की बहुत माँग है।

## भेड़ें और बकरी

राज्य के ग्रामीण क्षेत्रों में विशेषकर कमजोर वर्ग के व्यक्तियों के लिए भेड़, बकरी पालन एक प्रमुख व्यवसाय है। भेड़-बकरी पालन से इन पालकों को या तो इनकी बिक्री से या ऊन की बिक्री से लगातार आय प्राप्त होती है। राज्य में लगभग 7.9 मिलियन (2019 की पशु गणना के आधार पर) भेड़ें हैं तथा 20.84 मिलियन बकरियाँ है जो देश की कुल भेड़-बकरी का लगभग 22 प्रतिशत है। राज्य का वार्षिक ऊन उत्पादन 1.70 करोड़ किलोग्राम है, जो देश के कुल उत्पादन का लगभग 48 प्रतिशत है। ऐसा अनुमान है कि प्रतिवर्ष लगभग 25 से 30 लाख भेड़-बकरियाँ माँस के लिए उपयोग में ली जाती है। राज्य में लगभग 2 लाख परिवारों का जीवन निर्वाह भेड़-बकरी पालन से होता है। इससे प्रत्यक्ष व अप्रत्यक्ष रूप से शहरों व गाँवों के लगभग 15 लाख लोगों को रोजगार उपलब्ध होता है।

यदि राजस्थान में भेड़ों व बकरियों के क्षेत्रीय वितरण पर दृष्टिपात करें तो 500 मिलीमीटर वर्षा रेखा के पश्चिम में लगभग 65 प्रतिशत भेड़-बकरियाँ पाई जाती है। पश्चिमी भाग के जोधपुर, बीकानेर, नागौर, बाड़मेर तथा पाली इन पाँचों जिलों में राजस्थान की कुल भेड़-बकरियों की संख्या का लगभग 30 प्रतिशत मिलती है। 500 मिलीमीटर वर्षा रेखा के पूर्व में भीलवाड़ा, कोटा, जयपुर और अजमेर में भी भेड़-बकरियाँ पाई जाती हैं। सबसे कम भेड़ों की संख्या बाँसवाड़ा और झालावाड़ में क्रमश: 23 हजार तथा 22 हजार है। बकरियों की सबसे कम संख्या (1.05 लाख) धौलपुर में हैं।

**भेड़ों की मुख्य नस्लें**—भेड़ों की नस्लों को उनके शरीर के आकार और ऊन की मात्रा आदि के आधार पर बांटा गया है। राजस्थान में भेड़ों की मुख्य नस्लें निम्न है-

**(1) चोकला**—यह नस्ल शेखावाटी क्षेत्र में अधिक पाई जाती है इसलिए इन्हें शेखावाटी भी कहा जाता है। इस नस्ल की लगभग 17 लाख भेड़ें राजस्थान में हैं। यह अधिकांशत: चुरू, झुंझुनूं व सीकर जिलों में पाई जाती हैं। इन भेड़ों के चेहरों पर गहरे भूरे तथा काले धब्बे होते हैं। इससे अच्छी किस्म की ऊन प्राप्त होती है। प्रत्येक भेड़ प्रति वर्ष औसतन 2 किलोग्राम ऊन देती है।

**(2) मारवाड़ी**—इस नस्ल की भेड़ें मारवाड़ी क्षेत्र जैसे जोधपुर, पाली, नागौर व बाड़मेर जिलों में अधिक है। राजस्थान की लगभग 50 प्रतिशत भेड़ें इसी नस्ल की हैं। मारवाड़ी भेड़ के कान लम्बे, मुँह काला तथा स्वास्थ्य अच्छा होता है। ये लम्बी दूरी तय कर सकती है तथा रोग से शीघ्र पीड़ित नहीं होती। इससे मध्यम व साधारण किस्म की ऊन मिलती है। प्रति भेड़ प्रति वर्ष औसतन 1 से 2 किलोग्राम तक ऊन मिलती है।

**(3) जैसलमेरी**—जैसा कि नाम से स्पष्ट है इस वंश की भेड़ें जैसलमेर में अधिक है। इन भेड़ों के कान लम्बे तथा शरीर पुष्ट होता है। इस नस्ल की भेड़ से औसत रूप से प्रति भेड़ सर्वाधिक ऊन प्राप्त होती है। एक भेड़ वर्ष भर में 2.5 से 4 किलोग्राम तक ऊन देती है। इनकी ऊन का रेशा 4 से 5 इंच तक लम्बा होता है।

**(4) मगरा**—इस नस्ल की भेड़ें बाड़मेर, बीकानेर तथा नागौर जिलों में पाई जाती हैं। इनकी शारीरिक बनावट सुन्दर व मजबूत होती है। इनका औसत वजन

40 किलोग्राम होता है। इनसे वर्ष में तीन बार ऊन प्राप्त होती है। यह ऊन कालीन बनाने के लिए बड़ी अच्छी होती है। यह 10 से 20 सेन्टीमीटर लम्बी होती है। इस जाति की भेड़ें राजस्थान में लगभग 4 लाख हैं। प्रति भेड़ प्रति वर्ष औसतन 2 किलो ऊन प्राप्त होती है।

(5) **मालपुरी**—हल्के भूरे मुँह तथा छोटे कानों वाली इस नस्ल की भेड़ें जयपुर तथा उसके आसपास (टोंक, सवाई माधोपुर) के क्षेत्रों में मिलती हैं। एक भेड़ से वर्ष में लगभग 1.5 किलोग्राम ऊन प्राप्त होती है।

(6) **सोनाड़ी अथवा चनोथर**—इस नस्ल की भेड़ें राजस्थान में लगभग 9 लाख हैं और यह बाँसवाड़ा, भीलवाड़ा, चित्तौड़गढ़, डूँगरपुर तथा उदयपुर जिलों में पाई जाती हैं। इसका औसतन वजन 55 से 60 किलोग्राम तक है जो अन्य नस्लों से अधिक है। इससे प्राप्त ऊन का रेशा छोटा होता है। प्रति भेड़ प्रति वर्ष 1 से 1.5 किलोग्राम ऊन प्राप्त होती है।

(7) **नाली**—ये राज्य के उत्तरी पश्चिमी क्षेत्रों में मिलती हैं। ये भेड़ एक वर्ष में 3 से 3.5 किलोग्राम तक ऊन देती हैं और इनकी ऊन लम्बे रेशे की होती है।

(8) **पूँगल**—पूँगल तहसील बीकानेर जिले में भारत व पाकिस्तान की सीमा के निकट हैं। इसका उत्पत्ति स्थान पूँगल होने से इस नस्ल का नाम भी पूँगल हो गया है। ये मुख्यत: बीकानेर और जैसलमेर जिलों में पाई जाती हैं और कुछ मात्रा में नागौर व जोधपुर जिलों में भी पाई जाती हैं। इनसे प्राप्त ऊन मध्यम किस्म की होती है और प्रति भेड़ प्रति वर्ष औसतन 2 किलोग्राम तक प्राप्त होती है।

मगरा जाति की भेड़ों की ऊन मुख्य रूप से दरी, गलीचा बनाने के काम आती है। लेकिन सोनाड़ी नस्ल को मुख्य रूप से गोश्त के लिए पाला जाता है। भेड़ों का केन्द्रीयकरण मुख्य रूप से पश्चिमी राजस्थान में ही है। सारणी में भेड़ों व बकरियों की संख्या बताई गई है।

सारणी-41 से स्पष्ट है कि भेड़ों व बकरियों की संख्या में अत्यधिक उतार-चढ़ाव आते रहते हैं एवं इसका कारण है भेड़ों व बकरियों का स्थानान्तरण और स्थानान्तरण का कारण है प्राकृतिक प्रकोप। इस प्राकृतिक प्रकोप से बचने के लिए भेड़ बकरी पालक अपनी रेवड़ लेकर अन्य राज्यों में निकल जाते हैं लेकिन आय के अभाव में रास्ते में कुछ भेड़ बकरियों को बेच देते हैं, कुछ मर जाती हैं। इस प्रकार अन्य स्थान तक पहुँचते-पहुँचते इनकी संख्या आधी रह जाती है और कुछ कमी उनकी संख्या में वापसी में हो जाती है। यही कारण है कि इनकी संख्या में उतार-चढ़ाव आते हैं।

केन्द्रीय योजना के तहत फतेहपुर जिला सीकर में लगभग 8,700 एकड़ भूमि पर एक वृहद् स्तरीय भेड़ प्रजजन केन्द्र कार्यरत है। इसके अतिरिक्त जोधपुर, बीकानेर एवं चित्तौड़गढ़ में राजकीय फार्मों पर भेड़ों के लिए चारा, दाना, घास पैदा किया जाता है। आठवीं योजना में 750 लाख रुपए प्रस्तावित है।

राजस्थान में लगभग 225 लाख भेड़ व बकरियाँ हैं जिनसे वर्ष में 1.70 करोड़ किलोग्राम ऊन प्राप्त होती है तथा माँस के लिए प्रति वर्ष 25 से 30 लाख भेड़ें-बकरियाँ उपलब्ध हो जाती हैं। जिनकी बिक्री राज्य में, राज्य के बाहर और विदेशों को निर्यात करके होती है।

राज्य में ऊन का कुल उत्पादन का 16 प्रतिशत ऊनी कम्बल, गलीचे तथा नमदे बनाने के काम आता है। शेष 84 प्रतिशत में से 72 प्रतिशत विदेशों को तथा 12 प्रतिशत भारत के दूसरे राज्यों को निर्यात किया जाता है। राजस्थान में प्राप्त होने वाली ऊन को चार वर्गों में बाँट सकते हैं-

(1) **उत्तम श्रेणी की ऊन**—यह ऊन बीकानेर, झुंझुनूं, जयपुर तथा चुरू और नागौर से प्राप्त होती है। समस्त ऊन का 27 प्रतिशत ऊन इस प्रकार की है।

(2) **मध्यम श्रेणी की ऊन**—यह ऊन अलवर, भरतपुर, गंगापुर, बीकानेर, जोधपुर, जैसलमेर तथा जयपुर के कुछ भागों से प्राप्त होती है। इस प्रकार की ऊन कुल ऊन के उत्पादन का 15 प्रतिशत है।

(3) **मोटी ऊन**—यह ऊन टोंक, कोटा तथा जयपुर के कुछ भागों से प्राप्त होती है।

## सारणी–41
## जिलेवार पशुगणना, 2019

| क्र. सं. | जिला | | | | भैंसे | भेंड़ | | | बकरी | शुकर | | |
|---|---|---|---|---|---|---|---|---|---|---|---|---|
| | | विदेशी | स्वदेशी | कुल मवेशी | | विदेशी | स्वदेशी | कुल भेंड़ | | विदेशी | स्वदेशी | कुल शूकर |
| 1. | अजमेर | 80571 | 304086 | 384657 | 520779 | 1 | 363892 | 363893 | 739132 | 425 | 14485 | 14910 |
| 2. | अलवर | 100662 | 141194 | 241856 | 1144753 | 1123 | 59309 | 60432 | 403117 | 651 | 11071 | 11722 |
| 3. | बांसवाड़ा | 26666 | 630723 | 657389 | 361245 | 121 | 7837 | 7958 | 720497 | 3 | 114 | 117 |
| 4. | बारां | 2822 | 295281 | 298103 | 266017 | 35 | 11357 | 11392 | 184809 | 0 | 6409 | 6409 |
| 5. | बाड़मेर | 1560 | 903639 | 905199 | 222727 | 221 | 1013198 | 1013419 | 2946662 | 0 | 279 | 279 |
| 6. | भरतपुर | 75831 | 129570 | 205401 | 760323 | 1881 | 74812 | 76693 | 168158 | 935 | 14213 | 15148 |
| 7. | भीलवाड़ा | 140020 | 565403 | 705423 | 477272 | 1124 | 358777 | 359901 | 829826 | 155 | 7181 | 7336 |
| 8. | बीकानेर | 130177 | 1064552 | 1194729 | 208251 | 1347 | 660789 | 662136 | 626769 | 0 | 599 | 599 |
| 9. | बूंदी | 19255 | 174254 | 193509 | 325032 | 305 | 55664 | 55969 | 306938 | 77 | 11575 | 11652 |
| 10. | चित्तौड़गढ़ | 34398 | 344628 | 379026 | 473245 | 140 | 26591 | 26731 | 488760 | 49 | 1886 | 1935 |
| 11. | चुरू | 60461 | 378122 | 438583 | 277343 | 948 | 280809 | 281757 | 594230 | 26 | 607 | 633 |
| 12. | दौसा | 50514 | 101011 | 151525 | 526460 | 3256 | 56541 | 59797 | 311068 | 372 | 6056 | 6428 |
| 13. | धौलपुर | 20376 | 48381 | 68757 | 371410 | 48 | 13782 | 13830 | 100811 | 39 | 2583 | 2622 |
| 14. | डूँगरपुर | 6668 | 424733 | 431401 | 329357 | 168 | 65615 | 65783 | 803899 | 0 | 28 | 28 |
| 15. | श्रीगंगानगर | 187353 | 449349 | 636702 | 200125 | 1244 | 232673 | 233917 | 303487 | 221 | 1281 | 1502 |
| 16. | हनुमानगढ़ | 149963 | 394301 | 544264 | 302203 | 858 | 169163 | 170021 | 180537 | 50 | 919 | 969 |
| 17. | जयपुर | 375902 | 315555 | 691457 | 1214213 | 4043 | 249663 | 253706 | 787220 | 618 | 15748 | 16366 |
| 18. | जैसलमेर | 18154 | 388894 | 407048 | 4638 | 1345 | 835647 | 836992 | 1104272 | 0 | 785 | 785 |
| 19. | जालौर | 8908 | 290351 | 299259 | 587826 | 2610 | 413848 | 416458 | 352280 | 0 | 33 | 33 |
| 20. | झालावाड़ | 8739 | 242084 | 250823 | 344217 | 18 | 10155 | 10173 | 285594 | 13 | 5304 | 5317 |

| क्र. सं. | जिला | | | | भैंसे | भेंड़ | | | बकरी | शुकर | | |
|---|---|---|---|---|---|---|---|---|---|---|---|---|
| | | विदेशी | स्वदेशी | कुल मवेशी | | विदेशी | स्वदेशी | कुल भेंड़ | | विदेशी | स्वदेशी | कुल शूकर |
| 21. | झुंझुनु | 195556 | 73540 | 269096 | 347110 | 15140 | 137850 | 152990 | 442134 | 520 | 2459 | 2979 |
| 22. | जोधपुर | 88388 | 980639 | 1069027 | 317852 | 931 | 618537 | 619468 | 1640570 | 27 | 1192 | 1219 |
| 23. | करौली | 10754 | 62401 | 73155 | 518622 | 1076 | 81849 | 82925 | 340529 | 304 | 8968 | 9272 |
| 24. | कोटा | 8151 | 208192 | 216343 | 240628 | 0 | 22434 | 22434 | 137387 | 54 | 6565 | 6619 |
| 25. | नागौर | 91620 | 482371 | 573991 | 545342 | 3327 | 443340 | 446667 | 1195815 | 108 | 2995 | 3103 |
| 26. | पाली | 16430 | 344441 | 360871 | 329807 | 228 | 764559 | 764787 | 682447 | 415 | 3432 | 3847 |
| 27. | प्रतापगढ़ | 22816 | 352986 | 375802 | 206072 | 6 | 23087 | 23093 | 417383 | 0 | 1039 | 1039 |
| 28. | राजसमन्द | 36271 | 208460 | 244731 | 234272 | 17 | 68330 | 68347 | 537215 | 4 | 3001 | 3005 |
| 29. | सवाई माधोपुर | 6057 | 71570 | 77627 | 301792 | 399 | 109612 | 110011 | 256260 | 222 | 7975 | 8197 |
| 30. | सीकर | 247834 | 135707 | 383541 | 488798 | 5678 | 169776 | 175454 | 920453 | 75 | 4857 | 4932 |
| 31. | सिरोही | 10862 | 194241 | 205103 | 211005 | 5 | 154460 | 154465 | 352535 | 0 | 74 | 74 |
| 32. | टोंक | 9083 | 162653 | 171736 | 437452 | 356 | 218821 | 219177 | 319250 | 94 | 5514 | 5608 |
| 33. | उदयपुर | 80211 | 751285 | 831496 | 597128 | 307 | 82774 | 83081 | 1360159 | 0 | 124 | 124 |
| | **योग** | **2323033** | **11614597** | **13937630** | **13693316** | **48306** | **7855551** | **7903857** | **20840203** | **5457** | **149351** | **154808** |

नोट: पशुपालन विभाग, राजस्थान

**(4) निम्न श्रेणी की ऊन**—यह ऊन उदयपुर, बाँसवाड़ा, डूँगरपुर, चित्तौड़गढ़ तथा भीलवाड़ा आदि जिलों से प्राप्त होती है।

## ऊँट

यह राजस्थान का जहाज कहलाता है। यह रेगिस्तानी क्षेत्र में परिवहन, हल जोतने, सिंचाई करने आदि में भी काम आता है। ऊँट पालन में राजस्थान का भारत में 65% एकाधिपत्य है। सारणी 34 में स्पष्ट हैं कि 2019 के पशुगणना में ऊँटों की संख्या 2.13 मिलियन है। यह शुष्क एवं मरुस्थली पशु है। सबसे अधिक ऊँट बाड़मेर में है जहाँ 16% संख्या है जबकि कुल संख्या का 14% गंगानगर में पाया जाता हैं। राजस्थान के अलावा अन्य क्षेत्रों में इनकी संख्या नगण्य है। मोटी चमड़ी वाला यह पशु कम पानी व थोड़े चारे से भी अपनी उदरपूर्ति कर लेता है। ऊँटनी का दूध भी स्थानीय निवासियों में काफी लोकप्रिय है। इस पशु की भौहें तथा नाक पर स्थित बाल आँख व नाक में बालु जाने से रोकते हैं। मोटी चमड़ी के कारण पानी पसीने के रूप में बाहर नहीं निकल पाता। ऊँट के पाँव का तला अधिक चौड़ा होने से वह रेतीली भूमि में नहीं धंसता। अपनी शारीरिक बनावट सम्बन्धी इन विशेषताओं के कारण ऊँट रेतीले टीबों को भी आसानी से पार कर लेता है। जैसलमेर के पास स्थित नाचना का ऊँट सबसे अच्छा माना जाता है। नाचना का ऊँट दिखने में सुन्दर, बहुत हिम्मती व तेज दौड़ने वाला होता है अत: सवारी के लिए सबसे अधिक पसन्द किया जाता है। फलौदी के निकट गोमठ का ऊँट भी सवारी की दृष्टि से अच्छा माना जाता है। गुड़ा, केरू, पाल आदि के ऊँट भी अपने विशेष गुणों कारण काफी लोकप्रिय हैं। जैसलमेरी, बीकानेरी व जोधपुरी ऊँट शक्तिशाली होते हैं वह बोझा ढोने के लिए अधिक प्रसिद्ध हैं। जालौरी व मेवाड़ी ऊँट कम कीमत वाले हैं क्योंकि ये न तो अधिक बोझा ढो सकते हैं न ही सवारी के लिए उपयुक्त माने जाते हैं।

**घोड़ा व टट्टू**—राज्य में घोड़े का उपयोग सवारी के लिए किया जाता है। राजस्थान में लगभग 30 हजार घोड़े व टट्टू है। बाड़मेर, जालौर व जोधपुर में राज्य के सर्वाधिक घोड़े हैं। पश्चिमी राजस्थान के मालाणी घोड़े देश भर में प्रसिद्ध है। पूर्वी क्षेत्र में उदयपुर, चित्तौड़गढ़ तथा कोटा में भी काफी घोड़े हैं।

**मुर्गी व मछली पालन**—राजस्थान में कई कुक्कुट शालाऐं हैं जिनसे प्रति वर्ष लगभग 14 करोड़ अण्डे प्राप्त होते हैं। 4 करोड़ अण्डे अन्य प्रान्तों में भेजे जाते हैं। मुर्गी पालन मांस प्राप्त करने की दृष्टि से भी निरन्तर लोकप्रियता प्राप्त कर रहा है।

राजस्थान के विभिन्न भागों में कई बांध, झीलें व तालाब है जिनमें मछली पालन किया जाता है। राज्य में प्रति वर्ष 14,000 टन मछली पकड़ी जाती है। मछली पकड़ने के ठेके देने से सरकार को काफी आय होती है।

## पंचवर्षीय योजनाओं में पशुपालन का विकास (Development of Live Stocks in Five Year Plans)

राजस्थान की अर्थ व्यवस्था की महत्ता को दृष्टिगत रखते हुए पंचवर्षीय योजनाओं में उनके विकास के लिए जो प्रयत्न किए गए हैं, वे उल्लेखनीय हैं। प्रथम पंचवर्षीय योजना में तो चूँकि यह अलग से विभाग के रूप में कार्य नहीं कर रहा अत: इस पर होने वाले खर्च को कृषि के साथ ही रखा गया है। द्वितीय पंचवर्षीय योजना के अन्तर्गत पशुपालन व नस्ल सुधार पर 125 लाख रुपए तथा तृतीय पंचवर्षीय योजना में 281 लाख रुपए व्यय किए गए। पाँचवीं योजना के अन्त तक पशुपालन विकास पर 13 करोड़ रुपए व्यय किए जा चुके हैं। छठी पंचवर्षीय योजना में इस पर 10.64 करोड़ रुपए व्यय किए गए। सातवीं पंचवर्षीय योजना में इस मद पर 37.62 करोड़ रुपए किए गए। आठवीं पंचवर्षीय योजना में 66.55 करोड़ रुपए व्यय करने का प्रावधान किया गया है।

## आठवी पंचवर्षीय योजना के प्रमुख कार्यक्रम (Main Programmes for Eight Five Year Plans)

आठवीं पंचवर्षीय योजना में जिन कार्यक्रमों को प्राथमिकता दी गई हैं जो निम्न है–

**एकीकृत पशु विकास कार्यक्रम (Integrated Live Stocks Development Programme)**— आठवीं पंचवर्षीय योजना का यह प्रमुख कार्यक्रम हैं। इस योजना के अन्तर्गत वर्तमान में ऐसी संख्याएँ जहाँ पर 2 पशुधन सहायक, 1 पशु चिकित्सा सहायक कार्यरत हैं, उनको दो हिस्सों में विभाजित कर मुख्य संख्या से 5 से 8 किलोमीटर की परिधि में जहाँ 2,000 प्रजनन योग्य पशु उपलब्ध हों वहाँ नया केन्द्र स्थापित किया गया है। यह कार्यक्रम जयपुर एवं बीकानेर डिवीजन में वर्ष 1990-91 में प्रारम्भ किया गया है। इस कार्यक्रम के तहत इन डिविजनों में 356 नए केन्द्र स्थापित किए गए हैं। प्रत्येक केन्द्र लगभग 2,000 प्रजनन योग्य गायों व भैंसों के लिए निम्न कार्य करेगा-

(1) हिमीकृत वीर्य द्वारा प्रजनन कार्य, (2) बधियाकरण, (3) दुग्ध अभिलेखन, (4) चारा बीज वितरण, (5) पशुपालकों को पशुपालन सम्बन्धी नई तकनीकी जानकारी उपलब्ध कराना, (6) बाँझ निवारण कैम्प आयोजित करना आदि।

**पशुपालन : नए आयाम एवं भावी सम्भावनाएँ**

राजस्थान में पशुपालन का महत्त्व सदियों पूर्व से रहा है। राज्य के ग्रामीण क्षेत्र की 82 प्रतिशत आबादी की आजीविका मुख्यत: कृषि एवं पशुपालन पर आधारित हैं। वस्तुत: राज्य के मरुस्थलीय क्षेत्र में जन साधारण की आजीविका कृषि की बजाय पशुधन पर ज्यादा आश्रित है। राज्य की पशुधन सम्पदा राष्ट्र की कुल सम्पदा का लगभग 11 प्रतिशत है। राज्य में 1988 की पशुगणना के आधार पर पशु संख्या 409 लाख है। कुक्कुट सम्पदा 22 लाख से अधिक है। इससे प्रतिवर्ष लगभग 36,000 टन दूध, 17.50 हजार टन माँस तथा 1,750 लाख अण्डों का उत्पादन होता है। पशुधन का राज्य के आर्थिक क्षेत्र में बड़ा योगदान है। राज्य की कुल आय का 18 प्रतिशत से अधिक योगदान पशुधन से आँका गया है।

राजस्थान भौगोलिक दृष्टि से एक मरुस्थलीय प्रदेश है। इसका लगभग 55 प्रतिशत क्षेत्र रेगिस्तानी है। राज्य में काफी बड़ा पर्वतीय क्षेत्र भी है। मरुस्थलीय क्षेत्रों में सिंचाई के अपर्याप्त साधनों के कारण केवल एक फसल होती है और उसके लिए भी लोगों को वर्षा पर निर्भर रहना पड़ता है। इन क्षेत्रों में हर तीसरे वर्ष अकाल की काली छाया मँडराती रहती है। दूसरी ओर पर्वतीय क्षेत्रों में जहाँ अधिकांश आबादी अनुसूचित जनजातियों की है, लोगों के पास खेती करने योग्य बहुत ही छोटे-छोटे भूखण्ड हैं। ऐसी विषम परिस्थितियों का सामना करने का एकमात्र सुदृढ़ विकल्प पशुपालन ही है। यही कारण है कि राज्य में एक बड़े भू-भाग में लोगों की जीविकोपार्जन का मुख्य साधन पशुपालन है।

राजस्थान में पशुओं की देशी नस्ल सुरक्षित एवं संरक्षित है। यहाँ की नागौरी, मालवी, गीर, कांकरेज, राठी एवं थारपारकर नस्ल प्रदेश में ही नहीं अपितु विदेश में भी अपनी विशिष्ट पहचान एवं ख्याति रखती है। राज्य की जखराना, सिरोही, अजमेरी, परबतसरी एवं मारवाड़ी नस्ल की बकरियों और बीकानेरी, मारवाड़ी, चोखला आदि नस्ल की भेडें, दुग्ध, ऊन तथा मांस के लिए अपनी खास पहचान रखती हैं। समूचे भारत में घोड़ों की काठियावाड़ी और मालानी दो प्रमुख नस्लें पाई जाती है। इनमें से मालानी नस्ल बाड़मेर जिले की बालोतरा और सिवाना पंचायत समिति में पाई जाती है। इस नस्ल के घोड़े घुड़सवारी तथा पोलो के लिए विख्यात है। बीकानेरी ऊँट जहाँ भारवाहन एवं यात्राओं के लिए उपयुक्त हैं वहीं जैसलमेरी नस्ल के ऊँट अपनी मतवाली चाल के लिए युग-युगान्तरों से प्रसिद्ध हैं। राज्य के पूर्वी जिलों अलवर, भरतपुर एवं जयपुर में मुर्रा नस्ल की भैंसे पाई जाती है। शेष जिलों में भी इस नस्ल की भैंसों का शनै: शनै: प्रसार होता जा रहा है। कुक्कुट पालन में भी प्रदेश तेजी से अग्रसर है।

आठवी पंचवर्षीय योजना में पशुपालन विभाग पशुधन सम्वर्द्धन, विकास एवं स्वास्थ्य पर विशेष ध्यान दे रहा है। विभाग का लक्ष्य तो प्रति 10 किलोमीटर अथवा 10 हजार गौवंश इकाईयों पर एक चिकित्सा संस्था उपलब्ध कराना है,किन्तु सीमित वित्तीय साधनों एवं अन्य प्राथमिकताओं के कारण ऐसा कर पाना

सम्भव नहीं हो रहा है। इस प्रयोजन के लिए विभाग पशु उत्पादन कार्यक्रम और पशु सम्वर्द्धन की विभिन्न योजनाएँ संचालित कर रहा है। यह योजना आठवीं पंचवर्षीय योजना के दौरान जयपुर एवं बीकानेर सम्भाग में लागू की जाएगी। इसके अन्तर्गत "गोपाल योजना" के अनुरूप ही पशुधन स्वास्थ्य के साथ-साथ हिमकृत वीर्य द्वारा कृत्रिम गर्भाधान, नाकारा पशुओं का बधियाकरण, चारा विकसित के लिए चारा बीजों का वितरण और पशुओं के लिए संतुलित आहार उपलब्ध करना सम्मिलित है।

योजना के अन्तर्गत प्रति 2,000 प्रजनन योग्य पशुओं पर सघन रूप से नस्ल सुधार का कार्य किया जाना है। पशु नस्ल सुधार को कारगर तरीके से लागू करके ही पशुपालकों की अर्थव्यवस्था को सुदृढ़ बनाया जा सकता है। इस उद्देश्य की प्राप्ति के लिए दोनों सम्भागों के चिकित्सालयों में से पशुधन/बी.ए. को मुख्य संस्था से 5 से 8 किलोमीटर दूर इस प्रकार सेवा में लगाया जाएगा कि उसके अधीन 2,000 प्रजनन योग्य पशुओं को कृत्रिम गर्भाधान की सुविधा मुहैया करवाई जा सके। इस संस्था को कृत्रिम गर्भाधान के सभी आवश्यक उपकरण सुलभ कराने का प्रावधान योजना के अन्तर्गत किया गया है।

राज्य सरकार ने समस्त प्रजनन योग्य पशुओं को सर्वांगीण विकास का लाभ पहुँचाने पर बल दिया है। इसी परिप्रेक्ष्य में डेयरी और पशुपालन विभाग के समन्वित प्रयासों से एकीकृत पशु विकास योजना का प्रारूप तैयार कर इसे क्रियान्वित किया जा रहा है। डेयरी फैडरेशन द्वारा इस योजना के अन्तर्गत अपनी पुरानी डेयरी सहकारी समितियों को सुदृढ़ किया जाना एवं कुछ नई डेयरी सहकारी समितियों के गठन का कार्यक्रम है। डेयरी द्वारा गोपाल योजना के अनुरूप प्रजनन योग्य पशुओं पर कृत्रिम गर्भाधान सुविधा उपलब्ध कराना होगा। यह कार्यक्रम मुख्यत: डेयरी सरस पर डेयरी एवं पशुपालन विभाग की साझेदारी में क्रियान्वित करना होगा।

एकीकृत ग्रामीण विकास योजना के तहत राज्य सरकार ने 400 नई इकाईयाँ स्थापित करने की स्वीकृति दी है। प्रत्येक इकाई पर 16,000/- रुपए का व्यय प्रस्तावित है। दोनों सम्भागों में 800 संस्थाओं पर 128 लाख रुपए खर्च होंगे। कार्यक्रम की मोनिटरिंग के निमित्त प्रत्येक जिले के लिए 50 लाख रुपए का प्रावधान है। इस प्रकार पशुपालन विभाग को कार्यक्रम के क्रियान्वयन के लिए 178 लाख रुपए मंजूर किए गए हैं।

## मोनिटरिंग

पशुपालन की अत्यन्त महत्त्व की इस योजना के सफल संचालन एवं प्रभावी क्रियान्वयन के लिए मोनिटरिंग की प्रक्रिया अनिवार्य है।

इस कार्यक्रम में विभागीय संस्थाओं को कृत्रिम गर्भाधान कार्य पर विशेष ध्यान देना होगा। इसके लिए प्रत्येक 25 संस्थाओं की निगरानी के लिए एक शल्य चिकित्सक का पद सृजित किया गया है, जिसे किराए पर वाहन लेने हेतु अधिकृत कर दिया गया है।

## देशी गौ नस्ल सुधार परियोजना

राजस्थान का प्रमुख गौ-वंश नागौरी, कांकरेज, थारपारकर, गीर, राठी आदि देश भर में विख्यात है। यह सारा गौ-वंश राज्य के पश्चिमी भू-भाग में पाया जाता है। वहाँ के पशुपालकों की अर्थव्यवस्था इसी पशुधन पर आश्रित है। इसी बात को दृष्टिगत रखते हुए पशुपालन विभाग ने देशी गौ-नस्ल सुधार परियोजना अपनाई है। इन नस्लों के श्रेष्ठ सांडो के हिमकृत वीर्य द्वारा नस्ल सुधार का कार्यक्रम लिया गया है। यह कार्यक्रम जिस ग्राम में लिया जाना है उसी ग्राम के शिक्षित ग्रामीण युवक का चयन कर उसे कृत्रिम गर्भाधान एवं बाधियाकरण का प्रशिक्षण दिया जाएगा। चयनित ग्रामीण युवक पर 2,000 प्रजनन योग्य पशुओं में यह सुविधा उपलब्ध कराने का दायित्व रहेगा। इस तरह से 5 जिलों में ये परियोजनाएँ ली गई हैं। बीकानेर, नागौर, बाड़मेर, जालौर और अजमेर जिले में पाए जाने वाले गौ-वंश का विकास कार्य परियोजना के तहत किया जाएगा।

## हिमीकृत वीर्य प्रणाली द्वारा कृत्रिम गर्भाधान

नस्ल सुधार पशुधन विकास की प्रथम आवश्यक और महत्त्वपूर्ण कड़ी है। इसके लिए उन्नत किस्म के

अच्छे सांडों की आवश्यकता प्रतीत होती है। गुणवान एवं उन्नत नस्ल की गायों की संख्या आवश्यकता के अनुपात में चूंकि बहुत ही कम है इसलिए प्राकृतिक गर्भाधान के लिए इन गुणवत्ता सांडों का अधिक उपोग करना सम्भव नहीं है। अच्छे नस्ल के सांड के वीर्य का अधिकाधिक उपयोग करने के लिए विभाग ने हिमकृत वीर्य प्रणाली को अपनाया है। प्रत्येक चिकित्सालय/ औषधालय तथा मूल ग्राम आधार योजना की संस्थाओं द्वारा हिमकृत वीर्य प्रणाली से कृत्रिम गर्भाधान का कार्य सम्पादित किया जा रहा है। प्रति वर्ष लगभग 5 से 6 लाख डोज हिमकृत वीर्य की आवश्यकता रहती है। आगामी वर्षों में इस स्थिति में और भी तेजी से सुधार लाने के प्रयास किए जाऐंगें।

पशु सम्वर्द्धन विकास कार्यक्रम के अन्तर्गत दुग्ध उत्पादन में आशातीत वृद्धि के लिए विदेशी सांडों के वीर्य से संकर प्रजनन का कार्य कराया जा रहा है। इसके लिए राज्य के उन्हीं भागों में जहाँ पर वस्तुत: देशी नस्ल का गौ-वंश पाया जाता है, वहाँ उन्हीं नस्लों के गुणवत्ता सांडों अथवा ऐसे सांडों के हिमकृत वीर्य द्वारा प्रजनन कार्य कराया जाता है।

हिमकृत वीर्य के रख-रखाव के लिए नत्रजन अत्यन्त आवश्यक है। इसका तापक्रम –196 डिग्री फॉरेनहाइट होता है, जो वाष्पशील है। प्रत्येक संस्था में हर 20 वें दिन नियमित रूप से इसकी आपूर्ति की जाती है। एक संस्था द्वारा प्रति वर्ष लगभग 500 से 1,000 लीटर तरल नत्रजन का उपयोग किया जाता है। तरल नत्रजन की आपूर्ति के लिए विभाग के पाँच तरह नत्रजन संयंत्र क्रमश: बाँसवाड़ा, झालावाड़, बूंदी, नागौर और बस्सी (जयपुर) में कार्यरत हैं। प्रत्येक संयंत्र में प्रति माह 2,000 से 3,000 लीटर तरल नत्रजन का उत्पादन होता है जिसका वितरण आवश्यकता के अनुसार विभागीय संस्थाओं को किया जाता है। विशेष प्रकार टैंकर युक्त वाहन इसके लिए प्रयुक्त किए जाते हैं। कभी-कभी आवश्यकता होने पर बाजार से भी तरल नत्रजन खरीदी जाती है। तरल नत्रजन के आवश्यकतानुसार उत्पादन हेतु विभाग द्वारा स्थापित संयंत्रों के संतोषप्रद संचालन को सुनिश्चित करने के प्रयास किए जा रहे हैं।

## पशु प्रजनन फार्म

देशी गौ-वंश में नस्ल सुधार के लिए उन्नत सांडों की नितान्त आवश्यकता बनी रहती है। पशुपालकों को अच्छे सांड उपलब्ध कराने के लिए विभाग के 3 पशु प्रजजन केन्द्रों की इस दृष्टि से महत्त्वपूर्ण भूमिका है। इन केन्द्रों पर मेवाती, गीर, हरियाणा और नागौरी नस्लों का सम्वर्द्धन कार्य होता है। मालवी एवं गीर नस्ल के लिए डग (झालावाड़) हरियाणा नस्ल के लिए कुम्हेर (भरतपुर) और नागौरी नस्ल के लिए नागौर में प्रजनन केन्द्र कार्यरत हैं। इन प्रजनन केन्द्रों द्वारा प्रति वर्ष लगभग 60 उन्नत नस्ल के बछड़े उपलब्ध होते हैं, जो पशु पालकों को उपलब्ध कराए जाते हैं।

## सांड वितरण

राज्य के पश्चिमी भू-भाग में पशुपालक अधिकतम घुमक्कड़ प्रवृत्ति के हैं। गाँव भी दूर-सुदूर स्थापित हैं। ऐसे क्षेत्रों में नस्ल सुधार के लिए कृत्रिम गर्भाधान की सुविधा नहीं मिल जाती है। मरु भू-भाग में जैसलमेर, बाड़मेर, बीकानेर के कुछ हिस्सों में नस्ल सुधार के लिए पशु पालकों की सुविधार्थ उन्नत नस्ल के सांड उपलब्ध कराता है।

## शूकर विकास कार्यक्रम

समाज के सबसे कमजोर आय वर्ग के परिवारों आर्थिक विकास के लिए शूकर पालन एक उत्तम एवं अभिनव व्यवसाय हैं। इसके विकास के लिए पशु पालन विभाग ने इन परिवारों को उन्नत नस्ल के विदेशी शूकर अनुदान पर उपलब्ध कराने की योजना केन्द्र सरकार के सहयोग से प्रारम्भ की है। विशिष्ट पशुधन योजना के अन्तर्गत अलवर/ भरतपुर जिले में शूकर पालकों को लाभान्वित करने के उद्देश्य से एक शूकर विकास फार्म अलवर में कार्यरत है। शूकर विकास फार्म में विदेशी नस्ल के श्वेत शूकरों का आधुनिक तकनीक से पालन पोषण करके उन्हें निजी शूकर पालकों को वितरण किया जाता है। अलवर स्थित विकास फार्म द्वारा उन्नत नस्ल के तीन 'लार्ज व्हाइट योर्कसायर' इंग्लैंड (यू.के.) के आयात किए गए। इन शूकरों के माध्यम से प्रजनन के क्षेत्र में

अप्रत्याशित सफलता मिलने लगी है। राज्य में प्रयोग के तौर पर अलवर एवं भरतपुर में प्रारम्भ की गई इस योजना के तहत 924 निर्धनतम परिवारों को बैंकों से ऋण एवं अनुदान सुलभ करवाकर विदेशी नस्ल की शूकर इकाईयाँ वितरण करने से उन्हें एक सुदृढ़ आर्थिक सम्बल मिला है। इस क्षेत्र में आर्थिक विकास के बढ़ते अवसरों को देखते हुए अन्य जिलों में भी अन्य समुदायों के व्यक्ति निजी क्षेत्र में विदेशी नस्ल के शूकर फार्म विकसित करने लगे हैं। राज्य में इस व्यवसाय के प्रति बढ़ती अभिरुचि एवं उन्नत प्रजनन विकास को दृष्टिगत रखते हुए विदेशी नस्ल के 20 मादा एवं 5 नर शूकर और आयात करने का प्रस्ताव है।

## बकरी विकास परियोजना

अलवर से गुजरात राज्य की सीमा तक राजस्थान प्रदेश में अरावली पर्वत मालाओं के नीचे बसे गाँवों में बकरी पालन एक मुख्य व्यवसाय है। निर्धन एवं कम आय वर्ग के लोगों के लिए बकरी पालन सहज और सुगम है और इसलिए इसे ''गरीब की गाय'' की संज्ञा दी जाती है। दूसरी ओर यह उल्लेखनीय है कि राजस्थान प्रदेश अन्य प्रदेशों की माँस आवश्यकताओं की पूर्ति करने में अग्रणी है।

स्थानीय नस्ल की बकरियों की उत्पादन क्षमता कम होने से बकरी पालकों को उनकी मेहनत के अनुपात में पर्याप्त लाभ नहीं मिल पाता है। बकरी पालन से जुड़े लोगों के पास कृषि कार्य के लिए भूमि भी पर्याप्त रूप से उपलब्ध न होने के कारण वे गरीबी की श्रेणी में आते हैं।

बकरी पालन से आर्थिक स्रोतों का विकास करने और बकारी पालक परिवारों को कुपोषण से बचाने के उद्देश्य से राजस्थान में बकरी विकास एवं चारा उत्पादन परियोजना प्रारम्भ की है। अजमेर जिले के रामसर ग्राम में इस परियोजना पर कार्य करने के लिए एक फार्म का विकास किया गया है। स्विटजरलैंड से अल्पाइन एवं टोगन वर्ग उन्नत नस्ल के बकरे-बकरियों का उत्पादन कर राज्य में बकरी पालकों को वितरण किया जा रहा है।

प्रथम चरण में यह कार्यक्रम अजमेर, भीलवाड़ा एवं सिरोही जिलों में लिया गया है। इसके अन्तर्गत उन्नत नस्ल के बकरे बकरियाँ का वितरण करने के साथ ही चारा विकास कार्यक्रम चलाया जा रहा है।

## ऊँट का विकास

राज्य का पश्चिमी क्षेत्र अधिकतर मरुस्थलीय है। दूर-सुदूर तक फैले रेगिस्तान में ऊँट ही ऐसा एकमात्र पशु है जो कठिन, विषम एवं विपरीत परिस्थितियों में भी तनाव मुक्त सेवा करता है। भारत में कुल ऊँटों की 70 प्रतिशत संख्या राजस्थान में उपलब्ध है।

## ऊँटों की नस्ल

राजस्थान में ऊँटों की मुख्यत: दो नस्लें पाई जाती हैं। इनमें पहली जैसलमेरी और दूसरी बीकानेरी है। बीकानेरी नस्ल के ऊँट भार वहन की दृष्टि से उपयुक्त माने जाते हैं और इसकी पीठ पर काफी माल लादकर एक स्थान से दूसरे स्थान पर ले जाया जा सकता है। जैसलमेरी ऊँट तेज रफ्तार और अपनी मस्त चाल के लिए विख्यात है। सीमा सुरक्षा बल की सेवाओं में उपयुक्त ऊँटों को विभिन्न प्रकार के प्रशिक्षण दिए जाते हैं, जो सीमाओं की रक्षा और तस्करी उन्मूलन अभियान में जवानों के महत्त्वपूर्ण सम्बल सिद्ध होते हैं।

ऊँटों में सामान्यतया रोगों की बहुत कम सम्भावनाएँ रहती हैं। इनमें मुख्यतया सर्रा रोग होता है जिसकी कारगर रोकथाम के लिए पशुपालन विभाग द्वारा राज्य में सर्रा नियंत्रण इकाईयाँ स्थापित की गई है। पशु चिकित्सकों द्वारा समय-समय पर अन्य रोगों का भी उपचार किया जाता है तथा पशु पालकों को रोगों के उपचार की जानकारियाँ उपलब्ध कराई जाती है। ऊँटों का प्रजनन काल शीत ऋतु में माह नवम्बर से फरवरी तक होता है। इस अवधि को ऊँटों का मस्त ऋतु काल भी कहा जाता है। ऊँटों की उन्नत नस्ल विकसित करने के लिए भारतीय कृषि अनुसंधान परिषद द्वारा बीकानेर के पास जोहड़ बीड़ में के सम्वर्द्धन के लिए नई खोज एवं अनुसंधान का कार्य किया जा रहा है।

## घोड़े (अश्व) विकास कार्यक्रम

देश में मालानी और काठियावाड़ी नस्ल के घोड़े सर्वाधिक लोकप्रिय हैं। मालानी नस्ल के घोड़े राजस्थान के बाड़मेर जिले की सिवाना तहसील में पाए जाते हैं। मालानी नस्ल के घोड़े शारीरिक दृष्टि से सुडौल और ताकतवर होते हैं। पशुपालन विभाग द्वारा घोड़ों की उन्नत नस्ल सुधार के लिए अश्व विकास कार्यक्रम चलाया जा रहा है। राजस्थान में 2012 की पशु गणना के अनुसार घोड़ों की कुल संख्या 0.37 लाख है। पशु विभाग का मानना है कि इस नस्ल के निरन्तर ह्रास का कारण इनके रख-रखाव पर अधिक खर्च आना और घोड़े और सांडों की प्रदेश में कमी होना है। राज्य के विभिन्न घोड़ा बहुल क्षेत्रों में अच्छे सांड, घोड़े उपलब्ध कराने के लिए प्रयत्नशील है ताकि उन्नत नस्ल का ह्रास रोका जा सके। इस दृष्टि से विभाग विभिन्न पशु चिकित्सालयों में सांड घोड़ा उपलब्ध करवाकर नस्ल सुधार का प्रयास कर रहा है। घोड़े (अश्व) विकास कार्यक्रम के तहत 2.50 लाख रुपये का प्रावधान किया गया है। इस राशि में से 1.00 लाख रुपये 4 नये घोड़े (मालानी नस्ल) सांड क्रय कर उदयपुर पोलीक्लिनिक, झालावाड़, जालौर एवं पाली स्थित पशु चिकित्सालयों को उपलब्ध कराये जा रहे हैं। वर्ष 2012 में भी गुड़ा मालानी (बाड़मेर), जयपुर पोलीक्लिनिक, बिलाड़ा (जोधपुर), पशु चिकित्सालय और बाली (पाली) पशु चिकित्सालय को उपलब्ध करवाये गये थे।

## कुक्कुट विकास कार्यक्रम

राजस्थान निर्माण के समय प्रदेश में केवल दो ही कुक्कुट शालाएँ जयपुर और उदयपुर में कार्यरत थी। अजमेर राज्य के राजस्थान में विलीनीकरण के साथ ही 1956 में प्रदेश में तीन कुक्कुट शालाएँ हो गई। इनमें प्रतिवर्ष 1,000 पक्षियों का वितरण कुक्कुट पालकों को किया जाता था। हाल के वर्षों में कुक्कुट पालन के क्षेत्र में आशातीत प्रगति हुई है। राज्य में अब 7 कुक्कुट शालाएँ अलवर, उदयपुर, जयपुर, अजमेर, जोधपुर, कोटा एवं टोंक में कार्यरत है।

प्रदेश में निम्न आय वर्ग एवं अन्य बेरोजगार व्यक्तियों के लिए सुगमतापूर्वक एवं कम लागत से अच्छा रोजगार सुलभ कराने में कुक्कुट पालन ने महत्त्वपूर्ण भूमिका अदा की है। राजकीय कुक्कुट सम्पदा में प्रतिवर्ष उल्लेखित बढ़ोत्तरी दृष्टिगोचर हुई है। वर्तमान में इनकी संख्या 25 लाख 25 हजार तक पहुँच गई है जिसे बढ़ाने के निरन्तर उपक्रम किए जा रहे हैं। पशुपालन विभाग कुक्कुट पालकों की चूजों सम्बन्धी माँग की आपूर्ति के लिए सतत् प्रयत्नशील है। राजकीय कुक्कुट शालाओं पर उन्नत नस्ल के लेयर, ब्रायलर चूजों का कम लागत पर उत्पादन कर कुक्कुट पालकों को उपलब्ध कराना विभाग का ध्येय है। राजकीय कुक्कुट शाला अलवर, जोधपुर और कोटा में ब्रायलर प्रजाति के चूजे अजमेर में लेयर प्रजाति के चूजे एवं जयपुर में लेयर और ब्रायलर दोनों ही प्रजाति के चूजों का उत्पादन किया जाता है।

## विपणन सुविधाएँ

पशुधन के क्रय-विक्रय की बेहतर विपणन सुविधाएँ दिलाने के लिए भी विभिन्न स्तरों पर प्रयास करता है ताकि वे अपने उत्पादन का उचित मूल्य प्राप्त कर सकें। इस उद्देश्य से राज्य में प्रतिवर्ष 250 से अधिक पशु मेलों का आयोजन नगर पालिका/परिषद, ग्राम पंचायतों/पंचायत समितियों द्वारा किया जाता है। विभाग अपने स्तर पर 10 राज्य स्तरीय पशु मेलों का आयोजन करता है। इन मेलों में पानी, आवास, चिकित्सा, रोशनी आदि की नि:शुल्क व्यवस्था की जाती है। एक अनुमान इन मेलों से राज्य सरकार को प्रतिवर्ष लगभग 10 लाख रुपए की आय रवन्ना से और लगभग 40 लाख रुपए बिक्री कर के माध्यम से प्राप्त होती है। रेल परिवहन/सड़क परिवहन से भी भारी मात्रा में राजस्व प्राप्ति होती है। राजकोष में उपलब्धि के अलावा पशु पालकों को 40 से 50 करोड़ रुपये की आय पशुधन के क्रय-विक्रय से होती है।

**राज्य स्तरीय 10 प्रमुख पशु मेले–**

1. श्री मल्लिनाथ पशु मेला, तिलवाड़ा
2. श्री बलदेव पशु मेला, मेड़ता शहर (नागौर)
3. श्री गोमती सागर पशु मेला, झालरापाटन, (झालावाड़)

4. श्री गोगामड़ी पशु मेला, श्री गंगानगर
5. श्री वीर तेजाजी पशु मेला, परबतसर (नागौर)
6. श्री जसवन्त प्रदर्शनी एवं पशु मेला, भरतपुर
7. श्री कार्तिक पशु मेला, पुष्कर (अजमेर)
8. श्री चन्द्रभागा पशु मेला, झालरापाटन, (झालावाड़)
9. श्री रामदेव मेला, नागौर
10. श्री महाशिवरात्रि पशु मेला, करौली (सवाई माधोपुर)

विपणन सुविधाओं की दृष्टि से ही कुक्कुट पालकों को उनके उत्पादन का सही मूल्य दिलाने के लिए 'हाफ ए मिलियन जोब प्रोग्राम' के तहत अजमेर, जयपुर, कोटा, जोधपुर आदि जिलों में कुक्कुट उत्पादन क्रय-विक्रय सहकारी समितियाँ प्रारम्भ की गई। इनका ध्येय उत्पादन का उचित मूल्य दिलाने और उपभोक्ता को वाजिब दाम पर ताजा एवं स्वच्छ कुक्कुट जन्य पदार्थ उपलब्ध कराना है।

**गोपाल कार्यक्रम**

पशु संवर्द्धन एवं विकास कार्यक्रम प्रदेश के लिए अत्यधिक महत्त्वपूर्ण है। उन्नत पशुधन ही पशु पालकों की उन्नति का आधार हो सकता है। ग्रामीण क्षेत्र में पशु पालन जन-साधारण आजीविका का प्रमुख पालन का योगदान 18 प्रतिशत आँका गया है। राजस्थान में पशुधन की कुल संख्या 409 लाख है, जिनमें से 78.36 लाख प्रजनन योग्य मादा पशु है। राज्य में ख्याति प्राप्त राठी, थारपारकर, गीर, हरियाणा, कांकरेज, नागौरी एवं मालवी गौवंश के नाम उल्लेखनीय है। पशुधन की इतनी, बड़ी संख्या के समुन्नत विकास हेतु, स्वयंसेवी संस्थाओं एवं ग्रामीण स्तर पर पशु पालकों की सक्रिय भागीदारी अपेक्षित है। वर्तमान में पशु पालन विभाग द्वारा गौ-संवर्धन हेतु विभागीय संस्थाएँ मात्र 10 प्रतिशत पशुओं को ही लाभान्वित कर पा रही है।

योजना का राज्य सरकार द्वारा वर्ष 2012 के अन्तर्गत राज्य के दक्षिणी पूर्वी 25 जिलों में समेकित रूप से ''गोपाल'' का श्री गणेश किया जा रहा है। वस्तुत: यह संघन पशु प्रजनन की एक महत्ती योजना है। इसके माध्यम से चयनित जिलों में उसी क्षेत्र के शिक्षित युवकों को प्रशिक्षित कर पशुधन विकास में भागीदारी बनाया जाएगा। ''गोपाल'' नामक ग्रामीण युवकों द्वारा अधिकाधिक पशु पालकों को उनके निवास स्थान पर ही पशु संवर्धन का लाभ पहुँचाया जाएगा। योजना के माध्यम से पशु पालन की गतिविधियों का प्रशिक्षण देकर पशुओं में प्रजनन सुविधा के साथ-साथ अन्य सुविधाएँ उपलब्ध कराया जाना प्रस्तावित है। योजना के प्रथम चरण में दक्षिणी-पूर्वी 10 चयनित जिलों की चार-चार पंचायत समितियों में इस कार्यक्रम को प्रारम्भ करते हुए आठवीं पंचवर्षीय योजना के अन्त तक इन जिलों की सम्पूर्ण पंचायत समितियों में यह सुविधा उपलब्ध हो सकेगी।

योजना का उद्देश्य पशुधन नस्ल सुधार के माध्यम से पशु पालकों के आर्थिक स्तर को उन्नत करना है। योजना के तहत किसान अपने पशुधन से अधिक दुग्ध उत्पादन के जरिए आर्थिक स्तर को उन्नत कर सकेंगे। इसके लिए ग्रामीण पशु पालकों तथा वैज्ञानिक एवं आधुनिक तकनीक पहुँचाने के साथ ही पशुधन को पौष्टिक आहार उपलब्ध कराए जाने और इसके बारे में उनमें जागृति लाने का कार्य किया जाएगा। शिक्षित युवकों को पशुधन सुधार सम्बन्धित सभी आवश्यक प्रशिक्षण प्रदान कर गाँव में ही उनकी सेवाओं का सदुपयोग किया जाएगा। यह प्रशिक्षित युवक ''गोपाल'' के रूप में पशु पालकों के जीवन सखा की भूमिका निभाए। हर चयनित पंचायत समिति में पशु प्रजनन की उन्नत तकनीकी विधियों का उपयोग, नकारा पशुओं का बंधियाकरण और पशु पालकों को पशु संवर्द्धन एवं विकास का लाभ एवं सम-सामयिक जानकारी सुलभ कराना योजना का उद्देश्य है।

प्रत्येक जिले में से 4 पंचायत समितियों का प्रथम वर्ष में पशुधन संख्या के आधार पर चयन किया गया है। प्रत्येक पंचायत समिति में प्रथम वर्ष के दौरान 7 ''गोपाल'' कार्यरत होंगे, जो कि विभागीय संस्थाओं से 6 से 8 किलोमीटर तक निर्धारित होगी। प्रत्येक गोपाल 2,000 प्रजनन योग्य पशुओं पर कार्यरत होगा। एक गाँव अथवा एक गाँव से अधिक क्षेत्र उसका कार्य क्षेत्र होगा। प्रशिक्षित ''गोपाल'' के कार्यों की देखभाल निकटतम संस्था के प्रभारी द्वारा की जाएगी।

प्रथम चरण में राज्य के निम्न 10 दक्षिणी-पूर्वी जिलों में इस कार्यक्रम को प्रारम्भ किया जा रहा है। योजना के तहत प्रत्येक ''गोपाल'' हेतु विभाग द्वारा निम्न कार्य निर्धारित किए गए हैं।

1. हिमीकृत वीर्य द्वारा कृत्रिम गर्भाधान।
2. नकारा पशुओं का शत-प्रतिशत बंधियाकरण।
3. चारा विकास, मिनीकट, बीज का वितरण।
4. पशुओं के रख-रखाव पर पशु पालकों का ज्ञान वर्धन।
5. कृमिनाशक दवाइयों के उपयोग को प्रोत्साहन एवं बछड़े-बछड़ियों को सींग विहीन करने का कार्य।
6. बांझ निवारण शिविरों का आयोजन।
7. संतुलित पशु पोषाहार का वितरण।

योजना के महत्त्व को दृष्टिगत रखते हुए ऐसे शिक्षित युवकों का चयन करने का निर्णय लिया गया है जो विकास कार्यक्रम में विशेष अभिरुचि रखते हों। गोपाल के लिए ऐसे युवक का ही चयन प्रस्तावित है जो योजना क्षेत्र में निवास करता हो। युवक की न्यूनतम योग्यता आठवीं कक्षा उत्तीर्ण है। युवकों की निर्धारित योग्यता आठवीं कक्षा उत्तीर्ण है। युवकों की निर्धारित आयु सीमा 20 से 25 वर्ष है। अनुसूचित जाति एवं अनुसूचित जनजाति के युवकों की चयन में प्राथमिकता निर्धारित की गई है। गोपाल के चयन के लिए स्थानीय स्तर पर निम्नानुसार समिति का गठन किया गया है।

गोपाल की चयन प्रक्रिया के उपरान्त जिला मुख्यालय पर कुल 3 माह का प्रशिक्षण कार्यक्रम आयोजित किया जाएगा। प्रशिक्षण के अन्तर्गत प्रारम्भ में 1 माह 15 दिन तक निम्न प्रकार सैद्धांतिक एवं प्रायोगिक प्रशिक्षण दिया जाएगा :

**1. पशु प्रबन्ध**

इस अविध में गोपाल युवक को पशु प्रबन्ध जिसमें मुख्यत: पशुओं के रख-रखाव, उत्पादन सम्बन्धी जानकारी एवं उनमें पाई जाने वाली बीमारियों का ज्ञान, पशुओं के नस्लों की पहचान, पशुओं में टीकाकरण एवं स्वास्थ्य सम्बन्धी समुचित प्रशिक्षण दिया जाएगा।

**2. कृत्रिम गर्भाधान पद्धति**

मादा एवं नर पशुओं के अंगों के बारे में तथा सामान्य रसायन शास्त्र का ज्ञान कराया जाएगा। उन्हें विभिन्न पशुओं में ऋतुओं के ताप के लक्षण तथा इस दौरान गाय/भैंस के गर्भ धारण के बारे में भी जानकारी कराई जाएगी। पशु गर्भाधान के लिए उपयोग में आने वाली उपकरणों के उपयोग एवं उनके रख रखाव की भी विस्तृत जानकारी दी जाएगी। प्रशिक्षणार्थियों को दुग्ध उत्पादन से जुड़ी प्रक्रिया एवं दुग्ध अभिलेखन का प्रशिक्षण भी दिया जाएगा।

**3. चारा दाना**

प्रशिक्षणार्थियों को चारा, दाना एवं इनके बारे में अन्य जानकारी दी जाएगी। पशु धन को सुलभ कराए जाने वाले संतुलित पशु पोषाहार के साथ-साथ इसकी कमी से उत्पादन होने वाली बीमारियों के बारे में ज्ञानवर्द्धन कराया जाएगा।

**4. शल्य क्रिया**

पशुओं को होने वाले छोटे-मोटे घावों और उसके त्वरित उपचार के बारे में विषय विशेषज्ञों द्वारा जानकारी कराई जाएगी। इसके साथ ही पैदा होने वाले बछडे-बछड़ियों को संग विहीन करने की विधि एवं इसके उद्देश्य से अवगत कराया जाएगा।

''गोपाल'' नवयुवक के प्रशिक्षण काल के दौरान उसे 400/- प्रति माह की दर से 3 माह तक भुगतान किया जाएगा। इस वर्ष के अगले 9 माह में 400/- प्रतिमाह की दर से प्रोत्साहन राशि दी जाएगी। द्वितीय वर्ष में गोपाल को 300/- प्रतिमाह तथा तृतीय वर्ष 200/- प्रतिमाह की दर से भुगतान किया जाएगा। तृतीय वर्ष के पश्चात् गोपाल को यह प्रोत्साहन राशि बंद कर दी जाएगी। वह द्वितीय वर्ष के पश्चात् राज्य सरकार द्वारा निर्धारित फीस कृत्रिम गर्भाधान के लिए पशु पालकों से ले सकेगा। गोपाल की इस प्रोत्साहन राशि के अतिरिक्त प्रत्येक बछड़े-बछड़ी के जन्म पर

10/- रुये तथा प्रत्येक बंधियाकरण पर 5/- की दर से अनुदान प्राप्त करेगा। गोपाल को कृत्रिम गर्भाधान के उपकरण, वीर्य तथा अन्य उचित औजार सरकार द्वारा नि:शुल्क प्रदान किये जाएगें।

प्रत्येक जिले में गोपाल को प्रशिक्षित करने के लिए एक केन्द्र स्थापित किया जाएगा जिसमें प्रशिक्षण देने के लिए औजार, डम्मी गाय की खरीद तथा उसके रख रखाव आदि के लिए जिले पर 25 हजार रुपए का प्रावधान रखा गया है। इन गोपाल इकाईयों की निरन्तर मोनिटरिंग करने हेतु एवं उनको समय-समय पर हिमीकृत वीर्य एवं तरल नाईट्रोजन वितरण करना अत्यन्त आवश्यक होगा।

गोपाल योजना के लिए चयनित 10 जिलों में मोनिटरिंग के लिए निदेशालय के वरिष्ठ अधिकारीगण पूर्णत: उत्तरदायी होंगे।

चयनित जिलों में गोपाल योजना के क्रियान्वयन हेतु राज्य में पशुधन के विकास एवं संवर्द्धन के कार्यक्रम को सुनियोजित एवं योजनाबद्ध तरीके से संचालित किया जाएगा। (सारणी 35) श्वेत क्रांति के क्षेत्र में उल्लेखनीय प्रगति हेतु इस महत्त्वाकांक्षी योजना के ग्रामीण युवकों की भागीदारी अति महत्त्वपूर्ण है। पशु पालन विभाग राज्य सरकार की भावना के अनुरूप योजना की सफलता के लिए सतत् प्रयत्नशील है। राज्य सरकार के मार्ग दर्शन, विभागीय अधिकारी एवं कर्मचारियों के सहयोग, ग्रामीण युवकों की सक्रिय भागीदारी एवं पशु पालकों की जागरुकता से ही योजना की सफल क्रियान्विति अपेक्षित है।

**सारणी-42**
**गोपाल योजना का प्रथम चरण कार्यक्षेत्र**

| क्र.सं. | जिले का नाम | पंचायत समिति | ग्राम |
|---|---|---|---|
| 1 | 2 | 3 | 4 |
| 1. | **डूँगरपुर** | सागवाड़ा | सारोदा, वर्षा, बचियाबाड़ा, काबड़ा, भासोर, ओबरी। |
| | | डूँगरपुर | खेडाकडवासा, पुनाली, अनन्तरी, फ्लोज, धावड़ी, पिपलादा, भिन्डा। |
| | | बिछिवाड़ा | बिछिवाड़ा, देवलखास, कनव ढाणा, सिशोद, सावली, करवाड़ा। |
| | | सिमलवाडा | चितरी, चाडौली, सिमलवाडा, पीठ, जसना, झासोवा, ईलय। |
| 2. | **उदयपुर** | सराडा | देवपुरा, समरपुरा, पिलादर, बीरपुर, डींगरी, रठोड़ा, ढोकर। |
| | | झाडोल | मीठड़ी, बिरोही, पीपलवास, बॉसवारी, देवास। |
| | | सरवाडा | बोडा वोगणा, छाणी, सुलई, भुधर, करछोबड़ा, सुबेरी। |
| | | गिर्वा | गुढली, सम्बोरा, वली, पई, गोलेरा, भेसडाकला, बोरावार। |
| 3. | **बाँसवाड़ा** | बाँसवाड़ा | डीकरिया, टामटिया, गामडी, कोहाला, भसोविया, बडगाँव, विरपुर। |
| | | बागीदोरा | पिडारमा, पीखला, चॉसला, खोकरावा, पाटन, उम्मेद गढ़ी, जल्दा। |
| | | घाटोल | गोरछा, नीचूली, मोरडी, बस्सी, आडा, भवासा, मोटागाँव, बोरदा, झरकनिया। |
| | | गढ़ी | केसरपुरा, ओडवाड़ा, टामरिया, अमजा पराहेडा, डडुका, सेरडी, छोटी। |
| 4. | **चित्तौड़गढ़** | चित्तौड़गढ़ | बढोदिया, रोलाहेडा, नारेछा, सेमलपुरा, घोसडा, देवरी, ऑवलहेडा। |
| | | कपासन | वमाना, लागव, बनानियाकला, बागलिया, निम्बाहेड़ा, पाठोली, मूँगाता। |
| | | बेगू | दुगार, राजगढ़, सम्बरिया, कला, डोरई, नदबई, ठुकरह, सादी। |

| क्र.सं. | जिले का नाम | पंचायत समिति | ग्राम |
|---|---|---|---|
| 1 | 2 | 3 | 4 |
| | | निम्बाहेड़ा | ऊँखलिया, कारून्दा, लखड़ावन, बाडौली, माधोसिंह, अर्मिया–जोशी, रानीखेड़ा, गान्दोला। |
| 5. | **कोटा** | अन्ता | पलाथन, काचरी, भोज्याखेडी, सोरसलमऊ, झटवाड़ा, बोरदा। |
| | | ईटावा | गेटा, गणेशगंज, नोनेरा, केशोपुरा, कूरवाडा, फूँसोद ढीबरी। |
| | | सुल्तानपुर | मूँडला, कवरपुरा, उदपुरिया, सुल्तानपुर, खोडली, बकतरी, सोरपा। |
| | | लाडपुरा | कसार, गोपालपुरा, उम्मेदरपुरा, मादलिया, गोदल्या, गलाना, प्रहलादपुर। |
| 6. | **बूंदी** | नेनवा | पूलेता, बम्बूली, डयैन, जैतपुर, गुढादेवली, डोर्डी, जसरोदा,जनीतपुरा, सँवारू, खेडला, ननानारोड, बरुन्धन, सिलौर, लोईचा। |
| | | हिन्डौली | पेचकी बावड़ी, टोकड़ा, चेता, उमर, ओवण धनाव, रानीपुरा। |
| | | केशवराय पाटन | ईश्वर नगर, गामछ, अरनेठा, वलकासा, पापडी, उतराणा, दौलतपुरा। |
| 7. | **झालावाड़** | झालरापाटन | पीपलौद, करनाशेरी, दुर्गापुरा, मूँदरी, सुर्कया, गुरियाजोगा, नाहरीगढ़। |
| | | खानपुर | खानपुर दहीखेडा, बिगोद, सरखड़िया, गोल्या, बीसा, खाडी, दरवाड़ा। |
| | | मनोहर थाना | मदनपुरा, खत्ताखेड़ी, अम्बल, खेडा, ससरोल, मोतीपुरा, झनवर लुवास। |
| | | पीखा | धरोनिया, कोटडी, सालोतिया, सिरपाई, सुवास कोटरी, खुर्द, मथेनिया। |
| 8. | **सवाई माधोपुर** | खण्डार | दौलतपुरा, खिजुरी, चितोला, गोठा, बिहारी, मईकला, तलवाडा, गोठेडा। |
| | | गंगापुर | खानपुरा, देवरा, बडी उदई, खोटी, उदई, बिनेगा, अमरगढ़, चौकी, तलवाड़ा, वामन, बड़ौदा। |
| | | सवाई माधोपुर | शेरपुर, उलियाना, कुन्डेरा, श्यामपुरा, बलरोदा, अचगढ़ी बन्धा। |
| | | हिन्डौन | क्यारदा, झारेड़ा, बनकी, बाजना, सिकरोदा, बिना, फूलवाडा, काचरोली। |
| 9. | **टोंक** | टोंक | डारहिन्द, चन्दलाई, छान, सोहेला, सोन्दा, बम्बोर फाडी। |
| | | निवाई | बहड, बन्दिया, डागरथल, जामडोली, पहाडी, वनस्थली, नोहरा। |
| | | देवली | सावडी, देवडावास, पनकाड, भामेडा, धुपकला, नवरिया, चन्दकार। |
| | | अलीगढ़ | सुनेडा, खेताली, पलई, चोक झिन्दवा, देवली, रकोकिया। |
| 10. | **धौलपुर** | बाडी | लखेपुरा, धनोरा, गढीसुखा, नीमखेडा, खानपुर मीणा, उमरेड, सहेडी। |
| | | बसेडी | दोपुरा, मुडिक, ऑगई, पीपरोन, खिडोरा, बसेली, मडासिल। |
| | | धौलपुर | ओरी, जोधपुरा, विरोदा, रजोराकला, सेपऊ, मोरोली, विपरपुरा। |
| | | राजाखेड़ा | माहिला, मछरिया, देवखेड़ा, सिंगावलीकला, बसई–भीवाराम, बसई–कारे, डिहौली। |

## कुक्कुट सम्पदा

कुक्कुट पालन एक महत्त्वपूर्ण कार्यक्रम है। राज्य की अर्थ-व्यवस्था में जिस प्रकार पशुधन की महत्ती भूमिका है उसी प्रकार कुक्कुट सम्पदा का भी अपना विशिष्ट महत्त्व है। कुक्कुट पालन हमारे राज्य में पिछले कुछ वर्षों में काफी विकास हुआ हैं और प्रगति की और अधिक सम्भावनाएँ विद्यमान हैं। कुक्कुट पालन प्रदेश में एक कुटीर उद्योग के रूप में काफी अच्छा पनपा है। यह एक ऐसा सरल और लाभप्रद व्यवसाय है, जिसे अपनाकर कोई भी परिवार आसानी से अच्छी आमदनी अर्जित कर सकता है।

राजस्थान जैसे विकासमान राज्य कुक्कुट सम्पदा का सुनियोजित एवं आदर्श ढंग से विकास हुआ है। राज्य में 1983 की पक्षी गणना के समय जहाँ विकसित एवं अविकसित 22 लाख 12 हजार कुक्कुट सम्पदा से 25 करोड़ अण्डों का उत्पादन प्राप्त हो रहा था। वहीं 1988 में इस सम्पदा की 25 लाख 85 हजार संख्या से 42 करोड़ 61 लाख 92 हजार अण्डों का उत्पादन प्राप्त हुआ। कुक्कुट सम्पदा की विभिन्न नस्लों में भी अपेक्षित सुधार लाने के प्रयास अनवरत जारी हैं। (मानचित्र 76)

वर्ष 1983 की पशु गणना में जहाँ गौ-वंश, भैंस वंश, भेड़ वंश, बकरी वंश, घोड़ा और ऊँट वंश में कमी हुई, वहीं कुक्कुट सम्पदा में 16.48 प्रतिशत की वृद्धि दर्ज की गई। स्वाभाविक है कि कुक्कुट सम्पदा के विकास की ओर शासन द्वारा विशेष ध्यान दिया जा रहा है। राज्य की अर्थ-व्यवस्था में कुक्कुट सम्पदा का एक विशिष्ट स्थान बनता जा रहा है। यही नहीं व्यवसाय एवं उपयोगिता की दृष्टि से भी कुक्कुट सम्पदा राज्य की जनता में लोकप्रियता बढ़ रही है।

स्वाधीनता के पश्चात् राज्य में कुक्कुट विकास के लिए तेजी से प्रयास किए गए। 1960 के दशक ने राज्य में कुक्कुट विकास की दिशा में पहली बार कदम रखा। इसके फलस्वरूप सन् 1960 से जयपुर और अजमेर में राजकीय कुक्कुट शालाओं की स्थापना की गई। तीन दशक से पूर्व राज्य में आधुनिक तरीके से कुक्कुट पालन नहीं किया जाता था। अलबत्ता देशी नस्ल के पक्षी परिवार के बचे हुए खाद्य पदार्थ पर पाले जाते थे, जिसमें कोई संतुलित आहार सम्मिलित नहीं होता था। इस कारण अण्डों का उत्पादन बहुत सीमित संख्या में ही हो पाता था। सन् 1960 के दशक में उन्नत किस्म की नस्लों जैसे-व्हाइट लेग हार्न, रॉड आइलैण्ड, ब्लेक मिनोरका आदि का पालन शुरू किया गया। उन्नत नस्ल के पक्षी 250 से 270 अण्डों का उत्पादन करते हैं। सन् 1966 की पक्षी गणना के अनुसार राज्य में केवल 8 लाख 65 हजार कुक्कुट सम्पदा उपलब्ध थी। सन् 1972 से राज्य में 12.9 लाख, 1977 में 15.35 लाख और 1983 में इसकी संख्या बढ़कर 22 लाख 12 हजार तक पहुँच गई। वर्ष 1988 की पक्षी गणना के अनुसार राज्य में पक्षियों की संख्या 25.85 लाख तक पहुँच गई तथा निरन्तर इसमें वृद्धि होती जा रही है। इससे स्पष्ट होता है कि स्वाधीनता के पश्चात् कुक्कुट सम्पदा के संवर्धन एवं विकास पर पर्याप्त ध्यान दिए जाने के फलस्वरूप कुक्कुट पालन व्यवसाय तीव्र गति से प्रगति की ओर अग्रसर है। 2019 के अनुसार कुक्कुट 146.23 लाख पहुंच गई।

पिछले 5 वर्षों से राज्य में ब्रोयलर (माँस के लिए पक्षी) उत्पादन में भी उल्लेखनीय बढ़ोत्तरी हुई है। बड़े शहरों के आस-पास काफी संख्या में कुक्कुट पालक अब इस व्यवसाय से आर्थिक लाभ अर्जित कर रहे हैं। ऐसे पक्षियों को केवल छः सप्ताह तक पाला जाता है। और इसका वजन 1200 ग्राम तक प्रति पक्षी हो जाता है। जयपुर, उदयपुर, जोधपुर, कोटा आदि शहरों के आसपास काफी परिवार इस व्यवसाय से जुड़े हुए है। निरन्तर बढ़ती हुई माँग को देखते हुए राज्य की चार कुक्कुट शालाओं में ब्रोयलर की उन्नत नस्ल के एक दिवसीय चूजों का उत्पादन किया जा रहा है। निजी क्षेत्र की कुछ चूजा उत्पादन (हैचरी) इकाईयाँ भी काफी मात्रा में ऐसे एक दिवसीय चूजों का उत्पादन करने लगी है।

राजस्थान में कुक्कुट विकास कार्यक्रम करने से पूर्व अण्डों का बहुत कम उत्पादन होता था। राज्य की अण्डों को माँग को पूरा करने के लिए दूसरे राज्यों से अण्डे मंगवाए जाते थे। वर्तमान में स्थिति इसके

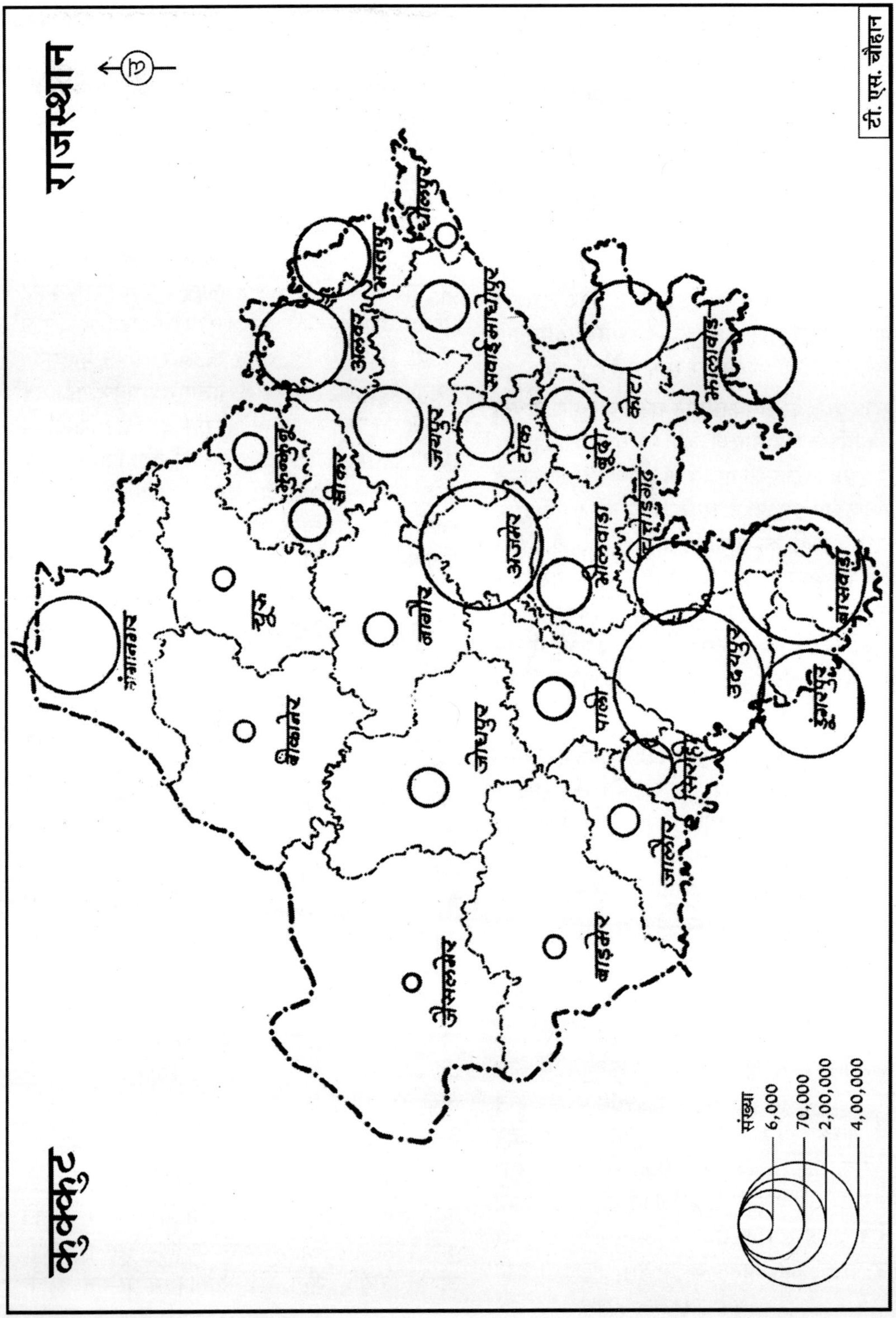
राजस्थान
कुक्कुट
उ
संख्या
6,000
70,000
2,00,000
4,00,000
टी. एस. चौहान
गंगानगर
बीकानेर
चूरू
झुन्झुनू
सीकर
अलवर
भरतपुर
धौलपुर
सवाईमाधोपुर
जयपुर
टोंक
अजमेर
नागौर
जोधपुर
जैसलमेर
बाड़मेर
जालौर
सिरोही
पाली
उदयपुर
डूंगरपुर
बांसवाड़ा
चित्तौड़गढ़
भीलवाड़ा
बूंदी
कोटा
झालावाड़

मानचित्र 76

विपरीत है और आज राजस्थान अन्य राज्यों को अण्डे तथा पक्षी निर्यात करता है। उत्तर प्रदेश, दिल्ली और गुजरात की राजस्थान से अण्डे और पक्षी भेजे जाते है। इससे राज्य की अर्थ-व्यवस्था पर अनुकूल प्रभाव दृष्टिगोचर होने लगा है। कुक्कुट सम्पदा के जरिए राज्य की आय के स्रोत बढ़ाने में सफलता प्राप्त हो रही है।

### राजकीय कुक्कुट शालाएँ

राजस्थान निर्माण के समय राज्य में केवल एक ही कुक्कुट शाला जयपुर में कार्यरत थी। अजमेर राज्य के राज्य के राजस्थान में विलीनीकरण के साथ 1956 में एक और कुक्कुट शाला जुड़ गई। इनमें प्रति वर्ष 1,000 पक्षियों का वितरण कुक्कुट पालकों को किया जाता था। राज्य में जयपुर और अजमेर की कुक्कुटशालाएँ राज्य स्तरीय हैं। अजमेर कुक्कुटशाला में उन्नत नस्ल का पेरेन्ट स्टॉक और जयपुर में ब्रोयलर के उन्नत नस्ल का पेरेन्ट स्टॉक रखा गया है। इनके एक दिवसीय चूजे निजी मुर्गीपालकों तथा राजकीय संस्थाओं को वितरण किये जाते हैं। निजी कुक्कुट शालाओं के विस्तार का यह भी प्रमुख आधार है।

राज्य में इस समय 4 जिला स्तरीय कुक्कुट शालाएँ कार्यरत है। इनमें से 3 क्रमश: अलवर, जोधपुर एवं कोटा में उन्नत नस्ल का ब्रोयलर पेरेन्ट स्टॉक रखा जा रहा है। राजकीय कुक्कुटशाला टोंक में एक दिवसीय चूजों को पालकर बड़ा करके निजी कुक्कुट पालकों को व्यवसाय वृद्धि के लिए वितरण किया जाता है।

जनजाति क्षेत्र में निजी कुक्कुट पालकों को एक दिवसीय चूजे पालकर एवं बड़ा कर वितरण करने की दृष्टि से राज्य में दो चूजा पालन केन्द्र क्रमश: डूँगरपुर और बाँसवाड़ा में कार्यरत है।

निजी क्षेत्र के कुक्कुट पालकों को तकनीकी सेवाएं, विपणन व्यवस्था का मार्ग-दर्शन, बैक ऋण की स्वीकृति में अपेक्षित सहयोग, प्रशिक्षण एवं कुक्कुट पालकों का पंजीयन करने के उद्देश्य से सघन कुक्कुट विकास खण्डों की 1963 में क्रेश कार्यक्रम के तहत स्थापना की गई। राज्य के जयपुर, अलवर, टोंक, सवाई माधोपुर, कोटा, अजमेर, पाली, उदयपुर, जोधपुर, भीलवाड़ा, डूँगरपुर, बाँसवाड़ा, श्रीगंगानगर, आबू रोड (सिरोही) और बीकानेर में सघन कुक्कुट विकास खण्ड कार्यरत हैं। वर्ष 1990-91 में ब्यावर (अजमेर) में नया विकास खण्ड स्थापित किया जा रहा है तथा झुंझुनूं में भी प्रयोग के रूप में कुक्कुट के बच्चों के रख-रखाव, उनका पालन-पोषण, टीकाकरण, चोंच कटिंग, छंटनी आदि की जानकारी दी जाती है।

राज्य में उत्पादित अण्डों और कुक्कुट पक्षियों के विपणन का कार्य सम्पादित करने के लिए इस समय क्रमश: जयपुर, जोधपुर, उदयपुर, कोटा एवं अजमेर में सहकारी समितियाँ कार्यरत हैं। वर्तमान में राजस्थान में 10-12 अण्डे प्रति व्यक्ति प्रति वर्ष प्राप्त करता है, जो बहुत ही कम है। राष्ट्रीय लक्ष्य 23 अण्डे प्रति वर्ष प्रति व्यक्ति रखा गया है। यह इस बात का पक्षियों की खपत बढ़ाने के लिए अन्तर्राज्यीय तथा प्रदेश में ही बेचान का बाजार तैयार करने के लिए निरन्तर प्रयत्नशील है। कुक्कुट उत्पादन सहकारी समितियां कुक्कुट पालकों के लिए आहार भी बनाकर उचित कीमत पर वितरण करती हैं।

### पोषाहार

कुक्कुट पालन के माध्यम से लोगों को प्रोटीनयुक्त आहार सुलभ कराने के उद्देश्य से सन् 1965-66 में राज्य सरकार द्वारा पंचायत समितियों के जरिए एवं यूनिसेफ के सहयोग से पोषाहार कार्यक्रम के अन्तर्गत 300 पक्षियों की कुक्कुट शालाएँ स्थापित की गई। अब सिर्फ ग्राम सेवक प्रशिक्षण केन्द्र, मण्डोर (जोधपुर) पर उक्त कार्यक्रम चालू है। इस केन्द्र से स्कूली बच्चों और गर्भवती माताओं को अण्डों का वितरण किया जाता है।

राष्ट्रीय आयोग के आधार पर सन् 1976 में राज्य में दो जिलों क्रमश: उदयपुर एवं अजमेर में विशिष्ट पशुधन उत्पादन कार्यक्रम प्रारम्भ किया गया जिसके अन्तर्गत कुक्कुट उत्पादन के लक्ष्य ग्रामीण क्षेत्रों में 100 एवं 200 मुर्गियों की इकाईयाँ स्थापित करना है। इस योजना के अन्तर्गत ग्रामीण क्षेत्रों में लघु, सीमान्त एवं भूमिहीन किसान श्रमिकों का चयन करके

उन्हें प्रशिक्षित करना है ताकि वे बाद में स्वरोजगार के रूप में कुक्कुट इकाईयाँ स्थापित कर रोजगार प्राप्त करने लगें। इस कार्यक्रम के अधीन लघु कृषक को 25 प्रतिशत (लेकिन 2,500 रुपए तक), सीमान्त कृषक को 33.3 प्रतिशत (अधिकतम 5,000 रुपए) राशि केन्द्र सरकार द्वारा अनुदान के रूप में स्वीकृत की जाती है।

**पायलट प्रोजेक्ट**

इस योजना की स्वीकृति 1981 में जयपुर एवं टोंक में प्राप्त हुई जिसे 1983 से क्रियान्वित किया गया। इस योजना के तहत ग्रामीण क्षेत्र के लोगों, विशेषकर अनुसूचित जाति के व्यक्तियों का चयन करके 200 मुर्गियों की कुक्कुटशाला के लिए ऋण एवं अनुदान दिलवाया जा रहा है। योजना के अधीन लघु, सीमान्त एवं भूमिहीन कृषक श्रमिकों का चयन करके प्रशिक्षण दिया जाता है। प्रशिक्षण के बाद उनकी कुक्कुट शालाएँ स्थापित करने, तकनीकी जानकारी देने एवं विपणन कार्य में सहयोग दिया जाता है। विशिष्ट कुक्कुट उत्पादन कार्यक्रम के अन्तर्गत दी जाने वाली सहायता के अनुसार पायलट प्रोजेक्ट में भी अनुदान का प्रावधान है।

**स्वरोजगार योजना**

योजना के अन्तर्गत 500 मुर्गियों की इकाई या 850 ब्रोयलर चूजों से कुक्कुटशाला स्थापित करने का प्रावधान है। उक्त इकाइयों के ऋण प्रार्थना-पत्र तैयार करवाकर स्वीकृति के लिए उद्योग विभाग को भिजवाए जाते हैं। प्रत्येक इकाई पर 35 हजार रुपए की लागत आती है। इसमें 25 प्रतिशत अनुदान का प्रावधान है।

**जिला ग्रामीण विकास अभिकरण की योजनाएँ**

ग्रामीण कुक्कुट सम्पदा के संवर्द्धन एवं विकास की विभिन्न योजनाएं जिला ग्रामीण विकास अभिकरणों के माध्यम से सुलभ करवाया जाता है। माडा योजना, टाडा योजना, द्वाकरा योजना आदि सम्बन्धित जिला ग्रामीण विकास अभिकरणों के माध्यम से सफलता-पूर्वक क्रियान्वित की जा रही है।

**माडा योजना**

इस योजना के अन्तर्गत 10 मुर्गियाँ एवं एक मुर्गा प्रति इकाई की दर से जनजाति के चयनित व्यक्तियों को देने का प्रावधान है। उक्त एक इकाई के लिए 300 रुपए की राशि का प्रावधान है। यह राशि शत-प्रतिशत अनुदान के रूप में प्रदान की जाती है। यह योजना क्रमशः जयपुर, उदयपुर, धौलपुर, भीलवाड़ा, बूंदी, चित्तौड़गढ़, अलवर, झालावाड़, कोटा, पाली, सवाई माधोपुर, सिरोही एवं टोंक में कार्यरत है।

**टाडा योजना**

यह योजना चित्तौड़गढ़, सिरोही, उदयपुर, बाँसवाड़ा तथा डूँगरपुर आदिवासी जिलों में चलाई जा रही है। इस योजना के अन्तर्गत 10 मुर्गियों एवं एक मुर्गे की प्रति इकाई पर 500 रुपए का शत-प्रतिशत अनुदान स्वीकृत किया जाता है।

**द्वाकरा योजना**

इस योजना में गरीब महिलाओं का चयन करके उन्हें 12 मुर्गियों की एक इकाई दी जाती है। योजना में केन्द्र सरकार द्वारा शत-प्रतिशत अनुदान दिया जाता है। अलवर, भीलवाड़ा, उदयपुर, बाँसवाड़ा, टोंक और जोधपुर में यह योजना चलाई जा रही है।

**कुक्कुट सम्पदा**

सन् 1974 में 'हाफ ए मिलियन जॉब प्रोग्राम' के तहत बेरोजगार स्नातकों को जीवनयापन के लिए कुक्कुट पालन व्यवसाय प्रारम्भ करने के उद्देश्य से राज्य के जयपुर एवं कोटा में भूखण्डों का आवंटन किया गया। ऐसे स्नातकों के लिए बैंकों से ऋण सुविधा मुहैया करवाकर कुक्कुटशालाएँ स्थापित की गई। जयपुर में आगरा रोड पर स्थित कुक्कुट सम्पदा में लगभग 80 कुक्कुट पालकों द्वारा कुक्कुटशालाएँ चलाई जा रही हैं। इनमें अनुमानतः एक लाख कुक्कुट पक्षी पाले जा रहे हैं। इसी प्रकार कोटा कुक्कुट सम्पदा 84 भूखण्डों पर 40 कुक्कुटों पालकों द्वारा कुक्कुट-शालाएँ चलाई जा रही हैं। कोटा में 40 हजार कुक्कुट पक्षी पाले जा रहे हैं।

चाकसू में अनुसूचित जाति के व्यक्तियों के लिए 20 भूखण्ड हैं जिनसे 130 व्यक्तियों को इसका आवंटन कर ऋण स्वीकृत कराया जा चुका है। इसमें 200 मुर्गियों के पालन की योजना है।

**बतख पालन योजना**

बतख पालन भी कुक्कुट पालन का एक महत्त्वपूर्ण अंग है। पशु पालन विभाग द्वारा राज्य के जनजाति क्षेत्र के व्यक्तियों को आर्थिक विकास के अतिरिक्त संसाधन मुहैया कराने के उद्देश्य से कुक्कुट पालन के अन्तर्गत बतख पालन व्यवसाय को प्रोत्साहित किया जा रहा है। सातवीं पंचवर्षीय योजना के दौरान बतख पालन कार्यक्रम के अच्छे नतीजों को देखते हुए विभाग द्वारा जनजाति क्षेत्रीय विकास विभाग के सहयोग से बाँसवाड़ा में बतख चूजा उत्पादन केन्द्र की स्थापना का निर्णय लिया गया। बाँसवाड़ा में ही बतख चूजा उत्पादन केन्द्र स्थापित हो जाने पर चूजा उत्पादन फार्म हिसारगट्ठा (बंगलौर) पर हमारी निर्भरता नहीं रहेगी। इसके साथ ही बतख पालन विकास का एक नया आर्थिक आधार तैयार हो सकेगा।

2012 के अनुसार पशु पालन विभाग ने इस वर्ष 5 लाख रुपये का प्रावधान निर्माण कार्य, पेरेन्ट स्टॉक एवं उपकरणों आदि के लिए किया है। राज्य के चयनित क्षेत्रों में जहाँ मत्स्य जल क्षेत्र उपलब्ध है, वहाँ बतख पालन व्यवसाय अच्छा पनप सकता है। इसके लिए केम्पवेल नस्ल की खाकी बतखें अण्डों के उत्पादन की दृष्टि से काफी लाभदायक है जो एक वर्ष में 300 और इससे अधिक अण्डे देती है। जनजाति वर्ग के व्यक्तियों को आय के अतिरिक्त स्रोत जुटाने में अपेक्षित सहायता मिलेगी। आगामी वर्षों में आर्थिक विकास के नए आयाम स्थापित होने की प्रबल सम्भावनाएँ हैं।

राज्य में डूँगरपुर, बाँसवाड़ा, चित्तौड़गढ़, आबू रोड़ (सिरोही), उदयपुर के जनजाति क्षेत्र में गरीब परिवारों को 5 बतख (मादा) एवं नर पक्षी को बड़ी करके नि:शुल्क उपलब्ध कराए जाते हैं। यह योजना वर्ष 1987-88 से चलाई जा रही है। इस कार्यक्रम को प्रोत्साहित करने तथा आदिवासियों को आर्थिक लाभ दिलाने की दृष्टि से यह योजना बाँसवाड़ा, डूँगरपुर आदि जिलों में काफी प्रचलित हो रही है।

**जनजाति क्षेत्र में उन्नत कुक्कुट प्रजनन**

कुक्कुट पालन के उन्नत प्रजनन कार्यक्रम के अन्तर्गत डूँगरपुर चूजा केन्द्र पर उन्नत नस्ल के व्हाइट लेग हार्न के नर पक्षी (मुर्गों) को बड़ा करके वहाँ जनजाति क्षेत्र में नि:शुल्क वितरण करने का प्रावधान है। इस क्षेत्र में जनजाति वर्ग देशी नस्ल के मादा पक्षियों को काफी समय से पालते आ रहे हैं। ऐसे मादा पक्षियों की अण्डा उत्पादन क्षमता काफी कम होती हैं। कार्यक्रम के अन्तर्गत इन क्षेत्रों में उन्नत नस्ल के मुर्गों का वितरण करने से देशी नस्ल का सुधार परिलक्षित होगा वहीं आदिवासियों की आय के स्रोत भी विकसित होंगे। कुक्कुट पक्षियों से होने वाले विभिन्न रोगों की रोकथाम के लिए जयपुर में एक राज्य स्तरीय रोग निदान केन्द्र कार्यरत है। इस केन्द्र में राज्य के कुक्कुट पालकों की आवश्यकताओं को देखते हुए विशेष प्रबन्ध किए गए हैं। कुक्कुट पालकों को नियमित रूप से मुर्गियों के इलाज एवं मृत कुक्कुटों का परीक्षण, रोग का निदान, उपचार एवं रोगों की रोकथाम जैसी सुविधाएँ मुहैया करवाई जाती है। केन्द्र द्वारा प्रत्यावर्तित कार्यक्रम के तहत समय-समय पर कुक्कुट में एम.डी. और पुलोरम रोगों की जाँच और सीरम परीक्षण की भी कारगर व्यवस्था की जाती है। यह सुविधाएँ कुक्कुट फार्मों पर सुलभ करवाई जाती हैं।

# अध्याय 17

## खनिज संसाधन

## Mineral Resources

बहुत पुराने समय से ही मनुष्य का खनिजों से घनिष्ट सम्बन्ध रहा है, मनुष्य के उत्थान की कहानी खनिजों के उपयोग की कहानी है। हमारे जीवन का कोई ऐसा क्षेत्र नहीं है, जहाँ खनिज काम में न आता हो सुबह से लेकर रात्रि तक हम विभिन्न रूपों में खनिजों का उपयोग करते हैं। ये खनिज प्रकृति की देन हैं। प्रकृति ने अपने राजस्थान प्रदेश की विशेष रूप से अनेक खनिज प्रचुर मात्रा में प्रदान किए हैं। सीसा-जस्ता, रॉकफॉस्फेट जिप्सम, टंगस्टन सेलखड़ी (सोपस्टोन) एवं पन्ना जैसे महत्त्वपूर्ण खनिजों से यह प्रदेश समृद्ध है, जिसकी तुलना अन्य प्रदेशों में नहीं की जा सकती। इन खनिजों के अतिरिक्त इस राज्य में एसबेस्टस, बेराइट, अभ्रक, तांबा, काँच मिट्टी, प्लुरोईट, लिग्नाईट, लोह पत्थर व भवन निर्माण पत्थर, चूना पत्थर, खड़िया मिट्टी, मुल्तानी मिट्टी, मैंगनीज, बॉक्साइट जैसे खनिज भी काफी मात्रा में उपलब्ध हैं।

### राजस्थान में खनिज पदार्थों का विकास

राजस्थान खनिज पदार्थों का एक अजायबघर (A Museum of minerals) माना गया है। बिहार के बाद खनिज सम्पदा में राजस्थान की ही गिनती होती है। राजस्थान में 50 से अधिक खनिज पदार्थ पाए जाते हैं अधात्विक (non-metallic minerals) के उत्पादन मूल्य की दृष्टि से भारत में इसका प्रथम स्थान हैं तथा धात्विक खनिजों के उत्पादन-मूल्य में चौथा स्थान है। प्रचलित कीमतों पर (at current prices) खनन (mining) से 1985-86 में 189.2 करोड़ रुपए की आमदनी हुई थी, जो राज्य की शुद्ध घरेलू उत्पत्ति (NSDP) का 2.5 प्रतिशत थी। यह 1989-90 में 370.1 करोड़ रुपए हो गई जो राज्य की शुद्ध घरेलू उत्पत्ति का 2.4 प्रतिशत थी।

इस समय राज्य में लगभग छः धात्विक (metallic) और बीस अधात्विक (non-metallic) औद्योगिक खनिजों के निकालने का कार्य जारी है धात्विक समूह में मुख्य खनिज इस प्रकार हैं-सीसा, जस्ता, चाँदी, केडिमियम (रांगे से मिलता-जुलता है), मैंगनीज, बुल्फ्रैमाइट, (टंगस्टन उत्पन्न करने वाला खनिज निम्नांकित हैं— ऐसबेटस (Asbestos), बेराइटस (Barytes), केल्साइट, चायना क्ले, डोलोमाइट, पन्ना (Emerald), फेल्सपार फायर क्ले, फ्लोराइट, रक्तमणिका तामड़ा (garnet), मुल्तानी मिट्टी (Fuller's earth), खड़िया मिट्टी (Gypsum), रॉक-फॉस्फेट, लाइमस्टोन, संगमरमर (Marble), अभ्रक, क्वार्टज, सिलिका मिट्टी, घीया पत्थर (Soapstone), पाइरोपिलाइट वरमीक्यूलाइट। इनके अलावा ग्रेफाइट, काइनाइट (kyanite), लाल व पीली ओकर्स (Ochres), स्लेटस्टोन व टुरमेलाइन (Tourmaline) का भी थोड़ी मात्रा में उत्पादन होता है। मैग्नेसाइट के विस्तृत भण्डारों का भी पता लगाया गया है और उनके आर्थिक उपयोग की छान-बीन जारी है। उदयपुर के समीप झामर-कोटरा (Jhamar-Kotra) की खानों से रॉक-फॉस्फेट के उत्पादन से राज्य ने खनिज विकास के क्षेत्र में एक नया कदम रखा है। दी राजस्थान स्टेट माइन्स एण्ड मिनरल्स लि. के तत्वावधान में रॉक-फॉस्फेट के खनन का कार्य किया जाता है।

सन् 2013-14 में राज्य में प्रधान एवं अप्रधान खनिजों का उत्पादन निम्न प्रकार से था। जो सारणी-43 में दर्शाया गया हैं। राजस्थान में प्राप्त होने वाले खनिजों को तकनीकी दृष्टि से तीन भागों में बाँटा जा सकता है-खनिज ईंधन, धात्विक खनिज तथा अधात्विक खनिज। (मानचित्र 77)

## सारणी–43
## प्रधान खनिज (Major Minerals)

राजस्थान में खनिज उत्पादन के आंकड़ों के आधार पर प्रधान और अप्रधान खनिजों में उत्पादन में, प्रथम, द्वितीय एवं तृतीय स्थान रखने वाले जिलों का विवरण इस प्रकार हैं–

| क्र.सं. | खनिज का नाम | प्रथम स्थान | द्वितीय स्थान | तृतीय स्थान |
|---|---|---|---|---|
| 1. | तांबा | झुंझुनू | – | – |
| 2. | सीसा | उदयपुर | भीलवाड़ा | राजसमन्द |
| 3. | सीसा–जस्ता | भीलवाड़ा | उदयपुर | राजसमन्द |
| 4. | चांदी | राजसमन्द | भीलवाड़ा | उदयपुर |
| 5. | जस्ता सान्द्रण लौह | भीलवाड़ा | उदयपुर | राजसमन्द |
| 6. | ऐबेस्ट्स | जयपुर | अलवर | झुंझुनू |
| 7. | अयस्क | उदयपुर | राजसमन्द | अजमेर |
| 8. | बेराइट्स | सिरोही | भीलवाड़ा | उदयपुर |
| 9. | केल्साइट | उदयपुर | अलवर | सीकर |
| 10. | चाइनाक्ले | भीलवाड़ा | चित्तौड़गढ़ | करौली |
| 11. | डोलोमाइट | उदयपुर | जयपुर | राजसमन्द |
| 12. | फेल्सपार | अजमेर | उदयपुर | पाली |
| 13. | जिप्सम | हनुमानगढ़ | भीलवाड़ा | बीकानेर |
| 14. | लाइमस्टोन | चित्तौड़गढ़ | गंगानगर | पाली |
| 15. | ऑकर | चित्तौड़गढ़ | सिरोही | बूंदी |
| 16. | पायरोफिलाइट | उदयपुर | उदयपुर | भीलवाड़ा |
| 17. | घीया पत्थर | उदयपुर | राजसमन्द | भीलवाड़ा |
| 18. | सिलिका सेण्ड | जयपुर | डूंगरपुर | बूंदी |
| 19. | क्वार्ट्ज | अजमेर | करौली | टोंक |
| 20. | फायर क्ले | झुंझुनू | पाली | – |
| 21. | गारनेट | टोंक | भरतपुर | – |
| 22. | फ्लुओराइट | जालौर | भीलवाड़ा | – |
| 23. | जेस्पार | जोधपुर | डूंगरपुर | – |
| 24. | अभ्रक | भीलवाड़ा | जैसलमेर | – |
| 25. | सेलेनाइट | बीकानेर | अजमेर | – |
| 26. | सिलिसियस अर्थ | बाड़मेर | बाड़मेर | – |
| 27. | बॉल क्ले | बीकानेर | बाड़मेर | – |
| 28. | चॉक | सिरोही | – | – |
| 29. | एपीडोट | जयपुर | – | – |
| 30. | ग्रेफाइट | बाँसवाड़ा | – | – |
| 31. | कायनाइट | भीलवाड़ा | – | – |
| 32. | लाइम स्टोन (स्टील ग्रेड) | जैसलमेर | – | – |
| 33. | रॉक फास्फेट | उदयपुर | – | – |

| क्र.सं. | खनिज का नाम | प्रथम स्थान | द्वितीय स्थान | तृतीय स्थान |
|---|---|---|---|---|
| 34. | वरमी क्यूलाइट | अजमेर | – | – |
| 35. | वुलस्टोनाइट | सिरोही | – | – |
| 36. | लिग्नाइट | बाड़मेर | – | – |
| 37. | सोना | झुंझुनू | – | – |
| 38. | शैल | चित्तौड़गढ़ | – | डूंगरपुर |
| 39. | सोना | बाँसवाड़ा | सिरोही | चित्तौड़गढ़ |
| 40. | चूना पत्थर (इमारती) | | कोटा | झालावाड़ |
| 41. | संगमरमर | राजसमन्द | नागौर | अलवर |
| 42. | सेण्ड स्टोन | बूंदी | भीलवाड़ा | करौली |
| | **अप्रधान खनिजों का स्थान** | | | |
| 1. | ब्रिक अर्थ | गंगानगर | हनुमानगढ़ | जयपुर |
| 2. | चिप्स पाउडर | राजसमन्द | चित्तौड़गढ़ | – |
| 3. | ग्रेनाइट | जालौर | बाड़मेर | झुंझुनूं |
| 4. | कंकड़–बजरी | टोंक | उदयपुर | जयपुर |
| 5. | चूना पत्थर (बर्निंग) | नागौर | जोधपुर | पाली |
| 6. | मेसोनरी स्टोन | जोधपुर | जयपुर | झालावाड़ |
| 7. | स्लेट स्टोन | जयपुर | बूंदी | टोंक |
| 8. | फुलस अर्थ | बाड़मेर | बीकानेर | – |
| 9. | रायोलाइट | जोधपुर | पाली | – |
| 10. | सरपेण्टाइन | उदयपुर | डूँगरपुर | – |
| 11. | चर्ट | बूंदी | अलवर | – |
| 12. | बेन्टोनाइट | बाड़मेर | – | – |
| 13. | क्वार्टजाइट | सवाई माधोपुर | – | – |

स्त्रोत :– खनिज विभाग, राजस्थान सरकार, जयपुर

(1) **खनिज ईंधन–**इसके अन्तर्गत वे खनिज आते हैं जिनका उपयोग औद्योगिक मशीनों, यातायात के साधनों तथा अन्य कार्यों में ईंधन के रूप में प्रयोग में लिया जाता है। इसके अन्तर्गत कोयला तथा खनिज तेल आदि।

(2) **धात्विक खनिज–**यह वे खनिज हैं जिनमें से प्रमुख धातुओं को रासायनिक क्रिया द्वारा अलग किया जाता है तथा ये धातुएँ उद्योगों के आधार स्तम्भ का कार्य करती हैं। इनमें लोहा–अयस्क, सीसा व जस्ता सांद्र, टंगस्टन, तांबा, बेरिलियम, चाँदी व मैगनीज हैं।

(3) **अधात्विक खनिज–**यह वे खनिज हैं जिनमें से धातु नहीं निकाली जा सकती। इसके विशिष्ट भौतिक एवं रासायनिक गुणों के कारण इनका प्रयोग इनके प्राकृतिक रूप में ही किया जाता है। अधिकांश अधात्विक खनिज औद्योगिक प्रक्रियाओं के काम में आते हैं। इसलिए इनको औद्योगिक खनिज समूह भी कहा जाता है। मुख्य खनिज जिप्सम, अभ्रक, रॉक फॉस्फेट, एस्बेस्टास, फैल्सपार, पन्ना, बेराइट्स, तामड़ा, केल्साइट, नमक, सोडियम, सल्फेट, घीया पत्थर आदि हैं।

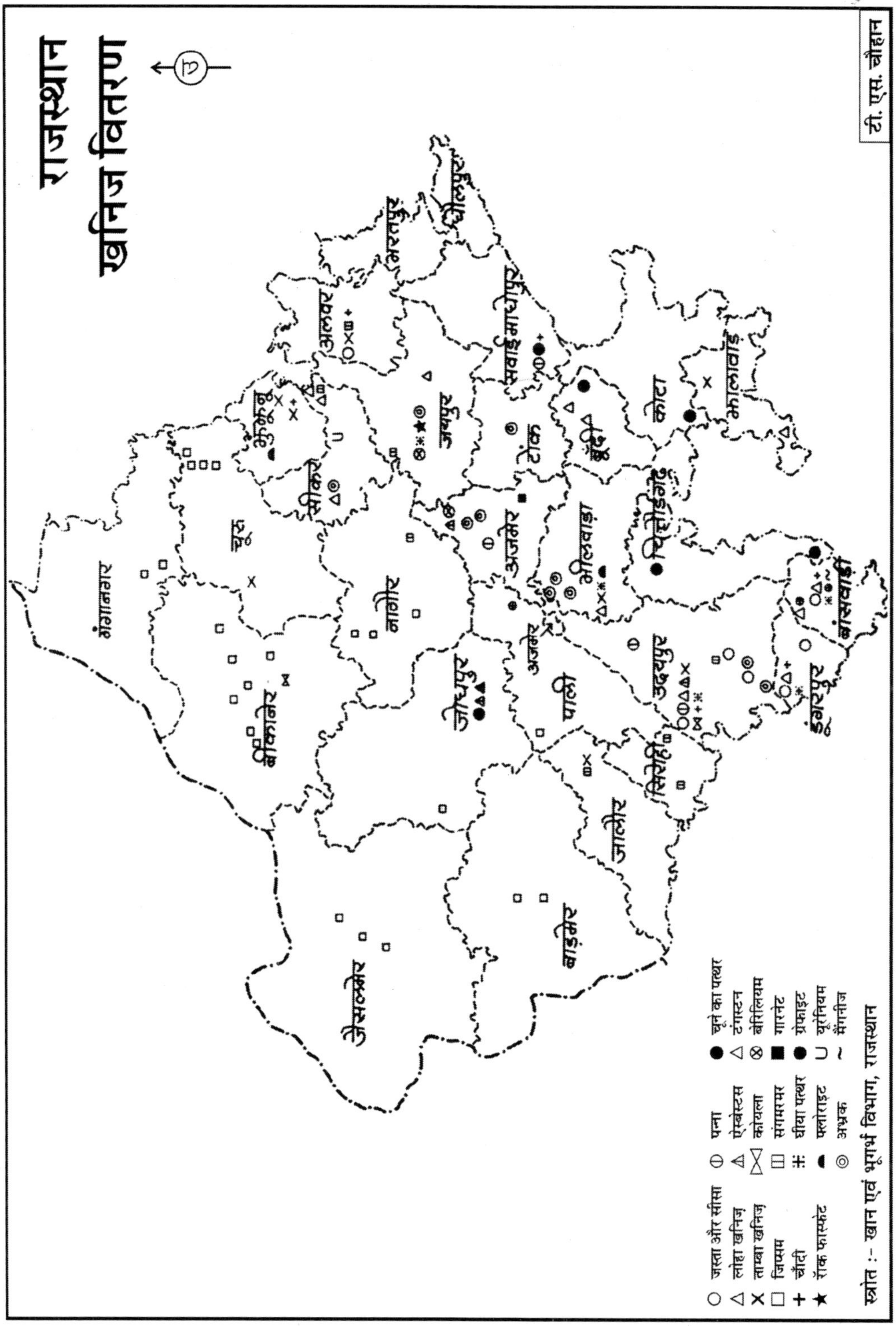
राजस्थान
खनिज वितरण
उ
टी. एस. चौहान
गंगानगर
बीकानेर
चूरू
झुंझनूं
सीकर
अलवर
भरतपुर
धौलपुर
सवाईमाधोपुर
जयपुर
टोंक
बूंदी
कोटा
झालावाड़
नागौर
अजमेर
भीलवाड़ा
चित्तौड़गढ़
बांसवाड़ा
डूंगरपुर
उदयपुर
पाली
जोधपुर
सिरोही
जालौर
बाड़मेर
जैसलमेर
जस्ता और सीसा
लोहा खनिज
ताम्बा खनिज
जिप्सम
चाँदी
रॉक फास्फेट
पन्ना
ऐस्बेस्टस
कोयला
संगमरमर
घीया पत्थर
फ्लोराइट
अभ्रक
चूने का पत्थर
टंगस्टन
बेरीलियम
गारनेट
ग्रेफाइट
यूरेनियम
मैंगनीज
स्रोत :- खान एवं भूगर्भ विभाग, राजस्थान
मानचित्र 77

## खनिज ईंधन (Mineral Fuels)

### लिग्नाइट (भूरा कोयला) (Lignite)

लिग्नाइट-इसे भूरे रंग का कोयला भी कहते हैं। यह जलाने तथा बिजली बनाने के काम में आता है। इसके मुख्य भण्डार राज्य के बीकानेर जिले में है। इसके अतिरिक्त बाड़मेर, नागौर, जिलों में भी इसके भण्डारों का पता चला है। एक अनुमान के अनुसार 30 लाख टन से अधिक के भण्डार अपने प्रदेश में हैं।

पश्चिमी राजस्थान में उपलब्ध खनिज सम्पदा ने देश को ऊर्जा प्राप्ति के भीषण संकट से निजात दिलाई है। इसमें लिग्नाइट (भूरा कोयला) की उपलब्धि देश के लिए महान् देन हैं। अब तक यह खनिज बीकानेर जिले के पलाना में ही उपलब्ध माना जाता था। अब यह पर्याप्त मात्रा में हासिल किया जा सकता है, विगत कुछ वर्षों में हुए अन्वेषण व सर्वेक्षण ने यह सिद्ध कर दिया है कि यह अथाह भंडार के रूप में प्रदेश के नागौर, बाड़मेर व बीकानेर जिले में प्राप्त किया जा सकता है। बीकानेर (पलाना) में इसकी खोज वर्ष 1896 में एक कुएँ की खुदाई के दौरान हुई थी। तत्कालीन समय में बीकानेर स्थित विद्युत उत्पादन केन्द्र में ही इसका उपयोग होता था। सन् 1962 में इस क्षेत्र को भाखड़ा से विद्युत आपूर्ति होने लगी। राज्य सरकार ने पलाना स्थित लगभग 23 मिलियन टन लिग्नाइट भंडार के आधार पर 60 मेगावाट की करीब 280 करोड़ की लागत की दो विद्युत इकाईयाँ स्थापित करने की योजना बनाई। आर्थिक अभाव अन्य कई अपरिहार्य कारणों से यह योजना साकार नहीं हो सकी।

पश्चिमी राजस्थान में इन खनिज भंडारों का न्यूनतम 10 लाख टन प्रतिवर्ष भी दोहन किया जाए तो सात लाख परिवार अथवा 3.5 लाख व्यक्ति लकड़ी का उपभोग छोड़ सकते हैं। इसी दोहन से औद्योगिक ईंधन की भी आपूर्ति हो सकती हैं। राजस्थान सरकार प्रदेश को इस अभूतपूर्व संकट से उबारने के लिए लिग्नाइट दोहन दर पर ही उपभोक्ताओं को उपलब्ध कराए तो आम आदमी को इसका उपभोग करने की प्रेरणा मिलेगी। औद्योगिक इकाईयों मसलन चीनी मिल, सीमेंट उद्योग, चूना भट्टे आदि को भी इससे जोड़ा जाना निहायत जरूरी है। प्रदेश की बहुमूल्य लकड़ी की बचत से वनों का विनाश व पर्यावरण प्रदूषण थामा जा सकता है, प्रदेश में विपुल चूना पत्थर (लाइम स्टोन) होने से सीमेंट व रसायन उद्योगों की संभावना बढ़ गई है। ऐसी स्थिति में इस कार्य को प्राथमिकता से तीवग्रति के साथ अंजाम दिया जाना जरूरी है। वर्तमान में जलाऊ लकड़ी की इस प्रदेश में माँग शहरों व गांवों में क्रमशः 0.41 व 0.52 प्रति व्यक्ति प्रति कि.ग्रा. आंकी गई है, यह ध्यान रहे कि लिग्नाइट दोहन की लागत दर गुजरात व अन्य प्रदेशों की तुलना में कम आई।

योजना आयोग भारत सरकार ने देश में व्याप्त ऊर्जा संकट को देखते हुए प्रदेश में लिग्नाइट भंडारों का विस्तृत अन्वेषण आवश्यक समझा इसके लिए एक विशेषज्ञ दल का भी गठन किया। इस दल में राजस्थान सरकार, भारतीय भू-वैज्ञानिक सर्वेक्षण विभाग, खनिज गवेषण निगम, नेवैली लिग्नाइट कॉर्पोरेशन एवं भारत हैवी इलेक्ट्रीकल्स लि. के विशेषज्ञ प्रतिनिधियों को शामिल किया है। नेवैली लिग्नाइट कॉर्पोरेशन ने विस्तृत छिद्रण कार्य खनिज गवेषण निगम बाड़मेर के कपुरड़ी एवं जालिपा क्षेत्र में तथा बीकानेर के गुड़ा एवं बरसिंगसर क्षेत्र में किया है।

राज्य में अनुमानित 70 हजार वर्ग कि.मी. क्षेत्र में लिग्नाइट मिलने की उम्मीद की गई है। राज्य के खान एवं भू-विज्ञान विभग ने इस दशक के आरम्भ में लिग्नाइट की खोज की और स्वयं को केन्द्रित कर बीकानेर, नागौर, बाड़मेर जिलों में व्यापक सर्वेक्षण कार्य किया है। इसमें विभाग ने भू-वैज्ञानिक एवं भू-भौतिकीय विधियां अपना कर छिद्रण कार्य किया। मेड़ता रोड़ के लाम्बा, जाटन, हसियास, मोकाला एवं कसनऊ गांव के समीप लिग्नाइट के भंडार विद्यमान है।

इसी तरह बीकानेर जिले के गुड़ा, बरसिंगसर क्षेत्र एवं बाड़मेर जिले के कपूरड़ी व जालिपा क्षेत्र में भी इस महत्त्वपूर्ण लिग्नाइट खनिज के विपुल भण्डार होने की जानकारी मिली है। पश्चिमी राजस्थान के इन तीन जिलों में अब तक साढ़े छह हजार लाख टन लिग्नाइट भंडार होने का पता चला है जो प्रदेश की ऊर्जा शक्ति का बहुत बड़ा स्त्रोत है।

प्रदेश के इन तीन जिलों के विभिन्न हिस्सों में खान एवं भू-विज्ञान विभाग ने विशेषरूप से लिग्नाइट अन्वेषण किया। इसमें खनिज गवेषण विभाग ने बाड़मेर जिले के कपूरड़ी-जालिपा क्षेत्र, केन्द्रीय खान योजना विकास संस्था ने मेड़ता रोड़ जिला नागौर व भारतीय भू-वैज्ञानिक सर्वेक्षण विभाग ने बाड़मेर जिले के भाड़खा तथा बीकानेर जिले के कोलासर में अन्वेषण कर सरकार को सहयोग किया है। प्रस्तुत है इसकी विस्तृत जानकारी-

जिला नागौर-जिले के कुओं की खुदाई के दौरान हसियांस, लाम्बा, जाटन, मोकाला, इन्दावर, कपुरियावास, गंगारड़ा, छापरी, कुचेरा, करारी व कसनऊ गांवों में लिग्नाइट अवशेष मिले हैं। यह प्रगति विगत दस वर्षों की है तथा यह क्षेत्र बीकानेर जिले के पलाना क्षेत्र के दक्षिण में 160 किलोमीटर की दूरी पर स्थित है। (देखे मानचित्र)

मेड़ता रोड लाम्बा जाटन क्षेत्र व हसिंयास गाँवों में वर्ष 1980 से 83 के मध्य 9 कि.मी. क्षेत्र में सर्वेक्षण किया गया ज्ञात हुआ कि 24 मिलियन टन के इस भंडार के खनन हेतु भूमिगत दोहन या भूमिगत गैसीकरण करना होगा। इस सम्बद्ध में सोवियत विशेषज्ञ दल ने भी यही राय दी है।

भूगर्भ में कोयले के निर्माण की सम्पूर्ण प्रक्रिया में से नहीं निकलने के कारण यह कोयला निम्न कोटि का होता है। राज्य में इस कोयला के 100 करोड़ टन के अनुमानित भण्डार उपलब्ध है, इसके भण्डार अकेले बाड़मेर जिले में होने का अनुमान है

जिला बीकानेर-प्राचीन पलाना लिग्नाइट क्षेत्र के आधार पर राज्य सरकार के खान एवं भू-विज्ञान विभाग ने तीसरी व चौथी पंचवर्षीय योजना के अन्तर्गत द्रुतगति से लिग्नाइट अन्वेषण का कार्य किया। जिससे पता चला कि बीकानेर के आकासर, भोजूसर, सरुपदेसर, विजरसिंगपुरा, गजनेर, कोलायतजी, मडकोटरी, गागोसर, खारी, राजेरी चानरी, हीरों की ढ़ाणी व मियों की ढ़ाणी में अथाह लिग्नाइट सम्पदा विद्यमान है। पलाना लिग्नाइट भंडार बीकानेर के दक्षिणी भू-भाग में 23 कि.मी. पश्चिम की ओर अवस्थित है। यह लिग्नाइट क्षेत्र देशनोक से 12 कि.मी. दूर स्वरूपदेसर के उत्तर में पश्चिम की ओर एक कि.मी. की चौड़ाई में हैं।

खान एवं भू-विज्ञान विभाग के क्षेत्रीय अन्वेषण के आधार पर गुहा क्षेत्र में खनिज गवेषण विभाग ने सर्वेक्षण कर इस क्षेत्र में सत्तर मिलियन टन का लिग्नाइट भंडार आँका है। इसी प्रकार बरसिंगसर क्षेत्र में जून 1988 तक किए गए सर्वेक्षण में 54 मिलियन टन लिग्नाइट भंडार का अनुमान लगाया जाता है, नेवैली लिग्नाइट कॉर्पोरेशन ने इसी दृष्टिगत रखते हुए 1.5 मैट्रिक टन प्रतिवर्ष 120 मेगावाट के दो विद्युत उत्पादन केन्द्र हेतु व 2 लाख टन प्रतिवष घरेलू, औद्योगिक व अन्य कार्यों में उपभोग हेतु लिग्नाइट का दोहन प्रारम्भ किया है।

जिला बाड़मेर-राजस्थान सरकार के खान एवं भू-विज्ञान विभाग ने भारत सरकार के सहयोग से कपूरड़ी तथा जालिया क्षेत्र में लिग्नाइट के विशाल क्षेत्र का पता लगाया है।

इन क्षेत्रों में यद्यपि 1,200 से 1,600 लाख टन लिग्नाइट भंडारों का आँकलन किया गया हैं किन्तु यह कुछ गहराई में है। बोटिया तथा भाड़खा क्षेत्रों में 104 लाख टन लिग्नाइट भंडार है। इन सबके अलावा नीमला, आकली, चौकला तथा अन्य स्थानों में भी प्रचुर मात्रा में लिग्नाइट भंडार है किन्तु भूमिगत है जो आर्द्रता लिए हुए होता है, विभागीय सूत्रों के मुताबिक इस लिग्नाइट में 45 प्रतिशत नमी है किन्तु खनन के बाद यह सूख जाता है और आर्द्रता कम हो जाती है।

अभी तक कोयले की आपूर्ति मध्यप्रदेश व अन्य दूरस्थ स्थलों से हो रही है, जिससे लागत मूल्य में परिवहन भाड़ा जुड़े जाने से वह यहाँ महँगा सिद्ध होता है। प्रदेश हित में शेष क्षेत्र में तीव्रगति से अन्वेषण व सर्वेक्षण किया जाना चाहिए। इस खनिज के विस्तृत दोहन का जितना शीघ्र व बड़े पैमाने पर किया जाएगा, राजस्थान की तीव्रतर प्रगति इसी पर निर्भर है। वर्तमान भयावह ऊर्जा संकट को देखते हुए लिग्नाइट भंडार का समुचित तकनीकी संसाधनों से दोहन पर पाटा जा सकता है। सूत्रों ने जानकारी दी है कि फ्लूडाइज्ड बैड

तकनीक से अब ताप द्वारा अधिक विद्युत उत्पादन हासिल किया जा सकता है। जिससे 10 से 30 मेगावाट शक्ति के लघु विद्युत संयंत्र छोटे-छोटे लिग्नाइट भंडारों से स्थापित किए जा सकते हैं। इतना ही नहीं लिफ्ट केनाल पर भी 2-3 मेगावाट के विद्युत केन्द्र स्थापित कर महत्त्वपूर्ण कदम उठाया जा सकता है। जो जनजीवन के लिए काफी महत्त्वपूर्ण सिद्ध होगा।

**पेट्रोलियम एवं प्राकृतिक गैस**

खनिज तेल की प्राप्ति केवल अवसादी शैलों में ही सम्भव होती है और वह भी तब जब तेल निर्माण के लिए प्रयुक्त भूगर्भीय दशाएँ विद्यमान हों। राजस्थान के बीकानेर व जैसलमेर जिले में तथा पश्चिमी जोधपुर में अवसादी चट्टानें पाई जाती हैं। इसलिए खनिज तेल की सम्भावनाओं से इन्कार नहीं किया जा सकता। जैसलमेर के भूतपूर्व महारावल के अनुरोध पर डा. सिरिल एस. फोक्स ने इन क्षेत्रों का अध्ययन कर अपने प्रतिवेदन में पेट्रोलियम पाए जाने की सम्भावनाओं को बताया था किन्तु उस समय इस दिशा में कोई कार्य नहीं किया जा सका।

भारत सरकार ने इस क्षेत्र की विस्तृत जाँच करवाने का निर्णय लिया तथा मार्च 1955 में एक दल ने इस सम्बन्ध में खोज भी की। कोलंबो योजना के अन्तर्गत एक विदेशी फर्म ने सन् 1956 में जैसलमेर क्षेत्र का हवाई चुम्बकीय सर्वेक्षण सम्पन्न किया तथा तेल के अतुल भंडार की उपस्थिति को बतलाया। तृतीय पंचवर्षीय योजना के प्रारम्भ में तेल और प्राकृतिक गैस आयोग को यह कार्य सौंपा गया जिसने फ्रेंच विशेषज्ञों की सहायता से जैसलमेर से 55 किलोमीटर दूर भारती टीबा पर कुएँ की खुदाई का खोज कार्य प्रारम्भ किया जिसमें तेल विद्यमान होने के संकेत मिले। जैसलमेर के रामगढ़, खुवालिया व देवा तथा लोंगेवाल क्षेत्रों में कुओं का खनन कार्य सम्पन्न किया गया है। 1966 में तेल एवं प्राकृतिक गैस आयोग ने जैसलमेर में खोज कार्य किए जिनके परिणामस्वरूप जैसलमेर शहर के उत्तर-पश्चिम में मनहेरा टीबा के पास स्थित 'कमली ताल' में गैस निकली है।

इस भूगर्भीय संरचना को ध्यान में रखते हुए 9 कुओं की खुदाई की गई जिनमें मनहेरा टिब्बा के नं. 6 के कुएँ में 400 से 500 मीटर की गहराई पर गैस मिली। इस क्षेत्र में अनुमान है कि लगभग 20 करोड़ घनमीटर गैस होगी क्योंकि दबाव कम है। इसलिए जैसलमेर के रामगढ़ में इसका उपयोग विद्युत उत्पादन में किया जा सकता है।

राजस्थान के मरुस्थलीय क्षेत्र में 950 लाख टन भूगर्भीय तेल व गैस के भण्डार की सम्भावना है। इन भण्डारों के दोहन के लिए 28,600 वर्ग किलोमीटर क्षेत्र में तेल गैस की खोज का कार्य नवम्बर 1984 से ऑयल इण्डिया ने शुरू कर दिया है। सातवीं पंचवर्षीय योजना में यह आशा व्यक्त की गई थी रामगढ़ (जैसलमेर) गैस थर्मल पॉवर प्रोजेक्ट से 3 मेगावाट बिजली प्राप्त हो जाएगी लेकिन सातवीं योजना में यह प्रारम्भ नहीं किया जा सका। अब आठवीं योजना में यह आशा की जा रही है कि इस रामगढ़ परियोजना से 83 मेगावाट बिजली प्राप्त हो सकेगी। इसके अतिरिक्त अन्ता गैस पॉवर स्टेशन से भी राजस्थान को 52 मेगावाट बिजली प्राप्त हो रही है। मार्च 1989 तक 11 लाख 40 हजार टन भण्डारों की पुष्टि की जा चुकी है। इन भण्डारों में से प्रथम चरण में 3.9 लाख टन पेट्रोलियम पदार्थों का दोहन किया जा सका है। राज्य में खनिज तेल के भण्डार जैसलमेर, बीकानेर एवं बाड़मेर में मिले है। जैसलमेर जिले सादवाला (1984) में, बाघेवाला (1992) एवं बाड़मेर के गुढ़ामालानी क्षेत्र में मग्गा की ढाणी में खनिज तेल भण्डार मिले है। इसी प्रकार जैसलमेर जिले में घोटारू (1983), तनोट मनिहारी टिब्बा डांडेवाला (1990) व वागी में प्राकृतिक गैस के भण्डारों का पता चला है, सूरतगढ़ के पास गंगानगर जिले में भी गैस के भण्डारों का पता चला है।

## धातु खनिज (Metallic Minerals)

*लौह अयस्क (Iron Ore)*

लौह-अयस्क संसाधनों के उत्पादन, अयस्क के गुणों और भण्डारों में राजस्थान निर्धन है। बिहार, उड़ीसा और मध्य प्रदेश के लौह-अयस्क जमावों से

यह बिल्कुल भिन्न है। इस राज्य में अयस्क की विभिन्न श्रेणियों के लघु जमाव मिलते हैं। समपूर्ण उत्पादित अयस्क हेमेटाइट प्रकार का है और कुछ स्थानों पर अयस्क क्वार्टजाइट के साथ पाया जाता है। कुछ मैग्नेटाइट खनिज भी बिखरे हुए स्थानों पर मिलता है। लौह-पत्थर-यह पत्थर लोहा बनाने के काम आता है। इसके मुख्य भण्डार जयपुर जिले के भोरीजा-रामपुरा क्षेत्र, उदयपुर जिले के नाथरा की पाल क्षेत्र में है। यहाँ पर ऐसा अनुमान है कि करीब 15 लाख टन लौह पत्थर है, जिसमें करीब 40 से 60 प्रतिशत लौह धातु है।

लौह-अयस्क का प्रथम उत्पादन सन् 1953 से प्रारम्भ हुआ जब लगभग 7,500 टन अयस्क मुम्बई और कांडला बन्दरगाहों से निर्यात किया गया। जहाँ 1960 में उत्पादन 28.5 हजार टन था वह 1965 में घटकर 12 हजार टन रह गया यहाँ तक कि 1981 में घटकर 5.5 हजार टन रहा पर फिर बढ़ने का क्रम जारी हुआ। अत: 1989 में उत्पादन 42 हजार टन हो गया। 1990 में उत्पादन 50 हजार टन होने का अनुमान लगाया गया है।

हाल के वर्षों में लौह-अयस्क का उत्पादन गिर गया है। इस गिरावट के मुख्य दो कारण है। राजस्थान में लौह-अयस्क जमाव दूर-दूर स्थानों पर स्थित है और बम्बई और कांडला बन्दरगाहों से उनकी दूरी लगभग 800 किलोमीटर और 960 किलोमीटर है। यह दूरी यातायात के व्यय को यथेष्ट बढ़ा देती है। दूसरे, जापान और चेकोस्लोवाकिया भारत के लौह-अयस्क के दो प्रमुख आयातक है। उन्हें अपने देशी घटिया श्रेणी के अयस्कों के साथ मिश्रित करने के लिए एक उच्चकोटि के अयस्क की आवश्यकता होती है। इसका परिणाम यह होता है कि 63-65 प्रतिशत लोहांश वाला अयस्क ही निर्यात के लिए उपयुक्त होता है। उच्चकोटि के अयस्क के लिए कुल उत्पादन में से चयन की आवश्यकता पड़ती है और काफी मात्रा का परित्याग करना पड़ता है।

लगभग समस्त लौह-अयस्क जमाव अरावली श्रेणी के पूर्व में अथवा अरावली श्रेणी पर स्थित हैं। राज्य में लौह-अयस्क जमाव राज्य के उत्तर-पूर्वी और दक्षिणी- पूर्वी भाग में स्थित हैं।

**1. उत्तरी-पूर्वी क्षेत्र**

(अ) मोरीजा-बनोल क्षेत्र : इस क्षेत्र में लौह-अयस्क के जमाव मोरीजा-बनोल जमावों के नाम से जाने जाते हैं। अयस्क जयपुर जिले की अम्बेर तहसील में चौमू-समद रेलवे स्टेशन के लगभग 8-10 किलोमीटर पूर्व में मिलता है। राज्य में यह सबसे महत्त्वपूर्ण अयस्क जमाव है। इस क्षेत्र के अन्तर्गत अनेक क्रियाशील खानें हैं, जैसे-टोड़ा चिपलाता, थोई, बनिया-का-बास, तातेरी, बगावास और भाटी-की-गली। इस क्षेत्र में लौह-अयस्क हेमेटाइट पट्टियों और लैन्सों के रूप में मिलता है। जो अरावली और प्राक अरावली नाइस और शिस्ट के ऊपर विषम-विन्यास रूप से पड़ा है। मोरीजा में लौह-अयस्क की लगभग 10 मीटर की मोटाई की एक लगातार पट्टी एक किलोमीटर से ज्यादा की दूरी तक फैली हुई है। हेमेटाइट क्वार्टजाइट की लगभग 3 मीटर की मोटाई की एक पट्टी पहाड़ियों पर फैली है। लोहा उत्तम किस्म का है और उसमें लौहांश 68.0 प्रतिशत है और इसमें लगभग 25 लाख टन भण्डारों का अनुमान है।

(ब) नीमला-रायसालों क्षेत्र : इस क्षेत्र में लौह-अयस्क जयपुर के लगभग 65 किलोमीटर उत्तर-पूर्व और दौसा रेलवे स्टेशन के लगभग 24 किलोमीटर उत्तर में, नीमला गाँव में व उसके चारों ओर मिलता है। इस क्षेत्र में दूसरे स्थान भानगढ़, रतनपुरा, राजगढ़ और टैहला है। महत्त्वपूर्ण अयस्क पिण्ड नीमला के लगभग एक किलोमीटर पूर्व में स्थित है। आस-पास चारों ओर के क्षेत्र में विकीर्ण-लैन्स के समान अयस्क पिण्ड गहरे प्रतीत नहीं होते। आजकल की खुदाइयों से पता चला है कि अनेक अयस्क जमाव 3 से 8 मीटर गहरे हैं, परन्तु 24 से 30 मीटर गहरे अयस्क लैन्स भी नीमला और गोला-का-बास के पास खोदे गए है। अयस्क का लौहांश लगभग 67.5 प्रतिशत है और यहाँ लगभग 10.5 लाख टन के भण्डारों का अनुमान है।

(स) डाबला-सिंघाना-नीम का थाना क्षेत्र : क्वार्टज के साथ मिलने वाले हेमेटाइट अयस्क जमाव राजस्थान और पंजाब सीमा पर खेतड़ी के पूर्व में स्थित है। इस क्षेत्र में अनेक अयस्क जमाव झुंझुनूं जिले की

खेतड़ी तहसील में डाबला रेलवे स्टेशन के लगभग 10–13 किलोमीटर पश्चिमी में स्थित है। सिओर और नाई धानी क्षेत्रों में लौह–अयस्क की कुछ संचयिकाएं मिलती हैं, परन्तु अधिकांश जमाव टोडा और काली पहाड़ी के पास स्थित है। टोंडा में अयस्क के औसतन लगभग 22 मीटर की चौड़ाई के लगातार लैन्स पहाड़ी के पश्चिमी ढ़ालों के सहारे, लगभग 150 मीटर की दूरी तक, मिलते हैं। नीम-का-थाना लौह–अयस्क जमाव दो संस्तरों में मिलता है—(अ) नीम–का–थाना रेलवे स्टेशन के लगभग 11 किलोमीटर पश्चिम में बागोली- सराय-पचलांगी और (ब) रायपुर-नासाबास-टोंडा- चिपलाता क्षेत्र जो सीकर जिले में नीम–का–थाना रेल स्टेशन से लगभग 18 किलोमीटर से 30 किलोमीटर पूर्व में है। इन अधिकांश प्राप्ति स्थानों में अयस्क घटिया किस्म का है और उसमें फॉस्फोरस तत्त्व ऊँचा है। यहां 7 लाख टन भण्डार होने का अनुमान है।

## 2. दक्षिण–पूर्वी क्षेत्र

यह लौह–अयस्क जमाव बिखरे रूप में अरावली श्रेणी के दक्षिण-पूर्व में एक समकेन्द्रित गोलाई में मिलते हैं। बूंदी से भीलवाड़ा, कंकरोली, उदयपुर के पश्चिम और डूँगरपुर से बाँसवाड़ा तक खींची हुई एक रेखा इस प्रदेश में खनन क्षेत्रों की स्थिति को स्पष्ट करती है।

(अ) नाथरा की–पाल : यह जमाव उदयपुर के लगभग 61 किलोमीटर दक्षिण–पूर्व में और घेवर झील के 13 किलोमीटर पश्चिम में, सारदा तहसील में थाना ग्राम के निकट स्थित है। अयस्क जमाव कम से कम पांच छ: लैन्स–समान हेमेटाइट शिस्ट संचयिकाओं का बना है जो उत्तर–पश्चिम से दक्षिण–पूर्व दिशा में फैला है और श्रेणी के चोटी के सहारे हेमेटाइट शिस्ट मैग्नेटाइट पूर्ण भी है। लगभग 30 मीटर की गहराई तक अयस्क भण्डार लगभग 20 लाख टन है।

(ब) थूर हन्डर : ये जमाव उदयपुर स्टेशन से 20 किलोमीटर उत्तर–पश्चिम में स्थित है। अयस्क हेमेटाइट है और लौहांश लगभग 58.0 प्रतिशत है। भण्डार लगभग 50,000 टन हैं।

(स) अन्य क्षेत्र : लौह–अयस्क की उपस्थिति विभिन्न क्षेत्रों में पाई गई हैं, परन्तु खनिज की प्राप्ति किसी विशेष पैमाने पर नहीं की गई है। ये जमाव लोहारपुरा और इन्द्रगढ़ (बूंदी जिला) कमालपुरा और लम्पा (भीलवाड़ा जिला), तलवारा, खमेरिया और लोहारिया ग्रामों (बाँसवाड़ा जिला), पदरपाल-डूँगरपुर जिले में और दक्षिण झालावाड़ जिले में डाग में स्थित है। 2022–23 में कच्चे तेल का उत्पादन 34.93 लाख मैट्रिक टन हुआ था जो पिछले साल से कम था।

## सीसा और जस्ता–सांद्र (Lead and Zinc)

राजस्थान भारतवर्ष का समस्त सीसा और जस्ता–सांद्र उत्पन्न करता है और इन दोनों खनिजों पर उसका पूर्ण एकाधिकार है। सीसा एक मुलायम व भारी धातु है। इसी कारण इसका उपयोग विकिरणों से रक्षा के काम आता है। इसके अतिरिक्त सीसा व जस्ता अनेक वस्तुओं के निर्माण में काम आता है, विशेषकर बिजली के उपकरण बनाने में। इस खनिज के मुख्य भण्डार उदयपुर जिले के जावर तथा राजपुरा–दरीबा क्षेत्र, अजमेर जिले के गुच्छा क्षेत्र में है। यहाँ पर करीब 1 करोड़ टन सीसा जस्ता के पत्थर (ओर–अयस्क) का अनुमान है, जिसमें करीब 6–10 प्रतिशत धातु है।

2014–15 में राजस्थान में सीसे–जस्ते (Rom) का उत्पादन 76.5 लाख टन हुआ था।

सीसा और जस्ता सांद्रा का वितरण दो क्षेत्रों तक सीमित है :-

1. दक्षिण–पूर्वी प्रदेश, और
2. उत्तर–पूर्वी प्रदेश

## 1. दक्षिण–पूर्वी प्रदेश

जवार के अत्यन्त महत्त्वपूर्ण जमाव उदयपुर के लगभग 40 किलोमीटर दक्षिण–पूर्व में जवार गाँव के निकट स्थित है। धातुमल के ढेरों (slag heaps) की बहुलता और खण्डहरों के बीच चाँदी–जस्ता की अनेक पुरानी भट्टियों के स्थान इस बात की पुष्टि करते हैं कि प्रगलन उद्योग प्राचीन समय में समुन्नत था। जवाहरमाला के नाम के परित्यक्त ग्राम में मिलने वाले

अनेक लक्षण सिद्ध करते हैं कि यह क्षेत्र पर्याप्त समृद्ध था। वर्तमान खानें मोचिया-मगरा पहाड़ी पर स्थित हैं और उनका प्रतिदिन का उत्पादन 200 से 300 टन के बीच है और औसतन उसमें लगभग 5.0 प्रतिशत सीसा और 7.0 प्रतिशत जस्ता है। सीसा-सांद्र (70.0 प्रतिशत सीसा और 7.0 जस्ता) बिहार में टुंडू नामक स्थान पर पिघलाने के लिए भेजे जाते हैं, जब कि जस्ता-सांद्रा (50.0 जस्ता और 5.00 प्रतिशत सीसा) अन्य देशों को निर्यात किए जाते हैं। इस राज्य में जस्ते का उत्पादन प्रारम्भ करना तृतीय पंचवर्षीय योजना के दौरान प्रस्तावित हुआ है। राज्य में जवार खानों से प्राप्त जस्ता-सांद्र पर आधारित जस्ता प्रगालक के कार्यारम्भ करने पर लगभग 15,000 टन जस्ता उत्पन्न होगा। प्रगालक गैसों पर आधारित एक उप-उत्पादक गंधक एसिड प्लान्ट को चलाने के लिए भी यह संयंत्रित किया जाएगा, जिसका उपयोग फॉस्फेटी खादों के निर्माण में होगा। सन् 1954 में लगभग 1,00,000 औंस चांदी भी सीसा-सांद्रों से प्राप्त की गई थी। वर्तमान समय में इस महत्त्वपूर्ण धातु देश की सम्पूर्ण आवश्यकता की पूर्ति तो करती ही है, विदेशों को निर्यात भी की जाती है। ऐसी आशा की जाती है कि ज़वार की सीसा-जस्ता खानें देश की भविष्य की आवश्यकता को पूरा करने के लिए बड़ी सहायक होंगी।

इस क्षेत्र में दूसरे स्थान हैं—रिखबदेव और देबाड़ी उदयपुर में घुघरा और मान्दो (डूंगरपुर) जिले में तथा बरदालिया (बाँसवाड़ा) जिले में।

### 2. उत्तर-पूर्वी प्रदेश

इस प्रदेश में दो क्षेत्र हैं—चौथ-की-बखारा, सवाई माधोपुर जिले में और गुढ़ाकिसोरीदास अलवर जिले में। वर्तमान समय में भारत अपनी माँगों को पूरा करने के लिए जस्ता काफी मात्रा में आयात करता है। इन खानों से उपयुक्त उपलब्धि देश को इन खनिजों में निश्चित रूप से आत्म-निर्भर बना देगी।

### बेरिलियम (Beryllium)

यह खनिज षट्-भुजाकार कणों के आकार में मिलता है और बेरेलियम तथा एल्मूनियम का सिलिकेट है। यह अनेक रंगों में मिलता है, जैसे-हरा या हल्का हरा, पीला, सफेद या फीका। इस खनिज की प्राप्ति अधिकांशत: ग्रेनाइट, पैग्मेटाइट (आग्नेय चट्टान) और परिवर्तित चट्टानों तक सीमित है। यह लगभग 15 से 18 मीटर की गहराई तक ही पाया जाता है। राजस्थान के बेरिल अयस्क में लगभग 11.5 प्रतिशत से 14 प्रतिशत तक बेरेलियम ऑक्साइड का अंश है। यह खनिज उत्तम किस्म का माना जाता है। क्योंकि उसमें 11 से 14 प्रतिशत की शुद्धता पाई जाती है। बेरेलियम सम्मिश्रण विद्युत और चीनी-मिट्टी उद्योगों में प्रयुक्त किए जाते हैं। इस खनिज का वार्षिक उत्पादन 5 से 72 टन है।

राजस्थान में अनेक बेरेलियम उत्पादक क्षेत्र हैं, परन्तु उदयपुर और जयपुर जिले के क्षेत्र सबसे महत्त्वपूर्ण हैं। अन्य भीलवाड़ा, सीकर, टोंक और अलवर जिले में स्थित हैं।

1. उदयपुर जिला : बेरिल उत्पादक क्षेत्र, इस जिले के उत्तर में और आमेट के ठीक दक्षिण में स्थित है। महत्त्वपूर्ण उपलब्धियाँ बारी, सीकरबारी, सेलका-गुढ़ा, चम्पा-गुढ़ा और रन आमेट में है। प्रथम तीन, चारभुजा रोड रेलवे स्टेशन से लगभग 5 से 7 किलोमीटर पर स्थित है। इन स्थानों से बेरिल कई वर्षों तक लगातार प्राप्त नहीं किया गया। कुछ खानों में खनिज की कमी और अलाभकर दशाओं के कारण उत्पादन बन्द हो गया है।
2. जयपुर जिला : इस जिले में महत्त्व की दो उपलब्धियाँ गूजरवाड़ा और बांदरसिनरी में स्थित हैं। गूजरवाड़ा खानें किशनगढ़ रेलवे स्टेशन से लगभग 30 किलोमीटर दक्षिण-पूर्व में स्थित है। यहाँ क्वार्टज, फेल्सपार और बेरिल एक पहाड़ी में मिलते हैं जो उत्तर-पूर्व से दक्षिण-पश्चिम दिशा में फैली है। बेरिल लगभग 15 मीटर की गहराई पर मिलता है। दूसरा बेरिल जमाव किशनगढ़ से लगभग 20 किलोमीटर पर बांदरसिनरी में एक क्वार्ट्ज में मिलता है। मुख्य बेरिल खानें गहराई में 9 से 12 मीटर है।
3. अन्य क्षेत्र : बेरिल सीकर जिले में, टोरडा,

बुचारा, चूरला और सनवालपुरा में टोंक जिले में–माधोराजपुरा, संकरवाड़ा और धोली में, तथा भीलवाड़ा जिले में–तिल्लाली और गुढ़ा जमावों में भी मिलता है।

इन अधिकांश खानों में खनिज भूमिगत खानों में नहीं खोदा जाता और अयस्क को मानवीय श्रम द्वारा निकाला जाता है। विखण्डनीय तत्त्वों के समान होने के कारण इस धातु का महत्त्व काफी बढ़ गया है। चम्बल-घाटी योजना से सस्ती जल-विद्युत प्राप्त होने पर बेरेलियम निष्कर्षण प्लान्ट राज्य में ही स्थापित किया जा सकता है।

**मैंगनीज (Manganese)**

यह बहुत ही आवश्यक खनित है। लोह पत्थर के साथ इसका मिश्रण करने पर स्टील बनता है। जिसके सुन्दर बर्तन हर घर मिलते हैं। इसके अतिरिक्त यह रसायन व मोटर एवं टॉर्च बैटरी बनाने में भी काम में आता है। इस खनिज के मुख्य भण्डार बाँसवाड़ा जिले में है। वहां पर करीब 3 लाख टन मैंगनीज खनिज पत्थर है, जिसमें करीब 27–35 प्रतिशत धातु है। मैंगनीज का उत्पादन बहुत कम है।

**टंगस्टन (Tungsten)**

यह एक सामरिक महत्त्व का खनिज है। लोह खनिज तथा इसके मिश्रण से अनेक सामरिक महत्त्व की वस्तुएँ बनाई जाती है। इस खनिज के पत्थर के मुख्य भण्डार नागौर जिले के डेगाना क्षेत्र में है। यहाँ पर करीब 4,000 टन टंगस्टन पत्थर है जिसमें करीब 65 प्रतिशत धातु है इसके अतिरिक्त भारतीय भू-सर्वेक्षण विभाग ने अभी हाल में ही सिरोही जिले के बालदा एवं देवा का बेरा क्षेत्र में टंगस्टन पत्थर का पता लगाया है। यहाँ पर 475 टन टंगस्टन पत्थर हैं जिसमें करीब 65 प्रतिशत धातु है। टंगस्टन पत्थर नागौर, पाली और अजमेर जिलों में भी मिलने का अनुमान है।

2012–13 में राजस्थान में 40 टन टंगस्टन का उत्पादन हुआ जो पिछले वर्ष के उत्पादन (22 टन) से अधिक था। भारत में टंगस्टन के उत्पादन का बड़ा अंश राजस्थान से ही प्राप्त हुआ है।

**तांबा (Copper)**

तांबे के बारे में कौन नहीं जानता। इसका उपयोग आदिकाल से होता आ रहा है। पहले पैसा व अन्य सिक्के भी इसी धातु के बने होते थे। बिजली के तार तथा बिजली का अन्य सामान भी इसी से बना होता है। घरों में पूजा के पात्र, व कलश इत्यादि भी इसी धातु की देन है। प्रदेश में तांबे के मुख्य भंडार झुंझुनूं जिले के खेतड़ी क्षेत्र व अलवर जिले के खोदरीबा क्षेत्र में स्थित हैं। इसके अतिरिक्त भीलवाड़ा व सिरोही जिले में भी इसी धातु के भण्डार है। इन सब जगहों पर करीब 1 अरब टन तांबा पत्थर है जिसमें करीब 1 से डेढ़ प्रतिशत तांबा धातु हैं।

तांबा खानें राज्य में अनेक स्थानों पर स्थित हैं किन्तु झुंझुनूं जिले में खेतड़ी-सिंघाना क्षेत्र और अलवर जिले में खो-दरीबा सर्वाधिक महत्त्वपूर्ण हैं। प्राप्त खनिज अधिकांशत: तांबा, लोहा, और सल्फाइड है जो सामान्यत: शिष्ट और फाइलाइट्स में बिखरा हुआ मिलता है।

1. खेतड़ी-सिंघाना : ये तांबा खानें मान्दा रेलवे स्टेशन से लगभग 23 किलोमीटर पर स्थित है। तांबा (अ) सिंघाना के निकट कोल्हान और मान्धान प्राचीन खानों, (ब) खेतड़ी क्षेत्र, (स) पापराना के पश्चिम में अखवाली खानों (द) बाबई के पश्चिम में प्राचीन खानों, तथा (इ) बरखेड़ा खानों में मिलता है। इन अधिकांश खानों में तांबा अयस्क, शैल, शिष्ट और क्वार्टजाइट मिलता है। अयस्क धारित शैलें उत्तर-पूर्व से दक्षिण-पश्चिम की ओर लगभग 24 किलोमीटर तक 3.2 से 5.0 किलोमीटर की चौड़ाई में जाती हैं। परतें पश्चिमी दिशा की ओर तीव्र रूप से झुकी हुई हैं।
2. खो-दरीबा खानें : अलवर नगर के दक्षिण-पश्चिम में लगभग 48 किलोमीटर पर स्थित हैं। खनिज, फाइलाइट और क्वार्टजाइट शैलों में मिलता है। कुछ अयस्क दरीबा ग्राम के दक्षिण की पहाड़ियों से भी खोदा जाता है। अयस्क शैल अथवा शिराओं की तरह अधिकांश फाइलाइट

के सम्पर्क तलों के सहारे मिलता है, जो उसको क्वार्टजाइट से अलग करते हैं। 50 लाख टन व 20 लाख टन के भण्डार हैं।

3. दिलवाड़ा-किरोवली : ये खानें उदयपुर से लगभग 30 से 40 किलोमीटर पर स्थित हैं। इस क्षेत्र में तांबा अयस्क बहुत से गाँवों में मिला है। अन्य स्थानों के समान यह क्वार्टजाइट और शिस्ट के साथ मिलता है।

4. अन्य क्षेत्र : तांबा अयस्क उदयपुर जिले में देबारी में भी मिलता है और भीलवाड़ा, चुरू और झालावाड़ जिलों में अनेक छितरे स्थानों में भी पाया जाता है। ये क्षेत्र अभी भी पूर्वेक्षण की स्थिति में हैं। तांबा एक महत्त्वपूर्ण धातु है, इसलिए यह आशा की जाती है कि किसी भी समय उपयुक्त यातायात सुविधाओं के प्राप्त होने पर और मशीनी शक्ति का और अधिक प्रयोग होने पर, ये खनन क्षेत्र अग्रणी तांबा अयस्क उत्पादक क्षेत्रों में विकसित हो जाएंगें। तांबा उद्योग का विकास इस राज्य में व्यापारिक आधार पर किया जा रहा है।

तांबा उद्योग का विकास इस राज्य में व्यापारिक आधार पर किया जा सकता है। खेतड़ी-सिंघाना प्रदेश में इस उद्योग के लिए शक्ति की आवश्यकता भाखड़ा-नांगल जल-शक्ति से पूरी की जा सकती है। हमारे देश में विद्युत-विश्लेषक तांबे की अत्यन्त कमी है और ऐसे तांबे का उत्पादन इस राज्य में प्रारम्भ किया जा सकता है। राजस्थान में कच्चे तांबे (Copper-ore) का उत्पादन 2013-14 में 9.12 लाख टन आंका गया है।

## अधात्विक खनिज (Non-Metallic Minerals)

### जिप्सम (Gypsum)

यह बहुत ही आवश्यक खनिज है। इसका अधिकतर उपयोग खाद व सीमेंट बनाने के काम आता है व इसका उपयोग प्लास्टर ऑफ पेरिस व प्लास्टर पट्टियाँ बनाने के काम भी आता है। इसके अतिरिक्त भी इसके उपयोग अनेक कार्यों में किया जाता है। इसके मुख्य भण्डार बीकानेर, नागौर, बाड़मेर, जैसलमेर एवं पाली जिलों में स्थित है। वहाँ पर करीब 10 करोड़ टन जिप्सम होने का अनुमान है। 1990 में राजस्थान में 15.6 लाख टन जिप्सम का उत्पादन हुआ जो पिछले वर्ष से थोड़ा अधिक था।

यद्यपि जिप्सम उत्पादक क्षेत्र राज्य भर में विस्तृत रूप से बिखरे पड़े हैं, मुख्य क्षेत्र उसके उत्तरी और पश्चिमी भाग में स्थित है।

राजगढ़ के दक्षिण में माउन्ट आबू तक खींची गई एक रेखा दर्शाती है कि क्षेत्र अधिकांशतः इस रेखा के पश्चिम में स्थित हैं। राज्य के जिप्सम उत्पादक क्षेत्र तीन भागों में सामूहिक किए जा सकते हैं :

1. नागौर क्षेत्र,
2. बीकानेर, गंगानगर और चुरू क्षेत्र तथा
3. जैसलमेर, बाड़मेर, पाली और जोधपुर क्षेत्र।

**1. नागौर क्षेत्र :** नागौर जिप्सम जमावों में बहुत धनी है। जिप्सम क्षेत्रों में पूरी खुदाई नहीं हुई है, परन्तु यह अनुमान लगाया जाता है कि देश के जिप्सम के कुल भण्डारों में से दो-तिहाई इस क्षेत्र में हैं। जिप्सम की परतें विभिन्न क्षेत्रों में 60 मीटर से 125 मीटर के बीच विभिन्न गहराइयों में मिलती हैं। इस प्रदेश के मुख्य क्षेत्र नागौर, भदवासी, मंगलोद, खैरात, ढाकोरिया, भदाना, मलगू और जोधियासी में हैं।

**2. बीकानेर गंगानगर और चुरू क्षेत्र :** ये सभी क्षेत्र राज्य के उत्तरी भाग में स्थित है। इन क्षेत्रों में बीकानेर में सबसे अधिक अनुमानित जिप्सम भण्डार हैं, जो देश के भण्डार का लगभग 17.0 प्रतिशत और राज्य के भण्डार का 19.0 प्रतिशत हैं। बीकानेर में जामसर ग्राम में राज्य का सबसे अधिक जिप्सम जमाव है। यह जमाव लगभग चार किलोमीटर पूर्व से पश्चिम और लगभग 920 मीटर से 1,225 मीटर उत्तर से दक्षिण में फैला है। ये क्षेत्र बीकानेर से भटिण्डा को जोड़ने वाले रेल-रास्ते पर हैं। जिप्सम की परतें 0.3 से 1.5 मीटर रेत के भार से दबी है। सिंदरी खाद और रसायन लिमिटेड की सम्पूर्ण आवश्यकता प्रायः जिप्सम की इन खानों द्वारा ही पूरी की जाती है। वर्तमान समय में उसको हाथों द्वारा निकलने की क्रिया पूर्णरूप से खनन की मशीनी पद्धतियों में बदल दी गई है। यह

खनिज लगभग 11 मीटर की गहराई तक खोदा जाता है, जिसके बाद पुन: मिट्टी दिखने लगती है।

बीकानेर का अन्य जिप्सम उत्पादक क्षेत्र, लूणकरणसर, जामसर से लगभग 52 किलोमीटर उत्तर में, रेलवे लाइन पर स्थित हैं। परतें लगभग एक मीटर मोटी हैं और 5.2 वर्ग किलोमीटर क्षेत्र को आवृत्त करती हैं। इन खानों में सेलेनाइट, यानी जिप्सम की बिल्लौरी किस्म पाई जाती है। खनिज को धो और छान कर प्राप्त किया जाता है। इस जिले में अन्य जमाव धीरेरा, जैसलमेर, कओनी, धोलेरन, भारू और हरकासर में स्थित है।

चुरू जिले में मुख्य खनन क्षेत्र लगभग 104 वर्ग किलोमीटर हैं और तारानगर के उत्तर-पूर्व और दक्षिण-पूर्व में फैला है। इस क्षेत्र में मुख्य उपलब्धियाँ, भालन, भानिन, जागासरी, भादी बेन, देवगढ़िया और साथून हैं। इन स्थानों में जिप्सम की परत 8 सेन्टीमीटर से 150 सेन्टीमीटर के बीच है।

3. **जैसलमेर, बाड़मेर, पाली और जोधपुर :** जैसलमेर में जिप्सम मोहनगढ़, हमीरवाली, धानी और लाखा में मिलती है। परतों की मोटाई 0.6 मीटर से 1.3 मीटर तक के बीच हैं और जिप्सम का अंश 80.0 प्रतिशत है।

जोधपुर में जमाव पोकरन के लगभग 48.3 किलोमीटर दक्षिण में फलसूण्ड में स्थित है। परतें लगभग 1 मीटर मोटी हैं और अधिभार पदार्थ लगभग 0.3 से 1.0 मीटर मोटा है। यह अनुमान लगाया जाता है कि जोधपुर में राज्य-भण्डारों के लगभग 9.0 प्रतिशत जिप्सम भण्डार है।

बाड़मेर में अन्य जिप्सम खनन उपलब्धियाँ हैं- कवास, कुरला, शिवकर, उत्तरलाई और पार की ढाणी तथा पाली जिले में-खुटांणी। इन उपलब्धियों में स्तर की मोटाई 15 सेन्टीमीटर से 2.7 मीटर के बीच है।

वर्तमान समय में जिप्सम हमारे देश में अनेक तरीकों से इस्तेमाल की जाती है। यह सीमेंट बनाने में मंदक घटक की तरह और अमोनिया सल्फेट खाद व प्लास्टर ऑफ पेरिस के निर्माण में प्रयुक्त होती है। यह जिप्सम की वृहत् मात्राएँ इस राज्य में सिद्ध हो जाएंगी, तब बहुत से उद्योग विकसित किए जा सकेंगे। जिप्सम कच्चे माल के रूप में खादों, सल्फरिक एसिड, सीमेंट और दीवाल-तख्ते के निर्माण में भी प्रयुक्त हो सकती है। 2014-15 में राजस्थान में 27.7 लाख टन जिप्सम का उत्पादन हुआ था जो पिछले वर्ष से थोड़ा अधिक है।

**अभ्रक (Mica)**

अभ्रक के उत्पादन में भारतवर्ष में बिहार के बाद राजस्थान का स्थान है और सन् 1989 में इसका उत्पादन 707.07 टन था। राज्य के अन्दर भी, मूल्य की दृष्टि से, राजस्थान के समस्त खनिजों के मूल्य के लगभग 12.0 प्रतिशत अंशदान अभ्रक का है। अभ्रक में एल्यूमोनियम, पोटेशियम और हाइड्रोजन के सिलीकेट होते हैं तथा उसकी गहरी किस्मों, जैसे बायोटाइट में लोहा और मैग्नेशियम होते हैं। यह उन खनिजों में से एक है जिन्हें प्रद्रावक में नहीं रखना पड़ता बल्कि विभिन्न कार्यों में सीधे प्रयोग में लिया जाता है।

यह एक चमकदार कागज के टुकड़े जैसा होता है। इसको भोडल भी कहते हैं। यह दो प्रकार का होता है एक काले रंग का तथा दूसरा सफेद रंग का होता है। आमतौर पर सफेद रंग की ज्यादा काम में आती है। यह देवी-देवताओं की मूर्तियाँ/प्रतिमाओं को सजाने, ताजियों को बनाने, विवाह व रामलीला आदि अवसरों पर पहनाए जाने वाले मुकुट बनाने के काम में आता रहा है। होली के त्यौहार पर गुलाल में मिले चमकीले टुकड़े भी अभ्रक ही हैं। बिजली के उपकरणों को बनाने में विशेष रूप से काम आता है। अपने प्रदेश में इस भण्डार मुख्य रूप से भीलवाड़ा, टोंक व उदयपुर जिले के क्षेत्र में हैं।

राजस्थान की अत्यन्त महत्त्वपूर्ण अभ्रक उत्पादक पेटी उत्तर-पूर्व से दक्षिण-पश्चिम दिशा में, मध्य भाग में, दक्षिण-पूर्व की ओर वृत्ताकार होती हुई, फैली है। इस पेटी को दो क्षेत्रों में बाँटा जा सकता है-उत्तर-पूर्व अभ्रक पेटी (टोंक और जयपुर में) और दक्षिण-पश्चिम अभ्रक पेटी (भीलवाड़ा और उत्तरी उदयपुर)। इसके अतिरिक्त डूंगरपुर, बूंदी और सीकर में अन्य बिखरे हुए खनन क्षेत्र हैं।

**1. उत्तर-पूर्वी अभ्रक पेटी :** यह अभ्रक पेटी टोंक जिले के कुछ भाग और दक्षिणी जयपुर को आवृत्त करती है। जिले की मुख्य अभ्रक खानें बारला, मानरवन्द, संकरवाड़ा, बरचोला, मिरोन, धोली, बरोनी और पारली खानों में स्थित हैं। जयपुर में अभ्रक बंजारी और लक्ष्मी खानों से प्राप्त किया जाता है, जबकि अन्य खानें फागी तहसील में-भोजपुरा, माधोराजपुरा और कर्णवा-का-बास में स्थित है, जिनसे उत्पादन अब बन्द है। इनमें से कुछ खानों में, मुख्य रूप से बारला खानों में, खुदाई कार्य उत्तम रूप से मशीनीकृत और विद्युतकृत हैं। खानों से अभ्रक 12 मीटर से 27 मीटर तक की गहराई से प्राप्त किया जाता है। खनन क्षेत्रों में इस खनिज के यातायात में टोडारायसिंह रेलवे स्टेशन सहायता करता है।

**2. दक्षिण-पश्चिम अभ्रक क्षेत्र :** इस पेटी में भीलवाड़ा और उदयपुर जिलों की खानें सम्मिलित हैं। भीलवाड़ा अभ्रक के जमावों में बहुत धनी है और इस जिले में मुख्य पेटी उत्तर-पूर्व से दक्षिण-पश्चिम की ओर फैली हुई है। मुख्य खानें नाट-की-नेरी, टूंका खान, सिद्रीअस, चापड़ी, रतनगामा, मानकिया, बंजारी, घोगास, गोरखन, बेमाली, कोचरिया, गोकुलपुरा और धामन्द खानें हैं। इसमें से कुछ खानों में अभ्रक लगभग 60 मीटर तक की गहराई से निकाल लिया गया है। मुख्य अभ्रकधारी शैल पैग्मेटाइट है। कुछ खानों में, जैसे मानकिया खान में, पैग्मेटाइट शृंखलाएँ एक-दूसरे से सम्बद्ध हैं। दूसरी खानों में, जैसे गोरखाल बेमानी खानों में, पैग्मेटाइट ठोस किस्म के हैं और अभ्रक पहाड़ियों की पाद-भित्त (Foot wall side) की ओर मिलता है। यह अभ्रक कुछ काले धब्बों वाला और ताम्र-रंजित है। उदयपुर में महत्त्वपूर्ण खानें-चम्पा-गुढ़ा, धोला मेतरा और गालवा है। प्राय: ये सभी उदयपुर के उत्तर-पूर्वी सीमा पर स्थित हैं और यह पेटी सुदूर उत्तर की भीलवाड़ा खानों के अनुवर्त्तन में हैं। अधिकांश खानें भूमि के अन्दर खोदी जा चुकी है। हाल में आर्थिक प्रसाधनों और उद्योग के लिए आवश्यक उपयुक्त यंत्रों के अभाव से अभ्रक खनन में कमी हो गई है।

**3. अन्य क्षेत्र :** इनमें सीकर की अभ्रक खानें शामिल हैं, जो जिले के उत्तर-पूर्व में पंजाब सीमा के सहारे स्थित है। अभ्रकधारी शैलें अरावली पद्धति के शिस्ट की तुलना में दिल्ली पद्धति के शिस्टयुक्त रचना से सम्बन्धित है। मुख्य खानें तोरावाटी तहसील में-कचरदा, मकरी और मून्दा में स्थित हैं। इन खानों में अभ्रक हरी किस्म का है।

इस राज्य में निर्यात का अधिकांश भाग दराती-प्रसाधित-पिण्ड-अभ्रक (Sickle dressed block mica) का है। चाकू-प्रसाधिक पिण्ड (Knife dressed block) और फिल्म अभ्रक की कुछ मात्रा भी भेजी जाती है। इस राज्य का अभ्रक खनन उद्योग बिहार के बाजार पर निर्भर हैं जहाँ से लगभग सारा अभ्रक निर्यात किया जाता है। यदि अभ्रक का विपाटन इस राज्य में विकसित हो जाए, तो सम्भव है कि इस राज्य से विदेशों को सीधा निर्यात बढ़ जाए। 2012-13 में अभ्रक का उत्पादन 7180 टन आंका गया है जो पिछले साल से अधिक था।

## रॉक-फॉस्फेट (Rock Phosphate)

यह एक प्राकृतिक खाद खनिज है। खाद का महत्त्व तो आप सब जानते हैं। इसके मुख्य भण्डार उदयपुर जिले में हैं, जहाँ पर करीब 5 करोड़ टन रॉक फॉस्फेट होने का अनुमान है। इसके अतिरिक्त इसके खनिज/भण्डार बाँसवाड़ा, बाड़मेर जिलों में भी है। फॉस्फोरस, जीवन और विचार का मूल तत्त्व सभी वानस्पतिक विकास के तीन अनिवार्य पोषक तत्त्वों में से एक है, अन्य दो तत्त्व नाइट्रोजन और पोटेशियम हैं। सीमित कृषिगत भूमि में गहन कृषि पद्धति की शुरूआत के साथ फॉस्फेटिक उर्वरकों जैसे सिंगल सुपर फॉस्फेट, टी.एस.पी., डी.ए.पी. और नाइट्रो फॉस्फेट को बडे. पैमाने पर उपयोग मिट्टी में फॉस्फोरस के अपेक्षित स्तर को बनाए रखने के लिए अनिवार्य हो गया है।

रॉक-फॉस्फेट का महत्त्व फॉस्फोरस के अति महत्त्वपूर्ण अजैव स्त्रोत के रूप में 19वीं शताब्दी के मध्य में एक जर्मन रसायनज्ञ जस्टस वॉन लाइबिग द्वारा प्रथम बार महसूस किया गया, जिसने इसके महत्त्व को वानस्पतिक रस-प्रक्रिया में प्रदर्शित किया। तब से फॉस्फेट को सामान्य तथा मिश्रित फॉस्फेटिक उर्वरकों के निर्माण के लिए अति-आवश्यक माना गया है।

स्वतंत्रता प्राप्ति से भारत में फॉस्फेटिक उर्वरकों की खपत और उत्पादन में असाधारण वृद्धि हुई है। छठे दशक के प्रारम्भ में पी2ओ5 के लगभग छ: हजार टन के मामूली खपत स्तर से 1994-95 तक पी2ओ5 की परियोजित माँग लगभग 4.4 मिलियन टन आंकी गई है। तथापि, उपर्युक्त आवश्यकता (2.1 मिलियन टन) का बड़ा भाग या तो फॉस्फोरिक एसिड या डी.ए.पी. के रूप में आयोजित करने की संभावना है। पी2ओ5 को शेष 2.3 मिलियन टन रॉक फॉस्फेट पर आधारित उर्वरकों के स्वदेशी उत्पादन से पूरा करना पड़ेगा। इस प्रकार आठवीं योजना के अंत तक लगभग 7.3 मिलियन टन रॉक फॉस्फेट की आवश्यकता आंकी होगी।

अधिकाधिक फॉस्फेटिक उर्वरक के उत्पादन के लिए देश की बढ़ती हुई आवश्यकता के मुकाबले देश के उपलब्ध स्वदेशी रॉक फॉस्फेट भंडार की स्थिति अच्छी नहीं है। भारत में आज दिन तक सिर्फ 185 मिलियन टन ज्ञात रॉक फॉस्फेट के भण्डार ही है। झामर कोटड़ा रॉक फॉस्फेट भण्डार के एकमात्र अपवाद के साथ, अधिकतर भण्डारों में माल आकार एवं श्रेणी में हल्का है। 76 मिलियन टन के प्रमाणित भण्डार के साथ झामर कोटड़ा के निक्षेप की देश में सबसे बड़ी फॉस्फेट की खान हैं, जो बड़ी उर्वरक इकाई को फीड-स्टॉक आवश्यकता की दीर्घावधि तक पूर्ति कर सकती है।

झामर कोटड़ा में 1969 में ऑपन कास्ट खनन पद्धति से कार्य प्रारम्भ किया। प्रचालन के अंतिम दो दशकों के दौरान खनन परिदृश्य में महत्त्वपूर्ण परिवर्तन हुआ। हस्तचालित खनन से देश में भारी से भारी अत्याधुनिक खनन मशीनरियों में से कुछ मशीनों का उपयोग किया रहा है, जिनमें अनुषंगी उपस्करों के साथ साथ 10'' ब्लास्ट हॉल, ड्रिल, 4.6 घन मीटर शॉवल, 50 टन के डम्पर, 400 अश्व शक्ति के डोजर शामिल है। विशिष्ट प्रकृति के भण्डार होने के कारण 1:8.7 के औसतन अयस्क तथा ओवरबर्डन के अनुपात पर अधिक उपरिभार पृथक्करण सहित इनक्वालिफाइड माइनिंग को अपनाया गया।

झामर कोटड़ा में मुख्य गर्त (खड्डू) 3,000 मीटर लम्बा, 700 मीटर चौड़ा तथा 200 मीटर गहरा होगा तथा एक और गर्त (खड्डू) होगा जो आकार में कुछ छोटा होगा। खान को ''फ्लोटिंग कोन'' सिद्धांत के आधार पर अभिकल्पित किया गया है। अयस्क पिंड मोडलिंग द्वारा कम्प्यूटरीकृत भू-सांख्यिकीय क्रिगिंग का उपयोग किया है। 20 वर्ष के खनन परियोजित समय के दौरान 170 मिलियन टन सख्त भारी अपशिष्ट चट्टानों को हटाने के साथ साथ कुल लगभग 20 मिलियन टन दोनों उच्च तथा निम्न श्रेणी अयस्क का उत्खनन किया जाएगा। चूंकि, गर्त किनारे के उच्चतम बिन्दु से गर्त-तल पर्याप्त रूप से गहरा होगा। अत: आवश्यक गर्त ढलान कोण उपलब्ध कराने बेचिंग, खान विजलन इत्यादि हेतु सभी आवश्यक उपाय कर लिए गए हैं। जब झामर कोटड़ा फॉस्फेट खान विकसित हो जाएगी तो यह देश में सबसे अधिक गहरी तथा वैज्ञानिक तरीके से सुविकसित की गई खानों में से एक खान होगी।

झामर कोटड़ा में उपलब्ध लगभग 60 मिलियन टन का डोलोमाइट अयस्क का विशाल भण्डार तुलनात्मक रूप से हल्की श्रेणी का है और इसका कारण डोलोमाइट और सिलिका खनिज खण्डों के साथ अयस्क के फॉस्फेटिक अंश का मिला होना है। झामर कोटड़ा में अयस्क निष्कर्षण की अधिकाधिक आवश्यकता को महसूस करते हुए और इस खनिज भण्डार के उत्तर संरक्षण को भी दृष्टिगत रखते हुए यह स्वीकार किया गया कि परिशोधित कार्य अनिवार्य होगा और तदनुसार एक व्यापक अनुसंधान एवं विकास का कार्यक्रम बनाया गया। 6 करोड़ रुपए के व्यय के साथ 10 वर्षों तक के अथक प्रयत्नों से आर.एस.एस.एम. लि. उपयुक्त तकनीकी प्रक्रिया के विकास को सुनिश्चित कर सका और विश्व में अपने तरीके के विशाल प्रायोगिक संयंत्रों में से झामर कोटड़ा में स्थित एक विशाल प्रायोगिक संयंत्र को परिपूर्ण बनाया गया। इस संयंत्र द्वारा अधिक व अच्छी किस्म का सान्द्र उत्पादित किया जा रहा है जिसकी तुलना देश में वर्तमान में आयात किया जा रहे अच्छी वाणिज्यिक स्तर के प्रयोग से देश में महत्त्वपूर्ण प्रौद्योगिकीय विकास परिलक्षित हुआ है।

झामर कोटड़ा में अच्छे किस्म के सान्द्र के संभावित उत्पादन को देखते हुए और फॉस्फेट की भावी आवश्यकता का 85 प्रतिशत से अधिक आयात चालू रखने के तथ्य को दृष्टिगत रखते हुए झामर कोटड़ा सान्द्र के विपणन में कोई कठिनाई नहीं होगी।

यह अनुमान किया गया है कि झामर कोटड़ा समन्वित परियोजना के सफलतापूर्वक निष्पादन के परिणामस्वरूप पूरी परियोजना अवधि में लगभग 1,500 करोड़ रुपए की विदेशी मुद्रा की बचत होगी।

झामर कोटड़ा उदयपुर जिले के पिछड़े और जनजातीय क्षेत्र में स्थित है और स्थानीय आबादी के लिए कई आर्थिक गतिविधियाँ प्रारम्भ करने का स्त्रोत रहा है। झामर कोटड़ा समन्वित परियोजना के निष्पादन के भविष्य में निम्नांकित मुख्य उपलब्धियाँ होगी :-

(1) जैसी कि पहले बताया गया है, आयात प्रतिस्थापन तथा विदेशी मुद्रा की बचत,
(2) राज्य में बडे उर्वरक कॉम्प्लेक्स का निर्माण,
(3) 2,000 से अधिक व्यक्तियों के प्रत्यक्ष रोजगार की संभावना और उनसे पिछड़े जनजातीय क्षेत्र का सामाजिक, औद्योगिक और आर्थिक विकास,
(4) उदयपुर में तथा आसपास में कई अनुषंगी उद्योगों का विकास।
(5) चूंकि, झामर कोटड़ा भारत की गहरी ऑपन कास्ट खानों में से एक खान होगी अत: देश में उपलब्ध प्रौद्योगिकी की प्रगति, तथा
(6) स्वदेशी रॉक फॉस्फेट पर आधारित स्रोत का संरक्षण तथा वैज्ञानिक विकास होगा।

2013-14 में रॉक-फॉस्फेट का उत्पादन 14.4 लाख टन हुआ था। रॉक-फॉस्फेट की बिक्री से राज्य सरकार को करोड़ों रुपयों की आमदनी होती है।

**फेल्सपार (Feldspar)**

साधारणतया फेल्सपार में अलकली एल्यूमिना सिलिकेट खनिज का एक वर्ग सम्मिलित होता है जिसमें माइक्रोलीन, आर्थोकलेन तथा एल्बाइट सबसे महत्त्वपूर्ण है। व्यापारिक फेल्सपार शैल पोटाश स्पार और सोडास्पार का एक सम्मिश्रण है यह खनिज सिरेमिक और शीशा उद्योगों में प्रयुक्त होता है।

फेल्सपार पैग्मेटाइट शिलाओं में मिलता है जो अरावली या दिल्ली समूह की शिलाओं में प्रविष्ट हो गई है। यह खनिज अभ्रकधारी पैग्मेटाइटों के साथ मिलता है। इसलिए समस्त अभ्रक और बेरिल खानें उदयपुर और जयपुर में फेल्सपार की एक बड़ी मात्रा पैदा करती हैं। इस खनिज की प्राप्ति अभ्रक की खानों से एक उप-उत्पादन के रूप में होती है।

प्रमुख उपलब्धियाँ जयपुर जिले में डूँगरवाड़ा ददिया, वान्डेर सनेरी, गूजरवाड़ा; पाली जिले में चांदिया, प्रतापगढ़, डिन्गौर, फुलाद और बर में है, तथा टोंक, सीकर, उदयपुर, डूँगरपुर और बाँसवाड़ा जिलों में अनेक लघु-उपलब्धियाँ हैं। सन् 2016-17 में इसका उत्पादन 20.7 लाख टन हुआ था।

**ऐस्बेस्टस (Asbestos)**

यह एक रेशेदार खनिज है तथा इसका मुख्य उपयोग आग से बचाव के कपड़े बनाने, सीमेंट व पाईप आदि बनाने के काम में आता है। चलचित्र का पर्दा भी इसी का बना होता है। इससे रेशेदार खनिज के भण्डार मुख्य रूप से अजमेर, पाली, डूँगरपुर व उदयपुर तथा भीलवाड़ा क्षेत्रों में है।

ऐस्बेटस के ताप-निरोधक प्रमुख लक्षण में से व्यावसायिक और औद्योगिक उपयोग का महत्त्वपूर्ण खनिज बना दिया है। इस खनिज के प्रमुख भौतिक लक्षण हैं-शक्ति, लचीलापन, रेशे की लम्बाई और कड़ापन, बारीकी और गलनीयता। ऐस्बेस्टास का उपयोग, ताप-वाहकता के लिए बने विशेष प्रकार के सीमेन्ट के निर्माण में (ऐस्बेस्टास सीमेन्ट चादरें) और स्वचालकों में अस्तर के लिए एवं रासायनिक माल तैयार करने वाले उद्योगों में होता है। व्यावसायिक ऐस्बेस्टास दो प्रमुख वर्गों में मिलता है-क्राइसोलाइट और ऐंफीबोल। इनकी भी अनेक किस्में होती हैं। ऐंफीबल वर्ग का खनिज घटिया किस्म का होता है जो राजस्थान में मिलता है। ऐफिबोल में तीन किस्में-ट्रिमोलाइट, एक्टिनेलाइट और ऐस्बेस्टास-सबसे महत्त्वपूर्ण हैं। इन तीनों किस्मों की रासायनिक रचना और इनका स्वरूप बहुत ज्यादा मिलता-जुलता है,

सिवाय इसके कि ऐस्बेस्टास के रेशे बहुत लम्बे होते हैं और हाथ से भी अलग किए जा सकते हैं। ट्रिमोलाइट किस्म परिवर्तित चट्टानों में लम्बे, दृढ़ और ब्लेड के समान गहरे भूरे रंग के कणों में और लम्बे-पतले रेशे वाले और दण्डाकार समूहों में भी मिलती है।

राजस्थान भारतवर्ष के समस्त ऐस्बेस्टास उत्पादन का लगभग 2/5 भाग उत्पन्न करता है। राज्य ने सन् 1989 में लगभग 36.80 हजार टन ऐस्बेस्टास उत्पन्न किया। उत्पादन के प्रमुख क्षेत्र उदयपुर जिले में खैरवाड़ा और ऋषभदेव में स्थित हैं। इनके अतिरिक्त अन्य विकीर्ण और लघु क्षेत्र नाथवाड़ा, कौन्थाल, आसिन्द, देसलिया, सलूम्बर, बारना और गूजम में स्थित हैं। इन क्षेत्रों के अलावा कुछ क्राइसोलाइट उत्पादक क्षेत्र अजमेर, उदयपुर और जोधपुर में स्थित है। राजस्थान में खदानों में काम प्राचीन पद्धति से किया जाता है। रेशा अलग करने का काम, खनिज को पानी में 24 घण्टों तक भिगो कर और फिर एक वृत्ताकार पाषाण घरट में पीस कर किया जाता है। अन्त में खनिज को पाउडर अथवा रेशे के रूप में सुखाया जाता है।

**बैराइट्स (Barytes)**

यह एक भारी सफेद व मटमैला पत्थर होता है। इसको रंग रोगन बनाने के काम में लिया जाता है। इससे दवाई व अन्य रासायनिक पदार्थ बनाए जाते हैं, इसके मुख्य भण्डार अलवर, उदयपुर तथा पाली जिलों में हैं। हमारे प्रदेश का बेराइट अच्छी किस्म का होता है।

व्यावसायिक खनिजों के रूप में बैराइट्स की उपलब्धि अलवर और भरतपुर जिलों तक सीमित हैं। अन्य लघु उपलब्धियाँ अजमेर, बीकानेर और सीकर जिलों में खोदी नहीं गई, क्योंकि खनन प्रक्रियाएँ लाभप्रद नहीं होगी।

यह खनिज अलवर जिले में दो निश्चित क्षेत्रों में मिलता है। एक क्षेत्र उत्तर-पूर्व से दक्षिण-पश्चिम की ओर झाकरा से लाडिया और राजगढ़ तहसील में सब्रावाली तक फैला है। इस क्षेत्र में खनिज खारा, जामरौली, खोरा मकरोड़ा और बबेली-भगत-का-बास में खोदा जाता है। दूसरा क्षेत्र उत्तर-पूर्व से दक्षिण-पश्चिम की ओर सेनपुरी, धोलीधूप, बुरासिन्ध, भानखेड़ा और उम्रेन में जमावों के साथ फैला है। भरतपुर जिले में बैराइट्स हाथौड़ी ग्राम में बीयर के 10 किलोमीटर तक फैला है जो बयाना के रेल-स्टेशन से लगभग 18 किलोमीटर उत्तर-पश्चिम में है।

बैराइट्स उपलब्धियाँ अलवर श्रेणी में क्वार्टजाइट, फाईलाइट और शैल फार्मेशनों तक सीमित है और दरारों तथा कोटर के भरावों (Cavity filling) और बिखरी हुई प्रतिस्थापन्न जमाओं की तरह मिलती है। ये जमाव अभी तक 30 मीटर से अधिक की गहराई तक नहीं खोदे गए है और गहराई में उनका अनुवर्तन निश्चित नहीं किया गया है। सन् 1989 में इसका उत्पादन 15 हजार टन था।

पीसने के बाए बैराइट्स खनिज अनेक तरीकों से प्रयुक्त होता है। पेंट में यह रंग या विस्तारक की तरह, भारी कीचड़ों में तेल की कुओं की खुदाई में, मोमजामा बनाने में, भराव के रूप में तथा लिनोलियम, कागज और प्लास्टिक पदार्थों के निर्माण में प्रयुक्त होता है। रासायनिक उद्योग में इसका उपयोग बैरियम सम्मिश्रणों के बनाने में होता है, जैसे बैरियम क्लोराइड, बैरियम नाइट्रेट, बैरियम कार्बोनेट, बैरियम हाइड्राऑक्साइड और बैरियम सल्फाइड। उद्योगों में इन सम्मिश्रणों का महत्त्वपूर्ण उपयोग है। कच्चे माल के रूप में बैराइट्स पर आधारित एक मध्यम पैमाने का उद्योग अलवर से अच्छी तरह स्थापित किया जा सकता है। यह केन्द्र बाजार के पास और कच्चे माल की पूर्ति के लिए आदर्श रूप से स्थित है।

**पन्ना (Emerald)**

रत्नों के बारे में जानने की हर मनुष्य की जिज्ञासा रही है। इनका हमारे दैनिक जीवन में विशिष्ट स्थान है। अनिष्ट ग्रहों का प्रकोप कम करने तथा स्वास्थ्य लाभ के लिए भी इनका उपयोग बहुत समय से किया जाता रहा है। इन रत्नों का उपयोग व अलंकार की वस्तुएँ बनाने में भी विशेष स्थान रहा है, रत्नों में पन्ना व गारनेट की मुख्य है जो हमारे प्रदेश में मिलते हैं। पन्ना नीम की पत्ती की भाँति हरे रंग का होता है। इसकी खदानें उदयपुर, अजमेर जिलों में हैं। गारनेट, जिसे

तामड़ा भी कहते हैं हल्के भूरे, लाल रंग का अथवा शहद रंग का होता है। इसकी मुख्य खदान टोंक अजमेर जिलों में है। इसके अतिरिक्त और बहुत से रत्न खनिज जो है जो हमारे प्रदेश में मिलते हैं जिनमें कुछ के नाम इस प्रकार है-स्फटिक बिल्लौर, कटहेला, गुलाबिया, धुनेला इत्यादि।

पन्ना एक महत्त्वपूर्ण मूल्यवान पत्थर है, दूसरे मूल्यवान पत्थर-हीरा, लाल, नीलम और पुखराज इत्यादि है। खास तरह का रंग और चमक तथा विशेष भौतिक लक्षण से यह पहचाना जाता है, जैसे रंग, कड़ापन विशिष्ट घनत्व और वर्तनांक। ये सभी पाषाण कच्चे रूप में प्राप्त होते हैं और उपयोग में आने से पूर्व काटे जाते हैं। पन्ना बेरिल की एक मखमली हरे रंग की किस्म है और बेरेलियम तथा एल्युमिनियम का एक सिलीकेट है। पन्ना षट्कोणीय प्रिज्म में कणित हो जाता है और सामान्यत: दोषपूर्ण पाया जाता है। विशुद्ध और उत्तम पन्ने बहुत कीमती होते हैं। यह पाषाण विश्व के अधिकांश देशों में परिवर्तित चट्टानों के साथ में पाया जाता है। राजस्थान में यह कालागुमान और तीखी में, सम्भवत: प्राक-रायोला काल की अत्यन्त सिलिक कायान्तरित शैलों में मिलता है। पन्ना उत्पादक क्षेत्र अधिकांशत: प्राक् अरावली बैन्डेड नाइसी सम्मिश्र तक ही सीमित है।

भारतवर्ष में राजस्थान ही केवल एक राज्य जो पन्ना उत्पन्न करता है। इसका उत्पादन लगभग 80,000 कैरेट (Carats) प्रतिवर्ष है। प्राय: सम्पूर्ण पन्ना उदयपुर जिले के उत्तर में, मावली-मारवाड़ जंक्शन रेल के सहारे, उत्तर में देवगढ़ से दक्षिण में कांकरोली तक फैली हुई, एक संकरी पट्टी में मिलता है। इस फैलाव में महत्त्व की तीन उपलब्धियाँ इस प्रकार से हैं:-

1. कालागुमान क्षेत्र : पन्ना उत्पादन खानें आमेट स्टेशन के लगभग 12 किलोमीटर पश्चिम में और कालागुमान ग्राम से लगभग 2 किलोमीटर पर स्थित हैं। इस क्षेत्र में पन्ना आधारभूत अन्तर्भेदनों के कारण हुए सम्पर्क कायान्तरण से बने है।
2. तीखी क्षेत्र : ये क्षेत्र आमेट स्टेशन से लगभग 24 किलोमीटर पूर्व में है और देवगढ़ स्टेशन से लगभग 7 किलोमीटर दक्षिण-पूर्व में हैं। खानें तीखी ग्राम से लगभग 16 किलोमीटर दक्षिण-पूर्व में स्थित है। यहाँ पन्ना अधिकांशत: बायोटाइट शिष्ट, क्वार्टज-शिस्ट और एक्टीनोलाइट में मिलता है।
3. गाँवगुढ़ा क्षेत्र : ये उपलब्धियाँ नाथवाड़ा स्टेशन से लगभग 26 किलोमीटर उत्तर-पश्चिम में हैं।

इन उपलब्धियों में पन्ना के कणों का आकार एक मटर के दाने से लेकर एक इंच तक मिलता है। एक इंच से अधिक का आकार असाधारण माना जाता है। कच्चा पन्ना अयस्क धोया जाता है, साफ किया जाता है और अन्त में दक्ष कर्त्तकों द्वारा काटा और गढ़ा जाता है।

### मुल्तानी मिट्टी (Fuller's Earth)

इस हल्के पीले रंग की मिट्टी को कौन नहीं जानता। यह बहुत काम में आती है। इस मिट्टी को सर के बालों को धाने के काम में लिया जाता है। बाड़मेर जिले के कापुरड़ी क्षेत्र, बीकानेर जिले के मुढ क्षेत्र, जैसलमेर जिले के मन्डई क्षेत्र इस खनिज के प्रसिद्ध है। ऐसा अनुमान है कि प्रदेश में इस मिट्टी के 33 करोड़ टन के भण्डार है।

यह खनिज मिट्टी का एक प्रकार है जो लोहा ऑक्साइड, चूना, मैग्नेशिया और अलकली के साथ एल्युमिनियम का हाइड्रेट किया हुआ सिलीकेट है। इस मिट्टी का महत्त्व रासायनिक तत्त्वों की अपेक्षा मुख्य रूप से इसके भौतिक लक्षणों के कारण है। जब यह ताजी खोदी जाती है तो हल्की धूसर से भूरी होती है और जब सूख जाती है तब श्वेत से पीत-श्वेत होती है।

इस मिट्टी की महत्त्वपूर्ण उपलब्धियाँ बीकानेर जिले में पलाना, केसरदेसर और मूंध में, बाड़मेर जिलों में कपूरड़ी, आलमसरिया और शिव में तथा जैसलमेर जिले में मान्ढा में स्थित है। इन सभी स्थानों में पलाना के जमाव सबसे अधिक विस्तृत है। यहाँ यह धरातल पर नहीं दिखती बल्कि मिट्टी धरातल से लगभग

46 मीटर की गहराई में मिलती है। पलाना का क्रम है– जलोढ़क, कंकड़ और कड़ी मिट्टी, भुरभुरी मिट्टी इत्यादि और अन्त में न्युमुलिटिक (Nummulitic) चूना–पत्थर के साथ मुल्तानी मिट्टी। ये जमाव बीकानेर शहर से लगभग 23 किलोमीटर पर है। यहाँ मुल्तानी से 3 से 9 मीटर नीचे लिग्नाइट फार्मेशन मिलते हैं। कभी–कभी जब लिग्नाइट के लिए खोदे गए कूप असफल हो जाते हैं, मुल्तानी मिट्टी भूमिस्थ पद्धति से खोदी जाती है। यहाँ का जमाव लम्बाई में लगभग 6 किलोमीटर और चौड़ाई में एक किलोमीटर है। भूमिस्थ खनन पद्धतियाँ इस खनिज की लागत बढ़ा देती है। इस खनिज के अनुमानित भण्डार लगभग 850 लाख टन है।

मूंध जमाव श्री कोलायतजी रेलवे स्टेशन से लगभग 11 किलोमीटर पर हैं। यहाँ खनिज विवृत गर्त पद्धति से खोदा जाता है क्योंकि यह धरातल पर दिखता है। मिट्टी भी अच्छी किस्म की है। इस जिले में केसरदेसर के जमाव, खनन प्रक्रियाओं की ऊँची लागत के कारण हाल में नहीं खोदे गए है।

कपूरड़ी जमाव बाड़मेर जिले में उत्तरलाई रेल स्टेशन के लगभग 23 किलोमीटर उत्तर में स्थित है। इन पर्तों की झुकी प्रवृत्ति के कारण खनिज भूमिस्थ पद्धति से प्राप्त किया जाता है। इसके अतिरिक्त आलमसरिया और शिव जमाव भी इसी जिले में स्थित हैं।

जैसलमेर जिले में यह खनिज मान्ढा और मन्डाई जमावों में मिलता है। रेल की अधिक दूरी ने इन जमावों को अलाभकर बना दिया है, क्योंकि सड़क द्वारा लम्बी दूरी पर यातायात इस खनिज की लागत बढ़ा देता है।

सक्रियण के पश्चात् मुल्तानी मिट्टी वानस्पतिक तेल का रंग उड़ाने में प्रयुक्त होती है। सक्रियण के कारण यह खनिज विरंजन के गुण प्राप्त कर लेता है। वानस्पतिक तेल इस खनिज के सम्पर्क में छोड़ दिए जाते हैं और यह उनका रंग उड़ाने में सहायता देता है। यह खनिज, पेट्रोलियम उत्पादनों, मुख्यत: चिकनाइयों को रंगने में, प्रयुक्त होता है। इसके अतिरिक्त यह जल–शुद्धिकरण, अन्न उत्पादनों से रंगने वाले पदार्थों का पता लगाने, प्रसाधन सामग्री बनाने में, वस्त्रों पर से चिकनाई पदार्थों को हटाने तथा कीटनाशक के लिए बारीक पाउडर के रूप में भी प्रयुक्त किया जाता है।

**घिया पत्थर, टैल्क और स्टीएलाइट (Soapstone, Talc ans Steattic)**

राजस्थान में ये तीनों खनिज, घिया–पत्थर के सामान्य नाम से पुकारे जाते हैं।

सेलखड़ी (सोप स्टोन)–टेल्कम पाउडर का मुख्य आधार सोप स्टोन खनिज है। इसके अलावा यह खनिज कीटनाशक दवाइयों के उपयोग में भी आता है। मूर्तियाँ बनाने में भी इसका उपयोग किया जाता है। इसके मुख्य भण्डार राज्य के जयपुर जिले के डगोथा, झरना, गीजगढ़ क्षेत्र, भीलवाड़ा जिला के देवरिया व चेनपुरा क्षेत्र और उदयपुर तथा डूँगरपुर जिलों के अनेक क्षेत्रों में मिलते हैं। घिया–पत्थर में सामान्यतया मुलायम और सघन टैल्कोज चट्टानें शामिल होती है जो खोदी और चीरी जा सकती हैं तथा छूने में चिकनी होती है। यह सामान्यतया टैल्क खनिज की सघन किस्म है जो महीन कणों, नीले–भूरे, हरति–भूरे रंगों की होती है। स्टिएटाइट टैल्क की मोटे से महीन कणोंवाली एक स्थूल किस्म है। यह राज्य उच्च श्रेणी स्टिएटाइट खनिज में धनी है और भारत के कुल वार्षिक उत्पादन में लगभग 85.0 प्रतिशत अंशदान करता है। स्टिएटाइट और अन्य सम्बन्धित खनिज ऐसे उद्योगों के विकास के लिए बड़ी सम्भावनाएँ रखते हैं जो मुख्य रूप से टैल्क और स्टिएटाइट जैसे कच्चे माल पर आधारित हैं। ये खनिज राज्य में वितरित हैं और विभिन्न आकारों की खानें बहुत बड़ी संख्या में पाई जाती है, जहाँ यह डोलोमाइट के साथ प्राप्त होता है।

1. डागोथा झरना (जयपुर)
2. घेवरिया और चांदपुरा (भीलवाड़ा)
3. देवपुरा (उदयपुर)

1. डागोथा झरना (जयपुर) : ये जमाव दौसा रेलवे स्टेशन से लगभग 26 किलोमीटर उत्तर में स्थित है और खानें पक्की सड़कों से जुड़ी हुई है। टैल्क रचना रोयोला सिरीज के डोलोमाइट में मिलती है और इन क्षेत्रों में आधारभूत अन्तर्भेदन भी मिलते

हैं। यहाँ एक दर्जन से अधिक स्थानों पर स्टिएटाइट खोदा जाता है। अधिकांश खाने उद्गतों से विकसित की गई हैं जिनमें नियंत्रित परतें अथवा मसूराकार जमाव हैं। इस क्षेत्र के अलावा अन्य उपलब्धियाँ खावा, गीजगढ़ और गारी मोरा में स्थित हैं।

2. घेवरिया और चांदपुरा (भीलवाड़ा) : घेवरिया जमाव पिछले चालीस वर्षों से ज्ञात हैं और खानें भीलवाड़ा रेलवे स्टेशन से लगभग 32 किलोमीटर पूर्व में स्थित है। यह स्वच्छ मौसमवाली सड़क से जुड़ी हुई है। खनिज की उपलब्धि मसूराकार जमाव अथवा डोलोमाइट के वृहत् भण्डारों में सीमित हैं। खनिज ठोस और रंग में श्वेत है। चांदपुरा खानें भीलवाड़ा के लगभग 48 किलोमीटर उत्तर-पूर्व में स्थित है। ये दोनों जमाव काफी बड़े हैं, यद्यपि भण्डारों के विस्तार का उचित रूप से अनुमान नहीं लगाया है।
3. देवपुरा (उदयपुर) : देवपुरा, लाखावाली, लोहारगढ़, सालोग, भूंगवत, देवला, नाथरा-का-पाल, ऋषभदेव और बहुत-सी खानें उदयपुर में मिलती हैं। घिया-पत्थर के देवपुरा जमाव वृहत्तम् हैं और उदयपुर के लगभग 50 किलोमीटर दक्षिण में स्थित है। खनिज अरावली काल के डोलोमाइट के साथ मिलता है। जमाव पहाड़ियों के पार्श्वों पर 92 किलोमीटर की ऊँचाई पर स्थित है। जमाव की चौड़ाई कुछ स्थानों पर 18 मीटर से ज्यादा है। लोहारगढ़ और सालोज की खानें उदयपुर के दक्षिण-पूर्व में लगभग 130 किलोमीटर और 127 किलोमीटर पर स्थित हैं।
4. अन्य क्षेत्र : उपर्युक्त खानों के अतिरिक्त यह खनिज अन्य अनेक जगह मिलता है। जैसे दीरावा (सीकर), नवाई (टोंक) नारावाली (बाँसवाड़ा), जाकोल और खेमड़ा (डूँगरपुर)।

**संगमरमर (Marble)**

विश्व प्रसिद्ध मकराना संगमरमर राजस्थान के नागौर जिले में पाया जाता है और भारत में उत्पादित संगमरमर की सर्वोत्तम श्रेणी में रखा जाता है। यह राज्य देश का प्राय: सम्पूर्ण उत्पन्न करता है।

यह कई रंगों में मिलता है। सफेद संगमरमर को तो आप जानते ही हैं। ताजमहल भी इसी पत्थर का बना है। यह पत्थर हमारे प्रदेश में बहुत मिलता है इसके भण्डार नागौर जिले के मकराना उदयपुर जिले के कांकरोली व नाथद्वारा एवं अलवर जिले के झिरी क्षेत्र में स्थित है। यह पत्थर और बहुत सी जगहों पर मिलता है।

संगमरमर उत्पादक क्षेत्र इस राज्य में उत्तर-पूर्व में नागौर, सीकर, जयपुर और अलवर जिलों में और दक्षिण-पश्चिम में उदयपुर, जालौर और सिरोही जिलों में स्थित है। कुछ संगमरमर जैसलमेर नगर के दक्षिण-पश्चिम में भी खोदा जाता है।

1. मकराना जमाव—उत्तम संगमरमर के लिए मकराना विशेष रूप से प्रसिद्ध है। स्वयं हमारे समय की अनेक कई मंजिली इमारतें तथा मुस्लिम और मध्यकालीन अन्य गौरवपूर्ण स्मारक मकराना के इसी छोटे से नगर के संगमरमर से बने हैं। विश्व प्रसिद्ध ताजमहल (सम्राट शाहजहां द्वारा निर्मित) इसी संगमरमर का बना है। विशुद्ध श्वेत संगमरमर इस क्षेत्र से कलकत्ता तक विक्टोरिया स्मारक के निर्माण के लिए ले जाया गया था। ये जमाव नागौर रेलवे स्टेशन के नजदीक नागौर जिले के उत्तर-पूर्व में स्थित हैं। लगभग 30 मीटर ऊँची संगमरमर की पहाड़ी उत्तर-पूर्व से दक्षिण-पश्चिम दिशा में, पूर्व में माताजी के मन्दिर से मकराना नगर के पश्चिम में काला डूंगरी तक, लगभग 20 किलोमीटर तक, रेल लाइन के समानान्तर जाती है। ये जमाव रायोला सीरीज के बिल्लौरी चूने-पत्थर के विशेष उद्गतों का प्रतिनिधित्व करते हैं। हेरफेर के साथ संगमरमर के अनेक क्रम मिलते हैं। संगमरमर केवल उन्हीं क्षेत्रों में खोदा गया है जहाँ वह धरातल पर उद्गत अथवा उभरा हुआ है। कुमारी समूह की पहाड़ियों में ये निम्न परतें अधिकांशत: उभरी हुई है। इस समूह में चारों पहाड़ियाँ, मानिया-की- भांकरी, कुमारी डूंगर और धोली डूंगरी शामिल हैं। बोरावड़ के निकट संगमरमर

नीले भूरे घटिया मोटे कणों के संगमरमर से बना है, जबकि वह श्रेणी, जिसमें माटिन की प्राचीन खानें और भुल्डा श्रेणी, जो पूर्व की ओर उसके ऊपर पड़ी हुई है, सम्मिलित है, उत्तम किस्म का श्वेत संगमरमर उत्पन्न करती है। काला डूंगरी में निम्न परतों में कुछ गुलाबी संगमरमर भी मिलता है। मकराना से प्राप्त संगमरमर अधिकांशत: मोटे कणों का है, परन्तु कुछ खानों से अनेक आभाओं की सूक्ष्म कणों वाली किस्में भी प्राप्त की जाती है। मकराना संगमरमर में, इटालियन और ग्रीशियन संगमरमर की तुलना में, अशुद्धियों का प्रतिशत बहुत कम रहता है। इसमें लगभग 98.0 प्रतिशत कैल्शियम कार्बोनेट रहता है। इस क्षेत्र में लगभग 200 खानें खोदी जा रही हैं। प्राय: सभी खानें निवृत्त-खान पद्धति खोदा गया है। अनेक स्थानों पर गहराई लगभग 30 मीटर से 45 मीटर तक पहुँच गई है।

इस तथ्य के बावजूद भी कि ये खानें शताब्दियों से खोदी जा रही है। इनमें संगमरमर का भण्डार अक्षय प्रतीत होता है। सम्पूर्ण श्रेणी के सहारे अनेक आकारों की विवृत्ताएँ बड़ी संख्या में मिलती है जिनमें से कुछ तो संगमरमर के खोदे गए स्थान से 70 मीटर की गहराई तक पहुँच गए हैं। सम्पूर्ण खुदाई के समय लगभग 8,000 मजदूर काटने और विस्फोटन क्रियाओं पर भर्ती किए जाते हैं। चूंकि यह काम अभी तक हथौड़े और छेनी से किया जाता है, संगमरमर की एक खासी मात्रा संगमरमर खण्डों के बनाने में नष्ट हो जाती है। भारी सिल्लियों को खींचने के लिए क्रेनों का उपयोग होता है।

मकराना नगर की जनसंख्या 59,648 (1991) है और प्राय: सम्पूर्ण जनसंख्या संगमरमर से ही अपनी आजीविका प्राप्त करती है। स्वतंत्रता के बाद इस खनिज की बड़ी माँग हुई है जिसके परिणामस्वरूप इसकी दरें बढ़ गई हैं।

2. संगमरमर की अन्य उपलब्धियाँ मान्ढा, (सीकर जिला) किशनगढ़ (जयपुर जिला) और अलवर जिले में जिरी तथा दादमपीर में प्राप्त होती हैं। किशनगढ़ की संगमरमर की उद्गतें नागौर जिले के मकराना संगमरमर का अनुवर्तन हैं। विभिन्न रंगों में जैसे श्वेत, गुलाबी, श्याम, रेखित, हरे इत्यादि के संगमरमर इन खानों में मिलते हैं। अलवर के संगमरमर की विशेषता उसकी सफेद स्फटिक जैसी बनावट है। यह निर्माण कार्यों में प्रयुक्त होता है। संगमरमर खनन क्षेत्र उदयपुर जिले में देवीमाता और राजनगर में, भटिण्डा (सिरोही जिला) और रूपी (जालौर जिला) में स्थित हैं। देवीमाता और राजनगर की खानें गुलाबी रंग का संगमरमर उत्पन्न करती हैं जो अधिकांशत: निर्माण कार्यों में प्रयुक्त होता है। देवीमाता खानें उदयपुर नगर से लगभग 24 किलोमीटर दक्षिण-पूर्व में स्थित है। भटाना खान सिरोही जिले में आबू रोड़ रेलवे स्टेशन से लगभग 32 किलोमीटर पश्चिम में, भटाना ग्राम में स्थित है। रूपी स्थानीय उपयोग के लिए थोड़ा-सा ही संगमरमर उत्पन्न करती है।

3. जैसलमेर संगमरमर कुछ भिन्न है। यह जुरैसिक काल का एक फासिलयुक्त पीत सीपी संगमरमर है। ये फासिल, पालिश के बाद, अनन्य नमूने प्रदर्शित करते हैं। यह अच्छा आलंकारिक पाषाण है। यह संगमरमर, श्वेत और अन्य आभाओं के साथ खिलौने बनाने और सज्जा की वस्तुओं पर विभिन्न नमूने बनाने के लिए सामान्यत: प्रयोग में लाया जाता है। खानें निकटतम रेलवे स्टेशन फलौदी से लगभग 115-130 किलोमीटर पर हैं। यातायात सुविधाओं की कमी इन खानों के विकास में बाधक रही है।

हाल ही में पाली-आबू सड़क पर स्पेक्ट्रम के सातों रंगों वाला संगमरमर पत्थर मिला है। यह संगमरमर कड़ा है और काफी बड़े चट्टानों में मिलता है। यदि इस पत्थर का उत्खनन व्यापारिक स्तर पर किया जाए तो इसकी खपत न केवल भारत परन्तु विदेशों में भी होने की आशा है।

संगमरमर के उत्पादन में प्रति वर्ष वृद्धि हो रही है। 2016-17 में संगमरमर का उत्पादन 126.8 लाख टन हुआ था जो पिछले वर्ष से कम था। संगमरमर काटने एवं पालिश करने में उद्योग आधुनिकीकरण के फलस्वरूप अब राजस्थान में पहले की अपेक्षा बेहतर एवं अधिक पत्थर उपलब्ध होने लगा है।

## अन्य खनिज

**चूना पत्थर**–यह वह पत्थर है जिससे कली व चूना बनता है। इसी कारण इसको चूना पत्थर कहते हैं। यह भवन निर्माण के काम आता है। इस्पात में भी इस पत्थर का योगदान होता है। यह पत्थर राज्य में प्रचुर मात्रा में पाया जाता है। प्रदेश के हर जिले में इसके भण्डार हैं। एक अनुमान के अनुसार प्रदेश में करीब 3 अरब टन चूने के पत्थरों के भण्डार हैं। 2016-17 में लाइमस्टोन का उत्पादन लगभग 126.85 लाख टन आंका गया है।

**खड़िया मिट्टी**–यह सफेद रंग की मिट्टी होती है। इसको व कांच की मिट्टी को मिला कर चीनी के बर्तन बनाए जाते हैं। चाय के कप और तश्तरी, टाईल्स एवं वॉश-बेसन भी इसी की देन है। इसके मुख्य भण्डार बीकानेर, बाड़मेर, पाली, अलवर, सवाई माधोपुर और चित्तौड़गढ़ जिलों में है।

**काँच मिट्टी**–काँच का सामान तो हरेक घर में प्रयोग होता है। काँच की बोतल, गिलास, लालटेन की चिमनी इंत्यादि भी इसी मिट्टी से बनते हैं। माँ व बहनों के हाथों की चूड़ियाँ भी इसी की बनती हैं। यह सफेद रेत के रूप में खदानों से निकलती है। इसके मुख्य भण्डार जयपुर, टोंक, बूंदी और सवाई माधोपुर जिलों में विभिन्न क्षेत्रों में हैं।

**बाक्साईट**–यह एल्युमीनियम धातु का पत्थर है। इसके बनने वाले बर्तनों को तो सब ही जानते हैं। यह बहुत ही कम मात्रा में अपने प्रदेश के कोटा जिले के मानोती सेरोल क्षेत्र में मिलता है। करीब 50 हजार टन के भण्डार होने का अनुमान है।

**प्लोराइट**–इसका मुख्य उपयोग लोह बनाने में आता है। इसके अतिरिक्त यह लैन्स बनाने में भी काम आता है। इसके मुख्य भण्डार डूँगरपुर जिले के मानडों की पाल क्षेत्र एवं सीकर जिले के चौकरी-चापोली क्षेत्र में हैं। एक अनुमान के अनुसार करीब 1.5 लाख टन प्लोराइट के पत्थर है जिसमें करीब 15-17 प्रतिशत कैल्शियम प्लोराइट है।

**सेंधा नमक**–इस खनिज को सभी लोग जानते हैं। यह अपने प्रदेश के उत्तरी जिलों, गंगानगर, चुरू, बीकानेर में करीब 500 मीटर गहराई पर जमीन के भीतर मिलता है। इसके भण्डार एक अनुमान से करीब 5,000 अरब टन हैं।

**वरमीक्यूलाइट**–अजमेर जिले में एक खान से थोड़ी मात्रा में वरमीक्यूलाइट निकाला जाता है। इस पर अग्नि का प्रभाव नहीं होता। यह ताप व ध्वनि का अच्छा इन्स्यूलेटर (कुचालक) होता है।

**वाल्स्टोनाइट**–यह एक नवीन खनिज है जिसके उपयोग बढ़ते जा रहे है। यह सिरैमिक उद्योग में काफी काम में आता है। यह पेंट व कागज उद्योग में भी प्रयुक्त होता है। यह सिरोही जिले में मिलता है।

**चायना क्ले व व्हाइट क्ले**–यह बर्तन बनाने व विद्युत इन्स्यूलेटर के रूप में काम आता है। यह सवाई माधोपुर, सीकर, अलवर, नागौर व जालौर जिलों में पाया जाता है।

**फमायर क्ले**–यह अजमेर, अलवर, जयपुर, जोधपुर, सीकर व उदयपुर जिलों में निकाला जाता है। यह चिप्स व पाउडर तथा चूना बनाने में भी काम आता है। 1990 में इसका उत्पादन 3 हजार टन हुआ जो पिछले वर्ष से अधिक था।

**केल्साइट**–यह रसायन के रूप में कैल्शियम कार्बोनेट होता है। यह कागज, वस्त्र, चीनी मिट्टी उद्योग,पेंट इत्यादि में काम आता है। यह सीकर जिले में प्राप्त होता है। लेकिन कुछ मात्रा सिरोही, पाली, जयपुर व उदयपुर जिलों में भी निकाली जाती है।

**ओकर्स (Ochres) (लाल और पीले)**–ये खनिज पिगमेंट होते हैं जो घुलते नहीं है और रंग बनाने, सीमेंट, रबड़, प्लास्टिक आदि उद्योगों में काम आते हैं। यह चित्तौड़गढ़ जिले में कई स्थानों पर मिलता है। यह कुछ अन्य जिलों में भी मिलता है।

**नमक**–राजस्थान में सांभर झील में काफी नमक उत्पन्न किया जाता है। डीडवाना, पचपदरा व लूणकरणसर भी नमक के उत्पादन के मुख्य क्षेत्र माने गए हैं।

## पंचवर्षीय योजनाओं में खनिज विकास

**प्रथम पंचवर्षीय योजना**–इस योजना में खनिजों के विकास के लिए सुनियोजित ढंग से प्रयास किए

गए। भू-गर्भ निरीक्षण विभाग ने देश की कई खानों का पता लगाया। 1952 में खानों में कार्य करने वाली की संख्या 13,400 थी जो बढ़कर योजनाकाल के अन्त में 51,286 हो गई। उत्पादित खनिज का मूल्य 3,4 करोड़ था जो बढ़कर 3.65 करोड़ हो गया।

**द्वितीय पंचवर्षीय योजना**–इस योजना अवधि में खनिजों को औद्योगिक विकास का आधार मानकर लोहा, कोयला व चूने के पत्थर आदि खनिजों का उत्पादन बढ़ाया गया। इस योजना के अन्त में खनिज उत्पादन का मूल्य बढ़कर 6.2 करोड़ रुपए हो गया।

**तृतीय पंचवर्षीय योजना**–इस योजना के अन्तर्गत 3.65 करोड़ रुपए खनिज विकास की योजना के लिए प्रदान किये गये। लेकिन योजना व्यय का बड़ा हिस्सा 2.75 करोड़ रुपए राजस्थान राज्य खनन निगम की स्थापना पर खर्च किया गया ओर खनिज विकास जो कि योजना का मूल उद्देश्य था नजर अन्दाज किया गया। फिर भी खनन कार्य में लगे व्यक्तियों की संख्या 51 हजार से बढ़कर 76 हजार हो गयी तथा उत्पादन भी 6.2 करोड़ रुपए से बढ़कर 9.62 करोड़ रुपए हो गया।

**तीन वार्षिक योजनाएं एवं चतुर्थ योजना**–इस काल में खनिज और भूगर्भ विभाग का पुनर्गठन किया गया तथा इसका विस्तार भी किया गया। चतुर्थ योजना में खनिज सम्बन्धी नीति निम्न प्रकार रही—

वर्तमान में जो खनिज तथा धातुएँ पूर्णत: या अंशत: विदेशों से आयात की जाती है, उनके कार्यशील भण्डारों का पता लगाना। लोहा, जिप्सम, कोयला, चूने का पत्थर आदि के अतिरिक्त भण्डारों का पता लगाना जिससे देश की बढ़ती हुई आवश्यकताओं को पूरा किया जा सके। निर्यात योग्य खनिजों के भण्डारों का पता लगाना जिससे आय में वृद्धि हो सके।

इस सब के बावजूद भी योजनाकाल बुरा रहा। औद्योगिक मन्दी के परिणामस्वरूप योजना के अन्त में खनिजों का मूल्य सिर्फ 4 करोड़ ही रहा।

**पाँचवीं पंचवर्षीय योजना**–इस योजना में भारत सरकार द्वारा खनिज विकास योजना के अन्तर्गत चार क्षेत्रीय मण्डलों में एक मण्डल अजमेर में स्थापित किया गया। योजना अवधि में खनिज विकास पर 4.75 करोड़ रुपए की राशि व्यय की गई। उत्पादित खनिजों का मूल्य योजना के अन्त में बढ़कर 49 करोड़ हो गया। वह इस बात का संकेत था कि राज्य में खनन क्रियाएँ जोर पकड़ने लगी है।

**छठी पंचवर्षीय योजना**–इस योजना में 15 करोड़ रुपए खनिज विकास के लिए निर्धारित किए गए थे। इसमें खनिज सर्वेक्षण और सड़क निर्माण को प्रधानता दी गई। खनिज विकास निगम की स्थापना की गई। योजना के अंतिम वर्ष 1984-85 में खनिजों का विक्रय मूल्य 190 करोड़ रहा।

**सातवीं पंचवर्षीय योजना**–योजना में इस बात को दोहराया गया है कि राज्य में प्रचुर मात्रा में खनिज सम्पदा उपलब्ध है। उपलब्ध खनिज सम्पदा व वैज्ञानिक पद्धति से खनन करके ही राज्य की आय को बढ़ाया जा सकता है। सर्वेक्षण एवं पूर्व सर्वेक्षण का कार्य 60 परियोजनाओं तक सीमित किया गया है। वैज्ञानिक पद्धति से टंगस्टन खनिज के दोहन हेतु भारत सरकार के परमाणु ऊर्जा विभाग के सहयोग से लघु टंगस्टन परिष्करण संयंत्र लगाया गया है। योजनाकाल में खनिज विकास पर 4,559.01 लाख रुपए व्यय किए गए।

**आठवीं पंचवर्षीय योजना (1990-95)**–इस योजनाकाल में खनिज विकास पर 5,425 लाख रुपए व्यय करने का प्रावधान रखा गया है। राजस्थान राज्य खनिज विकास निगम, खनिज आधारित औद्योगिक परियोजनाओं का प्रवर्तन कर रहा है। निगम द्वारा विभिन्न खानों में नियोजित श्रमिकों की सुरक्षा को हमेशा उच्च प्राथमिता दी जा रही है।

खनिज क्षेत्र का अंश राज्य के शुद्ध घरेलू उत्पत्ति में 2 प्रतिशत के लगभग है। इस क्षेत्र में 1.5 लाख व्यक्तियों को रोजगार मिला हुआ है। सरकार को खनिजों से रॉयल्टी की आय प्राप्त होती है।

### राज्य की खनिज नीति, 2015

परिवहन व शक्ति के साधनों के विकास से राजस्थान में खनिज-आधारित उद्योगों के विकास की

सम्भावनाएँ बढ़ रही है। राज्य में खनिज विकास के लिए 2015 में खनिज नीति घोषित की गई थी। इसमें खनिज पदार्थों की खोज हेतु सर्वेक्षण एवं अंवेषण पर जोर दिया गया था। इसमें सड़कों के मास्टर प्लान बनाने, बिजली उपलब्ध कराने व खनन कार्य के लिए बैंकों, सहकारी संस्थाओं तथा राजस्थान वित्त निगम आदि के माध्यम से ऋण उपलब्ध कराने पर जोर दिया गया था। इसमें कहा गया है कि छोटे पट्टेधारियों को ऋण दिया जाएगा तथा अप्रधान खनिजों जैसे-लाइमस्टोन, संगमरमर आदि के पट्टे अनुसूचित जाति व अनुसूचित जनजाति के व्यक्तियों को भी प्राथमिकता के आधार पर दिए जाएंगे।

राज्य में खनिजों के विकास के लिए नवम्बर 1979 में राजस्थान राज्य खनिज विकास निगम (RSMDC) स्थापित किया गया था। पहले यह कार्य (RIMDC) के अन्तर्गत किया जाता था। रॉक-फॉस्फेट के खनन के लिए राजस्थान राज्य खान व खनन लिमिटेड कार्यरत हैं।

## राजस्थान खनन-नीति 2015
## (Rajasthan Mineral Policy 2015)

खनिज नीति 2015 के प्रपत्र के अनुसार राजस्थान में 70 किस्म के खनिज पाए जाते हैं, जिनमें से 57 को व्यावसायिक दृष्टि से विदोहन किया जा रहा है। देश के कुल खनिज उत्पादन का 9% अंश राजस्थान से प्राप्त होता है। राज्य का निम्न खनिजों में देश के कुल उत्पादन में लगभग एकाधिकार (Monopoly) है- सीसा, जस्ता, जिप्सम, सोपस्टोन, बॉलक्ले, कैल्साइट, रॉक फॉस्फेट, फेल्सपार, केओलीन, तांबा, जैस्पर, गारनेट, वोलास्टोनाइट, चाँदी आदि। राज्य में लिग्नाइट, क्रूड तेल व उच्च किस्म की गैस पाई जाती है।

राज्य में 2013-14 में क्रूड तेल, प्राकृतिक गैस, की रोयल्टी व Dead rent व fees आदि से लगभग 5993 करोड़ रु. का राजस्व प्राप्त हुआ था। 2014-15 में इनकी राशि 4878.70 करोड़ रु. रही। इस प्रकार हाइड्रोजन के क्षेत्र से राज्य को राजस्व की ऊँची राशि प्राप्त होती है। राज्य के सकल घरेलू उत्पाद में खनन का क्षेत्र का 4.4% योगदान है। खनन क्षेत्र का प्रभाव काफी व्यापक है। यह आधारभूत ढाँचे के सुधार, स्वास्थ्य, दवा, शिक्षा, दक्षता-विकास, सुस्थिर जीविका-समाज के काफी कमजोर तबके के लोगों के लिए उपलब्ध कराने में भारी योगदान देता है।

**राजस्थान खनन नीति 2015 के निम्न उद्देश्य (Objectives) हैं-**

(i) प्रक्रिया को सरल करके व ई-गवर्नेंस के माध्यम से खनन रियायतें प्रदान करने में अधिक पारदर्शिता व कार्यकुशलता को बढ़ाना;

(ii) निवेश कार्य में विधि-सम्बन्धी, नियमनकारी, राजकोषीय व कानूनी पहलुओं का लाभकारी फ्रेम उपलब्ध कराना;

(iii) राज्य की खनिज सम्पदा की खोज में सरकार व निजी क्षेत्र की भागीदारी से प्रगति करना;

(iv) तेल एवं गैस के हाइड्रोकार्बन क्षेत्र में उत्पादन क्रियाओं में मूल्यवर्धन को बढ़ावा देना;

(v) निवेशकों को खनिज-आधारित उद्योगों में भाग लेने के लिए प्रोत्साहित करना व इसके लिए अनुकूल व पारदर्शी वातावरण तैयार करना;

(vi) मानवीय साधनों का विकास करना व सामाजिक जिम्मेदारी बढ़ाना;

(vii) सक्षम किस्म का आधारभूत ढाँचा विकसित करना व उसे बनाये रखना;

(viii) निजी कम्पनियों के सहयोग से अनुसंधान व विकास को बढ़ावा देना;

(ix) रोजगार के अवसर बढ़ाना;

(x) अवैध खनन को प्रभावी ढंग से रोकना;

(xi) विभागीय कर्मचारियों व अफसरों से प्रशिक्षण की व्यवस्था करके उनकी कार्यकुशलता में वृद्धि करना।

राज्य में खनन-अवसरों का लाभ उठाने के लिए निम्न चुनौतियों (Challenges) का सामना करना होगा:

**1. रणनीति सम्बन्धी चुनौतियाँ (Strategic Challenges)**

इस सम्बन्ध में तीन प्रकार की चुनौतियों का सामना करना होगा :

(अ) खनन-आँकड़ों का अभाव पाया जाता है, जिससे खनन रिजर्व के सम्भावित मूल्य की पूरी जानकारी नहीं होती;

(ब) मूल्यसंवर्धन व खनन-आधारित उद्योग की स्थापना के सम्बन्ध में चुनौती का सामना करना होता है;

(स) खनन क्षेत्र में संलग्न उद्यमकर्त्ताओं के लिए खनन-रियायतों को सरल व पारदर्शी विधियों को लागू करके व्यवसाय के संचालक के लिए उपयोगी वातावरण बनाने में कठिनाई का सामना करना पड़ता है।

**2. कार्यकारी चुनौतियाँ (Operational Challenges)**

(अ) खनन पट्टों के सम्बन्ध में राजकोषीय, कानूनी व नियमनकारी फ्रेमवर्क के तैयार करने की चुनौती होती है;

(ब) प्रौद्योगिकीय नवीनीकरण, शून्य क्षति पर खनिज पदार्थों का सुस्थिर विदोहन, सरकारी प्रयोगशालाओं व उनके उपकरणों को उन्नत करने की चुनौती विद्यमान है;

(स) खनन क्षेत्रों में पर्यावरणीय प्रश्नों, सामाजिक उत्तरदायित्व व आधारढाँचे के विकास पर अधिक बल देना आवश्यक है;

(द) अवैध खनन को रोकना आवश्यक है;

(य) खनन क्षेत्र में मानवीय पूँजी की जरूरतों पर ध्यान देना आवश्यक है। इसके लिए तकनीकी विशेषज्ञों, देखभाल करने वाले कर्मचारियों, दक्ष व अदक्ष श्रमिकों की आवश्यकताओं पर ध्यान दिया जाना चाहिए।

इस बार खनन नीति में सफलता के मापदण्डों को परिभाषित किया गया है ताकि उपलब्धियों का आंकलन (tracking) भी किया जा सके। इसके लिए निम्न परिणामों को देखा जाएगा :

(i) राज्य में कितने निवेशकों ने कितना निवेश खनन क्षेत्र में किया है;

(ii) खनन-लाइसेंस-आवेदनों की गतिविधि की जानकारी प्राप्त की जाएगी ताकि व्यवसाय करने की सुविधा का पता लगाया जा सके;

(iii) इस बात का पता लगाया जाएगा कि राज्य के कुल भू-क्षेत्र का कितना अंश खनन-नक्शे में आ गया है;

(iv) खनन क्षेत्र में कितने नये रोजगार उत्पन्न हुए है;

(v) खनन क्षेत्र में कितने पब्लिक-प्राइवेट-पार्टनरशिप प्रोजेक्ट प्रारम्भ किए गए हैं।

**खनन नीति 2015 की विशेषता**–इस बार खनन नीति में उपलब्धियों के आकलन के लिए जिन मैट्रिक्स (metrics) का चयन किया गया है–वे काफी महत्त्वपूर्ण हैं— जैसे खनन क्षेत्र में कितने निवेशकों ने कितनी कुल राशि का निवेश किया, खनन-व्यवसाय में लोगों को कितनी सुविधा प्रतीत हुई, राज्य में कितना भूखण्ड खनन लाइसेंसों व खनन प्रक्रिया के माध्यम के नक्शे पर आया, खनन क्षेत्र में कितना रोजगार बढ़ा एवं निवेश में PPP model का कितना योगदान हुआ आदि।

इससे खनन नीति की प्रभावशीलता का आकलन किया जा सकेगा। इससे निर्धारित लक्ष्यों व वास्तविक उपलब्धियों के बीच के अन्तराल का ज्ञान हो सकेगा जिससे भावी खनन-विकास की नई रणनीति निर्धारित करने में भारी योगदान मिलेगा।

खनन नीति 2015 में निम्न नए खनिज आधारित उद्योगों को प्रस्तावित किया गया है—सीसा व जस्ता गलाई की इकाइयाँ, बड़े सीमेन्ट संयंत्र, उर्वरक, संयंत्र, काँच का उद्योग, सिरेमिक उद्योग, रसायन उद्योग, कीटनाशक, कॉस्मेटिक्स, माइक्रोनाइजिंग इकाइयाँ, लिग्नाइट आधारित शक्ति संयंत्र, गैस आधारित पॉवर संयंत्र, पेट्रोलियम रिफाइनरी, पेट्रोलियम उत्पाद-आधारित उद्योग, ग्रेनाइट पॉलिशिंग इकाइयाँ, मार्बल

पॉलिशिंग इकाइयाँ, सेंडस्टोन पॉलिशिंग इकाइयाँ। इसके अलावा कई अन्य खनिज आधारित उद्योगों की स्थापना की भी सम्भावना है।

राजस्थान के लिए खनिज पदार्थों की खोज व अनुसंधान, खनन-कार्य का वैज्ञानिक व आधुनिक विधियों से विदोहन करने, अवैध खनन को रोकने, खनन कार्य में विशेषतया कमजोर-वर्गों को अधिक रोजगार देने, खनिज-पदार्थ-आधारित उद्योगों का विकास करने, खनन क्षेत्रों में पर्यावरणीय सुधार करने आदि की आवश्यकता है। खनन क्षेत्र राज्य में आर्थिक वृद्धि-दर का चालक (driver of growth rate in the state) हो सकता है। इसीलिए राज्य के आर्थिक विकास में इसकी विशेष भूमिका से इंकार नहीं किया जा सकता। हर्ष का विषय है, इस बार 2015 की खनन नीति में उपलब्धियों के आकलन (tracking of achievements) पर विशेष रूप से ध्यान केन्द्रित किया है। इससे लक्ष्यों व उपलब्धियों के अन्तर को भविष्य में कम करने का प्रयास किया जा सकेगा। कोरी नीति से क्या होता है, इसका क्रियान्वयन व वास्तविक प्राप्तियाँ ही विकास में इंजन का काम करती है। राजस्थान में खनन क्षेत्र पर विशेष ध्यान देने का समय आ गया है ताकि इससे राज्य आर्थिक विकास के पथ पर तेजी से आगे बढ़ सके और राज्य में आमदनी, रोजगार व औद्योगिक विकास को नई दिशा मिल सके।

## राजस्थान में खनन क्षेत्र

### राजस्थान में खनिज संसाधन

देश में खनिजों की उपलब्धता और विविधत्ता के मामले में राजस्थान सर्वाधिक समृद्ध राज्यों में से एक है। यहां 81 विभिन्न प्रकार के खनिजों के मण्डार है। इनमें से वर्तमान में 58 खनिजों का खनन किया जा रहा है। राजस्थान सीसा एवं जस्ता अयस्क, सेलेनाइट और वॉलेस्टोनाइट का एकमात्र उत्पादक राज्य है। देश में चाँदी, केल्साइट और जिप्सम का लगभग पूरा उत्पादन राजस्थान में होता है। राजस्थान देश में बॉल क्ले, फॉस्फोराइट, ओकर (गेरू), स्टेटाइट, फेल्सपार एवं फायर क्ले का भी प्रमुख उत्पादक है। राज्य का आयामी और सजावटी पत्थर यथा संगमरमर, सेण्डस्टोन, ग्रेनाईट आदि के उत्पादन में भी देश में प्रमुख स्थान है। भारत में सीमेन्ट ग्रेड व स्टील पेड लाइम स्टोन का राज्य अग्रणी उत्पादक है। वर्तमान में खनन पट्टों को ई-नीलामी प्रक्रिया द्वारा प्रदान किया जा रहा है।

राज्य में प्रधान खनिजों के 169 खनन पट्टे, अप्रधान खनिजों के 15,759 खनन पट्टे एवं 17,462 खदान लाईसेन्स विद्यमान हैं। खान एवं भू-विज्ञान विभाग को वित्तीय वर्ष 2022-23 हेतु रु. 8,000 करोड़ का राजस्व लक्ष्य तय किया गया, जिसके विरूद्ध दिसम्बर, 2022 तक कुल रु.4,880.00 करोड़ का राजस्व अर्जित किया गया है। गत वित्तीय वर्ष के दौरान दिसम्बर, 2021 तक कुल रु.4,159.72 करोड़ राजस्व एकत्रित किया गया था। इस प्रकार गत्त वर्ष की तुलना में इसी अवधि के दौरान संकलित राजस्व ₹720.28 करोड़ अधिक है।

सघन खनिज सर्वेक्षण एवं पूर्वेक्षण योजना (आई.पी.एस): वर्ष 2022-23 के लिए खनिज सर्वेक्षण और पूर्वेक्षण योजना के अनुमोदित क्षेत्र कार्यक्रम के अनुसार 8 अन्वेषण कार्यक्रमों के तहत भू-वैज्ञानिक जांच कार्यक्रमों के लिए कुल 37 परियोजनाएं रखी गई थी। वित्तीय वर्ष 2022-23 (दिसम्बर, 2022 तक) के दौरान किए गए पूर्वेक्षण कार्य की लक्ष्यवार भौतिक उपलब्धियां सारणी में दर्शाई गई है।

**सारणी-44 : खान एवं खनिज की प्रगति**

| कार्य की प्रकृति | वार्षिक लक्ष्य | उपलब्धिया* |
|---|---|---|
| क्षेत्रीय खनिज सर्वेक्षण (वर्ग किमी.) | 1100.00 | 805.00 |
| क्षेत्रीय भू-गर्भीय मानचित्र (वर्ग किमी.) | 385.00 | 287.75 |
| विस्तृत भू-गर्भीय मानचित्र (वर्ग किमी.) | 66.20 | 41.88 |
| छिद्रण (मीटर) | 5900.00 | 1170.50 |
| भू-भौतिकी सर्वेक्षण (लाइन किमी.) | 54.00 | 22.00 |

* दिसम्बर, 2022 तक

**राजस्थान राज्य खनिज अन्वेषण न्यास :** राजस्थान राज्य खनिज अन्वेषण न्यास, जयपुर का मुख्य कार्य खान एवं भू-विज्ञान विभाग का सुदृढ़ीकरण, खनिज पूर्वेक्षण एवं अन्वेषण, विभागीय सुदृढ़ीकरण, तकनीकी नवाचार, तकनीकी परामर्श, लॉजिस्टिक सपोर्ट, खनिज व्यवसाय का विकास करना है। ट्रस्ट द्वारा किए जा रहे मुख्य कार्य हैं–

i. केंद्रीय प्रयोगशाला निदेशालय खान एवं भू-विज्ञान विभाग, उदयपुर में 2,430 नमूनों का रासायनिक विश्लेषण एन.एबी.एल. मान्यता प्राप्त प्रयोगशाला द्वारा निविदा के माध्यम से किया गया है, जिसका अनुमानित व्यय रु. 31.00 लाख है।

ii. खनिज यूना पत्थर एवं लौह अयस्क के अन्वेषण हेतु भीलवाड़ा, जोधपुर, राजसमंद, झुंझुनूं जिलों में 12,300 मीटर कोर ड्रिलिंग का कार्य निविदा द्वारा किया जा रहा है, जिसका अनुमानित व्यय रु.6.00 करोड़ है।

**डिस्ट्रिक्ट मिनरल फाउण्डेशन ट्रस्ट (डी.एम.एफ.टी.) :** डिस्ट्रिक्ट मिनरल फाउंडेशन (डी.एम.एफ.) एक गैर- लाभकारी निकाय के रूप में स्थापित एक ट्रस्ट है, जो खनन कार्यों से प्रभावित जिलों में, खनन प्रभावित व्यक्तियों और क्षेत्रों के हित और लाभ के लिए काम करता है। यह केंद्र या राज्य सरकार द्वारा निर्धारित जिले में प्रधान/अप्रधान खनिज रियायत धारकों के योगदान के माध्यम से वित्त पोषित है। यह राज्य सरकार द्वारा खनन गतिविधियों से प्रभावित व्यक्तियों/क्षेत्रों के विकास हेतु संचालित ऐसी योजनाओं को भी पूरक सहायता प्रदान करता है, जो डी.एम.एफ. के उद्देश्यों के अनुरूप है। प्रत्येक जिले में जिला खनिज फाउंडेशन ट्रस्ट की स्थापना हेतु राज्य सरकार द्वारा दिनांक 31 मई, 2016 को डीएमएफटी नियम, 2016 अधिनियमित किया गया। प्रदेश के समस्त 33 जिलों में जिला खनिज फाउंडेशन ट्रस्ट की स्थापना की गई है।

डिस्ट्रिक्ट मिनरल फाउंडेशन ट्रस्ट के अन्तर्गत दिसम्बर, 2022 तक के कार्यों एवं वित्तीय गतिविधियों का विवरण सारणी में दर्शाया गया है।

**सारणी–45 : डी.एम.एफ.टी. के अन्तर्गत दिसम्बर, 2022 तक के कार्य एवं वित्तीय गतिविधियां**

| गतिविधि | इकाई | उपलब्धि |
|---|---|---|
| कुल स्वीकृत कार्य | संख्या | 27810 |
| कुल कार्यों की अनुमानित लागत | रु. करोड़ | 7853.66 |
| वित्तीय स्वीकृति जारी कार्य | संख्या | 17188 |
| वित्तीय स्वीकृति जारी कार्यों की राशि | रु. करोड़ | 4862.16 |
| पूर्ण किये जा चुके कार्य | संख्या | 11032 |
| कुल व्यय दिसम्बर, 2022 तक | रु. करोड़ | 3163.98 |

खनिजों के अवैध खनन और परिवहन की जांच के लिए विभाग द्वारा 2022-23 (दिसम्बर, 2022 तक) में की गई कार्यवाही का विवरण सारणी में दर्शाया गया है।

**सारणी–46**
**विभाग द्वारा की गई कार्यवाही का विवरण**

| विवरण | 2022-23* |
|---|---|
| अवैध खनन / निर्गमन / स्टॉक के दर्ज प्रकरणों की संख्या | 7167 |
| दर्ज कराई गई एफ.आई.आर. की संख्या | 749 |
| जब्त वाहन/मशीन/औजारों की संख्या | 7151 |
| अवैध खनन / निर्गमन से वसूल शास्ति राशि (रु. करोड़ में) | 56.27 |

* दिसम्बर, 2022 तक

## एम–सेण्ड नीति–2020

माननीय सर्वोच्य न्यायालय द्वारा राज्य में नदी नालों से खनिज बजरी के खनन पर रोक लगाने के पश्चात खनिज बजरी की मांग और आपूर्ति के अत्तर को कम करने के विकल्प के रूप में एम–सैड पॉलिसी–2020 अधिसूचना 25 जनवरी, 2021 को जारी की गई। एम-सेंड इकाई को उद्योग का दर्जा दिया गया है। ये इकाईयां राजस्थान निवेश प्रोत्साहन

योजना, 2019 के तहत लाभ पाने की हकदार हैं। इस नीति के अन्तर्गत राज्य के राजकीय निर्माण कार्यों में न्यूनतम 25 प्रतिशत एम-सैंड का उपयोग अनिवार्य है, जिसे उपलब्धता के आधार पर 50 प्रतिशत तक बढ़ाया जाना प्रस्तावित है। खनन क्षेत्र में उपलब्ध ओवरबर्डन से निर्मित एम-सैंड पर देय डीएमएफटी की राशि में शत-प्रतिशत छूट का प्रावधान किया गया है।

## राजस्थान राज्य खान एवं खनिज लिमिटेड

राजस्थान राज्य में उपलब्ध खनिजों का वैज्ञानिक रूप से अन्वेषण/उत्खनन करने के उद्देश्य से राजस्थान स्टेट माइन्स एण्ड मिनरल्स लिमिटेड नाम से एक कंपनी की स्थापना, कंपनी अधिनियम 1956 के प्रावधानों के तहत 30 अक्टूबर, 1974 को की गई थी।

राजस्थान राज्य खान एवं खनिज लिमिटेड राज्य का सार्वजनिक क्षेत्र के उद्यमों में से एक है, जो मुख्य रूप से राज्य में औद्योगिक खनिजों के खनन एवं विपणन के कार्यों में कार्यरत है। कम्पनी का मुख्य उद्देश्य लागत प्रभावी तकनीक का प्रयोग करते हुए खनिज सम्पदा का आधुनिक तकनीकों से दोहन करना है। कम्पनी के पास स्टील ऑथोरिटी ऑफ इण्डिया के साथ अल्प-सिलिका लाइम स्टोन आपूर्ति का दीर्घकालिक अनुबन्ध है।

प्रारम्भ से ही आर.एस.एम.एम.एल. द्वारा खनिज क्षेत्र में खनिजों के अन्वेषण/खुदाई के लिए नई दिशा में प्रयास किए गए। इसके फलस्वरूप कम्पनी उत्पादकता बढ़ाने तथा उच्च लाभ अर्जित करने का मार्ग प्रशस्त कर रही है।

वित्तीय वर्ष 2021-22 के दौरान, आर.एस.एम.एम.एल. के द्वारा सकल राजस्व तथा कर पूर्व लाभ क्रमशः रु. 1,354.06 करोड़ तथा रु. 421.27 करोड़ (अनअंकेक्षित) थे। वित्तीय वर्ष 2022-23 के दौरान, आर.एस.एम.एम.एल. के द्वारा सकल राजस्व तथा कर पूर्व लाम क्रमशः रु. 1,770.30 करोड़ तथा रु. 650.67 करोड़ है।

राजस्थान स्टेट माइन्स एवं मिनरल्स लिमिटेड अपने वैधानिक एवं अन्य देयताओं को जमा कराने में नियमित रही है। कम्पनी द्वारा नवम्बर, 2022 तक राजस्थान सरकार को रु. 205.34 करोड़ रॉयल्टी, जिला खनिज फाउण्डेशन (डी.एम.एफ.) के बकाया, राष्ट्रीय खनिज अन्वेषण ट्रस्ट के बकाया (एन.एम.ई.टी) वस्तु एवं सेवा कर (जी.एस.टी), लाभांश आदि राजकोष में जमा करवाये गए तथा वित्तीय वर्ष 2022-23 के लिए रु. 381.26 करोड़ जमा कराए जाने की सम्भावना है।

कम्पनी की मुख्य गतिविधियों को चार भागों में बांटा गया है जिसे स्ट्रेटजिक बिजनेस यूनिट एवं प्रोफिट सेन्टर (एस.बी.यू.एण्ड पी.सी.) कहा जाता है, जिस पर सीधा नियंत्रण उदयपुर कॉर्पोरेट ऑफिस का होता है। उपर्युक्त चार एस.बी.यू. एवं पी.सी. इस प्रकार हैं-

i. स्ट्रेटजिक बिजनेस यूनिट एवं प्रोफिट सेन्टर-रॉकफॉस्फेट झामर कोटड़ा, उदयपुर।
ii. स्ट्रेटजिक बिजनेस यूनिट एवं प्रोफिट सेन्टर जिप्सम, बीकानेर।
iii. स्ट्रेटजिक बिजनेस यूनिट एवं प्रोफिट सेन्टर-लाईमस्टोन, जोधपुर।
iv. स्ट्रेटजिक बिजनेस यूनिट एवं प्रोफिट सेन्टर लिग्नाईट, जयपुर।

वित्तीय वर्ष 2022-23 (नवम्बर, 2022 तक) तक अर्जित परिचालन राजस्व के सन्दर्भ में वित्तीय स्थिति के आंकड़े सारणी में दर्शाए गए हैं।

**सारणी-47 : परिचालन राजस्व के सम्बन्ध में वित्तीय स्थिति (रु. करोड़)**

| विवरण | परिचालन राजस्व 2022-23* |
|---|---|
| एस.बी.यू. एण्ड पी.सी. रॉक फास्फेट | 687.51 |
| एस.बी.यू. एण्ड पी.सी. लाइम स्टोन | 170.80 |
| एस.बी.यू. एण्ड पी.सी. जिप्सम | 23.25 |
| एस.बी.यू. एण्ड पी.सी. लिग्नाइट | 292.48 |
| 106.30 मेगावाट पवन ऊर्जा एवं 5 मेगावाट सोलर ऊर्जा संयन्त्र | 37.65 |

* नवम्बर, 2022 तक

# अध्याय 18

## ऊर्जा के स्त्रोत
## Energy Resources

राज्य का आर्थिक विकास एक बड़ी सीमा तक उस राज्य में उपलब्ध शक्ति के साधनों पर निर्भर करता हैं। जहाँ सस्ते एवं पर्याप्त मात्रा में शक्ति संसाधन उपलब्ध होते है आर्थिक विकास तीव्र गति से होता है कृषि उद्योग परिवहन आदि सभी क्षेत्रों में शक्ति के साधनों की आवश्यकता पड़ती है।

राजस्थान की अर्थव्यवस्था की समस्त उत्पादन क्रियाओं को गति प्रदान करने के लिए विद्युत एक आवश्यक पहलू हैं। राज्य में विद्युत उत्पादन अपने स्वयं के संसाधनों की कमी से प्रभावित हैं। राज्य में स्त्रोत अधिकांश : राज्य के दक्षिण-पूर्वी कोने में स्थित हैं जो चम्बल एवं माही, कुछ लघु जल विद्युत परियोजनाएँ और पलाना कपूरड़ी व मेड़ता स्थित अभी अभी खोजी गई लिग्नाइट की खानों तक सीमित है अतएव राज्य को विद्युत आपूर्ति हेतु राज्य से बाहर स्थित स्त्रोतों पर निर्भर रहना पड़ता है हालांकि राज्य सरकार के अपने प्रयासों से इस दिशा में प्रगति हो रही है और प्रति व्यक्ति उपलब्धता बढ़ रही है। और प्रति व्यक्ति उपलब्धता बढ़ रही है फिर भी राष्ट्रीय औसत से यह काफी नीचे है। राजस्थान में प्रति व्यक्ति विद्युत का उपयोग 1986-87 में 155 किलोवाट घण्टा प्रतिवर्ष है जो बढ़कर 1989-90 में 179.8 किलो-वाट घंटे हो गया है तथा जिसके और बढ़कर 1990-91 में 205 किलोवाट घंटे हो जाने की संभावना है। फिर भी यह राष्ट्रीय औसत से बहुत निम्न है।

### राजस्थान में ऊर्जा का विकास
### (Energy Development in Rajasthan)

आर्थिक विकास में ऊर्जा का केन्द्रीय स्थान होता है। ऊर्जा के स्त्रोत दो भागों में बांटें जाते हैं।

1. परम्परागत स्त्रोत (Conventional Sources)- इसमें जल-विद्युत, थर्मल पॉवर (कोयले, गैस व तेल से उत्पन्न) व अणु-शक्ति से उत्पन्न पॉवर शामिल होती है।
2. गैर-परम्परागत स्त्रोत (Non-Conventional Sources)- इसमें लकड़ी, बायो-गैस, सौर्य-ऊर्जा (Solar Energy), निर्धूम चूल्हा, पवन चक्की, आदि शामिल होते हैं। इन्हें ऊर्जा के पुन: नए किए जा सकने वाले स्त्रोत (Renewable Sources of Energy) भी कहते हैं।

### कोयला (Coal)

वर्तमान शक्ति साधनों में कोयला अपना महत्त्वपूर्ण स्थान रखता है। मानव सभ्यता के प्रारम्भ और आर्थिक विकास के प्रथम चरण में कोयला ईंधन के क्षेत्र में सम्राट माना जाता रहा है। वास्तव में देखा जाए तो औद्योगिक क्रांति में शक्ति देने का कार्य भी कोयले के द्वारा ही किया गया था। इसके महत्त्व को देखते हुए आज भी इसे काला सोना (Black Gold) या काला हीरा (Black Diamond) का नाम दिया जाता है।

राजस्थान में कोयला बीकानेर, जोधपुर व जैसलमेर क्षेत्रों में पाया जाता है। राजस्थान के बीकानेर मण्डल में लिग्नाइट की मुख्य उत्पादन पेटी (Belt) स्थित हैं जो बीकानेर शहर के दक्षिण में पूर्व से पश्चिम दिशा में फैली है इस पेटी में लिग्नाइट उत्पादन करने वाले क्षेत्र पलाना, खारी, चान्नेरी, गंगा सरोवर और मुन्ध आदि में स्थित है। इस पेटी के बाहर कोयला उत्पादन क्षेत्र जोधपुर जिले में गंगा सरोवर है। इन सभी क्षेत्रों में पलाना एक प्रमुख उत्पादन क्षेत्र हैं। राजस्थान

का लिग्नाइट अथवा भूरा कोयला जलने में मात्रा 45 प्रतिशत से 55 प्रतिशत, जल का अंश 30 से 55 प्रतिशत और वाष्प की मात्रा 35 प्रतिशत से 50 प्रतिशत तक होती है।

पलाना की खानों से कोयला लगभग 70 वर्षों से निकाला जा रहा है। अकेले बीकानेर क्षेत्र से लगभग 56,000 टन कोयला निकाला जाता है। राजस्थान के इस भू-भाग से कुछ ग्रामीणों के द्वारा 1898 में एक कुएँ की खुदाई करते समय इसके भण्डार प्रकाश में आए। राजस्थान कोयले में ईंधन होने के कारण तथा बंगाल और मध्य प्रदेश से जो कोयला मंगाया जाता है, उसे महँगा पड़ने के फलस्वरूप कोयले के क्षेत्रों ने अपनी ओर अधिक ध्यान आकर्षित किया। बाद के कुछ वर्षों के लिए इसके खनन कार्य को रोक दिया गया लेकिन द्वितीय विश्वयुद्ध के पश्चात् पुन: इसका खनन कार्य किया जाने लगा क्योंकि एक तो बाहरी राज्यों जैसे बिहार व उड़ीसा के कोयला महँगा पड़ने लगा, दूसरे इसको लाने में परिवहन समस्या आने लगी। इसके कारण ही पुन: खनन कार्य प्रारम्भ किया गया। वर्तमान में उपलब्ध कोयले की मात्रा का 15 प्रतिशत ही खनन किया जाता है। पलाना लिग्नाइट उत्पादन क्षेत्र में लगभग 20.5 मिलियन टन के सुरक्षित भण्डार पाए जाते हैं। अभी हाल ही में किए गए सर्वेक्षण कार्यों से पता चला है नागौर जिले में मेड़ता रोड, तथा बाड़मेर जिले के कपूरड़ी क्षेत्रों में क्रमश: 2.5 करोड़ टन व 6 करोड़ टन लिग्नाइट के भण्डार पाए गए हैं। सन् 2008-09 में लिग्नाइट का उत्पदान 1126.48 हजार टन हुआ था

आठवीं पंचवर्षीय योजना में ऊर्जा के क्षेत्र में जो प्रयास किए गए वे निम्न है-

राज्य सरकार ने 1984-85 में केन्द्रीय विद्युतीय प्राधिकरण को निम्न प्रोजेक्ट तकनीकी-आर्थिक स्वीकृति के लिए भेजे थे।

(1) कोटा थर्मल पॉवर प्रोजेक्ट (तृतीय चरण) 1 × 210 mw
(2) सूरतगढ़ थर्मल पॉवर प्रोजेक्ट 2 × 210 mw
(3) धौलपुर थर्मल पॉवर प्रोजेक्ट 3 × 210 mw
(4) चित्तौड़गढ़ थर्मल पॉवर प्रोजेक्ट 2 × 210 mw
(5) मांडलगढ़ थर्मल पॉवर प्रोजेक्ट 3 × 210 mw

इनमें से कोटा थर्मल पॉवर स्टेशन तृतीय चरण की योजना आयोग की स्वीकृति फरवरी 1989 में मिल चुकी थी। सूरतगढ़ थर्मल पॉवर प्रोजेक्ट को वन, पर्यावरण नागरिक उड्डयन तथा जल प्राप्ति के दृष्टिकोण से स्वीकृति मिल चुकी हैं लेकिन कोयला उपलब्धि की दृष्टि से रुका हुआ रहा। इसकी स्वीकृति शीघ्र मिलेन पर यह मार्च, 2014 के अन्त तक कोटा थर्मल पॉवर स्टेशन (KTPS) की क्षमता 1240 मेगावाट हो गई। अब तक तीन चरणों में इसकी कुल छ: इकाइयां चालू की जा चुकी है।

धौलपुर थर्मल पॉवर प्रोजेक्ट को पर्यावरण की दृष्टि से अस्वीकृत कर दिया गया है और आशंका व्यक्त की गई है कि इससे राष्ट्रीय स्मारक ताज की सुन्दरता को खतरा पैदा हो सकता है। चित्तौड़गढ़ तथा मांडलगढ़ थर्मल पॉवर स्टेशनों को समक्ष नहीं माना गया हैं। केन्द्रीय विद्युत प्राधिकरण ने यह सलाह दी कि बड़े आकार की 4-5 इकाईयों के लिए वैकल्पिक स्थानों की व्यवस्था करें।

राजस्थान सरकार ने अप्रेल 1988 में बम्बई की फर्म सेन्चुरी एण्ड टैक्टटाइल इण्डस्ट्रीज लिमिटेड को निजी क्षेत्र में विद्युत उत्पादन के लिए लाईसेंस जारी किया है। नवम्बर 1989 में इसी फर्म को चित्तौड़गढ़ में 210 मेगावाट के दो पॉवर स्टेशन स्थापित करने की स्वीकृति प्रदान की गई है।

अगस्त 1986 में ही योजना आयोग ने 60 मेगावाट के दो पॉवर स्टेशन (लिग्नाइट आधारित) बीकानेर के पलाना क्षेत्र के लिए स्वीकार कर दिए थे लेकिन धन की कमी के कारण इन्हें चालू नहीं किया जा सकता है। अब इस प्रस्तावित लिग्नाइट आधारित पलाना ताप बिजली परियोजना का निर्माण राज्य सरकार अपने स्तर पर करवाने पर गम्भीरता से विचार कर रही है इस परियोजना पर करीब नौ सौ करोड़ रुपए खर्च होने का अनुमान है।

आठवीं पंचवर्षीय योजना में बरसिंगसर (बीकानेर क्षेत्र के पास 240 मेगावाट के 2 यूनिट) का एक

बिजलीघर लगाने का प्रस्ताव था यह कार्य नेवैली लिग्नाइट निगम (NLC) द्वारा संचालित किया जाना था। इसके लिए राज्य सरकार तथा नेवैली लिग्नाइट निगम के बीच मेमोरेण्डम ऑफ अण्डरस्टेडिंग (करार MOU) भी नवम्बर 1987 में किया गया। नैवेली लिग्नाइट निगम ने केन्द्रीय विद्युतीय प्राधिकरण को फरवरी 1988 में एक प्रोजेक्ट रिपोर्ट स्वीकृति के लिए भेज दी थी लेकिन केन्द्र से अभी तक स्वीकृति प्राप्त नहीं हो पाई है। ऐसी आशा की जाती है कि आगामी चार वर्षों में यहाँ विद्युत उत्पादन चालू हो सकेगा। इसके लिए आवश्यक जल की पूर्ति इन्दिरा गांधी नहर से की जाएगी। बरसिंगसर में लिग्नाइट आधारित बिजलीघर निर्माण कार्य तेजी से पूरा किया जाना चाहिए ताकि राज्य की विद्युत की कमी पूरी हो सके। ऐसा अनुमान है कि बरसिंगसर में 6.20 करोड़ टन लिग्नाइट के भण्डार है जो 35 साल तक पूर्ण क्षमता तक खनन करने पर भी समाप्त नहीं होंगे। अत: इस परियोजना पर विशेष ध्यान देने की आवकश्कता है इसके अतिरिक्त राजस्थान को सतपुडा थर्मल पॉवर प्रोजेक्ट (मध्य प्रदेश) सिंगरौली सुपर थर्मल पॉवर प्रोजेक्ट (उत्तर प्रदेश) से बिजली मिल रही है। वर्तमान में कोटा थर्मल पॉवर प्रोजेक्ट की क्षमता अग्रांकित है।

**कोटा तापीय परियोजना**–प्रदेश में सभी जल विद्युत सम्भावनाओं के देहन और पड़ौसी राज्यों की जल विद्युत परियोजनाओं में भागीदारी के समस्त सम्भावित अवसरों के उपभोग के पश्चात् भी राजस्थान अपने निवासियों की निरन्तर बढ़ती हुई विद्युत मांग की आपूर्ति में कठिनाई का अनुभव कर रहा था। सतपुड़ा तापीय विद्युतगृह के प्रथम चरण में भी राज्य की हिस्सेदारी का अनुभव संतोषप्रद नहीं रहा, इसलिए अतिरिक्त कोई अन्य विकल्प की योजना बनाई जाए। अत: प्रदेश में प्रथम तापीय विद्युतगृह कोटा में स्थापित करने की महत्त्वपूर्ण परियोजना हाथ में ली गई। तीन चरणों में विभाजित इस परियोजना की कुल नियोजित क्षमता 850 मेगावाट है।

प्रथम चरण – 2 × 110 मेगावाट
द्वितीय चरण – 2 × 210 मेगावाट
तृतीय चरण – 1 × 210 मेगावाट

प्रदेश में प्रमुख औद्योगिक नगर कोटा को राज्य के प्रथम तापीय विद्युत गृह की स्थापना के लिए सर्वथा उपयुक्त पाया गया क्योंकि सदानीरा चम्बल नदी पर स्थित कोटा बैराज में आवश्यक मात्रा में जल, रेलवे की बड़ी लाईन, लोड, सेन्टर का सामीप्य और उत्पादित विद्युत वितरण हेतु विद्यमान प्रसारण तंत्र यहाँ उपलब्ध हैं।

उल्लेखनीय कार्य कुशलता के फलस्वरूप कोटा तापीय विद्युत गृह ने राष्ट्रीय स्तर पर सम्मान अर्जित किया है। विद्युत गृह ने शुभारम्भ के दूसरे ही वर्ष अर्थात् 1984 में 5,036 के डब्लू.एच. प्रतिके. डब्ल्यू. कार्य कुशलता स्तर पर उत्पादन कर भारत सरकार के ऊर्जा मन्त्रालय से श्रेष्ठ उत्पादकता पुरस्कार की शील्ड और दो लाख रुपए की प्रोत्साहन राशि प्राप्त की। परियोजना के अभियंताओं कर्मचारियों एवं श्रमिकों के सतत प्रयासों के फलस्वरूप वर्ष 1987 में इससे भी उत्कृष्ट कार्य कुशलता को पुन: प्राप्त किया गया। 6,235 के, डब्ल्यू.एच. प्रतिके, डब्ल्यू. कार्य कुशलता अर्जित कर कोटा तापीय विद्युत गृह ने पुन: भारत सरकार के ऊर्जा मन्त्रालय द्वारा प्रदान किए जाने वाले श्रेष्ठ उत्पादकता पुरस्कार एवं 5.94 लाख रुपए की प्रोत्साहन राशि भी प्राप्त की है।

**द्वितीय चरण**

परियोजना के द्वितीय चरण को योजना आयोग द्वारा अक्टूबर 1980 में स्वीकृति मिली जिसके अन्तर्गत 439.59 करोड़ की अनुमानित लागत से 210–210 मेगावाट क्षमता की दो इकाइयों की स्थापना का प्रस्ताव रखा गया। परियोजना के द्वितीय चरण के लिए एवं सातवीं पंचवर्षीय योजना में समुचित धनराशि के प्रावधान का अभाव, मुख्यत: निर्धारित लक्ष्यों की पूर्ति में विलम्ब का कारण रहा।

द्वितीय चरण की इकाइयों की स्थापना से 30 हजार मीट्रिक टन स्टील और 50 हजार टन सीमेन्ट का उपयोग किया गया है।

**तृतीय इकाई**

अनेक कठिनाइयों और बाधाओं के बावजूद विभिन्न निर्माण संस्थाओं के अतिरिक्त मण्डल के

अभियंताओं, अधिकारियों, कर्मचारियों और श्रमिकों की निष्ठा, कड़ी मेहनत एवं समन्वित प्रयासों के सुफल से आज कोटा तापीय विद्युत गृह से राज्य ग्रिड को प्रतिदिन लगभग 40 लाख यूनिट विद्युत और उपलबध होती है।

**चतुर्थ इकाई**–निमार्णधीन चतुर्थ इकाई (210 मेगावाट) के सभी आवश्यक संयंत्रों और उपकरणों की स्थापना के कार्य लगभग अंतिम चरणों में है। चतुर्थ के बायलर में ड्रम लिफ्टिंग एवं हाइड्रोलिक परीक्षण सम्पन्न किया जा चुका है।

निर्माणधीन इकाइयों द्वारा विद्युत आरम्भ किए जाने पर राज्य की विद्युत उपलब्धि में आशातीत सुधार होगा जिससे प्रदेश की विकास गति तीव्र होगी।

## पर्यावरण संरक्षण

फ्लू गैसों के निष्कासन हेतु 180 मीटर ऊँची चिमनी के अतिरिक्त प्रदूषण नियंत्रण के लिए प्रथम चरण की इकाइयों के साथ 99 प्रतिशत एवं द्वितीय चरण की इकाइयों के साथ 99.62 प्रतिशत क्षमता वाले इलेक्ट्रोस्टेटिक प्रेसिपिटेटरस स्थापित किए गए है। स्वच्छ पर्यावरण की दृष्टि से कोटा तापीय विद्युत गृह में एक वृहद् वृक्षारोपण की योजना हाथ में ली गई है जिसके अन्तर्गत विद्युत गृह के 33 प्रतिशत भू-भाग को हरितिमा से आच्छादित किया जाएगा। अब तक 8,500 वृक्ष लगाए गए हैं तथा आगामी 4 वर्षों में 3,58,500 वृक्ष और लगाने की योजना है।

वर्तमान में राख से प्रदूषण रोकने के लिए विद्युत गृह से लगभग 3.5 कि.मी. दूर तालाब का उपयोग द्वितीय चरण की इकाइयों से निस्तारित राख को एकत्रित करने के लगभग साढ़े चार करोड़ रुपए की लागत से 5 किलोमीटर परिधि का बांध बनाने की योजना भी हाथ में है। बांध के साथ ही डिकेन्टेशन वैल्स बनाया है। इससे पानी के राख से अलग कर पुन: काम में लाया जा सकेगा। इन सभी प्रयासों से राख के द्वारा होने वाले प्रदूषण पर पूर्णत: नियन्त्रण किया जा सकेगा।

## जल विद्युत परियोजनाएँ या नदी घाटी परियोजनाएँ (Hydro Electric Projects)

राज्य में बारहमासी नदियों का अभाव है फलस्वरूप जल विकास का मार्ग अवरूद्ध हो गया है। ऐसी स्थिति में राजस्थान सरकार ने वैकल्पिक विकास के मार्ग को अपनाया है और वह है जल विद्युत उत्पादन की दृष्टि से भाग्यशाली राज्यों के साथ साझेदारी। अत: पहले तो हम राजस्थान की जल विद्युत परियोजनाओं का वर्णन करेंगे उसके उपरान्त भागीदारी वाली परियोजनाओं का जल विद्युत परियोजनाओं से राज्य को जिन स्त्रोतों से बिजली प्राप्त होती है उनका वर्णन निम्न है। (मानचित्र 78)

**(A) राज्य सरकार के स्वयं के स्त्रोत**

(1) राणा प्रताप सागर,

(2) जवाहर सागर,

(3) माही हाइडल प्रोजेक्ट,

(4) राजस्थान की मिनी हाइडल योजनाएँ।

**(1) राणा प्रताप सागर**–वस्तुत: यह चम्बल योजना का हिस्सा है। लेकिन चूँकि बाँध एवं बिजलीघर राजस्थान में है अत: इसको प्रदेश के अन्तर्गत गिना हैं। राणा प्रताप सागर बांध के शक्तिगृह में प्रत्येक 43-43 मेगावाट क्षमता के तीन संयंत्र लगाए गए है। इस प्रकार कुल विद्युत क्षमता 1.29 लाख किलोवाट है।

**(2) जवाहर सागर परियोजना**–यह भी चम्बल परियोजना का हिस्सा है। इसके अन्तर्गत शक्तिगृह में प्रत्येक 33-33 मेगावाट क्षमता की तीन इकाईयाँ कार्यरत है। कुल विद्युत उत्पादन क्षमता 99 हजार किलोवाट है।

इस प्रकार राणा सागर तथा जवाहर सागर परियोजना चम्बल का हिस्सा ही है और चम्बल परियोजना मध्य प्रदेश तथा राजस्थान दोनों में राज्यों की योजना है। लेकिन इन दोनों के राजस्थान में स्थित होने के कारण यह राजस्थान की जल विद्युत परियोजनाओं में सम्मिलित की जाती है।

**(3) माही हाइडल प्रोजेक्ट**–बाँसवाड़ा के निकट माही जल विद्युत परियोजना के अन्तर्गत प्रथम विद्युत

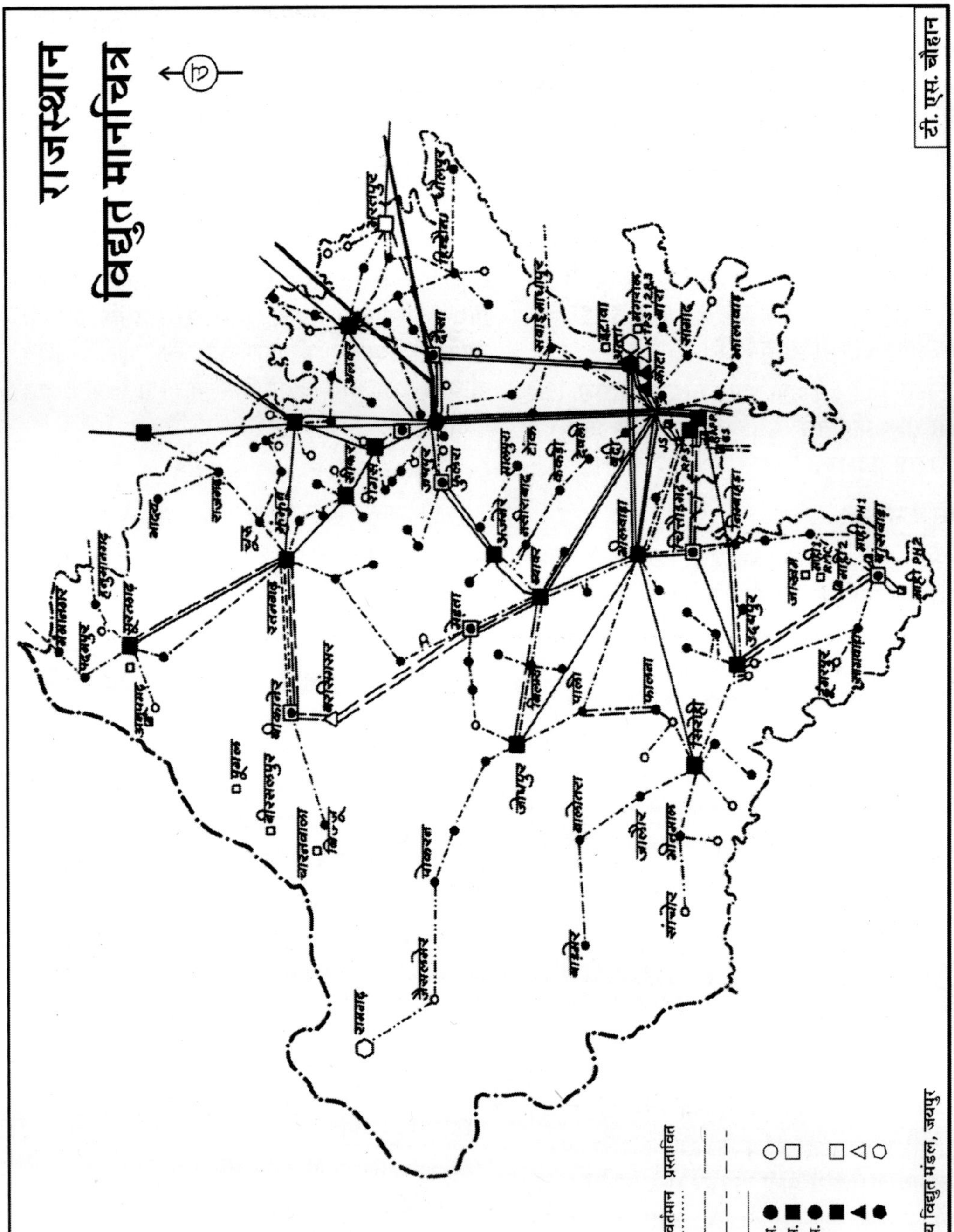
राजस्थान
विद्युत मानचित्र
उ
टी. एस. चौहान
वर्तमान प्रस्तावित
66 कि.वा.लाइन
132 कि.वा.लाइन
220 कि.वा.लाइन
400 कि.वा.लाइन
132 कि.वा.जी.एस.एस.
220 कि.वा.जी.एस.एस.
400 कि.वा.जी.एस.एस.
जल विद्युत गृह
तापीय विद्युत गृह
गैसीय विद्युत गृह
स्रोत :- राजस्थान राज्य विद्युत मंडल, जयपुर

मानचित्र 78

गृह के 72 मैट्रिक टन बिजली जनरेटर सेट 21 सितम्बर, 1984 को की गई तथा नवम्बर, 84 के प्रथम सप्ताह में जनरेटर सेट भी कायम कर दिया गया।

माही योजना योजना के अन्तर्गत दो विद्युत गृहों की चार इकाइयों से 140 मेगावाट विद्युत का उत्पादन हो रहा है। ये विद्युत गृह माही बाँध के निकट तथा हैगंपुरा ग्राम के निकट बनाए गए हैं। इन पर लगभग 157.5 करोड़ रुपए व्यय हुए। इस परियोजना के विद्युत उत्पादन प्रारम्भ हो गया है। प्रत्येक इकाई की विद्युत उत्पादन क्षमता 25-25 मेगावाट होगी।

**(4) राजस्थान की मिनी हाइडल योजनाएँ**- राज्य में विद्युत उत्पादन के लिए छोटी पन बिजली परियाजनाओं पर कार्य चल रहा है इनमें से कुछ पूरी हो चुकी है और कुछ पूर्ण होने की स्थिति में है जबकि कुछ में प्रगति होनी अभी भी बाकी है। आठवीं पंचवर्षीय योजना में इस क्षेत्र से 15.35 मेगावाट बिजली उत्पादन लक्ष्य निर्धारित किया गया है। प्रमुख छोटी पन बिजली परियोजनाएँ निम्न है-

(a) **इन्दिरा गाँधी नहर परियोजना**- अनूपगढ़ शाखा, सूरजगढ़ शाखा मांगरोल, चारणवाला तथा पूगल है इन्दिरा गाँधी नहर वितरकों पर कई जल विद्युत गृह बनाए गए है। इन्दिरा गाँधी नहर पर उपलब्ध जल प्रपातों से बिजली बनाने की प्रस्तावित योजना के अन्तर्गत पूगल शाखा पर दो विद्युत गृह स्थापित किए जाएगें। इन विद्युत गृह की क्षमता 1,500 और 650 किलोवाट होगी। 1990-91 में पूगल पर 650 किलोवाट क्षमता का बिजली घर बनकर तैयार हो जाएगा। अनूपगढ़ शाखा पर जो अब 1991-92 तक तैयार हो जाएगा। अनूपगढ़ शाखा पर उपलब्ध जलप्रपातों का उपयोग तीन विद्युत गृह स्थापित करने के लिए किया गया है। प्रत्येक की क्षमता 1.5 मेगावाट है। इसको 1987-88 में पूर्ण कर लिया गया है।

सूरतगढ़ शाखा पर दो विद्युत गृह दो-दो मेगावाट क्षमता के बनाए जाने की योजना विचाराधीन है। इसी प्रकार मांगरोल की योजना भी विचाराधीन है।

(b) **अन्य परियोजनाएँ**-इसके अन्तर्गत दायीं मुख्य नहर माही 1 व 2 अटवा, बिरसालपुर व जाखम है।

इस प्रकार कुल 10 परियोजनाएँ हैं। इसमें में कुछ को आठवी पंचवर्षीय योजना में पूरा कर लिया जाएगा और इससे 15.35 मेगावाट अतिरिक्त बिजली मिल सकेगी।

(B) राजस्थान राज्य को बाहर के जिन स्त्रोतों से विद्युत उपलब्ध होती है उनका ब्यौरा निम्न है।

(1) भाखड़ा नांगल परियोजना,

(2) व्यास इकाई 1 व 2,

(3) गाँधी सागर हाइडल प्रोजेक्ट।

**(1) भाखड़ा नांगल परियोजना**-नांगल बाँध से 65 किलोमीटर लम्बी नहर जो शिवालिका पठार से निकाली गई है, इस पर दो विद्युत गृह बनाए गए है। पहला विद्युत गृह सरगंगूवाल तथा कोटला स्थान पर बनाए गए है। इन स्थानों पर दोनों विद्युत गृहों में 23-24 हजार किलोवाट वाले तीन-तीन विद्युत उत्पादक यन्त्र लगाये गए है। सभी विद्युत गृहों की कुल प्रतिस्थापित क्षमता में 12 लाख किलोवाट है।

**(2) व्यास परियोजना**-यह राजस्थान, पंजाब व हरियाणा तीनों राज्यों की संयुक्त परियोजना है। इस योजना के दो चरण है-पहला व्यास सतलज कड़ी तथा दूसरा पौंग बाँध। प्रथम चरण के अन्तर्गत चार इकाइयों का विद्युत गृह जिसमें प्रत्येक की क्षमता 165 मेगावाट हैं तथा कुल क्षमता 6.6 लाख किलोवाट है। दूसरे चरण में एक विद्युत गृह जिसकी अधिष्ठापित क्षमता 2.4 लाख किलोवाट है।

**(3) गाँधी सागर हाइडल प्रोजेक्ट**-यह योजना चम्बल का एक भाग है जो मध्य प्रदेश तथा राजस्थान दोनों राज्यों की योजना है। गाँधी सागर बाँध के अन्तर्गत बिजलीघर में चार संयंत्र 23 मेगावाट प्रत्येक तथा संयंत्र 27 मेगावाट क्षमता का है। इस प्रकार इसकी कुल क्षमता 1.19 लाख किलोवाट है।

**जाखम लघु पन विद्युत परियोजना**

इस परियोजना के अन्तर्गत 5.5 में वाट क्षमता की इकाई हेतु संशोधन परियोजना रिपोर्ट केन्द्रीय

विद्युत प्राधिकरण केन्द्रीय जल आयोग के विचाराधीन है। संशोधित प्रस्ताव में 9.6 हैक्टर वन-भूमि अनारक्षित किया जाना विचाराधीन है एवं प्रस्ताव सरकार को भिजवाया जाना हैं ताकि राज्य सरकार इसे भारत सरकार के वन एवं पर्यावरण विभाग को अग्रेषित कर सकें।

### जैसलमेर (रामगढ़) गैस तापीय परियोजना

मनहर टीबा में उपलब्ध प्राकृतिक गैस का उपयोग करते हुए एक 3 मेगावाट क्षमता का गैस तापीय विद्युत गृह जैसलमेर जिले के रामगढ़ कस्बे में लगाने का प्रस्ताव इस परियोजनान्तर्गत है। इस परियोजना को योजना आयोग से वित्तीय स्वीकृति पूर्व में प्राप्त हो चुकी है परन्तु जैसलमेर जिले में तनोट पर अधिक गैस मिलने की सम्भावना के संकेत ऑयल इण्डिया लिमिटेड द्वारा व्यक्त किए जाने के कारण अतिरिक्त गैस के उपयोग हेतु सलाहकार की नियुक्ति कर दी गई हैं। जिसमें प्रतिवेदन की प्राप्ति पर अग्रिम कार्यवाही की जाएगी।

### ग्रामीण विद्युतीकरण

वर्ष 1988-89 हेतु किए गए योजना आवंटन को ध्यान में रखते हुए मण्डल ने 13,000 ग्रामों के विद्युतिकरण एवं 17,000 कुओं के ऊर्जीकरण का लक्ष्य निर्धारित किया था। कोटपुतली ग्रामीण विद्युत सहकारी समिति द्वारा आलोच्य वर्ष में 128 कुओं का ऊर्जीकरण तथा टोडाभीम व महुआ ग्रामीण विद्युतीकरण सहकारी समिति द्वारा क्रमशः 50 व 40 ग्रामों का विद्युतिकरण एवं 237 व 29 कुओं का ऊर्जीकरण किया गया। तदानुसार आलोच्य वर्ष में राज्य के कुल 1,455 (1981 की जनगणना अनुसार) ग्रामों का विद्युतीकरण तथा 19,470 कुओं का ऊर्जीकरण किया गया।

इनमें से स्पेशल कम्पोनेट प्लान में 3,000 कुओं के ऊर्जीकरण के लक्ष्य की तुलना में अनुसूचित जाति के 2,635 उपभोक्ताओं को कनेक्शन उपलब्ध कराए गए। वर्ष 1989-90 की वार्षिक योजना में किए गए आवंटन के अनुसार प्रारम्भ में 2,000 ग्रामों का विद्युतीकरण एवं 30,000 कुओं का ऊर्जीकरण कम्पोनेन्ट प्लान के अन्तर्गत किए जाने का लक्ष्य रखा गया है।

### राज्य में विद्युत की कमी को दूर करने के उपाय

1. राजस्थान में बहने वाली सभी नदियों के पानी का सर्वेक्षण करवाकर जहाँ भी संभव हो मिनी हाइडल योजनाओं का कार्य हाथ में लेना। जैसलमेर जिले में तेल व प्राकृतिक गैस की खोज के कार्यों में तेजी लाना। मेड़ता (जिला नागौर), पलाना (जिला बीकानेर) एवमं कपूरड़ी (जिला बाड़मेर) में लिग्नाईट कोयले के भण्डारों की खोज में तीव्रता लाकर परियोजना रिपार्ट बनवाना तथा शीघ्रता से कार्य चालू करवाना। सवाई माधोपुर के साथ साथ बाँसवाड़ा में गैस पर आधारित विद्युत गृहों का निर्माण कार्य भी करवाना। धौलपुर में सुपर ताप विद्युत गृह की स्थापना करवाना।
2. पड़ौसी राज्यों में मौजूदा विद्युत परियोजनाओं से राज्य का पूरा हिस्सा प्राप्त करना तथा आवश्यक हो तो केन्द्र सरकार से दबाव डलवाना। प्रधानमंत्री व केन्द्रीय विद्युत मंत्री एवम् योजना आयोग के अध्यक्ष से निरन्तर सम्पर्क करके कार्य जल्द से जल्द पूरा करवाना। पड़ौसी राज्यों की नई स्वीकृत योजनाओं को, जिसमें राज्य का ही हिस्सा हैं, जल्द-जल्द पूरा करवाना एवम् नई प्रस्तावित योजनाओं में राज्य का हिस्सा बढ़वाना।
3. राज्य की स्वयं की जो परियोजनाएँ हाथ में है उसके लिए शीघ्रता से अधिक से अधिक धन की व्यवस्था करना राज्य के बजट का 28.60 प्रतिशत की जगह से कम से कम 40 प्रतिशत विद्युत क्षेत्र को आवंटन करना तथा केन्द्र सरकार की प्रस्तावित योजनाओं के लिए भी केन्द्र सरकार तथा योजना आयोग से अधिकाधिक धन की व्यवस्था करवाकर कार्य समय से पूर्ण करवाना।
4. विद्युत ट्रांसमिशन लाइनों में विद्युत की क्षति (लाइन लासेज) का कारण राज्य का विशाल आकार होना है तथा विद्युत माँग केन्द्रों से विद्युत उत्पादन केन्द्रों का अत्यधिक दूरी पर स्थित होना है जो राज्य सरकार के हाथ में नहीं है फिर भी

लाइन लॉसेज जो कि वर्तमान 24.7 प्रतिशत हैं देश के औसत 20.0 प्रतिशत से बहुत ज्यादा है, जिसे कम किया जा सकता है। इसके लिए उच्च दाब (हाई वोल्टेज) वाली लाइनों का निर्माण कराया जाए कन्डक्टर वर्तमान लाइनों में कन्डक्टर (विद्युत चालक) की सही डिजाइन करवाकर नए कन्डक्टर से बदलवाया जाए।

5. मौजूदा विद्युत गृहों की क्षमता का पूर्ण उपयोग नहीं होता प्लान्ट लोड फेक्टर को 38.69 से 50.52 प्रतिशत तक बढ़ाया जाए इसके लिए विद्युत गृहों में लगी मशीनों के रख रखाव व्यवस्था में सुधार किया जाए आवश्यक अतिरिक्त पुर्जों का भण्डार रखा जाए। नियमित रूप से प्रिवेन्टिव मेन्टेनेंस की जावे ताकि मशीनों की उम्र बढ़ सके तथा बीच-बीच में यंत्र बंद करने की नौबत नहीं आए। सही तथा कच्चा माल काम में लिया जाए ताप विद्युत गृहों में प्रयुक्त होने वाला कोयला अच्छी किस्म का तथा पत्थर रहित हो।

6. विद्युत ऊर्जा में एक्टिव व रिएक्टिव पॉवर दोनों होती है। विद्युत कार्य करने वाले प्रत्येक उपकरण में कार्यशील विद्युत के साथ-साथ अर्थहीन विद्युत भी काम में आती है। अर्थहीन विद्युत की मात्रा को कम किया जा सकता है जिससे एक्टिव (कार्यशील) पॉवर की मात्रा बढ़ जाएगी। अर्थहीन विद्युत को कम करने के लिए केपेसीटर बैंकों का विद्युत भंडार एवम् उपभोक्ताओं द्वारा उपयोग है। अर्थहीन विद्युत (रिएक्टिव पॉवर) के 1% अधिकभार बढ़ाकर 5% कर दिया जाए।

7. एक मोटे अनुमान के अनुसार राज्य में लगभग दस प्रतिशत विद्युत की चोरी होती है। इसका मुख्य कारण विद्युत ऊर्जा के उपयोग पर उपभोक्ताओं से भिन्न भिन्न दरें वसूल करना है। इन दरों में इतना फर्क है कि उपभोक्ता चोरी करने पर मजबूर हो जाता हैं रियायती दरों पर विद्युत देना बन्द करके एक दाब एवं विद्युत उपयोग करनेवाले सभी उपभोक्ताओं से एक ही दर वसूल करनी चाहिए ताकि चोरी पूर्णतया रुक सके। सारांश में विद्युत दर की सूची को न्यायसंगत बनाया जाए व साथ ही-

(i) विद्युत की बाहुल्यता होने तक किसी भी उपभोक्ता से न्यूनतम शुल्क नहीं लिया जाए।

(ii) एक बार दर निश्चित करने पर दो वर्षों तक कोई बढ़ोतरी नहीं की जाए न किसी प्रकार का ईंधन अधिभार (Fuel Surcharge) लिया जाए।

(iii) उपभोक्ता द्वारा अर्थहीन विद्युत के प्रति एक प्रतिशत उपयोग पर पाँच प्रतिशत अधिभार लगाया जाए।

(iv) विद्युत की दरें निम्नलिखित प्रकार हों-

| **सप्लाई वोल्टेज** (वोल्ट) | **प्रति युनिट दर** (पैसा प्रति युनिट) |
|---|---|
| 220-440 | 70 |
| 11,000 | 65 |
| 33,000 | 60 |
| 1,32,000 | 55 |
| 2,20,000 | 50 |

(v) विद्युत मापक यंत्रों (मीटर्स) को सीलबंद डिब्बों में ही फिट किया जाए उसके बगैर कनेक्शन ही न दिया जाए।

(vi) विद्युत विभाग द्वारा उडनदस्तों का गठन किया जाना चाहिए जिससे विद्युत मापक यंत्रों में हेरा फेरी, अनधिकृत लोड बढ़ाना दूर-दराज इलाकों में विद्युत के धन्धों से अनधिकृत तारों द्वारा विद्युत का इस्तेमाल रोका जा सकें। प्राय: देखने में आया है कि विद्युत निदेशालय द्वारा वार्षिक निरीक्षण शुल्क तो जमा कर लिया जाता है पर कभी भी कार्य स्थल का निरीक्षण नहीं किया जाता है। अत: भविष्य में 50 अश्व शक्ति से ऊपर के विद्युत उपभोक्ताओं से ही वार्षिक निरीक्षण शुल्क लिया जाए अन्यों से नहीं।

(vii) अगर कुछ भी सम्भव हो प्रायोगिक तौर पर विद्युत मण्डल का प्रबन्ध पांच वर्षों के लिए निजी क्षेत्र की व्यपारिक वाणिज्यिक संस्थाओं को सौंप दिया जाए। राज्य सरकार इन संस्थाओं से नियत दर पर विद्युत उपलब्ध करा सकती है। इस बीच का सारा कार्य इन संस्थाओं से करा सकती है।

8. विद्युत की कमी हो या नहीं, विद्युत उपभोग अलग अलग क्षेत्रवार चक्करवार (स्टेगरिंग) तरीके से बन्द रखा जाए। इस उपाय से 10 से 13 प्रतिशत विद्युत की कमी तुरन्त दूर हो जाएगी तथा इसमें किसी प्रकार का खर्चा धन नहीं लगेगा।

9. उपभोक्ताओं को स्वयं की विद्युत उत्पादन (कैप्टिव पॉवर जनरेशन) के लिए प्रोत्साहन करना चाहिए। यह प्रोत्साहन विद्युत उत्पादन यंत्रों की खरीद पर 50 प्रतिशत पूंजीगत अनुदान देकर, यंत्रों की खरीद पर राज्य बिक्री कर समाप्त करके विद्युत उत्पादन के काम में प्रयुक्त ईंधन पर राज्य बिक्री कर समाप्त करके, केपूटिव पॉवर जनरेशन पर पूर्णत: विद्युत शुल्क हटाकर दिया जा सकता है। केपेटिव पॉवर जनरेशन के लिए प्रोत्साहन मात्र उद्योगों को ही नहीं अपितु सभी प्रकार के उपभोक्ताओं के लिए होना चाहिए। विद्युत की कमी के समय निजी क्षेत्र में 100 के वी.ए. व इससे अधिक विद्युत उत्पादित करने वाले उपभोक्ताओं द्वारा राज्य विद्युत मण्डल के जाल (ग्रिड) को उपलब्ध कराने पर विद्युत मण्डल द्वारा ली जाने वाली दरों से उपभोक्ताओं को भुगतान करें अथवा आगामी बल में रकम समायोजित करें।

10. गैर परम्परागत ऊर्जा स्त्रोतों का विकास किया जाए। सूर्य ऊर्जा, वायु वेग व गोबर गैस (बायो गैस) जैसी गैर परम्परागत एवं नवीनीकरण योग्य (रिन्युएबल सोर्स ऑफ एनर्जी) स्त्रोतों का विकास किया जाए तथा इन स्त्रोतों से ऊर्जा प्राप्त करके उपयोग में लाने वाले उपभोक्ताओं को पूँजीगत अनुदान, बिक्री कर से मुक्ति, आदि की सुविधाएँ देकर इनका प्रचलन बढ़ाया जाए ताकि भविष्य में होने वाली विद्युत की माँग पर दबाव कम पड़े।

विद्युत की कमी से उत्पादन पर सीधा असर पड़ता है तथा आर्थिक साधनों की कमी महसूस होने लगती है जिससे विद्युत उत्पादन की योजनाएँ पिछड़ जाती है। परियोजना की लागत भी दुगुनी या तिगुनी तक हो जाती हैं इस कमी से एक दुष्चक्र (विसियस सर्कल) को जन्म मिलता है जो एक दूसरे को गति प्रदान करते रहते हैं। इसको तोड़ने के लिए दृढ़ संकल्प के साथ वर्तमान कमी को दूर करने के लिए युद्ध स्तरीय प्रयास अत: आवश्यक है। राज्य सरकार को चाहिए कि लम्बे समय की योजनाएँ बनाकर उस पर तुरन्त कार्यवाही प्रारम्भ करे।

## खनिज तेल एवं गैस (Mineral Oil and Gas)

खनिज तेल की प्राप्ति केवल अवसादी शैलों में ही सम्भव होती है और वह भी तब जब तेल निर्माण के लिए प्रयुक्त भूगर्भीय दशाएँ विद्यमान हों। राजस्थान के बीकानेर व जैसलमेर जिले में तथा पश्चिमी जोधपुर में अवसादी चट्टानें पाई जाती है। इसलिए खनिज तेल की सम्भावनाओं से इन्कार नहीं किया जा सकता। जैसलमेर के भूतपूर्व महारावल के अनुरोध पर डॉ. सिरिल एस. फोक्स ने इन क्षेत्रों का अध्ययन कर अपने प्रतिवेदन में पेट्रोलियम पाए जाने की सम्भावनाओं को बताया था किन्तु उस समय इस दिशा मे कोई कार्य नहीं किया जा सका।

भारत सरकार ने दस क्षेत्र की विस्तृत जाँच करवाने का निर्णय लिया तथा 2 मार्च 1955 में एक दल ने इस सम्बन्ध में खोज भी की। कोलम्बो योजना के अन्तर्गत एक विदेशी फर्म ने सन् 1956 में जैसलमेर क्षेत्र का हवाई चुम्बकीय सर्वेक्षण सम्पन्न किया तथा तेल के अतुल भण्डार की उपस्थिति को बतलाया। तृतीय पंचवर्षीय योजना के प्रारम्भ में और प्राकृतिक गैस आयोग को यह कार्य सौंपा गया जिसने फ्रेंच विशेषज्ञों की सहायता से जैसलमेर से 55 किलोमीटर दूर भारती टीबा पर कुएँ की खुदाई कर खोज प्रारम्भ किया जिसमें तेल विद्यमान होने के संकेत मिले।

जैसलमेर के रामगढ़ खुवालिया व देवा तथा लोंगेवाल क्षेत्रों में कुओं का खनन कार्य सम्पन्न किया गया है। 1956 में तेल एवं प्राकृतिक गैस आयोग ने जैसलमेर में खोज किए जिनके परिणामस्वरूप जैसलमेर शहर के उत्तर पश्चिम में मनहेरा टीबा के पास स्थित कमली ताल में गैस निकली है।

इस भूगर्भीय संरचना को ध्यान में रखते हुए 9 कुओं की खुदाई की गई जिनमें से मनहेरा टीबा के नं. 6 कुएं में 400 से 500 मीटर की गहराई पर गैस मिली। इस क्षेत्र में अनुमान है कि लगभग 20 करोड़ घनमीटर गैस होगी क्योंकि दबाव कम है। इसलिए जैसलमेर के रामगढ़ में इसका उपयोग विद्युत उत्पादन में किया जा सका है।

राजस्थान के मरुस्थलीय क्षेत्र में 950 लाख टन भूगर्भीय तेल व गैस के भण्डार की सम्भावना है। इन भण्डारों के दोहन के लिए 28,600 वर्ग किलोमीटर क्षेत्र में तेल गैस की खोज का कार्य नवम्बर 84 से ऑयल इण्डिया ने शुरू कर दिया है सातवीं पंचवर्षीय योजना में यह आशा व्यक्त की गई थी कि रागगढ़ (जैसलमेर) गैस थर्मल पॉवर प्रोजेक्ट से 3 मेगावाट बिजली प्राप्त हो जाएगी लेकिन सातवीं योजना में ही प्रारम्भ नहीं किया जा सका। अब आठवीं योजना में यह आशा की जा रही है कि इस रामगढ़ परियोजना से 83 मेगावाट बिजली प्राप्त हो सकेगी। इसके अतिरिक्त अन्ता गैस पॉवर स्टेशनों से ही राजस्थान को 52 मेगावाट बिजली प्राप्त हो रही है। मार्च 1989 तक 11 लाख रु. 40 हजार प्राप्त हुए।

## तेल एवं प्राकृतिक गैस

संयुक्त राज्य अमेरिका एवं चीन के बाद भारत विश्व में कच्चे तेल का तीसरा सबसे बडा उपभोक्ता है। देश में विश्व का लगभग 5 प्रतिशत कच्चा तेल खपत होता है। भारत कुल घरेलू उपभोग का लगभग 16 प्रतिशत कच्चा तेल उत्पादित करता है, जबकि शेष 84 प्रतिशत खपत की आवश्यकताएं आयात से पूर्ण होती हैं।

राजस्थान भारत में कच्चे तेल का महत्वपूर्ण उत्पादक है। भारत के कच्चे तेल के कुल उत्पादन (30 एम.एम.टी.पी.ए.) में राज्य का योगदान लगभग 20 प्रतिशत (6 मिलियन मीट्रिक टन प्रतिवर्ष) है और यह बॉम्बे हाई, जो कि लगभग 40 प्रतिशत का योगदान देता है, के बाद दूसरा सबसे बड़ा उत्पादक है। राज्य में पेट्रोलियम उत्पादक क्षेत्र निम्नलिखित 4 पेट्रोलीफेरस बेसिन के अन्तर्गत लगभग 1,50,000 वर्ग किमी. (14 जिले) क्षेत्र में विस्तृत है।

i. बाड़मेर-सांचोर बेसिन (बाड़मेर एवं जालौर जिले)

ii. जैसलमेर बेसिन (जैसलमेर जिला)

iii. बीकानेर नागौर बेसिन श्रीगंगानगर, हनुमानगढ़ एवं चूरू जिले) - (बीकानेर, नागौर,

iv. विंध्ययन बेसिन (कोटा, बारां, बून्दी, झालावाड़ जिले तथा भीलवाड़ा एवं चित्तौड़गढ़ जिलों का कुछ हिस्सा)

1. **कच्चे तेल एवं प्राकृतिक गैस का दोहन, उत्पादन एवं विकास की गतिविधियां :**
   - मंगला तेल क्षेत्र से खनिज तेल का व्यावसायिक उत्पादन 29 अगस्त, 2009 से प्रारम्भ हुआ और वर्तमान में 14 क्षेत्रों यथा- मंगला, भाग्यम, ऐश्वर्या, सरस्वती, रागेश्वरी, कामेश्वरी एवं अन्य सेटेलाइट क्षेत्र से लगभग 98,000-1,02,000 बैरल्स खनिज तेल का प्रतिदिन उत्पादन किया जा रहा है।
   - वित्तीय वर्ष 2022-23 (नवम्बर, 2022 तक) के दौरान बाड़मेर-सांचौर बेसिन से कुल 34.93 लाख मैट्रिक टन खनिज तेल का उत्पादन केयर्न इंडिया लिमिटेड द्वारा किया गया तथा जैसलमेर एवं बाड़मेर-सांचौर बेसिन से लगभग 1,080.26 एम.एम. एस. सी.एम. प्राकृतिक गैस का केयर्न इण्डिया लिमिटेड, फोकस एनर्जी, ओ.एन.जी.सी. एल. एवं ऑयल इण्डिया लिमिटेड द्वारा वित्तीय वर्ष 2022-23 (नवम्बर, 2022 तक) के दौरान किया गया है।
   - राज्य सरकार द्वारा खनिज तेल एवं प्राकृतिक गैस के दोहन हेतु 11 पेट्रोलियम खनन पट्टे (पी.एम.एल.) स्वीकृत किए गए। 16

ब्लॉक्स में अन्वेषण का कार्य चल रहा है जिसके लिए पेट्रोलियम अन्वेषण लाईसेन्स (पी.ई.एल.) दिए गए हैं।

- बाड़मेर-सांचौर बेसिन में खोजे गए 38 क्षेत्रों में कुल लगभग 182 मिलियन बैरल तेल के प्रमाणित भण्डार का आंकलन किया गया है।
- जैसलमेर बेसिन एवं बाड़मेर-सांचौर बेसिन में ऑयल इण्डिया लिमिटेड, ओ.एन.जी.सी., केयर्न इण्डिया एवं फोकस एनर्जी द्वारा लगभग 12.2 बिलियन क्युबिक मीटर प्राकृतिक गैस के भण्डार प्रमाणित किए गए हैं।
- वित्तीय वर्ष 2022-23 (नवम्बर, 2022 तक) के दौरान रु. 3,603.38 करोड़ राजस्व अर्जित किया गया है।
- जैसलमेर जिले के बाचेवाला क्षेत्र से नवम्बर, 2022 तक लगभग 62,658 बैरल कच्चे तेल का दोहन किया गया है। वर्तमान में, 338 बैरल प्रतिदिन भारी तेल (बी.ओ.पी.डी.) का उत्पादन किया जा रहा है।
- बाड़मेर बेसिन से तेल एवं गैस की खोज के लिए एक नया ब्लॉक राज्य सरकार द्वारा 30 नवम्बर, 2022 को गेल इण्डिया लिमिटेड को स्वीकृत किया गया है।
- पेट्रोलियम एवं प्राकृतिक गैस मंत्रालय द्वारा डीएसएफ-III के अन्तर्गत तेल और गैस अन्वेषण हेतु जैसलमेर बेसिन में एक नया ब्लॉक 8 सितम्बर, 2022 को ऑयल इण्डिया लिमिटेड को आवंटित किया गया है तथा पेट्रोलियम खनन पट्टे (पी.एम.एल.) की स्वीकृति प्रक्रियाधीन है।

2. **राजस्थान रिफाईनरी परियोजना :** एच.पी.सी.एल. राजस्थान रिफाइनरी लिमिटेड (एच.आर.आर.एल.) हिन्दुस्तान पेट्रोलियम कॉर्पोरेशन एवं राजस्थान सरकार का क्रमशः 74 प्रतिशत (रु. 10,638 करोड़) और 26 प्रतिशत (रु. 3,738 करोड़) की इक्विटी साझेदारी के साथ संयुक्त उद्यम है। 9 मिलियन टन वार्षिक क्षमता की रिफाईनरी सह-पेट्रोकेमिकल कॉम्पलेक्स परियोजना के कार्य का शुभारम्भ 16 जनवरी, 2018 को पचपदरा, जिला बाड़मेर में किया गया। परियोजना की लागत रु. 43,129 करोड़ है और यह 2:1 के ऋण इक्विटी अनुपात पर वित्त पोषित है। यह रिफाइनरी बीएस-6 मानक के उत्पादों का उत्पादन करेगी। यह देश की प्रथम ऐसी परियोजना है, जिसमें रिफाईनरी पेट्रोकेमिकल कॉम्पलेक्स का सम्मिश्रण है। नवम्बर, 2022 तक विभिन्न निर्माण गतिविधियों हेतु रु. 23,057 करोड़ का व्यय किया गया है। इस परियोजना में लगभग 56.30 प्रतिशत कार्य पूर्ण एवं 17,000 से अधिक श्रमिक कार्यरत हैं

पेट्रोलियम क्षेत्र से अर्जित उत्पादन और राजस्व निम्न सारणी में दर्शाया गया है।

**सारणी-48 : पेट्रोलियम क्षेत्र से अर्जित उत्पादन और राजस्व**

| वर्ष | क्रूड ऑयल | | | प्राकृतिक गैस | | पी.ई.एल. फीस अनिवार्य किराया आदि (रु. करोड़) | कुल (रु. करोड़) (2+5+7) |
|---|---|---|---|---|---|---|---|
| | रॉयल्टी (रु. करोड़) | उत्पादन (लाख मैट्रिक टन) | उत्पादन (मिलियन बैरल) | रॉयल्टी (रु. करोड़) | उत्पादन (एम.एम.एस.सी.एम.) | | |
| 1 | 2 | 3 | 4 | 5 | 6 | 7 | 8 |
| 2019-20 | 3183.41 | 66.29 | 47.88 | 126.21 | 1160.92 | 10.48 | 3320.10 |
| 2020-21 | 1784.32 | 58.83 | 42.62 | 112.42 | 1232.75 | 8.05 | 1904.79 |
| 2021-22 | 3601.13 | 58.63 | 42.46 | 384.54 | 1684.51 | 9.72 | 3995.40 |
| 2022-23* | 3214.93 | 34.93 | 25.27 | 377.45 | 1080.26 | 10.99 | 3603.38 |

* नवम्बर, 2022 तक

## अणु शक्ति (Atomic Power)

राजस्थान जैसे राज्य में यहाँ कोयले व तेल के संचित भण्डार सीमित तथा आयात है, औद्योगिक विकास के लिए अणु शक्ति का विकास हितकर समझकर कोटा में अणु शक्ति द्वारा चलत विद्युत गृह की स्थापना की गई कनाडा के सहयोग से 1973 में एक रिएक्टर दो इकाई वाला 470 मेगावाट शक्ति का कोटा में बनाया गया है। कोटा स्थित परमाणु गृह में ईंधन के रूप में प्राकृतिक यूरेनियम तथा इसके साथ भारी पानी का प्रयोग किया जाता है। दूसरी इकाई से विद्युत की सुविधा 1980-81 में मिलने लगी है। इसे बढ़ाने के कार्यक्रम रखे हैं। 712 करोड़ रुपए की लागत से तीसरी व चौथी इकाइयों (2 × 235 m.w.) की स्वीकृति मिल चुकी है चार इकाईयाँ प्रत्येक 50 मेगावाट की बाद में और लगाई जाएगी इसकी तो विडम्बना ही यह है कि ये इकाइयां बन्द होती रहती है और चालू होती रहती है अत: इन पर बहुत ज्यादा भरोसा नहीं किया जा सकता है।

### गैर परम्परागत स्त्रोत (Non-Conventional Sources)

गैर परम्परागत स्त्रोतों के विकास के लिए जनवरी 1985 में राजस्थान ऊर्जा विकास एजेन्सी (Rajasthan Energy Development Agency) की स्थापना की गई है इसका सम्बन्ध निर्धूम चूल्हे, बायो गैस, सौर्य ऊर्जा, वायु ऊर्जा वगैरह से है। इस एजेन्सी ने सातवीं पंचवर्षीय योजना में महत्त्वपूर्ण उपलब्धियां की है। इनकी प्रगति का संक्षिप्त परिचय निम्न है।

## सौर ऊर्जा (Solar Energy)

इससे गैस व ईंधन की बचत होती है। राज्य सरकार ने 30 मेगावाट का सोलर थर्मल पलाण्ट जोधपुर के मथानिया में लगाने का प्रस्ताव योजना आयोग को स्वीकृति के लिए भेजा है। इस पर 103 करोड़ रुपए की लागत आएगी। इसे शीघ्र स्वीकृति मिलने की आशा है पहला सौर ऊर्जा फ्रीज जोधपुर जिले के बालेसर प्राथमिक चिकित्सा केन्द्र में लगाया गया था। इस छत पर काँच की प्लेटों का पैनल बनाया जाता है। सूर्य की रोशनी से फ्रीज की बैटरी में ऊर्जा एकत्रित होकर फ्रीज को चलाती है। सौर्य ऊर्जा प्रयोग निम्न कार्यों के लिया किया जाएगा।

**(1) स्ट्रीट ट्यूब लाइटें लगाना**–ऊर्जा का स्त्रोत स्ट्रीट ट्यूब लाइट के लिए बहुत ही उपयोगी है। सातवीं पंचवर्षीय योजना में 5,225 लाइटें लगाई गई। आठवीं पंचवर्षीय योजना में 2,000 दूर-दराज गांवों में 20 हजार ट्यूब लाइटें लगाने का लक्ष्य रखा गया है।

**(2) सोलर कुकर्स चलाना तथा वाटर हीटर्स लगाना**–सातवीं पंचवर्षीय योजना में 26,501 सोलर कुकर्स बेचे गए तथा आठवीं योजना के लक्ष्य एक लाख सोलर कुकर्स है इसी प्रकार 2.83 लाख लीटर प्रतिदिन क्षमता के सोलर वाटर हीटर्स सातवीं पंचवर्षीय योजना में लगाये गए है जब कि आठवीं योजना के लिए यह लक्ष्य 15 लाख लीटर प्रतिदिन है।

**(3) सोलर पम्प**–नीचे सतह से पानी निकालने के लिए बाड़मेर, नागौर, चुरू आदि में पंप लगाए हैं। सातवीं पंचवर्षीय योजना में 500 पम्प लगाने का लक्ष्य निर्धारित किया गया है।

## वायु ऊर्जा

राजस्थान के रेतीले इलाके में वायु का वेग बहुत तेज है। इसकी गति 20 से 40 किलोमीटर प्रति घण्टा है। सरल व कम लागत के उपकरण लगाकर इन्दिरा गांधी नहर परियोजना क्षेत्र में चारे व चरागाह विकास के लिए भारत सरकार से पवन चक्कियाँ प्राप्त करने का कार्यक्रम है। इस प्रकार मरुस्थल के विकास के लिए वायु-ऐरो जेनरेटर्स प्राप्त किए जाएगें। टाटा एनर्जी रिसर्च इन्स्टीट्यूट, दिल्ली ने राजस्थान के लिए जो दीर्घकालीन ऊर्जा योजना तैयार की है, उसमें बताया है कि जैसलमेर क्षेत्र में 1,200 मेगावाट तथा नागौर, जोधपुर क्षेत्र में 800 मेगावाट ऊर्जा इससे प्राप्त हो सकती है।

## बायो गैस

ऊर्जा संकट के संदर्भ में बायो गैस कार्यक्रम ने ध्यान आकृषित किया है। और यही कारण है कि गांवों में बायो गैस कार्यक्रम का विस्तार हो रहा है। 1979-

80 तक यह कार्यक्रम खादी एवं ग्रामोद्योग आयोग क्रियान्वित करता था लेकिन अब यह राज्य के अधीन है छठी पंचवर्षीय योजना में 13,660 संयंत्र लगाये गए। सातवीं योजना के अन्त तक कार्यक्रम का और विस्तार किया गया तथा इस योजना काल में 20,779 संयंत्र लगाए गए। आठवीं पंचवर्षीय योजना में 20 हजार संयंत्र लगाने का कार्यक्रम है और इसके लिए 208.15 लाख रुपए आवंटित किए गए हैं। इससे केरोसीन तेल व जलाने की लकड़ी की काफी बचत होगी।

# अध्याय 19

## उद्योग
## Industries

अन्य राज्यों की तुलना में राजस्थान उद्योगों में बहुत कम विकसित हुआ है। यों राजस्थानवासी अन्य कई राज्यों में उद्योगपति हैं। उद्योगों के मामले में विकास न करने का मुख्य कारण यहाँ सामन्ती शासन का रहना था। राजाओं व जागीरदारों ने उद्योगों को स्थापित करने का प्रोत्साहन दिया ही नहीं। तब यातायात व संचार साधन नाम मात्र के थे। रेगिस्तानी क्षेत्र, पानी की कमी व खराब मौसम भी उद्योगों की स्थापना में बाधक थे। राजस्थान ने बिड़ला, मोरारका, साहू-जैन, डालमिया, गोयनका, रुइया, सिंहानिया, बजाज, जयपुरिया, बांगड़िया, डागा, रामपुरिया, कनोड़िया, तोदी जैसे उद्योगपति भारत को दिए हैं, किन्तु यह विस्मयजनक है कि उनकी जन्मभूमि (राजस्थान) अभी तक औद्योगिक दृष्टि से पिछड़ी हुई है।

1. **प्राकृतिक बनावट**–राजस्थान के औद्योगिक दृष्टि से पिछडे. होने के अनेक कारणों में राज्य की प्राकृतिक बनावट को भी एक प्रमुख कारण बतलाया है। राजस्थान का अधिकांश भाग शुष्क एवं अर्द्धशुष्क रेगिस्तानी है। थार का रेगिस्तान न केवल राजस्थान में वरन् सम्पूर्ण भारत में सबसे शुष्क भाग है। उसके अनुसार, इस क्षेत्र में पानी 300 फीट से 600 फीट की गहराई पर पाया जाता है। राजस्थान में 30 जिलों में से 11 जिले शुष्क व अर्द्ध-शुष्क भागों में स्थित है-दूसरे शब्दों में, इस शुष्क व अर्द्ध-शुष्क भाग में राजस्थान की लगभग 61 प्रतिशत भाग है जिसमें 37 प्रतिशत जनसंख्या निवास करती है। बारहमासी नदियाँ (चंबल के अतिरिक्त) नहीं है। पठारी एवं पहाड़ी भाग औद्योगिक विकास में अवरोध उत्पन्न करते हैं।

2. **शक्ति के साधनों का अभाव**–विद्युत की कमी। इस समय राजस्थान में पाँच सौ मेगावाट विद्युत की कमी है। पाँच वर्ष बाद यह कमी एक हजार मेगावाट की हो जाएगी और शताब्दी के अन्त तक दो हजार मेगावाट की। बिना विद्युत के विकास और औद्योगिकीकरण की कल्पना भी नहीं की जा सकती। राजस्थान में शक्ति के साधनों के अभाव के कारण भी उद्योग-धन्धें का विकास नहीं हो पाया। कोयला केवल पलाना (बीकानेर) क्षेत्र से ही प्राप्त होता है किन्तु वह भी (लिग्नाइट) घटिया किस्म का है। रानीगंज व झरिया से कोयला मँगवाना बहुत मँहगा पड़ता है। राजस्थान में जल-विद्युत केवल चंबल-योजना से ही तैयार की जाती है। अन्य राज्यों की अपेक्षा यहाँ जलविद्युत मँहगी है। प्रति KWH विद्युत का मूल्य लगभग 11.21 है। भारत में शक्ति का प्रति व्यक्ति वार्षिक उपभोग लगभग 18 KWH है जबकि राजस्थान में यह 2.6 KWH है। शक्ति के उपयुक्त सस्ते साधनों के अभाव में उद्योगों की स्थापना व विकास नहीं हो सकता।

3. **वनों की अपर्याप्तता**–राजस्थान में वनों की कमी है। भारत के कुल क्षेत्र के लगभग 23 प्रतिशत भाग में वन पाए जाते हैं, जबकि राजस्थान के लगभग 3.3 प्रतिशत भाग में ही वन मिलते हैं। भारत के कुल क्षेत्रफल का लगभग 10.4 प्रतिशत भाग राजस्थान का है जबकि भारत के कुल वन-क्षेत्र का लगभग 1.8 प्रतिशत भाग राजस्थान में हैं। वन-क्षेत्र कम होने से राज्य में वन-पदार्थों की भी कमी है। औद्योगिक लकड़ी राज्य के बाहर से मँगवाई जाती है जो बहुत मँहगी पड़ती है।

4. **जल का अभाव**–पानी की कमी। औद्योगिक विकास के लिए, स्वयं विद्युत उत्पादन के लिए, यहाँ तक कि लघु-उद्योगों के विकास के लिए भी पानी एक अत्यन्त आवश्यक वस्तु है। औद्योगिक विकास के लिए प्रचुर मात्रा में स्वच्छ जल की आवश्यकता होती

है, जिसकी राजस्थान में कमी है। राजस्थान में वर्षा कम होती है। वर्ष पर्यन्त बहने वाली नदियाँ चंबल के अतिरिक्त राजस्थान में है ही नहीं। जैसलमेर, बाड़मेर, बीकानेर, जोधपुर क्षेत्रों में पानी की कमी ने वहाँ औद्योगिक विकास के लिए अवरोध उत्पन्न किए हैं। अनेक क्षेत्रों में तो पीने के लिए भी जल कठिनता से मिलता है, अत: उन क्षेत्रों में बड़े उद्योगों के विकास की कल्पना भी नहीं की जा सकती।

5. **यातायात के साधनों की अविकसित दशा**–यातायात के साधनों का अभाव। पूरे राज्य में एक छोटे से हिस्से में ही ब्रोड गेज की रेल–लाइन है। बाकी सारे राज्य में मीटर गेज लाइन ही है। अन्य प्रान्तों से सामान व कच्चा माल लाने ले जाने में यह सबसे बड़ी बाधा है। राज्य के विशाल क्षेत्र आज भी ऐसे हें जो रेलों से अछूते है। उदाहरण के तौर पर कांडला बंदरगाह का विकास इस उद्देश्य से किया गया था कि राजस्थान, हरियाणा और पंजाब के लिए यह निकटतम बन्दरगाह होगा, लेकिन इन प्रान्तों को इस बन्दरगाह से जोड़ने के लिये ब्रोड गेज की रेल लाइन नहीं। सड़कों का हाल तो और भी बुरा है। राज्य मार्ग तो दूर, राष्ट्रीय मार्गों का भी हाल यह है कि ट्रकों के लिए ये मार्ग मृत्यु का निमन्त्रण है। ऐसे सैकड़ों गाँव और कस्बे है जो पक्की सड़कों से जुड़े हुए नहीं हैं। राजस्थान में रेलमार्ग व सड़क–मार्गों की अपर्याप्तता भी राज्य के औद्योगिक विकास में बाधक रही है। खनिज क्षेत्रों में इनकी बहुत कमी है, वन–क्षेत्र में रेलमार्ग व सड़क–मार्ग नहीं है। दूर–संचार व्यवस्था में सम्पूर्ण अराजकता। पहले तो दूर–संचार एकदम नाकाफी है और दूसरे, जो भी है, वह भी एकदम निष्क्रिय। न जाने कितने टेलेक्स महीनों और वर्षों तक बन्द पड़े रहते हैं। टेलीफोन व्यवस्था तो सरदर्द बन गई है। राजस्थान में प्रति 1,000 वर्ग किलोमीटर क्षेत्र के लिए लगभग 16 किलोमीटर रेलमार्ग और 51 किलोमीटर सड़क–मार्ग है। जैसलमेर व बाड़मेर में अब सामरिक महत्त्व के कारण थोड़ा रेलमार्ग बनाया गया है। जोधपुर, बीकानेर व उदयपुर क्षेत्रों में रेल मार्ग बहुत कम है। रेलमार्ग व सड़क–मार्गों की कमी के कारण खनिज–पदार्थों, वन पदार्थों आदि को औद्योगिक क्षेत्रों तक पहुँचाने व कृषि पदार्थों की मंडियों तक पहुँचाने की सुविधा होती है। यातायात के मार्ग उद्योग–धंधों की रक्त–धमनियाँ होती है।

6. **कच्चे माल की अपर्याप्तता**–राजस्थान में उद्योग के लिये कच्चा माल पर्याप्त मात्रा में व उत्तम किस्म का उपलब्ध नहीं है। इसका एक प्रमुख कारण यह है कि राजस्थान का अधिकांश भाग रेगिस्तानी है। कपास अच्छे किस्म की नहीं होती, अधिकांश कपास छोटे रेशे की होती है, गन्ना अच्छे किस्म का नहीं होता, लोहा कम मात्रा में प्राप्त होता है, कोयला घटिया किस्म का होता है। अत: इनसे संबंधित कारखाने वांछित संख्या में स्थापित नहीं हो सके। भारत के अन्य भागों से कच्चा माल मँगाना मँहगा पड़ता है।

7. **तकनीकी ज्ञान का अभाव**–राजस्थान में तकनीक ज्ञान का नितांत अभाव है। यदि कोई कारखाना स्थापित करना चाहे तो बाहर से तकनीकी व्यक्ति बुलाए जाते है। कोटा में खाद का कारखाना, बिजली के तार बनाने आदि के कारखाने स्थापित किए गए, किन्तु सभी के लिए तकनीकी–व्यक्ति बाहर से बुलाए गए। राजस्थान में भारत के कुल अभ्रक उत्पादन का लगभग 28 प्रतिशत भाग प्राप्त होता है किन्तु तकनीकी ज्ञान के अभाव में प्राय: सभी अभ्रक बिहार को भेज दिया जाता है। राजस्थान में भारत की कुल जिप्सम का 85 प्रतिशत से भी अधिक भाग उत्पन्न होता है किन्तु प्राय: सभी बाहर भेज दिया जाता है। ऊन–उत्पादन की दृष्टि से राजस्थान महत्त्वशील है, किन्तु अधिकांश ऊन, तकनीकी ज्ञान के अभाव में बाहर भेज दी जाती है।

8. **प्रशिक्षित श्रमिकों का अभाव**–राजस्थान में जनसंख्या का घनत्व बहुत कम है। प्रशिक्षित–श्रमिकों का तो नितांत अभाव है क्योंकि राज्य में शिक्षा का प्रसार तो कम है ही किन्तु साथ ही प्रशिक्षण देने की सुविधाएँ भी कम हैं। राज्य के अधिकांश व्यक्ति निर्धनता, अज्ञानता, अशिक्षा, अंधविश्वास एवं रूढ़ियों से प्रभावित है। राज्य में प्रशिक्षित फिटर्स, टर्नर्स, मैकेनिक्स आदि की बहुत कमी है।

**9. प्रदेश का सामन्ती प्रशासन**–राजस्थान के औद्योगिक विकास में प्रान्त का सामन्ती प्रशासन एक बहुत बड़ी रूकावट है। गुजरात में प्रत्येक परिवार में यदि एक सदस्य व्यापार अथवा उद्योग में लगा होगा तो दूसरा सदस्य प्रशासन में। लेकिन राजस्थान में प्रशासन का अलग ही वर्ग है उसकी अलग ही संस्कृति है। व्यापार, वाणिज्य और उद्योग को वह घटिया समझता है, उसके प्रति हिराकत की भावना रखता है और हर कार्य में अडंगा डालना ही अपनी कुशलता का प्रमाण समझता है। अनेक उदाहरण दिए जा सकते हैं। राजस्थान में जमीनों की कोई कमी नहीं लेकिन उद्योगों के लिए दी जाने वाली जमीन अत्यन्त महंगी है।

**10. पूंजी की कमी**–राजस्थान में व पूंजीपति अन्य राज्यों व नगरों (जैसे–आसाम, कोलकाता, चैन्नई, मुम्बई, अहमदाबाद आदि) में चले गए हैं, और वहाँ अपने उद्योग–धंधे स्थापित किए हैं। राजस्थान में पूंजी लगाने में उन्होंने संकोच किया है। बैंकों व वित्त–निगम से ऋण लेने में कठिनाई होती है।

**11. पूंजी–निर्माण की मंदगति**–राजस्थान में पूंजी–निर्माण की मंद–गति है। यहाँ पूंजी–निर्माण की दर 5 प्रतिशत है जबकि भारत में यह दर 8 से 10 प्रतिशत है। डॉ. कोलिन क्लार्क के अनुसार, यदि किसी देश की जनसंख्या में 1 प्रतिशत की वार्षिक–वृद्धि होती है तो उसी जीवन–स्तर को बनाए रखने के लिए 4 प्रतिशत का अतिरिक्त वार्षिक–विनियोग आवश्यक है। राजस्थान जैसे राज्य में जहाँ जनसंख्या में वार्षिक–वृद्धि लगभग 2.7 प्रतिशत है, वहाँ इस बढ़ी हुई जनसंख्या के प्रभावों को प्रभावहीन करने के लिए 10.5 प्रतिशत विनियोग की आवश्यकता है। इसी जीवन–स्तर को बनाए रखने के लिए राजस्थान को 15 प्रतिशत सकल पूंजी–निर्माण की आवश्यकता है। किन्तु वर्तमान परिस्थितियों को देखते हुए ऐसा होना बहुत कठिन प्रतीत होता है।

**12. केन्द्रीय सरकार की उदासीनता**– केन्द्रीय सरकार में राजस्थान में सार्वजनिक–क्षेत्र में अधिक उद्योग–स्थापित नहीं किए। सार्वजनिक क्षेत्र में लगाए गए 28 अरब रुपयों में राजस्थान को लगभग 0.90 प्रतिशत भाग ही मिला। केन्द्रीय–सरकार ने उद्योगों की केवल 4 इकाईयाँ (हिन्दुस्तान कॉपर लि.,हिन्दुस्तान जिंक लि., मशीन टूल्स लि. और इन्स्ट्रूमैन्टेशन लि.) ही राजस्थान में लगाई है। मध्यप्रदेश, उड़ीसा, बंगाल और बिहार राज्यों में केन्द्रीय सरकार के सरकार के विनियोग–राशि का लगभग 77% भाग लगा हुआ है।

**13. केन्द्रीय पूंजी नियोजन का अभाव**– उदयपुर में जिंक खेतड़ी में तांबा, अजमेर में मशीन टूल्स और कोटा में औजार केवल चार ही सार्वजनिक क्षेत्र के केन्द्रीय उद्योग राजस्थान में लगे है। राजस्थान में उर्वरक खनिज प्रचुर मात्रा में उपलब्ध है, लेकिन एक भी बड़ा उर्वरक उद्योग केन्द्रीय सरकार ने नहीं लगाया। सीमेंट का कच्चा माल जितना राजस्थान में है, उतना किसी और प्रदेश में नहीं है। लेकिन सीमेंट उद्योग राजस्थान में नहीं लगाया। बड़े उद्योगों की स्थापना में विद्युत की कमी आड़े नहीं आती क्योंकि वे स्वयं अपनी विद्युत आप पैदा करते है।

## सूती वस्त्र उद्योग

सूती वस्त्र उद्योग, निर्माण के प्राचीनतम स्वरूपों में से एक है और आज भी वह विश्व के अत्यन्त महत्त्वपूर्ण उद्योगों में आता है। भारतवर्ष में भी रोजगारी, उत्पादन के कुल मूल्य और विदेशी व्यापार में हिस्से की दृष्टि से वह एक महत्त्वपूर्ण स्थान रखता है। यह उद्योग राजस्थान में बड़े पैमाने के उद्योग में से एक है। सूती वस्त्र उद्योग राजस्थान में बड़े पैमाने के उद्योगों में महत्त्वपूर्ण स्थान रखता है। 1949 में वृहद् राजस्थान के निर्माण के समय राज्य में 7 सूती कपड़े की मिलें थी। वर्तमान में इनकी संख्या 23 हो गई है। इनमें से 17 मिलें निजी क्षेत्र में हैं, 3 सार्वजनिक क्षेत्र में हैं (दो ब्यावर में तथा एक विजयनगर में) तथा 3 सहकारी क्षेत्र में कताई मिलें (गुलाबपुरा, गंगापुर तथा हनुमानगढ़ में) हैं। सूती वस्त्र मिलें ब्यावर (3), भीलवाड़ा (3), जयपुर (2), किशनगढ़ (2), उदयपुर, पाली, गंगापुर (भीलवाड़ा), हनुमानगढ़, कोटा, भवानीमंडी, विजयनगर, गंगानगर, गुलाबपुरा, (भीलवाड़ा) आदि केन्द्रों में स्थित हैं। भविष्य में राजस्थान में सूती वस्त्र मिलों के बढ़ने की आशा है।

राज्य में पहली सूती वस्त्र मिल ''दी कृष्णा मिल्स लि.'' 1889 में निजी क्षेत्र में स्थापित हुई थी। यहाँ पर दूसरी मिल ''एडवर्ड मिल्स लि.'' 1906 में स्थापित की गई। तीसरी मिल ''श्री महालक्ष्मी मिल्स लि.'' भी यहीं पर 1925 में स्थापित हुई। इसके बाद 1938 में भीलवाड़ा में मेवाड़ टैक्सटाइल्स मिल्स तथा 1942 में पाली में महाराजा उम्मेद मिल्स लि. स्थापित की गई। 1946 में गंगानगर में सार्दूल टैक्सटाइल्स लि. की स्थापना की गई। आगे चलकर कृष्णा मिल्स व एडवर्ड मिल्स रुग्ण हो जाने के कारण राष्ट्रीय वस्त्र निगम ने अपने हाथ में ले लिया था जिससे ये सार्वजनिक क्षेत्र में आ गई थीं। (मानचित्र 79)

सामान्यतया सूती वस्त्रोद्योग के स्थानीयकरण को प्रभावित करने वाले तत्त्व जटिल है। इस उद्योग की स्थिति और विकास में प्रत्येक क्षेत्र का अपना इतिहास है। अनेक उदाहरणों में पुराने औद्योगिक क्षेत्र बढ़ते रहते हैं, चाहे उस उद्योग की स्थापना के मौलिक कारण अब न भी रहे हों। इसके स्थानीयकरण को प्रभावित करने वाले महत्त्वपूर्ण कारकों में कच्चे माल की पूर्ति, ईंधन, रसायन, मशीनें, श्रम, यातायात सुविधाएँ, बाजार और पूंजी हैं। इनमें से कोई भी कारक इस उद्योग की स्थिति और विकास के लिए जिम्मेवार हो सकता है, बशर्ते की वह अन्य सूती वस्त्र केन्द्रों की तुलना में निश्चित रूप से लाभ पहुँचाए। इस दृष्टि से देखने पर राजस्थान में इस उद्योग की स्थिति का श्रेय कच्चे माल की पूर्ति यानी कपास और विस्तृत बाजार को दिया जा सकता है। कपास यहाँ 4,09,814 हैक्टर में उगाई जाती है, जो कुल कृषि के क्षेत्रफल का लगभग 4.0 प्रतिशत होता है। कुल कपास क्षेत्रफल का लगभग 60 प्रतिशत गंगानगर में है और वह कपास की 89,700 गाँठें पैदा करता है, यानि राज्य में उत्पादित कुल कपास का लगभग आधा। इस क्षेत्र में मध्यम और छोटे रेशे की कपास उत्पन्न होती है। सिंचित कपास की कपास की फसल की यह वृहत् मात्रा गंगानगर में एक कारखाने की स्थापना में प्रमुख कारक हैं। इस कारखाने में लगभग 18,050 तकुए, 518 करघे और 1,625 कार्यकर्ता है। अन्य कपास उत्पादक जिलें अजमेर, भीलवाड़ा, झालावाड़, चित्तौड़गढ़ और जयपुर हैं। माही प्रायोजना से सिंचाई की उपलब्धि पूरी हो जाने पर कपास उत्पादन क्षेत्र में वृद्धि करने एवं कपास के रेशे की लम्बाई सुधारने के लिए बाँसवाड़ा जिले में गुंजाइश है, जहाँ इस क्षेत्र के तीन कपास निर्माणकारी कारखाने हैं। इन केन्द्रों के लिए कपास राज्य में उपलब्ध है, परन्तु वह बरार और भारत के अन्य कपास उत्पादक क्षेत्रों से भी प्राप्त की जाती है। इस उद्योग के विकास में सबसे बड़ा कारक स्थानीय खपत की मात्रा है। कोयला ईंधन के रूप में प्रयुक्त होता है और दूरस्थ स्थानों से प्राप्त किया जाता है। यह उद्योग अतिरिक्त ग्रामीण जनसंख्या को काम में लगाने में भी सहायता करता है। किसी भी के विकास के लिए, जहाँ अन्य उद्योग स्थानान्तरित नहीं किए जा सकते, सूती वस्त्रोद्योग ही प्राय: सर्वप्रथम चुना जाता है। यह न केवल एक आधारभूत आवश्यकता की पूर्ति करने में मदद करता है, बल्कि इसको कार्यान्वित करने के लिए तकनीकी रूप से कम प्रशिक्षित व्यक्तियों की आवश्यकता पड़ती है। श्रम शक्ति में पुरुष और महिलाएँ, बच्चे और वृद्ध भी सम्मिलित होते हैं। अनेक स्थानों में यह उद्योग दूसरे प्रकार के निर्माणों से सम्बद्ध है, जिनमें पुरुष भारी उद्योगों में लगे होते हैं और महिलाएँ सूती वस्त्र कारखानों में काम करती है। कच्ची कपास की पूर्ति और निर्मित वस्तुओं के लिए बाजार के अतिरिक्त अन्य अनेक कारक भी हैं जो सूती वस्त्र उद्योग की स्थिति और विकास को प्रभावित करते हैं। इनमें जलवायु, मृदु जल की उपलब्धि, कोयला और भू-उपयोग की स्थिति गिनाई जा सकती हैं जो एक प्रदेश विशेष में आर्थिक सुअवसरों को सीमित करती हैं। वर्तमान समय में जलवायु कोई बाधा नहीं हैं क्योंकि अधिकांश कारखानों में कृत्रिम आर्द्रकरों की स्थापना आवश्यक है। अधिकांश सूती वस्त्र केन्द्रों में और उनके आसपास बहुत-सी भूमि है। राजस्थान में ये अधिकांश केन्द्र कुशलतापूर्वक काम नहीं कर पा रहे हैं और उद्योग सम्पूर्ण रूप से एक कठिन समय से गुजरा है जिससे इन कारखानों के लिए यह आसान नहीं रहा है कि वे देश के अन्य केन्द्रों के उत्तम किस्म के उत्पादन से मुकाबला कर सकें।

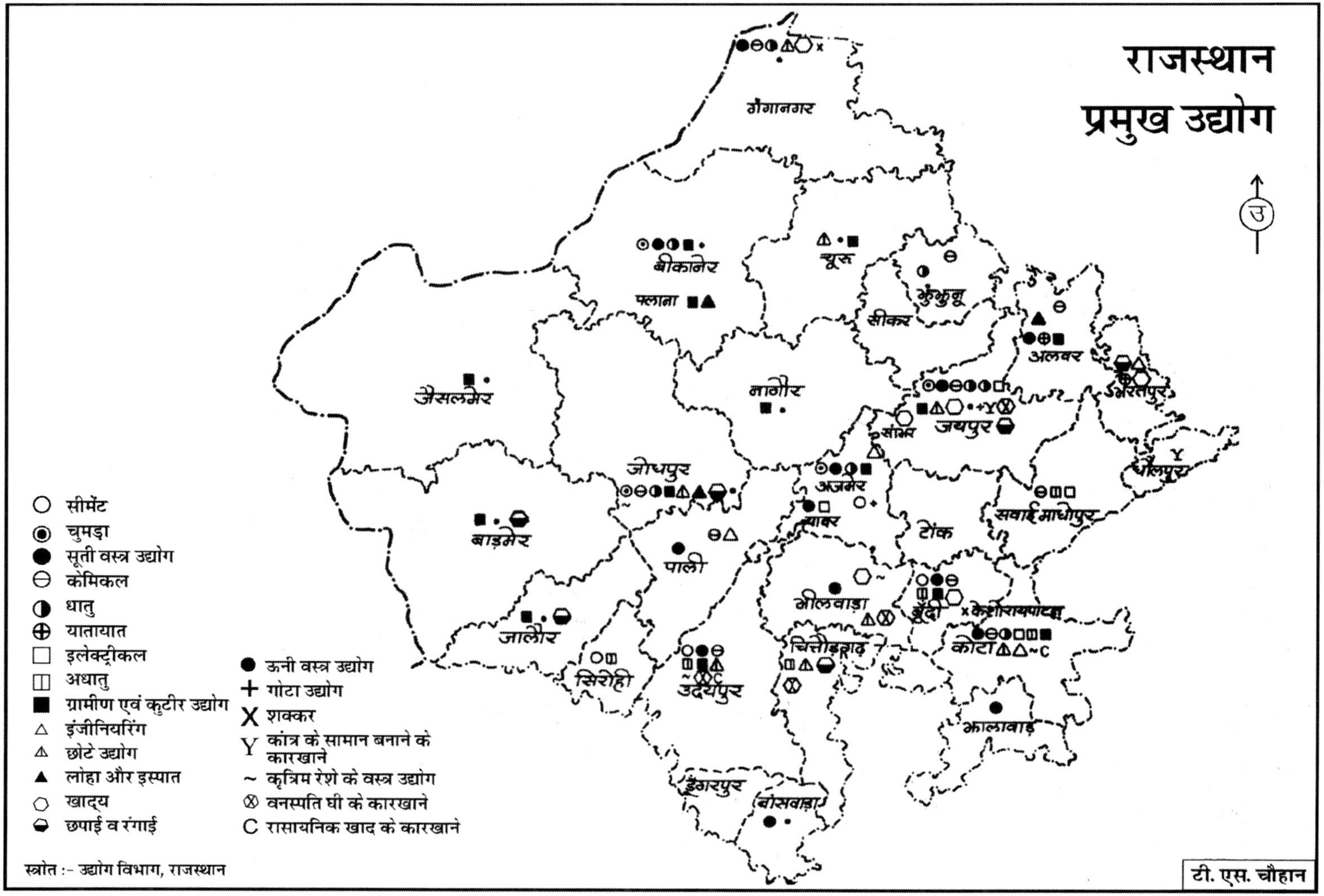
राजस्थान
प्रमुख उद्योग
उ
गंगानगर
बीकानेर
फलाना
चूरू
झुंझुनू
सीकर
अलवर
भरतपुर
जैसलमेर
नागौर
जयपुर
सांभर
धौलपुर
जोधपुर
अजमेर
ब्यावर
टोंक
सवाई माधोपुर
बाड़मेर
पाली
भीलवाड़ा
बूंदी
केशोरायपाटन
जालौर
सिरोही
उदयपुर
चित्तौड़गढ़
कोटा
झालावाड़
डूंगरपुर
बांसवाड़ा
○ सीमेंट
◉ चुमड़ा
● सूती वस्त्र उद्योग
⊖ केमिकल
◑ धातु
⊕ यातायात
□ इलेक्ट्रीकल
◫ अधातु
■ ग्रामीण एवं कुटीर उद्योग
△ इंजीनियरिंग
◬ छोटे उद्योग
▲ लोहा और इस्पात
⬡ खाद्य
छपाई व रंगाई
● ऊनी वस्त्र उद्योग
+ गोटा उद्योग
X शक्कर
Y कांत्र के सामान बनाने के कारखाने
~ कृत्रिम रेशे के वस्त्र उद्योग
⊗ वनस्पति घी के कारखाने
C रासायनिक खाद के कारखाने
स्रोत :- उद्योग विभाग, राजस्थान
टी. एस. चौहान

मानचित्र 79

**कपास के उत्पादन की प्रवृत्ति**–राज्य में कपास का वार्षिक उत्पादन काफी घटता-बढ़ता रहता है। 2017-18 में कपास का अंतिम उत्पादन 18.93 लाख गाँठ हुआ, जो पिछले वर्ष से काफी कम था। इस प्रकार राज्य में सूती वस्त्र का उत्पादन 1989 में लगभग 4 करोड़ मीटर हुआ तथा सूत (यार्न) का उत्पादन 47.5 हजार टन रहा। 1990 में सूती वस्त्र का उत्पादन 4.7 करोड़ मीटर हुआ जो 1983 के उत्पादन से कम था। इस प्रकार राजस्थान में सूती वस्त्र का उत्पादन घटता-बढ़ता रहता है। 1990 में कॉटन यार्न का उत्पादन थोड़ा बढ़ा है। 1983 में राज्य में सूती वस्त्र का उत्पादन 5.6 करोड़ मीटर हुआ जो अपने आप मे एक रिकार्ड था। बाद में इसके उत्पादन में कमी हुई है।

**(1) राजस्थान सहकारी कताई मिल लि. गुलाबपुरा (भीलवाड़ा)**–यह 1965 में स्थापित हुई थी। यह कपास का उत्पादन करने वाले सदस्य कृषकों व अन्य से कपास खरीदती है और जिनिंग, कताई, बुनाई, रंगाई व अन्य सम्बद्ध क्रियाओं में भाग ले सकती है। इसका मुख्य उद्देश्य यार्न बेचकर कपास बेचकर कपास के उत्पादकों को लाभप्रद मूल्य दिलाना होता है। इसे पिछले वर्षों में काफी घाटा रहा है।

**(2) गंगापुर सहकारी कताई मिल लि.**–यह 1981 में स्थापित की गई थी। यह भी भीलवाड़ा जिले के गंगापुर कस्बे में स्थित है। यह समिति के सदस्यों के लाभ के लिए सहायक उद्योगों का संचालन करती है। यह भी घाटे में चलती रही है।

**(3) गंगानगर सहकारी कताई मिल लि.**– इसकी स्थापना 1978 में हुई थी। इसका कार्यालय हनुमानगढ़ जंक्शन (जिला गंगानगर) में है। इसका उद्देश्य भी जिले में उत्पन्न कपास का उपयोग करना तथा पावरलूम व हाथ-करघों को कच्चा माल उपलब्ध कराना है। यह भी लगातार घाटे में चल रही है।

### सूती वस्त्र मिलों की समस्याएँ व उनका हल

**(1) कच्चे माल की कमी**–राज्य में जिस वर्ष कपास का उत्पादन घट जाता है उस वर्ष सूती वस्त्र मिलों को कच्चे माल की कमी का सामना करना पड़ता है। यहाँ लम्बे रेशे की कपास का अभाव रहता है।

**(2) पुरानी मशीनरी**–राज्य में सूती वस्त्र की मिलों में काफी मशीनें बहुत पुरानी है। ब्यावर में कृष्णा मिल व एडवर्ड मिल राष्ट्रीय वस्त्र निगम ने रुग्ण होने के कारण अपने अधिकार में ले ली थी। इनके आधुनिकीकरण का अभाव रहा है।

**(3) शक्ति के साधनोंकी कमी**–राज्य में पुराने स्टील संयंत्रों के लिए कोयला बिहार से मँगाया जाता है। प्राय: मिलों को पावर की कमी का सामना करना पड़ता है। अत: यह समस्या हल की जानी चाहिए।

**(4) सामान्य कठिनाइयाँ**– पूँजी की कमी, कुप्रबन्ध व मिलों के आकार के छोटे होने से उत्पादन लागत अधिक आती है। अत: इस उद्योग के प्रबन्ध में काफी सुधार करने की आवश्यकता है।

### ऊनी वस्त्र उद्योग

राजस्थान भारतवर्ष में उत्तम ऊन उत्पन्न करता है। यहाँ पर देश के कुल उत्पादन का 45 प्रतिशत ऊन होता है। राज्य में वर्ष 2013-14 में 15027 हजार किग्रा. ऊन का उत्पदान हुआ। राज्य में 7.9 मिलियन (2019) भेड़ें है जो प्रतिवर्ष 6 करोड़ पौण्ड ऊन पैदा करती है। राज्य में उत्पादित ऊन के विक्रय से लगभग 20 करोड़ का वार्षिक व्यापार होता है इस प्रकार ऊन उद्योग राज्य ही नहीं वरन् देश की अर्थव्यवस्था में महत्त्वपूर्ण स्थान है। राजस्थान ऊन उद्योग के समुचित अध्ययन हेतु मात्रात्मक तथा गुणात्मक ऊन के दोनों ही पक्षों का सिंहावलोकन आवश्यक हो जाता है।

#### मात्रात्मक ऊन उत्पादन

भारत विश्व की लगभग 15% गलीचा ऊन उत्पादन करता है, जबकि कुल विश्व ऊन उत्पादन में भारत का प्रतिशत 1.33% ही हैं। इसमें राजस्थान का उत्पादन 15.72% था जो कुल भारत का लगभग 44.3% था। ऊन उत्पादन में राजस्थान का स्थान प्रथम है। राजस्थान के बाद ऊन उत्पादक मात्रा की दृष्टि से क्रमश: गुजरात, आन्ध्र प्रदेश, कर्नाटक, उत्तर प्रदेश तथा महाराष्ट्र आदि का स्थान आता है। राजस्थान के

बाद भारतवर्ष का ऐसा राज्य नहीं जिसका ऊन उत्पादन 10 % या 10 प्रतिशत से अधिक हो।

## गुणात्मक ऊन उत्पादन

गुणात्मक ऊन उत्पादन से तात्पर्य ऊन की किस्म की दृष्टि से अध्ययन करने से हैं। विश्व बाजार की दृष्टि से ऊन तीन प्रकार की होती है-(1) मेरीनी ऊन, (2) दोगली ऊन, (3) गलीचा ऊन।

मेरीनी ऊन सर्वश्रेष्ठ किस्म तथा दोगली मध्यम किस्म एवं गलीचा ऊन निम्न किस्म की ऊन मानी जाती है लेकिन राजस्थान की ऊन विश्व के गलीचा ऊन में सर्वश्रेष्ठ मानी जाती है। राजस्थान में ऊन की किस्म का विस्तृत अध्ययन हेतु ऊन की किस्म को निर्धारित करने वाले महत्त्वपूर्ण तत्त्वों-उत्तमता, रेशे की लम्बाई तथा रंग व बालों की मात्रा के आधार पर करना आवश्यक है।

### 1. उत्तमता

ऊन की उत्तमता से तात्पर्य ऊन का रेशा बारीक एवं मजबूत होने से है जिससे कि अधिक से अधिक बारीक एवं लम्बा धागा काता जा सके। मुख्यत: ऊन की उत्तमता को दो तरीकों से प्रदर्शित किया जाता है-

1. रेशे की मोटाई नाप कर तथा
2. एक निश्चित ऊन की मात्रा से निर्मित धागे की लम्बाई नापकर।

प्रथम विधि में रेशे की मोटाई जितनी अधिक होती है उतनी ही वह ऊन निम्न किस्म की मानी जाती है। इस आधार पर राजस्थान की ऊन को निम्न पाँचों भागों में विभाजित किया गया है:-

| | रेशे की मोटाई |
|---|---|
| उत्तम | 25-30 माईक्रोन्स |
| सामान्य उत्तम | 30-35 माईक्रोन्स |
| सामान्य मोटी | 35-40 माईक्रोन्स |
| मोटी | 40-45 माईक्रोन्स |
| अत्यधिक मोटी | 50 से अधिक माईक्रोन्स |

द्वितीय विधि में ऊन के रेशे की मोटाई नहीं नापी जाती वरन् उससे निर्मित धागे की लम्बाई नापी जाती है जिसके द्वारा ऊन के रेशे की मोटाई तथा मजबूती दोनों का ही स्पष्ट ऊन के रेशे की मोटाई तथा मजबूती दोनों का ही स्पष्ट ज्ञान हो जाता है। जिस ऊन में एक पौण्ड मात्रा से 560 गज लम्बा जितनी बार बन सकेगा उतनी ही अधिक अंक की अमुक ऊन मानी जाती है। जिस ऊन में अंकों की जितनी मात्रा अधिक होगी उतनी ही वह ऊन उत्तम होगी। राजस्थान की ऊन को इस दृष्टि से निम्न चार वर्गों में बांटा जा सकता है। (सारणी-49)

**सारणी-49 : ऊन की किस्में**

| किस्में | अंक | ऊन उत्पादन (मैट्रिक टन) | प्रतिशत |
|---|---|---|---|
| उत्तम | 50 से अधिक | 3241 | 23.2 |
| मध्यम | 44 से 50 | 8536 | 61.1 |
| मोटी | 36 से 44 | 727 | 5.2 |
| अत्यधिक मोटी | 36 से कम | 1467 | 10.5 |
| **कुल** | | **13971** | **100.0** |

उपर्युक्त सारणी से स्पष्ट है कि राजस्थान में अधिकांश ऊन मध्यम किस्म की होती है। जो विश्व बाजार में गलीचा ऊन के नाम से प्रसिद्ध है। भारतीय दृष्टिकोण से राजस्थान में लगभग 23 प्रतिशत ऊन उत्तम किस्म की होती है जिसे मेरीनी ऊन के साथ मिलाकर वस्त्र निर्माण में प्रयोग किया जा सकता है तथा 16 प्रतिशत ऊन मोटी एवं अत्यधिक मोटी श्रेणी में आती है जो गलीचा तथा वस्त्र निर्माण के अनुपयुक्त होती है।

वेबर (1954) महोदय के कृषि प्रदेशों (Crop Regions) के न्यूनतम स्टेण्डर्ड डेविसयन प्रणाली (Minimum Standard Deviation Method) के आधार पर राजस्थान को पाँच ऊन किस्म प्रदेशों (Wool, Quality Regions) में वर्गीकृत किया गया है।

### 1. अत्यधिक मोटी किस्म प्रदेश (Very Coarse Quality Region)

यह प्रदेश राजस्थान की सोनाली नस्ल क्षेत्र के उदयपुर, चित्तौड़गढ़, डूँगरपुर, बाँसवाड़ा, कोटा, बूंदी, झालावाड़ तथा भीलवाड़ा के दक्षिणी भाग में विस्तृत है। इस प्रदेश में ऊन उत्पादन जिसमें 100 प्रतिशत अत्यधिक मोटी किस्म की ऊन होती है।

2. **मोटी तथा मध्यम किस्म प्रदेश (Coarse and Medium Quality Region)**

यह प्रदेश राजस्थान मालपुरा भेड़ नस्ल क्षेत्र के अजमेर, जयपुर, टोंक, सवाई माधोपुर, भीलवाड़ा, अलवर तथा भरतपुर जिलों में विस्तृत है। इस ऊन में 50 प्रतिशत ऊन मोटी, 40 प्रतिशत मध्यम तथा 10 प्रतिशत अत्यधिक मोटी किस्म की है।

3. **मध्यम किस्म प्रदेश (Medium Quality Region)**

यह प्रदेश राजस्थान की जैसलमेरी, पुगल, मगरा तथा नाली नस्लों के जैसलमेर, बीकानेर, गंगानगर तथा चुरू जिलों में विस्तृत है। इस प्रदेश की जैसलमेरी एवं पुगल नस्लों से प्राप्त ऊन में लगभग 90 प्रतिशत मध्यम तथा 10 प्रतिशत मोटी किस्म की ऊन पाई जाती हैं। जबकि मगरा एवं नाली भेड़ों की ऊन में 85 प्रतिशत मध्यम, 10 प्रतिशत मोटी तथा 5 प्रतिशत अत्यधिक मोटी किस्म पाई जाती है। सम्पूर्ण प्रदेश का औसत 87.5 मध्यम, 10 प्रतिशत मोटी तथा 2.5 प्रतिशत अत्यधिक मोटी किस्म की ऊन का है।

4. **उत्तम तथा मध्यम किस्म प्रदेश (Fine and Medium Quality Region)**

यह प्रदेश राजस्थान की मारवाड़ी नस्ल के क्षेत्र के बाड़मेर, जोधपुर, जालोर, नागौर, पाली, सिरोही, जयपुर तथा अजमेर जिलों में विस्तृत है। इस ऊन में 70 प्रतिशत मध्यम, 25 प्रतिशत उत्तम तथा 5 प्रतिशत मोटी किस्म की ऊन सम्मिलित थी।

5. **उत्तम किस्म प्रदेश (Fine Quality Region)**

यह प्रदेश राजस्थान की चौकला नस्ल झुंझुंनु सीकर, नागौर तथा चुरू जिलों के विस्तृत है। उस ऊन में 85 प्रतिशत उत्तम, 10 प्रतिशत मध्यम तथा 5 प्रतिशत मोटी किस्म की ऊन सम्मिलित थी।

### रेशे की लम्बाई (Length of the Staple)

ऊन की किस्म निर्धारण में रेशे की लम्बाई का अन्य बातें समान रहने पर अभूतपूर्व महत्त्व होता है। जितनी अधिक ऊन रेशे की लम्बाई होगी उतनी ही वह ऊन उत्तम मानी जाती है। राजस्थान में उत्पादित ऊन को इस दृष्टि से निम्न तीन भागों में वर्गीकृत किया जा सकता है। (सारणी-50)

**सारणी-50**
**ऊन उत्पादित किस्मों की लम्बाई**

| किस्म | लम्बाई (से.मी.) | ऊन मात्रा (मै. टन) | प्रतिशत |
|---|---|---|---|
| लम्बी रेशे की ऊन | 12.6-15 से.मी. | 2282 | 16.4 |
| मध्यम रेशे की ऊन | 17.6-12.5 से.मी. | 9183 | 65.7 |
| छोटे रेशे की ऊन | 2.5-7.5 से.मी. | 2505 | 17.9 |
| **योग** | | **13970** | **100.0** |

रेशे की दृष्टि से राजस्थान की सर्वाधिक ऊन मध्यम, रेशे वाली है। इस प्रकार की ऊन मुख्यत: मारवाड़ी, पुगल, चौकला तथा कुछ मगरा व जैसलमेरी नस्लों से प्राय: होती है। सबसे छोटे रेशे की ऊन राजस्थान के पूर्वी जिलों विशेषकर मालपुरा एवं सोनाड़ी नस्ल क्षेत्रों में पाली जाने वाली भेड़ों से प्राप्त होती है।

### रंग (Colour) के अनुसार ऊन उत्पादन

सामान्यत: ऊन का रंग सफेद होता है, लेकिन जलवायु प्रभावी तथा नस्ल विशेष गुणों तथा एक ही नस्ल के विभिन्न शारीरिक अंगों से प्राप्त ऊन का रंग भिन्न-भिन्न पाया जाता है। राजस्थान मे जलवायु और विशेषकर वर्षा के कारण वर्षा ऋतु के पश्चात् कर्तित ऊन अधिकतर वर्षा के पानी के साथ-साथ विभिन्न प्रकार की मिट्टी एवं गंदगी के लग जाने से ऊन अपेक्षाकृत पीली (Yellow) होती है। जबकि बसंत ऋतु में कर्तित ऊन अपेक्षाकृत सफेद होती है।

प्रदेश विशेषकर का प्रभाव भी ऊन के रंग पर देखने को मिलता है जैसे दक्षिणी पूर्वी सोनाड़ी नस्ल क्षेत्र में जहाँ वर्षा अधिक होती है ऊन पीले रंग की होती है। जबकि पश्चिमी जिलों में जहाँ अपेक्षाकृत कम वर्षा होती है सफेद ऊन होती है।

नस्ल के अनुसार भी रंग में भिन्नता पाई जाती है जैसे मारवाड़ी तथा जैसलमेरी नस्ल की भेड़ों के मुँह, गर्दन तथा टांगों की भेड़ों पर काले रंग की जबकि चौकला, पूगल तथा मगरा नस्लों की भेड़ों से गहरे भूरे तथा हल्के भूरे या मिश्रित (Mixed) रंग की ऊन प्राप्त होती है। राजस्थान की कुल ऊन को मोटे रूप से रंग की दृष्टि से निम्न चार वर्गों में बाँटा गया (सारणी–51)

**सारणी–51 : ऊन का रंग**

| ऊन का रंग | ऊन की मात्रा (मैट्रिक टन) | प्रतिशत |
|---|---|---|
| सफेद | 5016 | 35.9 |
| हल्की सफेद | 405 | 2.9 |
| पीली | 8215 | 5.8 |
| रंगीन मिश्रित | 335 | 2.4 |
| **कुल** | **13971** | **47.0** |

रंग की दृष्टि से राजस्थान में पीली ऊन की प्रधानता है। सारणी–51 जो कुल ऊन का लगभग 59 प्रतिशत है, कारण स्पष्ट है कि पूर्वी राजस्थान की मालपुरा तथा सोनाड़ी नस्ल की भेड़ें अधिकांश तक (90 प्रतिशत) पीले रंग की ही ऊन प्रदान करती है। और सम्पूर्ण राजस्थान की भेड़ें वर्षा ऋतु की कतरण में पीली ऊन (कुल राजस्थान की 47 प्रतिशत) ही प्रदान करती है। सफेद ऊन का स्थान दूसरा है जो लगभग सम्पूर्ण ऊन पश्चिमी राजस्थान में बसंत ऋतु की कतरण से प्राप्त होती है। रंगीन व हल्की सफेद का स्थान कुल उत्पादन में नगण्य हैं।

### बालों की मात्रानुसार ऊन का उत्पादन

बालों की मात्रा ऊन की किस्म का निर्धारण करने वाला प्रमुख तथ्य है। ज्यों–ज्यों बालों की मात्रा ऊन में बढ़ती जाती है वैसे ही ऊन की किस्म कम होती जाती है। गलीचा प्रधान ऊन किस्मों में मेरीनों ऊन की अपेक्षा मेडुलेशन की मात्रा अधिक होती है। भारत में राजस्थान की कुछ नस्लों से प्राप्त ऊन मेडुलेशन की दृष्टि से उत्तम मानी जाती है। राजस्थान में प्रत्येक नस्ल से प्राप्त ऊन में भिन्न–2 मात्रा में मेडुलेशन पाया जाता है। जो निम्न प्रकार से है।

**नस्लें एवं मेडुलेशन**

| नस्लें | मेडुलेशन (प्रतिशत में) |
|---|---|
| 1. चौकला | 0–60 |
| 2. मारवाड़ी | 5–60 |
| 3. नाली | 15–60 |
| 4. जैसलमेरी | 30–80 |
| 5. पुगल | 30–80 |
| 6. मगरा | 30–80 |
| 7. मालपुरा | 40–80 |
| 8. सोनाड़ी | 80–100 |

मेडुलेशन की मात्रानुसार चौकला में सबसे कम मात्रा पाई जाने से उत्तम कोटि की ऊन श्रेणी में आती है। इसके बाद मारवाड़ी तथा नाली जैसलमेरी पुगल व मगरा का आती है। निम्नतम कोटि में क्रमशः मालपुरा तथा सोनाड़ी से प्राप्त ऊन आता है।

राज्य के पश्चिमी शुष्क व अर्द्धशुष्क क्षेत्रों में भेड़ों की संख्या अधिक होता है। इस क्षेत्र में दो प्रमुख ऊनी मिलें जोधपुर व बीकानेर में स्थित हैं। राज्य में ऊन से विभिन्न प्रकार के ऊनी वस्त्र कम्बल, लोइयाँ व कालीन बनाए जाते हैं। कालीन बनाने का काम सर्वाधिक प्रचलित हैं। प्रदेश में 10 वूलन मिलें, 8 वूलन क्लिनिंग एण्ड ग्रेडिंग मिलें, 11 वूलन हॉजरी उद्योग, 7 नमदा ब्लेंकेट्स एण्ड मफलर्स उद्योग और 34 कालीन फैक्ट्रियाँ हैं। राजस्थान में कालीन बनाने के लगभग 3,000 लूम लगे हुए हैं जिनमें 10,000 कामगर कार्यरत हैं। प्रदेश में कालीन उद्योग जयपुर, चौमूं, सांगानेर, मनोहरपुरा, शाहपुरा, बस्सी, दौसा, टोंक, किशनगढ़, भीलवाड़ा, बीकानेर, बाड़मेर और जोधपुर में है। राज्य में ऊनी धागा बनाने वाली 10 मिलें हैं–स्टेट वूलन मिल्स बीकानेर, जोधपुर वूलन मिल्स, फॉरेन इम्पोर्ट्स एण्ड एक्सपोर्ट मिल्स, कोटा, वर्स्टेड स्पिनिंग मिल्स लाडनूं, वर्स्टेड स्पिनिंग मिल्स चुरू, नागपाल कोम्बिंग मिल्स कोटा, राजस्थान वूलन मिल्स बीकानेर, फ्रेण्ड्स वूलन मिल्स बीकानेर और भारत वूलन मिल्स बीकानेर।

## शक्कर उद्योग

भारत के अन्य राज्यों के समान इस राज्य में भी शक्कर गन्ने से बनाई जाती है। यह इस उद्योग का आधारभूत कच्चा माल है। इसके लिए आवश्यक अन्य पदार्थ, ईंधन, चूना और सल्फर हैं कच्चे पदार्थों में गन्ना मुख्य रूप से एक ऐसा पदार्थ है जिसका वजन कम होता जाता है। गन्ने के कुल भार में औसतन लगभग 9 से 12 प्रतिशत शक्कर के रूप में तैयार माल प्राप्त होता है।

राज्य में कई वर्षों से चीनी के तीन बड़े कारखाने चल रहे हैं जो इस प्रकार हैं :—

(1) दी मेवाड़ शुगर मिल्स, भोपालसागर (चित्तौड़गढ़ जिला) जो 1932 में स्थापित हुई,
(2) दी गंगानगर शुगर मिल्स लि. जो 1945 में बीकानेर औद्योगिक निगम लि. के अधिकार में ही तथा 1 जुलाई 1956 में इसे दी गंगानगर शुगर मिल्स लि. के नाम से राजकीय उपक्रम में बदल दिया गया। अत: अब यह सार्वजनिक क्षेत्र में है।
(3) श्री केशोराय-पाटन सहकारी शुगर मिल्स लि. 1965 में सहकारी क्षेत्र में स्थापित की गई। यह बूंदी जिले में स्थित है।

इस प्रकार चीनी की तीन मिलें क्रमश: निजी, सार्वजनिक व सहकारी क्षेत्र में स्थापित होने के कारण तीन के संगठनों के उत्पादन की तुलना करने का अवसर देती है। चीनी की मिलों की स्थापना गन्ना उत्पादक क्षेत्रों के समीप होती है ताकि गन्ने को दूर तक ले जाने की असुविधा का सामना न करना पड़े तथा उसके अधिकाधिक रस का प्रयोग किया जा सके। गन्ने का उपयोग गुड़ व खण्डसारी बनाने में भी किया जाता है। राज्य में बूंदी, चित्तौड़गढ़ व श्रीगंगानगर जिलों में काफी गन्ना उत्पादन किया जाता है। इसलिए चीनी मिलें भी इन्हीं जिलों में स्थापित की गई।

सन् 1951 में चीनी का उत्पादन 1.5 हजार टन था जो 1986 में 15.88 हजार टन तथा 1998 में 58.70 हजार टन हो गया। 2001 में घटकर 47.39 हजार टन रह गया है। राज्य में गन्ने का उत्पादन सन् 2013-14 में 4.24 हजार टन हुआ था

(i) दी गंगानगर शुगर मिल्स लि. यह जुलाई 1956 से राजकीय उपक्रम के रूप में कार्य कर रही है। इसमें 97 प्रतिशत अंश राज्य सरकार के हैं तथा शेष निजी शेयर होल्डरों के हैं। इसके अन्तर्गत निम्न इकाइयों का कार्य चल रहा है।

शुगर फैक्ट्री, श्री गंगानगर जहाँ से गन्ने व चुकन्दर से चीनी बनाई जाती है।

(ii) श्री गंगानगर व अटरू में स्थित डिस्टलरी में तथा राज्य के अन्य भागों में मदिरा-घरों में परिशोधित स्प्रिट (rectified spirit) तैयार की जाती है।

(iii) लाइसेंस प्राप्त दुकानदारों को देशी मदिरा बेचने के लिए दी जाती है (कोटा व उदयपुर डिवीजन में जनजाति क्षेत्रों में), तथा

(iv) धौलपुर में हाईटेक ग्लास फैक्ट्री में काँच का सामान, बोतलें व रेल्वे जार्स का उत्पादन किया जाता है।

इसी वर्ष पानी व सिंचाई के अभाव में गन्ने की पैदावार कम हुई, गन्ने में रस की मात्रा कम हुई एवं गन्ने पर पायरीला नामक कीड़े का भारी प्रकोप रहा। कम्पनी द्वारा श्री गंगानगर व अटरू में मोलासेस या सीरे (Molasses) से परिशोधित स्प्रिट अजमेर व मण्डोर की डिस्टलरियों में केसर-कस्तूरी मदिरा व 14 बोटलिंग केन्द्रों पर देशी मदिरा का उत्पादन किया जाता है।

गन्ने के छिलकों (begasse) बड़ी आसानी से कई प्रकार का कागज, दफ्ती, गत्ता इत्यादि बनाने के काम में लिया जा सकता है, किन्तु राजस्थान के दोनों कारखानों में यह छिलका ईंधन के रूप में काम में लिया जाता है। सीरा (Molasses) अवश्य शराब तथा स्प्रिट बनाने में प्रयुक्त होता है। गंगानगर चीनी कारखाना पृथक् रूप से शराब-भट्टी चलाता है, जिसके उत्पादन की राजस्थान सरकार के आबकारी विभाग को आपूर्ति की जाती है। इस चीनी कारखाने ने गंगानगर, अजमेर, अटरू, प्रतापगढ़ तथा जोधपुर के ठेकेदारों से भी शराब की भट्टियाँ खरीद ली हैं, जो 3,500 गैलन देशी शराब प्रतिदिन खींचती है। गंगानगर, शूगर मिल्स को भारतीय सेना को शराब (रम) की पूर्ति के लिए भी मान्यता दे दी गई। इस

प्रकार चीनी कारखाने में निकालने वाला सीरा भली भांति काम में आ जाता है। भोपाल सागर कारखाने का सीरा शराब निर्माता डायर मीकिन एण्ड कम्पनी को बेचा जाता है।

भारी होने के कारण लम्बी दूरी तक गन्ने का यातायात करना मुश्किल और मंहगा होता है। इसके अतिरिक्त, खेत से गन्ना काट लेने के पश्चात् गन्ने में इक्षु-शर्करा तत्व भी तीव्रता से नष्ट होने लगता है। इस तत्व की उत्तम उपलब्धि के लिए शीघ्रता उचित है, यानी जड़ से गन्ने के अलग होने के एकाध दिन के अन्दर ही रस निकाल लेना चाहिए। इन कारकों के कारण यह उद्योग दूर-दूर स्थानों पर स्थापित नहीं किया जा सकता।

गन्ने की लागत भी औसत रूप से सफेद शक्कर की लागत से आधे से कुछ अधिक होती है। इससे यह और भी आवश्यक हो जाता है कि शक्कर उद्योग कच्चे पदार्थ के समीप स्थापित किया जाए। गन्ने की उपयुक्त पूर्ति, एक बड़ी सीमा तक उत्पादन क्षेत्रों में गन्ने की प्रादेशिक पूर्ति पर निर्भर करती है। यह फसल भारतीय क्षेत्र का लगभग 1.2% आवृत्त करती है और तैयार उत्पादन का लगभग 62.0 प्रतिशत उत्पन्न करती है।

इसका प्रादेशिक केन्द्रीयकरण दर्शाता है कि क्षेत्रफल का लगभग तीन चौथाई उदयपुर, भरतपुर, भीलवाड़ा, बूंदी, चित्तौड़गढ़, झालावाड, कोटा, सवाई माधोपुर, और टोंक जिलों में मिलता है। ये जिले शक्कर उत्पादन का 80.0 प्रतिशत पैदा करते हैं। यह ध्यान देने की बात है कि ये सभी जिले राज्य में पूर्वी भाग में स्थित हैं। केन्द्रीयकरण इतना अधिक है कि केवल भरतपुर और उदयपुर राज्य के उत्पादन का लगभग एक-तिहाई पैदा करते हैं जबकि गंगानगर का अंश लगभग 17.0 प्रतिशत है। पूर्वी जिलों और गंगानगर जिले में कुल क्षेत्र का लगभग 89.0 प्रतिशत गन्ने की खेती के अन्तर्गत है और 92.0 प्रतिशत गन्ना उत्पन्न होता है। इसलिए शक्कर उद्योग इस राज्य में गंगानगर और भोपालसागर (उदयपुर) जिलों में केन्द्रित है, गंगानगर क्षेत्र की गंगानहर द्वारा प्रदत्त अनवरत नहर सिंचाई का लाभ प्राप्त है, जिससे इस क्षेत्र में कारखाने के लिए गन्ना उत्पादन निश्चित हो जाता है। गन्ना उत्पादन न केवल इस कारखाने लिए पर्याप्त है, वरन् यह एक और कारखाने का संभरण कर सकता है। गंगानगर में मैदान का धरातल समतल है और खेत सघन खंडों में है।

इससे शक्कर के कारखानों को खेत से ताजे गन्ने का परिवहन एक कठिन कार्य है। कोयला, और कभी-कभी विद्युत भी, अतिरिक्त आवश्यकताओं की पूर्ति के लिए प्रयुक्त की जाती है। इन दोनों कारखानों को अपनी आवश्यकता के लिए सस्ती श्रम-शकित और पर्याप्त जलपूर्ति के लाभ प्राप्त हैं। वर्तमान समय में बाजार के कारक का कम महत्व है, चूंकि यह एक सरकार द्वारा नियंत्रित वस्तु है और उसका निर्यात भी बढ़ रहा है। निकट भविष्य में इस राज्य में और देश में इस उद्योग के लिए वृहत् बाजार है। इसके भविष्य के विकास के लिए पर्याप्त क्षेत्र है। कोटा, बूंदी और भरतपुर जिले में गन्ना उत्पन्न करते है, परन्तु समस्त उत्पादनों का उपयोग करने के लिए कोई बड़ा कारखाना नहीं है। इस प्रकार या तो वर्तमान कारखानों की उत्पादन क्षमता बढ़ाई जानी चाहिए, या पूर्वी गन्ना उत्पादक क्षेत्रों में दो नए कारखाने भरतपुर और बूंदी जैसे स्थानों पर प्रारम्भ किए जाने चाहिए। 20 से 30 टन पेरने की क्षमता वाली लघु पैमाने की इकाईयाँ भी स्थापित की जा सकती है। चूंकि पूर्वी मैदानी क्षेत्रों में गन्ने का क्षेत्र अच्छी तरह से वितरित है, लघु पैमाने की इकाइयों के विकास का अधिक क्षेत्र है।

## सीमेन्ट उद्योग

निर्माणकारी कार्यों के लिए आधारभूत पदार्थों में सीमेन्ट एक महत्वपूर्ण स्थान रखता है। भारतवर्ष में सीमेंट उद्योग का विकास एक हाल की उत्पत्ति है। निर्माण क्रिया में वृद्धि और कंकरीट के नए उपयोगों के कारण हाल के वर्षों में सीमेन्ट का प्रयोग अधिकाधिक होने लगा है।

राजस्थान में लाखेरी (बूंदी जिला) और पश्चिमी रेलवे की कोटा लाइन पर सवाई माधोपुर में स्थित सीमेन्ट के दो कारखाने हैं। ये दोनों लगभग 40 किलोमीटर के अन्तर पर हैं। चूना-पत्थर और जिप्सम सीमेन्ट निर्माण में प्रयुक्त होने वाले दो मुख्य कच्चे

पदार्थ हैं। चूंकि भट्टी में कच्चे पदार्थों को 2,400° फॉरेनहाइट से 3,000° फॉरेनहाइट तक के बहुत ऊँचे तापक्रमों के अन्तर्गत गर्म करके सीमेन्ट उत्पन्न किया जाता है। कोयला इस उद्योग में प्रयुक्त होने वाला सबसे महत्वपूर्ण ईंधन है। आवश्यक कोयले की मात्रा भट्टी की क्षमता के अनुसार भिन्न होती है। औसतन एक बैरेल (barrel) सीमेन्ट उत्पन्न करने के लिए 120 पौण्ड कोयले की आवश्कता पड़ती है।

सीमेन्ट उद्योग भारी कच्चे पदार्थों का उपयोग करने वाले उद्योगों में से एक है। साधारण रूप से 376 पौण्ड प्रति बोरी वजन की 1,000 बैरेल सीमेन्ट उत्पन्न करने के लिए उपयोग में आनेवाले कच्चे पदार्थ और ईंधन, लगभग 225 टन चूना-पत्थर, 75 टन मिट्टी या श्वेत शेल, 60 टन कोयला और 5 टन जिप्सम हैं। इस प्रकार लगभग एक टन सीमेन्ट उत्पन्न करने के लिए 2 टन कच्चा पदार्थ और ईंधन इकट्ठा करना होता है। राजस्थान में उपलब्ध चूना-पत्थर में प्राय: सभी तत्व उपयुक्त अनुपातों में मिलते रहते है। लाखेरी में मिट्टी का उपयोग आवश्यक नहीं है, क्योंकि विभिन्न श्रेणियों के चूना-पत्थर को मिश्रित करके उपयुक्त अनुपात प्राय: प्राप्त हो जाता है, जबकि अन्य स्थानों में चूना-पत्थर में कुछ मिट्टी मिलाई जाती है। जिप्सम कच्चे पदार्थ का लगभग 5 प्रतिशत होता है। इन दोनों केन्द्रों पर चूना-पत्थर की अत्यधिक पूर्ति उपलब्ध है और चूंकि यह कच्चे माल का एक बृहत् भाग होता है, कारखाने, खानों के निकट स्थापित किए जाते हैं। जिप्सम पूर्वी भाग से लाया जाता है और रेल यातायात सुविधाएँ प्रदान करती है। इन दोनों को कच्चे माल के निकट स्थित होने का लाभ प्राप्त है। परन्तु इस प्राकृतिक लाभ के विपरीत वह बड़ी दूरी है जहाँ से कोयला प्राप्त किया जाता है। यह उद्योग प्रति वर्ष 209,570 रुपए के मूल्य का ईंधन प्रयुक्त करता है, जिसमें से 98.3 प्रतिशत कोयले का मूल्य होता है। चूंकि राजस्थान में कोयला संसाधन नहीं है, यह मध्यप्रदेश की खानों से लाया जाता है। चिकनाई वाला तेल इस उद्योग में प्रयुक्त ईंधन का 1.0 प्रतिशत होता है।

यह ध्यान देने की बात है कि समस्त कच्चे पदार्थों में से चूना-पत्थर की पूर्ति सीमेन्ट कारखाने की स्थापना कर सबसे ज्यादा प्रभाव डालती है। साधारण रूप से मिट्टी या शैल अनेक इलाकों में उपलब्ध होता है। यह कच्चे माल के कुल भार का लगभग एक-तिहाई होता है। यदि यह निकटवर्ती क्षेत्रों में उपलब्ध न भी होता हो वह कारखाने के स्थान की ओर लाया जाता है, क्योंकि आवश्यक कोयले का भार चूना-पत्थर और मिट्टी से बहुत कम होता है।

राजस्थान सीमेन्ट उद्योग में भारत में एक अगुआ राज्य माना जाता है। यहाँ सीमेन्ट ग्रेड लाइमस्टोन काफी मात्रा में पाया जाता है। इस उद्योग के लिए जिप्सम भी राजस्थान में मिलता है तथा कोयला राज्य के बाहर से मंगाना पड़ता है। राज्य में सीमेन्ट के कारखाने लाइमस्टोन की खानों के आस-पास स्थापित किए गए हैं। इस प्रकार कच्चे माल की उपलब्धि ने इस उद्योग की स्थापना को प्रभावित किया है। 1988 में सीमेन्ट की 9 बड़ी इकाईयाँ इस प्रकार थी— ए.सी.सी.लि., लाखेरी, जयपुर उद्योग, सवाई माधोपुर, बिड़ला जूट, चित्तौड़गढ़, हिन्दुस्तान शुगर, उदयपुर, जे.के सीमेन्ट, मोडक, स्टॉ प्रोडक्ट्स, बनास, सिरोही जिला, श्री सीमेन्ट, ब्यावर तथा श्रीराम सीमेन्ट, श्रीरामनगर, कोटा जे.के. व्हाईट, सीमेन्ट (नागौर जिला) और बिड़ला व्हाईट सीमेन्ट खारिया खंगार (जोधपुर जिला)। इनके अलावा कुछ मिनी सीमेन्ट की इकाईयाँ भी स्थापित हुई हैं। इनमें सर्वाधिक उत्पादन-क्षमता जे.के. सीमेन्ट, निम्बाहेड़ा की है। राज्य में 2014 में 192.1 लाख टन सीमेन्ट का उत्पादन हुआ।

राज्य में पिछले वर्षों में सीमेन्ट का उत्पादन काफी बढ़ा है। राजस्थान लाइमस्टोन के विशाल भण्डार होने के कारण भविष्य में सीमेन्ट का उत्पादन और बढ़ाया जा सकता है। राज्य में कई स्थानों पर मिनी सीमेन्ट की इकाईयाँ भी स्थापित की गई हैं। 1 अप्रेल 1989 से सीमेन्ट के वितरण व मूल्य-स्तर पर से पूरा नियंत्रण हटा दिया गया था।

भारत में सीमेन्ट की माँग बढ़ रही है, इसलिए इस उद्योग का विकास देश में हित में रहेगा। मिनी सीमेन्ट के कारखाने–आबूरोड़, नीम का थाना, बाँसवाड़ा, हिण्डौन सिटी व कोटपूतली आदि स्थानों में स्थापित किए गए हैं। इनमें लागत कम व रोजगार अधिक मिलता है। सीमेन्ट उद्योग के विकास पर कच्चे माल की उपलब्धि व बाजार की माँग का भी काफी प्रभाव पड़ता है।

**राज्य में सीमेंट उद्योग की समस्याएं व उनका समाधान**

(1) यहाँ सीमेन्ट के कारखानों में उत्पादन-लागत अधिक आने से उनकी प्रतिस्पर्धात्मक शक्ति पर विपरीत प्रभाव पड़ा है। प्रबंध-व्यवस्था में सुधार करके लागत घटायी जा सकती है।

(2) मिनी सीमेन्ट की इकाईयाँ बड़ी इकाईयाँ की प्रतियोगिता का पर्याप्त मात्रा में सामना नहीं कर पातीं। इसलिए सीमेन्ट की माँग के बढ़ने पर ही उनका विकास सम्भव हो पाता है।

(3) बिजली की सप्लाई के बढ़ने व उसके अनियमित से नियमित होने पर उद्योग का भविष्य निर्भर करता है।

(4) सवाई माधोपुर की सीमेन्ट फैक्ट्री कई कारणों से बन्द रही है जिसके लिए श्रमिकों की तरफ से काफी आन्दोलन भी हुए हैं। इसे पुन: चालू करने के प्रयास किए जा रहे हैं।

चित्तौड़गढ़ के आस-पास चूना-पत्थर की परतें विन्ध्यन काल की हैं और निम्बाहेड़ा अवस्था की हैं। वह समविन्यास रूप से निमबहेरा शेल पर पड़ी हुई है और विभिन्न इलाकों से इसकी मोटाई लगभग 153 मीटर है। चूना-पत्थर साधारणतया कुछ स्थानों पर उद्गत रूप में देखा जाता है, परन्तु समतल क्षेत्र से वह कुछ मीटर से ज्यादा ऊपर नहीं उठ पाता। चूना-पत्थर चट्टान इस क्षेत्र में फीकी नीलिमा से हरे-भूरे रंग की होती है, जिसमें धूसर गुलाबी और लाल परतें भी बहुधा मिलती हैं। यह चट्टान महीन कण वाली और बिना रवेदार, सख्त, चिकनी और ठोस है। चूना-पत्थर संस्तर काफी मोटे हैं, मोटाई 30 सेन्टीमीटर से 75 सेन्टीमीटर तक होती है।

चित्तौड़गढ़ में सीमेन्ट निर्माण उद्योग की स्थिति के लिए सभी अनुकूल दशाएँ है। इस क्षेत्र में चूना-पत्थर के वृहत् भण्डार है। पोर्टलैण्ड सीमन्ट द्रविक कैल्सिय सिलीकेट के खंगर को पीस कर प्राप्त किया जाता है, जिसमें निस्तापन के बाद जिप्सम या पानी दोनों के अलावा कुछ नहीं मिलाया जाता है। इंग्लैण्ड में पोर्टलैण्ड से प्राप्त एक पत्थर के रंग से मिलते-जुलते होने के कारण इसका यह नाम है।

चूना-पत्थर की स्थानीय पूर्ति के कारण चित्तौड़गढ़ में सीमेन्ट उद्योग के लिए कच्चे पदार्थ की मात्रा बहुत होगी। यहाँ समतल जमीन बहुत है, जलवायु अच्छी है, श्रम उपलब्ध है और यातायात की सुविधाएँ भी इस क्षेत्र में विद्यमान हैं। विद्युत शक्ति की पूर्ति चम्बल शक्ति-जाल से की जा सकती है और पानी की नियमित पूर्वी गम्भीरी नदी पर एक बाँध का निर्माण करके निश्चित की जा सकती है। जिप्सम राज्य के अन्दर ही उपलब्ध होगा और कोयला बिहार अथवा मध्यप्रदेश के कोयला क्षेत्रों से प्राप्त किया जाएगा, जैसाकि बूंदी जिले में लाखेरी और सवाई माधोपुर के दो अन्य सीमेन्ट निर्माण-केन्द्रों के सम्बन्ध में किया जाता है।

## काँच उद्योग

काँच बनाने में बालू मिट्टी के अलावा कई रासायनिक पदार्थ तथा कोयला आदि प्रयुक्त होते हैं। राज्य में काँच के उद्योग के विकास के लिए अनुकूल दशाएँ विद्यमान हैं। जैसे बालू पत्थर, सिलिका मिट्टी, सोडा-सल्फेट, शीरा आदि की पर्याप्त उपलब्धि। यहां काँच बनाने वाले कुशल मजदूर भी पाए जाते हैं। चूने का पत्थर भी बहुतायात में मिलता है। काँच का सामान बनाने के कारखाने पहले कुछ नगरों में पाए जाते थे। लेकिन आजकल धौलपुर के निम्न दो कारखाने विशेष रूप से महत्वपूर्ण हैं। (1) धौलपुर ग्लास वर्क्स-यह निजी क्षेत्र में है। इसमें काँच का लगभग 1,000 टन वार्षिक उत्पादन होता है। (2) हाईटेक ग्लास फैक्ट्री, धौलपुर-यह दी गंगानगर शुगर मिल्स लि. जयपुर के अन्तर्गत है। यह जुलाई 1968 से कम्पनी के पास

लीज पर है। यहाँ मदिरा विभाग के लिए बोतलों का उत्पादन किया जाता है। 1988-89 में 65 लाख बोतलों का उत्पादन हुआ जो पिछले साल से कुछ अधिक था। कोल इण्डिया व लघु उद्योग निगम से अच्छी किस्म का कोयला न मिलने से फर्नेस से पूरा तापमान न बनने से उत्पादन लक्ष्यों के अनुसार नहीं किया जा सकता है। राजस्थान में काँच के उद्योग के विकास की सम्भावनाएँ जयपुर, सवाई माधोपुर, बीकानेर, बूंदी तथा उदयपुर में हैं। केवल एक ही कारखाना है। यह कारखाना प्रतिवर्ष लगभग 725 व्यक्तियों को भर्ती करता है और उसकी कुल लागत लगभग 12.6 लाख रुपए है। बाजार विस्तृत है और कच्चे पदार्थ भी आसानी से उपलब्ध है। अत्यन्त महत्त्वपूर्ण कच्चे पदार्थों में सिलिका बालू है। सभी बालुएँ काँच निर्माण के उपयुक्त नहीं है। काँच बनाने के लिए आवश्यक कुछ उच्च मात्रा में शुद्ध बालुएँ सवाई माधोपुर जिले में उपलब्ध हैं। रसायनों में सोडा-राख, सल्फर और मैगनीज ऑक्साइड महत्वपूर्ण हैं। धौलपुर काँच के कारखाने के लिए ये सभी स्थानीय रूप से प्राप्त किए जाते हैं। सस्ते कोयले की पूर्ति भी आवश्यक है। कच्चे पदार्थों की शुद्धता बड़े महत्व की है, क्योंकि यह एक बड़ी सीमा तक तैयार माल की किस्म को निश्चित करती है।

धौलपुर कारखाने में एक विशेष प्रकार उत्पादन होता है। वह लगभग 400 टन विज्ञान सम्बन्धी काँच के सामान उत्पादित करता है। अन्य वस्तुओं में पेनिसिलीन की शीशियां, बोतलें और फ्लास्क हैं।

### नमक उद्योग

नमक उद्योग राजस्थान में बड़े पैमाने के विभिन्न उद्योगों में एक महत्त्वपूर्ण स्थान रखता है। इस राज्य में सभी लवणशालाएँ अन्तरस्थलीय हैं और भारत के कुछ नमक उत्पादन में लगभग 10.0 प्रतिशत अंशदान करती हैं।

उन्नीसवीं शताब्दी के मध्य में नमक का निर्माण घरेलू पद्धतियों तक सीमित था और विभिन्न लवणशालाएँ काचो, रेवासा, भरतपुर, लूनकरनसर, फनोद और लूनी साल्टट्रैक्ट जैसे स्थानों पर स्थित थीं। सन् 1870 में ये निर्माणशालाएँ बन्द कर दी गई, जब ब्रिटिश सरकार ने सांभर, डीडवाना और पंचभद्रा-इन तीनों स्रोतों पर काम प्रारम्भ किया तथा नमक के अवैधानिक निर्माण और उसके फलस्वरूप उत्पादन कर से बचने की प्रवृति को रोकने के लिए, शेष निर्माणशालाओं का भी दमन कर दिया।

तीन प्रमुख निर्माणशालाएँ सांभर खारी झील, डीडवाना और पंचभद्रा (पचपदरा) में स्थित हैं, जबकि अनेक लघु नमक निर्माणशालाएँ फलोदी, कुचामन, पोकरन और सुजानगढ़ में स्थित हैं। (मानचित्र 80) इन सभी स्रोतों में सांभर झील राज्य का एक वृहत्तम और अत्यन्त महत्त्वपूर्ण नमक केन्द्र है। यहाँ नमक आधुनिक मशीनी पद्धतियों से निकाला जाता है, जबकि अन्य स्रोतों पर कम सम्भावनाओं एवं थोड़े उत्पादन के कारण, कार्य प्राचीन पद्धति से किया जाता है।

नमक उद्योग, एक प्राकृतिक उपज सम्बन्धी उद्योग होने से, मूलत: ऐसे क्षेत्रों में स्थापित होता है, जहाँ कच्चा माल उपलब्ध हो। राज्य में इस उद्योग की स्थिति में सहायता देने वाले महत्वपूर्ण कारकों में पर्याप्त यातायात सुविधाएँ, सस्ता श्रम, व्यावसायिक नमक की निश्चित पूर्ति और कार्यरत क्षेत्र में ताजे पानी की उपलब्धि आदि हैं।

**(1) राजकीय लवण-स्रोत, डीडवाना**-यह स्रोत 1910 एकड़ क्षेत्र में फैला हुआ है। वर्तमान में 400 नमक के क्यारे पुश्तैनी देशवालों के द्वारा तथा 800 क्यारे विभाग द्वारा कार्यरत हैं। स्रोत के दोनों तरफ बने बांधों में वर्षा का पानी इकट्ठा किया जाता है। यही पानी रिसकर नमक उत्पादन क्षेत्र में आता है। इस पानी को ब्राइन कहते है। ब्राइन में नमक के अलावा सोडियम सल्फेट अधिक मात्रा में होने से यह नमक खाने के काम में नहीं आ सकता। इसलिए इस स्रोत से 80-85% अखाद्य नमक (Non-Edible Salt) बनता है। इसको बेचने में बड़ी कठिनाई होने लगी है।

**(2) राजकीय लवण स्रोत, पचपदरा**- पचपदरा लवण स्रोत 32 वर्ग मील में फैला है। यहां की नमक की उत्पादन क्षमता 6 लाख क्विंटल वार्षिक है।

# श्री मोहनगढ़, पोकरण और शेरगढ़ नमक क्षेत्र

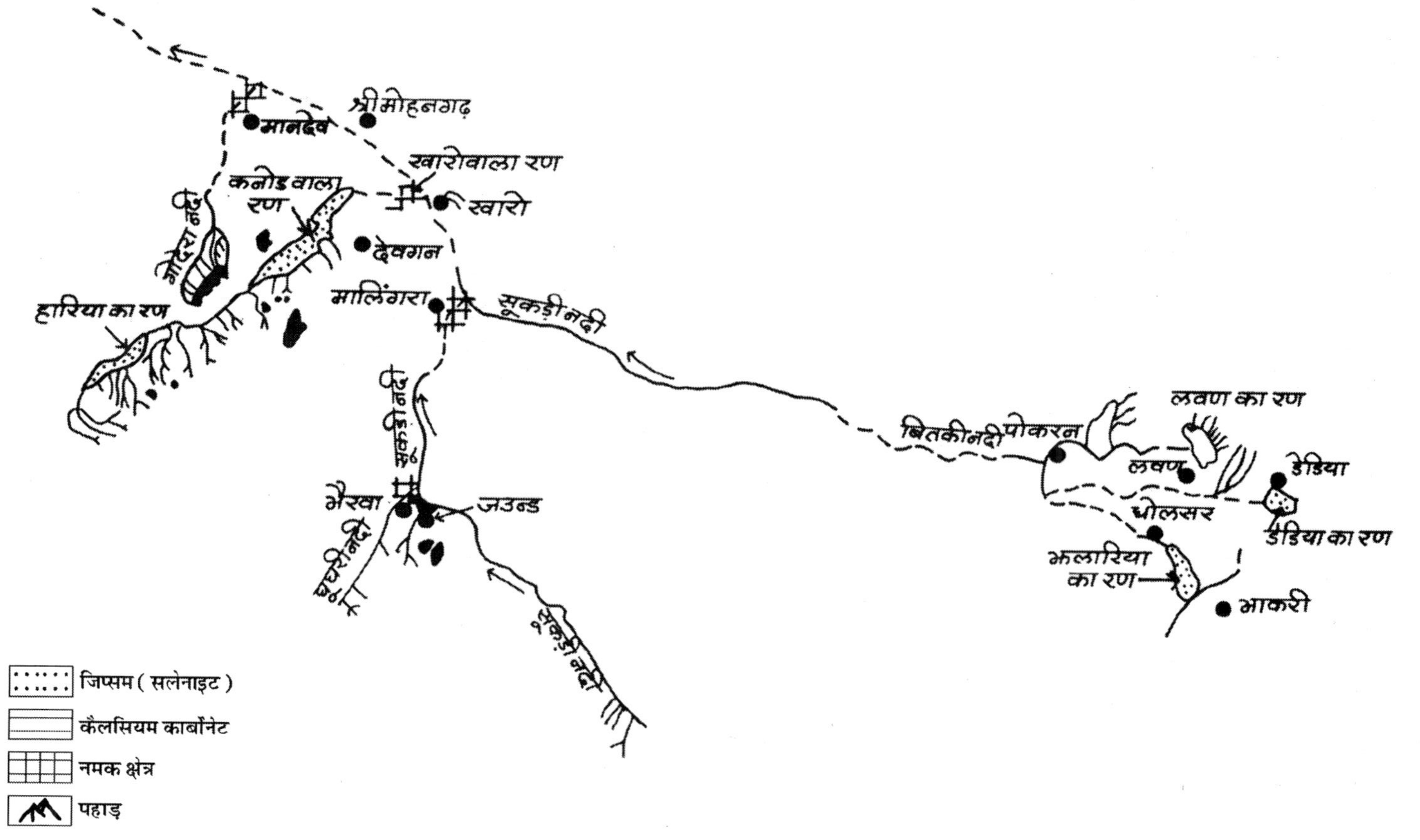


स्रोत :- बी.घोष एवं एस सिंह, प्रोसीडिंग्स आफ सिम्पोजियम ऑन ऐरिड जोन, 1968

टी. एस. चौहान

मानचित्र 80

पचपदरा जोधपुर से 128 किलोमीटर दूर दक्षिण-पश्चिम में स्थित है। यह स्रोत भी 1964 से कार्यरत है। इस स्रोत से 1987-88 में घाटा रहा, लेकिन बाद में लाभ हुआ।

ये दोनों नमक-स्रोत राजस्थान सरकार संचालित करती है। जबकि सांभर में नमक का उत्पादन भारत सरकार की देखरेख में होता है-जिसका संचालन सांभर सॉल्ट्स लि. (हिन्दुस्तान सॉल्ट्स लि. की सहायक कम्पनी) कर रही है, सांभर झील नमक उत्पादन के लिए प्रसिद्ध रही है। यहाँ का नमक अपनी गुणवत्ता के लिए भी प्रसिद्ध रहा है।

राज्य में नमक पर आधारित राजकीय उपक्रमों का विवरण नीचे दिया जा रहा है।

**(1) राजस्थान स्टेट केमिकल वर्क्स, डीडवाना (सोडियम सल्फाइड फैक्ट्री)-** यह 1966 में स्थापित की गई थी। इसमें सोडियम सल्फाइड का उत्पादन किया जाता है। यह चमड़े तथा रंगाई उद्योग में काम आता है। इसे डीडवाना कैमिकल्स लि. को लीज पर दिया गया था, लेकिन लीज का भुगतान समय पर न करने से लीज फरवरी 1987 में समाप्त कर दिया गया। उत्पादन कार्य सितम्बर 1988 से बंद कर दिया गया। इसे पुन: संयुक्त क्षेत्र में चलाने का विचार है। इसमें 1988-89 में 14.4 लाख रुपयों का घाटा हुआ था।

**(2) राजस्थान स्टेट कैमिकल्स वर्क्स डीडवाना (सोडियम सल्फेट वर्क्स)-** यह 1964 में स्थापित किया गया था। यह क्रूड सोडियम सल्फेट का उत्पादन करता है। नमक की क्यारी में सर्दी में सल्फेट अलग होकर जम जाता है। 10-12 वर्ष में यह परत मोटी हो जाती है जिसे क्रूड सल्फेट कहते हैं। यह सल्फेट सल्फाइड उत्पादन के काम में आता है जिसका ऊपर उल्लेख किया गया है। इस इकाई से पिछले वर्षों में लाभ हुआ है।

**(3) राजस्थान सरकार साल्ट वर्क्स, डीडवाना-** इसकी स्थापना 1960 में विभागीय उपक्रम व आयोडीनयुक्त नमक बनाया जाता है। यहाँ ब्राइन से सोडियम सल्फेट निकाल कर शुद्ध नमक बनाया जाता है। इसे भी सितम्बर 1981 में मैसर्स डीडवाना केमिकल प्राइवेट लि. को लीज पर दे दिया गया था। लेकिन विवाद होने पर मामला कोर्ट में चला। इसे 1988-89 में 72 लाख रुपयों का लाभ हुआ जो 1987-88 के 4.4 रुपयों के मुनाफे से काफी ऊँचा था।

**(4) राजस्थान सरकार साल्ट वर्क्स, पचपदरा-** यह 1960 में स्थापित हुआ था। यह भी खाद्य, अखाद्य, औद्योगिक व आयोडीनयुक्त नमक बनाता व बेचता है।

पचपदरा व डीडवाना दोनों में आयोडीनीकरण के संयंत्र लगाए गए हैं ताकि नमक का आयोडीनीकरण किया जा सके। पहाड़ी क्षेत्रों में आयोडीन की कमी से गिल्लड़ (goitre) की बीमारी हो जाती है जिसको दूर करने के लिए नमक के माध्यम से आयोडीन मनुष्य के शरीर में पहुँचाया जाता है।

**राज्य में नमक के उत्पादन की प्रवृत्ति-** राज्य में नमक का उत्पादन घटता-बढ़ता रहता है। वर्ष 2001 में राज्य में नमक का उत्पादन 18.0 लाख टन रिकॉर्ड किया गया।

## नमक उत्पादन के स्त्रोत

### सांभर झील स्त्रोत

यह देश में एक मात्र वृहत्तम् अन्तरस्थलीय नमक स्त्रोत है और भारतवर्ष में उत्पन्न होने वाले कुल नमक का लगभग 8.7 प्रतिशत उत्पन्न करता है। सांभर झील स्त्रोत को अन्य स्त्रोतों की अपेक्षा एक स्पष्ट लाभ प्राप्त हैं, कि वृहत् मात्रा में वार्षिक उत्पादन होने पर भी उसके नमक जमाव अक्षय हैं और उत्पादित नमक भी अच्छी किस्म का है। (मानचित्र 81)

सांभर झील, जयपुर-जोधपुर रेल-लाइन पर जयपुर के लगभग 60 किलोमीटर पश्चिम में, औसत समुद्र तल से लगभग 360 मीटर की ऊँचाई पर अरावली शिस्ट और नीस में एक गर्त पर स्थित है। यह 26°33' उत्तर से 27°1' उत्तर अक्षांशों और 74°54' पूर्व से 75°14' पूर्व देशान्तरों के बीच फैली हुई हैं झील नमकदार जलोढ़ सिल्ट से पूर्व एक बेसिन है और अनुमानत: उसमें 650 लाख टन नमक है। झील के

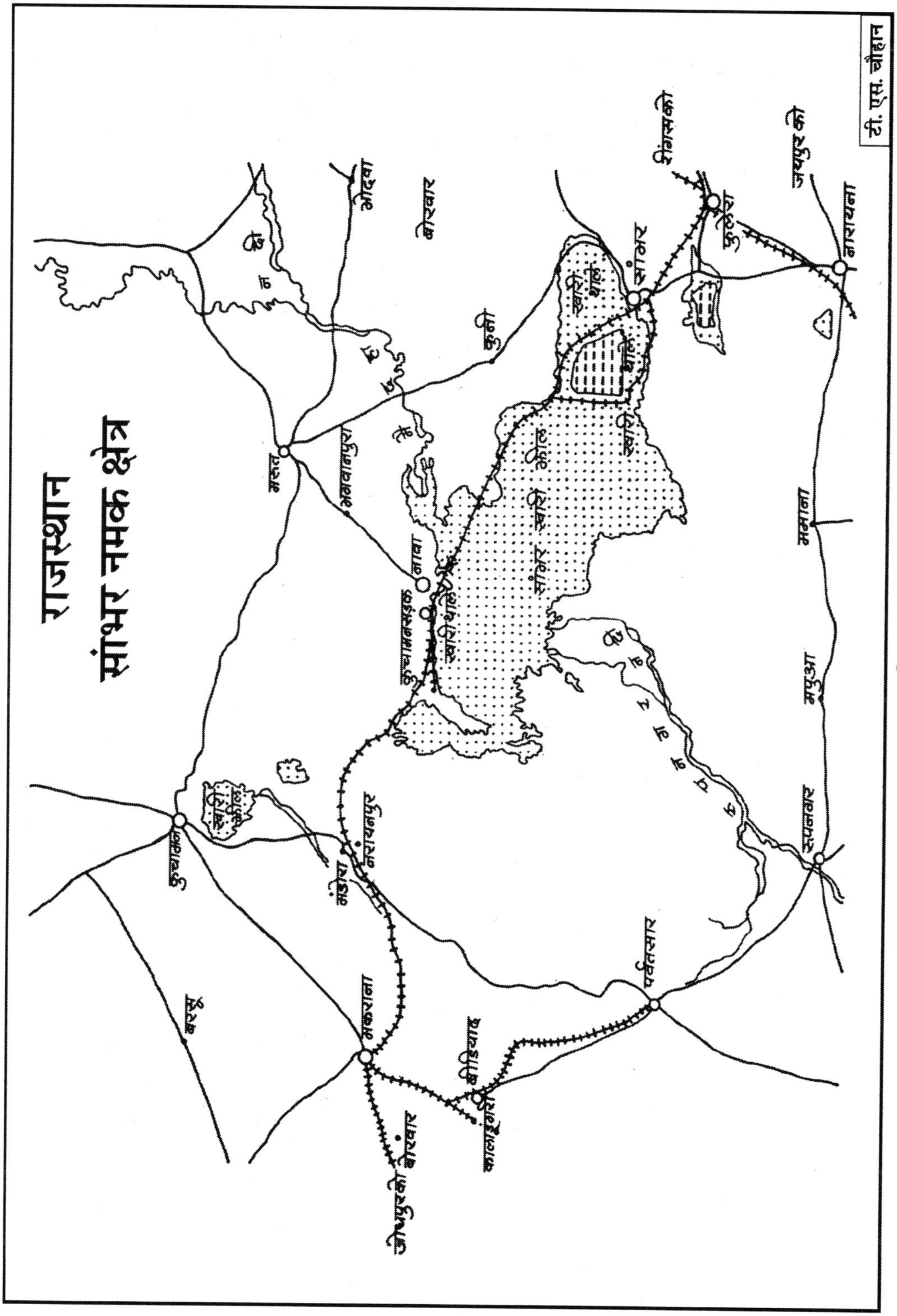


मानचित्र 81

दक्षिण-पश्चिम और उत्तर-पश्चिम के सम्पूर्ण किनारे पर अरावली स्कन्ध एक प्राकृतिक बाधा है जो झील को पवनोढ़ मरु बालू के भरने के बचाता है। जब वर्षा ऋतु में पानी होता है और वह भरी होती है तो मध्यवर्ती भाग में गहराई 18 मीटर से 21 मीटर के बीच होती है और वह लगभग 234 वर्ग किलोमीटर को आवृत्त करती है। गर्मी में क्षेत्र 130 वर्ग किलोमीटर तक सिकुड़ जाती है और पानी झील के विभिन्न भागों में केवल छोटे गड्ढों के रूप में रह जाता है। झील चार छोटी मौसमी धाराओं-मेंदा, रूपनगर, खारी और खान्डेल से भी जल प्राप्त करती है जो कुल जलग्रहण क्षेत्र को 5,720 वर्ग किलोमीटर बना देती है।

नमक का बेसिन अन्तरस्थलीय प्रवाह के क्षेत्र में स्थित है, जहाँ जलवायु की दशाएँ नमक के निर्माण के लिए अत्यन्त अनुकूल हैं। अर्द्ध शुष्क क्षेत्र में वर्षा हल्की, प्राय: अनियमित और यदाकदा बौछारों के रूप में होती है। सांभर शहर में वार्षिक वर्षा 500 मिलीमीटर है और नावा में 42.5 मिलीमीटर। वर्षान्तर बहुत अधिक है- 130 मिलीमीटर से 700 मीटर तक। गर्मी के मौसम में बहुत गर्मी होती है और औसत तापक्रम 40° सेन्टीग्रेट से 45° सेन्टीग्रेट के बीच होता है। औसत आर्द्रता 27.0 प्रतिशत तक होती है और वाष्पीकरण लगभग 1,100 मिलीमीटर है।

नमक की परत झील के ऊपर जमा हो जाती है। मानसून के पश्चात् जब झील से पानी वाष्पीकृत हो जाता है, सिल्ट में उपस्थित खारा जल, केशिका-क्रिया से, धरातल तक उठ जाता है। धरातलीय वाष्पीकरण से नमक सूख जाता है। इस क्रिया से नमक की परत प्रति वर्ष झील के ऊपर जमा हो जाती है।

नमक मार्च से जुलाई तक सौर-वाष्पीकरण-विधि से निर्मित किया जाता है। मुख्य झील से नमक जल के एकत्रीकरण से 3° से 5° Be' के घनत्व को मुख्य जलागार में पम्प किया जाता है और जब घनत्व 15° से 16° Be' के तक हो जाता है तब उसे निर्माण इकाइयों में ले जाया जाता है, जो अपनी आवश्यकताओं जैसे छोटे जलागारों, संघनित्रों, क्रिस्टल पटलों (Crystalising Pans) और बिटरन्स (Biterns) को इकट्ठा करने के लिए कुछ क्षेत्र में पूर्ण होते हैं। छ: कयार (kayars) लगभग 8 वर्ग किलोमीटर क्षेत्र को आवृत्त करते हैं। नमक निकालने की प्रक्रिया तब प्रारम्भ होती है जब मणिभीकरण पटलों में खारा जल 25° से 26° Be' का घनत्व प्राप्त कर लेता है और पटलों में नमक की पर्याप्त मोटी पपड़ी जमा हो जाता है। इस प्रकार से उत्पादित नमक 'क्यार' नमक कहलाता है।

सांभर में उत्पादित एक अन्य प्रकार का नमक वायुनत है, जिसे 'श्वेता नमक' कहते हैं। यह मणिभीकरण पटलों (Crystallising Pans) के किनारे-2 छोटे-छोटे कणों के रूप में एकत्रित किया जाता है और अच्छे किस्म का एवं औद्योगिक कार्यों के लिए अत्यन्त उपयुक्त माना जाता है। नहरी नमक ज्यादा सफेद होता है और उसमें सोडियम क्लोराइट तत्व का प्रतिशत उच्चतर होता है। यह नमक पटल कहलाता है। मशीनों द्वारा धोने की प्रक्रिया द्वारा नमक का शोधन करके 'क्यार' और पटल-लवण की किस्म में सुधार किया जा सकता है। शिथिल ब्राइन की संतृप्ति के लिए केन्द्रीयकरण में वाष्पीकरण मुख्य क्रिया है और वाष्पीकरण बदले में तापक्रम, आर्द्रता, वर्षा, वायु की दिशा व गति व मेघाच्छन्न दिनों में विस्तार से प्रभावित होता है। नमक का उत्पादन वर्षा की मात्रा और अवधि से प्रत्यक्ष प्रभावित होता है।

**पचपदरा नमक**

पचपदरा का नमक उत्पादक क्षेत्र जोधपुर के दक्षिण-पश्चिम में लगभग 128 किलोमीटर पर स्थित हैं। (मानचित्र 82) नमक स्रोत में 83.2 वर्ग किलोमीटर क्षेत्र का एक गर्त है। वर्षा का जल लगभग 910 से 1,040 वर्ग किलोमीटर जलगृह क्षेत्र के नमक का निक्षालन करता है और उन्हें इस गर्त में अवमृदा (Sub-soil) तक ले जाता है। नमक के गड्ढों की अधिकांश संख्या गर्त में पश्चिमी में भाग है और नमक निर्माणशालाएँ हीरागढ़ और बड़ा साम्ब्रा में स्थित है, अन्य नमक निर्माणशालाएँ पूर्वी हिस्से में पोशाली और छोटा साम्ब्रा में हैं। पचपदरा का नमक, समुद्री नमक से अधिक मिलता-जुलता है। यहाँ भी जलवायु सम्बन्धी

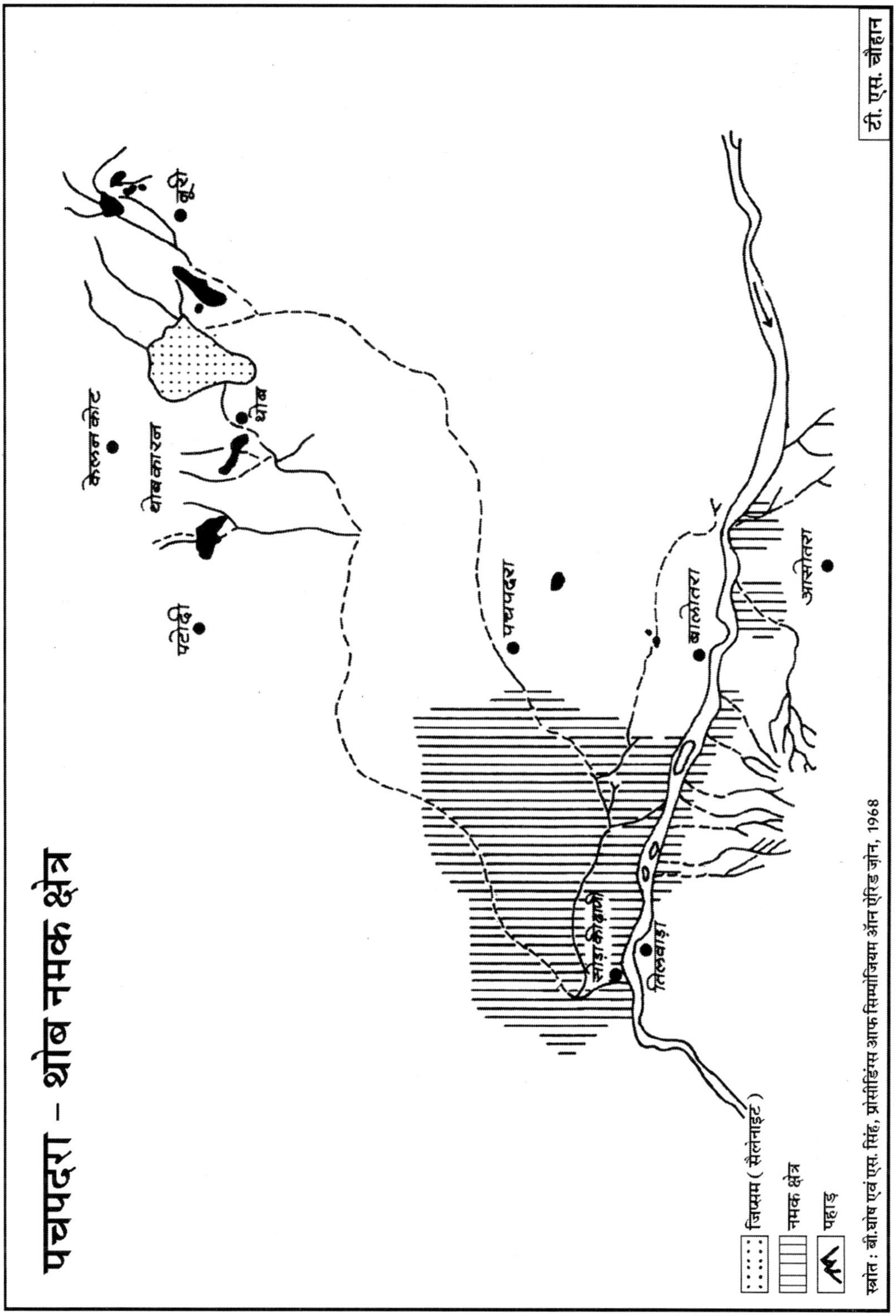
पचपदरा - थोब नमक क्षेत्र
जिप्सम ( सैलेनाइट )
नमक क्षेत्र
पहाड़
स्रोत : बी.घोष एवं एस. सिंह, प्रोसीडिंग्स आफ सिम्पोजियम ऑन एरिड ज़ोन, 1968
टी. एस. चौहान
पटोदी
थोबकारन
केलनकोट
थोब
पचपदरा
बालोतरा
आसोतरा
तिलवाड़ा
साँड़ा की ढाणी

मानचित्र 82

और भौतिक दशाएँ नमक निर्माण के लिए अनुकूल है। ग्रीष्म अत्यन्त गर्म होते हैं। वर्षा इस क्षेत्र में कम होती है (300 मिलीमीटर वार्षिक) और वाष्पीकरण की वार्षिक दर लगभग 1,500 मिलीमीटर है।

इस क्षेत्र में नमक का निर्माण खारवाल लोगों के हाथों में हैं जो पीढ़ियों से इस व्यापार को कर रहे हैं। बेसिन में खारे जल तक पहुँचने के लिए 2.7 मीटर से 3.7 मीटर तक गहरे और 15 मीटर से 30 मीटर तक चौड़े आयताकार गड्ढे खोदे जाते हैं। ये गड्ढे लगभग 5,000 वर्ग किलोमीटर के क्षेत्र में फैले हुए हैं। यह सम्पूर्ण गर्त तीन क्षेत्रों में विभक्त हैं–हीरागढ़, साम्ब्रा और पोसाली। उत्पादन के आँकड़ों से पता चलता है कि समय के साथ गड्ढ़ों से उत्पादन घटता जाता है। नमक गड्ढ़े में गहराई की ओर जाता हुआ उसकी गहराई को कम कर देता है तली तथा पार्श्वों को अभेद्य बना देता है जो ताजे खारे जल के बहाव को रोकता है।

नमक के उत्पादन में इस क्षेत्र में अनेक कठिनाइयाँ है। इनमें पानी की कमी, अत्यन्त शुष्क जलवायु, अपर्याप्त और अप्रशिक्षित श्रमिक, उपयुक्त लदान साधनों की कमी, यातायात सुविधाओं का अभाव और पूर्व वर्षों में उच्च रेल भाड़ा आदि सम्मिलित हैं। कुछ कठिनाइयाँ दूर कर दी गई हैं, परन्तु पानी की कमी अभी भी है।

**डीडवाना नमक क्षेत्र**

लगभग 10 किलोमीटर का यह नमक उत्पादक क्षेत्र सांभर झील में लगभग 50 किलोमीटर उत्तर-पश्चिम में स्थित है। (मानचित्र 83) यह गर्त केवल पश्चिम को छोड़कर सभी पार्श्वों पर बालू के टीलों से घिरा है। पश्चिम में अरावली का एक विच्छिन्न पर्वत प्रक्षेप पश्चिमी सीमा बनाता है। डीडवाना शहर उत्तर-पूर्वी सिरे पर स्थित है। धरातलीय जल के गर्त के केन्द्र की ओर जहाँ नमक का निर्माण किया जाता है, अन्तर्वहन को कम करने के लिए इस गर्त के केन्द्र को और जहाँ नमक का निर्माण किया जाता है, अन्तर्वहन को कम करने के लिए इस गर्त में एक सिरे से दूसरे तक दो बाँध निर्मित किए गए है।

गर्त की तली काली मिट्टी की उपस्थिति बतलाती है जो देखने में सांभर झील की मिट्टी के समान ही है। इस गर्त में खारे जल के स्रोतों में खारे जल का घनत्व 20 Be' है। जलवायु सम्बन्धी और भौतिक दशाएँ इस क्षेत्र में नमक के निर्माण के लिए अत्यन्त उपयुक्त हैं। मई का तापक्रम लगभग 46° सेन्टीग्रेट है और औसत वार्षिक वर्षा केवल 365 मिलीमीटर है। इस स्रोत पर वर्षा नमक उत्पादन को प्रभावित नहीं करती। गर्त में अन्तर्भूमि खारे जल का भण्डार सूखा के वर्षों में भी खारे जल के कुओं में पर्याप्त पूर्ति करने के लिए सक्षम है।

इस भाग में नमक निर्माण निजी संस्थाओं द्वारा किया जाता है, जिन्हें स्थानीय रूप से देवल लोग (dewals) करते हैं और जिनके पास सरकार से अनुमति पत्र होते हैं। नमक निष्कर्षण वर्तमान समय में शताब्दियों पुरानी पद्धतियों से किया जाता है। खारे जल–कूप (kuls) 2.4 मीटर से 4.6 मीटर तक की विभिन्न गहराइयों तक खोदे जाते हैं। इन कूपों में अन्तर्भूमि खारे जल का घनत्व 10° से 26° Be' तक होते हैं। पटल (pans) उथली नालियों द्वारा पोषित किए जाते हैं। नौ महीने के शुष्क समय में लगभग छः से सात बार नमक की फसलें इकट्ठी की जाती हैं। प्रथम फसल वाष्पीकरण के लगभग एक महीने बाद प्राप्त की जाती है, दूसरी 20 दिन पश्चात् तथा मानसून के पहले जैसे-जैसे शक्तिशाली पश्चिमी हवाओं की गर्मी तथा गति बढ़ाती है, इकट्ठा करने का समय घटता जाता है।

राज्य में नमक निर्माण के लिए डीडवाना नमक उत्पादक क्षेत्र में बड़ी सम्भावनाएँ हैं। यहाँ नमक दो अन्य क्षेत्रों की अपेक्षा सस्ती लागत पर उत्पन्न किया जा सकता है। यह स्त्रोत वर्षा पर निर्भर नहीं है और इस प्रकार उत्पादन का स्तर सूखा के वर्षों में भी कायम रखा जा सकता है।

राज्य में नमक का उत्पादन भरतपुर और बीकानेर में भी नमक निर्माणशालाओं को प्रारम्भ किया है। नमक उत्पादन के अतिरिक्त सोडा-राख, कास्टिक सोडा एवं ब्लीचिंग पाउडर उत्पन्न करने के लिए भी

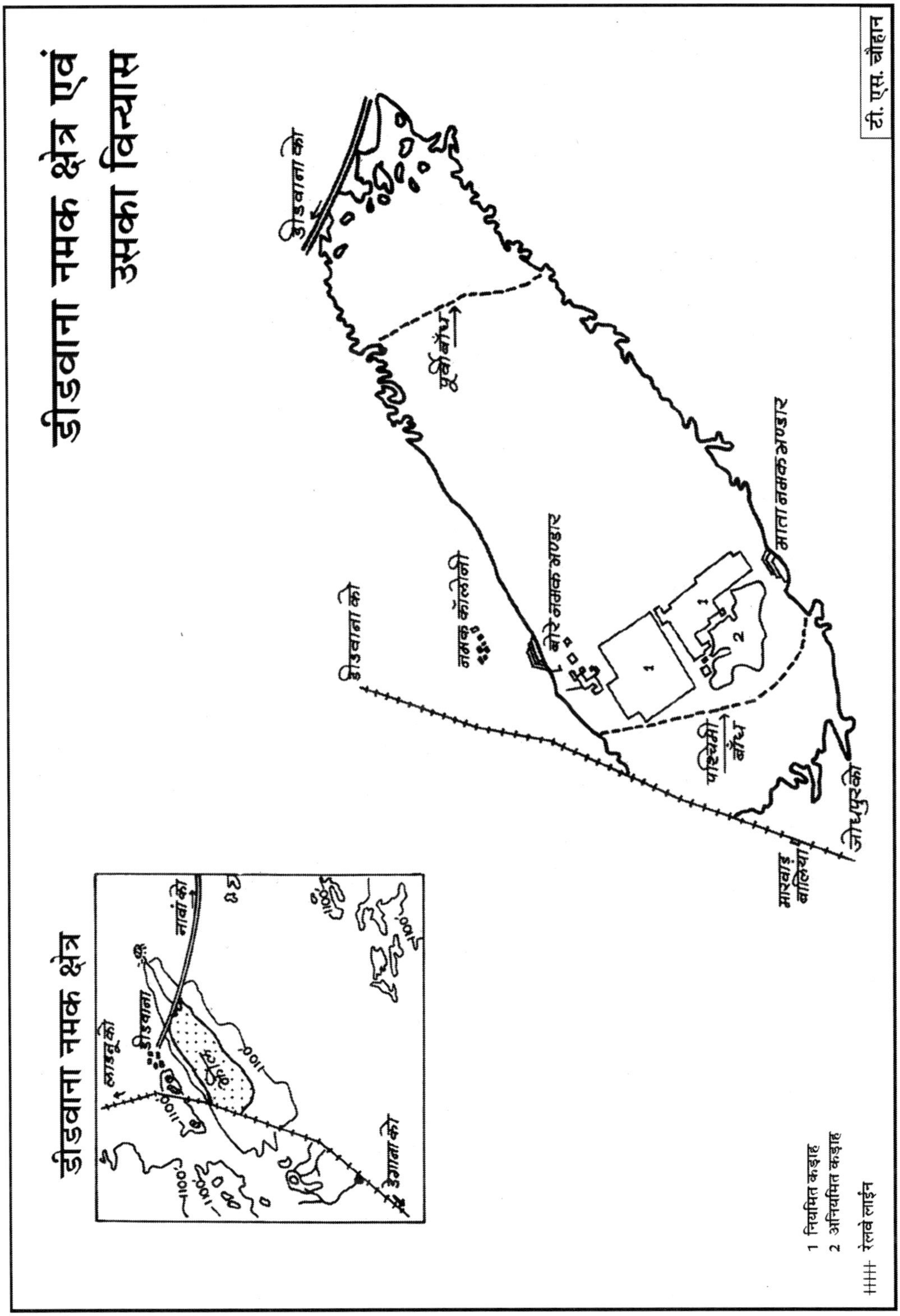
डीडवाना नमक क्षेत्र एवं उसका विन्यास
डीडवाना नमक क्षेत्र
लाडनूं को
डीडवाना
नावां को
100
डीडवाना को
पूर्वी बाँध
नमक कॉलोनी
बोरे नमक भण्डार
माता नमक भण्डार
1
2
पश्चिमी बाँध
जोधपुर को
मारवाड़ बालिया
1 नियमित कड़ाह
2 अनियमित कड़ाह
रेलवे लाईन
टी. एस. चौहान

मानचित्र 83

क्षेत्र है। सोडा-राख का एक कारखाना सांभर झील क्षेत्र में स्थित किया है। सांभर नमक में कैल्शियम और मैग्नेशियम नमक नहीं है और सोडा-राख निर्माण के लिए ये दोनों ही मुख्य दोष माने जाते हैं। पानी एक पाइप लाइन द्वारा कालक बाँध से अथवा सांभर से लगभग 25 किलोमीटर दूर छप्परवाड़ा बाँध से उपलब्ध किया जा सकता है। अच्छी किस्म का चूना-पत्थर जोधपुर जिले में सोजत और गोटन में उपलब्ध है तथा विद्युत-शक्ति सांभर में स्थानीय रूप से उपलब्ध है।

## घरेलू और लघु पैमाने के उद्योग

घरेलू और लघु पैमाने के उद्योगों का राज्य की विकास योजनाओं में एक महत्वपूर्ण स्थान है। ऐसे उद्योगों में थोड़ी पूंजी के साथ वृहत् पैमाने के रोजगार का क्षेत्र है। लघु पैमाने के उद्योगों को अधिक श्रम की आवश्यकता होती है। इसलिए वे छोटे शहरों एवं ग्रामों में स्थित और विकसित किए जा सकते हैं। वे बड़े पैमाने के उद्योगों के विकास के लिए संक्रमणीय अवस्था प्रदान कर सकते हैं।

**तेल घानी उद्योग**–राज्य के जयपुर, भरतपुर, सवाई माधोपुर, श्रीगंगानगर, कोटा, बूंदी, अजमेर और पाली जिलों में तिलहन का उत्पादन काफी पर्याप्त मात्रा में होने के कारण इन जिलों में तेल कोल्हू या घानी द्वारा निकाला जाता है। यह सहकारी आधार पर भी चल रहा है। अनुमान है कि इस उद्योग से लगभग 35 हजार परिवारों का निर्वाह होता है।

**गुड़ व खाण्डसारी उद्योग**–राज्य में गन्ने से गुड़ खाण्डसारी बनाने का कार्य एक कुटीर उद्योग के रूप में बहुत प्रचलित हैं इसमें करीब 55 हजार व्यक्ति लगे हुए हैं।

**दाल उद्योग**–राज्य में अरहर, मूँग, उड़द, मोंठ आदि दालें बनाने का कार्य कुटीर एवं लघु उद्योग दोनों में, समान रूप से प्रचलित है। ये उद्योग जोधपुर, कोटा, उदयपुर, अजमेर, गंगानगर, चित्तौड़गढ़, पाली, भीलवाड़ा, अलवर, भरतपुर एवं टोंक आदि जिलों में चलते है।

**हथकरघा उद्योग**–राज्य में यह उद्योग महत्वपूर्ण है। इससे लगभग 5 लाख व्यक्तियों की उदरपूर्ति होती हैं इनमें चादर, तौलिये, मोटा कपड़ा, साड़ी आदि तैयार किए जाते है।

**खादी उद्योग**–राजस्थान में खादी एवं ग्रामोद्योग बोर्ड की स्थापना की गई है जो गाँव के जुलाहों को खादी बनाने की सभी सुविधाएँ उपलब्ध कराता है और उनसे तैयार माल लेकर बिक्री की व्यवस्था भी करता है।

**बंधाई, छपाई व रंगाई उद्योग**–रंगाई उद्योग का कार्य पाली, बालोतरा, सांगानेर तथा कोटा में; बंधाई का कार्य जोधपुर, जयपुर, भरतपुर व चित्तौड़गढ़ में किया जाता है। रंगाई के कार्य को प्रायः पुरुष तथा बंधाई के कार्य को स्त्रियाँ करती है।

**दरी व निवार उद्योग**–राजस्थान की जेलों में सुन्दर, मजबूत तथा बढ़िया दरियाँ बनाई जाती हैं। निवार बनाने का कार्य आजकल बहुतायत से बेसिक स्कूलों में भी किया जाता है।

**चर्म उद्योग**–राजस्थान में पशु धन बहुत है। भारत में राजस्थान का स्थान पशुओं की संख्या की दृष्टि से तीसरा है। अतः यहाँ चमड़ा बहुत होता है, लेकिन चमड़ा साफ करके इसे मद्रास, कानपुर, आगरा आदि भेज दिया जाता है। हालांकि राज्य में राजस्थान टेनरीज लिमिटेड स्थापित किया गया था फिर भी लघु एवं कुटीर क्षेत्र में यह चमड़ा विभिन्न वस्तुएँ बनाने के काम आता है जिनको निर्यात भी किया जाता है। जैसे-जूतियाँ, बेल्ट, बटुए, मशक, थैली आदि।

**हड्डी पीसना**–राजस्थान में पशुओं की संख्या अधिक है इसलिए जयपुर, जोधपुर, पलाना, कोटा में हड्डी पीसने के कारखाने हैं।

**हाथी दाँत (Ivory work) का काम**–जयपुर का हाथी दाँत का कार्य पूरे देश में विख्यात है। पाली तथा जोधपुर भी इसके लिए प्रसिद्ध है। आजकल देशी हाथी दाँत का प्रयोग कानून के द्वारा मनाई है अतः आयातित हाथी दाँत का प्रयोग किया जाता है। इससे बनी चीजों का निर्यात किया जाता है और विदेशी मुद्रा प्राप्त की जाती है।

**संगमरमर उद्योग**–राजस्थान में उत्तम कोटि का

सफेद, गुलाबी व धारीदार संगमरमर विभिन्न सथानों पर मिलता हैं। मकराना (नागौर) का संगमरमर विश्व प्रसिद्ध हैं। सिरोही जिले में मोरथला व आबूरोड़, अलवर जिले मे झिरी व खोह दरवा, राजसमंद जिले में राजनगर तथा अजमेर जिले में दौलतपुरा, झाक, कनवालाई, कायमपुरा आदि स्थानों पर संगमरमर पत्थर का कार्य किया जाता है। संगमरमर पत्थर के कप, खिलौने, चकले, मेजों के रूपरी पाट, चिप्स, पाऊडर, मूर्तियाँ तथा अन्य कई उपयोगी वस्तुएँ कुटीर उद्योगों में बनाई जाती हैं। लघु उद्योगों में मारबल की कटाई, घिसाई, पोलिशिंग आदि का कार्य किया जाता है। जयपुर की संगमरमर की बनी मूर्तियां विख्यात हैं और विदेशों को निर्यात की जाती हैं।

**पीतल-तांबे व स्टील के बर्तन**-जयपुर का पीतल का काम सुन्दर एवं विख्यात है। इस कार्य में प्राय: पच्चीकारी व रंगाई का कार्य ज्यादा प्रचलित है। यह विदेशी मुद्रा भी अर्जित करता है। जयपुर, पाली, जोधपुर, भरतपुर, किशनगढ़ आदि में तांबे, पीतल व स्टील के बर्तन बनाने के कारखाने है।

**सोने-चाँदी के आभूषण व बर्तन**-राज्य में प्राय: सभी नगरों में सोने व चांदी के आभूषण बनाए जाते हैं। अजमेर में सोने चांदी के बर्तन बनाने का एक कारखाना है। आजकल रतनगढ़, चुरू, सरदारशहर एवं अन्य कई स्थानों पर कारखाने लगवाए हैं। जयपुर में सोने-चांदी के बर्तनों व जेवर पर मीने तथा जवाहरात का बढ़िया काम होता है।

**लोहा उद्योग**-राजस्थान में लोहे की कड़ाही, चाकू, छुरे, कैंची, उस्तरा, अंगीठी, कृषि औजार आदि बनाने का कार्य लुहार करते हैं। राजस्थान में एक घुमक्कड़ जाति के 'गाडिये लुहार' भी स्थान-स्थान पर घूम कर इस कार्य को करते हैं।

**लकड़ी का कार्य**-लकड़ी का प्रयोग खिलौने, दरवाजे तथा फर्नीचर बनाने के लिए सभी जगह होता है। इसके लिए आरा मशीनें गाँव कस्बों आदि सभी जगह लगी हुई हैं। फिर भी लकड़ी के खिलौने बनाने के कारखाने उदयपुर, सवाई माधोपुर आदि में है। बाँस के पँखे, टोकरियाँ, चिक प्राय: समग्र राजस्थान के शहरों तथा नगरों में बनाई जाती है। ढ़ाक के पत्तों से दौने, पत्तल आदि बनाए जाते हैं। लोक वाद्य यंत्रों जैसे ढोल, ढप, नगाड़े आदि में रोहिड़े और शीशम की लकड़ी तथा सितार व हारमोनियम में शहतूत व सागवान की लकड़ी का प्रयोग किया जाता है।

**कागज बनाना**-कोटा में स्ट्राबोर्ड का कारखाना है। उदयपुर तथा अजमेर के समीप भी इसके कारखाने है। घोसुण्डा में हाथ से कागज बनाया जाता है। राजस्थान में उदयपुर, बाँसवाड़ा, चित्तौड़गढ़, कोटा व अजमेर आदि क्षेत्रों में बाँस अथवा घास प्रचुर मात्रा में उपलब्ध होने के कारण इन जिलों में कागज के और कारखाने स्थापित किए जा सकते हैं।

**बीड़ी उद्योग**-राजस्थान में जोधपुर, कोटा, चित्तौड़गढ़, ब्यावर, भीलवाड़ा आदि नगरों में तेन्दू पत्तों से बीड़ियाँ बनाई जाती है। प्राय: यह कार्य स्त्रियों के द्वारा किया जाता है। बीड़ी बनाने के कुछ छोटे कारखाने भी है। तम्बाकू से सूंघनी बनाने के कारखाने ब्यावर में हैं।

**कत्था, लाख तथा गोंद उद्योग**-राजस्थान के वनों से कत्था, लाख व गोंद तथा अन्य वस्तुएं प्राप्त की जाती हैं जिन पर कई उद्योग आधारित हैं। कत्था राजस्थान के वन क्षेत्रों में विशेषत: चित्तौड़गढ़, कोटा, बूंदी, झालावाड़, सवाई माधोपुर, अलवर, धौलपुर के जंगलों से निकाला जाता है। कत्थे के साथ-साथ केटेचिन भी निकलती है जो उबलते पानी में घुलती नहीं है। यह चमड़े की और सूती व रेशमी कपड़ों की रंगाई तथा छपाई के काम आती है। राजस्थान प्रदेश की जलवायु गोंद उत्पादन के लिए उपयुक्त है। कूमटा, बबूल और कड़ाया का गोंद उल्लेखनीय है। धावड़ा का गोंद कागज उद्योग और दवाइयों के काम आता है। अन्य पेड़ों से भी गोंद मिलता है। लाख पेड़ की मुलायम और छोटी-छोटी टहनियों पर एक कीटाणु ''लेसीफरल लेस्का'' द्वारा जमा किया हुआ पदार्थ है जो आरी और कुंकी के नाम से प्रसिद्ध हैं। जयपुर में लाख से सुन्दर चूड़ियाँ, खिलौने व अन्य वस्तुएँ बनाई जाती है जिन्हें निर्यात कर दिया जाता है।

**माचिस उद्योग**–अजमेर, अलवर तथा पाली के फालना में माचिस बनाने के कारखाने हैं। अलवर में उपयुक्त लकड़ी सालरवुड काफी मात्रा में उपलब्ध है। इसी कारण यहाँ माचिस बनाने के कारखाने विकसित किए गए हैं।

**हस्तशिल्प**–विभिन्न प्रकार की राजस्थानी हस्त शिल्पकला ने प्रसिद्ध पाई है। राजस्थान में तैयार की गई विभिन्न हस्तकला की वस्तुएँ भारत व विदेशों में बहुत अधिक लोकप्रिय है। विभिन्न शिल्पों में मानवीय कुशलता जिस पर वर्तमान में जोर दिया जा रहा है, में अत्यधिक क्षमता है। क्षमता के और अधिक उपयोग हेतु प्रशिक्षण द्वारा कुशलता में सुधार लाने के लिए सतत् प्रयास, उत्पादन के शीघ्र विक्रय हेतु विपणन व्यवस्था एवं आवश्यक कच्चे माल की उपलब्धि को विकसित करने की आवश्यकता होगी। जवाहरात, बहुमूल्य व कम कीमती पत्थर, ब्ल्यू पॉटरी, फ्लोर कवरिंग्स, चीनी मिट्टी, लाख की वस्तुएँ, केमल हाइड, कढ़ाई इत्यादि में विकसित की अत्यधिक गुंजाइश है।

## राजस्थान में औद्योगिक विकास की सम्भावनाएँ (Potentials for Industrial Development in Rajasthan)

राजस्थान के औद्योगिक विकास की काफी सम्भावनाएँ है। लेकिन इसके लिए किसी भी प्रकार की एकरूप नीति नहीं बनाई जा सकती है। प्रत्येक जिले के लिए साधन आधार पर किए गए सर्वेक्षणों के आधार पर यह निर्णय किया जाना चाहिए कि कौन से उद्योग कहाँ स्थापित किए जाए। राज्य में कृषि आधारित उद्योग, पशुधन आधारित उद्योग तथा खनिज आधारित उद्योगों की काफी सम्भावनाएँ हैं। इलेक्ट्रॉनिक्स उद्योग का भविष्य भी उज्ज्वल है।

राजस्थान के सभी जिलों में औद्योगिक संभावनाओं का विवरण यहाँ जिलेवार मोटे रूप से प्रस्तुत है।

1. **अजमेर**

*खनिज :* खनिज पिसाई, सिरेमिक पोर्सलेन, चाक, सोडियम-सिलिकेट, स्टोन, क्रेशर, इन्सूलेटर्स, पत्थर चिराई एवम् पॉलिशिंग।

*कृषि :* फल उद्योग, कपास से सम्बन्धित उद्योग, मैदा मिल। बेकरी, कपड़ा उद्योग, तेल मिल, मसाला पिसाई, केटल फीड।

*पशुधन :* कुक्कुट शाला, चर्म उद्योग, जूते-चप्पल, मिल्क पाउडर।

*वन :* फर्नीचर, हैडिन्स सॉ डस्ट फ्यूअल, लकड़ी के खिलौने।

*इन्जीनियरिंग :* कृषि एवम् यंत्र, डीजल इंजन, रोलिंग शटर्स, स्टील फर्नीचर, घरेलू बिजली के उपकरण, इलेक्ट्रोप्लेटिंग, कन्ड्यूड पाइप बोल्ट नट, एल्यूमिनियम के बर्तन व फर्नीचर, कटलरी, वैज्ञानिक औजार, मेटेलिक यार्न, कास्टिंग।

*अन्य उद्योग :* प्लास्टिक की वस्तुएँ, साबुन, परफ्युमरी, आतिशबाजी, सूटकेस, कोल्ड स्टोरेज, रबड़ सोल्स, साइजिंग प्लान्ट, दवाइयाँ, कपड़े की रंगाई, छपाई।

2. **अलवर**

*खनिज :* बेरियम रसायन, सोप स्टोन, कंक्रिट क्रशिंग, कांच उद्योग, चूना, खनिज पिसाई, रिफ्रेक्ट्री।

*कृषि :* दाल मिलें, ग्वार गम, सरसों तेल, रोलर फ्लोर मिल्स, माल्ट वनस्पति, मसाला पिसाई, तेल रिफाइनरी।

*पशुधन :* शूकर मांस, डेयरी, जूते, हड्डी उद्योग, चमड़ा कमाई, ऊनी धागा।

*वन :* स्ट्रा बोर्ड, पेपर मिल्स, फर्नीचर।

*इन्जीनियरिंग :* कृषि औजार एवम् यंत्र, सेफ्टी रेजर, बढ़ई औजार, साईकिल के पुर्जे, घरेलू बिजली के उपकरण, इस्पात, स्टील डाई कास्टिंग वायर स्कूटर पार्ट्स, छपाई की मशीनें, क्लच प्लेट, स्प्रिंग्ज, रि-रोलिंग मिल, टिन के डिब्बे व पीपे।

*अन्य उद्योग :* लकड़ी की पेटियाँ, पोलिस्टर यार्न, फाउन्टेन पेन, प्लास्टिक की वस्तुएँ, पेपर प्रॉडक्ट्स, अल्ट्रामेरिन ब्लू, ऐडिसिव टेप्स। सिले सिलाए कपड़े, पी.वी.सी. पाइप, दवाईयाँ,

बैटरियाँ क्राफ्ट व पैकिंग पेपर, औद्योगिक गैसेज, बिजली के बल्ब, पेन्ट आदि।

3. **बाँसवाड़ा**

*खनिज :* सीमेन्ट, सोप स्टोन, पीसना, ग्रेफाइट, स्टोन ग्रिट क्रशिंग।

*कृषि :* चावल मिल्स, चावल के छिलके से सम्बन्धित अन्य इकाईयाँ, दालें मिलें, खण्डसारी उद्योग, कपास से सम्बन्धित उद्योग, कपड़ा उद्योग, तेल मिल।

*पशुधन :* जूता उद्योग, हड्डियों को पीसना, मछलियां पैक करना, डेरी फार्म, मुर्गी पालना।

*वन :* बाँसों से सम्बन्धित उद्योग, आरा मिलें, बीड़ी उद्योग, पैकिंग केसेज, लकड़ी के दरवाजे, खिड़कियां आदि।

*इन्जीनियरिंग :* कृषि औजार एवम् यंत्र, मशीन रिपेयरिंग वर्कशाप, कास्टिंग, फाउण्ड्री।

*अन्य उद्योग :* ड्राई बैटरी, कृत्रिम धागा व कपड़े, प्लास्टिक की वस्तुएँ होजरी, साबुन, बर्फ, सीमेन्ट के नल।

4. **बाड़मेर**

*खनिज :* खनिज पिसाई, जिप्सम पाउडर।

*पशुधन :* ऊन उद्योग, जूता उद्योग, हड्डियाँ पीसना, चमड़ा उद्योग, बकरी के बालों पर आधारित उद्योग, मुर्गी पालन, डेयरी।

*वन :* बीड़ी उद्योग, ऊँट गाड़ियाँ।

*इन्जीनियरिंग :* कृषि औजार एवम् यंत्र, बर्तन, रिपेयरिंग वर्कशॉप।

*अन्य उद्योग :* रंगाई व छपाई उद्योग, अगरबत्ती, कारपेट वीविंग, सीमेन्ट के पाइप व जाली, कपड़े की रंगाई, छपाई, साबुन, फर्नीचर।

5. **भरतपुर (धौलपुर व भरतपुर संयुक्त रूप से)**

*खनिज :* ग्लास, बल्ब, ट्यूब, एसबेस्टास, मौजिक की टाइलें, स्टोन ग्रिट, क्रशिंग, ईंट, पी.सी.सी., पोल्स।

*कृषि :* दाल मिलें, माल्ट खण्डसारी, सरसों का तेल, केटलफीड, सोल्वेन एक्सट्रेक्शन।

*पशुधन :* जूते, चप्पल, डेयरी, हड्डियाँ पीसना, दुग्ध पदार्थ।

*वन :* फर्नीचर, खस व इत्र, स्ट्राबोर्ड।

*इन्जीनियरिंग :* कृषि औजार एवम् यंत्र, स्टील फर्नीचर, तौलने के बांट, हाथ के औजार, डीजल इंजन, कीलें, पेच, साइकिल के पुर्जे तथा पार्ट्स ताले, लोहे के नल, इमारती सामान, ऑटो लीफ स्प्रिंग्ज, जी.आई.पाईप।

*अन्य उद्योग :* रबड़ के खिलौने व सील, कोल्ड स्टोरेज, साईकिल ट्यूब व टायर, पेन्ट्स, दवाइयाँ, डिटरजेन्ट केक्स।

6. **भीलवाड़ा**

*खनिज :* एसबेस्टास, स्टोन ग्रिट क्रशिंग, अभ्रक पिसाई, माइका ब्रिक्स सिरेमिक व पटरी उद्योग।

*कृषि :* रस्सा उद्योग, दाल मिल, खण्डसारी, कपास से सम्बन्धित उद्योग, मैदा लि. एवं बेकरी, पशु आहार, फल सब्जियों पर आधारित होगा।

*पशुधन :* हड्डियाँ पीसना, ऊन धागा, जूते, दूध, व दुग्ध पदार्थ चर्म उद्योग।

*वन :* लकड़ी की केसिंग, केपिंग, लकड़ी की गाड़ियाँ, बीड़ी उद्योग, टीक सागोन।

*इन्जीनियरिंग :* कृषि औजार एवम् बढ़ई औजार, साईकिल के पुर्जे, तार पीतल के बर्तन व कास्टिंग, नल, टूंटियाँ, टीन के डिब्बे व पीपे।

*अन्य उद्योग :* हाथ का कागज, सूती व रेशमी होजरी, दरी व गलीच कपड़े की रंगाई, छपाई, एसबेस्टास, सीमेन्ट पाइप, निवार व रस्सियाँ, सर्जिकल रूई, पेपर प्रॉडक्ट्स, प्लास्टिक के कन्घे, खिलौने, चूड़ियाँ आदि, इन्सेक्टीसाइड्स, साईजिंग फैक्ट्री।

7. **बीकानेर**

*खनिज :* पोडरोज व सिरेमिक्स, इन्सूलेटर, फायर

ब्रिक्स, जिप्सम, प्लास्टर ऑफ पेरिस, क्ले वाशिंग, काँच उद्योग।

*कृषि* : फीडर ग्रास उद्योग, चावल मिलें, तेल मिलें, दाल मिलें, खण्डसारी केटल फीड।

*पशुधन* : हड्डी व चमड़ा उद्योग, डेयरी, ड्राई मिल्क पाउडर, ऊनी धागा, कम्बल, गलीचे का कपड़ा।

*वन* : फर्नीचर, व आरा मशीनें।

*इन्जीनियरिंग* : कृषि औजार एवम् यंत्र, ट्रेक्टर रिपेयरिंग, स्टील फर्नीचर, मोटर पार्ट्स, कन्ड्यूट पाइप।

*अन्य उद्योग* : भुजिया, पापड़ व रसगुल्ला, पोलीथीन की थैलियाँ, सेन्टेड सुपारी, अगरबत्ती, प्लास्टिक की घरेलू वस्तुएँ, मिश्रित खाद, रेडियो, ट्रांजिस्टर एसेम्बली, टायर रिट्रेडिंग, पान का मसाला।

**8. बूंदी**

*खनिज* : मौजिक टाईल्स, सीमेन्ट उद्योग, स्टोनग्रिट क्रशिंग।

*कृषि* : खण्डसारी, मसालें पीसना, तेल मिल, चावल मिलें, कपास पर आधारित उद्योग, बिस्किट फैक्ट्री, कोल्ड स्टोरेज।

*पशुधन* : चमड़ा रंगाई, जूते, हड्डियों का चूरा।

*वन* : मूँज की रस्सी, माचिस उद्योग, आरा मशीन, कत्था।

*इन्जीनियरिंग* : कृषि औजर एवम् यंत्र, साईकिल के पुर्जे, स्टील की अलमारी, एल्यूमिनियम के बर्तन, लकड़ी के पेच व स्क्रू।

*अन्य उद्योग* : पेन्ट व वार्निश, बर्फखाना, लेस व टेप, प्लास्टिक के खिलौने, सीमेन्ट के पाइप व जाली, सूती बनियान, नाइलोन के बटन, दरी व निवार, सिले हुए कपड़े।

**9. चित्तौड़गढ़**

*खनिज* : सीमेन्ट, स्टोन ग्रिट क्रशिंग, पत्थर चिराई व पोलिशिंग।

*कृषि* : खण्डसारी, अलसी तेल, मूँगफली तेल, कपास से सम्बन्धित उद्योग, मैदा मिल एवम् बेकरी, होजरी, स्ट्राबोर्ड, दाल मिल, सर्जिकल कॉटन।

*पशुधन* : चमड़ा उद्योग, जूते, ऊन के गलीचे एवम् दरियाँ, कंबल, डेयरी।

*वन* : लकड़ी के केसिंग, केपिंग, लकड़ी की गाड़ियाँ, बॉक्स, बास्केट, बीड़ी उद्योग, गोंद की सफाई।

*इन्जीनियरिंग* : कृषि औजार एवम् यंत्र, मशीन के पुर्जे, स्टील फर्नीचर, हाथ के औजार।

*अन्य उद्योग* : साबुन, सीमेन्ट के नल व जालियाँ, प्लास्टिक के जूते केन व पाइप, कपड़ा रंगाई व छपाई।

**10. चुरू**

*खनिज* : जिप्सम पीसना, ईटे बनवाना, प्लास्टर बोर्ड, चाक।

*कृषि* : हाथ करघा, ग्वार गम, कोल्ड स्टोरेज।

*पशुधन* : ऊन, ऊन दो दरियाँ, गलीचे, ऊनी नमदे, चमड़ा उद्योग, हड्डियाँ पीसना, डेयरी।

*वन* : सरकण्डे का फर्नीचर।

*इन्जीनियरिंग* : कृषि औजार एवम् यंत्र।

*अन्य उद्योग* : पेन्ट व वार्निश, प्लास्टिक बोर्ड, पाइप, साबुन।

**11. डूँगरपुर**

*खनिज* : हाइड्रोक्लोरिक एसिड, स्टोन ग्रिट क्रशिंग।

*कृषि* : दाल मिलें, खाने का तेल, कपास, जिनिंग।

*पशुधन* : चमड़ा उद्योग, हड्डियां पीसना, ऊन की सफाई व कताई, डेयरी।

*वन* : बीड़ी, लकड़ी के खिलौन लकड़ी का फर्नीचर।

*इन्जीनियरिंग* : कृषि औजार एवम् यंत्र, शटल्स, तकुआ उद्योग, स्टील की अलमारी, कुर्सियाँ।

*अन्य उद्योग :* पाइप, बेकरी, साबुन, कपड़ा रंगाई व छपाई, प्लास्टिक के खिलौने, पी.वी.सी. के जूते।

12. **जैसलमेर**

*खनिज :* प्लास्टर ऑफ पेरिस, संगमरमर कटिंग, जिप्सम।

*कृषि :* फोडर ग्रास।

*पशुधन :* चमड़ा उद्योग, ऊन कताई व बुनाई, डेयरी उद्योग।

*वन :* मूँज की रस्सियाँ बनाना।

*इन्जीनियरिंग :* कृषि औजार एवम् यंत्र, स्टील चद्दर का सामान।

*अन्य उद्योग :* सीमेन्ट की जालियाँ, नमक बनाना, हाथ करघा के वस्त्र, वस्त्र पर छपाई, साबुन व सुगन्धित तेल।

13. **जयपुर**

*खनिज :* स्पंज लोहा, सोडा एश, नमक से सम्बन्धित उद्योग, सोप स्टोन, ग्राइंडिंग, जवाहरात कटिंग, पोलिशिंग, स्टोन ग्रिट क्रशिंग, ग्लेज्ड टाइल्स, एब्रजिव एक्सट्रेक्ट।

*कृषि :* दाल मिलें, माल्ट, मूँगफली तेल, मैदा मिल एवं बेकरी, प्याज सुखाना, कपड़ा उद्योग, वनस्पति उद्योग, मसाला पिसाई, ग्वार गम, माल्स एक्सट्रेक्ट।

*पशुधन :* कुक्कुट शाला, हड्डियाँ पीसना, चमड़ा रंगाई, जूते, चप्पल व चमड़े की उपयोगी वस्तुएँ बनाना, ऊनी धागा, गलीचा का कम्बल बनाना।

*वन :* कागज, लकड़ी का फर्नीचर व इमारती सामन।

*इन्जीनियरिंग :* कृषि औजार एवम् यंत्र, पम्पिंग सैट, स्टील फर्नीचर, पीपे, सर्वे औजार, प्रिन्टिंग मशीन, लाउड स्पीकर, हाथ के औजार, बिजली के पंखे, डीजल इंजिन, घरेलू बिजली के उपकरण, ट्रांसफार्मर, कन्डूट पाइप, ताले, इलेक्ट्रोप्लेटिंग कांटेदार तार, यंत्रचलित खिलौने, एल्यूमिनियम की ऐनोटाइज्ड वस्तुएँ व बर्तन, सिन्थेटिक जरी, चॉक व ट्यूबलाइट फिटिंग, अस्पताल के औजार, पीतल के बर्तन, पुर्जे व नल का सामान, क्लच प्लेट, स्प्रिंग, तार, स्क्रू व नट-बोल्ट, ऑटो साईकिलें व साईकिलें।

*अन्य उद्योग :* रंगाई-छपाई, कपड़ा धोने का पाउडर, रबड़ के पाइप व बेल्टिंग, प्लास्टिक के खिलौने व घरेलू उपयोगी वस्तुएँ, हाथ करघा वस्त्र हस्तशिल्प की निर्यात की वस्तुएँ, हाथ करघा वस्त्र, हस्तशिल्प की निर्यात की वस्तुएँ, रबड़ के गद्दे व तकिये, गम टेप्स। टेलीविजन व पार्ट्स, पी.वी.सी. ट्यूब्ज, चद्दरें व टाइलें, रबड़ के सोल व चप्पल, रंगाई-छपाई के रंग व रसायन, दवाईयाँ, बैन्डेज, पान का मसाला, अगरबत्ती, नहाने का साबुन व पाउडर, सुगन्धित तेल, शैम्पू, पाउडर व क्रीम, सिले सिलाए वस्त्र।

14. **जालोर**

*खनिज :* ग्रेनाइट कटिंग व पॉलिश करना, ईंट उद्योग।

*कृषि :* सूती कपड़ा, तेल मिल, दाल मिल, ग्वार गम, मसाला पिसाई, केटल फीड।

*पशुधन :* जूता उद्योग, ऊनी कम्बल, दरियाँ, पशु चारा, डेयरी उद्योग।

*वन :* लकड़ी का फर्नीचर व गाड़ियाँ।

*इन्जीनियरिंग :* कृषि औजार एवम् यंत्र, पीतल के बर्तन, स्टील अलमारी।

*अन्य उद्योग :* हाथ करघा वस्त्र, रंगाई, साबुन, सूती निवार, रस्सियाँ व दरियाँ, प्लास्टिक की चूड़ियाँ, पेन व बालपेन, सीमेन्ट की जाली व नल।

15. **झालावाड़**

*खनिज :* पत्थर काटना व पॉलिश करना, स्टोन ग्रिट क्रशिंग।

*कृषि* : नारंगी व अन्य फल प्रिजर्वेशन उद्योग, दाल मिलें, तेल मिल, मसाला पिसाई, कपास सम्बन्धित उद्योग।

*पशुधन* : पशु चारा, हड्डियाँ पीसना, जूता उद्योग।

*वन* : कारपेन्टरी, बीड़ी, बाँस की वस्तुएँ, गोंद, कत्था।

*इन्जीनियरिंग* : कृषि औजार एवम् यंत्र, स्टील की अलमारी व सामान, मोटर रिपेयर्स वर्कशॉप।

*अन्य उद्योग* : रेडीमेड कपड़ों की इकाई, सूती बनियान, साबुन, प्लास्टिक की उपयोगी वस्तुएँ, अगरबत्तियाँ, टायर रिट्रेडिंग।

**16. झुंझुनु**

*खनिज* : तांबा तार, तांबा, फाउण्ड्री, चूना, सोडियम सिलिकेट, सुपर फोसफेट, फायर ब्रिक्स।

*कृषि* : कपड़ा उद्योग, ग्वार गम, दाल मिल।

*पशुधन* : चमड़ा उद्योग, ऊनी, नमदा।

*इन्जीनियरिंग* : कृषि औजार एवम् यंत्र, प्रेशर कुकर, पीपे, लाउड स्पीकर, इलेक्ट्रोनिक, इस्पात को पीसने वाली रॉड व छड़ें पम्पिंग सेट, ऑटोमोबाइल रिपेयरिंग वर्कशाप, आइल फाउण्ड्री।

*अन्य उद्योग* : दरी, लेस, निवार, बनियान, साबुन, बेकरी, टी.वी. पार्ट्स, केबनेट व एसेम्बलिंग टेप रिकॉर्ड्स।

**17. जोधपुर**

*खनिज* : सफेद सीमेन्ट, स्टोन क्रेशर, प्लास्टर ऑफ पेरिस, सोडियम सिलिकेट, चूना, दाल मिलें।

*कृषि* : ग्वार गम, मसाले पीसना, कपड़ा उद्योग, पशु चारा उद्योग, डबल रोटी, तेल।

*पशुधन* : डेयरी, चमड़ा उद्योग, ऊनी धागा व बुनाई, जूते, कशीदे की जूतियाँ, बैग आदि।

*वन* : लकड़ी का फर्नीचर, टूल हैंडिल्स, केसिंग, केपिंग, पैकिंग बॉक्स, रोसा तेल।

*इन्जीनियरिंग* : कृषि औजार एवम् यंत्र, पीपे, सर्वे औजार, डीजल ईंजन, घरेलू बिजली के उपकरण, साईकिल के पुर्जे, हाथ के औजार, कण्डयूट पाइप सर्जिकल ब्लेड, कास्ट आइरन फाउण्ड्री, पीतल के बर्तन व कास्टिंग, बिजली के तार व केबल्स, साईकिलें, मोटर पार्ट्स, प्लास्टिक की मशीनें व डाईयाँ।

*अन्य उद्योग* : रंगाई व छपाई, रंग बनाना, पोलिथीन की थैलियाँ, पी.वी.सी. पाइप व फुटवियर, टायर रिट्रेडिंग, रंगाई छपाई, रसायन साबुन, इलेक्ट्रोनिक पार्ट्स, जिंक के बादले व खिलौने, सीमेन्ट के स्पन पाईप, पेन्ट व वार्निश, कोल्ड स्टोरेज, रबड़ के पदार्थ, एलम।

**18. कोटा**

*खनिज* : कैल्शियम कार्बोनेट, लिफपो, पत्थर पट्टी उद्योग, स्टोन ग्रिट क्रशिंग, स्ट्राबोर्ड, चूना उद्योग।

*कृषि* : चावल मिलें, चावल के छिलके से सम्बन्धित उद्योग इकाइयाँ, मसाला उद्योग, सूती कपड़ा उद्योग, चावल के चूरे की ईंटें, शोधनीय रूई, मिर्च एवम् धनिया पाउडर, कॉर्नफ्लेक्स, मूँगफली से दूध व दही बनाना, तेल मिलें व सोलवेन्ट, एक्सट्रेक्शन प्लान्ट व रिफाइनरी, खण्डसारी।

*पशुधन* : डेयरी, चमड़ा, अगरबत्ती, कत्था उद्योग, ऑक्जोलिक एसिड, लकड़ी के बुरादे से बीड़ी उद्योग।

*इन्जीनियरिंग* : कृषि औजार एवम् यंत्र, सर्वे औजार, बिजली के पंखे, घरेलू बिजली उपकरण, बढ़ई औजार, बड़े औजार, लाईनर पिस्टन यूनिट कांटेदार तार, एनोडाइज्ड, एल्यूमिनियम की चीजें व हारवेस्टर्स थ्रेसर्स फेरस व नॉन-फेरस फाउण्ड्री, जी.आई. पाईप व फिटिंग, तार खिंचाई केबिल्स, बिजली के तार, कीलें, पेच नट व बोल्ट, टीन के पीपे व डिब्बे।

*अन्य उद्योग :* सिन्थेटिक यार्न, डेन्टल क्रीम, लिक्विड साबुन, पी.वी.सी. के पाईप व जूते टाइलें व चद्दर औद्योगिक गैसें, नाइलोन के मोजे व होजरी, पोलीथीन के थैली, ब्लीचिंग पाउडर, पेन्ट व वार्निश, कोल्ड स्टोरेज, कृत्रिम साबुन, साईकिल ट्यूब, दवाईयाँ।

**19. नागौर**

खनिज : मार्बल कटिंगल व पॉलिशिंग, चॉक, कैल्शियम कार्बोनेट, प्लास्टर बोर्ड, चूना, सोडियम सल्फेट।

कृषि : ग्वार गम, प्याज सुखाना, सूती कपड़ा उद्योग।

पशुधन : डेयरी व ऊन उद्योग, हड्डी का चूरा, चमड़ा रंगाई, जूता उद्योग।

वन : लकड़ी का फर्नीचर, मूंज बान की रस्सी।

इन्जीनियरिंग : कृषि औजार एवम् यंत्र, सेफ्टी रेजर, तौलने के बांट, यांत्रिक खिलौने, घरेलू बिजली के उपकरण, कम्प्रेशर, हेक्साब्लेड, टीन कन्टेनर, इलेक्ट्राप्लेटिंग स्टोन कटिंग मशीनें, फ्लोर मिलें।

अन्य उद्योग : कपड़ा रंगाई व छपाई, नमक बनाना, साबुन, प्लास्टिक की वस्तुएं, पी.वी.सी. के जूते, हौजरी, एमरी स्टोन चक्कियां।

**20. पाली**

*खनिज :* सीमेन्ट के पाईप व टाइलें, चूना मार्बल व पत्थर चिराई व पॉलिशिंग।

*कृषि :* ग्वार गम मिल, तेल, कपास से सम्बन्धित उद्योग, मसाले पीसना, मेहंदी पिसाई, जल संरक्षण, रोशा घास तेल।

*पशुधन :* कपड़ा उद्योग, डेयरी फार्मिंग, ऊन उद्योग।

*वन :* लकड़ी चिराई व फर्नीचर।

*इन्जीनियरिंग :* कृषि औजार एवम् यंत्र, स्टील फर्नीचर, लोहे के तार व तार संबंधी उद्योग, पीतल के बर्तन, कास्टिंग, रि-रोलिंग मिलें, मोटर पार्ट्स, हार्डवेयर का सामान।

*अन्य उद्योग :* कपड़ा रंगाई-छपाई, छपाई सम्बन्धी रंग व रसायन, व्हाईटिंग एजेन्टस, नील, ब्लीचिंग पाउडर, छाता व छाता के पुर्जे, प्लास्टिक के छाते के हैंडिल व पार्ट्स, सिले सिलाए कपड़े, दवाईयाँ, टैक्सटाइल शटल, प्लास्टिक की चूड़ियाँ, पेन व बालपेन, कागज व गत्ता बनाना।

**21. सवाई माधोपुर**

*खनिज :* कांच की बोतलें, सिलिका सैण्ड, बेनीफिसियेशन रिफैक्ट्री।

*कृषि :* फल उद्योग, मूँगफली तेल, मसाले पीसना, डेयरी।

*पशुधन :* चमड़ा रंगाई, जूते, हड्डी उद्योग।

*वन :* बीड़ी उद्योग, खस का इत्र, लकड़ी के खिलौने, पैकिंग केस, स्ट्राबोर्ड टोकरी व टूल हैंडिल्स।

*इन्जीनियरिंग :* कृषि औजार एवम् यंत्र, कीलें व पेच, स्टील फर्नीचर, मशीन पार्ट्स व रिपेयरिंग वर्कशॉप।

*अन्य उद्योग :* सीमेन्ट के पाईप, नालियां, पी.सी.सी. पोल्स व आइल्स कपड़े की छपाई, साबुन, केटलफीड, होजरी।

**22. सीकर**

*खनिज :* सफेद सीमेन्ट, ग्लेज्ड टाईल्स, स्टोन ग्रिट क्रशिंग, खनिज पिसाई।

*कृषि :* प्याज सुखाना, ग्वार गम, तेल मिलें।

*पशुधन :* ऊनी धागा, गलीचे, कम्बल व कपड़े, चमड़ा रंगाई, जूते।

*वन :* चिक व मुड्डा बनाना, लकड़ी का फर्नीचर, लकड़ी के खिलौने।

*इन्जीनियरिंग :* कृषि औजार एवम् यंत्र, तांबे के तार, स्टील फर्नीचर, एल्युमीनियम के औजार, रिपेयरिंग वर्कशॉप, रोलिंग शटर्स।

*अन्य उद्योग :* आयुर्वेदिक दवाईयाँ, सीमेन्ट की जालियाँ, नल व गोटा, साबुन, कपड़े पर बंधाई व छपाई।

**23. सिरोही**

*खनिज :* सीमेन्ट, टाइल, चूना उद्योग, संगमरमर चिराई व पॉलिश।

*कृषि :* फल उद्योग, नीरा, ताड़, गुड़, तेल घानी, कपास पर आधारित उद्योग।

*पशुधन :* चमड़ा उद्योग, ऊन उद्योग, जूते व चमड़े के थैले।

*वन :* पेन्सिल उद्योग, कागज उद्योग, स्ट्राबोर्ड, बाँस की टोकरियाँ व चटाइयाँ, इसबगोल।

*इन्जीनियरिंग :* कृषि औजार एवम् यंत्र, बाल्टियाँ, रोलिंग शटर, रिपेयरिंग वर्कशॉप व कास्टिंग फाउण्ड्री।

*अन्य उद्योग :* चश्में के फ्रेम, प्लास्टिक बटन व शीट, तारपोलिन, सीमेंट के पाईप, सिले सिलाए कपड़े, दवाईयाँ, होजियरी, चूड़ियाँ।

**24. श्री गंगानगर**

*खनिज :* प्लास्टर ऑफ पेरिस, जिप्सम पीसना, सोडियम सिलीकेट, मोजाइक टाइलें, ईंट उद्योग।

*कृषि :* चावल मिलें, चावल के छिलके से सम्बन्धित इकाईयाँ, दाल मिलें, खण्डसारी, माल्ट, फल उद्योग, कपास से सम्बन्धित उद्योग, वनस्पति घी, केटल फीड, रोलर, फ्लोर मिल।

*पशुधन :* हड्डियाँ पिसाई, चमड़ा उद्योग, जूते।

*वन :* फर्नीचर, स्ट्राबोर्ड, इमारती लकड़ी का सामान।

*इन्जीनियरिंग :* कृषि औजार एवम् यंत्र, प्रेशर कूकर, मोटर पार्ट्स, ट्रेक्टर रिपेयरिंग वर्कशॉप, स्टील फर्नीचर, टिन के पीपे, इमारती हार्डवेयर, ऑफ कटिंग मशीनें व ब्लेड्स रोलिंग शटर।

*अन्य उद्योग :* साईकिल के पुर्जे, स्टील फर्नीचर, ट्रेक्टर ट्रोली, डिस्टलरी, कोल्ड स्टोरेज, पेन्ट्स, वार्निश, होजरी, अस्पताली रूई, पेस्टीसाइड, मिक्सड खाद, ऑटो बैटरी, वेस्ट कॉटन धागा।

**25. टोंक**

*खनिज :* माइका ग्राइंडिंग, गारनेट पॉलिशिंग, खनिज पिसाई।

*कृषि :* तेल मिलें, दाल मिलें।

*पशुधन :* चमड़ा उद्योग, डेयरी, कोल्ड स्टोरेज, ऊनी कताई व बुनाई, नमदा पीट पैकिंग, मशीनों से जूते बनाना।

*वन :* बीड़ी उद्योग, लकड़ी का फर्नीचर

*इन्जीनियरिंग :* कृषि औजार एवम् यंत्र, शीट के बक्से व बाल्टी, एल्युमिनियम के बर्तन।

*अन्य उद्योग :* सूती दरी, निवार, बेन्डेज, रस्सी उद्योग, चमड़े के गारमेन्ट व उपयोगी वस्तुएँ, साबुन, बिस्कुट, बेकरी, होजरी, प्लास्टिक की उपयोगी वस्तुएँ।

**26. उदयपुर**

*खनिज :* जस्ता डस्ट, जस्ता बैटरी, रॉक फास्फेट, पल्वराइजिंग सोप स्टोन, पल्वराइजिंग स्टोन ग्रिट क्रशिंग।

*कृषि :* खण्डसारी, कपास से सम्बन्धित उद्योग, मैदा मिल एवं बेकरी।

*पशुधन :* कपड़ा रंगाई, जूते व हड्डी उद्योग।

*वन :* लकड़ी के खिलौने, लकड़ी के हैंडिल व फर्नीचर, जूट बुनाई एवं रस्सियाँ।

*इन्जीनियरिंग :* कृषि औजार एवम् यंत्र, सर्वे औजार, यांत्रिक खिलौने, स्टील फर्नीचर, नोवल्टी आईटम, सेफ्टी रेजर, रोलिंग शटर, लोहे की तगारियाँ, कीलें व तार, मोटर पार्ट्स व रिपेयरिंग वर्कशॉप।

*अन्य उद्योग :* पोलिथीन की थैलियाँ, घड़ियों की एसेम्बलिंग, पेस्टीसाइड्स, आयुर्वेदिक दवाईयाँ, श्रृंगार प्रसाधन, आइन्टमेन्ट, सोडियम नाइट्रेट, एलम, पोलिथीलिन की बनी बोरियाँ, सोडियम ट्रोपोली फास्फेट।

## राजस्थान की नई औद्योगिक नीति

राजस्थान के खनिज, कृषि एवं अन्य संसाधनों का अधिकतम उपयोग करके राज्य के सकल उत्पादन में उद्योगों के योगदान को बढ़ाने, अधिक से अधिक रोजगार पैदा करने तथा राज्य सरकार के वित्तीय स्त्रोतों में वृद्धि करने के उद्देश्य से राज्य सरकार ने औद्योगिक नीति की घोषणा की है। इसीलिए इस नीति के अन्तर्गत खादी एवं ग्राम उद्योगों, हाथ करघा, हस्त कलाएँ तथा स्थानीय संसाधनों पर आधारित लघु उद्योगों के विकास को सर्वोच्च प्राथमिकता दी गई है। हस्तकलाओं के विकास के लिए एक डिजाइन और डवलपमेंट केन्द्र स्थापित किया है और कच्चे माल की उपलब्धि एवं विपणन के बारे में व्यवस्थित रूप से कारगर प्रयास किए है।

### आधारभूत ढाँचे का विकास

प्रदेश में कई इलाकों में आधारभूत ढाँचे की कमी है। अत: उद्योगों के लिए आधारभूत ढाँचा तैयार करने के काम पर विशेष ध्यान दिया जाएगा। उद्यमियों के लिए जमीन की कीमत में कमी करने के दृष्टिकोण से यह तय किया गया है कि जमीन की मूल कीमत के ऊपर जो प्रीमियम अभी तक राज्य सरकार वसूल किया करती थी, वह अब वसूली नहीं किया जाएगा। इसके अलावा कृषि भूमि के दो प्रतिशत भाग को औद्योगिक सीमा एक हजार वर्गमीटर तक रहेगी। आठवीं योजना के दौरान 3,000 के वी.ए. तक के अनुबंध माँग वाले उद्योग अब बिजली की कटौती से मुक्त रहेंगे। स्वयं के उपयोग के लिए डीजल जनरेटिंग सेट लगाने के लिए 25 प्रतिशत अनुदान मिलेगा। जिसकी अधिकतम सीमा 50,000 रुपए होगी।

प्रदेश स्तर पर एक ब्यूरो ऑफ इण्डस्ट्रीज प्रमोशन की स्थापना की जाएगी ताकि इन विन्डो सर्विस उद्यमियों को सुलभ कराई जा सके। प्रथम चरण में कुछ जिलों में जिला उद्योग केन्द्रों में भी वन विन्डो सर्विस आरम्भ की है। स्थानीय उद्योगों को बढ़ावा देने की दृष्टि से सभी सरकारी विभागों एवं स्थानीय निकायों को निर्देश दिए जाएगे कि खरीद में स्थानीय उद्योगों के माल को ही प्राथमिकता दें।

आठवीं योजना के दौरान राजस्थान में स्थापित किये जाने वाले नए उद्योगों के लिए उदार रियायतें दी जा रही हैं। सौ करोड़ रुपए या इससे अधिक विनियोजन वाले अति विशिष्ट उद्योगों को उनके बिक्रीकर का 90 प्रतिशत नहीं देना होगा। इलेक्ट्रॉनिक्स उद्योगों के लिए यह छूट 100 प्रतिशत होगी। ये उद्योग प्रदेश से बाहर 90 प्रतिशत तक अपना उत्पादन भेज सकेंगे। पिछले ग्यारह वर्षो तक तथा अन्य जिलों में 9 वर्षो तक यह रियायत जारी रहेगी। पच्चीस करोड़ रुपये से सौ करोड़ रुपए तक विनियोजन वाले विशिष्ट उद्योग की उनके बिक्री कर का 75 प्रतिशत नहीं देना होगा। ऐसे उद्योगा 80 प्रतिशत तक अपना उत्पादन प्रदेश के बाहर भिजवा सकेंगे।

### रियायतें

पच्चीस करोड़ रुपए से कम विनियोजन वाले उद्योगों पर बिक्री कर की छूट 75 प्रतिशत तक होगी और 60 प्रतिशत तक अपना उत्पादन ऐसे उद्योग प्रदेश से बाहर भेज सकेंगे।

उल्लेखनीय है कि प्रदेश से बाहर उत्पादन भेजना इस योजना की समाप्ति पर ही संभव होगा।

जो उद्योग 100 प्रतिशत विस्तार करेंगे उन्हें भी उपरोक्त रियायत मिलेगी। परन्तु उन्हें इसके साथ-साथ उद्योग में 100 प्रतिशत या इससे अधिक विनियोजन भी करना होगा। इलेक्ट्रॉनिक्स उद्योगों के लिए बिक्री कर के सन्दर्भ में फिक्स्ड केपिटल इन्वेस्टमेन्ट की कोई सीमा नहीं रखी गई है। यह स्थिति इनके विस्तार के लिए भी लागू होगी। अति विशिष्ट इलेक्ट्रॉनिक्स उद्योग 11 वर्ष की अवधि के तक के लिए 100 प्रतिशत तक बिक्री कर से मुक्त रहेंगे चाहे उनकी स्थापना प्रदेश में कहीं भी की जाए।

नए विशिष्ट इलेक्ट्रॉनिक्स उद्योग प्रदेश में कहीं भी स्थापित किए जा सकते हैं। ये विशिष्ट उद्योग वर्षो तक बिक्री कर से मुक्त रहेंगे।

राज्य सरकार ने अपनी नई औद्योगिक नीति के अन्तर्गत सीमेन्ट, खनिज आधारित उद्योगों, तम्बाकू, कपड़ा, चीनी, इलेक्ट्रॉनिक्स एवं खाद्यान्न आधारित

उद्योगों के लिए मशीन कर खरीद को बिक्री कर से 5 वर्षों के लिए मुक्त रखने का विशेष निर्णय लिया है।

राजस्थान के रत्न उद्योग को प्रोत्साहित करने तथा इस उद्योग में संलग्न उद्योगपतियों को रत्न उद्योग को विकसित करने के लिए रत्नों की बिक्री कर से मुक्त रखा गया है।

**पूंजी विनयोजन अनुदान**

राज्य में लगने वाले मध्यम एवं वृहद् उद्योगों की स्थाई पूँजी विनियोजन का 15 प्रतिशत (अधिकतम सीमा 15 लाख रुपए) तक विनियोजन अनुदान सुलभ कराया जायेगा। लघु एवं एन्सीलरी उद्योग, राज्य में उपलब्ध साधनों पर आधारित चयनित उद्योग, राज्य के अप्रवासी भारतीयों द्वारा लगाए जाने वाले उद्योग तथा शत-प्रतिशत निर्यात करने वाले उद्योगों को स्थाई पूंजी विनियोजन अनुदान दिया जाएगा। रोजगार मूलक उद्योगों को 2 प्रतिशत अतिरिक्त अनुदान मिलेगा जिसकी अधिकतम सीमा 2 लाख रुपए होगी।

पूंजी विनियोजन अनुदान केवल जोधपुर, उदयपुर, अजमेर, अलवर और भीलवाड़ा की नगर पालिका अथवा नगर विकास सीमा को छोड़कर जयपुर एवं कोटा की नगर संकुलन सीमा को छोड़कर पूरे राज्य में दिया जायेगा। किन्तु कुछेक विशिष्ट श्रेणी के उद्योगों जैसे इलेक्ट्रॉनिक्स एवं दूर संचार पर यह अनुदान सम्पूर्ण राज्य में दिया जाएगा।

**औद्योगिक रुग्णता**

राज्य की रुग्ण औद्योगिक इकाइयों को प्रतिस्थापित करने के उपाय भी राज्य सरकार कर रही है। राजस्थान राज्य विद्युत मंडल राज्य की इन रुग्ण इकाइयों की न्यूनतम चार्जेज एवं विद्युत कटौती के संबंध में छूट देता है। राज्य सरकार ने निश्चय किया है कि जिला स्तर पर एक कमेटी का गठन किया जाएगा जो कि छोटी औद्योगिक इकाइयों में रुग्णता और उनके निराकरण के संबंध में योजना बताएगी और उसको कार्यान्वित करेगी। राज्य स्तर पर भी उद्योग निदेशालय में रुग्ण इकाइयों समस्याओं का पता लगाने तथा उनका निराकरण करने के लिए एक प्रकोष्ठ की स्थापना की जाएगी। निश्चित वर्ष की अवधि के लिए स्थगित रखी जाएगी। स्थगित राशि पर ब्याज, जुर्माना एवं दण्डनीय ब्याज की वसूली भी नहीं की जाएगी। पुनर्चलन के पूर्व विक्रय कर/क्रर कर/विद्युत शुल्क कर बकाया राशि के भुगतान का पुनर्निर्धारण व ब्याज/जुर्माना दण्डनीय ब्याज से मुक्त होगा। रुग्ण औद्योगिक इकाइयों पर राजकीय विभागों अथवा निगमों की बकाया भुगतान करने के संबंध में बैंकों अथवा वित्तीय संस्थानों की प्रत्याभूमि दिए जाने पर बल भी नहीं दिया जाएगा।

प्रयुक्त होने वाले कच्चे माल पर कथित इकाइयों को वाणिज्यिक उत्पादन करने की तिथि से 5 वर्ष की अवधि के लिए चुंगी शुल्क से छूट देय होगी। इसी दौरान स्थापित होने वाली औद्योगिक इकाइयों के लिए तथा औद्योगिक इकाइयों के विस्तार में प्रयोग के लिए संयंत्र एवं संयंत्र पर चुंगी शुल्क में छूट देय होगी।

**मण्डी कर से मुक्ति**

राज्य में कृषि आधारित लघु उद्योगों को बढ़ावा देने के लिए यह निर्णय लिया गया है कि आठवीं पंचवर्षीय येाजना के दौरान स्थापित होने वाली उन लघु उद्योगों इकाइयों से मण्डी कर नहीं लिया जाएगा जो सीधे ही कृषकों से कृषि उत्पाद खरीदेंगी।

निर्यात के लिए राज्य में राजस्थान लघु उद्योग निगम एक नोडल एजेन्सी की तरह कार्य करता है तथा एस एयर कार्गो कॉम्प्लेक्स और एक कन्टेनर फ्रेट स्टेशन चला रहा है। राज्य सरकार निर्यात को प्रोत्साहन देने के लिए शत-प्रतिशत निर्यातमूलक उद्योगों को अतिरिक्त पूंजी विनियोजन अनुदान देगी तथा ऐसी इकाइयों को प्राथमिकता के आधार पर भूखण्ड आवंटन, ऋण सुविधा और विद्युत कनेक्शन उपलब्ध कराएगी। राज्य में निर्यात प्रोत्साहन परिषद का गठन किया जाएगा। जिसमें राज्य के निर्यातकों को भी प्रतिनिधित्व दिया जाएगा। राजस्थान लघु उद्योगों निगम द्वारा जयपुर में एक व्यापार केन्द्र की स्थापना की जाएगी जिसमें राजस्थान के उन उत्पादों को प्रदर्शित किया जाएगा जिनके निर्यात की विपुल संभावनाएँ है।

# अध्याय 20

## यातायात संचार एवं व्यापार

## Transport Communication and Trade

सन्तुलित आर्थिक विकास के लिए राजस्थान जैसे विकासोन्मुख राज्य में यातायात के तरीके और संचार के साधन की आवश्यकता निर्विवाद है। राज्य में रेलें एवं सड़कें यातायात के प्रमुख साधन हैं क्योंकि और नौगम्य मार्गों का अत्यन्त अभाव है तथा दूसरी ओर वायुयान का उपयोग अत्यन्त मँहगा होने के कारण यात्री परिवहन के लिए भी सर्व सुलभ नहीं हो पाता है। अत: राजस्थान के साधनों की सुलभता के अतिरिक्त रेल एवं सड़क यातायात के समन्वित उपयोग पर निर्भर है।

यातायात के तरीके और संचार के साधन किसी भी क्षेत्र में आर्थिक विकास एवं समृद्धि के सूचक होते हैं। यातायात साधनों का आसान और कम महँगा होना और उसका निश्चित रूप से पहुंच के अन्दर होना किसी भी क्षेत्र के विकास के लिए महत्वपूर्ण है। कुछ विकसित पश्चिमी देशों, एवं पूर्व में जापान की तुलना में भारत के संचार के साधन अल्प-विकसित हैं। अर्थव्यवस्था आत्मनिर्भरता की है और यह भी संचार के साधनों के अल्पविकास में एक सहयोगी कारक हैं। रेलें और सड़कें राजस्थान में आवागमन के प्रमुख साधन हैं। राज्य में 2013-14 में 5780.38 किलोमीटर रेलों और 155821 (2014) किलोमीटर सड़कों का जाल है। लगभग 3,00,000 व्यक्ति रेलों, सड़कों एवं सड़क यातायात सम्बन्धी कार्यों में लगे हुए हैं।

### सड़क

सड़क तंत्र आर्थिक विकास और सामाजिक एकीकरण का एक महत्त्वपूर्ण कारक है। सड़क की आधारभूत संरचना का विकास परिवहन व्यवस्था का एक अभिन्न अंग है। देश की सामाजिक-आर्थिक स्थितियों का आकलन करने के लिए, सड़क नेटवर्क को प्राय: एक महत्वपूर्ण संकेतक के रूप में लिया जाता है। अच्छा सड़क तंत्र, स्वास्थ्य सुविधाओं, माल व सेवाओं, शिक्षा और सामाजिक गतिशीलता की आसान पहुंच की सुविधा प्रदान करता है। सडको का विस्तृत नेटवर्क शहरी एवं ग्रामीण क्षेत्रों के सम्पर्क में सुधार करता है। इसके अलावा सुगम सड़क अवसंरचना समय एवं धन के मामले में परिवहन की लागत को कम करता है।

एक अवरोध मुक्त परिवहन के लिए उच्च गुणवत्ता का व्यापक सडक नेटवर्क आवश्यक है, जो परिवहन का सबसे व्यापक रूप से उपयोग किया जाने वाला साधन है। मुख्य सड़कों पर तेज वाहनों का बाधा रहित आवाजाही की आवश्यकता के साथ तालमेल रखने के लिए, सड़क नेटवर्क को एक्सप्रेसवे के साथ पूरक करना होगा। यह देखा गया है कि एक अच्छी स्थिति की पक्की सड़क, 15 से 40 प्रतिशत वाहन की संचालन लागत कम कर सकती है। यह ऊर्जा संकट और पेट्रोलियम ईंधन के संरक्षण की दृष्टि से बहुत महत्वपूर्ण है।

वर्ष 1949 में सड़कों की 13,553 किलोमीटर लम्बाई थी, जो मार्च, 2022 तक बढ़कर 2,78,813.23 किलोमीटर हो गयी है। 31 मार्च, 2022 तक राज्य में प्रति 100 वर्ग किलोमीटर पर सड़को का घनत्व 81.47 किलोमीटर है, जबकि राष्ट्रीय सड़क घनत्व प्रति 100 वर्ग किलोमीटर पर 165.23 किमी. है। राष्ट्रीय सड़क घनत्व की तुलना में राज्य सड़क घनत्व बहुत कम है। राज्य में कुल सड़कों की लम्बाई का वर्गीकरण सारणी-52 में वर्णित है।

कुल 2,78,813.23 किलोमीटर सड़को में से 1,73,275.63 किलोमीटर सड़कों का रखरखाव

**सारणी–52 : राज्य में 31 मार्च, 2022 तक विभिन्न सड़कों की लम्बाई** (किलोमीटर में)

| क्र.सं. | वर्गीकरण | डामर | मैटल | ग्रेवल | मौसमी | योग |
|---|---|---|---|---|---|---|
| 1. | राष्ट्रीय उच्च मार्ग | 10366.41 | 0.00 | 0.00 | 251.68 | 10618.09 |
| 2. | राज्य उच्च मार्ग | 17180.39 | 4.20 | 6.00 | 47.00 | 17237.59 |
| 3. | मुख्य जिला सड़क | 12972.81 | 17.20 | 92.85 | 188.07 | 13270.93 |
| 4. | अन्य जिला सड़क | 43091.82 | 3170.50 | 266.98 | 4695.22 | 51224.52 |
| 5. | ग्रामीण सड़क | 145049.14 | 5521.27 | 33534.37 | 2357.32 | 186762.10 |
| **योग** | | **228660.57** | **8713.17** | **33900.20** | **7539.29** | **278813.23** |

सार्वजनिक निर्माण विभाग द्वारा किया जाता है। सार्वजनिक निर्माण विभाग द्वारा 99 प्रतिशत सड़क कार्य ग्रामीण क्षेत्रो में एवं 1 प्रतिशत सड़क कार्य शहरी क्षेत्रों में किये जा रहे है।

राज्य में वर्ष 2011 की जनगणना के अनुसार 43,264 गांव है और दिसम्बर, 2022 तक 38,239 गांवों को जोड़ दिया गया है, जो कि कुल गांवों का 89.39 प्रतिशत है।

**वित्तीय वर्ष 2022-23 में दिसम्बर, 2022 तक सड़क विकास हेतु अर्जित उपलब्धियाँ निम्नानुसार है:–**

- वर्ष 2011 की जनगणना के अनुसार 500 या इससे अधिक जनसंख्या वाले 1009 राजस्व गांव जो सड़क मार्ग से नहीं जुड़े थे, को जोड़ा जाना है। दिसम्बर, 2022 तक 593 गांवों को सड़कों से जोड़ा जा चुका है। वर्ष 2022–23 के दौरान 367 सड़कों से बिना जुड़े गांवों को द्वितीय एवं अंतिम चरण में जोड़ा जाना माह अप्रैल, 2022 में स्वीकृत किया गया है। 361 गांवों में कार्य प्रारंभ हो चुका है।
- प्रत्येक विधानसभा क्षेत्र में रु. 10 करोड़ की लागत से मिसिंग लिक और नॉन–पेचेबल सड़कों का कार्य किया जाना है। मिसिंग लिक और नॉन–पेयेबल सड़कों के निर्माण की कुल लागत रुपये 2,003 करोड़ है। इन कार्यों के लिए 4.843 किमी मिसिंग लिक्स और 2,338 किमी. नॉन–पेयेबल सड़कों का विकास किया जायेगा। सभी सड़क कार्य प्रारम्भ किये जा चुके है।
- प्रत्येक जिले में 3 सड़कों के विकास कार्य के अंतर्गत 99 कार्यों की कुल लागत रुपये 3,134 करोड़ है, जिनसे 2,844 किमी लम्बाई की राज्य सड़कों का विकास किया जाएगा। ये सभी कार्य प्रारम्भ किये जा चुके है।
- मिसिंग लिंक, राज्य सड़क निधि एवं ग्रामीण सड़कों के अन्तर्गत 2,516 किलोमीटर डामर सड़कों का निर्माण किया गया।
- राज्य सड़क निधि के अंतगत वर्ष 2011 की जनगणना के अनुसार 500 और उससे अधिक आबादी वाले 70 गांवो और 15 ग्राम पंचायत मुख्यालयों को 282 किलोमीटर लम्बाई में डामर सड़कों से जोड़ा गया है।
- 5 कि.मी. विकास पथ का निर्माण 5 ग्राम पंचायतों में किया गया।
- केन्द्रीय सड़क निधि, राज्य सड़क निधि, नाबार्ड और पीपीपी के अंतर्गत 1,530 कि.मी. राज्य राजमार्ग एवं मुख्य जिला सड़कों के चौड़ाईकरण, सुदृढीकरण एवं नवीनीकरण का कार्य पूर्ण किया गया है।
- ग्रामीण सड़कें, राज्य सड़क निधि, नाबार्ड, शहरी सड़कें, प्रधानमंत्री ग्राम सड़क योजना–III और राष्ट्रीय राजधानी क्षेत्र के अंतर्गत 6,045 किलोमीटर अन्य जिला और ग्रामीण सड़कों का सुदृढ़ीकरण और नवीनीकरण पूरा किया गया।
- वर्ष 2022–23 में सड़क क्षेत्र के लिए रुपये 8.938.05 करोड़ का बजट प्रावधित किया गया

था। इसके विरूद्ध दिसम्बर, 2022 तक रुपये 4,07227 करोड़ का व्यय किया गया।

**वर्ष 2022-23 की बजट घोषणा के अनुसार निम्न नई स्वीकृतियां जारी की गई:-**

- **राज्य सड़क निधि :** बजट घोषणा 2022-23 की अनुपालना में प्रत्येक विधानसभा क्षेत्र में 10 करोड़ रुपये की लागत से मिसिंग लिंक / नॉन-पेचेबल सड़कों का निर्माण कार्य, 33 जिलों में 99 कार्य (प्रत्येक जिले में 3 सड़कों का कार्य) 13,693 किमी. लम्बाई एवं रुपये 8,394.72 करोड़ लागत के 3,498 सड़क निर्माण व विकास कार्य जिनमें 17 आरओबी/उच्च स्तरीय पुल शामिल हैं।
- **राज्य राजमार्ग एवं मुख्य जिला सड़कों का चौड़ाईकरण, सुदृढीकरण और नवीनीकरण –**

  रुपये 328.82 करोड़ की राशि के 196.32 किमी के विकास के लिए 10 राज्य राजमार्गों की स्वीकृति जारी की जा चुकी है।

  रुपये290.55 करोड़ की राशि के 212.20 किलोमीटर के विकास के लिए 13 जिला सड़कों की स्वीकृति की जा चुकी है, जिसमें डीपीआर कार्य शामिल है।
- **अन्य जिला सड़क व ग्रामीण सडक का चौड़ाईकरण, सुदृढ़ीकरण और नवीनीकरण :**

  रुपये442.80 करोड़ की राशि के 35 अन्य जिला सड़क और ग्रामीण सड़कों के निर्माण के लिए 504.90 किलोमीटर की स्वीकृति जारी की जा चुकी है, जिसमें 3 पुल शामिल हैं।

**शहरी सड़कें**

जोधपुर शहर की सड़कों सहित 232.51 कि.मी. लम्बाई में रुपये 154.51 करोड़ की लागत से शहरी सड़कों के विकास कार्य की स्वीकृति जारी की जा चुकी है।

सड़कों और रेलों के वर्तमान यातायात को अनेक काम करने पड़ते हैं। अतिरिक्त कृषि उत्पादनों जैसे अनाज, कपास, तेल के बीजों इत्यादि को भेजने का कार्य इन्हीं तरीकों द्वारा किया जाता है। ये सभी उत्पादित वस्तुएँ ग्रामीण केन्द्रों से शहरी केन्द्रों को एवं दूसरे राज्यों जैसे मध्यप्रदेश, गुजरात, उत्तरप्रदेश और दिल्ली को भेजी जाती हैं। अच्छे सालों में औसत रूप से कृषि-उत्पादित वस्तुओं का लगभग एक तिहाई निकटस्थ राज्यों को निर्यात कर दिया जाता है और लगभग 1,35,000 टन अनाज वर्तमान यातायात के तरीकों द्वारा ग्रामीण क्षेत्रों से शहरी क्षेत्रों को भेजा जाता है। कुछ मात्रा में लकड़ी का कोयला, छोटी इमारती लकड़ी एवं जलाने की लकड़ी भी राज्य में वितरित की जाती है। लगभग 2,70,000 गांठ कपास, बेलन एवं संपीड़न कारखानों को स्थानीय रूप से भेजा जाता है और उसका लगभग आधा राज्य के अन्दर एवं बाहर सूती वस्त्र उद्योग को वितरित किया जाता है। सड़कों और रेलों के जाल द्वारा प्रदत्त विशाल पैमाने के यातायात के अतिरिक्त पर्याप्त यातायात एवं संचलन बैलगाड़ियों, ऊँटगाड़ियों एवं लारियों द्वारा भी किया जाता है। लगभग 7,00,000 टन गन्ना शक्कर के कारखानों एव गुड़ उत्पादकों को वार्षिक भेजा जाता है। इन सभी उत्पादनों को वितरित करने का कार्य सम्पूर्ण राज्य में समान रूप से वितरित नहीं है। राज्य के पश्चिमी शुष्क एवं रेतीले प्रदेश की अपेक्षा अधिक उत्पादक क्षेत्रों को, जहाँ अतिरिक्त अनाज, तेल के बीज एवं गन्ना आदि होते हैं, इन सुविधाओं की अधिक आवश्यकता है।

कृषि उत्पादनों के अतिरिक्त खनिज उत्पादक क्षेत्रों एवं राज्य के विभिन्न विकासशील एवं बुद्धिमान उद्योगों के भी कच्चे माल एवं उत्पादित वस्तुओं के यातायात के लिए रेलों और सड़कों की आवश्यकता पड़ती है एवं वे अधिकांशत: इन्हीं पर निर्भर है। राज्य के अन्दर एवं दूसरे राज्यों को लगभग 4,50,000 टन नमक का संचलन भी सड़कों एवं रेलों पर निर्भर है। नमक के संचलन के लिए पचपदरा, डीडवाना एवं सांभर सर्वाधिक महत्त्वपूर्ण रेल-स्टेशन हैं। औद्योगिक विकास एवं विभिन्न प्रकार के खनिज उत्पादनों के कारण वर्तमान यातायात के तरीकों पर दबाव बढ़ रहा है। खनिजों में मुख्य रूप से जिप्सम, चूने का पत्थर,

काँच-रेत, साबुन एवं बालुका पत्थर, मैंगनीज-अयस्क, संगमरमर एवं चिनाई की वस्तुओं के लिए यातायात की आवश्यकता पड़ती है। इन सभी वस्तुओं के संचलन से विभिन्न केन्द्रों, जैसे-सोजत, गोटन, जामसर, नागौर, रामगंज मण्डी, चित्तौड़, निम्बाहेड़ा, जयपुर, कटनी-जग्गर, कोटा, करौली, भरतपुर, धौलपुर, जाबर एवं झुंझुनूं-में यातायात का भार बढ़ जाता है। सीमेंट उद्योग भी यातायात तरीकों पर भार डालता है क्योंकि सीमेंट- उत्पादन केन्द्रों पर कच्चे माल का एकत्रीकरण होता है एवं अन्तिम रूप से लगभग 7,50,000 टन सीमेंट राज्य के अन्दर एवं बाहर भेजा जाता है। राजस्थान में, चूंकि कोयले की पूर्ति अपर्याप्त है, लगभग 7,00,000 टन कोयला एवं कोक राज्य में लाया जाता है और औद्योगिक केन्द्रों की पूर्ति की जाती है। कोयले के संचलन में भटिण्डा, सराय रोहिला, आगरा पूर्व एवं रतलाम पर वाहन-परिवर्तन होता है। कोयला पुन: ताप स्टेशनों सीमेंट और सूती वस्त्र कारखाना, चूना-पत्थर कार्यों एवं राज्य के विभिन्न औद्योगिक केन्द्रों पर भेजा जाता है।

## रेलमार्ग

राजस्थान की वर्तमान रेल स्थिति का प्रारूप राज्य के देशी राजाओं द्वारा निर्मित अनेक छोटी रेल प्रणालियों के उत्तरोत्तर विलीनीकरण द्वारा उत्पन्न हुआ। इससे पूर्व इन रेल प्रणालियों की क्रियाऐं एवं व्यवस्था राजाओं द्वारा नियन्त्रित थीं और अन्तर-राज्यीय रेलों के मध्य किसी भी प्रकार का समन्वय नहीं था। यही कारण था कि स्वतन्त्रता से पूर्व राज्य में किसी भी प्रकार के उद्योग एवं व्यापार का विकास कुंठित रहा।

पूर्ववर्ती राजाओं द्वारा नियन्त्रित समस्त रेल मार्गों को 1950 में भारत सरकार ने अपने नियन्त्रण में लेकर सम्पूर्ण भारतीय रेल मार्गों का विभिन्न क्षेत्रीय समूहों में विभाजन किया। राज्य तीन मुख्य रेल समूहों-उत्तरी, पश्चिमी एवं मध्य की सेवाओं से लाभान्वित है। उत्तरी रेलवे मुख्यतया मरुस्थली एवं अर्द्धमरुस्थली मैदानों से जबकि पश्चिमी रेलवे पूर्वी मैदानों, पहाड़ी क्षेत्रों, शेखावाटी क्षेत्र और दक्षिण-पूर्वी दक्कन लावा पठार क्षेत्रों से गुजरती हैं। रेलों की तीन भिन्न प्रणालियाँ-बड़ी लाइन (Broad Gauge), मीटर लाइन (Meter Gauge), एवं छोटी लाइन (Narrow Gauge)- राज्य के रेल तन्त्र का निर्माण करती है। बड़ी लाइनें मुख्यतया पश्चिमी तथा मध्य रेलवे को अपने में संयुक्त हैं, बाद वाली रेलवे राज्य के सुदूर पूर्वी क्षेत्र के लघु भाग से निकलती है, जबकि मीटर लाइनें दोनों उत्तरी तथा पश्चिमी रेलवे में प्रचलित है। निम्नांकित सारणी-20.2 रेलवे क्षेत्रों (Zone) के अनुसार रेल मार्गों की लम्बाई तथा चौड़ाई (Gauge) के वितरण को दर्शाती है। (मानचित्र 84)

**सारणी-53**

**राजस्थान-जिलानुसार रेल मार्गों की लम्बाई तथा गेज़**

| क्र. सं. | रेलवे जोन | लम्बाई (कि.मी.) | गेज (Gauge) | सेवाओं से लाभान्वित जिले |
|---|---|---|---|---|
| 1. | उत्तरी रेलवे | 432.5 | ब्रॉड व मीटर | बीकानेर, जोधपुर, गंगानगर, हनुमानगढ़, चुरू, झुंझुनूं, सीकर, जैसलमेर, नागौर, बाड़मेर, जालौर, पाली। |
| 2. | मध्य रेलवे | 202.82 | ब्रॉड | अलवर, जयपुर, अजमेर, पाली, कोटा, डूँगरपुर, भरतपुर, चित्तौड़, प्रतापगढ़, भीलवाड़ा। |
| 3. | पश्चिमी रेलवे | 2902.5 | ब्रॉड | कोटा, भरतपुर, सवाई माधोपुर, झालावाड़, बूंदी। |
| 4. | उत्तर-पश्चिमी रेलवे | 1.4 (2003) | ब्रॉड<br>नेरो | भरतपुर, धौलपुर<br>भरतपुर, धौलपुर। |

*लम्बाई कि.मी. में (5870.38) 2013-2014* स्त्रोत : रेल मानचित्र और समय सारिणियों पर आधारित

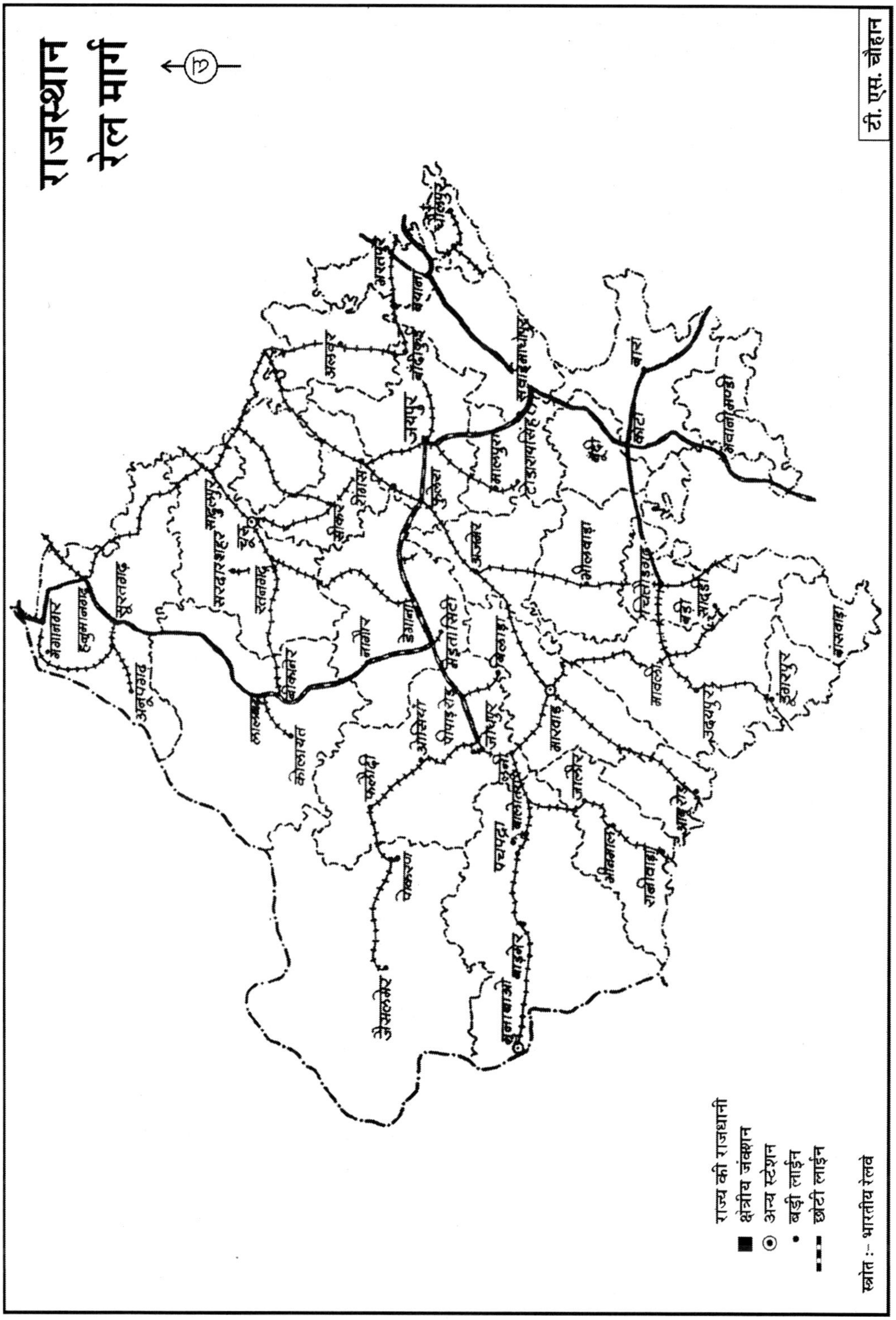
राजस्थान
रेल मार्ग
उ
टी. एस. चौहान
श्रीगंगानगर
हनुमानगढ़
सूरतगढ़
अनूपगढ़
बीकानेर
लालगढ़
कोलायत
सरदारशहर
रतनगढ़
चूरू
सादुलपुर
सीकर
नागौर
डेगाना
रींगस
फुलेरा
जयपुर
अलवर
बांदीकुई
भरतपुर
बयाना
धौलपुर
सवाईमाधोपुर
मालपुरा
टोडारायसिंह
अजमेर
मेड़ता सिटी
पीपाड़ रोड
ओसियां
फलौदी
पोकरण
जैसलमेर
जोधपुर
लूनी
बालोतरा
पचपदरा
बाड़मेर
मुनाबाव
मारवाड़
जालौर
भीनमाल
रानीवाड़ा
आबू रोड
भीलवाड़ा
बूंदी
कोटा
बारां
भवानीमण्डी
चित्तौड़गढ़
मावली
उदयपुर
डूंगरपुर
बांसवाड़ा
राज्य की राजधानी
क्षेत्रीय जंक्शन
अन्य स्टेशन
बड़ी लाईन
छोटी लाईन
स्रोत :- भारतीय रेलवे

मानचित्र 84

राजस्थान में रेलें समान रूप से वितरित नहीं है। रेल मानचित्रों से स्पष्ट होता है कि एक जिला-बाँसवाड़ा में रेल नहीं हैं यह जिला अरावली श्रेणी प्रदेश में स्थित है। पहाड़ी भूमि एवं अविकसित होने के कारण इस क्षेत्र में रेल नहीं है। रेल मानचित्र के सामान्य लक्षणों से पता चलता है कि अरावली के पश्चिम में रास्ते लम्बे फासले तक सीधे है। पहाड़ियों में न होने के कारण रेल लाइनें किलोमीटर बिना रास्ता बदले जाती हैं जबकि अरावली क्षेत्र में रास्ते टेढ़े-मेढ़े हैं। अनेक स्थानों पर धरातल की प्रकृति के, लाइनों को भौतिक रुकावट से बचने के लिए, लम्बे चक्कर लगाने पड़ते हैं। (मानचित्र 85 एवं 86)

**मार्ग प्रतिरूप**

सम्पूर्ण रूप से राज्य में रेल मार्गों का उत्तम विन्यास उत्तर पूर्वी भाग में केन्द्रित है जहाँ से विभिन्न लाइनें केन्द्र से चतुर्दिक राज्य की सीमाओं की ओर निकलती हैं। यह उत्तर-पूर्वी भाग अजमेर, सवाई माधोपुर, जयपुर, भरतपुर, अलवर और रींगस के मध्य स्थित हैं। अत्यधिक महत्त्वपूर्ण तीन ट्रंक लाइनें, मध्य रेलवे की बड़ी लाइन दिल्ली-आगरा-धौलपुर-मद्रास, पश्चिमी रेलवे की मीटर लाइन-दिल्ली-रेवाड़ी-जयपुर-अजमेर-कांडला, जो देश के तीन महत्त्वपूर्ण बन्दरगाहों-कांडला, बम्बई और मद्रास को जोड़ती है, राज्य से गुजरती हैं। ये ट्रंक लाइनें कई केन्द्रों पर ब्रांच लाइनों से जुड़ी है जैसे कोटा-बीना, रतलाम-चित्तौड़-उदयपुर, मावली-मारवाड़ जंक्शन, जोधपुर-मारवाड़ जंक्शन, रेवाड़ी-रींगस-फुलेरा-जयपुर, बीकानेर-चुरू-सीकर-रींगस-जयपुर और जयपुर-बांदीकुई-भरतपुर।

बड़ी, मीटर तथा छोटी लाइनें, भरतपुर- कोटा-उज्जैन तथा कोटा-नीमच-रतलाम लाइनों के अतिरिक्त, विलगरूप से कहीं भी सम्मिलित तन्त्र का निर्माण नहीं करती। पटरियों के मध्य विभिन्न फासलों (Gauge) के कारण ही राज्य में कई वाहन परिवर्तन केन्द्र (Transhipment points) स्थित है जैसे सवाई माधोपुर, भरतपुर, गंगापुर, आगरा ईस्ट बैंक, सराय रोहिला, हिसार एवं भटिंडा आदि केन्द्र रेल यातायात प्रवाह में बाधा उपस्थित करते हैं।

राजस्थान में अन्तर-राज्यीय यात्री एवं माल परिवहन क्षेत्र में रेलों का प्रधान स्थान है अत: रेल यातायात प्रवाह प्रतिरूप राज्य में आर्थिक एवं भौगोलिक अन्तर संबंधों को समझने में मूल्यवान सामग्री प्रदान करता है।

**यात्री यातायात प्रवाह**

मुख्य ब्रॉड गेज ट्रंक मार्ग, जो पश्चिमी भारत तथा उत्तरी भारत को राज्य के कुछ महत्त्वपूर्ण नगरों-कोटा, सवाई माधोपुर, बयाना, गंगापुर और भरतपुर द्वारा जोड़ता है-भारी यात्री यातायात प्रवाह में उत्कृष्ट है। इस मार्ग पर चार थ्रो गाड़ियाँ-बम्बई सेन्ट्रल तथा अमृतसर के मध्य फ्रन्टियर मेल, बम्बई सेन्ट्रल तथा दिल्ली/अमृतसर के मध्य सप्ताह में तीन बार वातानुकूलित एक्सप्रेस गाड़ियाँ, बम्बई सेन्ट्रल तथा दिल्ली के मध्य जनता एक्सप्रेस और बम्बई सेन्ट्रल तथा देहरादून के मध्य देहरादून एक्सप्रेस चलती है। इन गाड़ियों के अतिरिक्त दो यात्री गाड़ियाँ भी मुख्यत: स्थानीय यातायात हेतु इस मार्ग पर चलती है। पश्चिमी रेलवे का अहमदाबाद-आगरा/दिल्ली मीटर गेज ट्रंक मार्ग जो गुजरात को पश्चिमी उत्तर प्रदेश, दिल्ली एवं पंजाब से संयुक्त करता है, इस मार्ग के पश्चात् प्रमुख स्थान रखता है। इस मार्ग पर दिल्ली तथा अहमदाबाद और आगरा के मध्य एक एक्सप्रेस एवं तीव्रगति यात्री गाड़ी चलती है। इसके अतिरिक्त कई लाइनों पर यातायात हेतु दो विभागीय यात्री गाड़ियाँ भी चलती है। एक ओर, दिल्ली, पंजाब और उत्तर पश्चिमी राजस्थान के मध्य अजमेर-रतलाम-खंडवा लाइन लघुतम परिपथ सुविधा प्रदान करती है वहीं दूसरी ओर मध्य प्रदेश के मालवा क्षेत्र को भी इसी सुविधा मिलती है। इस स्टेशन पर अजमेर और खंडवा के मध्य तीन यात्री गाड़ियाँ सेवाएँ प्रदान करती हैं।

उत्तर रेलवे की मीटर गेज लाइन, जो बीकानेर तथा जोधपुर को दिल्ली के साथ योजन करती हैं, मुख्यतया राजस्थान में निर्गमन या आगमन यातायात में पर्याप्त यात्री घनत्व प्रदर्शित करती हैं। इस लाइन पर दिल्ली एवं बीकानेर के मध्य दो मेल एक्सप्रेस और एक

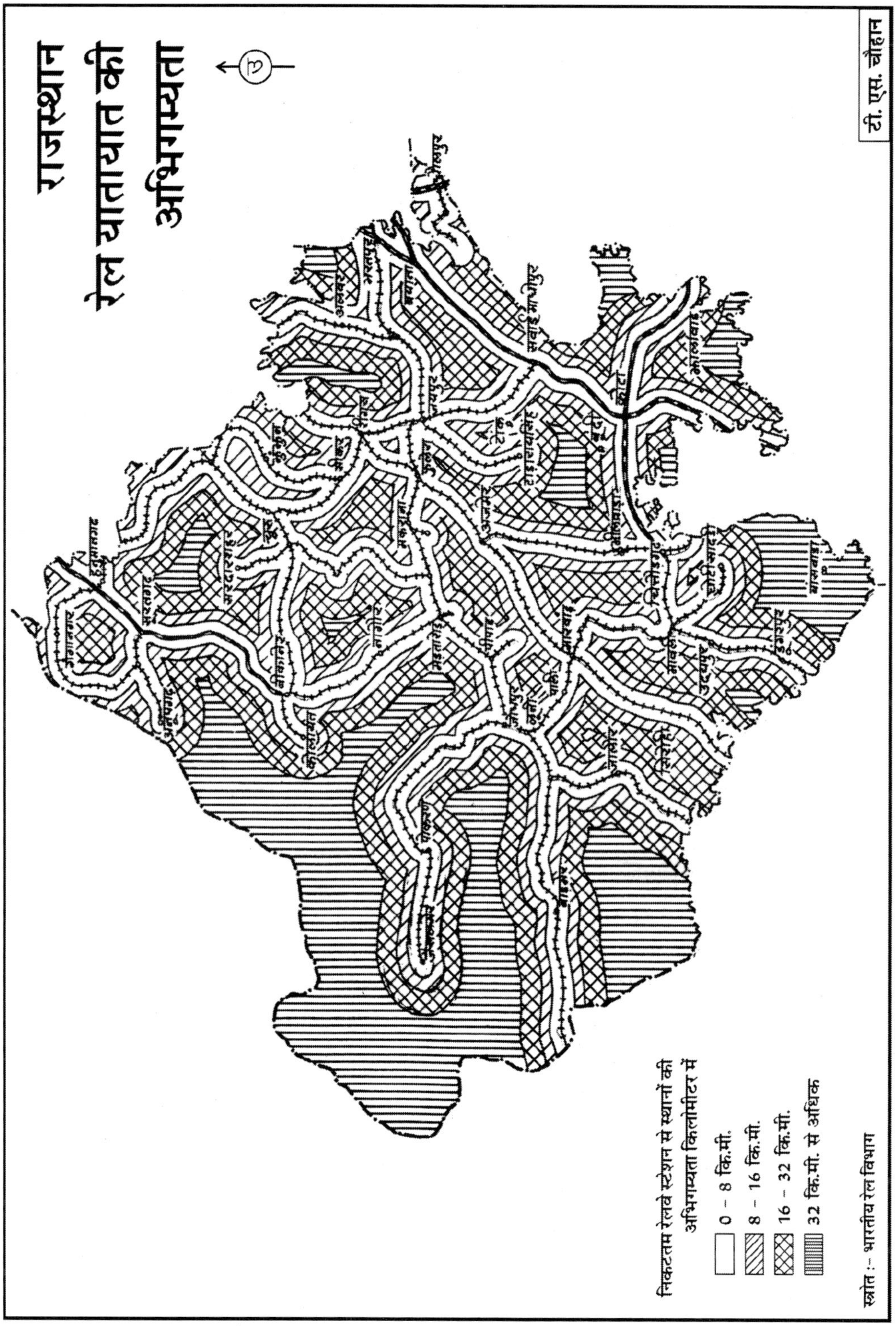
राजस्थान
रेल यातायात की
अभिगम्यता
निकटतम रेलवे स्टेशन से स्थानों की
अभिगम्यता किलोमीटर में
0 – 8 कि.मी.
8 – 16 कि.मी.
16 – 32 कि.मी.
32 कि.मी. से अधिक
स्रोत :- भारतीय रेल विभाग
टी. एस. चौहान

मानचित्र 85

# राजस्थान
## रेलवे लाईन

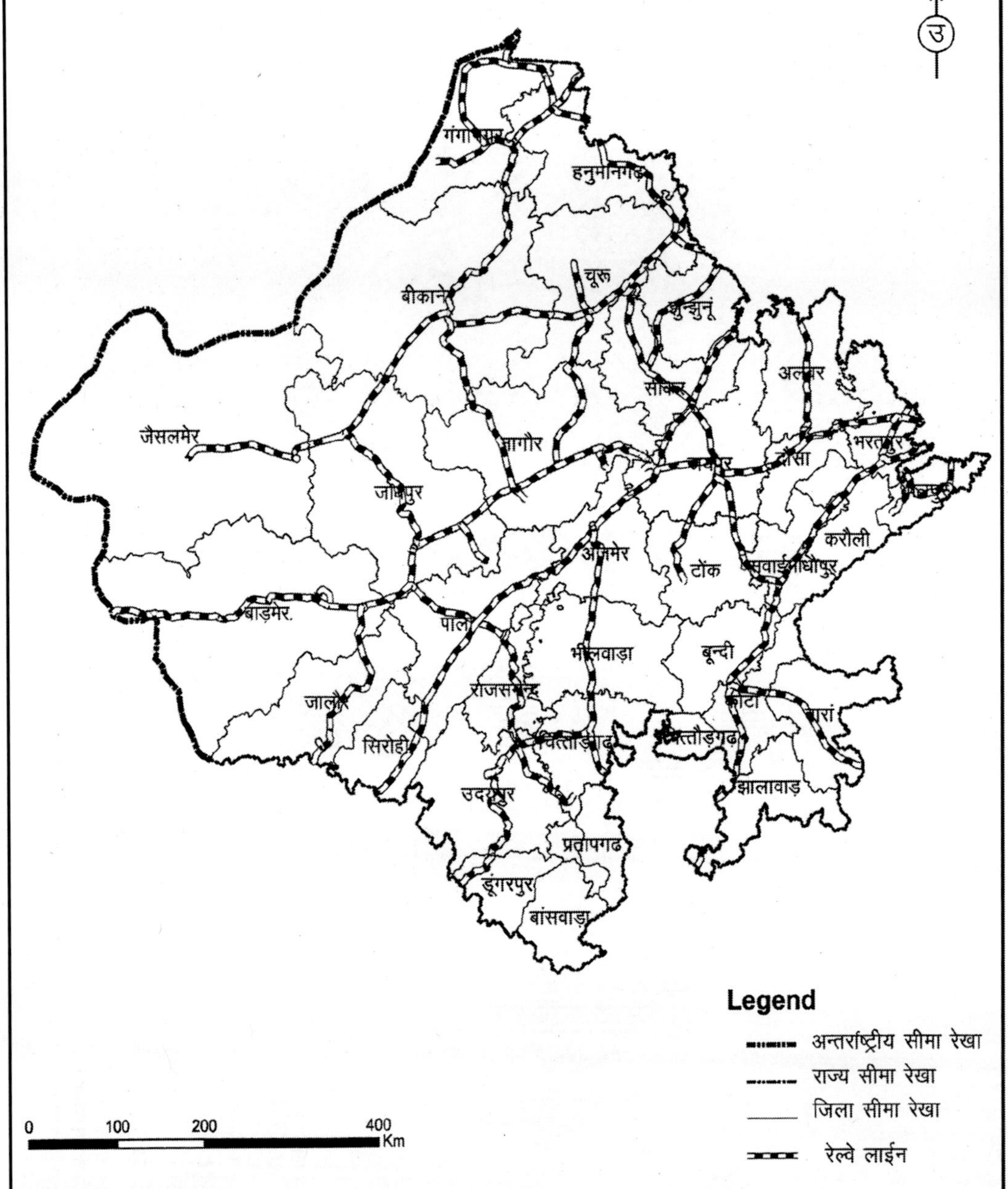


स्त्रोत : भारतीय रेल विभाग

मानचित्र 86

यात्री गाड़ी तथा दिल्ली और जोधपुर के मध्य एक मेल यात्री गाड़ी, बीकानेर एवं रतनगढ़ के मध्य तीन यात्री गाड़ियाँ, रतनगढ़ एवं हिसार/दिल्ली के मध्य आठ यात्री गाड़ियाँ, तथा मेड़ता रोड़ एवं सरदार शहर के मध्य चार यात्री गाड़ियों के अतिरिक्त सेवाएँ प्रदान करती हैं। मेड़ता रोड़-फुलेरा लाइन, जो जोधपुर, मारवाड़ जंक्शन और बीकानेर को फुलेरा-जयपुर-आगरा लाइनों से जोड़ती हैं, पर भी उच्च यात्री यातायात घनत्व पाया जाता है चार मेल एक्सप्रेस गाड़ियाँ (दो गाड़ियाँ जोधपुर तथा बीकानेर के और दो फुलेरा तथा जोधपुर के मध्य) और जोधपुर एवं मारवाड़ जंक्शन के मध्य दो मेल गाड़ियाँ मेड़ता रोड़ एवं बीकानेर के मध्य चार यात्री गाड़ियाँ, जोधपुर तथा फुलेरा के मध्य दो यात्री गाड़ियों के साथ दो लघु परिपथ यात्री गाड़ियाँ (Shuttle) (फुलेरा तथा डेगाना के मध्य), जोधपुर तथा मारवाड़ जंक्शन के मध्य चार यात्री गाड़ियों के अतिरिक्त सेवाऐं प्रदान करती हैं। इसी प्रकार गंगानगर नहर लूप पर छः से नौ यात्री गाड़ियाँ प्रतिदिन चलती हैं।

सम्पूर्ण रूप से राज्य के यात्री परिवहन प्रवाह में क्षेत्रीय विभिन्नताएँ महत्त्वपूर्ण रूप से परिलक्षित हुई हैं। राज्य के पूर्वी भाग में गाड़ियों की अधिक संख्या, उत्तरी एवं मध्य भाग में सामान्य यातायात प्रवाह जबकि पश्चिमी और दक्षिणी पश्चिमी भागों में विभिन्न रेल लाइनों पर यात्री गाड़ियों की संख्या में प्रमुख विभिन्नताएँ पाई जाती हैं। निम्न कारक सम्मिलित रूप से यात्री परिवहन घनत्व के उपर्युक्त स्वरूप के लिए उत्तरदाई है।

(1) राज्य की उत्तर-पश्चिम स्थिति भारत की तीन प्रमुख लाइनों-दिल्ली-आगरा-धौलपुर-मद्रास, दिल्ली- मथुरा-भरतपुर-कोटा-बम्बई और दिल्ली-रेवाड़ी- जयपुर-अजमेर-अहमदाबाद को आवश्यक रूप से राज्य से होकर गुजरने को बाध्य करती है। इसलिए उपर्युक्त केन्द्र स्थलों के मध्य, जो राज्य में इन लाइनों पर उदित हुए हैं, पारगम्य यातायात प्रवाह वास्तविक यातायात प्रवाह से अधिक उच्च रहता है अतएव इन ट्रंक लाइनों का यातायात घनत्व राज्य के वास्तविक यातायात घनत्व को स्पष्ट नहीं करता।

(2) ब्रांच लाइनों पर निम्न यातायात घनत्व राज्य के वास्तविक यातायात घनत्व को दर्शाता है, जो स्थानीय जनसंख्या की निम्न आमदनी तथा निम्न जीवन स्तर का सूचक तथा स्थानीय मनुष्यों में निम्नतम गतिशीलता के गुण को स्पष्ट करता है।

(3) अधिक उच्च घनत्व के क्षेत्र अर्थात् प्रति किलोमीटर 300 से अधिक मनुष्यों का घनत्व पूर्वी मैदानों में मुख्यतया भरतपुर, अलवर, जयपुर और अजमेर जिलों में पाया जाता है। जयपुर, भरतपुर, अजमेर और अलवर सम्मिलित रूप से राज्य में उच्चतम नगरीय जनसंख्या (कुल जनसंख्या का 34%) परिलक्षित करते हैं। उच्च जनसंख्या के अन्य क्षेत्र जोधपुर, बीकानेर, गंगानगर, कोटा, उदयपुर, भीलवाड़ा व चित्तौड़ जिले हैं। जनसंख्या घनत्व में विभिन्नता ही यात्री परिवहन घनत्व में क्षेत्रीय विभिन्नता के लिए उत्तरदाई हैं। उदाहरणार्थ उत्तर तथा पश्चिम रेलवे की मुख्य लाइनें जो पूर्वी तथा उत्तरी उच्च जनसंख्या घनत्व वाले क्षेत्रों से गुजरती हैं, यात्री परिवहन में उच्च घनत्व दर्शाते है।

(4) मार्गों का प्रतिरूप भी यातायात घनत्व के लिए उत्तरदायी है। उत्तर तथा पश्चिमी रेलवे की मुख्य लाइनों पर उच्च यात्री घनत्व का प्रमुख कारण एक ही सेक्शन पर विभिन्न मार्गों से यातायात का एकत्रीकरण होना है जैसे आगरा/मथुरा-भरतपुर, भरतपुर-कोटा- नागदा, भरतपुर-जयपुर, अलवर- बांदीकुई-जयपुर, जयपुर-फुलेरा-अजमेर, सीकर- रींगस-जयपुर और हिसार-जयपुर- चुरू-बीकानेर। उत्तर तथा पश्चिम रेलवे के सगम स्थलों पर भी यात्री घनत्व उच्च रहता है जैसे मारवाड़ जंक्शन, फुलेरा और रींगस : इन ब्राँच लाइनों के समानान्तर स्थित सड़कें रेलों पर यात्री घनत्व में पर्याप्त कमी रहती है क्योंकि इन केन्द्रों से चतुर्दिक सड़कें यात्रियों की अपनी ओर प्रदर्शित करती हैं, जो शीघ्र तथा द्वार से द्वार सेवा प्रदान करती हैं। यही कारण है कि बनास मैदान तथा अर्द्ध-शुष्क मैदानों में

अधिक प्रत्यक्ष तथा उत्तम सड़कों की उपलब्धि ने रेल मार्गों पर यात्री घनत्व को पर्याप्त घटाया है।

**माल यातायात प्रवाह**

समस्त मुख्य लाइनों पश्चिमी रेलवे की भरतपुर-कोटा-नागदा और भरतपुर-बांदीकुई-जयपुर-अजमेर-अहमदाबाद तथा उत्तर-रेलवे की फुलेरा-जोधपुर- समदड़ी-रानीवाड़ा तथा चुरू-सादुलपुर-हिसार रेल सेक्शन पर यात्री यातायत के समान ही माल यातायात का भी उच्च घनत्व पाया जाता है।

माल यातायात प्रवाह में क्षेत्रीय विभिन्नताएँ स्वाभाविक हैं किन्तु राज्य में क्षेत्रीय माल यातायात कम विकसित है क्योंकि राज्य में माल का कोई महत्त्वपूर्ण अन्तर क्षेत्रीय परिवहन नहीं होता है। अधिकांश माल यातायात ट्रंक तथा मुख्य लाइनों पर ही केन्द्रित है जो अधिकतर पारगम्य यातायात प्रवाह दर्शाती है। इस क्षेत्र में केवल कुछ महत्त्वपूर्ण ब्रांच लाइनें हैं जो राज्य के वास्तविक यातायात घनत्व तथा आर्थिक पिछड़ेपन को प्रदर्शित करती है।

उत्तरी तथा पश्चिमी रेलवे की मुख्य लाइनों पर माल यातायात घनत्व उच्च पाया जाता है। अप और डाउन माल यातायात के मध्य विभिन्नता कुछ स्थानों को छोड़कर जहाँ संतुलित यातायात देखा जाता है जैसे मेड़ता रोड़-बीकानेर, बीकानेर-सूरतगढ़-हनुमानगढ़, रतनगढ़- डेगाना, चुरू-सादुलपुर और अजमेर-भीलवाड़ा- चित्तौड़-रतलाम अन्य सभी ट्रंक तथा मुख्य मार्गों पर परलक्षित है। कांडला-समदड़ी-जोधपुर-मेड़ता रोड़- फुलेरा लाइन पर दिल्ली की ओर प्रवाहित होने वाला डाउन ट्राफिक यात्री यातायात रेवाड़ी-फुलेरा लाइन पर अधिक प्रमुखता रखता है। इसका प्रमुख कारण यह है कि फुलेरा-रेवाड़ी लाइन हरियाणा, पंजाब, हिमाचल प्रदेश, जम्मू और काश्मीर, दिल्ली तथा पश्चिमी उत्तर प्रदेश को जाने वाले पारगम्य माल यातायात को लघु परिपथ की सुविधा प्रदान करती है। दूसरी ओर बांदीकुई से आगे दोनों दिशाओं में माल यातायात के साथ उत्तर पूर्व में आगरा ईस्ट बैंक के तथा दक्षिण पश्चिम में कांडला बन्दरगाह के मध्य यातायात कोयला तथा खाद्यान्न से अधिक संबंधित है। पश्चिमी रेलवे की दिल्ली-मथुरा-भरतपुर-कोटा-बम्बई ट्रंक लाइन राज्य में माल यातायात की दृष्टि से अधिक महत्त्वपूर्ण स्थान रखती है।

अप ट्राफिक अर्थात् बंबई तथा कांडला की ओर जाने वाला यातायात मुख्यतया कोयले का परिगमन दर्शाता है। मथुरा-भरतपुर-कोटा-बंबई बड़ी लाइन पर बयाना जंक्शन तक अप ट्राफिक महत्त्वपूर्ण है इसके आगे यातायात में अकस्मात् वृद्धि होती है और मन्दी केवल कोटा पर लक्षित होती है। इसी प्रकार डाउन ट्राफिक कोटा और गंगापुर पर थोड़ी वृद्धि होती है इसके पश्चात् आगरा तथा दिल्ली की ओर यह यातायात समान रूप से विभक्त हो जाता है। मीटर गेज प्रणाली की मुख्य लाइन, जो अहमदाबाद और दिल्ली को मिलाती है पर माल यातायात का परिगमन यह दर्शाता है कि यह लाइन दिल्ली और अहमदाबाद के अधिक पराधीन है। अन्य क्षेत्रों की तुलना में कांडला-समदड़ी-जोधपुर-मेड़ता रोड़-रतनगढ़-सार्दुलपुर मार्ग पर अप ट्राफिक की तुलना में डाउन ट्राफिक अधिक महत्त्वपूर्ण है। अन्य लाइनें जो मेवाड़ की पहाड़ियों तथा मरुस्थली क्षेत्र से पार होती हैं बहुत ही कम मात्रा मे माल वहन करती है। स्टेशनानुसार माल यातायात (कोयले के अतिरिक्त) की मात्रा भी यह दर्शाती है कि निर्गमन माल यातायात आगमन यातायात की अपेक्षा अधिक महत्त्वपूर्ण तथा केन्द्रित है। पूर्वी उत्तर पूर्वी और उत्तर पश्चिमी क्षेत्र राज्य के जिप्सम एवं नमक उत्पादन केन्द्रों सहित निर्गमन यातायात में अधिक महत्त्वपूर्ण है। जबकि आगमन यातायात में पश्चिमी तथा मध्य भाग प्रमुख हैं।

कोयले के अतिरिक्त माल यातायात में अनेक प्रकार के पदार्थ सम्मिलित हैं किन्तु स्टेशनों द्वारा उद्गमिक एवं आगमिक पदार्थ प्रदर्शित करते हैं कि एक विशिष्ट क्षेत्र की रेल लाइनों पर केवल पदार्थों के कुछ स्टेशन उद्गमिक (originating) अन्न, दालें, तिलहन, खाद्य तेल, सीमेंट तथा काँच के उपकरणों में विशिष्ट हैं जबकि पश्चिमी राजस्थान में आगमिक (Terminating) पदार्थों जैसे अन्न, शक्कर, तेल, लकड़ी, सीमेंट और लोहे की चद्दरों से निर्मित पदार्थों में प्रमुख हैं। बड़े शहर एवं जंक्शन केन्द्र अधिक मात्रा

में आगमन तथा निर्गमन पदार्थों के परिगमन को दर्शाते है क्योंकि ये स्थान दोनों, रेल तथा सड़कों के महत्त्वपूर्ण केन्द्र स्थल हैं। इसके अतिरिक्त मुख्य लाइनों पर अन्य यातायात प्रमुख मात्रा में होता है। राज्य के पश्चिमी मार्गों में उद्‌गमिक यातायात में अधिकतर भेड़, बकरी, दालें, जिप्सम, नमक, चूना, ऊन और इमारती पत्थर का प्रमुख योग रहता है जबकि तिलहन, शक्कर और गेहूँ उत्तरी भाग से, मक्का तथा ज्वार दक्षिण-पूर्वी क्षेत्रों से और काँच उपकरण पूर्वी 5 क्षेत्र से यातायात की मात्रा को बढ़ाने में सहयोगी होते हैं। अन्य राज्यों से आगमिक पदार्थ लोह-इस्पात, कोयला एवं कोक, लकड़ी एवं इमारती लकड़ी, कपास निर्मित पदार्थ, मिट्टी का तेल, मूंगफली का तेल, चावल, तम्बाकू, शक्कर और मशीनें आदि यातायात की मात्रा को उच्च बनाने में सहयोग देते हैं।

यातायात की उच्च मात्रा पदार्थों की प्रकृति पर निर्भर करती है। भारी बोझ वाले पदार्थ, जो मूल्य में कम और राज्य के उद्‌गम क्षेत्र से अधिक मात्रा में निर्गमन करते हैं, भी निर्गमन यातायात की उच्च मात्रा दर्शाते हैं। इनमें मुख्यतया जिप्सम, नमक, सीमेंट, इमारती पत्थर, चूना और काँच पदार्थ महत्त्वपूर्ण होते हैं।

राज्य में जिप्सम प्रमुख उद्‌गमिक पदार्थ है जो उत्तर रेलवे के मार्गों पर निर्गमन यातायात के 60 प्रतिशत भाग का निर्माण करता है। उत्तरलाई तथा कवास (बाड़मेर-जोधपुर लाइन पर), भदवासी, (बीकानेर-मेड़ता रोड़ लाइन पर) और जामसर तथा घिरेरा (बीकानेर-हनुमानगढ़ लाइन पर) प्रमुख केन्द्र हैं जहां से जिप्सम भारी मात्रा में उद्‌गमिक होता है।

**सारणी-54**

**जिप्सम की निर्गमित गाड़ियों (Wagons) की संख्या**

| स्टेशन | गाड़ियों की संख्या |
|---|---|
| उत्तरलाई | 8,402 |
| कवास | 965 |
| बाड़मेर | 1,492 |
| दूंदाड़ा | 1,692 |
| भदवासी | 3,780 |

स्त्रोत : डिविजनल सुपरिटेन्डेन्ट ऑफिस, उत्तर रेलवे से प्राप्त आँकड़ों पर आधारित।

सारणी-54 राज्य से जिप्सम के निर्माण होने वाले केन्द्रों तथा मात्रा को दर्शाती है।

सामान्यतया जिप्सम के उपभोक्ता मध्य तथा पूर्वी भारत की खाद तथा सीमेंट फैक्ट्रियाँ है। सिंदरी खाद कारखाना प्रमुख उपभोक्ता है जो राज्य में कुल उत्पादित जिप्सम का 60 प्रतिशत उपभोग करता है। कारखाने को प्रतिवर्ष लगभग 7,780 वेगन जाते हैं। निम्न सारणी-55 सिंदरी कारखाने को जाने वाली जिप्सम की भारी मात्रा को दर्शाती है।

**सारणी-55 : जिप्सम की मात्रा**

| स्टेशन | वेगन |
|---|---|
| भदवासी | 4,080 वेगन |
| दूंदाड़ा | 1,480 वेगन |
| कवास | 2,160 वेगन |

पश्चिमी रेलवे पड़ौसी राज्यों को लगभग (7,37,000 टन) सीमेंट पहुँचती है किन्तु विनिमय में सिक्का तथा दारिका सीमेंट उद्योगों से (1,95,000 टन) सीमेंट राज्य में लाती है। राजस्थान से पड़ौसी राज्यों को रेलों द्वारा निर्यात किए जाने वाली सीमेंट की मात्रा सारणी-56 में दर्शाती हैं।

**सारणी-56**

| राज्य | सीमेंट की मात्रा |
|---|---|
| उत्तर प्रदेश | 95,000 टन |
| दिल्ली | 4,00,000 टन |
| पंजाब | 1,30,000 टन |
| मध्य प्रदेश | 12,000 टन |

नमक भी अन्य उद्‌गमिक पदार्थ है जो सामान्यतया उत्तर रेलवे के स्टेशनों से अचनेरा और रेवाड़ी द्वारा वहन किया जाता है। राज्य के कुल नमक उत्पादन (5,96,000 टन) में से अधिकांश बिहार (56,000 टन) उत्तर प्रदेश (1,00,000 टन), दिल्ली (59,000 टन) और पंजाब (38,000 टन) को रेलों द्वारा निर्यात होता हैं कि निर्गम पदार्थों में कुल ही पदार्थ अधिक महत्त्वपूर्ण है, पारगम्य यातायाती पदार्थों में से कुल पदार्थों का निम्नतम भाग राज्य में आता है। माल यातायात प्रवाह के घनत्व की भिन्नता के लिए निम्नांकित कारण उत्तरदायी है।

(1) माल यातायात घनत्व राज्य के खनिज क्षेत्रों में अधिक संबंधित है ''उदाहरणार्थ नागौर-मेड़ता रोड़-फुलेरा, बालोतरा-पचपदरा और बाड़मेर-जोधपुर-फुलेरा सेक्शन जहाँ क्रमश: जिप्सम खानें, इमारती पत्थर खानें एवं नमक स्रोत (बाड़मेर, जोधपुर, बीकानेर और नागौर) स्थित हैं, उच्च अप ट्राफिक दर्शाते हैं। इन क्षेत्रों में जिप्सम, इमारती पत्थर और नमक उत्तर तथा पश्चिमी रेलों द्वारा सिन्दरी खाद कारखाने तथा अन्य उपभोग केन्द्रों को वहन किए जाते हैं, इन क्षेत्रों पर पुन: खाली डिब्बे जिप्सम, नमक तथा इमारती पत्थर प्राप्त करने हेतु आते हैं।

(2) राज्य की अन्य रेलवे लाइनों की अपेक्षा पश्चिमी रेलवे की मुख्य लाइनों पर पारगम्य यातायात के कारण माल यातायात घनत्व उच्च पाया जाता है। अहमदाबाद-अजमेर-जयपुर और नागदा-कोटा- सवाई माधोपुर-भरतपुर लाइनें उत्तरी एवं पूर्वी भारत को दक्षिणी एवं पश्चिमी भारत से लघु परिपथ सुविधा प्रदान करती हैं। फलस्वरूप प्रत्येक लम्बी दूरी गमन यातायात मुख्यतया देश के तीन महत्त्वपूर्ण बन्दरगाहों (कांडला, बंबई और मद्रास), उत्तर भारत और पूर्वी उत्तर प्रदेश के लिए राज्य की इन्हीं मुख्य रेलवे लाइनों पर यातायात घनत्व अधिक पाया जाता है। इस तथ्य के अतिरिक्त राज्य के मुख्य औद्योगिक केन्द्र कोटा, सवाई माधोपुर, लाखेरी, अजमेर और जयपुर आदि इन्हीं मार्गों पर स्थित हैं जिनका उत्पादित माल निर्यात के कारण यातायात घनत्व में वृद्धि करता है।

(3) राज्य में प्रचलित कृषि क्रिया के प्रकार भी उच्च-माल यातायात घनत्व के लिए उत्तरदायी है। अर्द्ध-शुष्क प्रदेश से दालें, उत्तरी भाग से मक्का, ज्वार आदि का अतिरिक्त उत्पादन उत्तरी तथा पश्चिमी रेल मार्गों पर यातायात घनत्व को उच्च बनाने में सहयोगी है।

(4) राज्य में कोयला तथा अन्य खनिज ईंधन की कमी है अत: रेलों के लिए वृहत्त मात्रा में कोयला एवं पेट्रोल का आयात किया जाता है। इसके अतिरिक्त शक्तिगृह एवं सड़क वाहनों की आवश्यकताएँ मुख्य तथा ब्राँच लाइनों पर इन पदार्थों के उच्च यातायात घनत्व को दर्शाती है।

(5) प्रतिस्पर्द्धा के क्षेत्र में यातायात के अन्य साधनों की अनुपस्थिति भी रेल माल यातायात घनत्व की उच्चता के लिए उत्तरदाई है। भारी बोझे वाले पदार्थ जिनकी यातायात दर कम होती है मुख्यत: रेलों द्वारा वहन किए जाते हैं जो राज्य में अपेक्षाकृत घनत्व की उच्चता में योग देते हैं।

**यातायात प्रवाह प्रतिरूप**

उपर्युक्त विश्लेषण यात्री एवं माल प्रवाह के घनत्व तथा दिशा की क्षेत्रीय विभिन्नता को विभागानुसार स्पष्ट करता है। राजस्थान में रेल यातायात प्रवाह के प्रतिरूप को स्पष्ट करता है :

(1) राजस्थान की मुख्य रेलवे लाइनों पर यात्री तथा माल यातायात में मुख्यतया पारगम्य यातायात की प्रमुखता है। अधिकांश यात्री तथा माल गाड़ियाँ जो राज्य से होकर परिवहन करती है केवल कुछ मुख्य तथा जंक्शन केन्द्रों को ही सेवाएँ प्रदान करती हैं। उत्तर तथा पश्चिमी रेलवे को ट्रंक मार्ग पश्चिमी तथा उत्तरी तथा पश्चिमी रेलवे को ट्रंक मार्ग पश्चिमी तथा उत्तरी भारत के मध्य राज्यों के मध्य अधिकांश भारी यातायात-लोह अयस्क, जिप्सम, कोयला, सीमेंट, पेट्रोल, लोह-इस्पात, इमारती पत्थर, नमक तथा मशीनें-राजस्थान से होकर गुजरता है फलस्वरूप दिल्ली-आगरा-मद्रास, दिल्ली-मथुरा-भरतपुर- कोटा-बंबई, दिल्ली-अलवर- जयपुर-अजमेर- अहमदाबाद और चुरू-हिसार जैसे रेल मार्ग भारी माल यातायात घनत्व दर्शातें हैं।

(2) यात्री एवं माल यातायात घनत्व अपेक्षाकृत ट्रंक तथा मुख्य मार्गों पर अधिक रहता है। जिप्सम, नमक, सीमेंट और इमारती पत्थरों का निर्यात विभिन्न राज्यों को किया जाता है।

(3) ब्रांच लाइनों पर यातायात प्रवाह के असंतुलन का प्रमुख कारण उन लाइनों पर केवल एक ही पदार्थ में विशिष्टता होना है। पचपदरा-बालोतरा

लाइनें नमक का केवल एक ही दिशा में वहन करती है जबकि दूसरी दिशा में डिब्बे (Wagons) खाली लौटते हैं अर्थात् अप ट्राफिक प्रवाह उच्च तथा डाउन ट्राफिक प्रवाह न्यून रहता है। विशिष्ट पदार्थों के अतिरिक्त विभिन्न पदार्थों का प्रवाह जटिलता दर्शाता है। पदार्थों की यह प्रकृति सभी अन्तर राज्यीय तथा अन्तर क्षेत्रीय उद्गमता और निर्गमता में परिलक्षित होती है। किन्तु विषमता खाद्यान्नों के आन्तरिक परिगमन में अधिक दृष्टिगोचर होती है। यह विषमता माल के परिगमन मूल्य विभिन्नताओं के प्रभाव को स्पष्ट करती है। भार वहन की दूरी लघु-मध्यम और लम्बी-मुख्यत: विभिन्न पदार्थों की प्रकृति पर निर्भर करती है। जिप्सम, कोयला, कपास, सीमेंट, नमक, गेहूँ और लोह इस्पात अधिक लम्बाई तक वहन किए जाते हैं जबकि तिलहन, शक्कर, लकड़ी और इमारती लकड़ी मध्यम दूरी तक किन्तु दूसरी ओर गन्ना, जस्ता और इमारती पत्थर अपेक्षाकृत लघु दूरी तक ले जाए जाते हैं क्योंकि इन पदार्थों का उपयोग करने वाली फैक्ट्रियाँ अबाध रूप से उनके पदार्थों की पूर्ति के स्रोतों के समीप ही स्थापित हैं। उदाहरणार्थ उदयपुर में जस्ता प्रगलन उद्योग तथा मकराना में संगमरमर पत्थर उद्योग आदि सभी कच्चे माल के स्रोतों के समीप स्थापित है।

अन्तर प्रान्तीय यातायात प्रणाली की अविकसितता तथा अन्य अनेक कारण जैसे पूँजी के नियोजन की कमी, सस्ती शक्ति तथा जल की अनुपस्थिति, तकनीकी श्रमिकों का अभाव और पिछड़ी कृषि क्रिया आदि राज्य के सामान्य पिछड़ेपन के लिए उत्तरदायी हैं। यात्री परिवहन की भाँति माल यातायात घनत्व भी उत्तरी तथा पश्चिमी रेलवे की मुख्य लाइनों पर उच्च पाया जाता है तथा क्षेत्रीय विभिन्नताऐं अधिक महत्त्वपूर्ण है। राज्य से होकर गुजरने वाले समस्त मुख्य मार्गों पर, सामान्यतया यात्री एवं माल परिवहन में पारगम्य यातायात विशिष्ट है। खनिज, पेट्रोल निर्मित पदार्थ, खाद्यान्न और नमक आदि माल यातायात के प्रमुख पदार्थ हैं। अन्तरराज्यीय तथा अन्तरप्रान्तीय उद्गमिक एवं आगमिक यातायात और पदार्थों के वहन की दूरी, पदार्थों की प्रकृति पर निर्भर करती है जिनके परिणामस्वरूप यातायात विषमताओं का उद्गम होता है। निसंदेह अत्यावश्यक दिशाओं में रेलों का पर्याप्त विस्तार, विशेषतया खनिज तथा विकसित कृषि क्षेत्रों में, राज्य में परिपूरकता विकसित करेन में सहायक होगा।

## सड़कें

सड़क परिवहन एक महत्त्वपूर्ण सामाजिक परिसंपत्ति हैं जिसका प्रभाव कृषि एवं उद्योगों के क्षेत्रों तथा सामुदायिक कल्याण के क्षेत्रों में दृष्टिगोचर होता हैं। वस्तुत: सड़क परिवहन-स्तर किसी भी क्षेत्र के लिए विकास सूचकांक (Index) प्रदान करता है। राज्य में अधिक संख्या में लोग दूरस्थ ग्रामों से जिलों एवं तहसीलों के प्रधान कार्यालयों में विभिन्न उद्देश्यों हेतु यात्रा करते हैं। रेल यात्रा बस यात्रा की तुलना में इतनी लचीली नहीं है। सड़क परिवहन क्षेत्र में यात्री एवं माल यातायात की द्विप्रणाली प्रचलित हैं। राज्य में सड़क परिवहन प्रवाह की मात्रा एवं संविरचना से सम्बन्धित आँकड़ों की अत्यन्त कमी है। इसके अतिरिक्त रेलों की भाँति पूर्णत: वर्गीकृत एवं मान साम्य वाहनों की सीमितता है, फलस्वरूप यातायात में विभिन्न प्रकार के वाहनों का सम्मिश्रण हैं। अधिकांश परिवहन संचालन एक या दो वाणिज्य वाहनों का संचालन करते हैं तथा अपने वाहनों द्वारा ढोये गये यात्रियों एवं भाव से सम्बन्धित कुछ बड़ी परिसंचालक संस्थाऐं ऐसे आँकड़े रखती है अन्यथा अन्य परिवहन सम्बन्धी आँकड़ों का सर्वथा अभाव हैं।

राजस्थान में कुल मिलाकर लगभग 56,956 (1990) किलोमीटर लम्बी आलेपित पक्की बजरी की, स्वच्छ मौसम वाली गढ़ी हुई सड़कें हैं। ये सभी सड़कें आवागमन का देशी साधन प्रदान करती हैं। मानचित्र से रेलों की तुलना में सड़कें अधिक किफायती होती हैं और उनके निर्माण में समय भी कम लगता है। कच्ची स्वच्छ मौसम वाली एवं गढ़ी हुई सड़कों का निर्माण कोई कठिनाई नहीं उपस्थित करता। यद्यपि लागत रेलों की तुलना में कम होती है, फिर भी

सड़कों के कुछ दोष भी हैं। कच्ची सड़कें अधिक प्रभावशील व इतनी काम की नहीं होतीं जितनी रेलें। वर्षाकाल में, विशेषकर अरावली के पूर्व एवं दक्षिण-पूर्वी में, ऐसी सड़कें अनुपयोगी हो जाती हैं, जबकि पश्चिमी रेतीले और शुष्क मैदानों में ग्रीष्म की रेतीली आंधियाँ इन सड़कों के अधिकांश हिस्से को आवृत्त कर लेती हैं। इन दोनों ही परिस्थितियों में आवागमन के साधन के रूप में सड़कों की उपयोगिता जाती रहती है। सारणी-44 में राजस्थान में सड़कों का प्रकार एवं लम्बाई दर्शाई गई है।

31 मार्च, 2022 को राज्य में सभी प्रकार की डामर की सड़कों की संभावित लम्बाई 228660.37 किलोमीटर थी जिसका वर्गीकरण सारणी में दिया गया है।

**सारणी-57**

**राजस्थान में सड़कों की लम्बाई** (31-3-2022)

| क्रम | मार्ग | लम्बाई किलोमीटर में |
|---|---|---|
| 1. | राष्ट्रीय उच्च राजमार्ग | 10618.09 |
| 2. | राज्यकीय उच्च राजमार्ग | 17237.59 |
| 3. | मुख्य जिला सड़कें | 13270.93 |
| 4. | अन्य जिला सड़कें | 51224.52 |
| 5. | ग्रामीण सड़क | 186762.10 |
| | **योग** | **278813.23** |

सड़क-मानचित्र 87, 88 और 89 से पता चलता है कि अरावली श्रेणी एक पर्वतीय प्रदेश में पश्चिम के क्षेत्र की अपेक्षा अरावली के पूर्व के क्षेत्र में अधिक सड़कें है। उच्चावच एवं कृषि और औद्योगिक क्रियाएँ इस राज्य में सड़कों के क्षेत्रीय वितरण में प्रमुख कारक है। उदयपुर में अरावली क्षेत्र और पश्चिमी रेतीलें मैदानों में सड़कों की व्यवस्था निम्न कोटि की है। अरावली के पूर्व जिले, कुल क्षेत्रफल का लगभग 37.5 प्रतिशत क्षेत्र आवृत्त करते है। और इनमें लगभग 61.0 प्रतिशत से अधिक भाग निहित है।

परिवहन व्यवस्था के लिए सड़कों की व्यवस्था आवश्यक है इसके अतिरिक्त ग्रामीण क्षेत्रों को सड़क सुविधा से जोड़ना विकास की आवश्यकता है। राज्य में विभिन्न श्रेणियों की सड़कों की लम्बाई और कुल आवासित 39753 गांवों में से सड़क सुविधा से जुड़े गांवों का विवरण सारिणी-58 में दर्शाया गया है। (मानचित्र 90, 91, 92, 93 और 94)

सड़कों की लम्बाई और लाभान्वित गांवों की सूचना दर्शाती है कि 60.13 प्रतिशत गांव सड़कों से जुड़े गए हैं। शेष गांव एक हजार की जनसंख्या से कम है जिनको सड़क सुविधा का लाभ क्रमिक रूप से मिलेगा। राज्य में वाहनों की संख्या का विवरण सारिणी-59 में अंकित है।

सड़क तथा यातायात के साधन परस्पर सम्बद्ध हैं। राजस्थान के भौगोलिक प्रदेशों में क्षेत्र व जनसंख्या के विचलन के कारण थार मरुस्थल क्षेत्र में प्रति गांव जोड़ने के लिए अधिक लम्बाई की सड़क बनानी होती है। इसमें सड़क का आधार क्षेत्र रहता है और यातायात के साधन का सम्बन्ध जनसंख्या से है। पहाड़ी, मैदानी व पठारी प्रदेशों में अधिक जनसंख्या निवास करने से यातायात के साधन उन प्रदेशों में अधिक हैं। मरुस्थल प्रदेश में सड़कों की लम्बाई अधिक होने के कारण जनसंख्या का मानदण्ड है तथा एक गांव को जोड़ने के लिए इस क्षेत्र में अधिक दूरी की सड़क बनानी होती है। सड़क निर्माण में बड़े गांव को सड़क से जोड़ने से मार्ग के कई गांव स्वत: इस सुविधा से लाभान्वित हो जाते हैं।

उपर्युक्त आँकड़े दर्शातें है कि राज्य की लगभग आधी आलेपित (डामर) सड़क आठ जिलों में हैं जबकि एक-तिहाई पक्की सड़कें केवल सात जिलों में हैं। राज्य की अधिकांश बजरी की सड़कें भीलवाड़ा, जैसलमेर, जोधपुर, नागौर, पाली और बाड़मेर में हैं। स्वच्छ मौसम वाली सड़कें अरावली श्रेणी एवं दक्षिणी-पूर्वी पठारी क्षेत्र में स्थित शेष जिलों में हैं। पश्चिम के शुष्क और रेतीले मैदानों में, बीकानेर, जैसलमेर, बाड़मेर, जोधपुर के पश्चिमी भाग और जालौर के कुछ भाग में सड़कों की व्यवस्था निम्न कोटि की है।

## सारणी–58
## राजस्थान में सड़कों की लम्बाई व सड़क से जुड़े गांव
(2004–2005)

| क्र. सं. | प्रदेश/जिला | श्रेणीवार सड़कों की लम्बाई (कि.मी. में) | | | | | कुल गाँव | सड़क से जुड़े गाँव |
|---|---|---|---|---|---|---|---|---|
| | | बी.टी. सड़क | धात्विक सड़क | कंकरीट सड़क | मौसमी सड़क | कुल सड़क मार्ग | | |
| 1 | 2 | 3 | 4 | 5 | 6 | 7 | 8 | 9 |
| 1. | बाड़मेर | 4547 | 137 | 591 | - | 5274 | 1933 | 910 |
| 2. | बीकानेर | 4086 | 40 | 216 | 2 | 4344 | 712 | 599 |
| 3. | चुरू | 3079 | 109 | 27 | - | 3214 | 946 | 697 |
| 4. | गंगानगर | 1619 | 1 | 81 | 1 | 1702 | 2830 | 1776 |
| 5. | हनुमानगढ़ | 1568 | 36 | 24 | - | 1629 | 1773 | 925 |
| 6. | जैसलमेर | 2683 | 42 | 670 | - | 3394 | 600 | 367 |
| 7. | जालौर | 2657 | 143 | 210 | 18 | 3027 | 697 | 607 |
| 8. | झुंझुनू | 2347 | 146 | 128 | - | 2621 | 855 | 671 |
| 9. | जोधपुर | 4689 | 123 | 851 | - | 5663 | 1058 | 730 |
| 10. | नागौर | 4825 | 369 | 541 | 34 | 5770 | 1480 | 1061 |
| 11. | पाली | 3118 | 360 | 868 | - | 4346 | 936 | 694 |
| 12. | सीकर | 2476 | 163 | 207 | 34 | 2879 | 986 | 755 |
| 13. | अजमेर | 2601 | 186 | 14 | - | 2801 | 1025 | 864 |
| 14. | अलवर | 3508 | 112 | 104 | - | 3714 | 1954 | 1343 |
| 15. | भीलवाड़ा | 3068 | 159 | 666 | 13 | 3905 | 1693 | 838 |
| 16. | चित्तौड़गढ़ | 2501 | 108 | 105 | - | 2714 | 2201 | 957 |
| 17. | दौसा | 1310 | 62 | 213 | - | 1584 | 1025 | 574 |
| 18. | जयपुर | 2766 | 103 | 48 | 23 | 2940 | 2077 | 1275 |
| 19. | राजसमन्द | 1677 | 231 | 111 | - | 2019 | 973 | 544 |
| 20. | सिरोही | 1406 | 65 | 62 | - | 1533 | 455 | 393 |
| 21. | उदयपुर | 3721 | 138 | 51 | - | 3909 | 2339 | 1191 |
| 22. | बाँसवाड़ा | 1976 | 57 | 48 | - | 2082 | 1476 | 786 |
| 23. | बारां | 1057 | 59 | 168 | 11 | 1295 | 1089 | 450 |
| 24. | बूंदी | 1336 | 65 | 46 | - | 1447 | 839 | 407 |
| 25. | डूँगरपुर | 1601 | 91 | 36 | - | 1728 | 854 | 556 |
| 26. | झालावाड़ | 1446 | 32 | 40 | - | 1519 | 1477 | 572 |
| 27. | कोटा | 1132 | 40 | 93 | 3 | 1268 | 812 | 483 |
| 28. | भरतपुर | 2284 | 42 | 1 | - | 2336 | 1366 | 911 |
| 29. | धौलपुर | 1265 | 34 | 27 | - | 1326 | 786 | 599 |
| 30. | करौली | 1498 | 107 | 44 | 3 | 1652 | 755 | 512 |
| 31. | सवाई माधोपुर | 1287 | 100 | 61 | 3 | 1451 | 719 | 444 |
| 32. | टोंक | 1431 | | 62 | 3 | 1510 | 1032 | 453 |
| | **योग** | **76564** | **3471** | **6413** | **147** | **86595** | **39753** | **23904** |

स्त्रोत : सार्वजनिक निर्माण विभाग, राजस्थान

### यात्री और माल यातायात

राज्य की प्रमुख सड़कों पर यात्री और माल यातायात भी प्रमुख भूमिका अदा करते हैं। यातायात प्रवाह प्रमुखतया मुख्य नगरों और गंगानगर-हनुमानगढ़, अलवर-जयपुर, जयपुर-भरतपुर, देवली-जयपुर और उदयपुर-चित्तौड़गढ़ के सड़क खण्डों पर प्रारूद्ध (Confined) है। देवली से यातायात घनत्व में एकदम गिरावट आती है और जो शनै: शनै: पूर्व की ओर झालावाड़ तक तथा पश्चिम की ओर नसीराबाद तक कम होती जाती है इसके अतिरिक्त ब्यावर-अजमेर, अलवर-दिल्ली तथा नीमच-झालावाड़ सड़क खण्डों पर भी पर्याप्त यातायात घनत्व पाया जाता है। बीकानेर-गंगानगर, तथा गंगानगर-हनुमानगढ़ सड़कें इस दृष्टि से तृतीय श्रेणी में रखी जा सकती है। जोधपुर-नागौर, जोधपुर-ब्यावर, किशनगढ़-सुजानगढ़ और भरतपुर-दिल्ली सड़कें भी प्रमुख स्थान रखती है (चवान)।

मानचित्र पर एक विहंगम दृष्टि डालने से ही स्पष्ट हो जाता है न केवल एक क्षेत्र से दूसरे क्षेत्र के सड़कें के मध्य बसों एवं माल परिवहन की संख्या में भी अत्यधिक भिन्नता मिलती है। इन चित्रों के अवलोकन से निम्न दो बड़े प्रारूप परिलक्षित होते हैं :

(1) यातायात का भारी घनत्व समस्त बड़े शहरों, नगरों और व्यापारिक क्षेत्रों तक प्रारूद्ध हैं। इन शहरों और व्यापारिक क्षेत्रों में यात्री यातायात की तुलना में माल यातायात का घनत्व अधिक पाया जाता है।

(2) अत्यधिक यातायात का घनत्व प्रमुख रूप से ट्रंक सड़कों (Trunk Roads) तथा ऐसी अन्य सड़कों पर पाया जाता है जो लगभग रेलों के समानान्तर है, किन्तु दूसरी ओर बाड़मेर, सरदारशहर, झुंझुनूं एवं सुजानगढ़ जैसे क्षेत्रों के चतुर्दिक अपेक्षाकृत कम यातायात घनत्व पाया जाता है। इन ट्रंक तथा अन्य सड़कों पर अधिकतम यातायात घनत्व पाए जाने वाले के निम्न कारण हैं :-

(क) शहर किसी भी क्षेत्र के संकेन्द्रीय बिन्दु होते हैं जो अपने चतुर्दिक क्षेत्रों में यातायात प्रवाह इन शहरों की ओर होगा। अरावली के पूर्व में स्थित बड़े शहरों के चतुर्दिक अधिकतम यातायात घनत्व पाया जाता है। हनुमानगढ़-चित्तौड़गढ़ और नागौर आदि नगरों में भी अधिकतम यातायात का घनत्व पाया जाता है।

(ख) ये शहर रेल सेवाओं के महत्त्वपूर्ण संगम बिन्दु हैं जो रेल से सड़क तथा सड़क से रेलों को यातान्तरण की सुविधाएँ प्रदान करते हैं इसीलिए शहर के करद क्षेत्रों (Tributary areas) से उद्‌गम यातायात दूरस्थ स्थानों के गन्तव्य के लिए इन निस्पन्द बिन्दुओं पर एकत्रित किए जाते हैं।

(ग) राजस्थान प्रमुख रूप से कृत्रिम प्रधान राज्य है और इसका औद्योगिक क्षेत्र अपेक्षाकृत कम विकसित है। अधिकतम यातायात घनत्व वाले राष्ट्रीय मार्ग तथा अन्य महत्त्वपूर्ण जिला सड़कें न केवल अन्तर-प्रदेशीय सम्पर्क प्रदान करती है अपितु रेलों की तुलना में सड़कें शीघ्र, सुखप्रद, सस्ती और तीव्र सेवाएँ भी प्रदान करती हैं। राज्य में वृहत् महत्त्वपूर्ण उद्योग बहुत कम हैं जो मुख्यतय राज्य के पूर्वी और उत्तरी सीमा पर स्थित है। वस्त्र उद्योग, रेयोन, रासायनिक एवं कृषि आधार उद्योग सड़क परिवहन को अधिक महत्त्व देते हैं क्योंकि सड़कें राज्य में किन्हीं भी दो स्थानों के मध्य निर्बाध एवं द्वार से द्वार तक सेवाऐं प्रदान करती है।

सारणी–59

जिलेवार वाहनों का पंजीकरण मार्च, 2020 तक

| क्र. | जिला | मोटर रिक्शा | दोपहिया वाहन | ई-रिक्शा | ऑटो रिक्शा | ई-कार्ट | टेम्पो | | कार | जीप | ट्रेक्टर | टेलर | टैक्सी/ मैक्सी कैब | बस | ट्रक | अन्य | कुल |
|---|---|---|---|---|---|---|---|---|---|---|---|---|---|---|---|---|---|
| | | | | | | | यात्री | माल | | | | | | | | | |
| 1 | 2 | 3 | 4 | 5 | 6 | 7 | 8 | 9 | 10 | 11 | 12 | 13 | 14 | 15 | 16 | 17 | 18 |
| 1 | जयपुर | 55 | 2244733 | 13614 | 34735 | 604 | 8962 | 15771 | 444921 | 103108 | 55399 | 3365 | 45778 | 26680 | 107477 | 7705 | 3112907 |
| 2 | दुदु | 0 | 44405 | 4 | 28 | 1 | 13 | 3 | 3098 | 1675 | 2165 | 13 | 428 | 139 | 3048 | 189 | 55209 |
| 3 | कोटपुतली | 0 | 100520 | 91 | 210 | 33 | 96 | 1287 | 6829 | 5973 | 9012 | 215 | 2228 | 2440 | 21576 | 855 | 151365 |
| 4 | चौंमु | 0 | 50976 | 10 | 38 | 0 | 9 | 2 | 4657 | 3200 | 2619 | 34 | 439 | 323 | 2925 | 295 | 65527 |
| 5 | शाहपुरा | 0 | 37692 | 18 | 13 | 8 | 4 | 16 | 2743 | 1285 | 2371 | 67 | 234 | 142 | 6673 | 174 | 51440 |
| | **योग** | **55** | **2478326** | **13737** | **35024** | **646** | **9083** | **17079** | **462248** | **115241** | **71566** | **3694** | **49107** | **29724** | **141699** | **9218** | **3436447** |
| 6 | दौसा | 0 | 247673 | 428 | 1802 | 84 | 607 | 310 | 11104 | 7828 | 19931 | 980 | 2930 | 1689 | 7773 | 830 | 303969 |
| 7 | सवाईमाधोपुर | 0 | 212055 | 4 | 1034 | 3 | 480 | 255 | 8767 | 5693 | 30093 | 2383 | 2961 | 2774 | 7674 | 716 | 274892 |
| 8 | करौली | 0 | 156370 | 8 | 2228 | 0 | 917 | 31 | 4379 | 4559 | 15798 | 939 | 1654 | 1004 | 2591 | 210 | 190688 |
| | **योग** | **0** | **616098** | **440** | **5064** | **87** | **2003** | **596** | **24250** | **18080** | **65822** | **4302** | **7545** | **5467** | **18038** | **1756** | **769548** |
| 9 | सीकर | 0 | 378517 | 162 | 7116 | 17 | 1711 | 567 | 31795 | 21598 | 33027 | 464 | 3917 | 4917 | 21167 | 1454 | 506429 |
| 10 | झुंझुनू | 0 | 307458 | 34 | 4077 | 3 | 1296 | 749 | 28379 | 19651 | 25225 | 886 | 4359 | 7037 | 18962 | 1669 | 419785 |
| 11 | चुरू | 15 | 136378 | 12 | 7899 | 10 | 1305 | 268 | 11375 | 8966 | 24582 | 85 | 1904 | 2809 | 12888 | 388 | 208884 |
| 12 | सुजानगढ़ | 0 | 41716 | 15 | 201 | 5 | 79 | 14 | 3133 | 1499 | 2820 | 3 | 313 | 203 | 1947 | 182 | 52130 |
| 13 | खेतड़ी | 0 | 764 | 2 | 10 | 0 | 0 | 0 | 101 | 178 | 82 | 2 | 19 | 21 | 155 | 11 | 1345 |
| | **योग** | **15** | **864833** | **225** | **19303** | **35** | **4390** | **1598** | **74783** | **51892** | **85736** | **1440** | **10512** | **14987** | **55119** | **3704** | **1188573** |
| 14 | अलवर | 2 | 714940 | 1026 | 3547 | 62 | 1371 | 1634 | 52601 | 13693 | 72405 | 1717 | 3335 | 4242 | 27187 | 1814 | 899576 |
| 15 | शाहंजहानपुर | 0 | 0 | 0 | 0 | 0 | 0 | 0 | 0 | 0 | 0 | 0 | 0 | 0 | 0 | 0 | 0 |
| 16 | भिवाड़ी | 0 | 63439 | 9 | 761 | 1 | 259 | 228 | 9295 | 1993 | 4905 | 32 | 371 | 724 | 3269 | 483 | 85769 |
| | **योग** | **2** | **778379** | **1035** | **4308** | **63** | **1630** | **1862** | **61896** | **15686** | **77310** | **1749** | **3706** | **4966** | **30456** | **2297** | **985345** |

| क्र. | जिला | मोटर रिक्शा | दोपहिया वाहन | ई-रिक्शा | ऑटो रिक्शा | ई-कार्ट | टेम्पो | | कार | जीप | ट्रेक्टर | टेलर | टैक्सी/ मैक्सी कैब | बस | ट्रक | अन्य | कुल |
|---|---|---|---|---|---|---|---|---|---|---|---|---|---|---|---|---|---|
| | | | | | | | यात्री | माल | | | | | | | | | |
| 1 | 2 | 3 | 4 | 5 | 6 | 7 | 8 | 9 | 10 | 11 | 12 | 13 | 14 | 15 | 16 | 17 | 18 |
| 17 | भरतपुर | 2 | 385493 | 117 | 2529 | 3 | 810 | 768 | 18980 | 14190 | 55365 | 1881 | 1579 | 2758 | 20485 | 1125 | 506085 |
| 18 | धौलपुर | 0 | 146714 | 39 | 1784 | 3 | 720 | 148 | 5262 | 4830 | 19035 | 89 | 981 | 1072 | 13604 | 392 | 194673 |
| | **योग** | **2** | **532207** | **156** | **4313** | **6** | **1531** | **916** | **24242** | **19020** | **74400** | **1970** | **2560** | **3830** | **34089** | **1517** | **700759** |
| 19 | अजमेर | 0 | 633429 | 668 | 6100 | 25 | 1894 | 6849 | 48991 | 25843 | 23173 | 1601 | 5702 | 4039 | 24797 | 1679 | 784790 |
| 20 | ब्यावर | 0 | 155053 | 44 | 2141 | 9 | 633 | 1855 | 7168 | 4971 | 3847 | 54 | 1432 | 873 | 4781 | 947 | 183808 |
| 21 | नागौर | 0 | 309775 | 7 | 1918 | 0 | 378 | 1350 | 19376 | 17914 | 110945 | 1061 | 3356 | 2427 | 19709 | 2091 | 490307 |
| 22 | डीडवाना | 0 | 195341 | 20 | 1051 | 0 | 329 | 465 | 10729 | 6084 | 9466 | 15 | 907 | 768 | 6911 | 932 | 233018 |
| 23 | टोंक | 0 | 258593 | 141 | 552 | 0 | 181 | 303 | 7538 | 6254 | 26839 | 1567 | 1459 | 1521 | 5949 | 603 | 311500 |
| 24 | किशनगढ़ | 0 | 50351 | 14 | 296 | 0 | 115 | 312 | 3066 | 2813 | 2596 | 48 | 122 | 97 | 2158 | 252 | 62240 |
| 25 | केकडी | 0 | 34500 | 7 | 33 | 2 | 14 | 223 | 631 | 1915 | 3913 | 37 | 71 | 41 | 1105 | 186 | 42678 |
| | **योग** | **0** | **1637042** | **901** | **12091** | **36** | **3545** | **11357** | **97499** | **65794** | **180779** | **4383** | **13049** | **9766** | **65410** | **6690** | **2108342** |
| 26 | जोधपुर | 0 | 891932 | 116 | 15644 | 34 | 3245 | 12127 | 92693 | 42363 | 74906 | 8730 | 13341 | 9111 | 69551 | 4923 | 1238716 |
| 27 | बाड़मेर | 0 | 180351 | 12 | 4039 | 1 | 1437 | 1207 | 8885 | 7795 | 25435 | 2092 | 6366 | 1635 | 19673 | 1093 | 260021 |
| 28 | जैसलमेर | 0 | 72072 | 0 | 2460 | 0 | 698 | 446 | 4162 | 3287 | 13650 | 460 | 2726 | 600 | 7570 | 858 | 108989 |
| 29 | बालोतरा | 0 | 58367 | 0 | 1007 | 1 | 382 | 288 | 3491 | 1813 | 3679 | 245 | 443 | 146 | 3060 | 277 | 73199 |
| 30 | फलौदी | 0 | 33077 | 1 | 161 | 0 | 49 | 226 | 1737 | 1004 | 8533 | 0 | 241 | 152 | 3430 | 264 | 48875 |
| | **योग** | **0** | **1235799** | **129** | **23311** | **36** | **5812** | **14294** | **110968** | **56262** | **126203** | **11527** | **23117** | **11644** | **103284** | **7415** | **1729801** |
| 31 | पाली | 3 | 4 | 5 | 6 | 7 | 8 | 9 | 10 | 11 | 12 | 13 | 14 | 15 | 16 | 17 | 18 |
| 32 | सिरोही | 0 | 472355 | 5 | 3346 | 5 | 1229 | 3472 | 18419 | 9482 | 23719 | 2647 | 4916 | 1928 | 10261 | 1479 | 553263 |
| 33 | जालोर | 0 | 146127 | 3 | 4276 | 0 | 1048 | 1243 | 7163 | 5755 | 12228 | 1401 | 3678 | 1144 | 4215 | 593 | 188874 |
| 34 | आबु रोड | 0 | 147451 | 5 | 3283 | 1 | 884 | 1323 | 8089 | 8957 | 26021 | 1714 | 3279 | 1054 | 5640 | 456 | 208157 |
| 35 | भीनमाल | 0 | 37010 | 4 | 973 | 0 | 369 | 184 | 3295 | 702 | 1291 | 95 | 649 | 119 | 1628 | 395 | 46714 |
| | **योग** | **0** | **66247** | **5** | **838** | **0** | **314** | **177** | **2265** | **2289** | **9307** | **15** | **197** | **216** | **2922** | **298** | **85090** |

| क्र. | जिला | मोटर रिक्शा | दोपहिया वाहन | ई-रिक्शा | ऑटो रिक्शा | ई-कार्ट | टेम्पो | | कार | जीप | ट्रेक्टर | टेलर | टैक्सी/मैक्सी कैब | बस | ट्रक | अन्य | कुल |
|---|---|---|---|---|---|---|---|---|---|---|---|---|---|---|---|---|---|
| | | | | | | | यात्री | माल | | | | | | | | | |
| 1 | 2 | 3 | 4 | 5 | 6 | 7 | 8 | 9 | 10 | 11 | 12 | 13 | 14 | 15 | 16 | 17 | 18 |
| 36 | उदयपुर | 0 | 869190 | 22 | 12716 | 6 | 3844 | 6399 | 39231 | 27185 | 72566 | 5872 | 12719 | 4461 | 24666 | 3221 | 1082098 |
| 37 | डूंगरपुर | 1 | 782712 | 85 | 9246 | 30 | 3722 | 3708 | 92134 | 27310 | 22256 | 5225 | 10841 | 7075 | 39152 | 3022 | 1006519 |
| 38 | रतनपुर | 0 | 0 | 0 | 0 | 0 | 0 | 0 | 0 | 0 | 0 | 0 | 0 | 0 | 0 | 0 | 0 |
| 39 | बांसवाड़ा | 2 | 307521 | 0 | 4731 | 0 | 1317 | 1208 | 14322 | 8839 | 12540 | 4245 | 2417 | 2175 | 6223 | 480 | 366020 |
| 40 | राजसमन्द | 0 | 202598 | 5 | 2118 | 2 | 827 | 1612 | 11441 | 6216 | 10549 | 2323 | 2095 | 1251 | 7340 | 414 | 248791 |
| | **योग** | **3** | **1548521** | **95** | **20505** | **32** | **6993** | **7562** | **128675** | **48926** | **55920** | **15435** | **17960** | **12419** | **58021** | **4673** | **1925740** |
| 41 | चित्तौड़गढ़ | 1 | 395554 | 12 | 4273 | 13 | 1594 | 6002 | 23822 | 17371 | 40658 | 8267 | 2846 | 3058 | 22796 | 1302 | 527569 |
| 42 | प्रतापगढ़ | 0 | 104793 | 1 | 308 | 0 | 114 | 175 | 1427 | 4074 | 9434 | 757 | 596 | 497 | 1745 | 310 | 124231 |
| 43 | भीलवाड़ा | 0 | 567437 | 27 | 4463 | 25 | 1368 | 4151 | 44075 | 21977 | 40893 | 4933 | 2874 | 3118 | 23704 | 3592 | 722637 |
| 44 | शाहपुरा | 0 | 68300 | 0 | 75 | 1 | 28 | 116 | 990 | 5087 | 6576 | 44 | 152 | 162 | 1627 | 286 | 83444 |
| | **योग** | **1** | **1136084** | **40** | **9120** | **39** | **3103** | **10444** | **70314** | **48509** | **97561** | **14001** | **6468** | **6835** | **49872** | **5490** | **1457881** |
| 45 | कोटा | 4 | 692604 | 68 | 10720 | 36 | 3766 | 2760 | 61941 | 40482 | 29631 | 8691 | 4805 | 4118 | 24057 | 2054 | 885737 |
| 46 | बूंदी | 0 | 250704 | 2 | 1493 | 3 | 585 | 871 | 12433 | 6438 | 26494 | 2635 | 1652 | 717 | 5704 | 1131 | 310862 |
| 47 | झालावाड़ | 0 | 242725 | 9 | 1255 | 12 | 445 | 953 | 8235 | 14087 | 27495 | 3787 | 1411 | 1548 | 7901 | 1034 | 310897 |
| 48 | बारां | 0 | 244622 | 3 | 1040 | 14 | 383 | 575 | 10080 | 7218 | 31444 | 1670 | 1736 | 890 | 3378 | 496 | 303549 |
| 49 | रामगंजमण्डी | 0 | 79736 | 0 | 145 | 0 | 66 | 129 | 4250 | 2297 | 4554 | 281 | 181 | 234 | 2818 | 258 | 94949 |
| | **योग** | **4** | **1510391** | **82** | **14653** | **65** | **5245** | **5288** | **96939** | **70522** | **119618** | **17064** | **9785** | **7507** | **43858** | **4973** | **1905994** |
| 50 | बीकानेर | 0 | 368835 | 56 | 11263 | 9 | 2253 | 2717 | 30120 | 14345 | 49850 | 973 | 5754 | 3561 | 36854 | 1606 | 528196 |
| 51 | गंगानगर | 8 | 376668 | 81 | 5075 | 3 | 1133 | 407 | 33753 | 18723 | 85896 | 3512 | 2368 | 4474 | 23785 | 1002 | 556888 |
| 52 | हनुमानगढ़ | 0 | 176088 | 193 | 1473 | 26 | 489 | 471 | 17660 | 6331 | 32025 | 301 | 970 | 1878 | 11031 | 723 | 249659 |

| क्र. | जिला | मोटर रिक्शा | दोपहिया वाहन | ई-रिक्शा | ऑटो रिक्शा | ई-कार्ट | टेम्पो |  | कार | जीप | ट्रेक्टर | टेलर | टैक्सी/मैक्सी कैब | बस | ट्रक | अन्य | कुल |
|---|---|---|---|---|---|---|---|---|---|---|---|---|---|---|---|---|---|
|  |  |  |  |  |  |  | यात्री | माल |  |  |  |  |  |  |  |  |  |
| **1** | **2** | **3** | **4** | **5** | **6** | **7** | **8** | **9** | **10** | **11** | **12** | **13** | **14** | **15** | **16** | **17** | **18** |
| 53 | नोहर | 0 | 41302 | 2 | 169 | 0 | 66 | 30 | 3897 | 1194 | 9077 | 4 | 140 | 428 | 2748 | 117 | 59174 |
| 54 | नोखा | 0 | 17063 | 0 | 211 | 0 | 68 | 29 | 1358 | 833 | 3541 | 7 | 155 | 179 | 2765 | 121 | 26330 |
|  | **योग** | **8** | **979956** | **332** | **18192** | **38** | **4008** | **3654** | **86788** | **41426** | **180389** | **4797** | **9387** | **10520** | **77183** | **3569** | **1420247** |
| **कुल योग** |  | **90** | **14186826** | **17194** | **178601** | **1089** | **51186** | **81049** | **1277833** | **578543** | **1207870** | **86234** | **165915** | **122126** | **701695** | **54523** | **18710774** |

स्त्रोत : परिवहन विभाग, राजस्थान

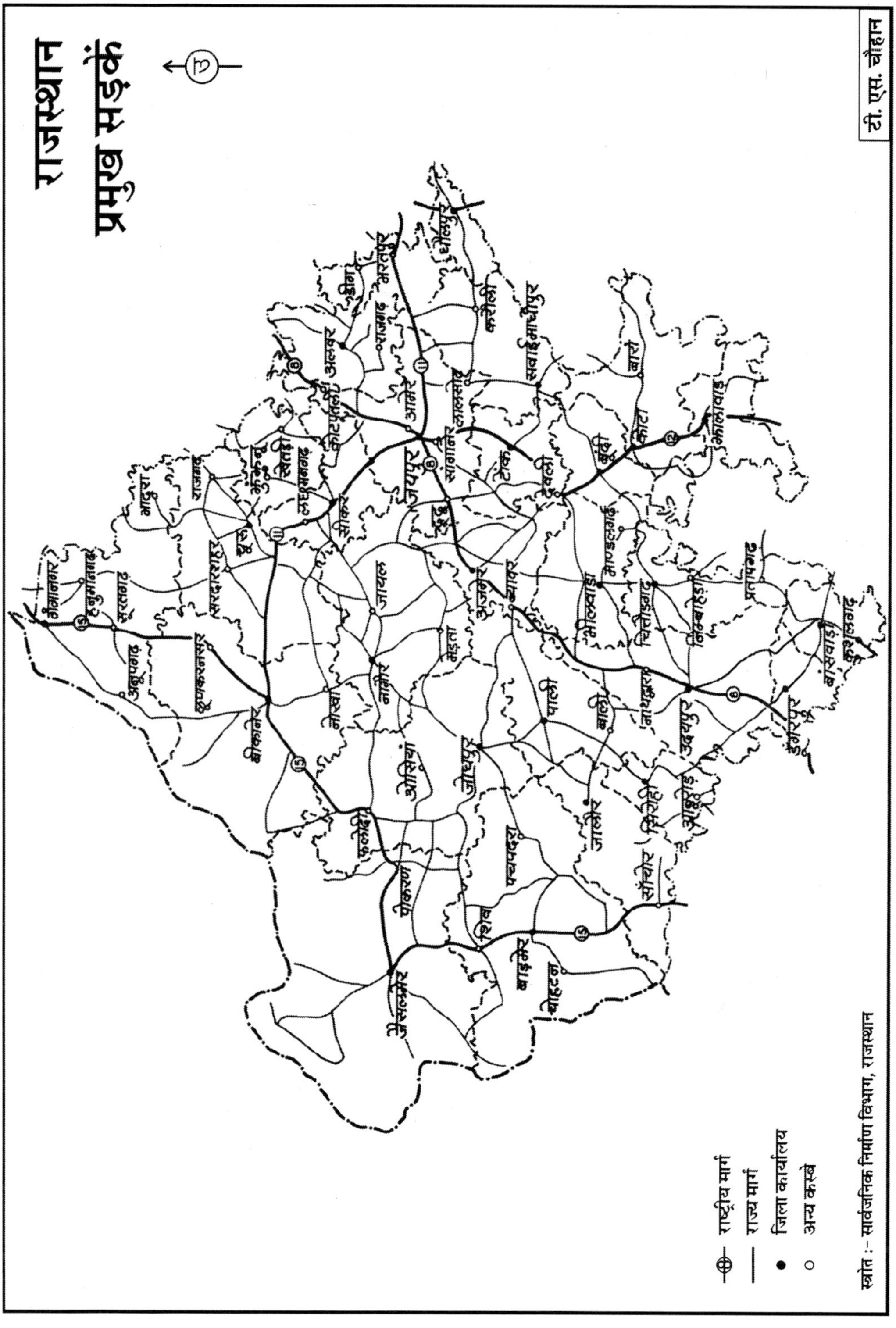
राजस्थान
प्रमुख सड़कें
उ
टी. एस. चौहान
राष्ट्रीय मार्ग
राज्य मार्ग
जिला कार्यालय
अन्य कस्बे
स्रोत :- सार्वजनिक निर्माण विभाग, राजस्थान
गंगानगर
हनुमानगढ़
सूरतगढ़
अनूपगढ़
लूणकरनसर
सरदारशहर
चूरू
भादरा
राजगढ़
झुंझुनू
सीकर
लक्ष्मणगढ़
कोटपूतली
अलवर
डीग
भरतपुर
राजगढ़
धौलपुर
करौली
सवाई माधोपुर
आमेर
जयपुर
सांगानेर
लालसोट
टोंक
किशनगढ़
अजमेर
ब्यावर
देवली
बूंदी
कोटा
बारां
झालावाड़
भीलवाड़ा
माण्डलगढ़
चित्तौड़गढ़
निम्बाहेड़ा
प्रतापगढ़
बांसवाड़ा
कुशलगढ़
डूंगरपुर
उदयपुर
नाथद्वारा
पाली
बाली
जालौर
सिरोही
आबूरोड
सांचोर
बाड़मेर
बायतू
शिव
पोकरण
जैसलमेर
पचपदरा
जोधपुर
ओसियां
फलौदी
बीकानेर
नोखा
नागौर
मेड़ता
जायल

मानचित्र 87

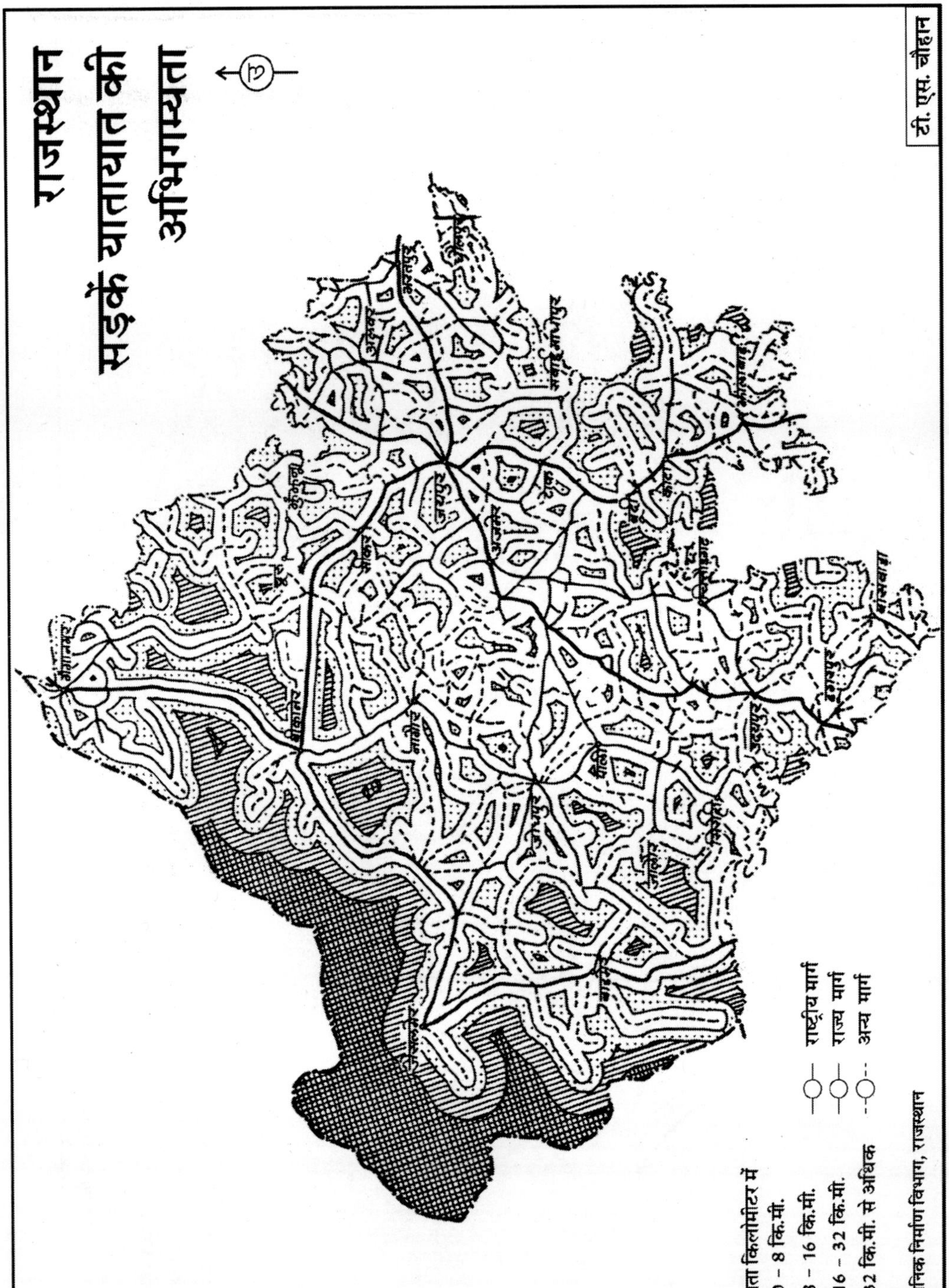
राजस्थान
सड़कें यातायात की
अभिगम्यता
उ
अभिगम्यता किलोमीटर में
0 – 8 कि.मी.
8 – 16 कि.मी.
16 – 32 कि.मी.
32 कि.मी. से अधिक
राष्ट्रीय मार्ग
राज्य मार्ग
अन्य मार्ग
स्रोत : सर्वजनिक निर्माण विभाग, राजस्थान
टी. एस. चौहान

मानचित्र 88

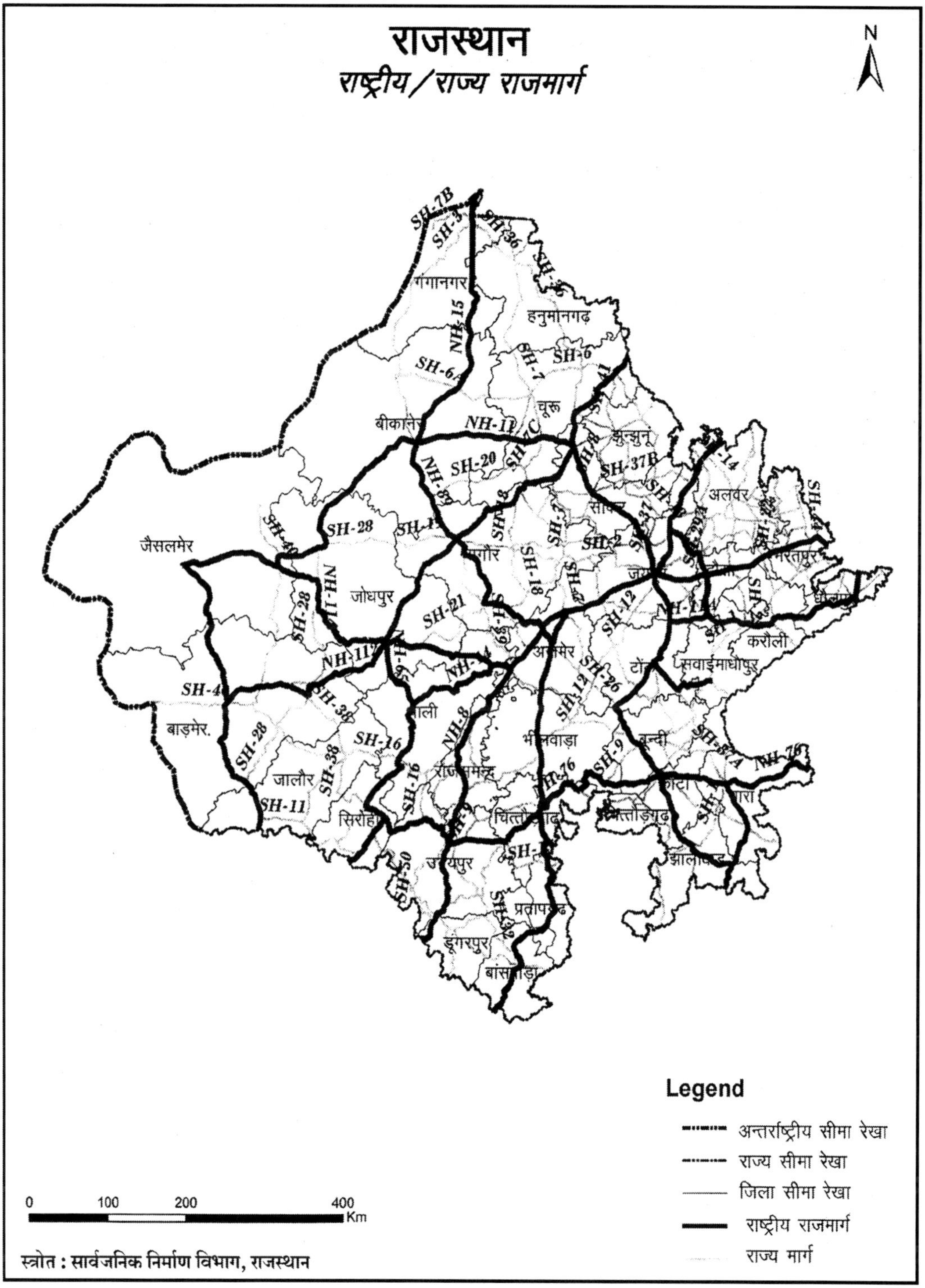


स्त्रोत : सार्वजनिक निर्माण विभाग, राजस्थान

मानचित्र 89

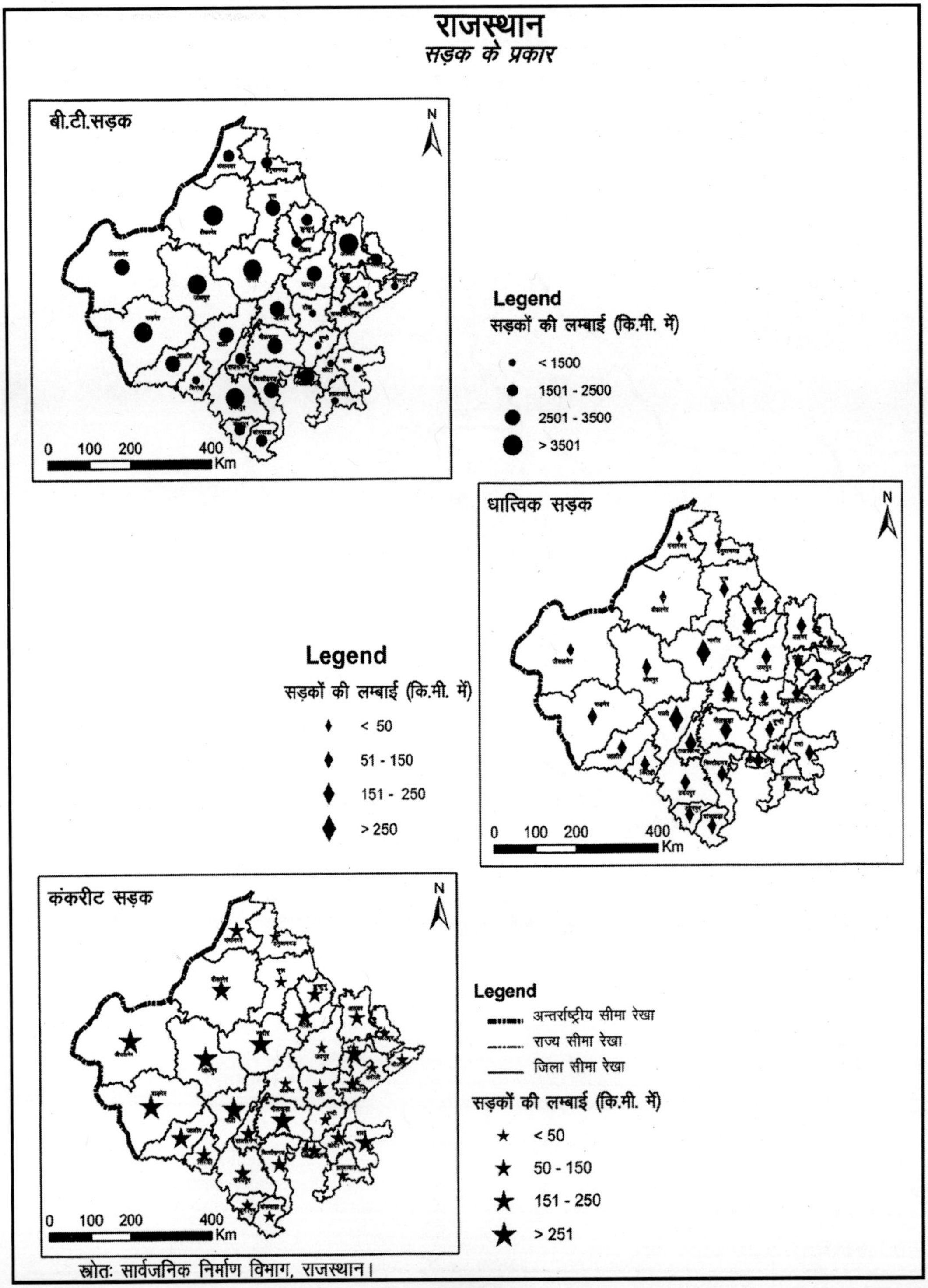
राजस्थान
सड़क के प्रकार
बी.टी.सड़क
N
0 100 200 400 Km
Legend
सड़कों की लम्बाई (कि.मी. में)
< 1500
1501 - 2500
2501 - 3500
> 3501
धात्विक सड़क
N
0 100 200 400 Km
Legend
सड़कों की लम्बाई (कि.मी. में)
< 50
51 - 150
151 - 250
> 250
कंकरीट सड़क
N
0 100 200 400 Km
Legend
अन्तर्राष्ट्रीय सीमा रेखा
राज्य सीमा रेखा
जिला सीमा रेखा
सड़कों की लम्बाई (कि.मी. में)
< 50
50 - 150
151 - 250
> 251
स्रोतः सार्वजनिक निर्माण विभाग, राजस्थान।

मानचित्र 90

## राजस्थान
*सड़क के प्रकार*

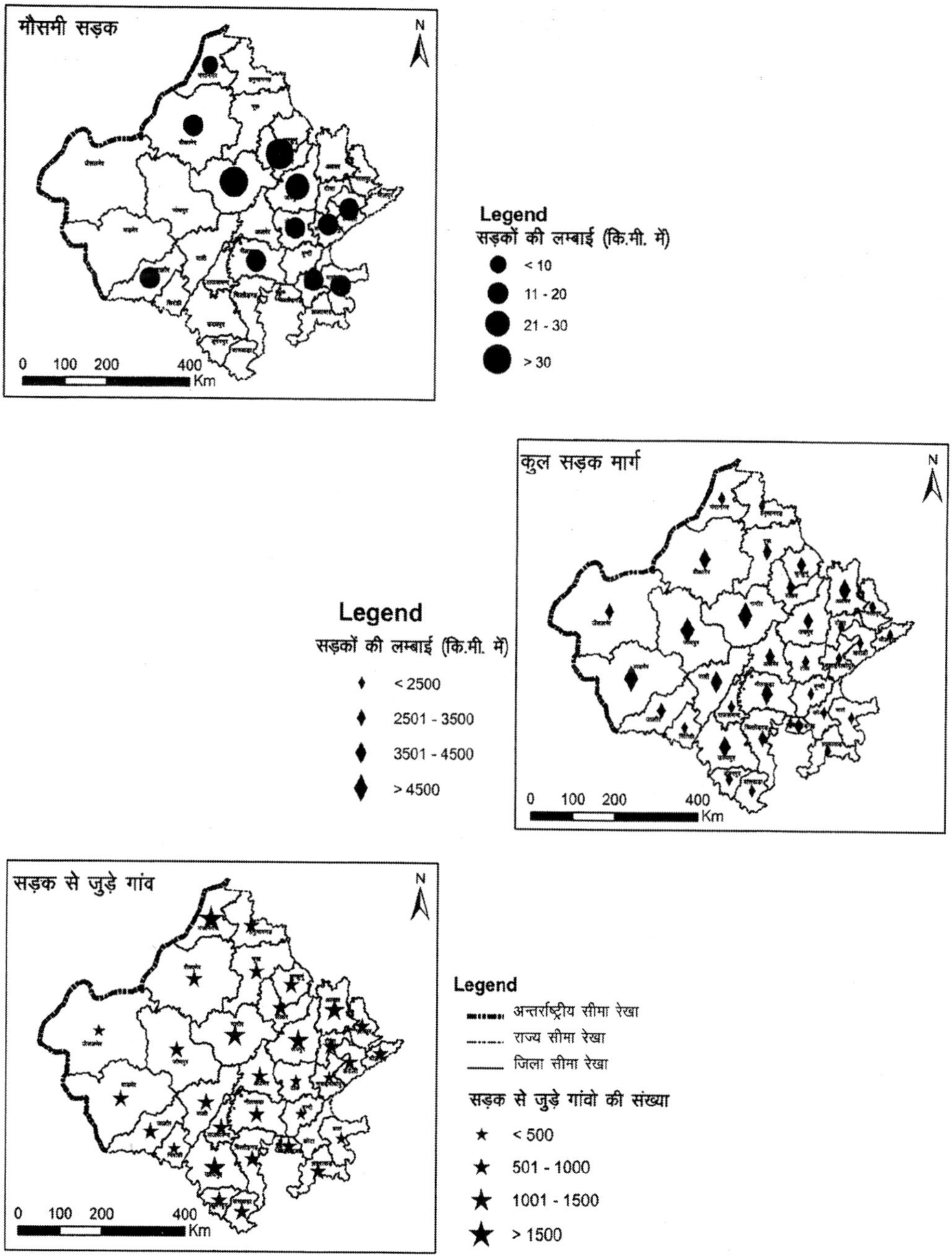


स्रोतः सार्वजनिक निर्माण विभाग, राजस्थान।

मानचित्र 91

# राजस्थान
## वाहनों का पंजीकरण

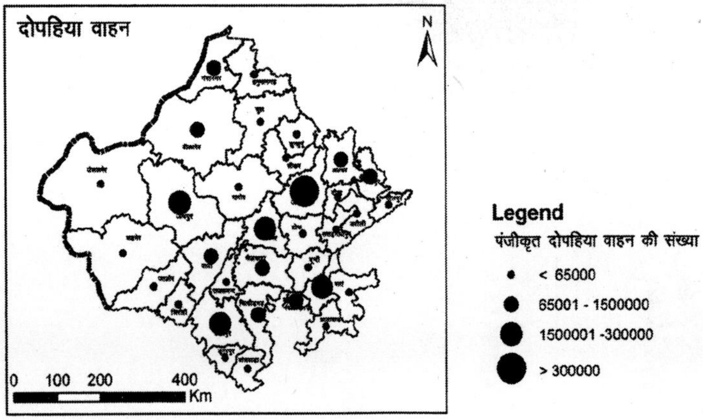


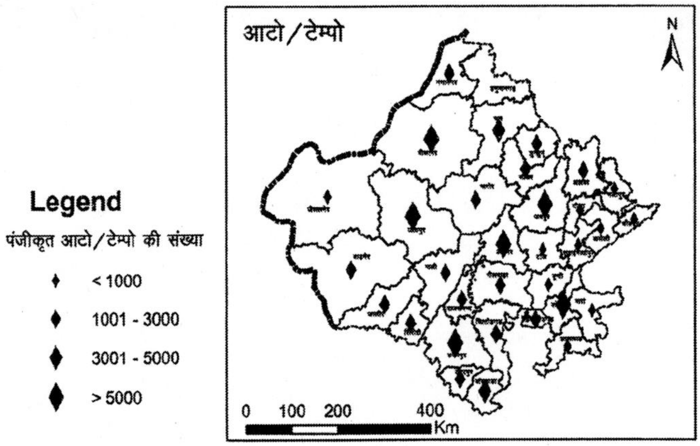


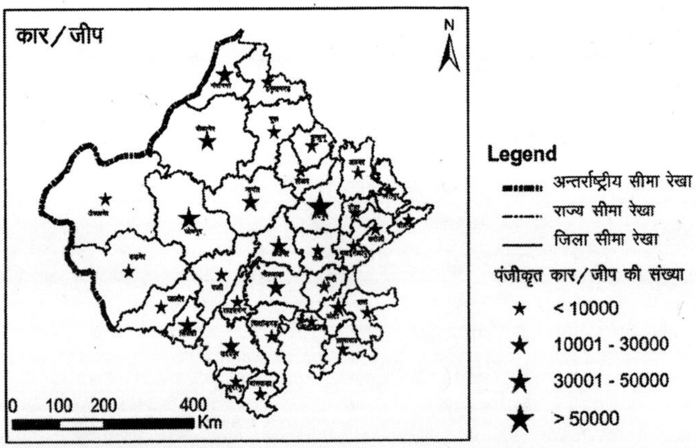


स्रोतः सार्वजनिक निर्माण विभाग, राजस्थान।

मानचित्र 92

# राजस्थान
## वाहनों का पंजीकरण

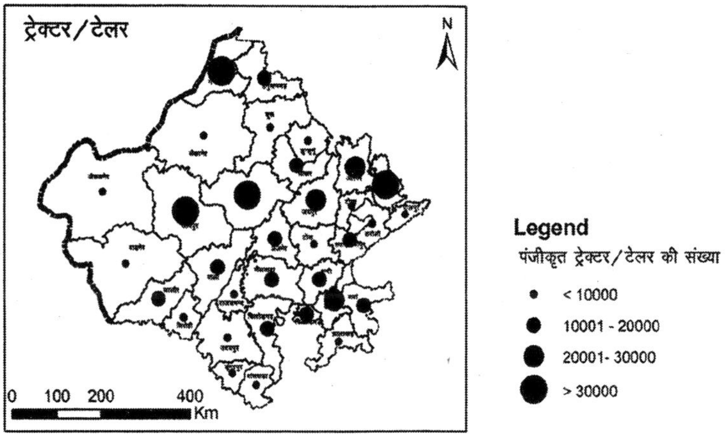


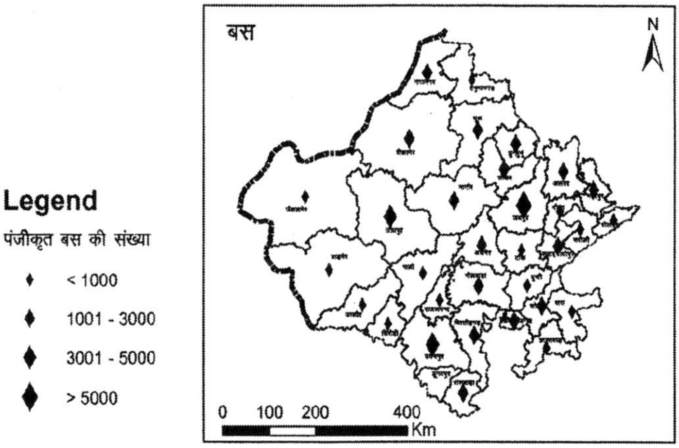


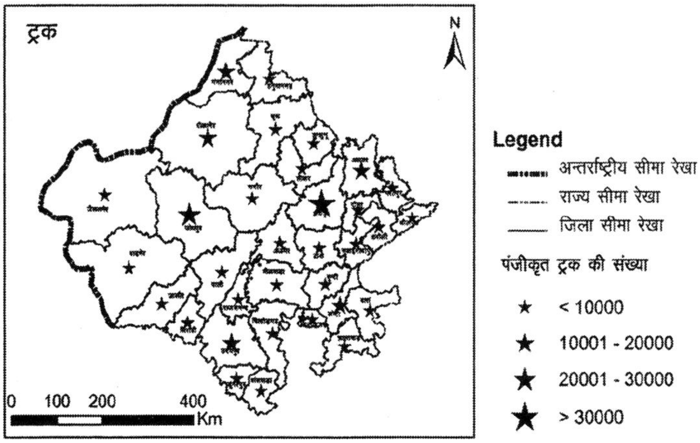


स्रोतः सार्वजनिक निर्माण विभाग, राजस्थान।

मानचित्र 93

# राजस्थान

## *वाहनों का पंजीकरण*

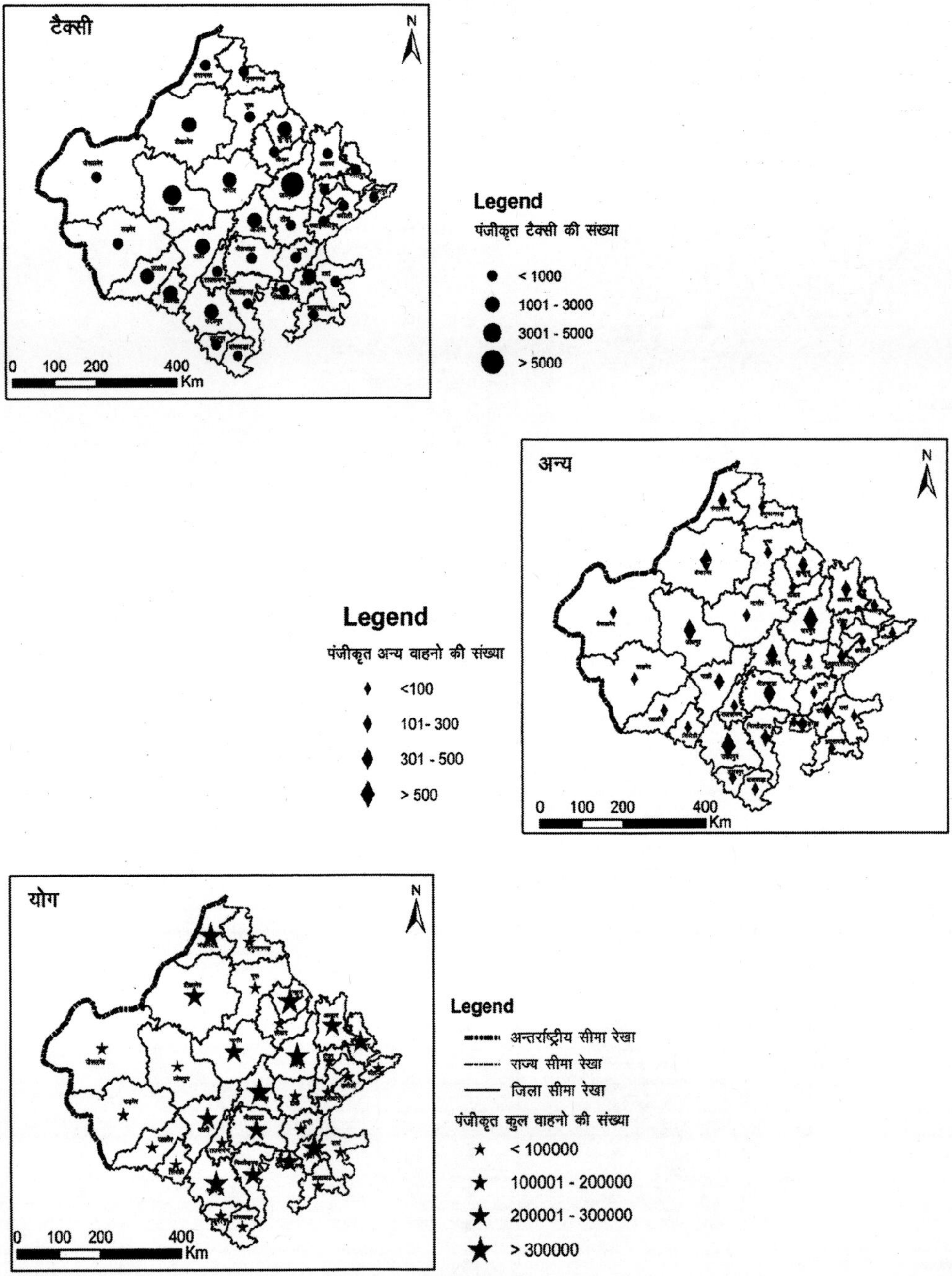


स्रोतः ट्रांसपोर्ट विभाग, राजस्थान।

**मानचित्र 94**

राजस्थान में सड़कें यात्री परिवहन की अपेक्षा माल परिवहन की अधिक व्यापक माध्यम हैं। प्राय: सभी सड़कों पर नियमित बसें चलती हैं परन्तु अनिवार्यत: विभिन्न सड़कों पर बसों की संख्या में बड़ी भिन्नता मिलती हैं। किसी सड़क खण्ड पर तो प्रतिदिन केवल एक या दो बसें ही चलती हैं तो किसी पर 50-100 बसें तक भी प्रतिदिन चलती है। विभिन्न सड़कों पर बसों की संख्या में भिन्नता प्राय: इन नगरों या केन्द्रीय स्थलों की जनसंख्या एवं पदानुक्रम में सापेक्षिक स्थिति के अनुपात में होती है, जो बस सेवा द्वारा सम्बन्ध रखते हैं। एक या दो बसें प्राय: निम्नतम स्तर के केन्द्रीय स्थल तथा उसके प्रभाव क्षेत्र में सड़क के समीप स्थिति ग्रामों के मध्य मिलती है और जैसे जैसे पदानुक्रम स्तर बढ़ता जाता है बसों की संख्या में वृद्धि होती जाती है। अधिकतम बसें न्यूनतम अभ्यान्तर पर प्राय: जयपुर, अजमेर, कोटा, जोधपुर, उदयपुर जैसे नगरों एवं उनके चतुर्दिक स्थित अनुवर्ती स्थानों के मध्य चलती है। बस सेवा प्राय: विभिन्न शहरों एवं नगरों के अन्तर्गत अधिकाधिक महत्त्व बढ़ता जा रहा है। निजी बसों का चलन प्राय: समाप्त होता जा रहा है, यद्यपि विभिन्न क्षेत्रों में दोनों प्रकार के बस संचालन के अनुपात से भिन्नता मिलती हैं।

सड़कों का यातायात माध्यम के रूप में आधुनिक महत्त्व, यात्री यातायात की क्षमता से अधिक माल यातायात की विशिष्ट कुशलता पर निर्भर हैं। कोई भी यातायात माध्यम जब तक अन्तर प्रदेशीय आर्थिक अन्तर्प्रक्रिया की अभिव्यक्ति नहीं कर पाता जब तक सार्थक नहीं होता है और इस प्रकार की अभिव्यक्ति यात्री यातायात की अपेक्षा माल परिवहन से अधिक होती है। राजस्थान में सड़कों पर माल प्रवाह की मात्रा और संविरचना सम्बन्धित पर्याप्त आँकड़ें प्राप्त नहीं है और यही कारण है कि सड़क द्वारा माल परिवहन मात्रा की प्रादेशिक विषमता, माल संरचना माल परिवहन मात्रा की प्रादेशिक विषमता, माल संरचना उद्गम एवं अन्तिम बिन्दु, औसत परिवहन दूरी में वस्तुगत एवं क्षेत्रीय भिन्नता परिवहन लागत आदि का विवेचन दुष्कर हो जाता है।

महत्त्वपूर्ण सड़कों पर चुने हुए स्थलों पर माल परिवहन सम्बन्धी आंकड़ों के आधार पर ऐसा अनुमान लगाया जाता है कि किसी सड़क खण्ड पर प्रतिदिन एक ट्रक वहन करती है तो कहीं ट्रकों की संख्या 530 तक पहुँच जाती है। तदनुसार माल यातायात की मात्रा भी विभिन्न सड़क खण्डों में प्रतिदिन 10 टन से 10,000 टन के मध्य होती है माल यातायात की मात्रा में भिन्नता प्रत्यक्षत: विभिन्न क्षेत्रों में सड़क परिवहन के महत्त्व तथा सड़क द्वारा अन्तर-प्रान्तीय आर्थिक अन्तरसम्बन्ध की परिचायक है तथा अप्रत्यक्ष रूप से विभिन्न क्षेत्रों के आर्थिक तन्त्र के स्वरूप का द्योतक है। जयपुर, अजमेर, अलवर, दौसा आदि क्षेत्रों में राष्ट्रीय एवं अन्य महत्त्वपूर्ण मार्गो पर 1,000 टन से अधिक माल यातायात घनत्व रहता है क्योंकि इन क्षेत्रों में अपेक्षाकृत सम्पन्न एवं बहुमुखी आर्थिक तन्त्र विकसित है। राज्य के उदयपुर-चित्तौड़, भीलवाड़ा-चित्तौड़-निम्बाहेड़ा, देवली-बूँदी, कोटा-झालावाड़, बीकानेर-गंगानगर एवं नागौर-जोधपुर सड़क खण्डों पर भी 100 टन से 500 टन प्रतिदिन माल घनत्व रहता है जो कि अन्तरक्षेत्रीय परिवहन के कारण है। चूँकि किसी भी राज्य में माल परिवहन की अधिकतम मात्रा राष्ट्रीय मार्गों पर ही मिलती है, अत: राज्यों के आर्थिक विकास पर पर्याप्त प्रभाव पड़ता है। राज्य की अन्य सड़कों पर माल परिवहन की मात्रा में स्थानीय भिन्नता पाई जाती है परन्तु साधारणत: बड़े शहरों, नगरों तथा मंडियों व चतुर्दिक अपेक्षाकृत अधिक मात्रा होती है।

### यातायात का आकार

राज्य की सड़क परिवहन प्रणाली अब काफी विकसित हो चुकी है और अब वह कई वस्तुओं को दूरस्थ स्थानों तक वहान करने में समर्थ है। सारणी-60 कुछ चुने स्थलों पर अन्तर-राज्यीय (Inter-State) और आन्तर-राज्यीय (Intra-State) यातायात को स्पष्ट करती है।

अलवर, भरतपुर और सिरोही पर होने वाला अन्तर्ग्राही यातायात अन्तर-राज्यीय यातायात का 50 प्रतिशत होता है। ये स्थान दिल्ली, हरियाणा, पंजाब तथा उत्तर प्रदेश के समीप स्थित है। बीकानेर, नागौर

और जोधपुर में अन्तर-राज्यीय यातायात अधिक होता है। सारणी-61 से स्पष्ट है कि राजस्थान तथा दिल्ली के मध्य अन्तर-राज्यीय यातायात अधिक रहता है। दिल्ली से राजस्थान को प्रतिदिन औसत रूप से 1,665 टन माल आता है उसमें से लगाग 2/3 भाग राजस्थान ही में और शेष गुजरात से महाराष्ट्र को वहन कर दिया जाता है। राजस्थान से दिल्ली को लगभग 2,100 टन से भी अधिक माल का परिवहन होता है। साधारणतया इस माल का अधिकांश भाग राष्ट्रीय मार्ग नं. 8 से (जो दिल्ली को अहमदाबाद से जोड़ता है) परिवहित होता है।

**सारणी-60 : माल यातायात का औसत घनत्व**

| फोकल बिन्दु | माल वाहनों की संख्या | |
|---|---|---|
| | अन्तर-राज्यीय | अन्तर-प्रांतीय |
| कोटा | 12 | 88 |
| जयपुर | 25 | 75 |
| अजमेर | 26 | 78 |
| उदयपुर | 27 | 75 |
| अलवर | 50 | 55 |
| भरतपुर | 48 | 54 |
| बीकानेर | 8 | 95 |
| गंगानगर | 22 | 80 |
| हनुमानगढ़ | 31 | 72 |
| नागौर | 0 | 102 |
| जोधपुर | 7 | 98 |
| सिरोही | 55 | 48 |
| भीलवाड़ा | 40 | 65 |

सड़क द्वारा माल आगमन से नश्वर कृषिगत वस्तुएँ, फल, सब्जियाँ, कोयला, शक्कर, वनस्पति घी, चावल, लोहा तथा इस्पात, मशीनों, खाद्यान्न, औद्योगिक वस्तुऐं एवं विभिन्न उपभोग सामग्री की प्रधानता मिलती है जैसा कि-

उत्तर प्रदेश के साथ प्रतिदिन लगभग 1,500 टन माल का यातायात होता है। उत्तर प्रदेश से आने वाले माल का अधिकांश भाग जयपुर तथा भरतपुर को जाता है। उत्तर प्रदेश के साथ अन्तर-राज्यीय माल परिवहन की वस्तु संरचना के तिलहन, कपास, फल, निर्माण सामग्री, शक्कर, गुड़ तथा मशीन सामग्री होती है। गुजरात एक दूसरा राज्य है जिसके साथ पर्याप्त अन्तर-राज्यीय यातायात होता है-सामान्यत: तिलहन, वनस्पति घी, फल, सूती वस्त्र और निर्माण सामग्री जैसी वस्तुएँ अन्तर-राज्यीय परिवहन की रचना करती है। इसके अतिरिक्त राजस्थान से होकर गुजरात तथा अन्य राज्यों को लगभग 462 टन और 338 टन माल का क्रमश: बहिर्गमन और आगमन करता है। इसमें से अधिकांश यातायात सिरोही एवं जयपुर से होकर परिवहित होता है। पंजाब के साथ यातायात गंगानगर तथा दिल्ली के मार्गों द्वारा होता है।

**सारणी-61 : राजस्थान में सड़कों द्वारा अन्तर-राज्यीय यातायात**

(औसत प्रतिदिन टनों में)

| राज्य | राजस्थान में आगमन | राजस्थान से बहिर्गमन |
|---|---|---|
| दिल्ली | 1110.09 | 1376.2 |
| उत्तर प्रदेश | 464.2 | 564.3 |
| गुजरात | 375.3 | 480.1 |
| मध्य प्रदेश | 275.5 | 139.4 |
| महाराष्ट्र | 155.1 | 137.2 |
| पंजाब | 172.6 | 190.2 |
| पश्चिम बंगाल | 10.2 | 12.2 |
| मद्रास | – | 8.5 |
| मैसूर | – | 6.2 |
| अन्य | 28 | 40.2 |

माल सड़क परिवहन का विश्लेषण एवं दर्शाता है कि राज्य के प्रतिदिन कुल आयात यातायात का 65.0 प्रतिशत भाग जोधपुर, कोटा, उदयपुर, भीलवाड़ा और गंगानगर को जाता है जिनमें रसायन, खाद्यान्न, उपभोग वस्तुएँ, कोयला, लोह-इस्पात वस्तुएँ, वस्त्र निर्माण सामग्री, शक्कर तथा तिलहन आदि प्रमुख होती हैं। कोटा के मार्ग के लिए होता है जबकि जयपुर, गंगानगर, उदयपुर और भीलवाड़ा के लिए कुल पारगमित माल का क्रमश: 56.0 प्रतिशत, 60.5 प्रतिशत, 48.0 प्रतिशत और 33.0 प्रतिशत भाग ही होता है।

सड़कों द्वारा निर्यात यातायात के अधिकांश भाग का उद्‌गम राज्य ही में होता हैं। राज्य से कुल निर्यात होने वाले माल यातायात का 31.0 प्रतिशत जयपुर से होता है। जोधपुर, अलवर, गंगानगर, अजमेर, उदयपुर और भीलवाड़ा अन्य महत्त्वपूर्ण केन्द्र हैं। इन केन्द्रों से बहिर्गामी वस्तुऐं, निर्माण सामग्री, फल, वस्त्र, शक्कर, तेल तथा तिलहन आदि वस्तुऐं होती है। सामान्यत: सड़क परिवहन की गम्यता 150 किलोमीटर से कम ही होती है फिर भी कपास एवं वस्त्र सड़कों द्वारा दूरस्थ स्थानों तक वहन किए जाते हैं।

विभिन्न पदार्थों के सड़क परिवहन की औसत दूरी में अत्यधिक भिन्नता पाई जाती है कृषिगत वस्तुऐं, वस्त्र सामग्री, पशुगत सामग्री, उद्योग जनित एवं नश्वर पदार्थ का परिवहन औसत 150-300 किलोमीटर से भी अधिक दूरी तक होता है परन्तु प्रति इकाई अधिक कीमत वाले भारी अथवा हल्के औद्योगिक पदार्थों का परिवहन अपेक्षाकृत अधिक दूरी तक होता है।

इस सारणी-48 से यह भी निष्कर्ष निकलता है कि सड़क द्वारा अन्तर-प्रान्तीय परिवहन बहुत सीमित मात्रा में होता है। औद्योगिक पदार्थों के अन्तर-राज्यीय परिवहन में अधिकता रहती है। ट्रक मार्गों पर यातायात का वहन ओर भी दूरस्थ स्थानों तक होता है। इसके अतिरिक्त व्यापारी सड़क परिवहन को अधिक महत्त्व देते हैं। गंगानगर, हनुमानगढ़, जोधपुर, भीलवाड़ा, जयपुर और अजमेर आदि क्षेत्र लगभग 2,000 किलोमीटर से भी दूरस्थ स्थानों से वस्तुओं का आयात व निर्यात करते हैं। उपरोक्त विश्लेषण के आधार पर यह कहा जा सकता है कि राज्य में यात्री एवं माल परिवहन के घनत्व में स्पष्ट भिन्नताएँ पाई जाती है। इन क्षेत्रीय विभिन्नताओं के अध्ययन ने निम्नलिखित क्षेत्र स्पष्टतया प्रदर्शित होते हैं:-

## 1. उत्तरी-पूर्वी क्षेत्र

इस क्षेत्र में यात्री एवं माल परिवहन का अधिकतम घनत्व पाया जाता है जहाँ जयपुर, अलवर, भरतपुर और शाहपुरा प्रमुख केन्द्रीय स्थल हैं। इस क्षेत्र को दो और उपविभागों में विभाजित किया जा सकता है :-

*(क) जयपुर क्षेत्र*-इस क्षेत्र में यात्री एवं माल परिवहन अधिक संख्या एवं मात्रा में होता है। राष्ट्रीय मार्गों पर स्थित यह सबसे वृहत् उद्गम क्षेत्र है जो एक और जयपुर को दिल्ली से तथा आगरा के साथ जोड़ता है और दूसरी ओर सीकर, अजमेर और देवली के साथ जोड़ता है। इनमें जयपुर से 225 यात्री एवं 1954 माल वाहन, शाहपुरा में 45 यात्री और 86 माल वाहन, बांदीकुई से 11 यात्री और 419 माल परिवहन और सीकर से 43 यात्री और 124 माल वाहनों का प्रतिदिन आगमन तथा बहिर्गमन होता है। ये अधिक महत्त्वपूर्ण केन्द्र है। इनके अतिरिक्त कुछ अन्य केन्द्र भी है जहाँ से लगभग 5 वाहनों का प्रतिदिन बहिर्गमन होता है।

*(ख) अलवर एवं भरतपुर केन्द्र*-भरतपुर इसका केन्द्रीय स्थल है जो इस क्षेत्र के पूर्व और उत्तर में स्थित क्षेत्रों के यातायात का नियंत्रण करता है। यहाँ से 128 यात्री और 578 माल वाहनों का प्रतिदिन बहिर्गमन होता है। यह नगर व्यापारिक दृष्टि से आगरा तथा मथुरा से सम्बन्धित है। भरतपुर की भांति अलवर अन्य महत्त्वपूर्ण केन्द्र है जो जयपुर और दिल्ली के ट्रंक मार्ग पर स्थित है।

## 2. केन्द्रीय क्षेत्र

यह क्षेत्र अजमेर, ब्यावर और किशनगढ़ के विशाल पृष्ठ प्रदेश का नियन्त्रण करता है। ट्रंक सड़क जो अजमेर को जयपुर से तथा ब्यावर से जोड़ती है और अन्य सड़कें भी जो इन केन्द्रों से निकलती हैं उच्च घनत्व प्रदर्शित करती हैं। अरीय (Radial) सड़कों पर प्रवाहित यातायात जयपुर-अजमेर-उदयपुर सड़क की मुख्य चेनल को पार कर सड़क की भांति पोषण करता है। इस क्षेत्र में अजमेर सबसे महत्त्वपूर्ण क्षेत्र है जो समस्त यातायात का केन्द्र है और जहाँ से प्रतिदिन 155 यात्री तथा 704 माल वाहनों का आगमन व बहिर्गमन होता है यद्यपि पूर्व में देवली तथा दक्षिण में ब्यावर द्वितीयक महत्त्व के केन्द्र हैं जो भी देवली अपेक्षतया अधिक महत्त्वपूर्ण केन्द्र हैं जहाँ से 116 यात्री और 865 माल परिवहनों का प्रतिदिन आगमन तथा बहिर्गमन होता है और यहाँ पर अपेक्षाकृत अधिकतम यातायात एक ओर जयपुर तथा कोटा से

तथा दूसरी ओर भीलवाड़ा से आता है। यातायात की अधिकतम मात्रा जयपुर-देवली सड़क खण्ड पर जयपुर और उदयपुर को सम्बन्ध करने वाले मार्ग पर पाई जाती है।

### 3. दक्षिणी क्षेत्र

दक्षिणी क्षेत्र के अन्तर्गत राज्य के पूर्वी मैदान के कुछ भाग और दक्षिणी अरावली पर्वत के क्षेत्र सम्मिलित किए जा सकते हैं। इस क्षेत्र में माल यातायात की तुलना में यात्री यातायात कम विकसित हुआ है। इस क्षेत्र में उदयपुर तथा चित्तौड़गढ़ मुख्य केन्द्र हैं वहाँ से यातायात का अधिक उद्गम होता है। यातायात का उच्च घनत्व केवल उद्युपर-मंडावर-चित्तौड़गढ़, निम्बाहेड़ा-चित्तौड़गढ़ तथा चित्तौड़गढ़-भीलवाड़ा सड़कों पर जाता है। उदयपुर से 180 यात्री और 495 माल-वाहनों, चित्तौड़गढ़ से 70 यात्री और 308 माल वाहनों का प्रतिदिन आगमन व बहिर्गमन होता है। उदयपुर- बाँसवाड़ा-प्रतापगढ़ सड़क के दक्षिण में और उदयपुर खैरवाड़ा सड़क के पूर्व तथा पश्चिम में ऋतुनिष्ठ सड़कों पर समाकलित क्षीण यातायात का प्रवाह प्रदर्शित होता है। इस क्षेत्र में अधिक यातायात न होने के मुख्य कारण गलीदार (Ravine Lands) भूमि और आर्थिक प्रक्रियाओं का अविकसित होना है।

### 4. दक्षिणी पूर्वी क्षेत्र

इस क्षेत्र के अन्तर्गत राज्य का समस्त दक्कन-लावा पठार और पूर्वी मैदान का कुछ भाग सम्मिलित किया गया है। यातायात की अधिक मात्रा कोटा-झालावाड़ और कोटा-दिगोद सड़कों पर प्रमुखतया पाई जाती है। जहाँ से 51 यात्री और 200 माल वाहन तथा 36 यात्री और 127 माल वाहन प्रतिदिन क्रमश: आगमन तथा बहिर्गमन होते हैं। कोटा तथा झालावाड़ अधिक महत्त्वपूर्ण निष्पन्द बिन्दु हैं जहाँ पर यात्री माल यातायात का घनत्व अधिक रहता है। इस क्षेत्र का अपने पड़ौसी क्षेत्रों के साथ अत्यन्त क्षीण सम्बन्ध हैं। देवली द्वारा अजमेर व जयपुर जाने वाली सड़क ही केवल इस क्षेत्र में एक ऐसी सड़क है जो इस क्षेत्र की माल रेखक है तथा अधिक महत्त्वपूर्ण है।

### 5. जोधपुर क्षेत्र

इस क्षेत्र में पश्चिमी राजस्थान के अधिकांश जिले अर्थात जोधपुर, नागौर, पाली, सिरोही और जालौर सम्मिलित किए गए हैं, ये सभी स्थल प्रधान केन्द्र है इनमें जोधपुर प्रमुख क्षेत्रीय केन्द्र है जहाँ से चतुर्दिक यातायात का आगमन होता है। इस केन्द्र से 125 यात्री और 476 माल वाहनों का प्रतिदिन आगमन तथा बहिर्गमन होता है। नागौर, पाली, बाड़मेर, पोकरण तथा सिरोही कुछ अन्य द्वितीयक महत्त्वपूर्ण केन्द्र हैं। जोधपुर-अजमेर-पाली एवं जोधपुर-नागौर के मध्य अन्तर क्षेत्रीय यातायात अधिक विकसित हुआ है।

### 6. उत्तर-पश्चिमी क्षेत्र

यह क्षेत्र नागौर-सुजानगढ़-सीकर सड़क के उत्तर में सीकर-झुंझुनूं सड़क के पश्चिम में विस्तृत है। इस क्षेत्र के यातायात की संरचना में अधिक विभिन्नताऐं पाई जाती हैं। पाँच प्रधान केन्द्र बीकानेर, गंगानगर, हनुमानगढ़, सादुलपुर और सुजानगढ़ हैं। यातायात की दो सक्षम अभिमध्य सड़कें प्रथम बीकानेर व गंगानगर के मध्य एवं द्वितीय गंगानगर, हनुमानगढ़ तथा सादुलपुर के मध्य एक त्रिकोण की रचना करते हैं जिसमें गंगानगर शीर्षक पर और बीकानेर, सरदारशहर और सादुलपुर उसके आधार में स्थित है। माल यातायात का अधिकतम घनत्व गंगानगर-हनुमानगढ़ और बीकानेर के चतुर्दिक पाया जाता है। गंगानगर से 216 यात्री और 899 माल वाहन, हनुमानगढ़ से 114 यात्री और 600 माल वाहन तथा बीकानेर से 132 यात्री और 339 माल वाहनों का प्रतिदिन आगमन तथा बहिर्गमन होता है। यातायात की अधिकतम मात्रा बीकानेर-गंगानगर और गंगानगर- हनुमानगढ़-सादुलपुर सड़क खण्डों पर पाई जाती है। अन्य महत्त्वपूर्ण केन्द्र सादुलपुर, सूरतगढ़, हिन्दूमल कोट और सुजानगढ़ हैं जहाँ से 70 से अधिक वाहनों का प्रतिदिन बहिर्गमन होता है।

उपरोक्त यातायात के घनत्व आकार में विभिन्नताओं के लिए निम्न कारण उत्तरदायी हैं :-

राजस्थान भारत के उत्तरी-पश्चिमी भाग में स्थित है तथा कुछ महत्त्वपूर्ण ट्रंक मार्ग इससे होकर गुजरते है फलस्वरूप उत्तर-दक्षिण की ओर होने वाले कोई भी

संचालन इस राज्य से होकर गमन करता है। इसीलिए राज्य में ट्रंक मार्गों पर यातायात घनत्व अधिकतम पाया जाता है। राजस्थान में सार्थक पारगमन यातायात पंजाब, हरियाणा, दिल्ली, उत्तर प्रदेश और जम्मू तथा काश्मीर से आगमन तथा निर्गमन होता है। इसी प्रकार उत्तरी राज्यों से बम्बई तथा कांडला को जाने वाला परिवहन भी राज्य से होकर पारगमन करता है।

किसी भी राज्य में आर्थिक दृष्टि से समृद्ध क्षेत्र स्वभावतया अधिक यातायात प्रजनित करते हैं। राज्य का पूर्वी भाग पश्चिमी भाग की तुलना में आर्थिक क्रियाओं की दृष्टि से अधिक समृद्ध हैं। पश्चिमी भाग का रेगिस्तानी क्षेत्र निर्वाह के सीमित साधन प्रदान करता है, इसके विपरीत पूर्वी राजस्थान में वर्षा पर्याप्त होती है तथा मिट्टियाँ भी कृषि उत्पादन की दृष्टि से अधिक उपजाऊ है। पूर्वी मैदान, दक्कन लावा पठार तथा उत्तर पश्चिम के गंगानहर के क्षेत्र में पर्याप्त कृषि उत्पादन होता है। इसके अतिरिक्त जयपुर, कोटा, सवाई माधोपुर और अजमेर औद्योगिक आधार है। इसी कारण इन क्षेत्रों में माल–यातायात का अधिकतम घनत्व पाया जाता है। पश्चिमी राजस्थान, अरावली तथा पहाड़ी क्षेत्र एवं दक्षिणी राजस्थान के भागों में कृषि की मन्द आर्थिक क्रियाओं के फलस्वरूप अधिक यातायात प्रजनित नहीं होता।

सामान्यतया, यातायात का कम अथवा अधिक घनत्व जनसंख्या के घनत्व पर भी निर्भर करता है। यद्यपि पश्चिमी भाग राजस्थान के कुल क्षेत्रफल को 3/5 भाग पर विस्तृत है किन्तु कुल जनसंख्या का आधा से कम भाग ही इस क्षेत्र में आवास करता है इसके विपरीत पूर्वी राजस्थान पर प्रकृति की कृपा है एवं यहाँ कुल जनसंख्या का आधे से अधिक भाग का निवास क्षेत्र है फलस्वरूप इस क्षेत्र में अधिकतम यातायात घनत्व पाया जाता है।

यातायात के घनत्व में सड़क संरचना का भी महत्त्वपूर्ण योगदान रहता है। जहाँ ट्रंक सड़कों से पोषक सड़कें विभिन्न स्थानों से होकर मिलती हैं अपेक्षाकृत यातायात का अधिकतम घनत्व वहन करती है। पूर्वी मैदानी क्षेत्र में सड़कों को अरीय तथा त्रिकोण प्रणाली का प्रादुर्भाव हुआ है जो अन्य तत्त्वों के साथ उच्चतम यातायात घनत्व के लिए उत्तरदायी है। दूसरी ओर राज्य का पश्चिमी भाग (नहरी क्षेत्र को छोड़कर) तथा दक्षिणी अरावली क्षेत्र में वृत्तीय एवं संस्पर्शक सड़कें हैं इसीलिए यातायात का घनत्व अत्यन्त कम है।

इसके अतिरिक्त विकसित स्थानीय संसाधनों, कृषि एवं खनन क्रियाओं आदि के क्षेत्रों में यातायात का अधिक घनत्व पाया जाता है। जयपुर, अजमेर, भीलवाड़ा, कोटा, जोधपुर, सवाई माधोपुर, गंगानगर, उदयपुर और चित्तौड़ आदि के खनन एवं कृषि आधार उद्योग महत्त्वपूर्ण है और वहाँ यातायात का अधिक घनत्व पाया जाता है।

साधारणतया, आवश्यक स्थानों पर सड़कों का रचनात्मक आकार भी अधिक अथवा कम यातायात के लिए उत्तरदायी होता है। राज्य के पश्चिमी तथा दक्षिणी भागों में सड़कों की चौड़ाई, मोटाई और पुल अव्यवस्था के कारण ही उन पर यातायात कम वहन होता है।

## राजस्थान राज्य सड़क परिवहन निगम (Rajasthan State Road Transport Corporation (RSRTC)

इसकी स्थापना 1964 में एक वैधानिक निगम के रूप में हुई थी। इसके प्रमुख कार्य इस प्रकार है–

(i) राज्य में सड़क परिवहन का विकास करके जनता, व्यवसाय व उद्योग को लाभ पहुँचाना;

(ii) सड़क परिवहन का परिहवन के अन्य साधनों से ताल–मेल बैठाना, तथा

(iii) एक क्षेत्र में सड़क परिवहन की सुविधाओं का विस्तार करना व उनमें सुधार करना और राज्य में सड़क परिवहन क्षेत्र का कार्यकुशल व किफायती रूप प्रदान करना।

पिछले वर्षों में निगम के कर से पूर्व मुनाफे निरन्तर घटते गए हैं :

निगम की नई बसें खरीदनें के लिए काफी पूंजी की आवश्यकता होती है। सातवीं योजना में इसने 1,610 बसें खरीदीं जिनमें 761 बसें पुरानी बसों को बदलने के लिए थीं।

राजस्थान में सड़क यातायात के साधन मोटर वाहनों की संख्या में वृद्धि हो रही है। 1987 में राज्य में कुल 6,06,400 पंजीकृत वाहन हैं जिनमें सबसे अधिक दोपहिया वाहनों की संख्या (3 लाख से भी अधिक) है। इसके अतिरिक्त 90 हजार ट्रैक्टर 20 हजार राजकीय वाहन राजस्थान में यात्रियो के लिए राजस्थान राज्य पथ परिवहन निगम द्वारा बसों को संचालित किया जाता है। निगम अब 8 संभागों के अन्तर्गत 34 आगारों द्वारा 22 लाख सेवाऐं उपलब्ध करवा रहा है। मार्च 1986 तक निगम के पास 2,841 यात्री वाहन थी। निगम प्रतिदिन 6 लाख किलोमीटर दूरी तय करता है। तथा 6.2 लाख यात्रियों को गन्तव्य स्थानों तक पहुँचाता है।

## वायु मार्ग

आधुनिक समय में वायु परिवहन का महत्त्व बहुत बढ़ गया है यह तीव्रगति यातायात साधन किसी भी क्षेत्र के आर्थिक विकास में अत्यन्त महत्त्वपूर्ण है। राजस्थान में इसका विस्तार बहुत कम है। स्वतंत्रता प्राप्ति से पहले केवल जोधपुर ही मुख्य हवाई अड्डा था तथा यह दो डच व एक फ्रेंच हवाई कम्पनियों की सेवाओं द्वारा दिल्ली व कराची से जुड़ा था। स्वतंत्रता प्राप्ति के बाद 1953 में हवाई यातायात का राष्ट्रीयकरण कर दिया गया। अब राज्य में जयपुर, उदयपुर व जोधपुर प्रमुख हवाई अड्डे हैं। ये तीनों बम्बई व दिल्ली से जुड़े हैं। देश में इण्डियन एयर लाइन्स के साथ ही छोटे शहरों को जोड़ने के लिए वायुदूत सेवा आरम्भ की गई जो राज्य के बीकानेर, जैसलमेर, कोटा को राज्य व देश के प्रमुख नगरों से जुड़ेगी। कुछ समय के लिए यह सेवा आरम्भ की गई थी किन्तु किसी कारणवश उसे स्थगित करना पड़ा। यह सेवा बंद कर दी है। पुन: आरम्भ की जा सकती है। राजस्थान में वायु परिवहन की अच्छी सम्भावनाऐं है। राजस्थान में वायु परिवहन की दृष्टि से निम्न हवाई अड्डे है।

(1) सांगानेर अड्डा-जयपुर यह राजस्थान व देश का 14वां अन्तर्राष्ट्रीय हवाई अड्डा (2006)

(2) महाराणा प्रताप हवाई अड्डा-डबोक (उदयपुर)

(3) रातानाडा हवाई अड्डा-जोधपुर

## वायु परिवहन

राजस्थान में जुलाई, 1950 ई. में दो वायु सेवाएं कार्य कर रही थी। एक एयर इण्डिया जो बम्बई-अहमदाबाद-जयपुर-देहली मार्ग पर तथा दूसरी इंडियन नेशनल एयरवेज कम्पनी देहली-जोधपुर-करांची मार्ग पर अपनी सेवाएँ क्रमश: जयपुर तथा जोधपुर को प्रदान कर रही थी।

1 अगस्त, 1953 ई. में वायु परिवहन का राष्ट्रीयकरण कर दिया गया। अब राज्य में जयपुर, उदयपुर, कोटा तथा जोधपुर, दिल्ली, अहमदाबाद तथा बम्बई हवाई सेवाओं से जुड़े हुए हैं। ये सब स्थान इण्डियन एयरलाईन्स कॉर्पोरेशन से सम्बन्धित हैं। (सारणी-62)

**सारणी-62**
**राजस्थान में हवाई अड्डे**

| क्र. सं. | स्थान | हवाई अड्डे का नाम | मुख्य तथ्य |
|---|---|---|---|
| 1. | जयपुर | सांगानेर एयरपोर्ट | अन्तर्राष्ट्रीय महत्त्व का हवाई अड्डा है। |
| 2. | उदयपुर | महाराणा प्रताप | दक्षिणी राजस्थान का एकमात्र हवाई अड्डा है। |
| 3. | जोधपुर | रातानाडा एयरपोर्ट | मरु प्रदेश का एकमात्र हवाई अड्डा है। |
| 4. | कोटा | कोटा एयरपोर्ट | हाड़ौती अंचल का एकमात्र हवाई अड्डा है। |
| 5. | ख्यार | अजमेर एयरपोर्ट | यह हवाई अड्डा कंकरीट के स्थान पर काँच से बनाया जाऐगा। |
| 6. | बीकानेर | नाल हवाई अड्डा | सैनिक महत्त्व का भूमिगत हवाई अड्डा है। |

देश के अन्दर वायुसेवा उपलब्ध करवाने वाली दूसरी कम्पनी 'वायुदूत' की नियमित सेवाओं के अन्तर्गत अब जोधपुर, जैसलमेर व बीकानेर भी देश के

अन्य मार्गों से जुड़ गऐ हैं। उदयपुर-अहमदाबाद के बीच इण्डियन एयरलाइन्स ने 1 अप्रेल, 1993 ई. से तथा जयपुर-दिल्ली के बीच सिटी लिंक एयरवेज ने 18 अक्टूबर, 1992 ई. से अपनी-अपनी विमान सेवाएँ प्रारम्भ कर दी हैं। इस प्रकार राज्य देश के वायु सेवाओं मानचित्र में उचित स्थान पा गया है। अजमेर को भी शीघ्र ही वायु सेवाओं से जोड़ने का प्रावधान है। (सारणी-63)

**सारणी-50**
**राजस्थान के प्रमुख वायुमार्ग**

| क्र. सं. | वायु मार्ग |
|---|---|
| 1. | दिल्ली-आगरा-जयपुर |
| 2. | दिल्ली-जयपुर-उदयपुर-अहमदाबाद-बम्बई |
| 3. | दिल्ली-जयपुर-उदयपुर-औरंगाबाद-बम्बई |
| 4. | दिल्ली-जयपुर-जैसलमेर |

राजस्थान में वर्तमान में कुल 8 हवाई अड्डे एवं 18 हवाई पट्टियाँ हैं। इनमें तीन हवाई अड्डे क्रमश: जयपुर, कोटा एवं उदयपुर हवाई अड्डा ऑथोरिटी ऑफ इण्डिया से तथा पाँच हवाई अड्डे क्रमश: बीकानेर, जोधपुर, सूरतगढ़, जैसलमेर एवं बाड़मेर भारतीय वायुसेना के है। 18 हवाई पट्टियों में से 2 हवाई पट्टियां कांकरोली एवं पिलानी क्रमश: जे.के. एवं बिड़ला ग्रुप की तथा 16 हवाई पट्टियां राज्य सरकार के अधीन है। जैसलमेर में राज्य का पाँचवा सिविल एयरपोर्ट बनाया जा रहा है। बाड़मेर में उत्तरलाई वायुसेना हवाई अड्डा एवं बीकानेर में नाल हवाई अड्डा है जो भूमिगत सैनिक हवाई अड्डा है। किशनगढ़ (अजमेर) में भी हवाई अड्डा निर्माण किया जाना प्रस्तावित है। सांगानेर जयपुर से 7 फरवरी, 2002 को दुबई के लिए वायुयान सेना शुरू की गई। केन्द्र सरकार द्वारा सांगानेर हवाई अड्डे को 29 दिसम्बर, 2005 को अन्तर्राष्ट्रीय हवाई अड्डा का दर्जा दिया गया तथा अन्तर्राष्ट्रीय हवाई अड्डे का दर्जा देने सम्बन्धी अधिसूचना फरवरी, 2006 में जारी की गई। यह देश का 14 वां अन्तर्राष्ट्रीय हवाई अड्डा हो गया है। सांगानेर हवाई अड्डे से शारजहा, दुबई एवं मस्कट के लिए अन्तर्राष्ट्रीय विमान सेवाएं उपलब्ध है। जोधपुर में नया सिविल एयरपोर्ट बनाया जाऐगा। राज्य में 20 दिसम्बर, 2006 को नागर विमानन निगम की स्थापना की गयी है। (सारणी-64) जोधपुर और बीकानेर के हवाई अड्डे सामरिक दृष्टि से महत्त्वपूर्ण है। बीकानेर एवं सूरतगढ़ के हवाई अड्डे भूमिगत है और बीकानेर भारत के सर्वश्रेष्ठ सैनिक हवाई अड्डों में से एक है। जोधपुर अन्तर्राष्ट्रीय महत्त्व का वायुसेना का हवाई अड्डा है जहाँ प्रशिक्षण सुविधा भी उपलब्ध है। इण्डियन एयरलाइन्स एवं वायुदूत की हवाई सेवाओं के कारण राज्य में राष्ट्रीय व अन्तर्राष्ट्रीय पर्यटकों की संख्या में काफी वृद्धि हो रही है। जयपुर को अन्तर्राष्ट्रीय हवाई अड्डा बनाया गया तथा राज्य के कुछ अन्य महत्वपूर्ण शहर व नगर जैसे गंगानगर, अजमेर तथा कोटा यदि अन्तर्राष्ट्रीय हवाई मानचित्र पर आ गऐ है जिससे राज्य की अर्थव्यवस्था और तेज गति पकड़ रही है।

**सारणी-64 : राज्य के प्रमुख अन्तर्राष्ट्रीय वायुमार्ग**

| क्र.सं. | मार्ग | आरम्भ दिनांक |
|---|---|---|
| 1. | जयपुर-दुबई मार्ग | 7 फरवरी, 2002 |
| 2. | जयपुर-दिल्ली-बैंकाक | 15 अक्टूबर, 2003 |

उपरोक्त विवरणोपरान्त कहा जा सकता है यद्यपि राजस्थान में परिवहन विकास करने की बहुत आवश्यकता है लेकिन विषम भौतिक दशाओं के कारण यहाँ पर परिवहन मार्गों का सघन जमाव नहीं हो सकता है। राज्य में व्यवस्थित परिवहन नीति को बनाकर उसे क्रियान्वित किया जाना चाहिए। साथ ही विभिन्न प्रदेशों में जो आर्थिक प्रादेशिक सन्तुलन पाया जाता है, उसे कम करना चाहिए। केन्द्र सरकार व विशेष अनुदान के माध्यम से परिवहन मार्गों को आवश्यकतानुसार विकसित किया जाना चाहिए।

## डाक एवं दूरसंचार सेवाएं

संचार एक महत्त्वपूर्ण साधन है जिसके द्वारा एक क्षेत्र अन्य क्षेत्रों से सम्पर्क बनाता है। संचार के साधनों में डाक-तार, टेलिफोन, टेलिप्रिंटर, आकाशवाणी व दूरदर्शन है। राजस्थान निर्माण से पूर्व राज्य में केवल 1,167 डाकखाने थे जो स्वतंत्रता प्राप्ति के बाद केन्द्र

के अधीन हो गए। इस समय देश के 16 डाक परिमण्डलों में से राजस्थान में भी एक परिमण्डल स्थापित है। यह डाक परिमण्डल दो क्षेत्रों में विभाजित हैं पूर्वी व पश्चिमी। पूर्वी क्षेत्र के निदेशक का मुख्यालय जयपुर में है जिसका कार्य क्षेत्र जयपुर, अजमेर, चित्तौड़गढ़, भीलवाड़ा, उदयपुर, डूँगरपुर, अलवर, भरतपुर, सवाई माधोपुर, कोटा व धौलपुर हैं। पश्चिमी क्षेत्र के निदेशक का मुख्यालय जोधपुर में हैं जिसका कार्य क्षेत्र जोधपुर, बाड़मेर, श्रीगंगानगर, नागौर, सीकर, चुरू, झुंझुनूं, बीकानेर, पाली व सिरोही है।

दूरसंचार अर्थव्यवस्था के विविध क्षेत्रों के तीव्र विकास एवं आधुनिकीकरण की प्रमुख सहायक सेवा है। हाल के वर्षों में प्रौद्योगिकी के तीव्र विकास एवं अर्थव्यवस्था पर इसके सार्थक प्रभाव के कारण यह अधिक महत्वपूर्ण हो गया है।

डाक एवं दूरसंचार सेवाएं अर्थव्यवस्था को विकसित करने का एक साधन है तथा राज्य के विभिन्न क्षेत्रों, खण्डों एवं समुदायों को जोड़ने का कार्य भी करता है। दिसम्बर, 2022 के अन्त तक राज्य में कुल डाकघरों की संख्या 10,290 और मार्च, 2022 तक कुल टेलीकॉम उपभोक्ताओं की संख्या 6.39 करोड़ थी। राज्य में डाकघरों तथा टेलीकॉम उपभोक्ताओं की 2022 तक की स्थिति सारणी-65 में दर्शाई गई है :-

**सारणी-65 : राज्य में डाकघरों एवं टेलीकॉम उपभोक्ताओं की स्थिति**

| क्र.सं. | मद | इकाई | 2022-23 |
|---|---|---|---|
| 1. | डाकघर | संख्या | 10,290* |
| (अ) | ग्रामीण | संख्या | 9,678 |
| (ब) | शहरी | संख्या | 612 |
| 2. | टेलीकॉम उपभोक्ता (तार रहित + तार सहित) | करोड़ | 6.39** |
| (अ) | तार रहित उपभोक्ता | करोड़ | 6.32 |
| (ब) | तार सहित उपभोक्ता | करोड़ | 0.069 |

* दिसम्बर 2022 तक

**मार्च, 2022 तक

**व्यापार**

किसी भी क्षेत्र की आर्थिक समृद्धि को, दूसरे प्रदेशों के साथ उसके व्यापार की मात्रा एवं स्वरूप द्वारा मापा जाता है। सभी क्षेत्र अपने आवश्यकता की वस्तुएँ नहीं उत्पन्न करते। विभिन्न पदार्थों के उत्पादन के लिए विभिन्न कारक जिम्मेवार होते है चाहे वे कृषि, औद्योगिक अथवा खनिज सम्पदा उत्पादन हो या आर्थिक मूल्य की उन कोई वस्तु हो।

राजस्थान का एक वृहत् भाग मुख्यत: अरावली श्रेणियों के पश्चिम का भाग, बालुमय और शुष्क प्रदेश है। ऐसे प्रदेश में कृषि कार्य की अनेक सीमाएँ होती है। बाजरा और दालें मुख्य कृषि उत्पादन है और जहाँ सिंचाई सम्भव है, जैसे गंगानगर में वहाँ कपास, चना और गेहूँ भी उगाया जाता है।

राज्य विभिन्न प्रकार के खनिजों में समृद्धि है परन्तु वर्तमान समय में उत्पादन कुछ चुने हुए क्षेत्रों तक ही सीमित हैं तथा कोयले का उत्पादन अत्यन्त कम है।

राज्य में मुख्यत: कृषि प्रधान है और इस प्रकार आन्तरिक और बाह्य व्यापार में भारी वस्तुओं का संचालन होता है।

राजस्थान के मुख्य आयात है-कोयला और कोक, लोहे-अयस्क, मिट्टी का तेल (केरोसिन), खंडसारी, गुड़, गेहूँ, चावल, कपास, काँच, बाजरा, मूँगफली, वनस्पति तेल और काफी संख्या में और संख्या में और वस्तुएँ।

राजस्थान के व्यापार का भविष्य, भारत के विभिन्न भागों में बसे हुए कुशल मारवाड़ी व्यापारियों को देखकर कोई भी व्यक्ति यह अनुमान लगा सकता है कि राजस्थान के मरुस्थल, इतिहास और संस्कृति से भी ज्यादा महत्त्व व्यापार का रहा होगा। प्राचीन काल में सांभर का नमक, चूना और दूसरी वस्तुएँ बाहर भेजी जाती थी लेकिन अब समय के साथ परिस्थितियाँ बदलने से व्यापार की वस्तुओं का क्रम भी बदला। राजस्थान में इंदिरा गांधी नहर बन जाने पर और खनिजों एवं पशुओं पर विकसित होने वोल उद्योगों की स्थापना होने पर राजस्थान के व्यापार में परिवर्तन अवश्यम्भावी है। इस व्यापार में राजस्थान से सूती,

ऊनी कपड़ा, रासायनिक खाद, दवाइयाँ, चमडे का सामान, दूध, मक्खन आदि दुग्ध से निर्मित सामान। खनिजों में जस्ता, तांबा, अभ्रक, सोप स्टोन पाउडर, एसबेस्टस, इमारती काम के पत्थर, सीमेन्ट, लोहे के समान और मशीनें आदि का निर्यात होने लगेगा। कृषि फार्म और विकास के साथ ट्रैक्टर, मोटरें, ट्रॉलियाँ, कम्बाईण्ड हारवेस्टर, क्रीम तैयार करने की मशीनें, कागज आदि आयात किए जाते हैं।

आजकल राजस्थान के मारवाड़ी व्यापारियों की रुचि भी राजस्थान के औद्योगिक विकास की ओर बढ़ती जा रही है। अत: राजस्थान में व्यापार का भविष्य बहुत उज्ज्वल है।

## निर्यात

राज्य सरकार ने निर्यात की पहचान आर्थिक विकास के लिए एक महत्वपूर्ण क्षेत्र के रूप में की है। राज्य से निर्यात का महत्व न केवल देश के राजस्व के लिए विदेशी मुद्रा अर्जित करने में निहित है, बल्कि राज्य को अप्रत्यक्ष लाभ जैसे बाजार के अवसरों का विस्तार, उत्पाद की गुणवत्ता में सुधार और संयंत्र, मशीनरी व विनिर्माण प्रक्रिया के संचालन तकनीकी में उन्नयन तथा अधिक रोजगार के अवसर आदि के संदर्भ में भी है।

राजस्थान से निर्यात होने वाली शीर्ष पाँच वस्तुओं में इंजीनियरिंग वस्तुएं, कपड़ा, धातुए, हस्तशिल्प वस्तुएं और रासायनिक एवं सम्बद्ध हैं, जिनका राज्य से होने वाले निर्यात में 60 प्रतिशत से अधिक योगदान है। वित्तीय वर्ष 2021-22 में कुल निर्यात रुपये 71,999.72 करोड़ हुआ है।

राजस्थान से वर्ष 2017-18 से 2021-22 तक किए गए निर्यातों का विवरण सारणी-66 एवं चित्र में दर्शाया गया है।

राज्य, निर्यात के व्यापक विस्तार के लिए निरन्तर विभिन्न प्रोत्साहन पहलों को प्रारम्भ करने में प्रयासरत है, जो कि निम्नानुसार दिए गए है:-

**मिशन निर्यातक बनो :** राज्य के निर्यात क्षेत्र को प्रोत्साहित करने के लिए दिनांक 29 जुलाई, 2021 को एक अनूठी पहल मिशन निर्यातक बनों प्रारम्भ की गई है। उक्त मिशन के अन्तर्गत राज्य के विभिन्न जिलों में स्थित औद्योगिक इकाईयों के आधार पर नवीन निर्यातक बनाने हेतु लक्ष्य आवंटित किये गये है। कुल 22,731 नवीन निर्यातक बनाने का लक्ष्य जिलों को आवंटित किया गया है। दिसम्बर, 2022 तक राज्य में 8,527 उद्यमियों को आयात-निर्यात कोड (आई.ई.सी.) जारी किये गये हैं और नियांत सबंधी प्रक्रियाओं एवं दस्तावेजीकरण के संबंध में उनके लिए प्रशिक्षण कार्यक्रमों का आयोजन किया जा रहा है। इसी क्रम में सभी संभागीय मुख्यालयों पर दो दिवसीय प्रशिक्षण कार्यक्रमों का आयोजन किया गया। कार्यक्रम के अन्तर्गत राज्य से नवीन निर्यातकों को प्रथम निर्यात निर्गम तक की पूर्ण सहायता प्रदान की जाएगी। राजस्थान निर्यात संवर्द्धन परिषद (आर.ई.पी.सी.) द्वारा 5 दिसम्बर, 2022 को राज्य में मिशन निर्यातक बनो का दूसरा चरण प्रारम्भ किया गया।

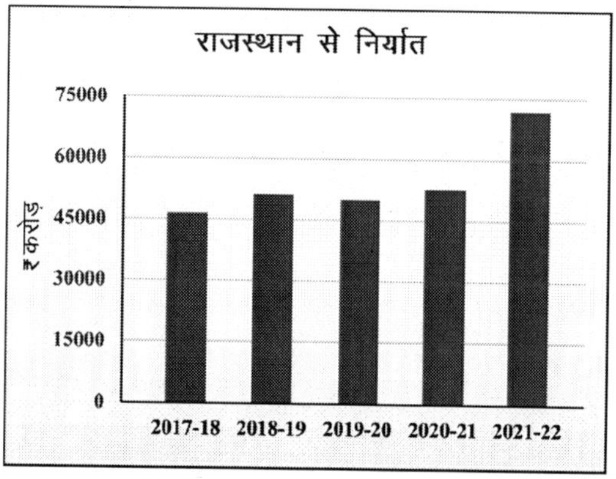


**राज्य निर्यात पुरस्कार योजना :** निर्यात को प्रोत्साहित करने हेतु राज्य के उत्कृष्ट निर्यातकों को पुरस्कृत करने हेतु राज्य निर्यात पुरस्कार योजना-2019 लागू की गई है। योजनान्तर्गत 15 श्रेणियों में 32 पुरस्कार एवं एक लाइफटाइम एक्सपोर्ट रत्न अवार्ड सहित अधिकतम 33 पुरस्कार प्रदान किये जाने का प्रावधान है। वर्ष 2019-20 के लिए 28 उत्कृष्ट निर्यातकों एवं एक लाइफटाइम एक्सपोर्ट रत्न अवार्ड पुरस्कार सहित कुल 29 निर्यातक इकाईयों को 17 सितम्बर, 2022 को एमएसएमई दिवस पर राज्य स्तरीय कार्यक्रम में पुरस्कृत किया गया है।

**सारणी-66 : राजस्थान से निर्यात**

(रु. करोड़ में)

| क्र.सं. | उत्पाद | 2017-18 | 2018-19 | 2019-20 | 2020-21 | 2021-22 |
|---|---|---|---|---|---|---|
| 1 | कपड़ा | 5667.30 | 6750.11 | 6165.79 | 5729.29 | 9251.39 |
| 2 | कृषि एवं खाद्य उत्पाद | 4204.84 | 4525.87 | 3708.96 | 3740.65 | 5180.17 |
| 3 | जवाहरात एवं आभूषण | 5264.38 | 5737.55 | 5109.60 | 4067.36 | 6811.04 |
| 4 | अभियांत्रिकी | 7350.17 | 7632.99 | 7674.76 | 7781.81 | 11966.12 |
| 5 | धातु : 1. लौह | 935.07 | 970.59 | 1216.60 | 1102.94 | 1436.00 |
| | 2. अलौह | 4065.19 | 3343.21 | 3182.29 | 4180.75 | 6802.57 |
| 6 | आयामी संगमरमर पत्थर, ग्रेनाइट तथा अभ्रक पत्थर की वस्तुएं आदि | 3172.40 | 3354.58 | 3208.81 | 4080.22 | 4481.15 |
| 7 | खनिज ईंधन, खनिज तेल और उत्पाद, बिटुमिन्स पदार्थ, खनिज वैक्स, अयस्क, स्लैग एवं ऐश | 138.96 | 168.96 | 871.39 | 842.34 | 1393.34 |
| 8 | इलेक्ट्रॉनिक्स और कम्प्यूटर सॉफ्टवेयर | 2531.42 | 2833.24 | 2729.70 | 3016.01 | 464.73 |
| 9 | ऊन एव ऊनी कपड़े | 91.73 | 139.11 | 130.74 | 62.31 | 133.47 |
| 10 | रासायनिक एवं सम्बद्ध | 4231.55 | 5901.94 | 4260.30 | 5016.53 | 6995.14 |
| 11 | ड्रग्स और फार्मास्यूटिकल्स | 604.64 | 1027.35 | 1899.69 | 2268.39 | 2577.60 |
| 12 | प्लास्टिक एवं लिनालियम | 922.87 | 896.85 | 1178.65 | 1337.58 | 2030.83 |
| 13 | हस्तशिल्प | 3701.55 | 4825.42 | 5219.48 | 6205.32 | 7830.07 |
| 14 | चमड़ा एवं चर्म उत्पाद | 296.89 | 356.85 | 226.25 | 193.43 | 298.59 |
| 15 | तैयार वस्त्र | 1831.51 | 2078.28 | 2073.20 | 1764.40 | 2561.09 |
| 16 | कालीन (ड्यूरीज) | 1095.32 | 625.67 | 563.08 | 464.70 | 706.18 |
| 17 | अन्य | 371.13 | 9.84 | 526.81 | 910.28 | 1080.24 |
| | **योग** | **46476.92** | **51178.40** | **49946.10** | **52764.31** | **71999.72** |

# अध्याय 21

## जनसंख्या
## Population

राजस्थान की जनसंख्या 6.85 करोड़ (2011) जो 3,42,239 वर्ग किलोमीटर क्षेत्रफल में बसी हुई है। यह राज्य देश के कुल क्षेत्रफल का 10.43 प्रतिशत क्षेत्र आवृत्त करता है लेकिन इसकी जनसंख्या सिर्फ 5.66 प्रतिशत है। जनसंख्या की दृष्टि से भारत गणराज्य में इसका क्रम आठवाँ आता है।

सारणी-67 में राजस्थान की जनसंख्या लगभग 6.85 करोड़ व्यक्ति आंकी गई। 2001 में यह लगभग 5.65 करोड़ व्यक्ति इस प्रकार 2001-2011 की अवधि में 2001 की जनसंख्या में लगभग 120 लाख व्यक्तियों की बढोतरी हुई जो 21.30% वृद्धि को सूचित करती है। इसी अवधि में भारत की जनसंख्या में 17.7% की वृद्धि हुई थी इस प्रकार 2001-2011 के दशक में राजस्थान में जनसंख्या की वृद्धि समस्त भारत की तुलना में लगभग 3.6% अधिक हुई है।

### राजस्थान राज्य में जनसंख्या की क्रमिक वृद्धि (Successive Growth of Population in the State of Rajasthan)

राज्य में 1901 से 2011 तक जनगणना के आँकड़ों को देखने से ज्ञात होता है कि राजस्थान राज्य की जनगणना 1901 में सिर्फ 103 लाख ही थी वह बढ़कर 2011 में 6.85 करोड़ (सारणी-67) हो गई। (मानचित्र 95)

2011 की जनगणना के अनुसार 1 मार्च, 2011 को सूर्योदय के समय राजस्थान की जनसंख्या लगभग 6.85 करोड़ व्यक्ति आँकी गई हैं।

सारणी-67 से स्पष्ट होता है कि 1951-2011 के 60 वर्षों में राजस्थान की जनसंख्या 1.60 करोड़ से बढ़कर 6.85 करोड़ हो गई, अर्थात् इसमें 5 करोड़ 25 लाख की वृद्धि हो गई। शुरू में 1901-51 के पचास वर्षों में इसमें केवल 57 लाख की वृद्धि हुई थी। ध्यान देने की बात है कि 1901-61 के 60 वर्षों में राजस्थान की जनसंख्या में लगभग 99 लाख की वृद्धि हुई, जबकि 2001-2011 के दस वर्षों में इसमें 1.20 करोड़ की वृद्धि दर्ज की गई है। इसमें हाल के दशक में जनसंख्या की तीव्र का अनुमान लगाया जा सकता है।

**सारणी-67**
**जनसंख्या की दस वर्षीय वृद्धि (1901-2011)**

| वर्ष | जनसंख्या (करोड़ में) | दस वर्षीय वृद्धि (लाखों मे) | दस वर्षीय दर (% में) |
|---|---|---|---|
| 1901 | 1.03 | - | - |
| 1911 | 1.10 | 7 | 6.70 |
| 1921 | 1.03 | (-)7 | (-)6.29 |
| 1931 | 1.17 | 14 | 14.14 |
| 1941 | 1.39 | 22 | 18.01 |
| 1951 | 1.60 | 21 | 15.20 |
| 1961 | 2.02 | 41 | 26.20 |
| 1971 | 2.58 | 57 | 27.83 |
| 1981 | 3.43 | 85 | 32.97 |
| 1991 | 4.40 | 97 | 28.44 |
| 2001 | 5.65 | 125 | 28.41 |
| 2011 | 6.85 | 120 | 21.30 |

स्रोत : भारतीय जनगणना रिपोर्ट, 2011

जनसंख्या का वितरण सम्पूर्ण राज्य में एक समान नहीं है। जनसंख्या की औसत सघनता 200 मनुष्य प्रति वर्ग किलोमीटर है। राज्य में जनसंख्या का घनत्व देश, जहाँ की सघनता की तुलना में कम है। जनसंख्या की सघनता इस कारण कम है क्योंकि अधिकांश पश्चिमी और उत्तर-पश्चिमी भाग शुष्क और अर्द्धशुष्क हैं और

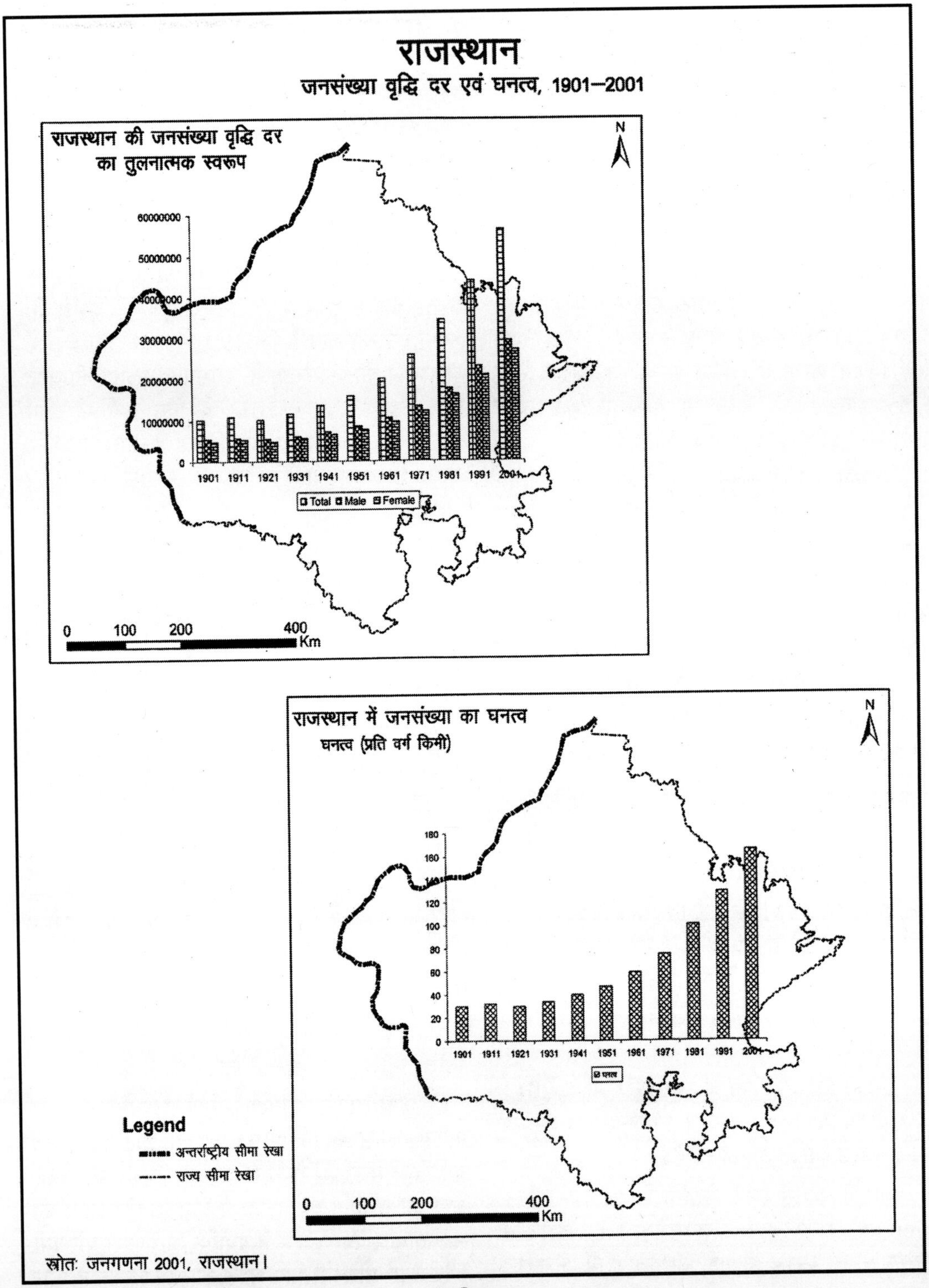
राजस्थान
जनसंख्या वृद्धि दर एवं घनत्व, 1901–2001
राजस्थान की जनसंख्या वृद्धि दर
का तुलनात्मक स्वरूप
N
60000000
50000000
40000000
30000000
20000000
10000000
0
1901 1911 1921 1931 1941 1951 1961 1971 1981 1991 2001
Total Male Female
0 100 200 400 Km
राजस्थान में जनसंख्या का घनत्व
घनत्व (प्रति वर्ग किमी)
N
180
160
140
120
100
80
60
40
20
0
1901 1911 1921 1931 1941 1951 1961 1971 1981 1991 2001
0 100 200 400 Km
Legend
अन्तर्राष्ट्रीय सीमा रेखा
राज्य सीमा रेखा
स्रोत: जनगणना 2001, राजस्थान।

मानचित्र 95

# राजस्थान

## *जनसंख्या का घनत्व*

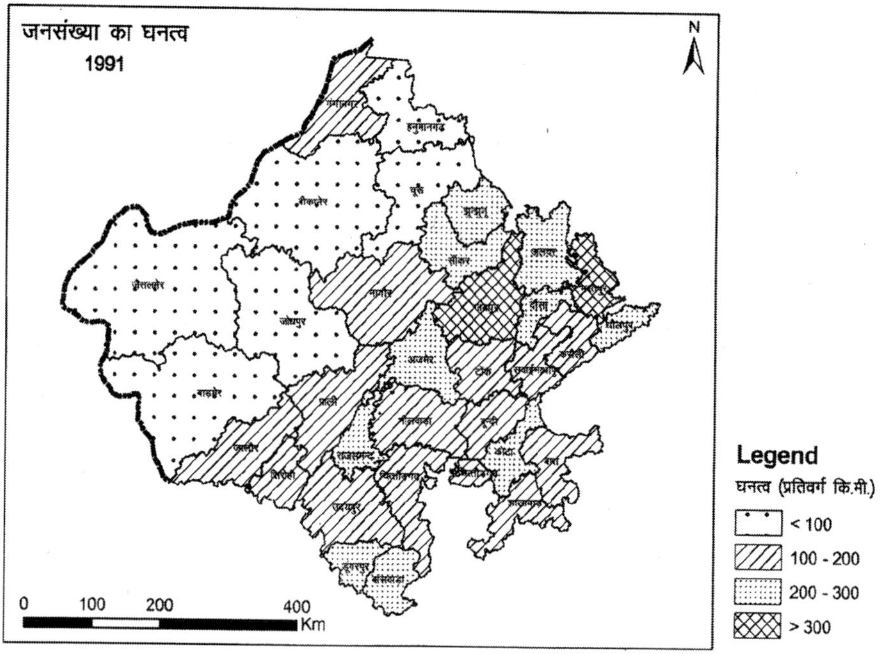


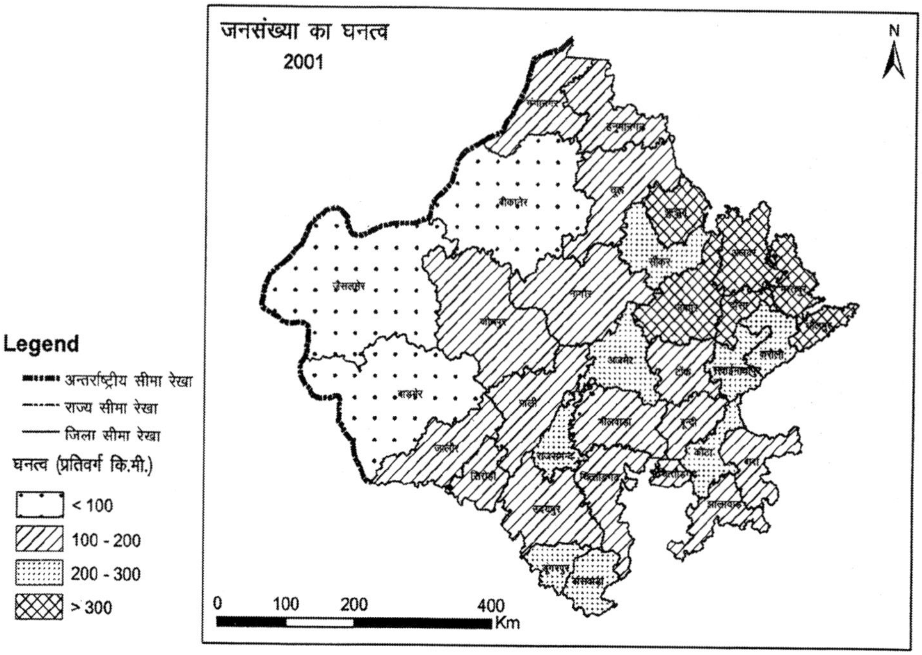


स्रोतः जनगणना 2001, राजस्थान।

**मानचित्र 96**

स्थाई तथा जगह बदलने वाले बालुका-स्तूपों से आवृत्त हैं। लगभग 75.0 प्रतिशत जनसंख्या विभिन्न आकार के गांवों में रहती है और शेष 25 प्रतिशत शहरी केन्द्रों में रहती है। भारतवर्ष के दूसरे राज्यों की तुलना में राजस्थान की जनसंख्या की सघनता, कुल जनसंख्या और क्षेत्रीय वितरण में तीव्र वैषम्य दिखाती है। (मानचित्र 96)

राजस्थान की जनसंख्या के वितरण के विस्तृत मानचित्र से ज्ञात होगा कि वितरण अनेक कारकों से नियन्त्रित होता है, हालांकि वितरण के मोटे प्रकार भू-गर्भ-रचना, उच्चावच, जलवायु, प्राकृतिक वनस्पति और विभिन्न क्षेत्रों में कृषि सम्भावनाओं द्वारा जाने जा सकते हैं। उत्तर-पूर्व से दक्षिण-पश्चिम राज्य के आर-पार लगभग 550 किलोमीटर लम्बाई में फैली हुई अरावली के पश्चिम और उत्तर-पश्चिम की ओर घटती है तथा पूर्व और उत्तर-पूर्व की ओर बढ़ती है।

## सामान्य सघनता

सामान्य सघनता के से स्पष्ट है कि अरावली के पूर्व में जनसंख्या की सघनता 101 से 201 व्यक्ति वर्ग किलोमीटर के बीच है। सघनता राज्य के उत्तर-पूर्व के ट्रांस-यमुना के क्षेत्र के झुंझुनु, सीकर, जयपुर, भरतपुर और अलवर जिलों में उच्चतम है। इन जिलों में सघनता 201 से 251 से अधिक व्यक्ति प्रति वर्ग किलोमीटर के बीच है। 50 से कम व्यक्ति प्रति वर्ग किलोमीटर की निम्नतम सघनता बीकानेर, बाड़मेर और जैसलमेर जिलों में है जबकि अन्तिम जिले में व्यक्ति प्रति वर्ग किलोमीटर की न्यूनतम सघनता पाई जाती है। सघनता के मानचित्र में प्रदर्शित जनसंख्या के इस असमान वितरण के कारणों को खोजना मुश्किल नहीं है। जनसंख्या के मुख्यत: ग्रामीण और कृषक होने से, सघनता उन क्षेत्रों में ऊँची है जो कृषि के लिए उपयुक्त हैं, जहाँ जलापूर्ति निश्चित है और धरातल अधिक समान है।

जनसंख्या की सघनता अनेक कारकों का परिणाम है जैसे भौतिक, सामाजिक, कृषि सम्बन्धी एवं ऐतिहासिक-वास्तव में सम्पूर्ण भौतिक, आर्थिक और सांस्कृतिक वातावरण उसे प्रभावित करता है। इन सभी में भौतिक कारक सबसे महत्त्वपूर्ण हैं। यह एक सामान्य तथ्य है कि जनसंख्या उपजाऊ क्षेत्रों के चारों ओर केन्द्रित होती है यह न केवल गाँवों के लिए वरन् वृहत् क्षेत्रों के लिए भी लागू होता है। यदि रूकावट के कोई विशेष कारण नहीं है तो गाँव की उत्तम जमीनें गाँव के पास ही पाई जाती हैं। इस कारण से भी सामान्यतया इस क्षेत्र के अधिक उपजाऊ भाग अधिकांशत: घने बसे होते हैं। राजस्थान में जनसंख्या पूर्व से पश्चिम को घटती गई है। (मानचित्र 97)

## जनसंख्या को प्रभावित करने वाले कारक

**स्थलाकृति**—धरातलीय स्वरूप इस राज्य में जनसंख्या के वितरण और उसकी सघनता को निर्धारित करने में महत्त्वपूर्ण भाग लेते हैं। जनसंख्या के बड़े समूह समतल क्षेत्रों में पाए जाते हैं, जहाँ वर्षा अथवा सिंचाई द्वारा उत्तम जलपूर्ति है। ऐसे क्षेत्रों में पर्याप्त जल-पूर्ति के साथ भूमि का उपजाऊपन और अन्नोत्पादन भी प्रमुख कारक हैं। पूर्वी मैदानी क्षेत्रों में और कुछ सीमा तक पश्चिम में लूनी बेसिन और उपोच्च क्षेत्र में नदी घाटियों में जनसंख्या वृहत्तर रूप से केन्द्रित है। इन मैदानों में जनसंख्या की उच्च सघनता, सामान्य रूप से और ट्रान्स-यमुना क्षेत्र में विशेष रूप से, इस बात की सूचक है कि यह क्षेत्र उत्तम अन्न-उत्पादक क्षेत्र है। मिट्टियों का नवीनीकरण, नदियों द्वारा पहाड़ियों से लाए हुए मलबे पदार्थ से होता है और यह क्रिया निम्नवर्ती क्षेत्रों को उपजाऊ बनाती है।

राज्य के दक्षिणी-पूर्वी भाग में घनी जनसंख्या के कुछ क्षेत्र हैं। ऐसे क्षेत्र निम्न ऊँचाई के उत्तम जलापूर्ति वाले क्षेत्र हैं जहा वर्षा भारी और अधिक नियमित हैं।

अरावली के पश्चिम में सिरोही, पाली, सीकर और झुंझुनूं जिलों को छोड़कर सम्पूर्ण क्षेत्र पश्चिमी बालुका मैदानों में है जिसमें शुष्क और अर्द्धशुष्क क्षेत्र शामिल हैं। इस क्षेत्र के एक विशाल भाग में चरम शुष्क दशाएँ है। वर्षा के अधिकांश भाग में तापक्रम बहुत ऊँचा रहता है, सिंचाई सुविधाएँ प्राय: नहीं हैं (केवल इन्दिरा गांधी नहर द्वारा सिंचित क्षेत्र को छोड़कर) और जमीन बालू के विस्तृत फैलावों से आवृत्त है, जिसके परिणामस्वरूप जनसंख्या की सघनता बहुत कम है।

# राजस्थान

## *ग्रामीण व नगरीय जनसंख्या का वितरण, 2001*

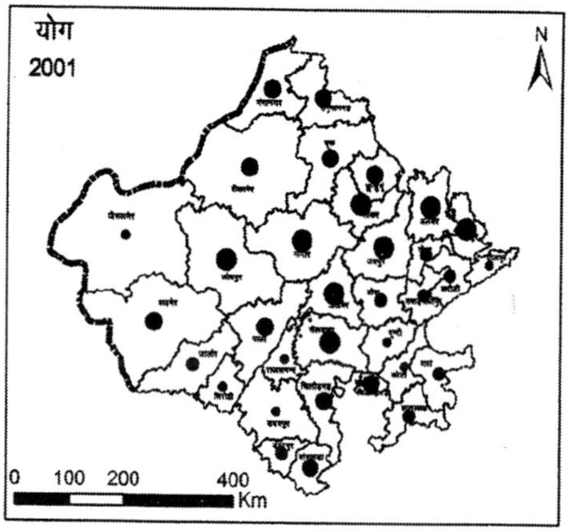


**Legend**

- < 1000000
- 1000000 - 1500000
- 1500000 - 2000000
- > 2000000

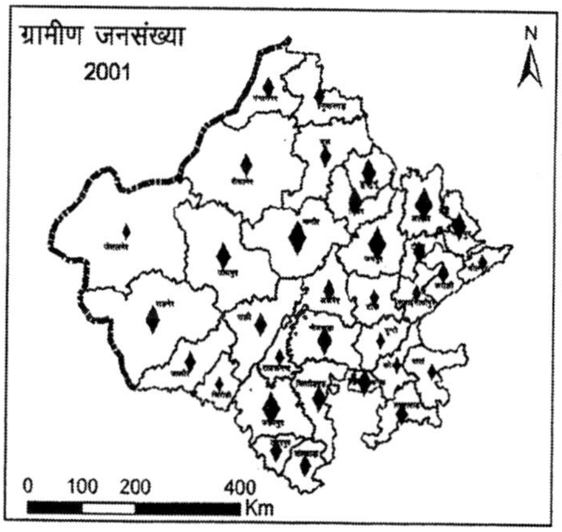


**Legend**

- < 1000000
- 1000000 - 1500000
- 1500000 - 2000000
- > 2000000

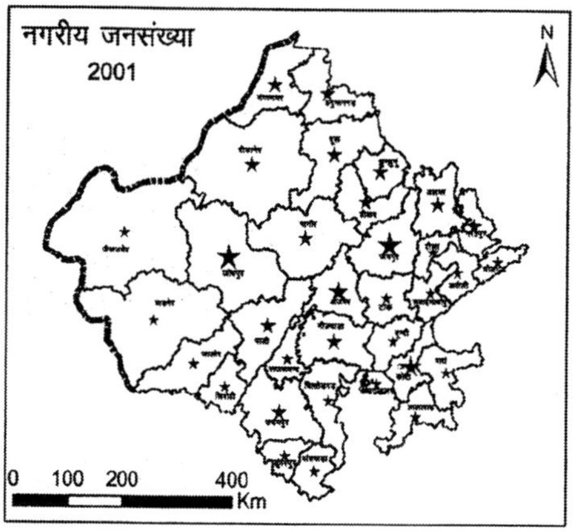


**Legend**

- अन्तर्राष्ट्रीय सीमा रेखा
- राज्य सीमा रेखा
- जिला सीमा रेखा
- < 300000
- 300000 - 600000
- 600000 - 900000
- > 900000

स्रोत जनगणना प्रतिवेदन, राजस्थान।

मानचित्र 97

लूनी नदी ही पश्चिम में एक धारा है और वह भी अनवरत नहीं है। इस नदी एवं कुछ छोटी नदियों द्वारा प्रवाहित लूनी बेसिन अक्सर बाढ़ ग्रस्त हो जाता है; इसके परिणामस्वरूप जलोढ़ पदार्थ जमा हो जाता है जो कुछ गेहूँ उत्पन्न करता है। इस प्रदेशमें दूरस्थ और पश्चिम के प्रदेश की अपेक्षा अधिक जनसंख्या है।

**वर्षा**—जनसंख्या की सघनता और वर्षा में सम्बन्ध है। प्राय: यह कहा जाता है कि वर्षा, मिट्टी का उपजाऊपन और धरातल का स्वरूप संयुक्त रूप से जनसंख्या की सघनता को नियंत्रित करते हैं। हालांकि यह मोटा नियम है जिसके अनेक अपवाद हैं और यह सदैव लागू भी नहीं होता। राजस्थान में सघनता पश्चिम से पूर्व की ओर और दक्षिण-पश्चिम से उत्तर-पूर्व की ओर बढ़ती है। राज्य के सबसे सूखे भाग जैसलमेर की सघनता निम्नतम है जहाँ की वार्षिक वर्षा 100 मिलीमीटर है। जबकि उत्तर-पूर्व में अलवर और भरतपुर की सघनता लगभग 251 से अधिक प्रति व्यक्ति वर्ग-किलोमीटर है,जो राज्य में उच्चतम है, परन्तु दक्षिण-पूर्व के कुछ जिलों में, जैसे झालावाड़ में, वर्षा उत्तर-पूर्व के क्षेत्र से अधिक होते हुए भी, सघनता कम है-केवल 154 व्यक्ति प्रति किलोमीटर। दक्षिण में अरावली के पूर्वी किनारे पर स्थित डूँगरपुर में लगभग 90 मिली. वर्षा होती है। यद्यपि यह क्षेत्र पश्चिम में उदयपुर जिले की अपेक्षा अधिक पहाड़ी और ऊबड़-खाबड़ है तो भी यहाँ की सघनता 232 व्यक्ति प्रति वर्ग किलोमीटर है जो उदयपुर की 167 व्यक्ति वर्ग किलोमीटर की सघनता से बहुत अधिक है। यह डूँगरपुर के छोटे क्षेत्रफल और कृषि के लिए उपलब्ध उत्तम एवं उपजाऊ भूमि के कारण है। यहाँ की जनसंख्या में आदिम जाति के लोग हैं, जैसे 'भील' और 'मीना' जिनके रहन-सहन का स्तर निम्नतर है।

**अधिवास**—पश्चिमी राजस्थान में सम्पूर्ण मारवाड़ का शुष्क मैदान और जैसलमेर, बाड़मेर तथा बीकानेर के भाग शामिल हैं। 50 मनुष्य प्रति वर्ग किलोमीटर से निम्नतर सघनता बीकानेर, बाड़मेर और जैसलमेर जिलों में है। 9 मनुष्य प्रति वर्ग किलोमीटर की निम्नतम सघनता जैसलमेर में है। इस सम्पूर्ण प्रदेश में वर्षा कम होती है, जलवायु की दशाएँ रहने के योग्य नहीं हैं, धरातलीय स्वरूप, वायु द्वारा उड़ाई गई रेत के धोरों से निर्मित हैं और जल-प्रवाह विलक्षण रूप से आन्तरिक है। इसके बावजूद भी मनुष्य, राज्य के इन दूरस्थ भागों में रहने में सफल हुआ है। बहुत से अधिवास, जैसे नोख, बाप, बीकमपुर, गिरासार, सिहार और अन्य बहुत से, इस क्षेत्र में विकसित हुए हैं। जलपूर्ति कुओं से की जाती है जो कभी-कभी 50 मीटर या इससे भी अधिक गहरे होते हैं, जैसे फलोदी के उत्तर-पश्चिम में, जहाँ वार्षिक वर्षा 250 मिलीमीटर से कम है। इस भाग में धन्वाकार बालू टीबों की शृंखलाएँ 30 मीटर से भी अधिक औसत ऊँचाई के साथ जमीन को आवृत्त किए हैं। उत्तर-पश्चिम की ओर गंगानगर के उन क्षेत्रों में, जहाँ सिंचाई उपलब्ध है, भूमि का कुछ भाग उद्धृत कर लिया गया है। जैसलमेर, बीकानेर और उत्तर-पश्चिम बाड़मेर के एकदम पश्चिमी भागों में वर्षा 100 मिलीमीटर से 250 मिलीमीटर के बीच होती है जो किसी भी प्रकार की कृषि-क्रियाओं के लिए अपर्याप्त है। गडरा रोड से फलसूण्ड जाने वाली सड़क, उत्तरी जैसलमेर मरुस्थल में सीफ या लम्बाकार बालुका-स्तूप हैं और दक्षिणी भाग में बरखान टाइप या अनुप्रस्थ बालुका-स्तूप हैं और दक्षिण में स्तूप ज्यादा ऊँचे हैं-जमीन के तल से औसतन 50 से 100 मीटर ऊँचे। वे अधिक स्थाई हैं क्योंकि वे हवा द्वारा हटाए नहीं जा सकते। इन स्थाई स्तूपों के परिणामस्वरूप जनसंख्या की सघनता मिलती है। अर्थात् जैसलमेर क्षेत्र के 9 व्यक्ति प्रति वर्ग किलोमीटर की तुलना में औसतन 50 व्यक्ति प्रति वर्ग किलोमीटर की सघनता है। बाड़मेर से भिमरलाई जाने वाले रेल-लाइन इसी प्रदेश से जाती है जहाँ उथले बेसिन (वातगर्त्त) विकसित हैं, जो ग्रामीण अधिवासों द्वारा अधिकृत हैं। बाड़मेर जिसकी जनसंख्या 55,554 हैं, इस क्षेत्र का सबसे बड़ा व्यापारिक नगर है, जो जुरैसिक बालुका-पत्थर पहाड़ियों से उत्कृष्ट और अवशिष्ट पहाड़ियों से अंकित एक अपक्रमित पीडमान्ट (गिरिपद) धरातल के पूर्वी किनारे पर स्थित है। इन तीव्र ढाल वाली एकाकी और अवशिष्ट पहाड़ियों का निर्माण राजस्थान के पश्चिमी गर्म शुष्क भू-भागों का लक्षण है। अधिवासों की प्रकृति एक

बड़ी सीमा तक बालुका स्तूपों के आकार और स्थिति से निश्चित होती है जो लगभग 100 मीटर की ऊँचाई तक उठते हैं। लूनी नदी के पूर्व की ओर बालुका-स्तूप स्थाई हैं। जनसंख्या की सघनता 100 व्यक्ति प्रति वर्ग किलोमीटर है, जो इस क्षेत्र में उच्चतम है। (मानचित्र 98)

जैसलमेर मरुस्थल ज्यादा ऊजड़ हैं और अधिकांशत: जगह बदलने वाले सीफ स्तूपों से आवृत्त हैं, जिन्हें स्थानीय रूप से 'ध्रियन्स' के नाम से जाना जाता है। ''शाहगढ़ के पश्चिम में 'ध्रियन्क्र' शृंखलाओं में चलते गए हैं और बहुत मिश्रित प्रकार के हैं। इस मरुस्थल के केवल वातगर्त्तों में ही मनुष्य कुछ आश्रय पा सकता है। ऐसे विरल अधिवासों की संख्या 100 से अधिक नहीं होती। अधिकतम संख्या जैसलमेर पदस्थली (पेडी-प्लेन) में मिलती है जो जुरैसिक बालुका-पत्थरों से उत्कृत है। बहुत ही छोटी आन्तरिक और असम्बद्ध धाराएँ जैसलमेर पदस्थली में से बहती हैं, जिनकी सूखी घाटियाँ और किनारे आसानी से भूमिगत जल के लिए उपयोग में लाए जा सकते हैं, और जहाँ कहीं भी जलापूर्ति कुछ निश्चित है, अधिवास विकसित हो सकते हैं। जैसलमेर के उत्तर की ओर बहुत सी प्लाजा झीलें केन्द्रोन्मुखी प्रवाह से पोषित होते हुए भी वर्ष के अधिकांश भाग में सूखी रहती हैं, परन्तु उनका महत्त्व मुख्यत: नमक उत्पादन करने के कारण है। बहुत से अधिवासों का अस्तित्व, जिनमें लगभग 1556 (1981) जनसंख्या का सबसे बड़ा ग्राम मोहनगढ़ भी शामिल है, इन्हीं रन्स में नमक के जमाव के कारण है। अरावली के समीप वर्षा उत्तर में 500 मिलीमीटर और दक्षिण में 650 मिलीमीटर तक बढ़ जाती हैं और पहाड़ियों से आने वाली अनेक धाराएँ भी हैं। इसके परिणामस्वरूप पदस्थ पहाड़ी क्षेत्र में, विशेषकर उस त्रिभुजीकृत क्षेत्र में जनसंख्या का केन्द्रीकरण पाया जाता है जो उत्तर में लूनी नदी द्वारा, और दक्षिण-पूर्व में जवाई सूकड़ी नदी द्वारा सीमित है। इस उपजाऊ क्षेत्र में पाली नगर सहित अनेक नगर हैं। लवण झीलों और संगमरमर की खानों के चारों ओर भी अधिवास विकसित हुए हैं। उत्तर-पूर्व में डीडवाना और दक्षिण-पश्चिम में पचपदरा विशिष्ट लवण-नगर हैं। मकराना, संगमरमर की खानों का प्रसिद्ध केन्द्र है। इस प्रदेश का सबसे बड़ा नगर जोधपुर एक प्राचीन किले के चारों ओर चट्टानी धरातल पर स्थित है। लूनी के दक्षिण में नग्न एकाकी पहाड़ियाँ और निर्जन प्रदेश हैं जबकि अरावली के आधार-तल पर बहुत से गाँव हैं जो अपनी जलापूर्ति मानसून ऋतु में पहाड़ी नदियों से प्राप्त करते हैं।

राज्य के आर-पार उत्तर-पूर्व में खेतड़ी से लेकर दक्षिण-पश्चिम में खेडब्रह्मा तक लगभग 550 किलोमीटर की दूरी में फैली हुई अरावली श्रेणी मानव अधिवासों के लिए एक और अनुपयुक्त वातावरण प्रस्तुत करती है। कठोर क्वार्टजाइट चट्टानों से निर्मित पहाड़ियाँ निकटस्थ मैदानों से एकदम ऊँची उठती हैं। ''अरावली श्रेणी में गाँव कम और दूर-दूर हैं तथा अनेक उदाहरणों में केवल कुछ वासभूमियाँ ही हैं जो जंगलों की साफ की गई जगहों में, अथवा ऊबड़-खाबड़ क्वार्टजाइट श्रेणियों के बीच के गर्त्तों में बनी हैं। जनसंख्या का कुछ केन्द्रीकरण वहां भी मिलता है जहाँ ऊँची श्रेणियों के बीच में विस्तृत समतल धरातल है जैसे कुम्भलगढ़ और गोगुण्दा के बीच भोराट पठार। ब्यावर के उत्तर में अनेक दर्रा-नगर हैं जिनमें अजमेर सबसे बड़ा है। उत्तर में सांभर झील एक ऐसे ही दर्रे में है जिसके चारों ओर अधिवास विकसित हुए हैं। दक्षिण में कृत्रिम ढ़ेबर झील (जय समन्द) और झील-नगर उदयपुर स्थित हैं। अरावली का उत्तरी भाग अधिक कटा-फटा है और उसमे कम अधिवास हैं यद्यपि अलवर पहाड़ी के पूर्वी किनारे पर स्थित हैं।

पूर्वी-राजस्थान, पश्चिमी राजस्थान से यद्यपि क्षेत्रफल में थोड़ी बड़ा है, उसमें पश्चिमी भाग की अपेक्षा चार गुनी ज्यादा जनसंख्या है। मारवाड़ का मैदान पूर्वी राजस्थान का पूर्वी और दक्षिण भाग आवृत्त करता है। यह क्षेत्र बनास और उसकी सहायक नदियों, कोठारी और खारी, द्वारा प्रवाहित किया जाता है। यहाँ वर्षा उच्चतर हैं, मिट्टियाँ उपजाऊ हैं और कुओं एवं तालाबों से उत्तम सिंचाई सुविधाएँ सम्भव हैं। इसलिए ऐसे क्षेत्रों में जनसंख्या ज्यादा है। ग्रामीण जनसंख्या नदियों के किनारे और सिंचाई तालाबों के चारों ओर केन्द्रित है। प्रसिद्ध मन्दिरवाला शहर नाथद्वारा इस क्षेत्र

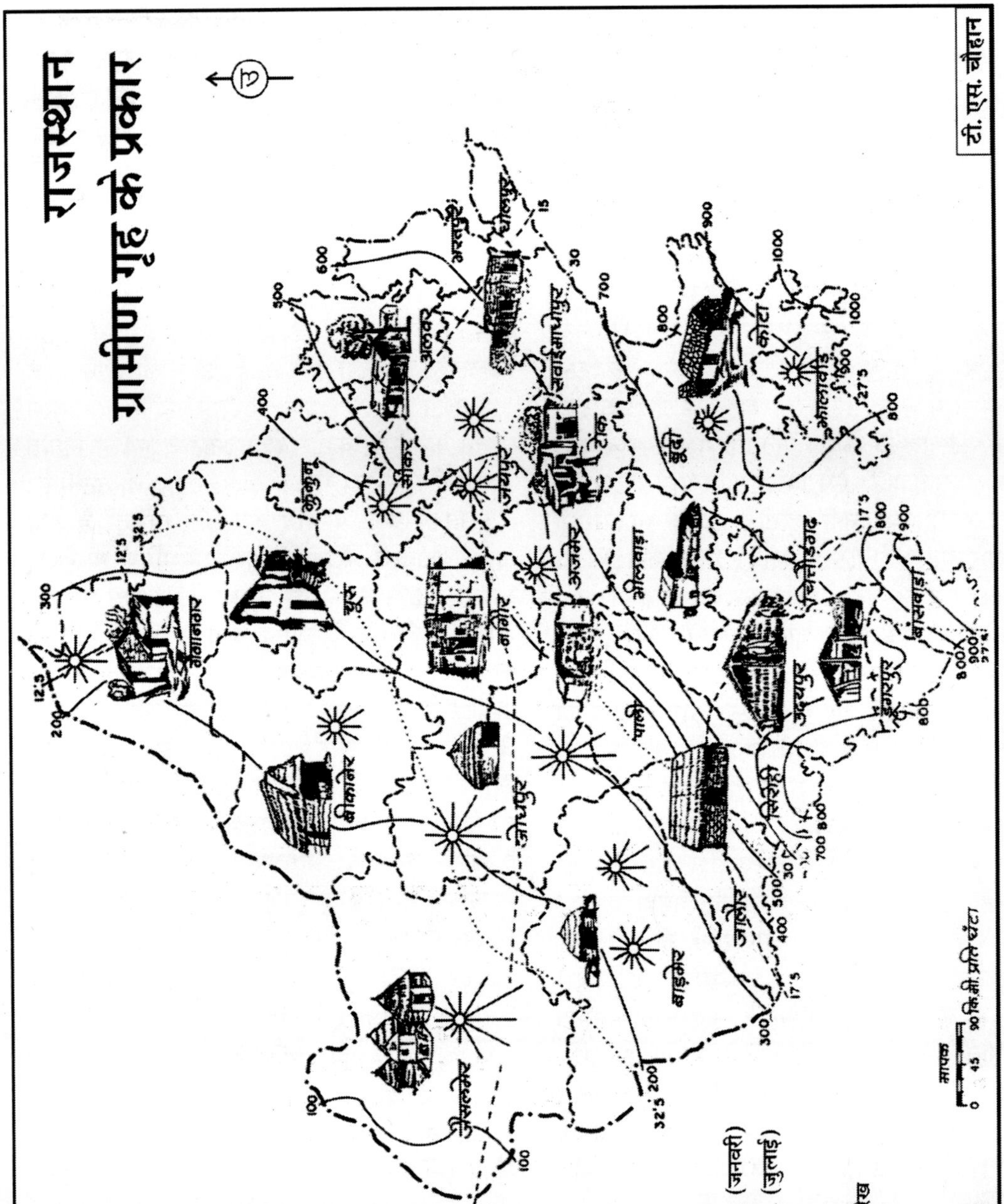
राजस्थान
ग्रामीण गृह के प्रकार
उ
टी. एस. चौहान
— वर्षा मिलीमीटर में
— औसत तापमान डि.से. (जनवरी)
...... औसत तापमान डि.से. (जुलाई)
जनवरी
अक्टूबर
अप्रैल ← पवनारेख
जुलाई
स्रोत : भारतीय जनगणना विभाग
मापक
0 45 90 कि.मी. प्रति घंटा
जैसलमेर
बीकानेर
गंगानगर
चूरू
झुंझुनू
सीकर
अलवर
भरतपुर
धौलपुर
सवाईमाधोपुर
जयपुर
टोंक
अजमेर
नागौर
जोधपुर
बाड़मेर
जालौर
सिरोही
पाली
उदयपुर
डूंगरपुर
बांसवाड़ा
चित्तौड़गढ़
भीलवाड़ा
बूंदी
कोटा
झालावाड़
मानचित्र 98

में स्थित है। जयपुर का मैदान पूर्वी राजस्थान का उत्तरी-भाग आवृत्त करता है और यहाँ की मिट्टियाँ जलोढ़ एवं अपोढ़ बालू से बनी हैं। इस राज्य की राजधानी जयपुर जलोढ़-मैदान के उत्तरी किनारे पर अरावली की एक पुरान्त: शायी पर स्थित है। पूर्वी राजस्थान में पठार और वृक्षाच्छादित श्रेणियाँ विरली बसी हैं। ये पठार और श्रेणियाँ विध्यन काल की बालुका-पत्थर चट्टानों से निर्मित हैं। बूंदी शहर का एक बालुका-पत्थर श्रेणी पर स्थित है और कोटा नगर एक समतल भूमि के किनारे बसा हुआ है जो चम्बल, काली सिंध और पार्वती नदियों द्वारा प्रवाहित किया जाता है।

## ग्रामीण और शहरी जनसंख्या

2011 की जनगणना के अनुसार कुल जनसंख्या का लगभग 75 प्रतिशत, ग्रामीण क्षेत्रों में और लगभग 25 प्रतिशत भाग शहरी केन्द्रों में रहता है। इस प्रकार राजस्थान मूलत: कृषि-प्रधान और ग्रामीण है। राज्य में औद्योगिक क्रियाओं की प्रगति आधुनिक समय में ही हुई है और यह सीमा तक नहीं हुई है कि ग्रामों और शहरी केन्द्रों में रहने वाली जनसंख्या के प्रतिशत को यथेष्ठ रूप में बदल सके।

निम्नलिखित सारणी-68 राजस्थान की ग्रामीण एवं नगरी जनसंख्या का प्रतिशत को दर्शाती है।

**सारणी-68**

**राजस्थान में ग्रामीण एवं नगरीय जनसंख्या का प्रतिशत**

| जनगणना वर्ष | ग्रामीण जनसंख्या का प्रतिशत | नगरीय जनसंख्या का प्रतिशत |
|---|---|---|
| 1951 | 84.5 | 15.5 |
| 1961 | 83.7 | 16.3 |
| 1971 | 82.4 | 17.6 |
| 1981 | 79.0 | 21.0 |
| 1991 | 75.0 | 25.0 |
| 2001 | 76.61 | 23.19 |
| 2011 | 75.1 | 24.9 |

1901 से 2011 के 90 वर्षों में नगरीय जनसंख्या 15.5 लाख से बढ़कर 170 लाख तक पहुँच गई है।

**सारणी-69**

**नगरीय जनसंख्या में वृद्धि**

| विवरण | 1901 | 1941 | 1961 | 1971 | 1981 | 1991 | 2001 | 2011 |
|---|---|---|---|---|---|---|---|---|
| नगरीय जनसंख्या (लाखों में) | 15.5 | 21.2 | 32.8 | 45.4 | 71.4 | 110 | 132 | 170 |
| कुल जनसंख्या में नगरीय जनसंख्या का भाग | 15% | 15.3% | 16.3% | 17.6% | 20.9% | 25% | 23.39% | 24.91% |

Source : Compilation From Various Sources.

2011की जनगणना में भी 2001 की भांति राजस्थान में सबसे अधिक आबादी वाला शहर ''जयपुर'' रहा जिसकी जनसंख्या 34.71 लाख रही है।

2011 की जनगणना के अनुसार राजस्थान राज्य में कुल 37,124 गाँव हैं जिनमें से 34,968 गाँव बसे हुए हें और 2,156 गाँव बिना बसे हुए। 1971 में गाँवों की संख्या 35,795 थी। इसमें बसे गाँवों की संख्या 33,305 और बगैर बसे गाँवों की संख्या 2,490 थी। इस प्रकार 10 वर्षों में जहाँ बसे गाँवों की जनसंख्या बढ़ी है वहाँ बिना बसे गाँवों की संख्या घटी है। इन गाँवों में से 8 हजार से अधिक गाँव ऐसे हैं जिनकी जनसंख्या 200 से कम है। ये आँकड़ें निर्देशित करते हैं कि राजस्थान में लघु आकार के कृषि प्रधान ग्राम हैं। इन ग्रामों के क्षेत्रीय वितरण से स्पष्ट होता है कि वे अधिकांशत: पश्चिमी बालू-मैदान क्षेत्र और अरावली पहाड़ी प्रदेश में प्रकीर्ण रूप से स्थित हैं। शुष्कता एवं उच्चावच अवस्थाओं के कारण इन क्षेत्रों में बड़े-बड़े ग्रामों का विकास नहीं हो सका है। सामान्यतया कृषक अपनी जोतों के नजदीक ही छोटी पल्ली में रहना पसन्द करते हैं। ग्रामीण जनसंख्या की कमी राज्य में नगरीयकरण से सम्बद्ध है। अनेक क्षेत्रों में ग्रामीण जनसंख्या का लगातार प्रवाह नगरों की ओर

**सारणी–70**

**एक लाख से अधिक जनसंख्या वाले नगरों का विवरण**

| क्र.सं. | नगर | जनसंख्या | | | वृद्धि दर | | लिंगानुपात |
|---|---|---|---|---|---|---|---|
| | | व्यक्ति | पुरुष | महिला | 1981-91 | 1991-2001 | |
| 1 | 2 | 3 | 4 | 5 | 6 | 7 | 8 |
| 1. | जयपुर | 2324319 | 1239711 | 1084608 | 49.56 | 59.37 | 875 |
| 2. | जोधपुर | 856034 | 455860 | 400174 | 31.59 | 28.48 | 878 |
| 3. | कोटा | 704731 | 374570 | 330161 | 50.00 | 31.14 | 881 |
| 4. | बीकानेर | 529007 | 282450 | 246557 | 44.69 | 27.08 | 873 |
| 5. | अजमेर | 490138 | 256389 | 233759 | 7.22 | 21.71 | 912 |
| 6. | उदयपुर | 389317 | 205319 | 183998 | 32.67 | 26.17 | 896 |
| 7. | भीलवाड़ा | 280185 | 148642 | 131543 | 50.02 | 52.30 | 885 |
| 8. | अलवर | 265850 | 143238 | 122612 | 44.14 | 26.51 | 856 |
| 9. | गंगानगर | 222833 | 121877 | 100956 | 30.55 | 37.99 | 828 |
| 10. | भरतपुर | 205104 | 110148 | 94956 | 49.02 | 30.74 | 862 |
| 11. | पाली | 187571 | 99258 | 88313 | 45.44 | 37.07 | 890 |
| 12. | सीकर | 185506 | 96646 | 88860 | 44.00 | 25.11 | 919 |
| 13. | टोंक | 135663 | 70135 | 65528 | 29.08 | 35.34 | 934 |
| 14. | हनुमानगढ़ | 129654 | 69583 | 60071 | 37.73 | 56.71 | 863 |
| 15. | ब्यावर | 125923 | 65569 | 60354 | 18.58 | 17.99 | 920 |
| 16. | किशनगढ़ | 116156 | 61025 | 55131 | 32.11 | 41.74 | 903 |
| 17. | गंगापुरसिटी | 105336 | 56088 | 49248 | 49.67 | 52.91 | 878 |
| 18. | सवाई माधोपुर | 101994 | 53942 | 48052 | 31.49 | 31.28 | 891 |
| 19. | चुरु | 101853 | 53099 | 48754 | 33.48 | 22.93 | 918 |
| 20. | झुंझुनू | 100476 | 52814 | 47662 | 53.01 | 39.19 | 902 |

स्त्रोत : जनगणना प्रतिवेदन 2001, राजस्थान

रहा है। इस प्रवृत्ति ने ग्रामीण जनसंख्या की वृद्धि को प्रतिकूल रूप से प्रभावित किया है। इस राज्य में औद्योगिक विकास के साथ नागरिक जनसंख्या में वृद्धि होना बिल्कुल स्वाभाविक ही है।

सारणी–55 से स्पष्ट है कि राज्य में 1 लाख से अधिक जनसंख्या वाले नगरों की संख्या 20 है। सबसे अधिक जनसंख्या जयपुर शहर (23 लाख) की है। दूसरे क्रम में जोधपुर (8.56 लाख) तथा तीसरे क्रम में कोटा (7.01 लाख) का स्थान आता है।

यदि इन बड़े नगरों को देखें तो पता चलता है कि जनसंख्या के अत्यधिक जमाव का कारण इनकी भौगोलिक स्थिति नहीं बल्कि अधिकांश स्थितियों में उद्योगों का केन्द्रीयकरण ही महत्त्व का कारण बनता है। एक गंगानगर व दूसरे सीकर को छोड़ दें (जहां कृषि गतिविधियां ज्यादा है)।

इस राज्य में मध्य आकार के नगरों की अपेक्षा बड़े नगर जनसंख्या में बढ़ रहे हैं। प्रथम श्रेणी के नगरों जैसे गंगानगर और कोटा में 2011 में निश्चित वृद्धि

हुई है। जयपुर की वृद्धि की वृद्धि का कारण राज्य की राजधानी होना वर्तमान वर्षों में औद्योगिक विकास होना है। राजस्थान की प्रवृत्ति बड़े नगर विकास की ओर है अधिकांश नगरों में अच्छी आवास-सुविधाओं, चिकित्सा, यातायात और संचार की सुविधाओं और सुरक्षा ने लोगों को नगरों ओर की आने को प्रोत्साहित किया है।

## लिंग अनुपात (Sex Ratio)

स्त्री-पुरुष अनुपात से तात्पर्य प्रति हजार पुरुषों के पीछे स्त्रियों की संख्या से है। किसी भी देश की जनसंख्या में स्त्री-पुरुष अनुपात या लिंग अनुपात काफी महत्त्वपूर्ण होता है जो जन्म दर व मृत्यु दर को प्रभावित करता है। इससे विवाह की दर व बच्चों की संख्या भी प्रभावित होता है। प्रतिकूल लिंग अनुपात की स्थिति में (अर्थात् जब स्त्रियों की संख्या कम होती है) भिन्न-भिन्न प्रकार की नैतिक व सामाजिक बुराइयाँ भी पैदा हो जाती है। इसके अतिरिक्त चूंकि स्त्रियों की कार्य शक्ति सामान्यतया कम होती है, इसलिए यदि स्त्रियों का अनुपात अधिक है तो यह राष्ट्रीय आय पर विपरीत प्रभाव डाल सकता है। (मानचित्र 99)

उपर्युक्त सारणी में देश के स्त्री-पुरुष अनुपात की तुलना राज्य के साथ की गई है। सारणी से स्पष्ट है कि देश की तुलना में राज्य का अनुपात कम ही रहा है। 1901 में राज्य का अनुपात 905 था। इसमें उतार-चढ़ाव दिखाई देते है। यह 1921 में घटकर 896 हो गया। इसमें पुन: वृद्धि हुई है लेकिन यह पुन: 1941 में घटकर 906 रह गया है। इसमें 1971 तथा 1981 में वृद्धि होती है लेकिन 1991 में यह पुन: घट जाता है और घटकर 913 रह जाता है। इस अनुपात में ग्रामीण एवं शहरी क्षेत्रों में भी विभिन्नता मिलती है लेकिन एक बात अवश्य ध्यान देने योग्य है और वह है कि राज्य का व्यवहार देश के साथ-साथ बदल रहा है। यदि देश में इस अनुपात में वृद्धि हो रही हैं राज्य में भी हो रही है और देश में कमी हो रही है तो राज्य में कमी हो रही है। (मानचित्र 100 एवं 102)

जनसंख्या में पुरूष व महिला अनुपात प्रजनन व सामाजिक व्यवस्था की जानकारी के लिए किया जाता है। राजस्थान राज्य में पुरूष-महिला अनुपात पर दृष्टि डालें तो इंगत होता है कि पुरूष-महिला अनुपात अति विपरीत से कम विपरीत स्थिति की ओर बढ़ रहा है। विगत एक दशक का भारत व राजस्थान का पुरूष महिला अनुपात सारणी-71 में दर्शाया गया है।

**सारणी-71 : भारत व राजस्थान में स्त्री-पुरुष अनुपात**

(1901-2001)

| क्र.सं. | जनगणना | भारत | | | राजस्थान | | |
|---|---|---|---|---|---|---|---|
| | | योग | ग्रामीण | नगरीय | योग | ग्रामीण | नगरीय |
| 1 | 2 | 3 | 4 | 5 | 6 | 7 | 8 |
| 1. | 1901 | 972 | 979 | 910 | 905 | 898 | 947 |
| 2. | 1911 | 964 | 975 | 872 | 908 | 904 | 936 |
| 3. | 1921 | 955 | 970 | 846 | 896 | 896 | 897 |
| 4. | 1931 | 950 | 966 | 938 | 907 | 908 | 903 |
| 5. | 1941 | 945 | 965 | 831 | 906 | 907 | 897 |
| 6. | 1951 | 946 | 965 | 860 | 921 | 919 | 958 |
| 7. | 1961 | 941 | 963 | 845 | 908 | 913 | 882 |
| 8. | 1971 | 930 | 949 | 858 | 911 | 919 | 875 |
| 9. | 1981 | 934 | 951 | 879 | 919 | 930 | 877 |
| 10. | 1991 | 927 | 938 | 894 | 910 | 919 | 879 |

स्त्रोत : जनगणना प्रतिवेदन 2001, राजस्थान

# राजस्थान

*राजस्थान की ग्रामीण व नगरीय लिंगानुपात, 2001*

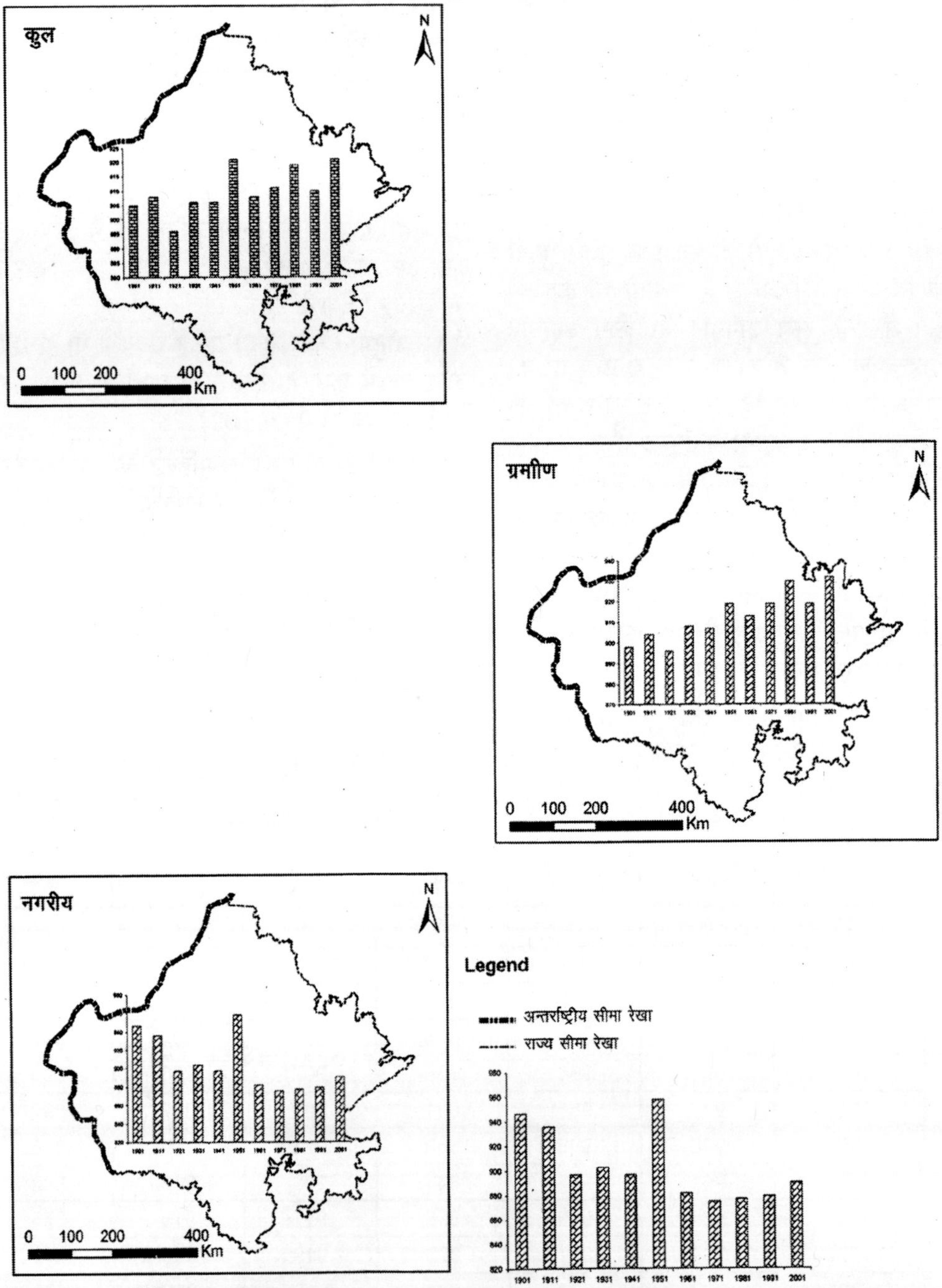


स्रोत– जनगणना प्रतिवेदन 2001 राजस्थान।

मानचित्र 99

# राजस्थान

## *पूर्ण जनसंख्या का जिलेवार लिंगानुपात, 2001*

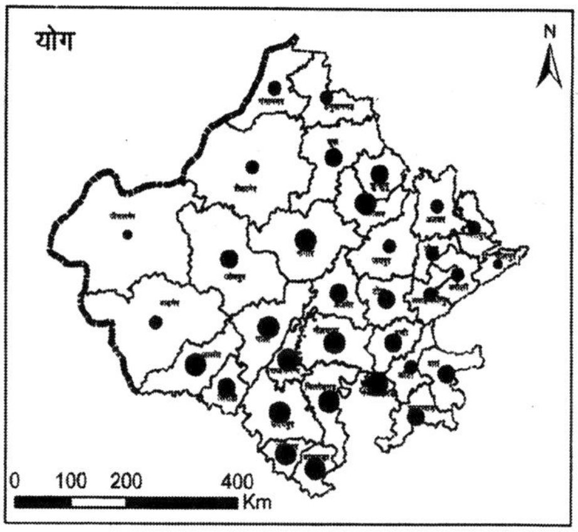


**Legend**

(एक हजार पुरूषो पर)

- < 850
- 850 - 900
- 900 - 950
- > 950

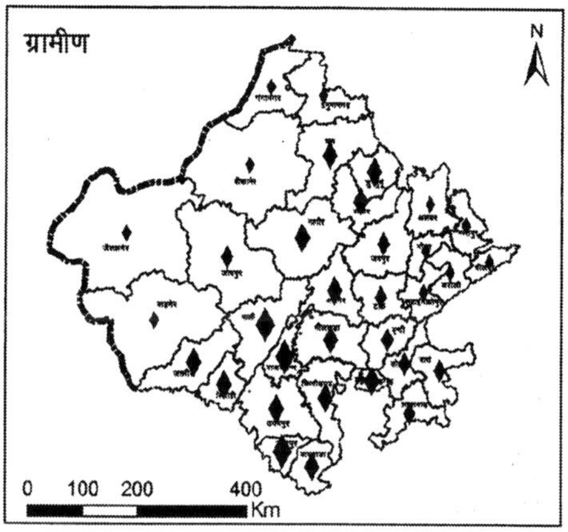


**Legend**

(एक हजार पुरूषो पर)

- < 900
- 900 - 950
- 950 - 1000
- > 1000

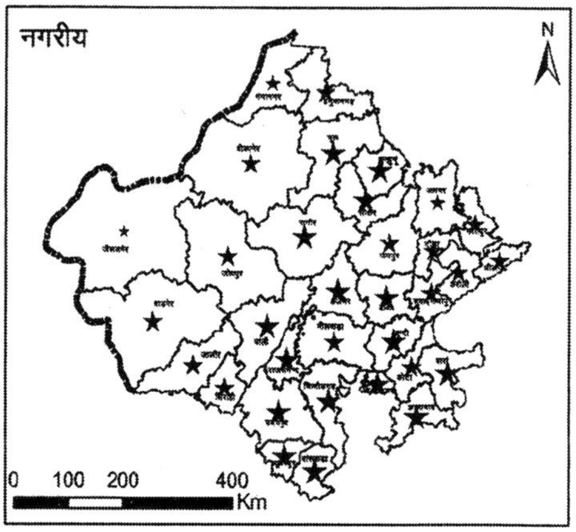


**Legend**

अन्तर्राष्ट्रीय सीमा रेखा

राज्य सीमा रेखा

जिला सीमा रेखा

(एक हजार पुरूषो पर)

- < 800
- 800 - 850
- 850 - 900
- > 900

स्रोत जनगणना प्रतिवेदन, राजस्थान।

मानचित्र 100

# राजस्थान

## *0–6 आयु वर्ग का जिलेवार लिंगानुपात, 2001*

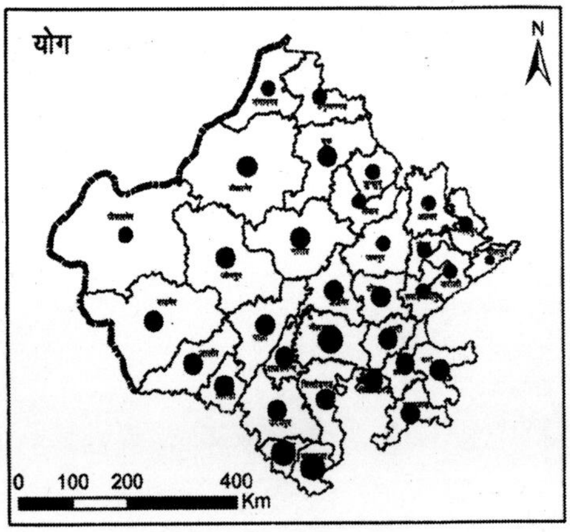


**Legend**

(एक हजार पुरूषो पर)

- < 850
- 850 - 900
- 900 - 950
- > 950

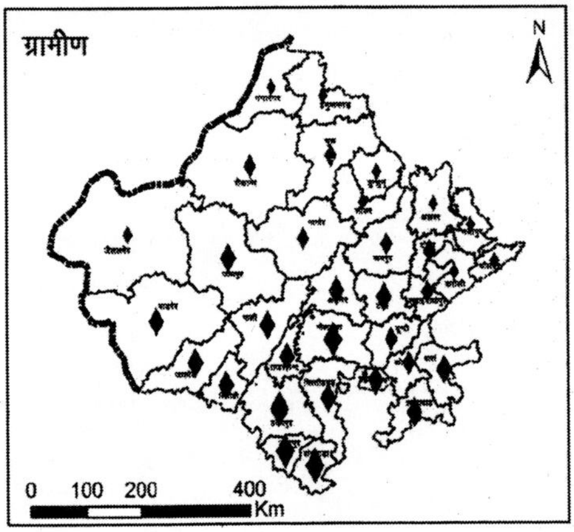


**Legend**

(एक हजार पुरूषो पर)

- < 900
- 900 - 920
- 920 - 940
- > 940

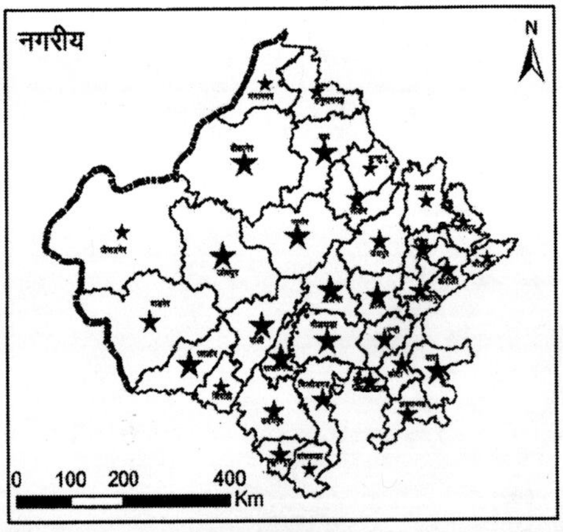


**Legend**

- अन्तर्राष्ट्रीय सीमा रेखा
- राज्य सीमा रेखा
- जिला सीमा रेखा

(एक हजार पुरूषो पर)

- < 870
- 870 - 900
- 900 - 930
- > 930

स्रोत जनगणना प्रतिवेदन, राजस्थन।

मानचित्र 101

भारत देश में विभिन्न भौगोलिक क्षेत्र व सामाजिक व्यवस्थाएं हैं इनमें पुरूष-स्त्री अनुपात निरन्तर घट रहा है। जबकि राजस्थान में इसके विपरीत स्थिति बनी है। सामान्यतया नगरीय क्षेत्रों में पुरूषों की तुलना में महिलाओं की संख्या कम रहती है जबकि 1990-2011 के मध्य राजस्थान में इसके विपरीत स्थिति थी। सामान्य स्थिति में पूरे राज्य में महिला-पुरूष का अनुपात 905 से 921 तक पहुंचा है जो ग्रामीण क्षेत्रों में 898 से बढ़कर 930 हुआ है। इस अवधि में नगरीय क्षेत्रों में सौ वर्षों में यह अनुपात 947 से 890 रह गया है। भारत में यह अनुपात विपरीत दिशा में उन्मुख है परन्तु 2001 में यह विचलन कुछ घटा है। देश में पुरूषों की तुलना में महिलाओं की संख्या कम रहने के कारण विवाह संबंध में पुरूष की तुलना में महिला आयु कम रखकर इस विसंगति का हल निकाला गया है और सरकार के नीतिगत निर्णय में भी विवाह की न्यूनतम आयु पुरूष व महिला के लिए क्रमश: 21 व 18 वर्ष निर्धारित की गई है।

जिलानुसार स्त्री-लिंग अनुपात को सारणी-72 में दिखाया गया है। सारणी-72 में जिलानुसार स्त्री-पुरुष अनुपात 2001 तथा 2011 को दिखाया गया है। जैसा कि बताया गया है राज्य में अनुपात 2011 की तुलना में घटा है। राजस्थान में लिंगानुपात में एक क्षेत्र से दूसरे क्षेत्र में विषमता दृष्टिगत होती है। जिला स्तर पर इस अनुपात में 846 (धौलपुर) से 994 (डूंगरपुर) के बीच विषमता परिलक्षित होती है। तहसील स्तर पर और भी कम अनुपात देखने को मिलता है। गत वर्षों के आँकड़ों का अवलोकन करने पर यह तथ्य स्पष्ट होता है कि आदिवासी जिलों बाँसवाड़ा तथा डूँगरपुर राज्य के अन्य क्षेत्रों व जिलों की अपेक्षा अधिक अनुपात रखते हैं जबकि रेगिस्तानी जिला जैसलमेर में यह अनुपात बहुत कम हैं। इस प्रकार राज्य में अब पुरुषों की तुलना में स्त्रियों की संख्या सभी जिलों में कम है। श्रीगंगानगर, बीकानेर, अलवर, भरतपुर, धौलपुर, सवाई माधोपुर, जयपुर, जैसलमेर, बाड़मेर, बूंदी और कोटा जिलों में 1,000 पुरुषों के पीछे 900 से भी कम स्त्रियाँ हैं।

## साक्षरता (LITERACY)

देश के अन्य राज्यों की तुलना में राजस्थान में साक्षरता का स्तर बहुत नीचा है। 2011 की जनगणना के आधार पर देश में साक्षरता का स्तर 73.3 प्रतिशत है जबकि राजस्थान राज्य में सिर्फ 66.1 प्रतिशत ही है। सारणी-73 में भारत में राजस्थान के साक्षरता स्तर को दिखाया गया है।

सारणी-73 से स्पष्ट है कि साक्षरता की प्रवृत्ति देश तथा राज्य दोनों में बढ़ी है। राज्य में साक्षरता की दर 1901 में सिर्फ 3.47 थी जो बढ़कर 1981 में 28.37 हो गयी तथा 1991 में ओर भी बढ़कर 38.81 हो गई है। हालांकि जैसा कि ऊपर बताया गया है 1991 में कुछ परिभाषा में बदलाव आया है इसके कारण भी यह स्तर बढ़ा है लेकिन फिर भी यह कह सकते हैं कि इस 10 वर्षों में वृद्धि ठीक ही हुई है। 1981 से 1991 के बीच यह वृद्धि दर 10.5 के लगभग रही है। यदि इसे हम 1961 से देखें तो ऐसा लगता है कि साक्षरता की वृद्धि दर दुगने से ज्यादा हो गयी हैं अकेले 1981-91 के बीच वृद्धि प्रथम तीन जनगणनाओं की संयुक्त जोड़ से ज्यादा है। इस बात का संकेत देता है कि पिछले दशक में निश्चित रूप से साक्षरता दर की प्रवृत्ति में वृद्धि हो रही है।

पुरुषों तथा स्त्रियों के बीच साक्षरता दर में महत्त्वपूर्ण विषमता देखने को मिलती है। राज्य के सभी भागों में स्त्रियों की साक्षरता दर पुरुषों की साक्षरता दर से कम है। राज्य में 1961 में पुरुषों में साक्षरता का स्तर 28.08 था जो बढ़कर 1981 में 42.04 हो गया था। 1991 में और बढ़कर 55.07 हो गया है। जबकि स्त्रियों में यह स्तर इन दोनों जनगणना वर्षों में 7.01 तथा 20.84 ही है। यह बताया है कि राज्य में पुरुषों एवं स्त्रियों के बीच साक्षरता स्तर में बहुत खाई है। समस्त देश के सन्दर्भ में भी यही स्थिति मिलती है। वहाँ भी स्त्रियों का स्तर पुरुषों से कम है। यही स्थिति ग्रामीण क्षेत्रों में भी देखने को मिलती है। पहली बात तो वहाँ यूँ ही साक्षरता कुल के रूप में कम है फिर उसमें भी स्त्रियों में तो साक्षरता और भी कम है। 1981 की जनगणना में राज्य के ग्रामीण क्षेत्रों में पुरुषों की

## सारणी–72
## राजस्थान जनगणना 2011 जनसंख्या/लिंगानुपात एवं जनसंख्या घनत्व

| क्र. सं. | जिला | जनसंख्या 2011 | | | कुल जनसंख्या % | लिंगानुपात | | जनसंख्या घनत्व | |
|---|---|---|---|---|---|---|---|---|---|
| | | कुल जनसंख्या | पुरुष | महिलाएँ | | 2001 | 2011 | 2001 | 2011 |
| 1. | गंगानगर | 1,969,168 | 1,043,340 | 925,828 | 2.87 | 873 | 887 | 224 | 179 |
| 2. | हनुमानगढ़ | 1,774,692 | 931,184 | 843,508 | 2.59 | 894 | 906 | 120 | 184 |
| 3. | बीकानेर | 2,363,937 | 1,240,801 | 1,123,136 | 3.45 | 879 | 905 | 61 | 78 |
| 4. | चुरू | 2,039,547 | 1,051,446 | 988,101 | 2.97 | 948 | 940 | 114 | 147 |
| 5. | झुंझुनू | 2,137,045 | 1,095,896 | 1,041,149 | 3.12 | 646 | 950 | 323 | 361 |
| 6. | अलवर | 3,674,179 | 1,939,026 | 1,735,153 | 5.36 | 886 | 895 | 357 | 438 |
| 7. | भरतपुर | 2,548,462 | 1,355,726 | 1,792,736 | 3.72 | 854 | 880 | 415 | 503 |
| 8. | धौलपुर | 1,206,516 | 653,647 | 552,869 | 1.76 | 827 | 846 | 324 | 398 |
| 9. | करौली | 1,458,248 | 783,639 | 674,609 | 2.13 | 855 | 861 | 218 | 264 |
| 10. | सवाई माधोपुर | 1,335,551 | 704,031 | 631,52, | 1.95 | 889 | 897 | 251 | 297 |
| 11. | दौसा | 1,634,409 | 857,778 | 776,622 | 2.38 | 899 | 905 | 384 | 476 |
| 12. | जयपुर | H 6,626,178 | H 3,468,507 | H 3,157,671 | H 9.67 | 897 | 910 | H 471 | H 595 |
| 13. | सीकर | 2,677,333 | 1,374,900 | 1,302,343 | 3.90 | 951 | 947 | 296 | 346 |
| 14. | नागौर | 3,307,743 | 1,696,325 | 1,611,418 | 4.82 | 947 | 950 | 157 | 187 |
| 15. | जोधपुर | 3,687,165 | 1,923,928 | 1,763,237 | 5.38 | 907 | 916 | 127 | 161 |
| 16. | जैसलमेर | L 6,69,919 | L 361,708 | L 308,211 | L 0.98 | L 821 | 852 | L 13 | L 17 |
| 17. | बाड़मेर | 2,603,751 | 1,369,022 | 1,234,729 | 3.80 | 892 | 902 | 69 | 92 |
| 18. | जालोर | 1,828,730 | 936,634 | 892,096 | 2.67 | 964 | 952 | 136 | 172 |
| 19. | सिरोही | 1,036,346 | 534,231 | 502,115 | 1.51 | 943 | 940 | 166 | 202 |
| 20. | पाली | 2,037,573 | 1,025,422 | 1,012,151 | 2.97 | 981 | 987 | 147 | 164 |
| 21. | अजमेर | 2,583,052 | 1,324,085 | 1,258,967 | 3.77 | 931 | 951 | 257 | 305 |
| 22. | टोंक | 1,421,326 | 728,136 | 693,190 | 2.07 | 934 | 952 | 168 | 198 |
| 23. | बूंदी | 1,110,906 | 577,160 | 533,746 | 1.62 | 907 | 925 | 173 | 192 |
| 24. | भीलवाड़ा | 2,408,523 | 1,220,736 | 1,187,787 | 3.51 | 967 | 973 | 193 | 230 |
| 25. | राजसमन्द | 1,156,597 | 581,339 | 575,258 | 1.69 | 1000 | 990 | 256 | 248 |
| 26. | डूँगरपुर | 1,388,552 | 696,532 | 692,020 | 2.03 | H 102 | H 994 | 294 | 368 |
| 27. | बांसवाड़ा | 1,797,485 | 907,754 | 889,731 | 2.62 | 974 | 980 | 298 | 397 |
| 28. | चित्तौड़गढ़ | 1,544,338. | 783,171 | 761,167 | 2.65 | 964 | 972 | 166 | 197 |
| 29. | कोटा | 1,951,014 | 1,021,161 | 929,853 | 2.85 | 896 | 911 | 288 | 374 |
| 30. | बारां | 1,222,755 | 633,945 | 588,810 | 1.78 | 909 | 929 | 146 | 175 |
| 31. | झालावाड़ | 1,411,129 | 725,143 | 685,986 | 2.06 | 926 | 946 | 190 | 227 |
| 32. | उदयपुर | 3,068,420 | 1,566,801 | 1,501,619 | 4.48 | 971 | 958 | 196 | 262 |
| 33. | प्रतापगढ़ | 8,67,848 | 437,744 | 430,104 | 1.27 | N.A. | 983 | N.A. | 195 |
| | **राजस्थान** | **68,548,437** | **35,550,997** | **32,997,440** | **100** | **921** | **928** | **165** | **200** |

साक्षरता दर 29.24 प्रतिशत तथा स्त्रियों की 5.41 प्रतिशत है जबकि नगरीय क्षेत्रों में पुरुषों की साक्षरता दर 60.02 प्रतिशत तथा स्त्रियों में 34.24 प्रतिशत थी। राज्य में ग्रामीण क्षेत्रों की औसत साक्षरता दर 17.73 प्रतिशत थी। (मानचित्र 102, 103 एवं 104) हालांकि सरकार ने अब प्रौढ़ शिक्षा कार्यक्रमों के तहत इस स्तर को सुधारने का प्रयास किया है लेकिन अभी सफलता बहुत दूर है।

**सारणी-73**

**राजस्थान और भारत में साक्षरता का प्रतिशत**

| जनगणना वर्ष | राजस्थान | | | भारत | | |
|---|---|---|---|---|---|---|
| | कुल | पुरुष | स्त्रियाँ | कुल | पुरुष | स्त्रियाँ |
| 1961 | 18.12 | 28.08 | 7.01 | 28.30 | 40.39 | 15,33 |
| 1971 | 22.57 | 33.87 | 10.06 | 34.45 | 45.95 | 21.97 |
| 1981 | 28.37 | 42.04 | 13.36 | 41.43 | 53.46 | 28.47 |
| 1991 | 38.81 | 55.07 | 20.84 | 52.11 | 63.63 | 39.42 |
| 2001 | 64.4 | 75.20 | 43.91 | - | - | - |
| 2011 | 66.1 | 79.2 | 52.1 | 73.3 | 80.9 | 64.67 |

Source : Census of India 1991 Series 21, Rajasthan Paper 1 of 1991, Provisional Population Totals, p.32

सारणी-72 व 73 में जिलानुसार साक्षरता स्तर को दिखाया गया है। ये साक्षर लोग या निरक्षर लोग सिर्फ कुछ भी जिलों में केन्द्रित नहीं है बल्कि राज्य के सभी जिलों में बिखरे हुए हैं।

सारणी-72 व 73 में कुल साक्षरों में से प्रत्येक जिले में कितने साक्षर हैं बताया गया है। इस सारणी में यदि यह बताया जाता है कि प्रत्येक जिले में साक्षरता का स्तर क्या है जो ज्यादा अच्छा होता। लेकिन उसके आँकड़े उपलब्ध नहीं होने के कारण कुल साक्षरों में से प्रत्येक जिले के साक्षरों को दिखाया गया है।

राज्य में शहरी जनसंख्या का स्तर ग्रामीण जनसंख्या से अधिक है लेकिन फिर भी तुलनात्मक रूप से कम ही है। इसका मुख्य कारण गाँवों से शहरों की ओर रोजगार की तलाश में जनसंख्या का पलायन है। ये व्यक्ति जनगणना के समय शहरों में रहते हैं। राज्य के जिलों में शहरी क्षेत्रों में सबसे कम साक्षरता प्रतिशत सीकर तथा नागौर जिले में है जबकि सबसे अधिक अजमेर तथा डूँगरपुर जिले में हैं।

अत: देश एवं राज्य के आर्थिक व सामाजिक विकास के लिए साक्षरता का तेजी से विस्तार किया जाना चाहिए, विशेष रूप से ग्रामीण क्षेत्रों में। इससे भी अधिक महत्त्वपूर्ण है स्त्रियों में साक्षरता के विस्तार की। इससे ही परिवार नियोजन कार्यक्रमों को सफल बनाया जा सकेगा। इसके लिए यही आवश्यक नहीं है कि अधिक धनराशि की व्यवस्था की जाए, बल्कि शिक्षा नीति में भी परिवर्तन जरूरी है। यह नीति इस प्रकार की होनी चाहिए कि प्राथमिक शिक्षा सबको मिल सकें।

2001 की तुलना में 2011 में पुरूष साक्षरता दर में 3.5% की वृद्धि हुई है इस दशक में सर्वाधिक वृद्धि बाँसवाड़ा में 8% की हुई जबकि बाड़मेर व चुरू में पुरूष साक्षरता दर में कमी हुई।

पुरूष साक्षरता में केवल 8 राज्य-जम्मू-कश्मीर, उत्तरप्रदेश, बिहार, अरुणाचल प्रदेश, मेघालय, आसाम, झारखण्ड एवं आंध्रप्रदेश ही राजस्थान से पीछे हैं।

राज्य के 12 जिलों में पुरूष साक्षरता दर राज्य की कुल साक्षरता दर (79.2) से अधिक है। 2001 की तुलना में 2011 में महिला साक्षरता दर में 8.2% की वृद्धि हुई। इस दशक में सर्वाधिक वृद्धि डूँगरपुर में 14.4% हुई जबकि बाड़मेर एवं चुरू में महिला साक्षरता दर में कमी दर्ज हुई।

राज्य में 12 जिलों में महिला साक्षरता दर राज्य की महिला साक्षरता दर से अधिक है।

## सारणी–74
## राजस्थान : पुरुष साक्षरता दर 2011 जिलों की क्रमवार स्थिति

| क्र. सं. | जिले | पुरुष साक्षरता (%) | | दशकीय वृद्धि |
|---|---|---|---|---|
| | | 2001 | 2011 | (%) (2001-2011) |
| 1. | झुंझुनू | 86.9 | 86.1 | 8.0 (%) |
| 2. | कोटा | 86.3 | 85.2 | 1.1 (%) |
| 3. | जयपुर | 86.1 | 82.8 | 3.2 (%) |
| 4. | सीकर | 85.1 | 84.3 | 1.8 (%) |
| 5. | भरतपुर | 84.1 | 80.5 | 1,4 (%) |
| 6. | अलवर | 83.7 | 78.1 | 5.6 (%) |
| 7. | दौसा | 83.0 | 79.4 | 3.6 (%) |
| 8. | अजमेर | 82.4 | 79.4 | 0.3 (%) |
| 9. | सवाई मोधपुर | 81.5 | 75.7 | 6.2 (%) |
| 10. | करौली | 81.4 | 79.5 | 1.4 (%) |
| 11. | धौलपुर | 81.2 | 75.1 | 6.1 (%) |
| 12. | बारां | 80.4 | 75.8 | 5.4 (%) |
| 13. | जोधपुर | 79.0 | 73.0 | 6.1 (%) |
| 14. | चुरू | 78.8 | 80.3 | 8.1 (%) |
| 15. | गंगानगर | 78.5 | 75.5 | 8.0 (%) |
| 16. | राजसमन्द | 78.4 | 74.0 | 4.4 (%) |
| 17. | हनुमानगढ़ | 77.4 | 75.2 | 3.2 (%) |
| 18. | नागौर | 72.2 | 74.1 | 3.1 (%) |
| 19. | टोंक | 77.1 | 70.5 | 7.4 (%) |
| 20. | पाली | 76.8 | 72.2 | 4.2 (%) |
| 21. | चित्तौड़गढ़ | 76.6 | 71.3 | 5.5 (%) |
| 22. | बीकानेर | 75.9 | 70.6 | 4.7 (%) |
| 23. | झालावाड़ | 75.8 | 73.3 | 2.4 (%) |
| 24. | बूंदी | 75.4 | 71.7 | 4.3 (%) |
| 25. | भीलवाड़ा | 75.3 | 67.4 | 8.1 (%) |
| 26. | उदयपुर | 74.7 | 74.7 | 0 (%) |
| 27. | डूँगरपुर | 72.9 | 66.0 | 6.2 (%) |
| 28. | जैसलमेर | 72.0 | 66.3 | 2.1 (%) |
| 29. | बाड़मेर | 70.9 | 72.8 | 1.1 (%) |
| 30. | जालौर | 70.7 | 64.7 | 6.0 (%) |
| 31. | सिरोही | 70.0 | 69.9 | 1.1 (%) |
| 32. | बाँसवाड़ा | 69.5 | 61.5 | 8.0 (%) |
| 33. | प्रतापगढ़ | 69.5 | — | — |
| **राजस्थान** | | **79.2** | **75.7** | **3.5** |

## सारणी–75
## राजस्थान : महिला साक्षरता दर 2011 जिलों की क्रमवार स्थिति

| क्र. सं. | जिले | महिला साक्षरता (%) | | दशकीय वृद्धि |
|---|---|---|---|---|
| | | 2001 | 2011 | (%) (2001-2011) |
| 1. | कोटा | 65.5 | 60.4 | 5.5 |
| 2. | जयपुर | 64.0 | 55.5 | 8.5 |
| 3. | झुंझुनू | 61.0 | 59.5 | 1.5 |
| 4. | गंगानगर | 59.7 | 52.4 | 7.3 |
| 5. | सीकर | 58.2 | 56.1 | 2.1 |
| 6. | अलवर | 56.3 | 43.3 | 13.0 |
| 7. | हनुमानगढ़ | 55.8 | 49.6 | 6.2 |
| 8. | अजमेर | 55.7 | 48.9 | 6.8 |
| 9. | धौलपुर | 547 | 41.8 | 12.9 |
| 10. | भरतपुर | 54.2 | 43.6 | 10.6 |
| 11. | चुरू | 54.0 | 54.4 | (–) 0.4 |
| 12. | बीकानेर | 53.2 | 42.0 | 11.2 |
| 13. | बारां | 52.0 | 41.6 | 10.4 |
| 14. | दौसा | 51.9 | 42.3 | 9.6 |
| 15. | जोधपुर | 51.8 | 38.6 | 13.2 |
| 16. | करौली | 48.6 | 44.4 | 4.2 |
| 17. | उदयपुर | 48.4 | 44.5 | 3.9 |
| 18. | पाली | 48.0 | 36.5 | 11.5 |
| 19. | राजसमंद | 48.0 | 37.7 | 10.3 |
| 20. | नागौर | 47.8 | 39.7 | 8.1 |
| 21. | सवाई माधोपुर | 47.5 | 35.2 | 12.3 |
| 22. | भीलवाड़ा | 47.2 | 33.4 | 13.8 |
| 23. | बूंदी | 46.6 | 37.8 | 8.8 |
| 24. | झालावाड़ | 46.5 | 40.0 | 6.5 |
| 25. | चित्तौड़गढ़ | 46.5 | 36.0 | 10.5 |
| 26. | डूँगरपुर | 46.2 | 31.8 | 14.4 |
| 27. | टोंक | 45.4 | 32.2 | 13.9 |
| 28. | बाँसवाड़ा | 43.1 | 29.2 | 15.2 |
| 29. | प्रतापगढ़ | 42.4 | – | – |
| 30. | बाड़मेर | 40.6 | 43.4 | (–) 2.8 |
| 31. | सिरोही | 39.7 | 37.1 | 2.6 |
| 32. | जैसलमेर | 39.7 | 32.1 | 7.6 |
| 33. | जालौर | 38.5 | 27.8 | 10.7 |
| **राजस्थान** | | **52.1** | **43.9** | **8.2** |

# राजस्थान

*कुल साक्षरता दर, 2001*

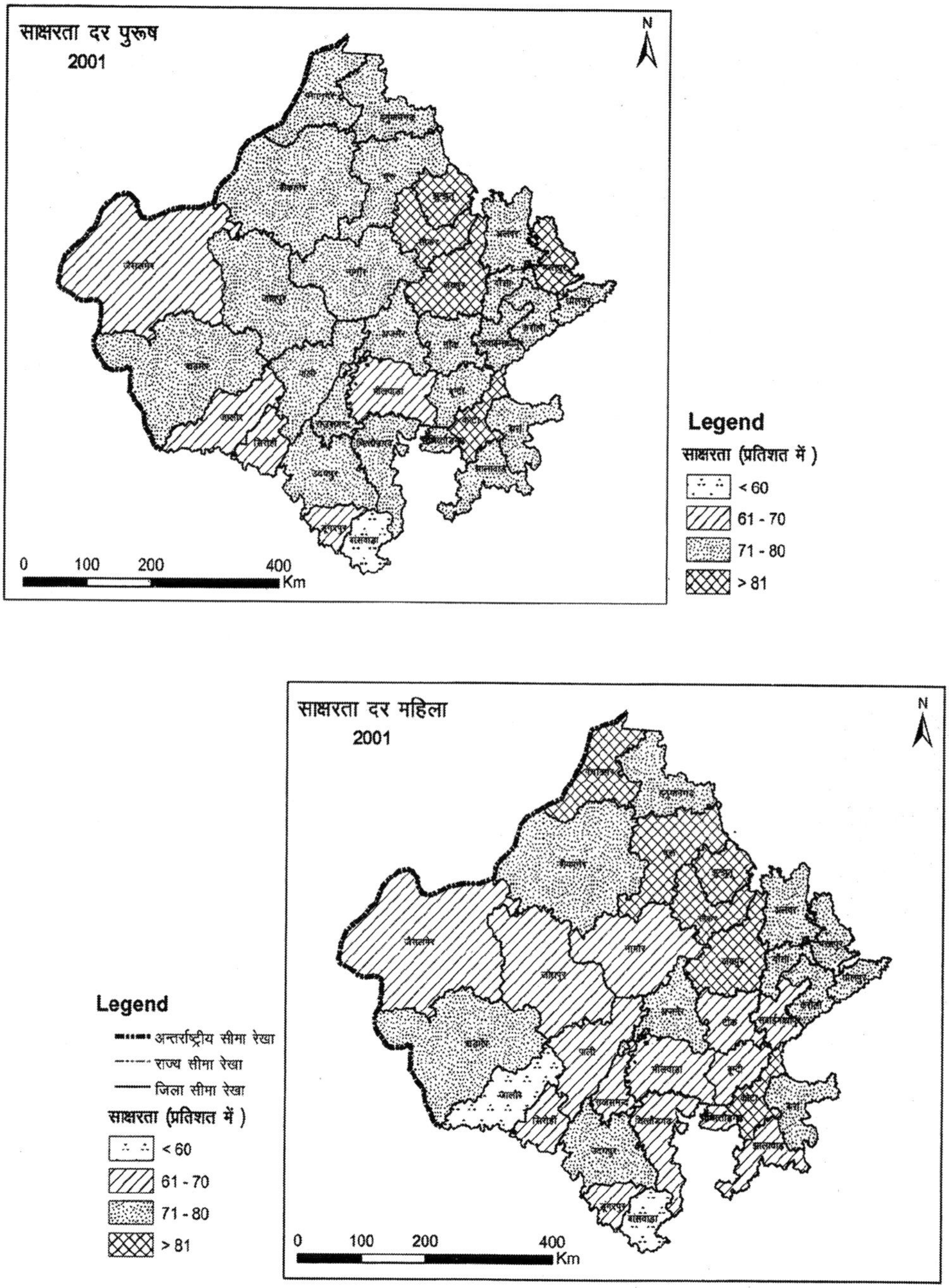


स्रोत– जनगणना प्रतिवेदन 2001 राजस्थान।

मानचित्र 102

# राजस्थान

## *ग्रामीण साक्षरता दर, 2001*

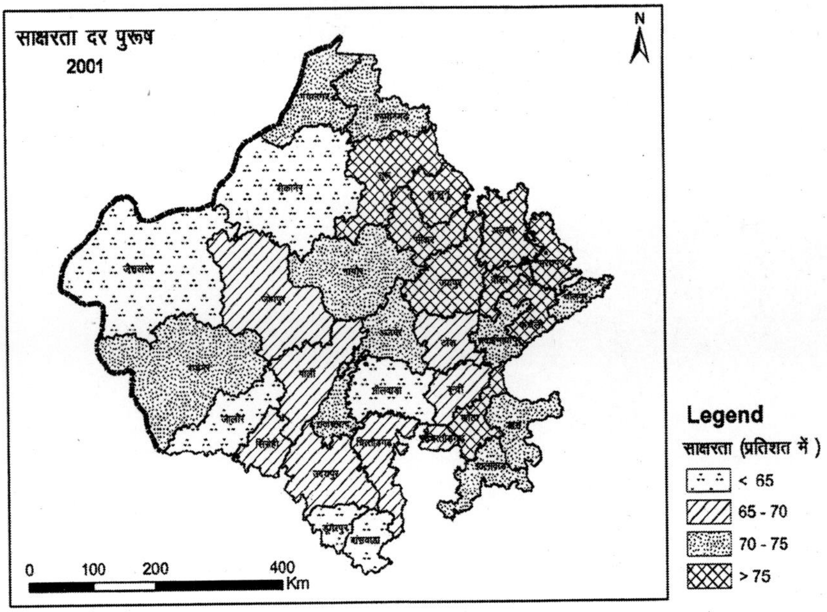


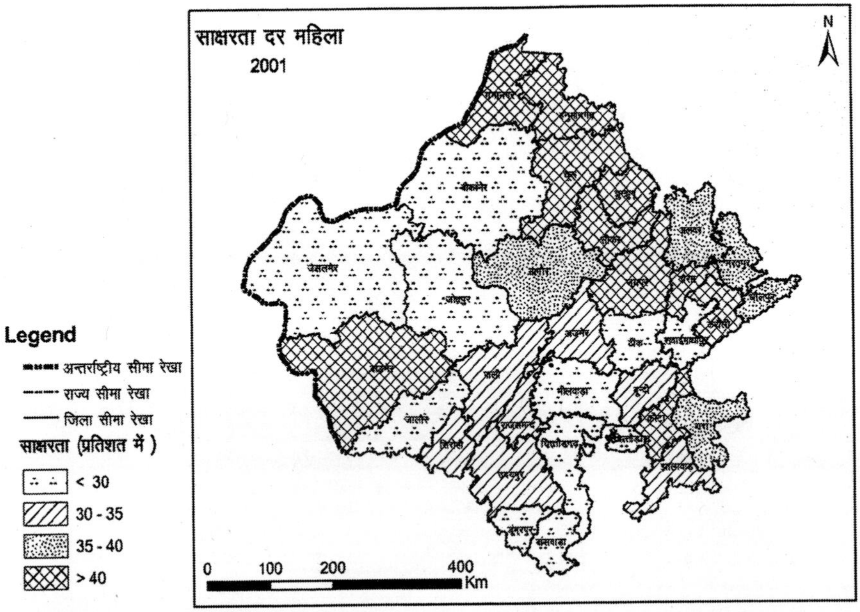


स्रोत– जनगणना प्रतिवेदन 2001 राजस्थान।

मानचित्र 103

# राजस्थान

## शहरी साक्षरता दर, 2001

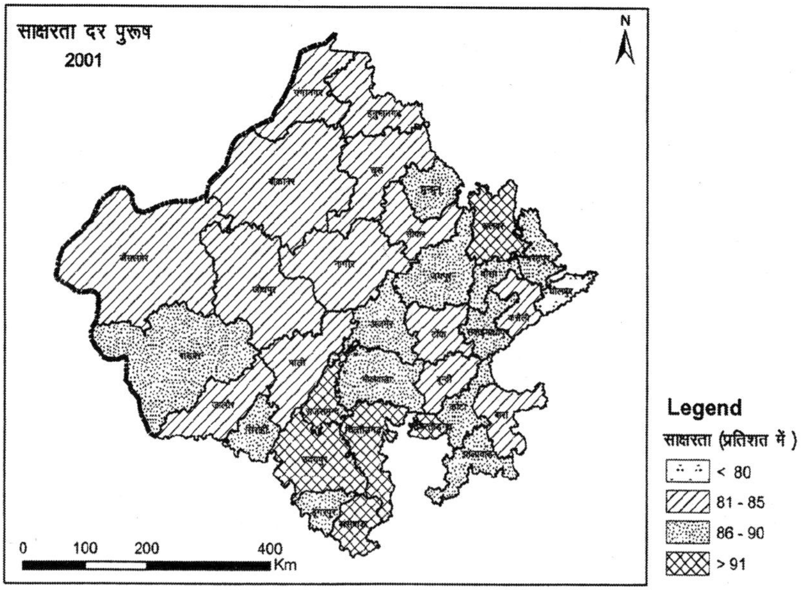


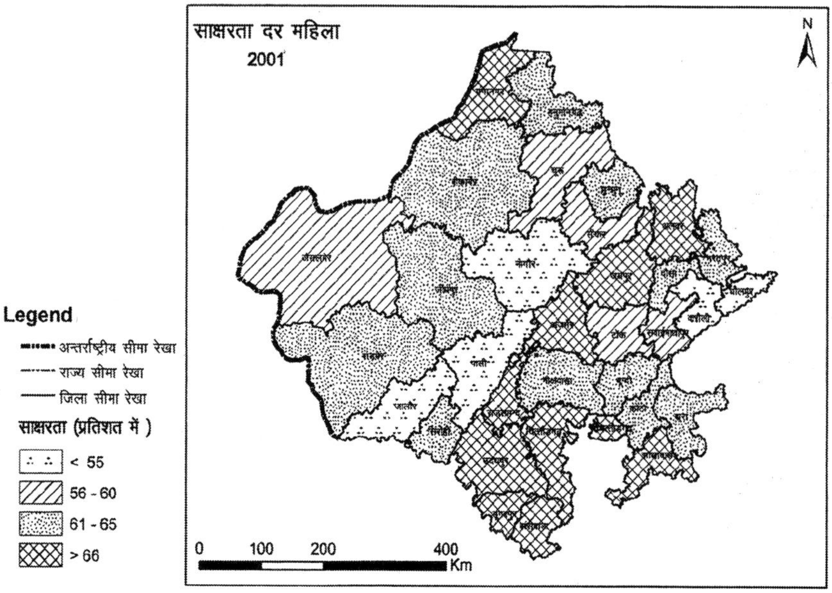


स्रोत– जनगणना प्रतिवेदन 2001 राजस्थान।

मानचित्र 104

राजस्थान के 14 जिलों में साक्षरता दर राज्य की औसत साक्षरता दर (66.1) से अधिक है। शेष 19 जिलों में साक्षरता दर राज्य के औसत से कम है। पुरुषों में साक्षरता दर स्त्रियों की अपेक्षा बहुत अधिक है पुरुष साक्षरता दर 79.2% है, जबकि स्त्रियों की दर मात्र (52.1%) है। अत: राज्य में स्त्री पुरुष-साक्षरता में अन्तर 27.1% का है। जबकि राष्ट्रीय स्तर पर ये अन्तर मात्र 16.3% है।

संशोधित जनगणना 2011 के अनुसार सर्वाधिक साक्षरता प्रतिशत वाला कोटा (76.6%) है जबकि न्यूनतम साक्षरता वाला जिला जालौर (54.9%) है। जनगणना 2011 में सर्वाधिक पुरुष साक्षरता वाला जिला झुंझुनूं (86.9%) है जबकि न्यूनतम पुरुष साक्षरता वाला जिला प्रतापगढ़ (69.5%) है। स्त्रियों की सर्वाधिक साक्षरता दर वाला जिला कोटा (65.9%) है जबकि न्यूनतम महिला साक्षरता वाला जिला जालौर (38.5%) है।

## कार्यशील जनसंख्या (Working Population)

कुल जनसंख्या में कार्यशील जनसंख्या का अनुपात भिन्न-भिन्न राज्यों में तथा एक ही राज्य में अलग-अलग समय पर भिन्न-भिन्न पाया जाता है। इसका मुख्य कारण यह है कि यह अनुपात अनेक तत्त्वों पर निर्भर करता है जैसे कि जनसंख्या की वयमूलक रचना, प्रत्याशित आयु, कार्य के प्रति लोगों का दृष्टिकोण, रोजगार के अवसरों की उपलब्धि आदि। ये सब बातें हर स्थान व समय में एक जैसी नहीं होती। फलस्वरूप श्रमिक संख्या के अनुपात में अन्तर होता है और समय पर परिवर्तन भी होता रहता है। सारणी-75 में 2001 तथा 2011 जनगणना वर्षों के लिए कार्यशील जनसंख्या अनुपात बताया गया हैं। (मानचित्र 105, 106, 107, 108 और 109)

सारणी अपने आप में कोई प्रवृत्ति नहीं बताती है। इसका मुख्य कारण भिन्न-भिन्न जनगणनाओं में श्रमिक की परिभाषा में संशोधन व परिवर्तन किया जाना है। इसके अतिरिक्त हमारे यहाँ श्रम की श्रेणी स्थाई नहीं है। इसमें परिवर्तन होते रहते हैं। एक समय में वह खेती करता है। दूसरे समय वह गाँव के पास किसी कारखाने में काम करता है तो कभी शहर में रोजगार का तलाश में ईंट, गारा, मिट्टी ढोता है। इस प्रकार इनकी सही गणना सम्भव ही नहीं है। फिर भी सहभागिता दर के सम्बन्ध में मोटे तौर पर जो एक चित्र उभर कर आता है वह यह है कि सम्पूर्ण भारत में 1981 में यह अनुपात 36.7 प्रतिशत था। इसमें सीमान्त श्रमिक शामिल हैं। सीमान्त श्रमिक उन श्रमिकों को कहते है जो आधे वर्ष से कम (183 दिनों से कम) समय के लिए आर्थिक दृष्टि से उत्पादक कार्यों में लगे होते हैं। इसके विपरीत जिन्हें आधे वर्ष से अधिक समय के लिए रोजगार मिला होता है, वे मुख्य श्रमिक की कोटि में आते हैं। राजस्थान में यह अनुपात 30.7 प्रतिशत ही हैं।

## व्यावसायिक ढाँचा (Occupational Structure)

राजस्थान में कार्यशील जनसंख्या विभिन्न व्यवसायों में किस प्रकार बंटी हुई है और दो जनगणनाओं में इनके उद्योगवार वितरण में क्या परिवर्तन हुआ है तथा सम्पूर्ण भारत में इसकी स्थिति क्या है सारणी-76 में दिया गया है।

2001 के आँकड़ों से स्पष्ट बोध होता है कि भारत का व्यावसायिक ढाँचा अल्पविकसित देशों में व्यावसायिक ढाँचे के बिल्कुल अनुरूप है। अल्पविकसित देशों में श्रमिकों का अधिकांश भाग कृषि क्षेत्र में लगा होता है और उद्योग व सेवा क्षेत्र में श्रमिकों का लगा प्रतिशत अपेक्षाकृत बहुत थोड़ा होता है। भारत में और राजस्थान में यह विशेषता स्पष्ट दिखाई देती है। कृषि यहाँ के लोगों का मुख्य व्यवसाय है। इस क्षेत्र में लगभग 71 प्रतिशत लोग लगे हुए हैं। उद्योग और सेवाओं में कार्यशील जनसंख्या का अपेक्षाकृत बहुत थोड़ा भाग लगा हुआ है। उद्योग क्षेत्र में लगे श्रमिकों का प्रतिशत भाग 13 के लगभग है और सेवा क्षेत्र में 16 के लगभग। इस प्रकार रोजगार की दृष्टि से कृषि की तुलना में उद्योग और सेवा क्षेत्र मिल करके भी एक तिहाई से थोड़ा कम ही बैठते हैं। इससे व्यावसायिक ढाँचे में कृषि की प्रधानता एवं उद्योग व सेवाओं के पिछड़ेपन अथवा देश की असन्तुलित एवं अल्पविकसित अर्थव्यवस्था का स्पष्ट बोध होता है।

# राजस्थान

## *कार्यशील जनसंख्या का व्यावसायिक वितरण*

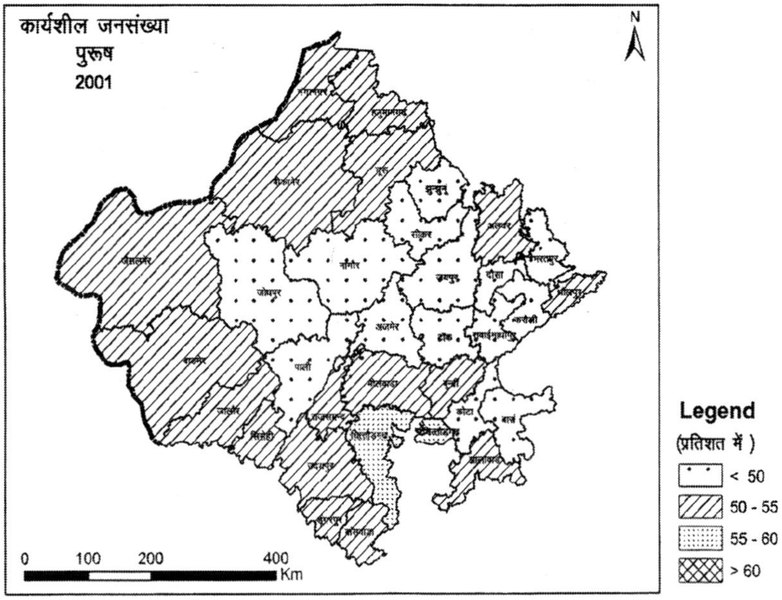


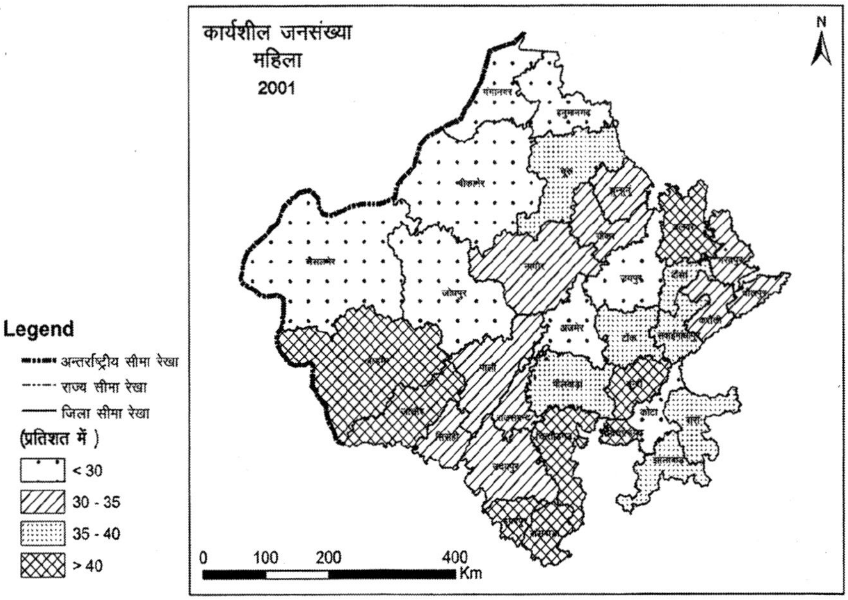


स्त्रोतः जनगणना प्रतिवेदन, 2001 राजस्थान।

मानचित्र 105

# राजस्थान

*कार्यशील जनसंख्या, 2001*

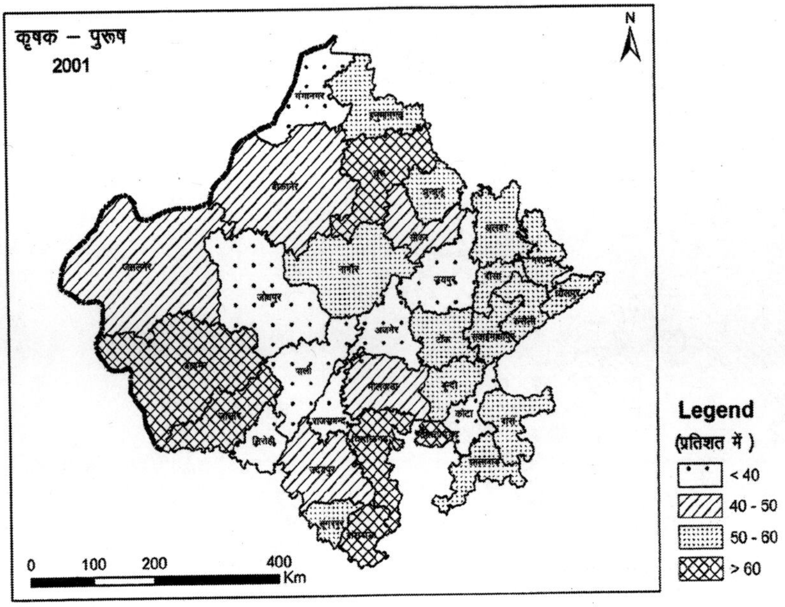


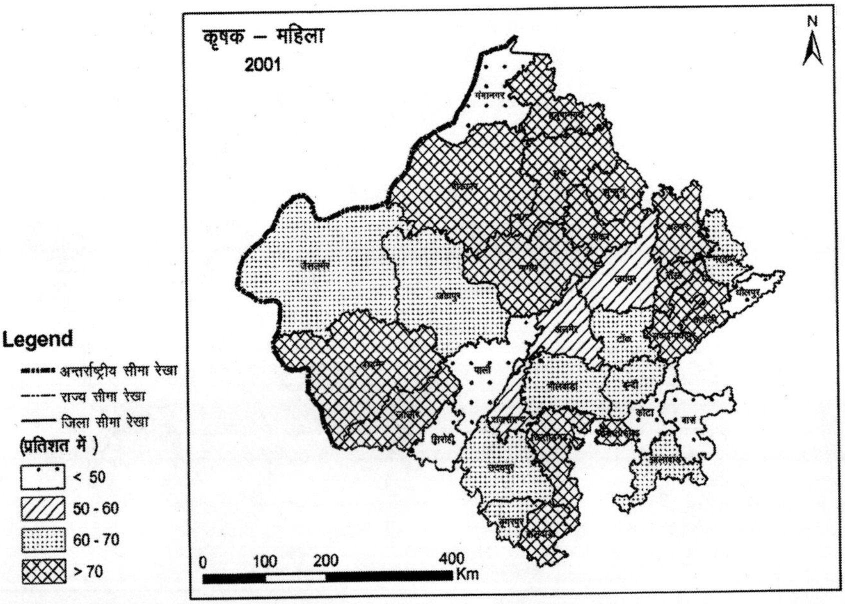


स्रोतः जनगणना प्रतिवेदन, 2001 राजस्थान।

मानचित्र 106

# राजस्थान

## कार्यशील जनसंख्या, 2001

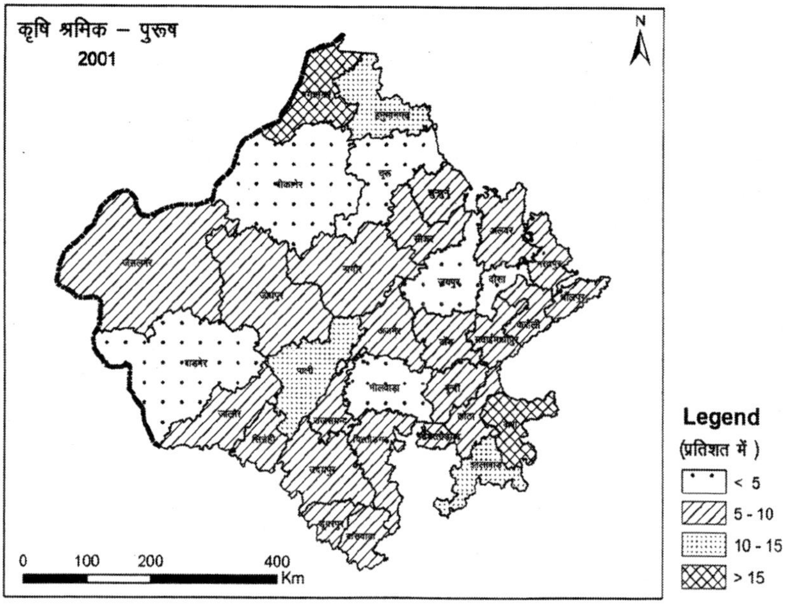


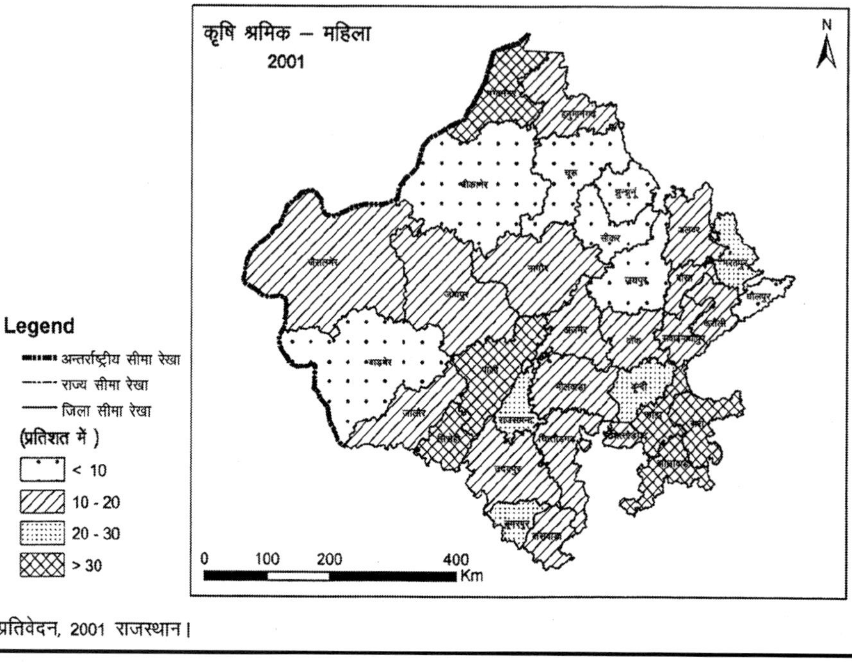


स्रोतः जनगणना प्रतिवेदन, 2001 राजस्थान।

मानचित्र 107

## राजस्थान
### *कार्यशील जनसंख्या, 2001*

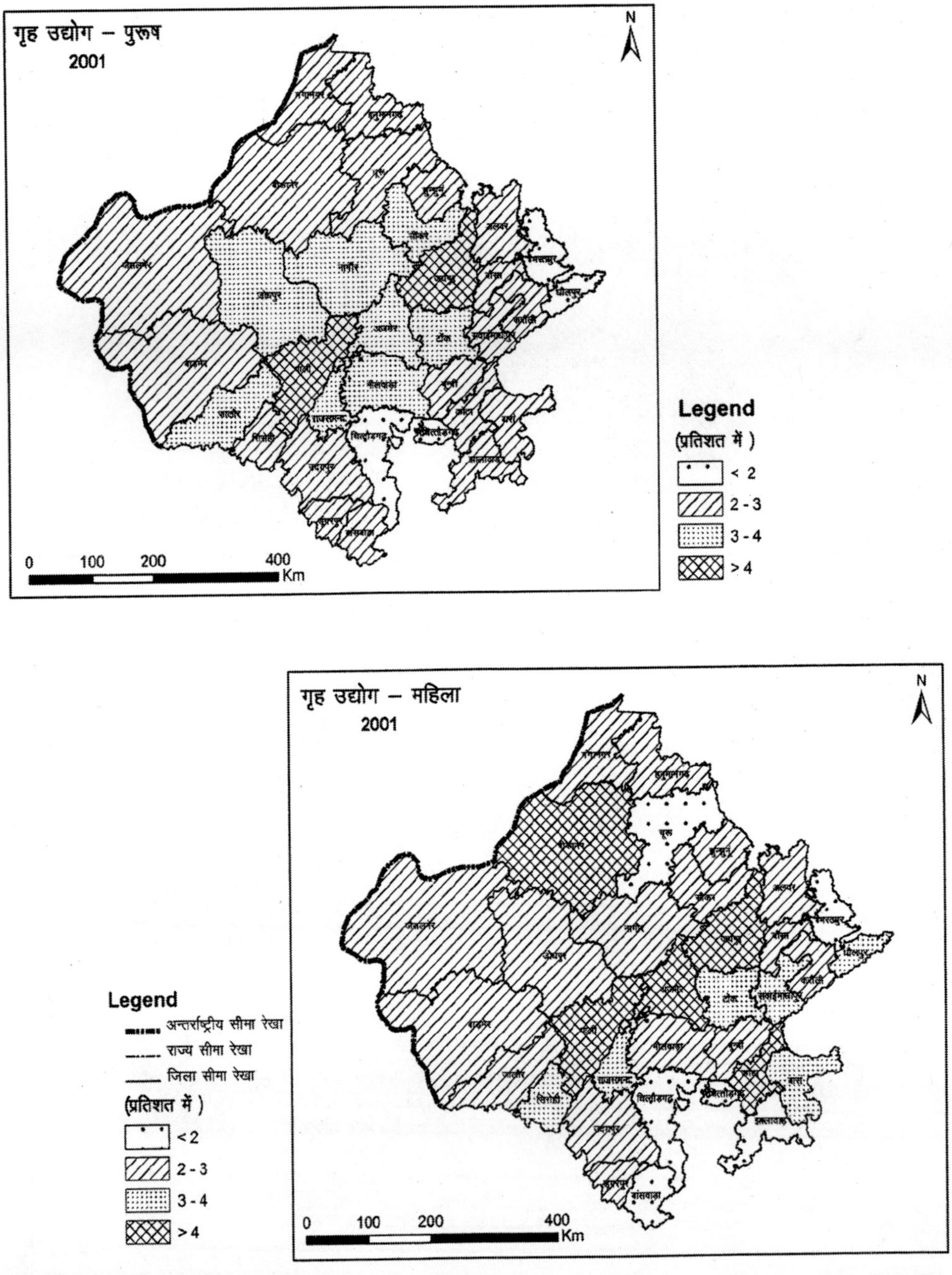


स्रोतः जनगणना प्रतिवेदन, 2001 राजस्थान।

मानचित्र 108

# राजस्थान

*कार्यशील जनसंख्या, 2001*

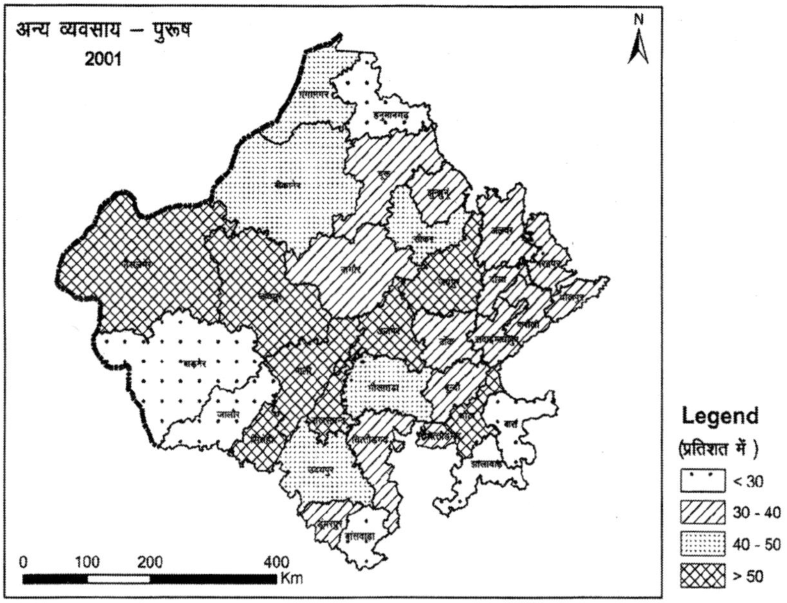


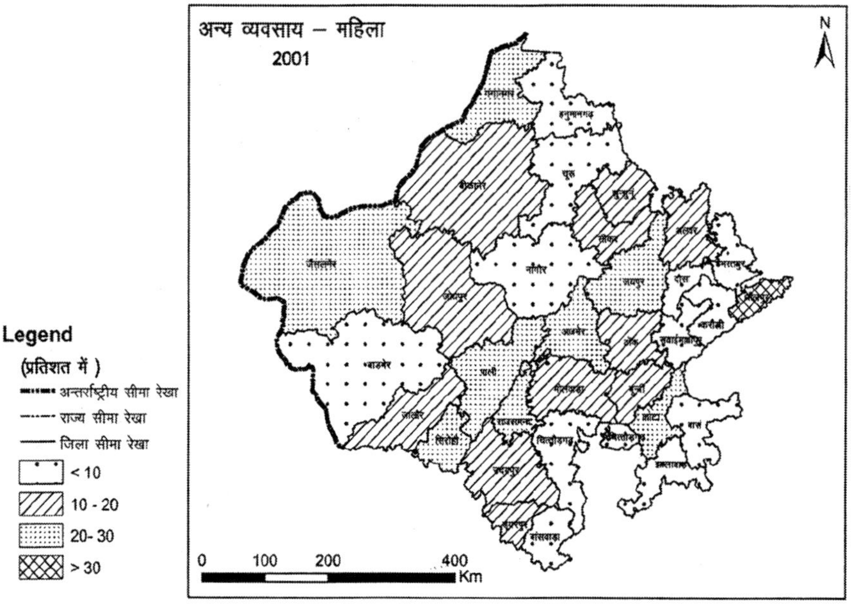


स्रोतः जनगणना प्रतिवेदन, 2001 राजस्थान।

मानचित्र 109

## सारणी–75
### कार्यशील जनसंख्या का व्यावसायिक वितरण (प्रतिशत में) (वर्ष 2001)

| क्र. सं. | भौगोलिक प्रदेश/जिला | कार्यशील दर | | कृषक | | कृषि श्रमिक | | गृह उद्योग | | अन्य व्यवसाय | |
|---|---|---|---|---|---|---|---|---|---|---|---|
| | | पुरुष | महिला | पुरुष | महिला | पुरुष | महिला | पुरुष | महिला | पुरुष | महिला |
| 1. | बाड़मेर | 51.39 | 41.78 | 66.18 | 83.16 | 3.75 | 5.73 | 2.90 | 2.96 | 27.17 | 8.15 |
| 2. | बीकानेर | 50.17 | 27.52 | 47.29 | 73.16 | 4.92 | 6.99 | 2.77 | 4.12 | 45.02 | 15.74 |
| 3. | चुरू | 50.01 | 38.44 | 61.32 | 87.64 | 4.47 | 4.62 | 2.59 | 1.80 | 31.61 | 5.94 |
| 4. | गंगानगर | 53.55 | 29.96 | 36.87 | 39.68 | 19.17 | 32.41 | 2.06 | 2.54 | 41.90 | 25.38 |
| 5. | हनुमानगढ़ | 51.67 | 29.89 | 54.45 | 70.51 | 14.73 | 18.47 | 2.02 | 2.05 | 28.80 | 8.97 |
| 6. | जैसलमेर | 51.73 | 29.37 | 40.82 | 60.13 | 6.25 | 12.37 | 2.30 | 2.63 | 50.63 | 24.91 |
| 7. | जालौर | 54.14 | 46.09 | 62.39 | 71.23 | 8.14 | 14.69 | 3.56 | 2.85 | 25.91 | 11.23 |
| 8. | झुंझुनू | 46.53 | 32.61 | 50.70 | 79.20 | 7.29 | 7.21 | 2.86 | 2.28 | 39.15 | 11.30 |
| 9. | जोधपुर | 48.43 | 27.09 | 39.34 | 69.15 | 6.64 | 16.38 | 3.25 | 2.48 | 50.77 | 11.99 |
| 10. | नागौर | 48.07 | 32.43 | 52.12 | 76.52 | 7.95 | 14.54 | 3.39 | 2.12 | 36.54 | 6.33 |
| 11. | पाली | 48.53 | 30.94 | 35.24 | 39.30 | 10.42 | 35.43 | 4.22 | 4.39 | 50.12 | 20.87 |
| 12. | सीकर | 45.81 | 31.45 | 47.33 | 79.89 | 5.12 | 6.89 | 3.22 | 2.87 | 44.34 | 10.36. |
| 13. | अजमेर | 49.79 | 27.97. | 29.62 | 53.26 | 5.30 | 19.15 | 3.47 | 4.80 | 61.62. | 22.79 |
| 14. | अलवर | 53.05 | 43.88 | 55.82 | 70.57 | 6.15 | 12.43 | 2.18 | 2.06 | 35.46 | 14.94 |
| 15. | भीलवाड़ा | 54.42 | 38.61 | 47.92 | 69.49 | 4.32 | 11.65 | 3.15 | 2.90 | 44.61 | 15.95 |
| 16. | चित्तौड़गढ़ | 59.79 | 46.23 | 60.12 | 74.94 | 7.12 | 15.11 | 2.00 | 1.74 | 30.76 | 8.21 |
| 17. | दौसा | 45.76 | 36.12 | 57.89 | 79.34 | 3.91 | 10.49 | 2.97 | 2.63 | 35.24 | 7.53 |
| 18. | जयपुर | 47.36 | 22.28. | 26.71 | 59.60 | 2.53 | 9.14 | 4.13 | 5.06 | 66.63 | 26.21 |
| 19. | राजसमन्द | 51.41 | 30.02 | 34.02 | 52.75 | 7.52 | 23.52 | 3.27 | 3.59 | 55.18 | 20.14 |
| 20. | सिरोही | 50.12 | 30.11 | 31.41 | 34.45 | 9.38 | 33.37 | 2.80 | 3.23 | 56.42 | 28.95 |
| 21. | उदयपुर | 5149. | 31.83 | 46.83 | 63.03. | 6.04 | 18.89 | 2.56 | 2.45 | 44.58 | 15.64. |
| 22. | बाँसवाड़ा | 50.49 | 43.92 | 73.03 | 77.76 | 6.14 | 15.25 | 2.19 | 1.96 | 18.64 | 5.03 |
| 23. | बारां | 49.18 | 35.60 | 52.26 | 49.73 | 17.30 | 38.93 | 2.38 | 3.73 | 28.07 | 7.60 |
| 24. | बूंदी | 53.78 | 40.51 | 54.68 | 63.06 | 8.65 | 21.21 | 2.49 | 2.45 | 30.89 | 11.75 |
| 25. | डूँगरपुर | 51.35 | 44.67 | 57.97 | 61.60 | 8.65 | 24.20 | 2.49 | 2.45 | 30.89 | 11.75 |
| 26. | झालावाड़ | 53.90 | 39.55 | 58.82 | 60.48 | 13.73 | 32.52 | 2.07 | 1.60 | 25.38 | 5.39 |
| 27. | कोटा | 48.05 | 19.41 | 24.07 | 33.61 | 8.80 | 32.17 | 2.93 | 5.42 | 64.20 | 28.80 |
| 28. | भरतपुर | 47.08 | 32.90 | 56.90 | 68.22 | 8.32 | 20.90 | 1.77 | 1.74 | 33.02 | 9.13 |
| 29. | धौलपुर | 51.68 | 33.97 | 56.38 | 35.31 | 6.29 | 9.46 | 1.31 | 3.16 | 36.02 | 52.08 |
| 30. | करौली | 44.83 | 34.22 | 54.34 | 71.81 | 5.75 | 17.43 | 2.46 | 2.93 | 37.45 | 7.83 |
| 31. | सवाई माधोपुर | 47.73 | 35.55 | 55.95 | 75.99 | 5.29 | 13.12 | 2.91 | 3.02 | 35.95 | 7.88 |
| 32. | टोंक | 49.28 | 38.27 | 52.03 | 66.34 | 6.19 | 16.82 | 3.49 | 3.93 | 38.29 | 12.92 |
| | **राजस्थान** | **49.95** | **33.49** | **48.06** | **67.00** | **7.18** | **16.19** | **2.85** | **2.85** | **41.91** | **13.96** |

सारणी–75 से कार्यशील जनसंख्या दर मुख्य कार्यशील व सीमान्त कार्यशील जनसंख्या का कुल जनसंख्या से प्रतिशत है। सामान्यतया 15–64 आयुवर्ग को कार्यशील जनसंख्या माना जाता है और यह वर्ग कार्य करने के लिए उपलब्ध है। वर्ष 2011 की जनगणना के आयुवर्ग वितरण के अनुसार 55.25 प्रतिशत जनसंख्या कार्यशील जनसंख्या है। इस वर्ग की पुरूष व महिला वर्ग के लोग वर्ष भर का कार्य चाहते हैं जिससे परिवार का भरण पोषण हो सके। जनसंख्या की पारिवारिक स्थिति के अनुसार प्रति परिवार औसत सदस्य संख्या 6 है जिनमें से औसतन 3 व्यक्ति पूर्णकालीन रोजगार के लिए उपलब्ध रहते हैं जो प्रति परिवार औसत कार्यशील जनसंख्या की श्रेणी में आते हैं। यदि 6 व्यक्तियों के परिवार में से एक सदस्य पूर्णकालीन रोजगार पाने में सफल है तो पूरे परिवार का भरण पोषण बहुत कठिनाई से होता है।

राज्य में कुल कार्यशील जनसंख्या में से मुख्य कार्यशील जनसंख्या पुरूषों में 43.64 प्रतिशत व महिला 16.96 प्रतिशत है। मुख्य कार्यशील श्रेणी में से 100 दिन से अधिक रोजगार पाने वाले व्यक्ति आते हैं। इस प्रकार पुरूषों व महिलाओं में मुख्य कार्यशील श्रेणी में होना पूरे वर्ष का रोजगार नहीं माना जा सकता। सीमान्त कार्यशील जनसंख्या में 1 से 99 दिन रोजगार पाने वाले व्यक्ति जोड़े जाते हैं। इस प्रकार इस वितरण से 49.95 प्रतिशत पुरूष व 33.49 प्रतिशत महिला का कार्यशील जनसंख्या की मुख्य व सीमान्त श्रेणी में होना यह दर्शाता है कि लगभग 20 प्रतिशत पुरूष व 14 प्रतिशत महिलाएं वर्ष भर का कार्य कर पाते हें। आयु वर्ग श्रेणी में 55 प्रतिशत पुरूष व महिला रोजगार श्रेणी योग्य की दृष्टि से 35% पुरुष व 41% महिलाएं बेरोजगार या अर्द्ध बेरोजगार श्रेणी में है।

सारणी के कालम 4 से 11 तक पुरूष व महिला कार्यशील व्यक्तियों में से काश्तकार, कृषि श्रमिक, गृह उद्योग या अन्य व्यवसाय में दिया गया प्रतिशत कुल कार्यशील दर का वितरण दर्शाता है जो कार्यशील जनसंख्या को 100 मानकर निकाला गया है। इस राज्य के विभिन्न क्षेत्रों में बेरोजगारी या अर्द्ध रोजगार की स्थिति बहुत अधिक है और यह संख्या स्पष्ट करती है कि सीमित रोजगार के अवसर मिलने पर परिवार का भरण पोषण करना बहुत कठिन है। इस स्थिति को कृषि व्यवस्था पर आश्रित होने के अनुरूप देखकर यह स्पष्ट है कि अधिकांश कृषकों के पास सिंचाई के साधन न होने से वे एक फसल ही प्राप्त कर पाते हैं और इस कार्य को लगभग 100 दिन से अधिक होने पर कृषि से संबद्ध व्यक्ति मुख्य कार्यशील श्रेणी में आ जाते हैं चाहे वे एक फसली कृषि ही कर पाते हैं।

कृषि प्रधान अर्थव्यवस्था के कारण राजस्थान में एक फसली क्षेत्र अधिक हैं और कृषि वर्षा पर आधारित है। इस दृष्टि से छोटे व मध्य कृषक एक फसली क्षेत्र से जीवन यापन के साधन नहीं जुटा पाते और अकाल पड़ने पर ऐसे परिवारों की स्थिति बहुत संकट मय हो जाती है। कृषि श्रमिक का कार्य केवल बड़े कृषकों के द्वारा ही मिल पाता है और गांव के बहुत कम लोगों को कृषि मजदूर का कार्य मिल पाता है। अन्य व्यवसायों में सीमित रोजगार के कारण बेरोजगारी व अर्द्ध रोजगार की समस्या स्थाई व्यवधान रहता है।

## कृषि क्षेत्र

राजस्थान राज्य में कुल श्रमिकों का विभिन्न औद्योगिक श्रेणियों के अनुसार वितरण सारणी 76 में ही दिखाया गया है। सारणी से स्पष्ट है कि 1971 में कृषि व सहायक क्रियाओं में राज्य में 76.7 प्रतिशत तक श्रमिक लगे हुए थे जो 1981 में कुछ गिरकर 75.8 प्रतिशत हो गए। लेकिन कृषि क्षेत्र में भी यदि देखें तो स्पष्ट होता है कि किसान का प्रतिशत तो 1971 तथा 1981 में लगभग स्थिर ही है और मोटे रूप में 1981 में 1971 की तुलना में कुछ गिरावट ही आयी है। यानी कृषक का स्तर गिरा ही है। जहाँ तक खेतीहर मजदूरों का प्रश्न है, इसमें कुछ गिरावट ही आई है। 1971 में इसका प्रतिशत 9.3 था जो गिरकर 1981 में 8.5 ही रह गया है। रही बात वन, उद्योग, पशु पालन आदि की तो इसमें अवश्य मामूली-सी सुधार दिखाई देता है। यह 1971 में 2.5% था जो बढ़कर 1981 में 2.8 हो गया है। इस प्रकार यदि सम्पूर्ण कृषि क्षेत्र को लें तो इसका व्यवहार सम्पूर्ण भारत के व्यवहार से मेल खाता है।

व्यवसाय की दृष्टि से राजस्थान की अर्थव्यवस्था में कृषि क्षेत्र का स्थान इतना महत्त्वपूर्ण हो अवश्य है लेकिन इसकी स्थिति बहुत असन्तोषजनक है। इसका मोटा अनुमान इस बात से लगाया जा सकता है कि राज्य की लगभग तीन चौथाई, कार्यशल जनसंख्या इस क्षेत्र में लगी हुई होने के बावजूद भी यह क्षेत्र निर्यात योग्य आधिक्य प्राप्त नहीं करता है। एक ओर राज्य की खेती इतनी पिछड़ी हुई है; दूसरी ओर विभिन्न प्रकार के उद्योगों और सेवाओं के अभाव में राज्य के लोग अधिकाधिक संख्या में कृषि क्षेत्र में लगे रहते हैं। (सारणी-75)

**उद्योग क्षेत्र**

उद्योग क्षेत्र में लगे श्रमिकों का अनुपात देश में 1991 की जनगणना में 11.2 था जो 2001 में थोड़ा बढ़कर 12.9 हो गया था। याने देश ने औद्योगिक क्षेत्र में थोड़ी बहुत प्रगति की और फलस्वरूप इस क्षेत्र में लगे श्रमिकों का अनुपात धीरे-धीरे बढ़ने लगा। औद्योगिकीकरण में तेजी तो आई है, लेकिन इस क्षेत्र में रोजगार सृजन की दिशा में भारी प्रगति नहीं हो पाई है।

## राजस्थान में जनसंख्या का प्रवास (Migration of Population)

जनसंख्या के प्रवास करने की प्रवृत्ति मानव की ही नहीं चौपायों व पक्षियों में भी सदा देखी गई है। मानव बुद्धि सम्पन्न होने से उसमें आवास परिवर्तन करने की प्रवृत्ति इतिहास में हमेशा देखने को मिली है। कई नगर और राजधानियाँ उजड़ी और बसीं, उसका कारण प्रवास ही है। राजस्थान में प्राय: सभी राजपूत, सिसोदिया, चौहान, यादव, राठौड़ एवं कछवाहा बाहर से आकर बसे हैं। उनकी कई सन्ततियाँ भी बाहर चली गई। राजस्थान के जाट पंजाब, उत्तर प्रदेश तक चले गए। इसी प्रकार राजस्थान में कई मराठा, बंगाली, मद्रासी, सिंधी पंजाबी, केरलवासी शिक्षा, चिकित्सा, निर्माण, सुरक्षा आदि राजकीय सेवाओं में नियुक्ति पाकर आकर बस गए हैं।

प्रवास के कई कारण है जिनमें मुख्यत: प्राकृतिक कारण अकाल, जलवायु का बदल जाना, बाढ़ आ जाना, भूमि का कट जाना, बीमारियाँ फैल जाना तथा आग लग जाना आदि एवं कुछ सांस्कृतिक कारण, देश का विभाजन होना, साम्राज्यों का उत्थान-पतन, राजनैतिक सीमाएँ बदलना, यातायात के साधन बढ़ना, युद्ध, सिंचाई के साधनों का विकास एवं खनिज सम्पदाओं का खनन एवं आर्थिक साधनों का विकास होना या समाप्त हो जाना भी प्रवास का मुख्य कारण रहे हैं। राजस्थान में राजपूतों के आगमन के साथ-साथ उनकी राजधानियों में कई पंडित, कलाकार, विद्वान आकर बस गए। अंग्रेजों के शासन में कई अंग्रेज प्रशासक नियुक्त होकर आए। साथ ही शिक्षा, व्यापार एवं प्रशासन की दृष्टि से भारत के विभिन्न प्रान्तों से कई लोग आकर राजस्थान में बस गए। इसके विपरीत कई व्यक्ति राजस्थान से अपनी जीविका की तलाश में गुजरात, महाराष्ट्र, मध्य प्रदेश, दिल्ली, बंगाल एवं मद्रास चले गए। इनमें से कई लोग होटलों में काम करते हैं कई की होटलें हैं तथा कपड़ों की दुकानों पर रक्षक का काम करते हैं साथ ही कई लोग घरेलू नौकरों का काम, कोई धन्धा या व्यापार भी करते है। बंगाल, महाराष्ट्र, गुजरात, दिल्ली, उत्तर प्रदेश और मद्रास में सीकर, बीकानेर, चुरू, झुंझुनूं के मारवाड़ी व्यापारी चले गए जहाँ अपनी पूंजी से इन्होंने कई कारखाने एवं व्यवसाय खोल दिए हैं। अत: प्रवास एक नियति का क्रम बना रहा है। राजस्थान में सबसे बड़ी संख्या में प्रवासी देश के विभाजन के समय आए। इस समय बहुत बड़ी जनसंख्या पाकिस्तान से भारत में आकर बस गई। इसी प्रकार श्रीगंगानगर जिले में गंगानहर के बन जाने से उस खेतीहर प्रदेश में हजारों व्यक्ति हरियाणा और पंजाब से आकर या राजस्थान के अन्य जिलों से आकर बस गए। इसी प्रकार इंदिरा गांधी नहर बन जाने से 36 लाख एकड़ भूमि पर खेती की जाने लगेगी जिसमें कई मंडियां एवं नगर बस जाएंगे और यातायात के साधन विकसित हो जाएंगे उस समय राजस्थान के विभिन्न भागों से एवं भारत के अन्य प्रान्तों से भी लोग आ-आकर बस जाएंगे। जैसे-जैसे औद्योगिक विकास बढ़ता जाएगा उसी के अनुसार कई लोग उद्योगों के पास जाकर बस जाएंगे।

## राजस्थान की जनसंख्या की विशेषताएँ

उपरोक्त अध्ययन कर लेने के पश्चात् निष्कर्ष स्वरूप, राजस्थान की जनसंख्या की निम्नलिखित विशेषताएँ ज्ञात होती हैं जो कि सन् 1991 की जनगणना पर आधारित है-

1. राजस्थान में भारत के कुछ क्षेत्रफल का लगभग 10.41 प्रतिशत भाग है और कुल जनसंख्या का लगभग 5.20 प्रतिशत भाग है।
2. जनसंख्या की दृष्टि से राजस्थान का भारत के राज्यों में नवां स्थान है।
3. राजस्थान की जनसंख्या का औसत घनत्व 128 व्यक्ति प्रति वर्ग किलोमीटर है।
4. सन् 1981 की जनसंख्या में सन् 1991 की जनगणना के अनुसार लगभग 28.07 प्रतिशत की वृद्धि हुई है।
5. राजस्थान के मैदानी भाग में राज्य की लगभग 2/5 जनसंख्या निवास करती है जबकि क्षेत्रफल की दृष्टि से कुल क्षेत्रफल का 1/4 भाग से भी कम है।
6. उत्तरी-पश्चिमी शुष्क रेगिस्तानी भाग राज्य के लगभग 3/5 क्षेत्र में विस्तृत है जबकि उसमें राज्य की केवल 3/10 जनसंख्या निवास करती है।
7. राज्य के सबसे अधिक जिलों (जयपुर, गंगानगर, अलवर, नागौर, कोटा, सीकर, झुंझुनूं, चुरू, बाड़मेर, बांसवाड़ा एवं जैसलमेर) में जनसंख्या की वृद्धि-दर 28.07 हैं
8. जनसंख्या की वृद्धि-दर सबसे अधिक बीकानेर जिले में (वृद्धि 42.5%) है और सबसे कम अजमेर जिले में (वृद्धि 19.63%) है।
9. राजस्थान में सबसे अधिक जनसंख्या जयपुर जिले (47.2 लाख) में है और सबसे कम जैसलमेर जिले (3.44 लाख) में हैं।
10. राजस्थान में प्रति एक हजार व्यक्तियों के पीछे 913 स्त्रियाँ हैं, जबकि सम्पूर्ण भारत में यह औसत 929 स्त्रियों का है।
11. राज्यों की अधिकांश जनसंख्या गांवों में रहती है। लगभग 75 प्रतिशत जनसंख्या ग्रामीण-क्षेत्र में व शेष लगभग 25 प्रतिशत नगरों में निवास करती है।
12. राजस्थान में साक्षर जनसंख्या 38.81 प्रतिशत है। सबसे अधिक साक्षरता का प्रतिशत जयपुर जिले में है, द्वितीय स्थान अलवर जिले का है।

**सारणी-76**
**जनगणना 2011 से**

| जिला | जनसंख्या (हजार में) | | 2001-2011 में दस वर्षीय वृद्धि (% में) | लिंग अनुपात (प्रति 1000 पुरुष पर स्त्रियों की संख्या) | घनत्व (प्रति वर्ग किलोमीटर) | साक्षरता की दरें (प्रतिशत में) (7 वर्ष व अधिक के आयु-समूह में) | | |
|---|---|---|---|---|---|---|---|---|
| | 2001 | 2011 | | | | (व्यक्तियों में) | (पुरुषों में) | (स्त्रियों में) |
| राजस्थान | 56507 | 68548 | 21.3 | 928 | 200 | 66.1 | 79.2 | 52.1 |
| गंगानगर | 1789 | 1969 | 10.0 (L) | 891 | 179 | 69.6 | 78.5 | 59.7 |
| हनुमानगढ़ | 1518 | 1774 | 16.9 | 906 | 184 | 67.1 | 77.4 | 55.8 |
| बीकानेर | 1902 | 2364 | 24.3 | 905 | 78 | 65.1 | 75.9 | 53.2 |
| चुरू | 1696 | 2039 | 20.3 | 940 | 147 | 66.8 | 78.8 | 54.0 |
| झुंझुनू | 1914 | 2037 | 11.7 | 950 | 361 | 74.1 | 86.9 (H) | 61.0 |
| अलवर | 2991 | 3674 | 22.8 | 895 | 438 | 73.7 | 83.7 | 56.3 |

| जिला | जनसंख्या (हजार में) | | 2001–2011 में दस वर्षीय वृद्धि (% में) | लिंग अनुपात (प्रति 1000 पुरुष पर स्त्रियों की संख्या) | घनत्व (प्रति वर्ग किलोमीटर) | साक्षरता की दरें (प्रतिशत में) (7 वर्ष व अधिक के आयु-समूह में) | | |
|---|---|---|---|---|---|---|---|---|
| | 2001 | 2011 | | | | (व्यक्तियों में) | (पुरुषों में) | (स्त्रियों में) |
| भरतपुर | 2100 | 2548 | 21.4 | 880 | 503 | 70.1 | 84.1 | 54.2 |
| धौलपुर | 983 | 1206 | 22.7 | 846(L) | 398 | 69.1 | 81.2 | 54.7 |
| करौली | 1206 | 1458 | 20.9 | 861 | 264 | 66.2 | 81.4 | 48.6 |
| सवाई माधोपुर | 1117 | 1335 | 19.6 | 897 | 297 | 65.4 | 81.5 | 47.5 |
| दौसा | 1323 | 1634 | 23.5 | 905 | 476 | 68.2 | 83.0 | 51.9 |
| जयपुर | 5251 | 6626(H) | 26.2 | 910 | 595(H) | 75.5 | 86.1 | 64.0 |
| सीकर | 2288 | 2677 | 17.0 | 947 | 346 | 71.9 | 85.1 | 85.2 |
| नागौर | 2775 | 3308 | 19.2 | 950 | 187 | 62.8 | 77.2 | 47.8 |
| जोधपुर | 2886 | 3687 | 27.7 | 916 | 161 | 65.9 | 79.9 | 51.8 |
| जैसलमेर | 508 | 670 | 31.8 | 852 | 17(L) | 57.2 | 72.0 | 39.7 |
| बाड़मेर | 1965 | 2604 | 32.5(H) | 902 | 92 | 56.5 | 70.9 | 40.6 |
| जालौर | 1449 | 1829 | 26.2 | 952 | 172 | 54.9(L) | 70.7 | 38.5(L) |
| सिरोही | 851 | 1036 | 21.8 | 940 | 202 | 55.3 | 70.0 | 39.7 |
| पाली | 1820 | 2037 | 11.9 | 987 | 164 | 62.4 | 76.8 | 48.0 |
| अजमेर | 2178 | 2583 | 18.6 | 951 | 305 | 69.3 | 82.4 | 55.7 |
| टोंक | 1212 | 1421 | 17.3 | 952 | 198 | 61.6 | 77.1 | 45.4 |
| बूंदी | 963 | 1111 | 15.4 | 925 | 192 | 61.5 | 75.4 | 46.6 |
| भीलवाड़ा | 2021 | 2408 | 19.2 | 973 | 230 | 61.4 | 75.3 | 47.2 |
| राजसमंद | 982 | 1156 | 17.7 | 990 | 248 | 63.1 | 78.4 | 48.0 |
| उदयपुर | 2481 | 3068 | 23.7 | 958 | 262 | 61.8 | 74.3 | 48.4 |
| डूँगरपुर | 1108 | 1388 | 25.4 | 994(H) | 368 | 59.5 | 72.9 | 48.2 |
| प्रतापगढ़ | 707 | 868 | 22.8 | 983 | 195 | 56.0 | 69.5(L) | 48.4 |
| बाँसवाड़ा | 1421 | 1797 | 26.5 | 980 | 397 | 56.3 | 69.5(L) | 43.1 |
| चित्तौड़गढ़ | 1330 | 1544 | 16.1 | 972 | 193 | 61.7 | 76.6 | 46.5 |
| कोटा | 1569 | 1651 | 24.4 | 911 | 374 | 76.6(H) | 86.3 | 65.9(H) |
| बारां | 1021 | 1223 | 19.7 | 929 | 175 | 66.7 | 80.4 | 52.0 |
| झालावाड़ | 1180 | 1411 | 19.6 | 946 | 227 | 61.5 | 75.8 | 46.5 |

(स्त्रोत : Some Facts About Rajasthan, 2014, and Data Flighlights (Primary Census Abstract) Raj. Series 9, 2013, Various tables., Economic Review 2014-15, pp. A-45 & A-46)

# अध्याय 22

## जनजाति/आदिवासी
## Tribal/Tribes

2011 की जनगणना के अनुसार राज्य में अनुसूचित जनजातियों या आदिवासी की संख्या 92,38,534 लाख हैं जो राज्य की कुल जनसंख्या का 13.5 प्रतिशत हैं। इसके विपरीत भारत में यह अनुपात 8.61 प्रतिशत हैं। राज्य में भील और मीणा दो प्रमुख जनजातियाँ हैं दूसरी मुख्य जनजातिय में गरासिया, सहरिया और डामोर हैं। जनसंख्या वृद्धि सन् 1951 से 2011 की बीच अलग-अलग दस वर्षों में कितनी जनसंख्या वृद्धि हुई।

सन् 2011 की गणना के अनुसार प्रत्येक जिले में जनजातियों की संख्या तथा कुल जनसंख्या से प्रतिशत और जनजातियों का प्रत्येक जिले में जनसंख्या का प्रतिशत इस प्रकार हैं (सारणी-77 व मानचित्र 110)-

**सारणी-77**
**राजस्थान में जनजातियों की जनसंख्या**
**(1951-2011)**

| वर्ष | जनसंख्या (लाखों में) | जनजातियाँ की जनसंख्या (लाखों में) |
|---|---|---|
| 1951 | 160 | 19.53 |
| 1961 | 202 | 24.42 |
| 1971 | 258 | 31.26 |
| 1981 | 343 | 41.83 |
| 1991 | 440 | 41.83 |
| 2001 | 565 | 70.97 |
| 2011 | 686 | 92.38 |

स्त्रोत : भारतीय जनगणना रिपोर्ट, 1951-2011

### राजस्थान में दस मुख्य जनजातियाँ

राजस्थान में दस मुख्य जनजातियाँ और घुमन्तू जातियां हैं। सन् 2011 के अनुसार राज्य की कुल जनजातियों की जनसंख्या 9.24 मिलियन थी। यह दस मुख्य जनजातियाँ सम्पूर्ण राज्य की 99.79 प्रतिशत को दर्शाती है। राज्य में 12 जनजातियां सूची में हैं उसमें दो जनजातियाँ मीणा और भील राज्य के कुल जनजातियाँ का लगभग 94 प्रतिशत हैं। मीणा नाम जनजाति अधिकतर उदयपुर, जयपुर, सवाई माधोपुर और चित्तौड़गढ़ जिलों में लगभग 60 प्रतिशत रहते हैं। लगभग 70 प्रतिशत कुल भील जनजाति बाँसवाड़ा, उदयपुर और डूंगरपुर में पायी जाती है। गरासिया जनजाति के लोग सिरोही, उदयपुर और पाली जिलों में मिलते हैं। सहरिया नामक, जनजाति मुख्यत: कोटा जिला में पाई जाती है। डामोर, डामरिया, जनजाति के मीणा डूँगरपुर जिले में पाए जाते हैं। भील मीणा नामक जनजाति के आदिवासी बाँसवाड़ा, घाऊकान जिला जयपुर एवं कोटा जिलों में निवास करती है। काथोदीरू उदयपुर जिले और पटेलीया नामक जनजाति के लोग मुख्यत: कोटा, झालावाड़ एवं बांसवाड़ा जिलों में पायी जाती हैं। सारणी-78 में 2011 में जनगणना के अनुसार राज्य की प्रथम आठ मुख्य जनजातियों की जनसंख्या एवं उनका प्रतिशत प्रदर्शित करती है। (मानचित्र 111)

### भौगोलिक वितरण

भौगोलिक वितरण के अनुसार आदिम जातियों में भील और मीणा करीब-करीब राजस्थान के सभी जिलों में निवास करते हैं। मुख्यत: मीणों का केन्द्रीयकरण जयपुर, सवाई माधोपुर, उदयपुर, अलवर, कोटा, बूंदी आदि जिलों में अधिक है। उसी प्रकार भीलों का केन्द्रीयकरण बाँसवाड़ा, डूँगरपुर, चित्तौड़ और सिरोही जिलों में है। (मानचित्र 112) गरासिया, सिरोही, उदयपुर और पाली में ही निवास करते हैं। सहरियों का केन्द्रीयकरण कोटा जिले में

अनुसूचित जनजाति का प्रतिशत
उ
राजस्थान
टी. एस. चौहान
0.25% गंगानगर
0.18% बीकानेर
0.48% चूरू
1.90% झुन्झुनू
2.65% सीकर
8.12% अलवर
2.34% भरतपुर
4.49% धौलपुर
22.67% सवाईमाधोपुर
11.12% जयपुर
0.18% नागौर
4.39% जैसलमेर
2.40% जोधपुर
5.10% बाड़मेर
8.01% जालोर
23.11% सिरोही
5.47% पाली
2.23% अजमेर
11.80% टोंक
20.11% बूंदी
14.83% कोटा
11.67% झालावाड़
9.28% भीलवाड़ा
18.16% चित्तौड़गढ़
34.33% उदयपुर
64.44% डूंगरपुर
72.63% बांसवाड़ा

मानचित्र 110

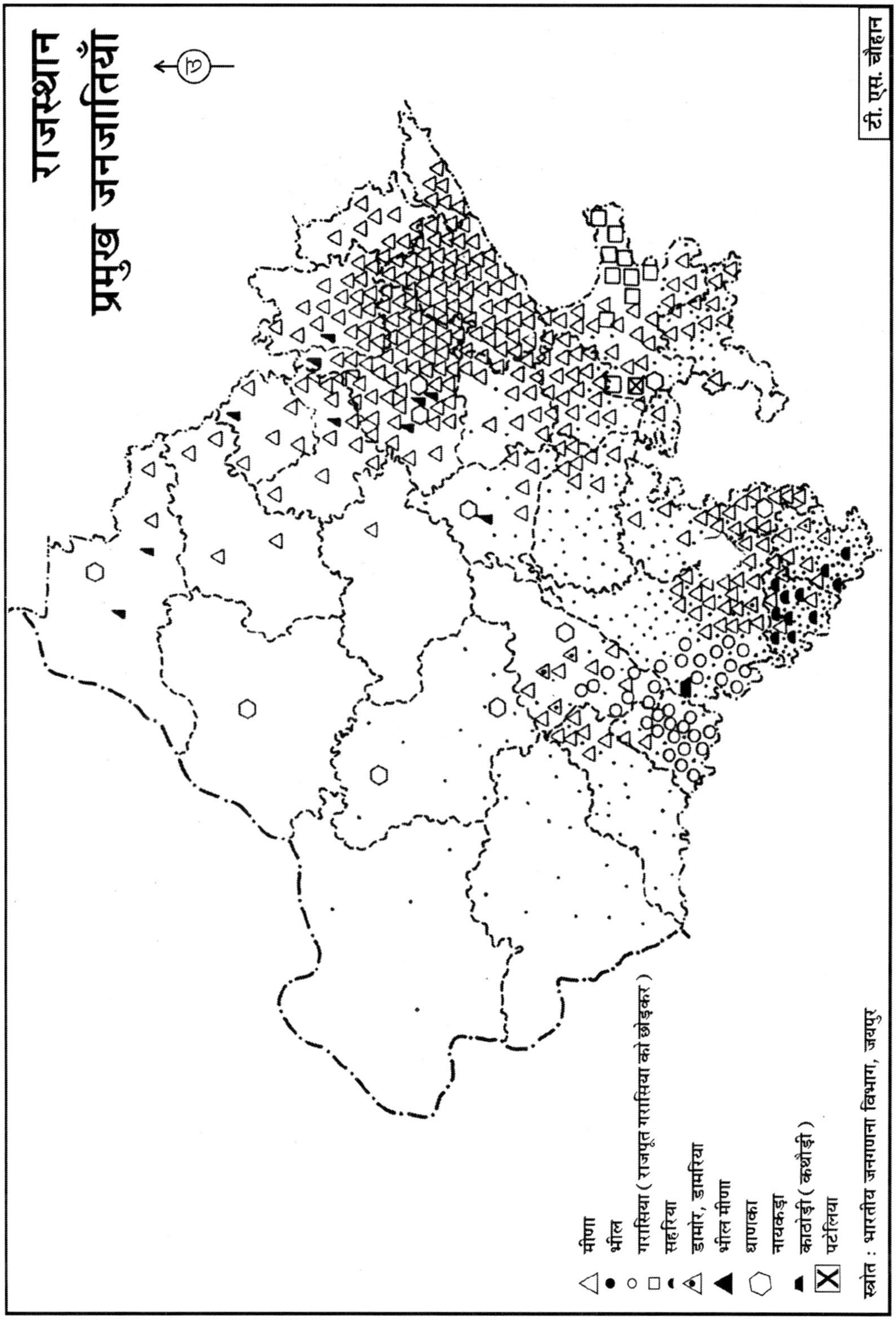
राजस्थान
प्रमुख जनजातियाँ
उ
टी. एस. चौहान
मीणा
भील
गरासिया ( राजपूत गरासिया को छोड़कर )
सहरिया
डामोर, डामरिया
भील मीणा
धाणका
नायकड़ा
काठोड़ी ( कथौड़ी )
पटेलिया
स्रोत : भारतीय जनगणना विभाग, जयपुर

मानचित्र 111

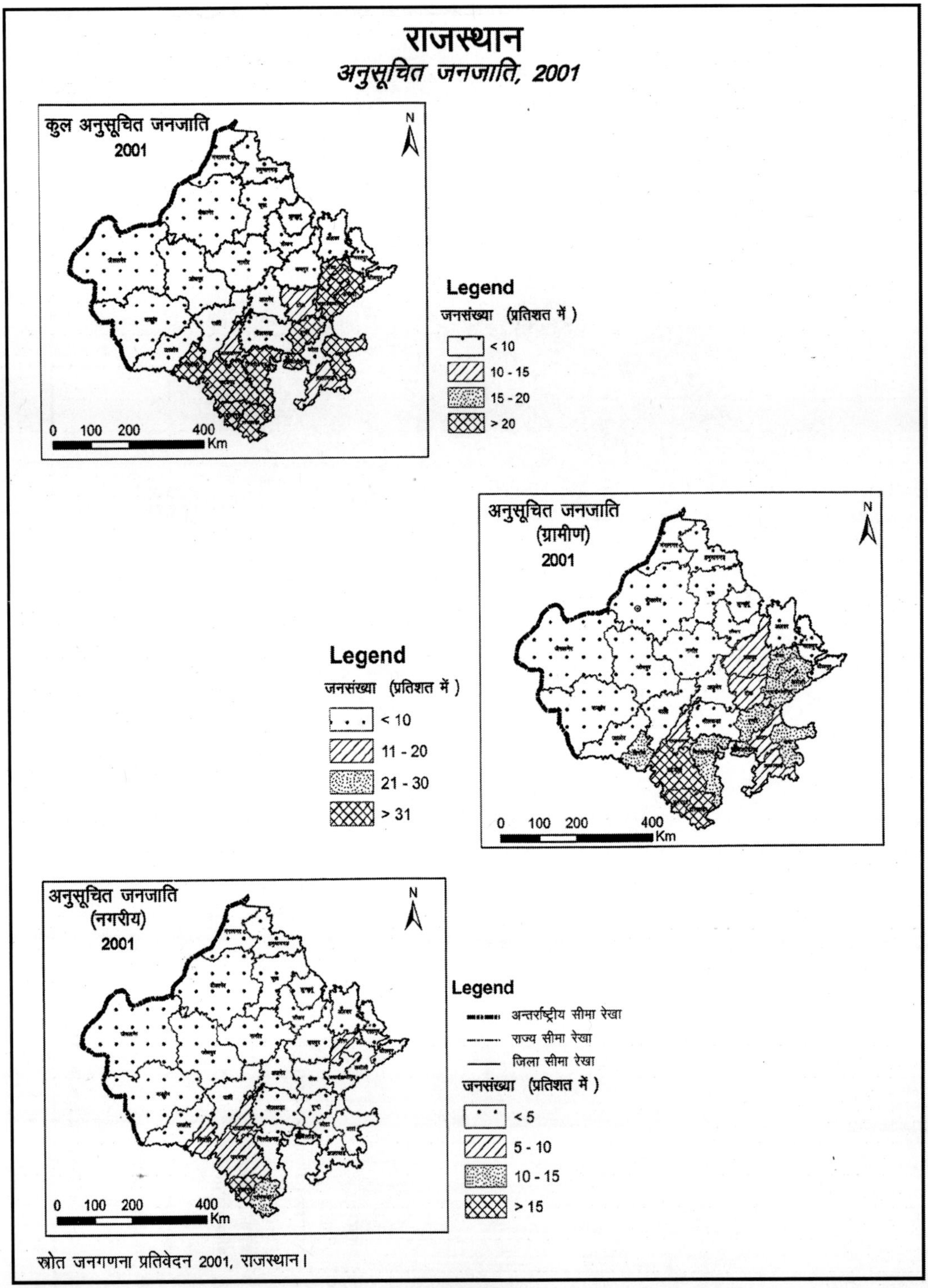

राजस्थान
अनुसूचित जनजाति, 2001
कुल अनुसूचित जनजाति
2001
N
0 100 200 400
Km
Legend
जनसंख्या (प्रतिशत में )
< 10
10 - 15
15 - 20
> 20
अनुसूचित जनजाति
(ग्रामीण)
2001
N
0 100 200 400
Km
Legend
जनसंख्या (प्रतिशत में )
< 10
11 - 20
21 - 30
> 31
अनुसूचित जनजाति
(नगरीय)
2001
N
0 100 200 400
Km
Legend
अन्तर्राष्ट्रीय सीमा रेखा
राज्य सीमा रेखा
जिला सीमा रेखा
जनसंख्या (प्रतिशत में )
< 5
5 - 10
10 - 15
> 15
स्रोत जनगणना प्रतिवेदन 2001, राजस्थान।


**मानचित्र 112**

## सारणी-78
## राजस्थान में जिलानुसार अनुसूचित जनजाति जनसंख्या, 2011

| क्र. सं. | जिला | जिले की कुल जनसंख्या | कुल जनसंख्या में ST का प्रतिशत | व्यक्ति ST | | पुरुष ST | | महिला ST | |
|---|---|---|---|---|---|---|---|---|---|
| | | | | संख्या | राज्य की कुल जनसंख्या का प्रतिशत | संख्या | प्रतिशत | संख्या | प्रतिशत |
| 1. | गंगानगर | 1969520 | 1.00 | 13477 | 0.020 | 7160 | 53.13 | 6317 | 46.87 |
| 2. | हनुमानगढ़ | 1779650 | 0.81 | 14289 | 0.020 | 7578 | 53.03 | 6711 | 46.96 |
| 3. | बीकानेर | 2367745 | 0.33 | 7779 | 0.010 | 4207 | 54.08 | 3572 | 45.92 |
| 4. | चुरू | 2041172 | 0.55 | 11245 | 0.020 | 5903 | 52.49 | 5342 | 47.50 |
| 5. | झुंझुनू | 2139658 | 1.95 | 41629 | 0.060 | 21380 | 51.36 | 20249 | 48.64 |
| 6. | अलवर | 3671999 | 7.87 | 289249 | 0.42 | 153397 | 53.03 | 135852 | 46.96 |
| 7. | भरतपुर | 2549121 | 2.12 | 54090 | 0.07 | 28705 | 53.06 | 25385 | 46.93 |
| 8. | धौलपुर | 1207293 | 4.01 | 58594 | 0.08 | 31802 | 54.27 | 26792 | 45.73 |
| 9. | करौली | 1458459 | 22.08 | 324690 | 0.47 | 176200 | 54.22 | 148760 | 45.78 |
| 10. | सवाई माधोपुर | 1338144 | 21.36 | 285848 | 0.41 | 152745 | 53.43 | 133103 | 46.56 |
| 11. | दौसा | 1637226 | 26.46 | 433344 | 0.63 | 228554 | 52.74 | 204790 | 47.26 |
| 12. | जयपुर | 6663971 | 7.92 | 527966 | 0.77 | 276638 | 52.40 | 251328 | 47.60 |
| 13. | सीकर | 2677737 | 2.81 | 75349 | 0.11 | 39098 | 51.89 | 35251 | 48.11 |
| 14. | नागौर | 3309234 | 0.31 | 10418 | 0.01 | 5475 | 52.55 | 4943 | 47.44 |
| 15. | जोधपुर | 3685681 | 3.22 | 118924 | 0.17 | 61969 | 52.10 | 56955 | 47.89 |
| 16. | जैसलमेर | 672008 | 6.31 | 42429 | 0.06 | 22497 | 53.02 | 19932 | 46.98 |
| 17. | बाड़मेर | 2604453 | 6.76 | 176257 | 0.25 | 92610 | 52.54 | 83647 | 47.46 |
| 18. | जालौर | 1830151 | 9.76 | 178719 | 0.26 | 93290 | 52.20 | 85429 | 47.80 |
| 19. | सिरोही | 1037185 | 28.19 | 292470 | 0.42 | 148966 | 50.93 | 13504 | 49.07 |
| 20. | पाली | 2038533 | 7.12 | 144578 | 0.21 | 74369 | 51.44 | 70209 | 48.56 |
| 21. | अजमेर | 8584913 | 7.38 | 63432 | 0.09 | 32408 | 51.09 | 31074 | 48.91 |
| 22. | टोंक | 1421711 | 12.53 | 178207 | 0.26 | 92677 | 52.00 | 85530 | 48.00 |
| 23. | बूंदी | 1113725 | 20.52 | 228549 | 0.33 | 119454 | 52.26 | 109095 | 47.74 |
| 24. | भीलवाड़ा | 2410459 | 9.51 | 229273 | 0.33 | 117026 | 51.04 | 112247 | 48.96 |
| 25. | राजसमन्द | 1158283 | 13.88 | 160809 | 0.23 | 81173 | 50.48 | 79636 | 49.52 |
| 26. | उदयपुर | 3067549 | 49.72 | 1525289 | 2.22 | 333213 | 50.69 | 752076 | 49.31 |
| 27. | डूँगरपुर | 1388906 | 70.80 | 983437 | 1.43 | 491431 | 49.97 | 491806 | 50.03 |
| 28. | बांसवाड़ा | 1798194 | 76.38 | 1372999 | 2.00 | 690476 | 50.29 | 682523 | 49.71 |
| 29. | चित्तौड़गढ़ | 1544392 | 13.05 | 201546 | 0.29 | 101893 | 50.85 | 99653 | 49.35 |
| 30. | कोटा | 1950491 | 9.42 | 183816 | 0.26 | 96428 | 52.46 | 87338 | 47.54 |
| 31. | बारां | 1223921 | 22.62 | 276857 | 0.40 | 143094 | 51.68 | 133763 | 48.32 |
| 32. | झालावाड़ | 1411327 | 12.91 | 182229 | 0.26 | 94185 | 51.68 | 88044 | 48.32 |
| 33. | प्रतापगढ़ | 868231 | 63.39 | 550427 | 0.80 | 276742 | 50.28 | 273685 | 49.72 |
| | **राजस्थान** | **68621012** | **100.00** | **9238534** | **100.00** | **4742943** | **51.34** | **4495591** | **48.66** |

**सारणी–79**

**राजस्थान में जिलानुसार अनुसूचित जनजाति जनसंख्या, 2011**

| क्रम संख्या | जनजाति का नाम | जनसंख्या | कुल जनजातियां से जनसंख्या से प्रतिशत |
|---|---|---|---|
| 1. | मीणा | 35,47,433 | 49.98 |
| 2. | भील | 31,20,151 | 43.96 |
| 3. | गरासिया (राजपूत गरासिया को छोड़कर) | 1,93,767 | 2.73 |
| 4. | डामोर, डामरिया | 55,362 | 0.78 |
| 5. | सहरिया | 48.975 | 0.99 |
| 6. | भील मीणा | 18,687 | 0.69 |
| 7. | अन्य | 56,072 | 0.79 |
| 8. | अवर्गीकृत | 5,679 | 0.08 |
| | **योग** | **70,97,706** | **100.00** |

स्त्रोत : भारतीय जनगणना रिपोर्ट, 2001

शाहबाद तहसील में है। डामोर राजस्थान व गुजरात के सीमावर्ती जिले डूंगरपुर की सिमलवाड़ा पंचायत समिति में पाए जाते हैं। इस प्रकार राजस्थान में ये पिछले दो प्रकार के आदिवासी मुख्यत: सीमावर्ती इलाकों में ही रहते हैं, जो दक्षिण में गुजरात राज्य के साबरकाठा, बनासकाठा तथा पंचमहल जिलों में मिलते हैं तथा कोटा जिले की शाहबाद तहसील मध्य प्रदेश से मिलती है। आगे प्रत्येक प्रकार के आदिवासी के जीवन पर संक्षिप्त प्रकाश डाला जा रहा है।

**भील**—भील, किरात और भल्ल एक पौराणिक जाति है। इसका उल्लेख वाल्मिकी, कालिदास, भारवि और भवभूति ने भी अपने रामायण, रघुवंश एवं उत्तर रामचरित में किया है। तुलसीदास ने भी किरात के बारे में बहुत लिखा है जो भील का ही पर्यायवाची है। पहले भील भारत में हिमालय की तलहटियों में और विन्ध्याचल के जंगलों में रहते थे। आज केवल पश्चिमी विन्ध्याचल और दक्षिणी अरावली पहाड़ों के दोनों ढ़ालों पर ही निवास करते हैं। राजस्थान में इनकी संख्या करीब 31 लाख है। समग्र आदिम जातियों में ये 43.96 प्रतिशत है। जैसे पहले बताया जा चुका है कि भील राजस्थान के प्राय: सभी जिलों में पाए जाते हैं। लेकिन केन्द्रीयकरण बांसवाड़ा, डूँगरपुर, उदयपुर, चित्तौड़, भीलवाड़ा, जोधपुर और सिरोही जिले में ही है।

राजस्थान में भील अरावली की उपत्यकाओं और नदियों की घाटियों में रहते हैं। वहाँ की प्राय: समग्र ऊबड़-खाबड़ होने से न तो वहाँ अच्छी तरह खेती ही की जाती है और न अच्छे यातायात के साधन विकसित हुए है। ऐसे भागों में जहाँ समतल भूमि मिल जाती है या पहाड़ी ढ़ालों पर वर्षा ऋतु में थोड़ी बहुत खेती से मक्का, माल, सांवा अन्य जंगली अनाज की फसलें पैदा कर लेते हैं। समतल भूमि का अभाव और भूमि के कटाव की अधिकता के कारण कई भागों में चलती-फिरती खेती (Shifting agriculture) की जाती है जिसे 'वालरा' कहते है यह खेती करने की विधि भीलों में बहुत प्रचलित है। अरावली के यह भाग स्वाधीनता प्राप्त के पूर्व जंगल एवं काला पानी कहलाते थे। मुख्यत: जलवायु खराब होने यहां मलेरिया, नेरू (बाला), संग्रहणी आदि कई बीमारियाँ लोगों को हो जाती हैं। ऐसे ही दु:खद जलवायु में ये प्रकृति पुत्र सदियों से निवास करते रहे हैं। यहाँ के पहाड़ों में अनेकों खनिज पदार्थ भरे पड़े हैं, जिनमें झावर की खानों में सीसा, जस्ता, चांदी, डूँगरपुर में मांडव की पाल पर फ्लोराइट आदि पाए जाते हैं। लेकिन यातायात के साधन के अभाव और अशिक्षा के कारण आदिवासियों ने कभी इनका उपयोग नहीं किया। इन ऊबड़-खाबड़ पहाड़ी ढ़ालों पर वर्षा की अधिकता के

कारण कटाव बहुत अधिक होता रहता है। अत: कहीं भी समतल मैदान नहीं दिखाई देते। कतिपय छोटे-छोटे टुकड़े मिलते हैं, जिनकी अनुपजाऊ भूमि पर भील खेती कर लेते हैं। इन्हीं एकांकी और ऊबड़-खाबड़ इलाकों में जितना भी पानी बरसता है वह बरसात में बहकर चला जाता है। गर्मियों में पीने के पानी का बड़ा अभाव रहता है। यहाँ तक कि जानवरों के पीने तक के लिए पानी नहीं रहता है। यदि कहीं पानी उपलब्ध होता है तो नदियों के गड्ढ़ों में। वहीं से पानी लाकर ये लोग पीते हैं। आदिवासी, बनवासी या वन्यस्थली पुत्र भील के लिए वन ही जीवन का बहुत बड़ा सहारा है। वनों से इनको मकान बनाने, जलाने, खेती के औजार बनाने के लिए लकड़ी एवं अन्य वनों से प्राप्त होने वाली वस्तुएँ (गोंद, लाख, लकड़ी, जड़ी-बूटियाँ) बेचकर थोड़ा बहुत पैसा प्राप्त कर लेते हैं, जिससे अनाज, कपड़े, बर्तन और जेवर आदि खरीद लेते हैं। इन्हीं वनों में रहने वाले पशुओं का शिकार कर लेते हैं।

**भीलों के मकान**—भीलों के मकान वातावरण पर निर्भर करते हैं। ये जंगलों से प्राप्त लकड़ी और मिट्टी के बने होते हैं। बहुधा इनकी बस्तियाँ पहाड़ी ढ़ालों पर बिखरी होती है। मकान कच्चा होता है। उस पर बाँस या लकड़ी छाकर खपरेल या पत्ते बिछा देते हैं। इसी प्रकार ये अपने टापरे बना लेते हैं। घर के चारों ओर कांटों की बाढ़ बना लेते हैं जो प्रमुखत: रक्षा के लिए बनाई जाती है। 8-10 मकान का समूह 'फला' कहलाता है। इस प्रकार 4-6 फले मिलकर 'पाल' कहलाते हैं।

**भोजन**—भीलों का भोजन वातावरण की ही देन है। ये लोग वर्षा के दिनों में थोड़ी मक्का बो लेते हैं। मक्का इनका मुख्य पदार्थ है। इसके अलावा साँवा, मलीचा, कोदरा, माल आदि जंगली अनाज तथा शिकार से प्राप्त मांस एवं जंगली फल बेर, करमदा, बिल्व, आम, तेन्दू, गूलर मुख्य है। भील लोग गेहूँ और सब्जियाँ बहुत कम खाते हैं। सब्जी के बजाय प्याज या नमक मिर्च अथवा किसी प्रकार की दाल से रोटी खा लेते हैं। आजकल भीलों में चाय पीने का शौक काफी बढ़ गया है। प्रत्येक घर में चाय हमेशा बनती है। भील माँसाहारी जाति है लेकिन इनमें गाय का माँस खाना वर्जित है। कभी-कभी भैंसे का माँस भी खा लेते हैं लेकिन वह भी मुसीबत आने पर ही।

**वस्त्र**—प्रकृति में पले भील ही ऐसे भागों में निवास करते हैं जहाँ लोगों को भोजन भी बड़ी कठिनाई से प्राप्त होता है। वस्त्र का क्या कहना भीलों में काफी संख्या में प्रौढ़ व बच्चे उघाड़े व नग्न ही रहते हैं। कपड़ों में धोती घुटनों तक बख्तरी, सिर पर फेंटा बांधते हैं। स्त्रियां घाघरा, ओढ़नी व काचली पहनती है। भीलनियां लाल रंग की रंग-बिरंगी छाप की आशनिया पहनना बहुत पसन्द करती हैं। भील सिर पर साफा बांधते हैं। उस पर एक रंगीन पट्टी भी बांध लेते हैं जिसे 'जाड़या' कहते हैं।

**बर्तन, वस्त्र, यातायात के साधन**—भीलों के पास बहुत कम बर्तन होते हैं। किसी-किसी घर में एल्युमीनियम का या पीतल का एक कटोरा होता है, जिसमें सभी लोग बारी-बारी से सब्जी लेकर खाना खा लेते हैं। भील के घर में एक लकड़ी का कठौती, एक पानी भरने का मिट्टी का घड़ा व एक मिट्टी का तवा, (केलड़ी) एक सब्जी की हांडी, एक लकड़ी का चम्मच (चाटू) होता है। भील अच्छे लड़ाका व साहसी होते है।

प्रकृति में निवास करने से इन्हें प्राकृतिक शत्रुओं से निरन्तर संघर्ष करना पड़ता है। उसके लिए वनों से प्राप्त बांस के तीर कमान बना लेते हैं। तीरों के आगे लोहे का फाल लगा रहता है पीछे पंख लगे रहते हैं। तीर का उपयोग शिकार एवं युद्ध काल में लेते हैं। अधिकतर छोटी-मोटी शिकार पत्थरों से ही कर लेते हैं। कई भीलों के पास बल्लम भी होते हैं जिनमें बाँस के डण्डे के नीचे तीखा लोहे का फाल लगा रहता है। आजकल कुछ भील बन्दूकें भी रखने लग गए हैं। भीलों को पहाड़ी भागों में निवास करने से अच्छे आने जाने के मार्ग नहीं है। इधर-उधर आने-जाने के लिए पग-डण्डियें ही हैं और भील स्वयं लकड़ी वगैरा सब चीजें अपने सिर पर लाद कर लाते है। आजकल मोटर यातायात के बढ़ जाने से इनकी ये पग-डण्डियाँ सड़कों से जुड़ गई हैं। इनमें से कुछ लोगों ने बैल गाड़ियां व ऊँट पाल लिए हैं जिन पर लकड़ी लाद कर नगरों तक ले आते हैं।

**आर्थिक क्रियाएँ एवं सम्पत्ति**—भील मुख्यत: ऊबड़-खाबड़ प्रदेश में रहते हैं। खेती के लिए जहाँ कहीं भी समतल भूमि मिल जाती है वहां वर्षा के दिनों में मक्का एवं दलदली भागों में चावल बो देते हैं। मक्का इनका मुख्य भोजन है। भीलों का मुख्य आर्थिक साधन कृषि ही है। छोटा सा कच्चा मकान, एक ऊबड़-खाबड़ खेत का टुकड़ा, कुछ बर्तन, कुछ बकरियाँ, कुछ बैल, गाय, भैंसें, मुर्गियाँ, कुल्हाड़ियाँ एवं तीन कमान इनकी सम्पत्ति है। कृषि के पश्चात् लकड़ी काटना दूसरा धन्धा है। खेती के साथ पशु भी पाल लेते हैं जिनमें बकरियाँ व गाय मुख्य है। इनसे माँस चमड़ा प्राप्त होता है जिनको बेचकर ये लोग पैसा प्राप्त करते है और भोजन कपड़ा आदि जुटाते हैं। भीलों के पास इस प्रकार बहुत कम सम्पत्ति होती है।

**सामाजिक संगठन**—भील बिखरे-बिखरे पहाड़ी भागों में अपने-अपने 'फलों' में रहते हैं। इनका समूह पाल कहलाता है। इनका मुखिया गमेती या पालवी कहलाता है। उसका यह पद पैतृक होता है जो इनके झगड़े निपटाता है। इनका संगठन इतना मजबूत होता है कि कभी गाँव पर या गाँव के किसी भी व्यक्ति पर संकट आ जाने पर 'बारू ढोल' (टेकरी पर चढ़कर) बजाने पर सभी भील हथियार लेकर एक दम इकट्ठे हो जाते हैं और खतरे का सामना करते हैं। भीलों में अशिक्षा, उपेक्षित वातावरण में निवास करने से आवश्यक गुण हैं। आजकल सरकार ने कई स्कूल खोल दिए हैं। भील बच्चों के लिए हॉस्टल एवं पढ़ाई की सुविधा प्रदान की है। फिर भी आर्थिक दरिद्रता के कारण 5 प्रतिशत लोग भी शिक्षित नहीं हो पाए हैं। इसके साथ भीलों का अपने घरों से इतना ममत्व होता है कि उसे छोड़कर दूर रहना उन्हें अखरने लगता है। अत: बाहर जाकर पढ़ना बच्चे एवं उनके माता-पिता कम पसन्द करते हैं।

**भीलों के त्यौहार**—भील के भी हिन्दू संस्कार जाति के होने से प्राय: सभी हिन्दू त्यौहारों को मनाते है जिनमें होली, दशहरा, दिवाली, मकर संक्रान्ति, शिवरात्रि एवं तीज के त्यौहार बड़े धूमधाम से मनाते हैं। इसके अतिरिक्त अमावस्या, पूर्णिमा, एकादशी को पवित्र दिन मानते हैं।

भीलों में मुख्यत: पितृसत्तात्मक समाज पाया जाता है। पिता घर में सबसे बूढ़ा व्यक्ति होता है वही जिस प्रकार के निर्णय लेता है। भील पुरूष थोड़ा आलसी होता है वह थोड़ा काम करता है लेकिन स्त्रियाँ परिश्रमी होती हैं। कई भीलों में बहु-विवाह प्रथा होने से कई स्त्रियाँ होती हैं। वही उसका खाना, कपड़ा, तम्बाकू लाती है, खेत पर काम करती है आदमी घर पर या पंचायत में फिरता रहता है। भीलों में बाल-विवाह प्रथा नहीं है। जो भी विवाह होता है वह पुरूष व स्त्री के वयस्क अर्थात् 15 वर्ष की आयु के पश्चात् होता है। लड़कियाँ कभी-कभी 8-10 की उम्र में ही ब्याह दी जाती है। विवाह में लड़के का पिता लड़की के पिता को 'दापा' (लड़की का पैसा) देता है। भीलों में विधवा विवाह तो नहीं होता लेकिन पुनर्विवाह व नातरा अवश्य होता है। कभी-कभी यह नातरा एक भीलनी अपने पति के छोटे भाई के साथ भी कर लेती है जिसे देवर बटा कहते हैं। भीलों में नातरा लाई हुई स्त्रियों के साथ आए बच्चों को भी पुरूष अपने परिवार का सदस्य मानकर रखता है। ऐसे बच्चों को 'गोलड़' कहते हैं। बहुधा ये नातरे जाति के समारोह व मेले में तय हो जाते है बाद में पंचायत बैठकर इन्हें कानूनी करार देती है। जिसमें जिस परिवार की स्त्री चली जाती है उसे 'झगड़ा' और जिस परिवार की लड़की होती है उसे 'मायस' कहते है। उस नातरा करने वाले पुरूष को नकटू पशुओं या अनाज में चुकाना पड़ता है।

भील शराब पीने के बहुत शौकीन होते हैं। कई भील तो अपनी दिन भर की कमाई का आधा शराब में ही खर्च कर देते हैं। पुरूष व स्त्रियाँ शराब पीते हैं। स्त्रियों को गहने पहनना बहुत पसन्द है। इन गहनों को पींजनीया व बड़ार कहते हैं। बहुधा ये गहने पीतल के या कांसा या गिलट के बने होते हैं।

भील एक मस्त जाति होने से नाचने गाने के बहुत शौकीन होती है। नवरात्रि, होली या संक्रांति के अवसर पर या किसी मेले या विवाह आदि अवसरों पर ये लोग खूब नाचते हैं। कभी-कभी रात भर नाचते रहते हैं। नृत्य में पुरुषों के साथ स्त्रियाँ भी भाग लेती है। यह नाच चंग या ढोल की तान या ढमके पर या मांदल के बजने के साथ ही शुरू होता है।

**सामाजिक संस्कार**—भीलों में विवाह एवं धार्मिक संस्कार हिन्दुओं की तरह होते हैं। किसी मनुष्य के मर जाने पर बारहवें दिन मृत्यु भोज होता है, जिसमें सभी पाल के व चोखले के लोग एकत्रित होते हैं। विवाह में ब्राह्मण आता है। वहीं मंडप के नीचे बिठाकर वर-वधू का अग्नि की साक्षी में विवाह करवाता है। भीलों में विवाह के बारे में क्षेत्रीय नियंत्रण अधिक रहता है अथवा विवाह अपने पाल अथवा चौकियों या चोखले में ही होता है। नातरे में पंचायत ही सब कुछ कर लेती है। भील अन्ध विश्वासी बहुत होते हैं। अपने पीछे पितृ मूल ऋण पूरा करने के लिए पुरूष सन्तान चाहते हैं उसके लिए कभी-कभी स्त्रियाँ स्वयं पुरूष का दूसरा विवाह करवा देती हैं। भील देवी देवताओं, महादेवजी, केसरिया नाथ, भैरों जी एवं खाखलदेव (आर्यों) में बहुत विश्वास करते हैं। भीलों में स्त्रियों में सगड़ी या डाईन का शक हो जाने पर उससे बच्चों को बचाते रहते हैं। कभी-कभी उसे मार भी डालते हैं। भूत-प्रेतों, जादू-टोनों में भी भील बहुत विश्वास करते है। बहुधा उनको खुश करने के लिए ये लोग बकरे, भेड़ों या भैंसों का बलिदान भी करते हैं। कभी-कभी तो बीमारी या बच्चा होने की मानता (बोलवा कर लेने पर देवताओं को खुश करने के लिए वन या पहाड़ तक जला देते हैं। भील राजस्थान में दो तरह के होते हैं-एक भील और दूसरे मीणें भील। भील मीणों की संख्या बहुत कम है ये प्रकृति के पुत्र तीन योजनाओं के पूरा होने पर भी अपनी आदिम व्यवस्था में जीवन व्यतीत करते हुए भारत जैसे स्वतंत्र देश के नागरिक है। कई बार इनको गरीबी का फायदा उठाकर ईसाई पादरी लोगों ने इन्हें धर्म परिवर्तन के लिये उदयपुर में खैरवाड़ा, बागपुरा और कोटड़ा में मजबूर किया है।

## गरासिया

राजस्थान में गरासिया एक बदला लेने वाले व्यक्ति के लिए संज्ञा दी जाती है। उसमें भाई-बन्धों से सम्बन्ध ठीक न होने पर गरासिया कहते हैं। ये गरासिया दक्षिणी पूर्वी राजस्थान (सिरोही, डूँगरपुर उदयपुर एवं पाली जिलों) की सीमा पर रहते हैं। प्रमुखतः गरासिया सिरोही जिले की आबू रोड़ व पिंडवाड़ा तहसीलों तक सीमित हैं। इनका वितरण इस बात का द्योतक है कि ये लोग राजस्थान गुजरात की सीमा पर पाली, उदयपुर एवं जालौर के किनारे कतार में फैले हुए हैं। इनकी जनसंख्या समग्र आदिवासी जनसंख्या का 2.73 प्रतिशत है। सन् 2011 की गणना के अनुसार इस आदिम जाति की जनसंख्या 1,93,767 थी। गरासिया साँवले और स्वस्थ एवं लम्बे कद के होते हैं। गरासिया आदमी हृष्ट-पुष्ट होते हैं। स्त्रियाँ थोड़ी आलसी एवं मस्त तबीयत की होती है।

**प्राकृतिक वातावरण**—जलवायु की दृष्टि से यह क्षेत्र भीलों के प्रदेश सा ही है। सामान्यतः इस प्रदेश में वर्षा की अधिकता रहती है। समतल और उपजाऊ भूमि के अभाव में ही गरासियों को प्रकृति ने आदिवासी बनाए रखा है। यहाँ कई खनिज पदार्थ भी पाए जाते हैं लेकिन सर्वेक्षण न होने से उनका गरासियों के आर्थिक जीवन पर कोई महत्त्व नहीं पड़ा है। पानी की कमी वर्षा की दृष्टि से नहीं है लेकिन गर्मी के लिए सुरक्षित पानी न होने से बहुधा जानवरों व मनुष्यों को परेशानी भुगतनी पड़ती है। समस्या गरासिया प्रदेश सघन वनों से आच्छादित है। वनों से इन्हें लकड़ी एवं अन्य उपज तथा शिकार प्राप्त होता रहता है।

गरासियों का भोजन भी भीलों की तरह मक्का, बाजरा व मलीचा आदि है। इसके अतिरिक्त मांसाहारी होने से शिकार ये माँस, जंगली फल भी भोजन के मुख्य अंग हैं। ये भी गौ मांस नहीं खाते हैं। सूअर, खरगोश, हिरण, सांभर का मांस बड़ी रुचि से खाते हैं। वनों में व ऊँचे तापक्रम में रहने से गरासियों को अधिक कपड़ों की आवश्यकता नहीं रहती। इनमें पुरुष घुटनों तक नीची धोती पहनते हैं व शरीर पर अंगरखी और सिर पर सफेद या लाल फेटा (साफा) बाँधते हैं। स्त्रियाँ लहंगा, ओढ़नी व कांचली पहनती है। बच्चे, बच्चियाँ प्रायः नग्न ही घूमा करते हैं। इसके अतिरिक्त गरासिया भी बडे. मस्त एवं प्रसन्नचित्त रहते हैं। ये लोग बड़े-बड़े बाल रखने के शौकीन होते हैं। पुरुष चांदी के गहने पहनने में आनन्द मनाते हैं। स्त्रियाँ रंगीन पूरी आस्तीन की छींट के ब्लाउज बड़े चाव से पहनती है।

नाचने के गरासिये भी उतने ही शौकीन हैं जितने भील है। गरासियों के मकान जंगलों में प्राप्त होने वाली लकड़ियों एवं मिट्टी के बने होते हैं। कभी-कभी इनके मकानों में लकड़ी के मचान बनाकर दो मंजिल के बना देते हैं।

### गरासियों की आर्थिक क्रियाऐं

यद्यपि गरासिये लोग वनों में रहते हैं। वन उनके जीवन का मुख्य अंग एवं आधार है। फिर भी 85% गरासिया कृषि कार्य में लगे हुए हैं। यह मक्का पैदा करते हैं। कभी-कभी पानी मिलने पर गेहूँ, जौ भी पैदा कर लेते है। गरासिया के यहाँ एक ही फसल होती है। वर्ष के अन्य भागों में लकड़ी काटना, मजदूरी करना, ढोर चराना, शिकार करना आदि कार्य करते हैं। भीलों की तुलना में गरासिये अधिक सम्पन्न होते हैं।

### गरासियों का सामाजिक संगठन

अन्धविश्वास ने तो गरासियों में भी घर कर रख है। ये भी जादू मन्तर टोना, डायन, भूत-प्रेतों में विश्वास करते हैं। ये उन्हें खुश रखने के लिए बलि चढ़ाते हैं। गरासियों में मुख्य त्यौहार हिन्दुओं की तरह दशहरा, दिवाली, संक्रांति, होली आदि हैं। इन्हें मेलों में भी सम्मिलित होने से बहुत आनन्द आता है। सिरोही में सारकेश्वर के मेले में हजारों गरासिये सम्मिलित होते हैं। जहाँ अपनी आवश्यकता की चीज वे खरीदते हैं और साथी भी चुनते हैं। गरासियों भी भीलों की तरह बिखरे-बिखरे पहाड़ी ढ़ालों पर निवास करते हैं। प्राय: इनके गांव या कला 10-12 घरों के होते है। पाल का मुखिया पालवी कहलाता है। यह प्राय: पैत्रिक पद होता है। वह सब प्रकार के निर्णय करता है। गरासिये अपने को भीलों से ऊँचा मानते हैं।

गरासिये दो प्रकार के होते हैं एक भील गरासिया दूसरे राजपूत गरासिये। भील गरासिये भीलों का सा अपना सम्बन्ध बतलाते हैं। उनके गौत्र भी भीलों के से ही होते हैं। राजपूत गरासिये अपनी उत्पत्ति राजपूतों से मानते हैं और उनके गौत्र भी राजपूतों के से परमार, सोलंकी, चौहान आदि होते हैं। भील गरासियों को राजपूत गरासिया निम्न श्रेणी का मानते हैं और उनके साथ विवाह सम्बन्ध नहीं करते हैं, खानपान में भले ही हिस्सा बंटा लेते हैं। गरासियों में वैवाहिक सम्बन्ध की क्षेत्रीय भावना अधिक है। अपने पाल या चोखले के बाहर नहीं जाते है। विवाह में लड़की के लिए लड़के के पिता को दापा या पैसा तथा कभी-कभी पशु भी देने पड़ते हैं। प्राय: यह रकम नकदी में ही अधिकांशत: ली जा सकती है। गरासियों में भी नातरे होते हैं। जो मेले या विवाह में हो जाते हैं। नातरे को कानूनी करार पंचायत देती है। उसमें लड़की के पिता को मायस व पहले वाले पति को झगड़ा दिलाती है। इसमें नकद रुपया एवं पशु भी सम्मिलित है। गरासियों में मृतक को जलाया जाता है और उसके तेरहवें दिन भोज किया जाता है। परिवार में सबसे बड़ा या वृद्ध व्यक्ति ही सर्वेसर्वा होता है। गरासियों की आर्थिक सम्पत्ति भी भीलों की तरह झोपड़ा, कुछ पशु एवं एक छोटा सा ऊबड़-खाबड़ खेत का टुकड़ा एवं कुछ वृक्ष आम व महुआ आदि होते हैं। इनके अतिरिक्त घर में एक दो पीतल के बर्तन, गुदड़े, कुल्हाड़ियाँ, तीर और खेती के औजार होते हैं।

### आर्थिक संगठन

आजकल सरकान ने गरासियों को शिक्षित करने के लिए स्कूल खोले हैं। कुछ चिकित्सा सम्बन्धी प्रबन्ध भी किया है। कुछ गरासिये सेना में भी भर्ती हो गए हैं। कुछ आबू के पर्यटन केन्द्र होने से पर्यटकों की सेवा में लग गए हैं तथा सड़कों एवं यातायात के साधनों में भी लग गए हैं।

### मीणा

मीणा राजस्थान की आदिम जातियों में सबसे बड़ी है। इनकी जनसंख्या 35,47,433 है जो कुल आदिवासी जनसंख्या के 49.98 प्रतिशत है। ये चित्तौड़गढ़, डूँगरपुर, बांसवाड़ा, उदयपुर, भीलवाड़ा, बूंदी, कोटा, भरतपुर, जयपुर और सवाई माधोपुर आदि जिलों में फैले हुए हैं। इनमें से उदयपुर डिवीजन में निवास करने वाले मीणे अधिक पिछड़े हुए है। आदिवासियों में मीणा एक हृष्ट-पुष्ट बहादुर, गहरे गेहुंआ और साँवले रंग के मंझले कद की गठीले बदन वाली जाति है। भीलों व गरासियों से अधिक शारीरिक

दृष्टि से सुदृढ़ एवं बुद्धिमान, निडर, साहसी व बहादुर है। कर्नल जेम्स टॉड ने मीणों का मूल निवास काली खोह पर्वतमाला बतलाया है। यह पर्वतमाला अजमेर से आगरा तक फैली हुई है। यही मीणों के राज्य थे। बाद में राजपूतों ने उन्हें दबाया और इनका आतंक समाप्त करने के लिए मित्र बना लिया। अपने दरबारों में उन्हें पद देकर इनका प्रभाव समाप्त कर दिया। कई लोग मीणों को विष्णु के मत्स्यावतार के वंशज मानते हैं।

मीणे भी प्रकृति के पुत्र हैं लेकिन, भीलों की तरह ये लोग पहाड़ों और नदियों के अलावा दक्षिणी-पूर्वी राजस्थान के पठारी एवं उत्तरी-पूर्वी मैदानी भागों में भी रहते हैं। जहाँ पहाड़ों के बनिस्पत अधिकांशत: समतल भूमि की अधिकता है। इसी प्रदेश में वर्षा की मात्रा अधिक होती है जो दक्षिण-पूर्व से उत्तर-पूर्व की ओर घटती जाती है। इस प्रदेश का समग्र पहाड़ी भाग सघन वनों से आच्छादित और ऊबड़-खाबड़ होने से मीणे लोग राहगीरों एवं मैदानी भागों में बसने वाले लोगों को लूटना या चोरी करना, जंगली जानवरों का शिकार करना आदि कार्य करते हैं। मैदानी भागों में बसने वाले लोगों को लूटना या चोरी करना, जंगली जानवरों का शिकार करना आदि कार्य करते हैं। मैदानी भागों में बसने वाले लोगों को लूटना या चोरी करना, जंगली जानवरों का शिकार करना आदि मीणों का मुख्य कार्य रहा है। मैदानी भागों में रहने वाले लोगों के पास समतल जमीन होने से खेती एवं पशुपालन कर लेते हैं। मीणों का मुख्य भोजन मक्का, जौ, ज्वार है। मीणें मांसाहारी जात है जो शिकार का मांस खा लेते हैं। मीणों में संगठित होकर रहने की प्रवृत्ति होने से इनके गाँव बड़े-बड़े होते हैं जो पहाड़ी तलहटी या मैदान में बसे होते हैं। इनके मकान मिट्टी या जंगलों से प्राप्त लकड़ी के बने होते हैं। मीणों को व्यावसायिक दृष्टि से दो भागों में बाँटा जा सकता है खेतिहर मीणे व चौकीदार मीणे। दूसरी श्रेणी के मीणें प्राय: खेती या महलों का पहरा देते हैं। कोई-कोई गाँव के फेराती या वोलाऊ (गाइड) का काम करते हैं।

मीणों का मुख्य व्यवसाय खेती है। मीणों की अधिकतर जनसंख्या कृषि में, कुछ कृषि की मजदूरी, बाकी लोग वन, शिकार, चौकीदारी और सेना में नौकरी करते हैं। खेती में मक्का, ज्वार, गन्ना, तम्बाकू, कपास, गेहूं, जौ और दालें आदि बाते हैं। जहाँ पानी उपलब्ध होता है वहाँ पर दो-दो फसलें भी लगा लेते हैं। मीणों के खेती के औजार वनों से प्राप्त लकड़ी से बनाए जाते हैं। इनके हथियारों में लकड़ी और पत्थर, कुल्हाड़ी और तलवार मुख्य हैं। कोई-कोई बन्दूक भी रखते हैं। घरों में भीलों की अपेक्षा बर्तनों में 1-2 थालियाँ, 3-4 कटोरियाँ, 1 परात, 1-2 लोटा अधिक होता है। उनकी सम्पत्ति में खेत, पशु, बर्तन और गुदड़े होते हैं।

### सामाजिक संगठन

समाज पितृ सत्तात्मक है लेकिन कहीं-कहीं मातृ सत्ता का भी प्रभुत्व देखने को मिलता है। परिवार का वयोवृद्ध या कुटुम्ब का बड़ा आदमी ही नेतृत्व करता है। कहीं-कहीं परिवार का नेतृत्व बुढ़िया (दादी एवं बुवाएं) किया करती है। ये ही बहुधा शादी-विवाह, जाति के कलह एवं झगड़े निपटाती है। मीणों में भील की तरह पंचायती संगठन इतना प्रबल नहीं होता है। लेकिन विवाह, मृत्यु एवं नातरे के झगड़े के समय पंच बैठकर फैसला करते हैं। भीलों के मीणों की तुलना में अधिक सभ्य एवं समझदार होने से उनमें देवर बट्टा (देवर से) विवाह करने की प्रथा नहीं होती है। विवाह प्राय: हिन्दू विधि से ब्राह्मण करवाता है। मृतक के पीछे मृत्यु भोजन करने का भी रिवाज है। स्त्रियाँ गहने पहनने की बड़ी शौकीन होती हैं। पांवों में चांदी के कड़े, लंगर, कान में बालियाँ, ओढ़निया, टोकरिया और सिर पर बोर, झेला, बाजू और बंधती है। कभी-कभी पुरूष भी हाथों में चांदी के कड़े और एक पांव में बड़ा सा चांदी का कड़ा पहनते हैं। मीणे पुरूष हृष्ट-पुष्ट और मस्त होते है। मीणों की स्त्रियाँ भी स्वस्थ होती हैं। मीणों की स्त्रियाँ खूबसूरत होती हैं। इनकी स्त्रियाँ नाच-गानों में भीलों की तरह पुरुषों के साथ भाग नहीं लेतीं। अन्ध-विश्वासी होने से भूत, प्रेत, डायन, जादू-मंतर में विश्वास करते हैं। इनके मुख्य आराधक भैरव, माता जी, हनुमान जी, चारभुजा और महादेव जी होते हैं। इन्हें खुश करने के लिए बलिदान, बोलमा

(मानता) बोलते हैं। मीणे भी सभी हिन्दुओं के त्यौहार होली, दिवाली, दशहरा, मकर संक्रांति, तीज, गणगौर आदि मनाते हैं। मीणे भी मेलों में भाग लेने के बहुत शौकीन होते हैं। जयपुर का तीज का मेला, महावीर जी, केला देवी, शीतलामाता, बड़वासी, चौथ का बरवाड़ा, चित्तौड़ी आड़म आदि के मेलों में इकट्‌ठा होते हैं। आजकल मीणों में शिक्षा का प्रचार बढ़ रहा है। अत: अन्ध-विश्वास घटते जा रहे हैं। फिर भी मीणों में शराब पीने की आदत से प्रत्येक परिवार ऋण-ग्रस्त रहते हैं। सरकार के प्रयत्न और शिक्षा के प्रभाव से इनका विकास हो रहा है। मीणे अच्छे सैनिक होते हैं। इस कारण देवली, जहाजपुर की छावनियों में उनकी सेनायें अंग्रेज रखते थे। आजकल चम्बल के बीहड़ जंगलों में रहने वाले मीणे मजदूरी में लग गए है जिससे चोरी और डकैती का स्वभाव घटता जा रहता है। इन्हें रंग-बिरंगे कपड़े पहनने का बड़ा शौक होता हैं। वह कपड़े इनके शरीर पर खूब फबते हैं।

**सहरिया**

सहरिया राजस्थान के आदिवासियों में सबसे छोटी जाति है। इनकी कुल जनसंख्या 70,267 अर्थात् आदिवासियों की 0.99 प्रतिशत है। इनकी बस्तियाँ दक्षिणी-पूर्वी राजस्थान में कोटा जिले की सीमा और मध्य प्रदेश की गुना जिले में हैं। वहाँ पर सहरिया कोटा जिले में शाहबाद और किशनगंज तहसीलों में निवास करते हैं। राजस्थान के अन्य जिलों में सहरिया नाममात्र के हैं जो नौकरी या मजदूरी के लिए चले गए हैं। समग्र सहरिया के निवास का क्षेत्र पहाड़ी और ऊबड़-खाबड़ तथा वनों से ढ़का हुआ है। इस भाग में बहुत कम समतल भूमि पाई जाती है। वर्ष भर में इन भागों में 500 से 750 मिलीमीटर तक वर्षा हो जाती है, जिससे कंटीली झाड़ियों और चौड़ी पत्ती वाले वन उग जाते हैं। मूलत: यह क्षेत्र अन्य प्राणियों के रहने का है। लेकिन समाज के उपेक्षित अंग सहरिया आदिवासियों के तो घर ही ये जंगल है।

**अर्थ-व्यवस्था**—आर्थिक दृष्टि से सहरिया बडे. ही अनुपयुक्त वातावरण में बसे हुए हैं, जो एकांकी, विकास की दृष्टि से पिछड़ा हुआ है। समतल भूमि का अभाव होने से सहरिया जहाँ कहीं भी समतल भूमि मिल जाती है, कृषि करते एवं पशु पाल लेते हैं। खेती में ज्वार मुख्य अनाज है। अन्य फसलें कुओं द्वारा सिंचाई करके पैदा करते है। लड़का विवाह के पश्चात् अपने परिवार से अलग हो जाता है। लेकिन सारा परिवार एक साथ ही रहता है। परिवार के वृद्ध व्यक्ति का ही सब आदेश मानते हैं। इनकी जाति में मुख्य पंच को कोतवाल कहते हैं, जिसका चुनाव होता है। संभव हो तो दूसरी फसल के गेहूँ, जौ आदि पैदा कर लिए जाते हैं। सहरियों का मुख्य भोजन ज्वार ही है। पशुओं से दूध, मांस और चमड़ा मिल जाता है। सहरिया भी भीलों व मीणों की तरह मांसाहारी जाति है। ये लोग बकरे, भेड़ व सुअर के मांस ही खाते हैं। गौ मांस इनमें वर्जित है। सहरियों के शरीर पर भी भीलों की तरह कपड़ों का अभाव ही रहता है। उनके मकान भी वनों से प्राप्त लकड़ी, मिट्टी और कहीं-कहीं पत्थरों से बने छतरीनुमा होते हैं, जिन्हें सहरिया बंगला कहते हैं। सहरिया अधिकतर लोग खेती करते हैं। कुछ किसानों के खेतों में मजदूरी करते हैं। इसके अतिरिक्त कुछ लोग वनों और खानें खोदने में लगे हैं। पशु पालन केवल संख्या की दृष्टि से ही किया जाता है न कि आर्थिक सहायता की दृष्टि से होता है। वनों से जलाने की लकड़ी, गौंद, घास तथा जड़ी बूटियां इकट्‌ठी करके बाजार में बेच देते हैं।

**सामाजिक संगठन**—सहरियों का सामाजिक संगठन भी अन्य आदिवासी जातियों का सा ही है। इनमें भी ऊँच-नीच का आधार रहता है। इनमें पुरुषों की संख्या स्त्रियों के बनिस्पत अधिक है। चौहान, डोडीया आदि होते हैं। सहरियों का भी अन्तरविवाह समुदाय है। सहरियों के विवाह में वर पक्ष को लड़की के पिता को दापा देना पड़ता है। नातरा की प्रथा भी प्रचलित है। इनमें भी मृतक के जलाने की प्रथा है और मृत्यु भोज भी किया जाता है। सहरियों के मुख्य त्यौहार मकर संक्रांति, सावली, अमावस, दिवाली, होली, दशहरा मानते हैं। त्यौहारों के अलावा सहरिया मेलों में भी बड़े उत्साह से भाग लेते हैं। यहाँ वस्तुऐं भी खरीदते हैं और जीवन साथी भी चुनते हैं तथा नातरे भी होते हैं। सहरिया रंग-बिरंगे कपड़े पहनने के शौकीन

होते हैं। लेकिन छींट आदि कम पहनते हैं। गहने पहनने का रिवाज भी सहरियों में मिलता है लेकिन भीलों जितना नहीं। सहरिया आर्थिक दृष्टि से पिछड़े हुए हैं। इनमें से कई लोग बहुत पिछड़े हुए है, इनमें से कई लोग मजदूरी करते हैं और कर्जे से दबे रहते हैं। सहरियों की मुख्य सम्पत्ति इनके मकान, कुछ कपड़े, छोटा सा खेत, कुछ औजार व हथियार और कुछ मिट्टी के बर्तन आदि होते हैं। आजकल सहरिया शहरों में चौकीदार, बैन्ड बजाना व सड़क पर काम करने में लग गये हैं। कोई-कोई मुर्गी पालन भी करने लग गए हैं। सहरिया भी जादू-मंतर और देवी-देवताओं (भैरू भवानी) में विश्वास करते हैं और भेंट भी चढ़ाते हैं। इन्हें प्रसन्न रखने के लिए इनकी पूजा भी करते हैं।

आजकल सहरिया लोगों के लिए शिक्षा, चिकित्सा के लिए सरकार ने प्रबन्ध कर दिया है। आजकल बंगालियों की घट्टा घाटी आदि लोगों के साथ सहरिया मजदूरी, चौकीदारी का काम करने लग गये हैं। शिक्षा का प्रसार एवं चम्बल की नहरों से सिंचाई का प्रबन्ध बढ़ जाने से इनकी आर्थिक स्तर बढ़ जाने की सम्भावना है।

## डामोर

राजस्थान प्रान्त की दक्षिण में डूँगरपुर जिले की सिमलवाड़ा पंचायत समिति और गुजरात की सीमा पर डामोर निवास करते हैं। इनकी कुल जनसंख्या सन् 2001 की गणना के अनुसार 55,362 थी जो समग्र राजस्थान के आदिवासियों का 0.78 प्रतिशत है। डूँगरपुर के अलावा डामेर लोग चुरू, गंगानगर और उदयपुर जिलों में रहते हैं, जो कुल डामोर जाति के 20 प्रतिशत हैं। ये लोग किसी तरह अकाल में निकल गये या भाग गए हैं। डामोर दक्षिणी अरावली के पर्वतीय क्षेत्रों में ऊबड़-खाबड़ भूभाग में निवास करते हैं। 750-800 मिलीमीटर वर्षा हो जाने से वर्षा के दिनों में मक्का, चावल आदि की खेती करते हैं, वर्ष के अन्य समय में पानी जहाँ उपलब्ध होता है वहीं गेहूँ, जौ आदि बो दिया जाता है। इनका निवास प्रदेश वनों से घिरे होने से लकड़ी भी काट ली जाती है। और जंगलों में पाए जाने वाले जानवरों का ये शिकार भी करते हैं।

डामोरों का भोजन सादा होता है। जिसमें मक्का, चावल या अन्य मोटा अनाज होता है। कपड़ों की दृष्टि से डामोर भी भीलों की तरह बहुत कम कपड़े पहनते हैं। स्त्रियाँ छपी हुई ओढ़नियाँ पहनती हैं। बच्चे तो प्राय: सर्दियों के सिवाय नंगे ही रहते हैं। डामोर के मकान भी लकड़ी और मिट्टी या घास-फूंस को स्थाई करके बना लिये जाते हैं जिन्हें टापरे कहते है। चार छ: टापरों वाला फला कहलाता है। डामोरों अधिकतर खेती करते हैं। ये अच्छे कुशल कृषक हैं खेती में मक्का, ज्वार, बाजरा, गेहूँ, जौ, (माल), चना, हामली, कूरी, कोदरा, कांगनी, उड़द, मूँग, गन्ना आदि पैदा कर लेते हैं। डामोरों में पुरुषों के साथ स्त्रियाँ भी खेतों में हाथ बटाती हैं। खेती में हल, टाँप, बैलगाड़ी, बरबर, फावड़ा, गेंती आदि औजारों का उपयोग करते हैं। उनमें से करीब 2-5 प्रतिशत मजदूर, वन और खानें खोदने का काम करते हैं। डामोर पशु पालन भी करते हैं। इनमें बैल, गाय, भैंस, ऊँट, बकरियें आदि है जिनसे मांस, खालें, दूध, और चमड़ा प्राप्त होता है।

**सामाजिक संगठन**—डामोर दो प्रकार के होते हैं। उच्च डामोर अपने को पहले आया हुआ मानते हैं। और वे निम्न डामोरों से भेद रखते हैं। डामोर परिवार में एक विवाहित पुत्र उसी समय तक रह सकता है जब तक उससे छोटा पुत्र विवाहित होकर नहीं आ जाता है। डामोर में विवाह में क्षेत्रीय विवाह का महत्त्व अधिक है। आखरी पुत्र पिता के साथ ही रहता है। विवाह के पश्चात् पुत्री का पिता की सम्पत्ति पर कोई अधिकार नहीं होता। स्त्रियाँ पति की मृत्यु के पश्चात् नातरा भी कर सकती हैं। इनमें देवर बट्टा भी होता है। मृतक को वैसे सभी डामोर जलाते हैं। लेकिन कोई-कोई डामोर गाड़ते भी हैं। मृतक के पीछे मृत्यु भोज का भी रिवाज इनमें प्रचलित है। इनके जाति के झगड़े भी पंचायत ही निपटाती है।

डामोर अपने आपको राजपूत मानते हैं। इनमें राजपूतों के सिसोदिया, राठौड़, चौहान आदि गौत्र हैं। इनके सभी संस्कार हिन्दुओं जैसे ही होते है। बच्चे का नामकरण, दीता, मंगलीया रख देते है। या रंग के

आधार पर भी जैसे कालिया आदि। बच्चे के मुंडन की भी प्रथा है। अन्य आदिवासियों की तरह वे भी अन्धविश्वासी हैं। मुख्यतः भूत-प्रेतों में विश्वास करते हैं तथा कार्य की सफलता एवं बीमारी का इलाज केसरिया जी, डाकौरजी, कुबेर जी, कालकामाता या हनुमान जी की मान्यता से करता है। उन्हें प्रसन्न करने के लिए बलिदान और प्रसाद भी चढ़ाते हैं। आजादी के पहले डामोर के गांवों का नेतृत्व मुखिया करता रहा है। डामोर भी भीलों की तरह मेले में सम्मिलित होने के बहुत शौकीन होते हैं। इनमें वेणेश्वर का मेला मुख्य है। इनके त्यौहार हिन्दुओं की तरह ही दिवाली होली आदि है। डामोर भीलों से भी अधिक सभ्य और बुद्धिमान हैं। आजकल शिक्षा के प्रभाव में इनका जीवन-स्तर बढ़ता जा रहा है।

# अध्याय 23

## पर्यटक व्यवसाय
## Tourist Industry

मानव एक सामाजिक एवं जिज्ञासु प्राणी हैं। प्राकृतिक सौन्दर्य की पिपासा उसकी एक कमजोरी हैं। यही कमजोरी देश-विदेश के विभिन्न स्वरूपों के ज्ञान को जानने की उत्सुकता बनाए रखती हैं और मानव देश-विदेश का भ्रमण करता है।

प्राचीन काल के भावी अन्वेषक, दार्शनिक कवि, साधु संन्यासी इत्यादि ने प्रकृति के सौन्दर्य के विषय में अपने विचारों को बताया। साथ साथ ही वहाँ प्राकृतिक एवं सांस्कृतिक परिवेश में विषय में लिखा हैं। इस प्रकार प्राकृतिक सौंदर्य ने मानव के मस्तिष्क पर एक गहरी छाप अंकित की हैं।

आज के इस प्रगतिशील युग में मनुष्य अपने कार्यों में इतना संलग्न है कि वह अपने दैनिक कार्य से ऊब गया हैं। वह अपने इन कार्यों से कुछ क्षणों के लिए छुटकारा पाना चाहता हैं। प्राकृतिक व सामाजिक वातावरण से मुक्त पाने की इच्छा के कारण ही आज के इस युग में पर्यटकों के रूप में देश-देशान्तर घूमता रहता है।

पर्यटन व्यवसाय में आर्थिक विकास के लिए साधन जुटाने की अपूर्व संभावनाएँ हैं। विश्व में कच्चा तेल, पेट्रोलियम उत्पादनों और ऑटोमोटिव साज सामान के व्यवसाय के पश्चात् पर्यटन ही तीसरा सबसे बड़ा आय का जरिया है। यह आश्चर्य की बात नहीं हैं कि विश्व के विकसित देश भी पर्यटन विकास को उच्चतम प्राथमिकता दे रहे हैं। पर्यटन आज ब्रिटेन का सबसे प्रगतिशील उद्योग हैं।

भारत में भी पिछले कुछ समय में पर्यटन को काफी बढ़ावा मिला हैं, फिर भी दुनिया भर में इस व्यवसाय की दशा को देखते हुए, हमें अभी लम्बा सफर तय करना है। आज विदेशी मुद्रा अर्जित करने में यह व्यवसाय अद्वितीय है। पर्यटन ही संभवत: एक मात्र ऐसा व्यवसाय है जिसमें अर्जित विदेशी मुद्रा का केवल 7 प्रतिशत अंश का स्वयं के लिए उपयोग करता हैं शेष 93 प्रतिशत विदेशी मुद्रा हमारे अंतर्राष्ट्रीय व्यापार के घाटे को कम करने के काम आती है। यह उल्लेखनीय हैं कि पर्यटन एक श्रम प्रधान उद्योग हैं और हमारी कई सामाजिक, आर्थिक समस्याओं के निवारण में इसकी महत्त्वपूर्ण भूमिका हो सकती हैं। देश की एकता को मजबूत करने में भी इस व्यवसाय की भूमिका बड़ी अहम हो सकती है।

इतना सब होने के बावजूद इस क्षेत्र में हमारी प्रगति धीमी हैं। एक महाद्वीप के बराबर आकार वाले हमारे देश में दुनिया की समस्त वस्तुएँ और साधन उपलब्ध होने के बावजूद केवल 16 लाख पर्यटकों का भारत आना नहीं के बराबर माना जाना चाहिए।

हमें यह मानना होगा कि पर्यटन एक महत्त्वपूर्ण उद्योग हैं। इस उद्योग के विकास के लिए हमें आवश्यक सुविधाएँ जुटानी होंगी। इसकी विदेशी मुद्रा अर्जित करने की क्षमता को देखते हुए इस उद्योग को भी निर्यात उद्योग के समान माना जाकर उनके अनुरूप ही सुविधाएं दी जानी चाहिए।

राजस्थान का देश के पर्यटन नक्शे में एक विशिष्ट स्थान हैं। महाराष्ट्र, दिल्ली और तमिलनाडु के पश्चात् राजस्थान की देश के पर्यटन व्यवसाय में सर्वोच्च स्थिति हैं। उल्लेखनीय हैं कि उपयुक्त तीनों राज्यों में अन्तर्राष्ट्रीय हवाई अड्डे भी हैं। विदेशी पर्यटक भारत में बिताए कुल दिनों में से अधिकतम दिन राजस्थान में ही बिताते हैं। राजस्थान की परम्परा और संस्कृति के प्रति विदेशी पर्यटकों में विशेष आकर्षण है। जयपुर, उदयपुर, जोधपुर, जैसलमेर और

विभिन्न अन्य स्थानों पर बढ़ रहे पर्यटकों का आगमन इसका प्रमाण है। ''पैलेस ऑन व्हील्स'' अधिकाधिक लोकप्रिय होती जा रही है किन्तु अभी भी हमारे प्रयासों में और तेजी लाने की आवश्यकता है, उदाहरणार्थ हवेलियों की ओर पर्याप्त ध्यान देकर उनके लिए आकर्षक बढ़ाया जा सकता है। यहां 18वीं 19वीं सदी के लगभग 60 हवेलियाँ ऐसी हैं, जिनकी नक्काशियाँ अनुपम हैं। इन हवेलियों की ओर अभी तक समुचित ध्यान नहीं दिया गया है। और इनकी दशा शनैः शनैः बदतर हो रही है। इन हवेलियों को इनकी पूर्व भव्यता प्रदान करने के लिए तुरंत देखभाल की आवश्यकता है।

1970 में भूतपूर्व मुख्यमंत्री मोहनलाल सुखाड़िया ने जयपुर हवाई अड्डे का विस्तार करा उसे अन्तर्राष्ट्रीय उड़ानों के योग्य बनाने का आश्वासन दिया था यदि ऐसा हो जाता है तो दिल्ली हवाई अड्डे की भीड़-भाड़ भी कम हो सकेगी। जयपुर शहर से हवाई अड्डे को जाने वाली सड़कों को भी अधिक चौड़ी और बेहतर बनाया जाना था। जवाहरलाल नेहरू मार्ग को आगे बढ़ाकर सीधे हवाई अड्डे तक ले जाना प्रस्तावित था। इस दिशा में कुछ कार्य हुआ भी, फिर कुछ अज्ञात कारणों से बंद कर दिया गया। राज्य में पर्यटक के विकास को देखते हुए इन वायदों को पूरा किया जाना चाहिए। पूर्व प्रस्ताव पर पुनर्विचार किया जाए और जयपुर को एक अन्तर्राष्ट्रीय हवाई अड्डा बनाया जाए। केन्द्र सरकार पर्यटन को 'उद्योग' घोषित कर चुकी है और वह राज्यों सरकारों को भी होटल व्यवसाय को उद्योग मानकर बिजली व पानी की दरों में कटौती, गृहकर में रियायत, होटल परिसर को शहरी भूमि अधिकतम सीमा अधिनियम से छूट आदि जैसे लाभ दिए जाने के लिए प्रेरित कर रही है। इन सब रियायतों से राजस्व में होने वाली क्षति पर्यटन के विकास से होने वाले लाभ से बहुत कम होगी।

## राजस्थान के पर्यटक स्थल

राजस्थान गौरवपूर्ण इतिहास व परम्पराओं की यह वीर भूमि है, जहाँ की राजपूतानी आन और शौर्य की कीर्ति विश्व में बेजोड़ है। पहाड़ पहाड़ियों पर निर्मित दुर्गम दुर्गों, प्रासादों, सुरम्य झीलों, गहन वनों, पठारों व विस्तृत भूमि आदि प्रकृति के विभिन्न रूपों से शृंगारित यह राजघरानों की भूमि यदि पर्यटकों को अपनी ओर आकर्षित करती है तो क्या? देश-विदेश के विभिन्न भागों से आने वाले असंख्य पर्यटकों की दिनों दिन बढ़ती हुई संख्या इस रमणीय प्रदेश की सुरम्यता व चित्ताकर्षक पर्यटन स्थलों का परिचायक है। इस प्रदेश की ऐतिहासिक व सांस्कृतिक परम्पराएँ, जन जीवन, प्राकृतिक वातावरण सब अपने में अनूठी विविधता लिए हुए हैं। यद्यपि भारत को पर्यटकों की दृष्टि से बांटने का अभी तक कोई ठोस प्रयास नहीं किया गया है फिर भी विदेशी पर्यटकों की एवं संख्या के आधार पर देश की 6 मुख्य भागों में बाँटा जा सकता है।

(1) **हिमाचल प्रदेश**—इसमें कश्मीर की घाटी, लद्दाख, हिमाचल प्रदेश, उत्तराखण्ड प्रदेश, सिक्किम व नेपाल इत्यादि सम्मिलित है।

(2) **उत्तरी प्रदेश**—इसमें दिल्ली, चंडीगढ़, अमृतसर और वाराणसी के बीच का क्षेत्र, जिसमें पूर्वी पंजाब, उपरी गंगा का मैदान एवं दक्कन पठार का उत्तरी भाग भी सम्मिलित है।

(3) **उत्तरी-पश्चिमी प्रदेश**—इसमें सम्पूर्ण राजस्थान तथा उसके सीमान्त प्रदेश, ब्रजभूमि एवं आगरा प्रदेश इत्यादि भी सम्मिलित है।

(4) **पश्चिमी प्रदेश**—यह प्रदेश गोवा से गुजरात के बीच का क्षेत्र कहा जा सकता है।

(5) **पूर्वी प्रदेश**—इसमें गंगा का निचला मैदान, 30 पूर्वी पहाड़ियों का प्रदेश, ब्रह्मपुत्र मैदान, हिमाचल का तराई क्षेत्र एवं महानदी का डेल्टा इत्यादि भी सम्मिलित है।

(6) **दक्षिणी प्रदेश**—इस प्रदेश में दक्षिण के चारों राज्य सम्मिलित हैं।

## पर्यटक केन्द्रों का वर्गीकरण व विभाजन

राजस्थान के पर्यटन मानचित्र को देखने से यह स्पष्ट होता है कि राजस्थान में पर्यटन स्थल इधर-उधर बिखरे हुए है। कुछ पर्यटक स्थल यातायात की दृष्टि से

भी पर्यटकों के अनुकूल नहीं है, साथ ही बहुत से पर्यटक स्थानों का अभी तक विकास भी नहीं हो पाया है। विदेशी पर्यटक जो भारत में भ्रमण के लिए आते है, वे अधिक से अधिक एक माह के लिए आते हैं। इतने अल्प समय में पर्यटक कुछ प्रसिद्ध स्थलों को ही देख पाते है। इसलिए यह बहुत आवश्यक हो जाता है कि जो पर्यटक भ्रमण के लिये आते हैं उनके पास पर्याप्त समय होना चाहिए।

देश में आने वाले पर्यटकों की संख्या के अनुसार राजस्थान में केवल 20 प्रतिशत ही पर्यटक आते है और वे भी कुछ प्रमुख स्थलों पर जाते हैं। राजस्थान में पर्यटक कम से कम एक स्थान पर तथा अधिक से अधिक 12 प्रमुख स्थलों पर जाते है। बहुधा मध्यकालीन भवन निर्माण, राजा महाराजाओं द्वारा निर्मित कलाकृतियों एवं उनके आस-पास के प्राकृतिक वातावरण को देखने के लिए आते है।

## राजस्थान के पर्यटक स्थल (Tourist Places of Rajasthan)

पर्यटक स्थलों का निर्माण कभी-कभी स्वत: हो जाता है। ऐसे पर्यटक स्थलों में प्राकृतिक सौंदर्य वाले स्थान मुख्य हैं, जिनमें जयसमुद्र, सरिस्का, आबू, मेनाल, घना (भरतपुर) कुम्भलगढ़ हैं। कई स्थलों का महत्त्व तीर्थों की दृष्टि से भी हो जाता है जैसे नाथद्वारा, कांकरोली, अजमेर, पुष्कर, गल्ता, रणकपुर, ऋषभदेव, महावीरजी, वेणेश्वर, सारणेश्वर आदि कुछ का ऐतिहासिक महत्त्व भी आकर्षण का कारण हो जाता है जैसे चित्तौड़, मण्डोर, विराट, आमेर, जयपुर, भरतपुर, जालौर, जोधपुर, माध्यमिका, उदयपुर, रणथम्भौर आदि। कई स्थान स्थापत्यकला और शिल्पकला की दृष्टि से प्रसिद्ध हो जाते हैं जिनमें चित्तौड़, रणथम्भौर, झुंझुनूं, कुम्भलगढ़, जैसलमेर, बूंदी, आमेर आदि हैं। इसके अलावा डीग के महल (भरतपुर) उदयपुर के राजमहल, जयपुर के हवामहल, रणकपुर और आबू के जैन मंदिर, बाड़ोली, अर्थूना और झालरापाटन के शिव, सूर्य और विष्णु के मन्दिर और अजमेर का अढ़ाई दिन का झौंपड़ा (अजमेर) है। कुछ स्थानों का महत्त्व शिल्पकला की दृष्टि से बढ़ जाता है। सांगानेर की छपाई, उदयपुर के लकड़ी के खिलौने और चांदी के वर्कों का काम, जोधपुर की चुन्दड़ियाँ, जयपुर की पत्थर की मूर्तियां और पीतल के बर्तन आदि हैं। आजकल नए-नए बाँध और विद्युत योजनाए भी पर्यटकों के लिए आकर्षण के केन्द्र बनते जा रहे हैं, जिनमें जवाई बाँध, मेजा बाँध, कोटा बैराज, गांधी सागर, राणाप्रताप सागर आदि मुख्य हैं। माही पर बनने वाला बाँध बिजली और सिंचाई तो राजस्थान को उपलब्ध करेगा ही लेकिन पर्यटकों के लिए भी आकर्षक का केन्द्र बन जाएगा। इसी प्रकार नवीन उद्योगों एवं फार्मों, शिक्षण संस्थाओं और विश्वविद्यालयों को देखने या उनमें अध्ययन करने के लिए भी पर्यटक दूर-दूर से आते हैं। जैसे खेतड़ी और देबारी तांबा और जिंक स्मेलटर, कोटा के रेयन मिल्स, प्रिसाइज इन्स्ट्रूमेन्ट का कारखाना, भीलवाड़ा की कपड़ों की मिलें आदि हैं। इसके अलावा भी कई स्थान मानसिक शांति और आनन्द के लिए होते हैं वहाँ भी पर्यटकों का आकर्षण बढ़ जाता है। अत: पर्यटकों का आकर्षण उपरोक्त स्थानों पर एकांगी भी होता है और बहुउद्देशीय भी होता है। कई बार एक ही स्थल कई बातों लिए प्रसिद्ध होने से कई प्रकार के यात्री वहाँ आया करते हैं। जैसे जयपुर, उदयपुर, जोधपुर, अजमेर आदि ऐसे स्थल पर्यटक स्थल केन्द्र हैं और इनके चारों ओर छोटे-छोटे स्थल या उपदर्शक केन्द्र भी विकसित हो जाते हैं। जैसे उदयपुर और उसके चारों ओर जयसमुद्र, एकलिंगजी नाथद्वारा, कांकरोली, बांगदड़ा, ऋषभदेव, कुम्भलगढ़, राणपुर, जामेश्वर आदि।

पर्यटकों की संख्या रमणीक स्थलों की दृष्टि से राजस्थान को तीन भागों में बांटा जा सकता है- (मानचित्र 113)

### (1) उत्तरी-पूर्वी क्षेत्र

जयपुर उत्तरी-पूर्वी पर्यटक क्षेत्र का प्रमुख केन्द्र है, जिनमें अलवर, भरतपुर एवं सवाई माधोपुर भी सम्मिलित है। स्वतंत्रता के पूर्वी जयपुर, अलवर, भरतपुर में तीन राजाओं के राज्य सम्मिलित थे। गंगा के मैदान व आगरा, दिल्ली नगरों के निकट स्थिति होने के कारण यह क्षेत्र बड़ी मात्रा में पर्यटकों को आकर्षित

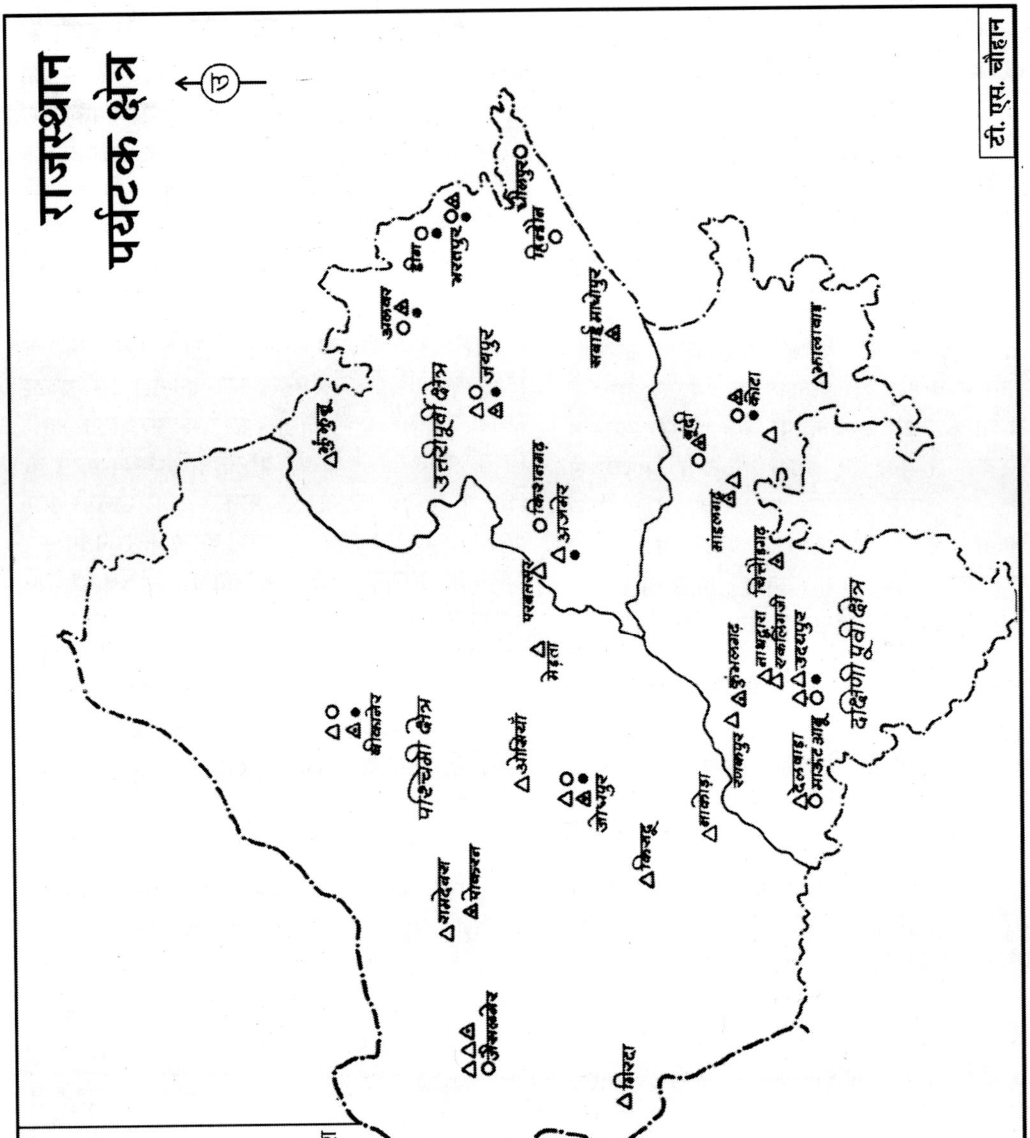
राजस्थान पर्यटक क्षेत्र
उ
टी. एस. चौहान
भारत पर्यटक क्षेत्र
1. हिमाचल प्रदेश
2. उत्तरी प्रदेश
3. उत्तरी पश्चिमी प्रदेश
4. पश्चिमी प्रदेश
5. पूर्वी प्रदेश
6. दक्षिणी प्रदेश
मन्दिर
स्थल
किला
संग्रहालय
स्रोत : पर्यटन विभाग, राजस्थान, जयपुर
पश्चिमी क्षेत्र
उत्तरी पूर्वी क्षेत्र
दक्षिणी पूर्वी क्षेत्र
बीकानेर
जैसलमेर
रामदेवरा
पोकरण
जोधपुर
ओसियाँ
मेड़ता
अजमेर
किशनगढ़
झुंझुनूं
जयपुर
अलवर
डीग
भरतपुर
करौली
सवाई माधोपुर
कोटा
बूंदी
झालावाड़
माण्डलगढ़
चित्तौड़गढ़
नाथद्वारा
एकलिंगजी
उदयपुर
कुंभलगढ़
रणकपुर
देलवाड़ा
माउंट आबू

मानचित्र 113

करने में सफल हो जाता है। भौगोलिक तथा ऐतिहासिक दृष्टि से यह क्षेत्र उपजाऊ, गंगा का मैदान तथा मुगलों व राजपूतों की वीरता का क्षेत्र रहा है। पश्चिम का थार, मरुस्थल एवं मध्य दक्षिणी अरावली पर्वत श्रेणी पर्यटकों का यह प्रवेश द्वार है। दिल्ली में देश के कुल पर्यटकों का 33.5 प्रतिशत पर्यटन के लिए आते है, इसका राजस्थान के पर्यटन उद्योग पर विशेष प्रभाव पड़ा है। इस प्रभाव का कारण यह है, जो पर्यटक दिल्ली आते है, वे राजस्थान की समीपता का लाभ उठाते है। पिंकसिटी एक्सप्रेस जयपुर शहर को दिल्ली से जोड़ती है। यहाँ के पर्यटन के प्राकृतिक तथा ऐतिहासिक दो ऐसे बड़े तत्त्व है जो पर्यटकों के आकर्षण का कारण बन गए है सामान्तवादी एवं मुगलों के काल में सम्पूर्ण राजस्थान में एवं विशेषकर इस क्षेत्र में महलों एवं किलों का अधिक निर्माण हुआ। 12वीं शताब्दी का आमेर (अंबर नगर), जहाँ पर राजपूत राजा राज्य करते थे, इसका अच्छा उदाहरण है। यहां पर बहुत से प्राचीन खण्डहर, किले महल, मन्दिर एवं असंख्य अन्य देखने योग्य स्थान भी है। यह सभी स्थल यहाँ पर पाए जाने वाले बालू के पत्थर के बने हुए है।

यहाँ पर अनेक पशु तथा वन पक्षियों की सैन्च्यूरियाँ भी है। इसमें अलवर की सरिस्का, सवाई माधोपुर की रणथम्भौर एवं घना पक्षी सेन्चुरी महत्त्वपूर्ण है। यह स्थान घना एवं सरिस्का नामक पक्षियों की पर्यटकों के लिए अधिक ज्यादा महत्त्वपूर्ण है। जिसे पिछले 20 वर्षों से विकसित किया जा रहा है।

जयपुर में देखने योग्य मुख्य रूप से आकर्षक एवं सुव्यवस्थित वैज्ञानिक बसाव हैं। यहाँ पर प्रत्येक मार्ग एक दूसरे को 90 डिग्री के कोण पर काटता है। गुलाबी रंग की दीवारें यहाँ के आकर्षण की ओर अधिक बढ़ा देती है। यद्यपि यह नगर केवल 290 वर्ष पुराना है फिर यहाँ की शैली मध्यकालीन मुगलों के समय की शैली से मिलती-जुलती है। इस शैली को राजपूत एवं मुगलों की शैल से मिली-जुली कहा जा सकता है। शक्ति का यह केन्द्र प्रारम्भ में चारों ओर से पहाड़ियों से घिरा हुआ था। बाद में अकबर द्वारा किला बनाया गया, यद्यपि आज भी यह पहाड़ियों से घिरा हुआ है। वास्तव में अम्बेर (आमेर) प्राचीन एवं जयपुर आधुनिक उदाहरण कहा जा सकता है।

यहाँ के पर्यटक आकर्षण का एक और कारण यह है कि यहां के लोगों द्वारा निर्मित वस्तुए है। व्यापारियों द्वारा अच्छा व्यवहार, स्थानीय हस्तकला सम्बन्धी वस्तुएँ, जवाहरात कीमती पत्थर, पीतल के बर्तन, संगमरमर की बनी मूर्तियाँ, चीनी मिट्टी के बर्तन भी यहाँ के पर्यटन को आकर्षक बनाने में महत्त्वपूर्ण योगदान देते है। यहाँ आने वाले पर्यटन अपना 1/3 समय उपर्युक्त वस्तुएँ खरीदने में लगा देते है। पवित्र स्थलों में अजमेर, पुष्कर और किशनगढ़ अधिक महत्त्वपूर्ण है। यहाँ लगने वाले धार्मिक मेलों में पर्यटकों का बाहुल्य देखने को मिलता है। गत कुछ वर्षों से यहाँ पर विदेशी यात्रियों की संख्या में पर्याप्त वृद्धि हुई है। इस क्षेत्र का प्रसिद्ध महल और हवेलियाँ इतनी सौंदर्ययुक्त है शायद ही भारत में कहीं अन्य स्थान पर देखने को मिले।

### (2) पश्चिमी क्षेत्र

इस क्षेत्र का प्रमुख पर्यटक स्थल जोधपुर है। यह दूर पश्चिम का द्वार कहा जा सकता है। यहाँ पर बने पत्थर के मकान जोधपुर, जैसलमेर एवं बीकानेर में सर्वत्र देखे जा सकते है। इन पत्थर के भवनों में रंगाई, सफाई एवं कलाकृति देखने योग्य है। किराडू, मेड़ता, नाकोड़ा, जालौर तथा ओसियाँ इत्यादि भी प्रमुख दर्शनीय स्थान है। पश्चिमी मरुस्थल में किलेबंदी की कला विशेषकर जोधपुर, जैसलमेर एवं बीकानेर में पर्यटकों की दृष्टि से महत्त्वपूर्ण है।

### (3) दक्षिणी पूर्वी क्षेत्र

अरावली के पार पर्यटकों की दृष्टि से यह धनी क्षेत्र है। यहाँ पर अनेक दर्शनीय पर्यटक स्थल है। ये पर्यटक स्थल भवन निर्माण ऐतिहासिक तथा धार्मिक महत्त्व के है। इस क्षेत्र में स्थित चित्तौड़गढ़, कुम्भलगढ़ और माण्डलगढ़ के किले भारत के प्रसिद्ध किलों में से है। रणकपुर, माउण्ट आबू, नागदा एवं चित्तौड़गढ़ के जैन मन्दिर भी बड़े प्रसिद्ध है। नाथद्वारा, एकलिंगजी, चारभुजा व कोटा के मन्दिर भी कम महत्त्वपूर्ण नहीं कहे जा सकते हैं। (मानचित्र 114)

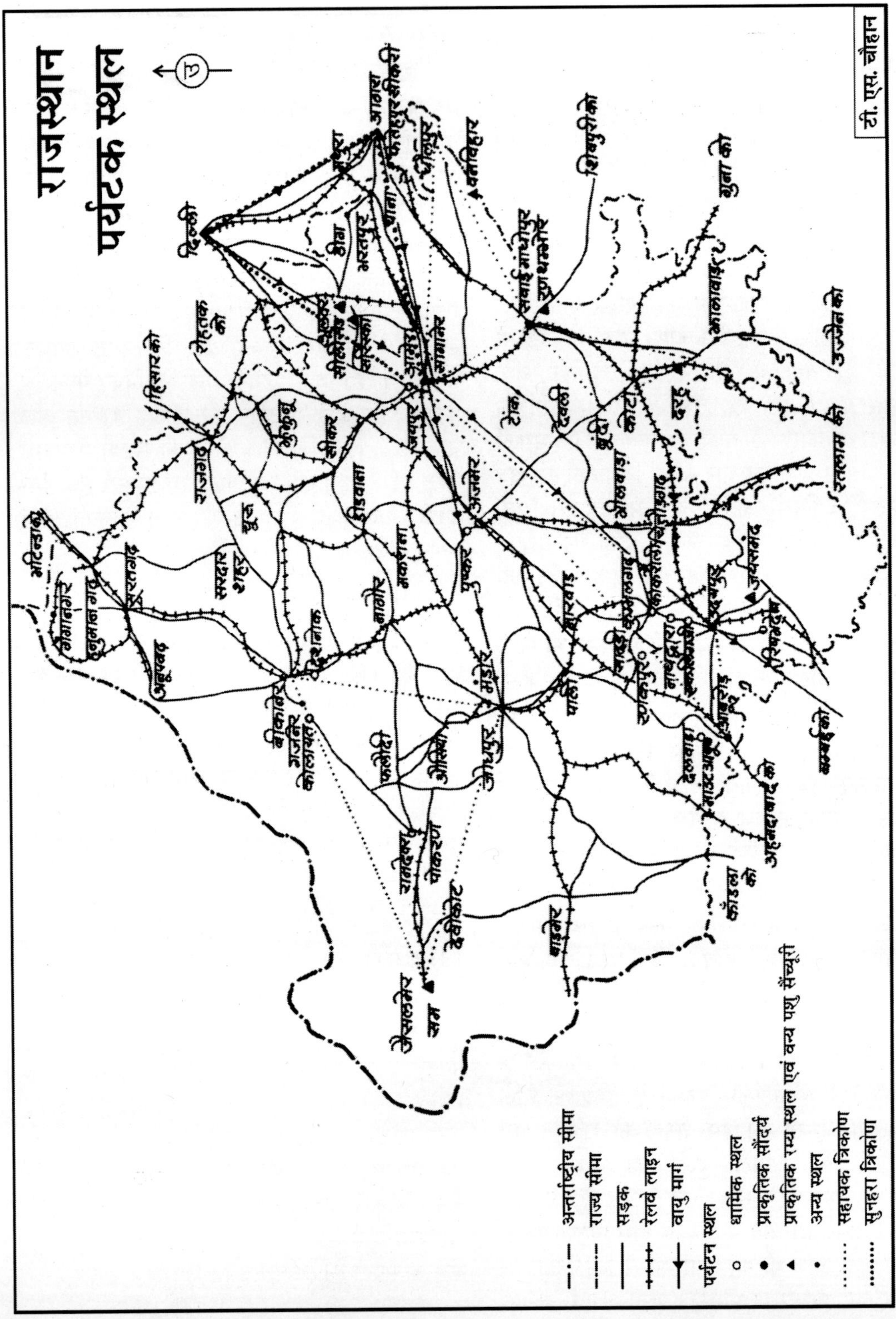
राजस्थान
पर्यटक स्थल
उ
अन्तर्राष्ट्रीय सीमा
राज्य सीमा
सड़क
रेलवे लाइन
वायु मार्ग
पर्यटन स्थल
धार्मिक स्थल
प्राकृतिक सौंदर्य
प्राकृतिक रम्य स्थल एवं वन्य पशु सैंक्चुरी
अन्य स्थल
सहायक त्रिकोण
सुनहरा त्रिकोण
टी. एस. चौहान

मानचित्र 114

## राजस्थान के पर्यटन स्थल

### (1) जयपुर

राजस्थान राज्य की राजधानी के रूप में जयपुर एक गुलाबी नगर है तथा विश्व के उत्तम नगरों में से एक है। इसका नाम सवाई जयसिंह द्वितीय के नाम पर पड़ा है, जो एक महान् योद्धा राजकुमार तथा ज्योतिषी व जयपुर को बसाने वाला था। सवाई जयसिंह द्वितीय जयपुर नगर को 1727 ईस्वी में बसाया था। प्राचीन शास्त्रों के अनुसार उस समय की सबसे उत्कृष्ट निर्माण शैली का इसमें प्रयोग किया गया है तत्कालीन यूरोप में भी इस तरह से सुनियोजित नगर थे। यह शहर सात आयाताकार भागों में बसा हुआ है। यहाँ सड़के एक-दूसरी को समकोण पर काटती है। यह नगर तीन ओर से पहाड़ियों द्वारा घिरा है जिनमें 7 दरवाजों भी मिलते है। ये दरवाजें अलग-2 दिशाओं में मिलते है। आधुनिक शहर चारदीवारी के शहर चार दीवारी के बाहर भी फैल गया है। इस नगर के विषय में ब्रिटेन के महान् निर्माण कर्ताओं के सर हयुता कास ने लिखा है कि "विश्व के वेनिस, पैरिस व जयपुर सबसे उत्तम शहर है।" जयपुर के पत्थरों पर जो कारीगरी की है जैसे जालियाँ बनाना, पीले रंग की दीवारें इत्यादि के कारण शहर स्वप्न नगरी सा प्रतीत होता है। यह नगर ऐसी दुल्हन की तरह से है जिसके वस्त्र गुलाबी रंग के बने है। मैक्सलीवर नामक अंग्रेज पत्रकार ने जयपुर के बारे में लिखा है कि अब मैंने जयपुर देख लिया है, मर सकता हूँ। इनके अलावा अन्य अनेकों लेखकों को नगर की प्रशंसा अपने लेखों तक में भी की है। वास्तव में नगर की प्रशंसा इसके रेखा गणितीय रूप रंग, बाजार, स्थानों तथा संस्कृति में देखी जा सकती है।

### मुख्य दर्शनीय स्थल

**(अ) सिटी पैलेस**— यह स्थल शहर के मध्य भाग में चार दीवारी के अन्दर अपनी राजपूत व मुगल शैली लिए हुए है। इस महल में बड़े-2 हॉल है तथा एक सुन्दर संग्रहालय भी है। इसी में एक दीवाने आम या आम लोगों के लिए एक हॉल है, जिसमें बहुत ही विचित्र व आकर्षक डिजाइनें बनाई गई है। दिवाने-खास में सुन्दर संगमरमर की सीढ़ियाँ एवं गैलरी भी बनाई गई है। शाही लोगों के लिए मुबारक महल भी बनाया गया था। इसी के उत्तर में एक सात मंजिल का चंद्रमहल भी बना हुआ है, जिसकी चित्रकारी मन को मोह लेती है।

**(ब) महाराजा सवाई मानसिंह द्वितीय का संग्रहालय**— चन्द्रमहल के निचले भाग में महाराजा सवाई मानसिंह द्वितीय का संग्रहालय है, जिसे पेन्टिंग का संग्रह स्थल कहा जा सकता है। यहाँ गलीचे, शिल्पकला, चीनी मिट्टी के बर्तन, जेवरात हस्तलिपि ग्रंथ एवं प्राचीन ढंग के हथियार भी रखे गए हैं। उस समय के जयपुर दरबार के सदस्यों के मुख्यचित्र राधाकृष्ण मूर्ति, राधामाला श्रेणी, सम्पूर्ण भगवत गीता, गीत गोविन्द महाभारत एवं पौराणिक कहानियाँ इत्यादि राजस्थान की चित्रकला के अच्छे उदाहरण यहाँ मिलते हैं।

**जन्तर मन्तर**— महाराजा सवाई मानसिंह ने ज्योतिष व नक्षत्र विद्या के अनुसंधान के लिए दिल्ली, बनारस, उज्जैन, मथुरा व जयपुर में अलग-2 वेधशाला बनवाई, जिनमें जयपुर की वेधशाला सबसे बड़ी है। यह मुबारक महल के बाहरी प्रांगण में स्थित है और इसे जन्तर-मन्तर कहा जाता है यहाँ पत्थर व धातु के बने अनेक विशाल यन्त्र है जिनमें से सम्राट यंत्र, जयप्रकाश यन्त्र, राशि वलभ यन्त्र, कमाली यन्त्र, कान्तीयंत्र और राम यन्त्र विशेष उल्लेखनीय है। यहाँ यन्त्रों से एक सैकण्ड के दसवें भाग तक का समय ठीक-ठीक ज्ञात हो जाता है तथा ग्रहों की स्थिति दिशा एवं नक्षत्रों का अध्ययन किया जा सकता है।

**हवा महल**— हवामहल जयपुर का एक प्रभावशाली एवं विलक्षण भवन है। नगर के मध्य स्थित यह महल महाराजा सवाई प्रतापसिंह ने सन् 1799 ई. में बनवाया था। इसमें शिल्प के अनूठी झलक मिलती है। इनकी रूपरेखा इतनी हृदयग्राही है कि इसे देखने पर सर एडविन एरनोल्ड ने कहा था कि "अलाद्दीन का जादुई चिराग भी इससे अधिक शानदार भवन नहीं बनवा सकता था और न ही पेरी बानू का मोती व चाँद का भवन इससे अधिक आकर्षण था। यह एक पिरामिड के आकार की इमारत है, इसमें पाँच मंजिलें

है जो अर्द्ध–अष्टकोण की बाहर निकलती हुई छोटे–छोटे गुम्बद व आले है। इस इमारत का निर्माण रानियों की सुविधा की दृष्टि से कराया गया था ताकि त्यौहारों एवं अन्य विशेष अवसरों पर निकलने वाली महाराजा की सवारी का अवलोकन सुविधापूर्वक किया जा सके।

**रामनिवास बाग**— महाराजा राजा रामसिंह द्वारा लगभग एक शताब्दी पूर्व निर्मित यह उद्यान जयपुर के लिए गौरव की बस्ती है। उद्यान में बड़े–2 घास के मैदान भी है। यही जन्तुशाला व चिड़ियाघर भी है जिसमें विभिन्न किस्म के जानवर पक्षियों का अच्छा संग्रह है।

**चन्द्रमहल**— दीवाने खास के उत्तर–पश्चिमी पार्श्व में एक आकर्षक सात मंजिला महल है जो वस्तुकला का सुन्दर उदाहरण है। चन्द्रमहल के विभिन्न कमरे राजपूत शैली के प्राचीन चित्रों, भिति चित्रों व काँच के काम से अत्यन्त ही चित्ताकर्षक ढंग से सजे हुए है। चन्द्रमल के उत्तर में ठीक सामने ही गोविन्द देवजी का प्रसिद्ध मंदिर है। जिसकी मूर्ति चैतन्य महाप्रभु की निजी सेवा की बताई जाती है। इसमें ताल कटोरा तालाब व उसके किनारे बादल महल है।

**बिड़ला–प्लेनिटोरियम**— अत्याधुनिक कम्प्यूटर से युक्त जयपुर का बृजमोहन बिड़ला प्लेनिटोरियम लगातार पर्यटकों का प्रमुख आकर्षण बनता जा रहा है। प्लेनिटोरियम में रात्रि का वह खूबसूरत नजारा हूबहू देखा जा सकता है जो पृथ्वी के किसी छोर से दिखाई देता है।

मार्च 1989 में प्लेनिटोरियम आम जनता के लिए खोला गया इसकी विशिष्टता मात्र इससे आंकी जा सकती है कि पहले वर्ष में ही एक लाख दर्शक इसे देखने आ चुके थे। इसमें कोई संदेह नहीं कि खगोल और अन्तरिक्ष विज्ञान की जानकारी के लिए इसकी उपयोगिता है पिर भी अधिकांश लोग इस अत्याधुनिक साधन के महत्त्व से परिचित नहीं हैं। प्लेनिटोरियम में पृथ्वी और अन्य खगोलीय पिंडों की गति बढ़ाई जा सकती है तथा उनका कालचक्र घटाया जा सकता है ताकि वे घटनाएँ जिन्हें घटने में शताब्दियाँ लग जाती हैं, उन्हें तथा प्रकृति के अद्‌भुत रहस्यों को प्लेनिटोरियम के एक ही 'शो' में देखा जा सके। सामान्य रूप से तो इन अन्तरिक्षीय घटनाओं को देखना संभव ही नहीं होता। प्लेनिटोरियम की इस उपयोगिता से इंकार नहीं किया जा सकता कि इससे अंतरिक्षीय घटनाओं को समझने में काफी हद तक सहायता मिली है।

विद्यार्थियों को यह बतलाकर कि अंतरिक्ष में क्या घटित होता है तथा उनका निरीक्षण कैसे करना चाहिए, प्लेनिटोरियम उनकी कल्पनाशीलता को विस्तार देता है। यह छोटे–बड़े सभी में अन्तरिक्षीय घटनाओं के कारणों को जानने की जिज्ञासा बढ़ाता है। दिन में छह से सात बार दिलचस्प 'शो' दिखाने के अलावा प्लेनिटोरियम अन्तर्विद्यालयीय प्रतियोगिताएँ भी आयोजित करने के लिए व्याख्यान भी रखे जाते हैं। आधुनिक खगोल विज्ञान ने ब्रह्माण्ड के कल्पनातीत तथा आश्चर्यजनक रहस्यों को उद्‌घाटित किया है। ये वे रहस्य हैं जिनके बारे में जिज्ञासा इंसानों को सदैव रही है तथा जिनके बारे में सोच–सोच कर वह सदा विस्मित हुआ है।

प्लेनिटोरियम आधुनिक विज्ञान और तकनीक का मानव जाति को वह अभूतपूर्व वरदान है जिससे ब्रह्माण्ड के गूढ़ एवं आश्चर्यजनक रहस्य आम लोगों तक पहुँच सके हैं।

महाराजा जयसिंह का यह गुलाबी शहर खगोल विद्या में अग्रणी रहने के कारण भारतवर्ष का सदैव गौरव रहा है और अब धीरे–धीरे आधुनिक खगोल विज्ञान ओर खगोल–भौतिकी के क्षेत्र में पुनरुत्थान कर देश का नाम गौरवान्वित कर रहा है।

बृजमोहन बिड़ला प्लेनिटोरियम में दिखाए जाने वाले अंतरिक्ष के दृश्य नि:सन्देह कई महत्त्वपूर्ण जानकारियाँ देते हैं जिनसे कोई वंचित नहीं रहना चाहेगा।

**भ्रमण–आमेर का किला व महल**— जयपुर नगर के उत्तर पूर्व में 7 मील दूर जयपुर देहली मार्ग पर जयपुर रियासत की पुरानी राजधानी आमेर है। आमेर नाम सम्भवता भगवान शिव के नाम "अम्बेश्वर अथवा

अम्बिरिश'' से पड़ा है। आमेर के महल आमोटा झील के किनारे लाल रंग की पहाड़ी पर बने हैं।

आमेर का किला राजपूत वास्तुकला का उत्कृष्ट उदाहरण है। इसे सत्रहवीं शताब्दी के प्रारम्भ में राजा मानसिंह ने बनवाना प्रारंभ किया था और 100 वर्ष बाद सवाई जयसिंह ने पूरा करवाया था। महलों तक पहुंचने के लिए सीढ़ियों की लम्बी चढ़ाई करनी पड़ती है। राजमहल के मुख्यद्वार (सिंहपोल) के निकट ही जयपुर के राजाओं की कुल देवी ''शीलामाता'' का मन्दिर है। सिंह पोल में प्रवेश करते ही 'दीवाने खास' दिखाई पड़ते है। इसमें भूरे रंग के संगमरमर तथा बालुई पत्थर के स्तम्भ है। अन्दर बायीं ओर संगमरमर से बना जयमन्दिर है जिसे दीवाने खास भी कहते है। सुहाग मंदिर में संगमरमर की महराबों और जालियों की कारीगरी दर्शनीय है।

पहाड़ी की तलहटी में पुराने कस्बे के बीच मन्दिरों का समूह है। इसमें जगत शिरोमणि का मन्दिर अपनी आकर्षक शिल्पकला के लिए ज्यादा प्रसिद्ध है। मन्दिर के तोरण द्वार पर गरूड़ की मूर्ति पर की गई कारीगरी देखकर दर्शक मुग्ध हो जाता है। भक्त शिरोमणि मीराबाई की कीर्ति के साथ इस मन्दिर का नाम जुड़ा है।

**नाहरगढ़**— जयपुर के धरातल से लगभग 600 फीट ऊँचाई पर एक पहाड़ी पर निर्मित नाहरगढ़ का किला एक सुन्दर, सुरक्षित और सुरम्य स्थान है। दुर्ग पर जाने के लिए जीप जाने योग्य सड़क बनी है। नाहरगढ़ में ''हवा मन्दिर'' व ''माधवेन्द्र'' भवन स्थापत्य कला के सुन्दर उदाहरण है। इसके अलावा यहाँ दुमंजिले रावले बने है जो महाराजा माधोसिंह ने अपनी कृपा पात्रियों के नाम पर बनवाए थे। इसमें भी अन्य महलों की भांति विशाल प्रवेश द्वार, प्रवेश द्वारपालों की बैठक, चौकोर चौक, घुमावदार गुम्बद और झुके हुए छज्जे इत्यादि है। दीवारों व छज्जों पर रंगीन कलम की चित्रकारी है। राज्य सरकार नाहरगढ़ की सैलानियों को आकर्षक केन्द्र बनाने में कृत संकल्प हैं।

**गैटोर**— जयपुर से आमेर जाने वाली सड़क पर नाहरगढ़ के किले की तलहटी मे जयपुर के दिवंगत राजाओं की छतरियाँ बनी हुई है। यह स्थान गैटोर के नाम प्रसिद्ध है। संगमरमर से निर्मित इन छतरियों में खुदाई का काम दर्शनीय है। सबसे सुन्दर छतरी जयपुर के संस्थापक महाराजा सवाई जयसिंह की है जिसकी एक अनुवृति लन्दन में मैनहट्टन म्यूजियम में रखी गई है।

**गलता**— नगर के पूर्वी द्वार सूरजपोल के बाहर कुछ दूर पर ही एक पहाड़ी दर्रे में गलताजी का पवित्र कुण्ड है। इस पहाड़ी की चोटी पर सूर्य का मन्दिर बना हुआ है जहाँ से नगर का विहंगम दृश्य बड़ा ही मनोहारी दिखता है। गलताजी घाटी से नीचे तक मन्दिरों का उपनगर है। जहाँ यात्रियों के स्नान के लिए अनेकों कुण्ड बने है। इनमें वर्ष भर पवित्र गोमुख से पानी आता रहता है। धार्मिक पर्वों पर हजारों श्रद्धालु यात्री गलताजी के कुण्ड में स्नान करते है, सन् 1981 में हुई अतिवृष्टि से गलता तीर्थ पूर्ण तबाह हो गया था जिसका राज्य सरकार एवं श्रद्धालु भक्तों ने पुन: निर्माण करवाया जा रहा है। जयपुर की स्थापना के बाद ऐसी अतिवृष्टि एवं बाढ़ कभी नहीं हुई थी।

**सिसोदिया रानी महल व बाग**— यह जयसिंह द्वितीय की सिसोदिया रानियों के लिए 1774 ई. में इसको बनवाया यहीं पर सिसोदिया रानी के पुत्र माधोसिंह का जन्म हुआ था। यह महल सीढ़ीनुमा बाग से घिरा हुआ है। यहाँ की कलाकारी में राधा कृष्ण के चित्र महत्त्वपूर्ण है।

**विद्याधर बाग**— यह ऊँचे पहाड़ों के बीच की घाटी में विद्याधर नामक जयसिंह द्वितीय के प्रमुख भवन निर्माणकर्ता के नाम पर बनाया गया था।

**सांगानेर**— जयपुर से 13 कि.मी. दक्षिण में एक पुराना कस्बा सांगानेर है। यहीं लगभग एक हजार वर्ष प्राचीन संघीजी का मन्दिर है। मन्दिर में संगमरमर पर खुदाई का कार्य इतना कलात्मक है कि इसे आबू के देलवाड़ा मन्दिरों के बाद दूसरा स्थान दिया जाता है। यहाँ का पुराना राजमहल भी दर्शनीय है कभी बादशाह अकबर ठहरा था। सांगानेर वस्तुकला का बहुत बड़ा केन्द्र है। यहाँ कपड़ों पर छपाई, रंगाई तथा हाथ का

कागज बनाने के छोटे-छोटे कई संस्थान है। यहाँ का नवनिर्मित ''बाल संग्रहालय'' दर्शनीय है। जयपुर हवाई अड्डा सांगानेर से एक कि.मी. दूरी पर है।

**रागगढ़ झील**— इस का मुहाना बाण गंगा बनाती है इसका कुल क्षेत्रफल 16 वर्ग कि.मी. तथा पानी का मुख्य स्त्रोत बाण गंगा है। यहीं से जयपुर को पानी भेजा जाता है। यहाँ पर छुट्टी के दिनों में स्थानीय पर्यटकों की अपार भीड़ देखी जा सकती है।

**सामोद महल**— यह महल एक पहाड़ी पर बना है। इसके दो भाग है यह शीश महल तथा दूसरे में सुल्तान महल सम्मिलित किया जाता है। शीशा काँच की बहुत अच्छी कारीगरी की गई है। सुल्तान महल में शिकारी व प्रेमियों के दृश्यचित्र है।

**टौंक**— इस नगर की सुनहरी कोठी बड़ी प्रसिद्ध है। हाल ही में फारसी व अरबी अनुसंधान शाला यहाँ खोली गई है। यहाँ शोधकर्ता आते रहते है। टोडाराय सिंह नगर मध्यकालीन समय का सबसे महत्त्वपूर्ण नगर माना जाता है। यहाँ के सुन्दर महल तथा मन्दिर बहुत प्रसिद्ध है। यहाँ की ऊँची-ऊँची दीवारें भी देखने योग्य है।

**थार मरुस्थल की खोज**– राजस्थान का मरुस्थल अपने आप में महत्त्वपूर्ण इतिहास समेटे हुए है। राजस्थान के इस कठोर वातावरण ने बड़ी संख्या में शूरवीर व योद्धा पैदा किये हैं। थार का यह मरूस्थल सहारा के मरुस्थल का ही विस्तार है, जो अरब, ईरान, पाकिस्तान होता अपना अन्त अरावली के पर्वत पदीय क्षेत्रों में करता है। ऊबड़-खाबड़ अरावली एवं थार के मरुस्थल ने इतिहास को काफी सीमा तक प्रभावित किया है।

राजस्थान के इस भाग में सांस्कृतिक पर्यावरण को यहाँ के लोग गीतों, लोक रचनाओं, नृत्य छविगृह, कला भवन निर्माण कलाओं के रूप में देखा जा सकता है। जिनमें जोधपुर व बीकानेर चित्रकला पाठशालाओं बहुत ही प्रसिद्ध है। भ्रमण करते समय ग्रामीण लोगों का रहन-सहन देखने को मिलता है, जो मरुस्थलीय जीवन की अमिट छाप पर्यटकों के हृदयस्थल पर अंकित करता है।

कला व हस्तकला प्रेमियों के लिए तो यह अनूठा क्षेत्र है। जोधपुर, जैसलमेर, बाड़मेर व बीकानेर के रंगीन बाजार यहाँ पर हस्त निर्मित वस्तुएँ प्रदान कर पर्यटकों को अपनी तरफ आकर्षित करते हैं।

## (2) बीकानेर

राजस्थान के मरुक्षेत्र का प्रमुख व दर्शनीय नगर बीकानेर जो भारतीय कला का एक महत्त्वपूर्ण है, दिल्ली रेल मार्ग द्वारा 455 कि.मी. मील, जयपुर से 350 कि.मी. तथा जोधपुर से 235 कि.मी. दूर स्थित है। यह क्षेत्र एक समय पूर्व भारतीय कला का सम्पन्न केन्द्र रहा है उस समय ''सरस्वती'' नदी का पावन जल इस क्षेत्र को सिंचित करता था। कालान्तर में वह नदी तथा यहाँ की कलापूर्ण सरसता रेगिस्तान के महासमुद्र में विलीन हो गई।

बीकानेर रियासत की नींव राठौड़ राजपूत ''राव बीकाजी'' ने सन् 1465 ई. में डाली थी तथा सन् 1486 ई. में बीकानेर का निर्माण कराया गया। राजस्थान के अन्य नगरों की भांति बीकानेर भी 7 कि.मी. परिधि की नगर कोट में घिरा है जिसमें नगर प्रवेश हेतु पाँच द्वार है।

### दर्शनीय स्थल

**(1) बीकानेर दुर्ग व महल**— अकबर के विशिष्ट सेनापति राजा जयसिंह द्वारा सन् 1588 से सन् 1593 ई. काल से निर्मित बीकानेर दुर्ग शहर का मुख्य आकर्षण है। इस दुर्ग के कोट की परिधि 1078 गज है जिसमें 37 बुर्जियों तथा प्रवेश के लिए दो द्वार बने हैं।

प्रमुख प्रवेश द्वार, ''सूरजपोल'' है। दुर्ग में चन्द्र महल, फूल महल, छतर महल, शीशमहल, कर्ण महल तथा राजा रामसिंह का हर मन्दिर इत्यादि दर्शनीय है।

''कर्ण महल'' महाराजा अनूपसिंह ने अपने पिता महाराजा कर्णसिंह द्वारा औरंगजेब के आक्रमणों का वीरतापूर्वक सामना करने की स्मृति में बनवाया। मुगल शैली में बने इस महल की छतों व मेहराबों व सत्रहवीं व अठारहवीं शताब्दी की ऐश्वर्य मुक्त चित्रकारी अंकित की है जिसमें महाराजा गजेसिंह द्वारा भी बाद में योगदान दिया गया। महाराजा डूँगरसिंह जी द्वारा सन्

1872 से 1887 ई. में निर्मित सिंहपोल, देवविलास व उद्यान दर्शनीय हैं।

''चन्द्रमहल'' की दीवारों के कलात्मक आलय, दर्पण, नक्काशीदार संगमरमर का काम, फूलमहल के दर्पण चित्रकारी आदि सुन्दर है, शीशमहल के काँच का काम तथा अति कलात्मक छतर महल की आकर्षक ''रासमाल'' व अन्य कई स्थल उस दुर्ग की बहुमूल्य कला निधि है।

**लालगढ़**— सुन्दर खुदाई के काम और उत्कृष्ट चित्रकारी को संजाये में ''लालगढ़'' का निर्माण लाल बालुई पत्थर से हुआ है। यह शहर के बाहर स्थित है।

**गजनेर महल**— शहर से 29 कि.मी. दूर दक्षिण-पश्चिम में गजनेर मार्ग द्वारा गरम गजनेर महल एक झील के किनारे बना है यह स्थान रेगिस्तानी तीतर के लिए प्रसिद्ध हैं।

**भ्रमण- (1) भण्डसार मंदिर**— चमकते शिखर व ध्वजदण्ड मुक्त दर्शनीय मंदिर है यह एक मन्दिर नगर का सबसे सुन्दर एवं दर्शनीय मंदिर है। अन्य मंदिरों में चिन्तामणि का मन्दिर, नेमिनाथ का मंदिर व आदिनाथ का कलात्मक व सुन्दर है।

**(2) देवी कुण्ड**— बीकानेर से 8 कि.मी. दूर ''देवी कुण्ड'' पर बीकानेर शासकों की छतरियाँ बनी है। इनमें महाराजा कर्णसिंह की 16 स्तम्भों मुक्त शाही छतरी तथा महाराजा अनूपसिंह की कलात्मक छतरी होना ही भव्य हैं।

**(3) बीकानेर संग्रहालय**— बीकानेर का संग्रहालय भी दर्शनीय है। गुप्तकाल की मूर्तियों, राजा रामसिंह जी को जहागीर द्वारा प्रदत्त रेशमी परिधान मुगलों के शाही फरमान, राजपूत शैली के आलम चित्र आदि संग्रह मर्मज्ञ दर्शकों के लिए बड़े महत्त्व के हैं।

**(4) करणी माता का मन्दिर**— बीकानेर से 16 मील दूर देश लोक गाँव में स्थित प्रसिद्ध करणी माता का मन्दिर महाराजा सूरसिंह के राज्यकाल में बनवाया गया था। उस मन्दिर में असंख्य ''पवित्र'' चूहे है। श्रद्धालु भक्तों की मान्यता है कि यदि किसी के शरीर पर कोई चूहा चढ़ता है तो यह उसके लिये सौभाग्य सूचक है। यहाँ चूहों को मारना या यातना देना अशुभ माना जाता है।

### (3) जैसलमेर

भारत की उत्तरी-पश्चिम सीमा पर थार के रेगिस्तान में अवस्थित जैसलमेर शिल्पकला में विश्व में अपना विशिष्ट स्थान रखता है। उस शहर के कलात्मक भवनों, झरोखों तथा सरोवरों को देखकर दर्शक मुग्ध हो जाते है। इस कलापूर्ण नगर को सन् 1156 ई. में यादव वंशीय राजपूत राजा रावल जैसलसिंह ने बसाया था। उन्हीं के नाम पर इसका नाम जैसलमेर पड़ा। जैसलमेर उत्तर रेल्वे की जोधपुर-जैसलमेर लाइन का अंतिम स्टेशन है, पोकरण से 105 कि.मी. तथा बाड़मेर स्टेशन से 98 मील दूर पड़ता है। जैसलमेर एक दुर्ग नगर के रूप में विख्यात है, नई बस्तियों को छोड़कर प्राय: सारा नगर परकोटे के अन्दर ही अवस्थित है।

**दर्शनीय स्थल**

**(1) दुर्ग**— जैसलमेर का दुर्ग सम्भवतया चित्तौड़गढ़ के बाद राजस्थान में सबसे अधिक प्राचीन है। जमीन से 250 फुट ऊँची तथा 750 फुट त्रिकुट नामक पहाड़ी पर निर्मित इस दुर्ग का आधार 15 फीट ऊँची ठोस पत्थरों की दीवार से घिरा है। इसके ऊपर सुरक्षा की दोहरी अवस्था करने वाली पहाड़ी है जो परकोटे को मिटाए हुए हैं। दुर्ग में चारों ओर 99 बुर्ज बने है जो युद्ध के समय में काफी उपयोगी सिद्ध होते थे।

**(2) राजमहल**— दुर्ग प्रथम द्वार में प्रवेश करते ही गगनमुखी राजमहल दिख पड़ते है। घुमावदार घाटियों में सूरजपोल, गणेशपोल होते हुए हवापोल के बाहर चौक में प्रवेश कर यहां बने रंगमहल, गजविलास, तथा अन्त:पुर के कलात्मक झरोखे देखकर आत्मविभोर हो उठता है। इसके अलावा भगवती देवी का मन्दिर व सात मंजिल का राजप्रासाद भी दर्शनीय है।

इसी प्रांगण में सतियों की सीढ़ियाँ है जहाँ वीर क्षत्रियों के सम्मान हेतु जौहर किया था। इन सीढ़ियों के

आगे बढ़ने पर जैसुल का कुआ नजर आता है। ऐसी किवदंती है कि इस कुएँ को भगवान श्रीकृष्ण ने अपने चक्र से खोदा था। इस कुएँ से आगे जाने पर लक्ष्मीनाथ जी का मन्दिर है। यह विशाल वैष्णव मन्दिर चौदहवीं शताब्दी में बना था। इसकी मूर्ति सैंकड़ों वर्ष पुरानी है।

**(3) पटुओं की हवेली**— जैसलमेर हवेलियों के नगर के नाम से जाना जाता है। जैसलमेर के प्रसिद्ध सेठ पटुओं ने 18 वीं शताब्दी में अपने धन के सदुपयोग हेतु नगर के मध्य चार विशाल कलात्मक हवेलियों की निर्माण कराया। ये हवेलियाँ शिल्पकला का अनूठा उदाहरण प्रस्तुत करती है। हवेलियों में पत्थर से बनी जालियों का काम कई पारदर्शक झरोखे, सोने की कलम से की गई चित्रकारी तथा सीपों से काँच का कार्य दर्शकों को मंत्रमुग्ध कर देता है। यहाँ पत्थरों का मिलान इतना कलात्मक है कि यह पता नहीं लगता कि हवेली एक ही पत्थर से निर्मित है। कारीगरी की सूक्ष्मता दर्शनीय है। इनके अलावा नथमल जी की हवेली व दीवान सालिमसिंह की हवेली भी अपनी स्थापत्य कला के लिए प्रसिद्ध है।

**(4) जैन मन्दिर**— जैसलमेर में अनेकों जैन मन्दिर है जो अपनी स्थापत्य कला, प्राचीनता एवं हस्तशिल्प ग्रन्थों के संग्रह आदि के लिये प्रसिद्ध है। इनमें पार्श्वनाथ जी का मन्दिर, श्री महावीर स्वामी का मन्दिर और चन्द्रप्रभु का मन्दिर विशेष रूप से दर्शनीय है।

**भ्रमण-लोद्रवा**— जैसलमेर की प्राचीनतम राजधानी जो शहर के पश्चिम में स्थित है। यहाँ पर उस समय के केवल जैन मंदिर ही देखने योग्य है। द्वार पर बड़े-2 तोरण बने हुए है। मन्दिरों के भीतर ''कल्पतरू'' नामक वृक्ष देखने योग्य है। इसी जगह के मूमल-महेन्द्र के प्रेमगीत एवं कहानियाँ बड़ी प्रसिद्ध हैं।

**बड़ाबाग**— यहाँ पर प्राचीन शासकों की छतरियों, उन पर विशेष खुदाई तथा बाग में ही उस समय के राजा महाराजाओं की मूर्तियाँ बनी हुई है। इसी जगह पर झील एवं एक छोटा सा बाँध बना है, जो उस मरुस्थल से परे की कल्पना भी समझना चाहिए।

**सम के रेतीले टीले**— ये सहारा मरुस्थल का स्वरूप बतलाते है। यह एक झाड़ीहीन मरुस्थली टीला है जो लगभग 2 कि.मी. लम्बा है। इसे देखने के लिए पर्यटक ऊँटों की सवारी का उपयोग करते हैं।

**मरुस्थली राष्ट्रीय पार्क**— यह पार्क जैसलमेर बाड़मेर रोड़ पर स्थित है। यह पार्क वास्तव में मरुस्थल में आकर्षक केन्द्र है। भविष्य में जहाँ पर वनस्पति एवं जीव जन्तुओं के बारे में अध्ययन किया जा सकता है।

### (4) बाड़मेर

यह प्रिन्टिंग व हस्त छपाई का मुख्य केन्द्र है। यहाँ पर लकड़ी पर खुदाई, दरी, गलीचे तथा कशीदे का कार्य भी होता है।

**किराडू**— यह बाड़मेर के पश्चिम में स्थित है। यहां पर 11 वीं शताब्दी के अनेकों मंदिर है। जो काठियावाड़ की तरह बनाए गए है। इन पर गुप्तकालीन सभ्यता की अमिट छाप देखी जा सकती है।

### (5) जोधपुर

जोधपुर थार मरुस्थल का मुख्य द्वार है। जोधपुर नगर की स्थापना राठौड़ राजपूतों के प्रमुख राजा जोधाजी ने 1449 ई. में की थी और इन्हीं के नाम पर नगर का नाम जोधपुर पड़ा। दिल्ली से 616 किलो मीटर व जयपुर से 309 किलो मीटर दूर स्थित जोधपुर नगर के चारों तरफ परकोटा बना हुआ है। नगर में प्रवेश के लिए नागौरी दरवाजा, मेड़तिया दरवाजा, सोजती दरवाजा, जालौरी दरवाजा, सिवाणची दरवाजा एवं चांदपोल के 6 दरवाजे हैं।

#### दर्शनीय स्थल

**(1) किला**— जोधपुर का यह ऐतिहासिक दुर्ग शहर के मध्य एक 490 फीट ऊँची पहाड़ी पर निर्मित है। दुर्ग के चारों ओर पक्का परकोटा बना है जिसमें स्थान-स्थान पर बुर्जियाँ बनी है। परकोटा की दीवार 20 से 120 फीट तक ऊँची है। किले में प्रवेश के तीन द्वार बने है जो जयपोल, लोहापोल व फतेहपोल के नामों से जाने जाते है। जयपोल का निर्माण महाराजा मानसिंह ने सन् 1806 में जोधपुर पर विजय के उपलक्ष में कराया था। लोहापोल 16 वीं शताब्दी में राव

मालवदेवजी ने बनवाया था। परन्तु इसे 18 वीं शताब्दी में महाराजा विजयसिंह जी ने दुरस्त करवाया था। उस द्वार की दीवारों पर जौहर करने वाली वीरांगनाओं के हस्तचिन्ह बने है। फतेहपोल का निर्माण महाराजा अजीतसिंह ने सन् 1797 में मुगलों को पराजित करने के उपलक्ष में कराया। दुर्ग मोती महल, फूल महल, शृंगार चौकी, फतेहपोल, चण्डिका देवी का मन्दिर, रानी सागर तालाब इत्यादि स्थल भी दर्शनीय है।

**(2) जसवन्त थड़ा**— किले के पास ही पहाड़ी पर महाराजा जसवन्तसिंह की स्मृति में बनवाया गया संगमरमर का विशाल स्मृति महल जसवन्त थड़ा है। महाराजा जसवन्त सिंह जी का दाह संस्कार यहीं पर हुआ था और तभी से जोधपुर के शासकों का दाह संस्कार यही होता है। इस स्मृति भवन में जोधपुर नरेशों के चित्र लगे हैं। इसके पास ही एक सरोवर है। यहाँ से शहर का विहंगम दृश्य दिख पड़ता है।

**(3) उम्मेद भवन (छीतर पैलेस)**— ''छीतर'' झील के पास एक पहाड़ी पर मकराने के संगमरमर और जोधपुर के लाल बालुई पत्थरों से निर्मित उत्कृष्ट सज्जा को लिए हुए। यह विलक्षण महल महाराजा उम्मेदसिंहजी के शासनकाल में इन्हीं के द्वारा बनवाया गया। 18 नवम्बर, 1928 को शिलान्यास करने के 20 वर्ष बाद मार्च 1948 में जाकर कहीं ये रूप से तैयार हुआ। ब्रिटिश शिल्पकारों की रॉयल इन्स्टीट्यूट के अध्यक्ष एच.सी. लैन्केस्टर महोदय ने इस उत्कृष्ट शिल्पमुक्त भवन की रूप रेखा तैयार की थी। इसमें विलास एवं आमोद-प्रमोद की अनेकों सुविधाएँ है। प्रवेश द्वार के बाहर ही एक सुन्दर विस्तृत उद्यान है। जिसमें 40,000 वर्ग फीट क्षेत्र का क्षेत्र का घास का मैदान, पुष्पराज गुलाब की अनेक जातियाँ व अन्य वनस्पति है। यूँ तो पूरे महल में एक से बढ़कर एक सम्पन्नता तथा ऐश्वर्यता युक्त अनेक दर्शनीय स्थल है परन्तु यहाँ का ''स्वीमिंग पूल'' सर्वाधिक विलासितापूर्ण है। दिवार पर बनी ''म्यूराल पेन्टिंग्स'' और उसकी प्रकाश व्यवस्था, पूल के पानी छानने और गर्म करने की व्यवस्था आदि कुछ विशिष्ट विशेषताएँ हैं।

**संग्रहालय**— यह संग्रहालय उम्मेद उद्यान के बीचों बीच स्थित है जिसमें हस्तकला के बारीक चित्रकारी, शासकों की तस्वीरें, पांडुलिपियाँ, मूर्तियाँ जैन तीर्थंकरों के छायाचित्र इत्यादि बने हुए हैं।

**भ्रमण**

**(1) राजस्थान शोध संस्थान चौपासनी**— राजस्थानी भाषा, कला, साहित्य का यह प्रमुख केन्द्र है। यहाँ पर लगभग 20,000 पांडुलिपियों का संग्रह है। यहाँ राजस्थान की सबसे बड़ी आवासीय पाठशाला है, जो खुली जगह में स्थित है।

**(2) महामन्दिर**— यह मण्डोर मार्ग पर स्थित नाथ जी का प्रसिद्ध मन्दिर है। उस मन्दिर में 100 थम्भे हैं। प्रत्येक की कारीगरी अलग-अलग की गई हैं। मन्दिर की छतों की कारीगरी देखने योग्य हैं।

**(3) बालसमन्द व महल**— यह 1159 ई. में बालक राव परिहार ने इस कृत्रिम झील को बनवाया था। यहाँ कई प्रकार के बाग बगीचे हैं।

**(4) मण्डोर उद्यान**— यह मारवाड़ की प्राचीनतम राजधानी है जो कुछ सैनिक कारणों द्वारा छोड़नी पड़ी थीं। यहाँ पर वीरों की एक शाल बनी हुई जो एक ही चट्टान पर खोदे गए है। ये यहाँ के हिन्दुओं के प्रमुख देवताओं में गिने जाते हैं। यहाँ पर देवल भी बने हुए हैं। सभी देवल मन्दिरों के रूप में महाराजा जसवन्त सिंह तथा अजीतसिंह की याद में बनाए गए हैं। यहाँ के विस्तृत एवं सुन्दर उद्यान अनायास ही पर्यटकों का मन मोह लेते हैं।

**(5) धवा वन्य पशु सेन्च्युरी**— यह बाड़मेर रोड़ पर धवा गांव में स्थित है। यहां पर चिंकारा, काले हिरण झुण्डों में देखने के मिलते हैं। इनको विश्नोई लोगों की तरफ से बहुत सुरक्षा मिली हैं ये लोग इन्हें धार्मिक जीवन मानते हैं।

**(6) ओसियाँ**— जोधपुर से (67 कि.मी.) उत्तर-पश्चिम में शिल्प और कला के 5 वीं शताब्दी ईसा पूर्व के 16 दर्शनीय जैन और वैष्णव मन्दिर ओसियां नामक गाँव के खण्डहर रूप में है। केवल एक जैन मन्दिर और एक माताजी का मन्दिर स्थानीय

अधिकारियों द्वारा संरक्षित है। ये मन्दिर प्राचीन भारतीय स्थापत्य कला के गौरवपूर्ण युग की एक झलक दिखलाते हैं।

**(7) नागौर**— यहां पर बहुत से ऐतिहासिक मन्दिर व किले हैं। यहां की कक्षाएँ विशेषकर कठपुतली का खेल दिखाने वाले गाते हैं। यहाँ वार्षिक पशु मेला भी लगता है। यह मेला जनवरी-फरवरी के महीने में लगता है। यहाँ के बैल देश भर में प्रसिद्ध हैं।

## (6) माउन्ट आबू

पहाड़ी स्थल के रूप में माउन्ट आबू राजस्थान में सैलानियों के लिए सबसे महत्त्वपूर्ण स्थान है। अरावली शृंखलाओं के दक्षिण-पश्चिम में 400 फीट ऊँची पहाड़ी पर स्थित ''आबू'' चारों ओर से सुहावने जंगल तथा विचित्र आकृतियों के काले पत्थरों की विशाल चट्टानों से घिरा है। यह पर्वतीय स्थल 13 कि.मी. लम्बे व 5 कि.मी. चौड़े क्षेत्र में हैं। माउन्ट आबू की सबसे ऊँची चोटी ''गुरुशिखर'' समुद्र तल से 5633 फुट ऊँची हैं।

आबू की उत्पत्ति के बारे में में अनेक किंवदन्तियाँ प्रचलित है। एक किंवदन्ती के अनुसार आबू पर्वत सत्युग में भी विद्यमान था। चन्द्रगुप्त के राज्यकाल में यूनान के राजदूत मेगस्थनीज में भी अपने संस्मरणों में (लगभग 350 ई.पू.) इसका उल्लेख किया हैं।

**दर्शनीय स्थल**

**(1) नक्की तालाब**— चारों ओर हरे-भरे ऊँचे-2 वृक्षों की कतारों से घिरे तालाब को, एक किवदन्ती के अनुसार देवताओं ने अपने नाखूनों से खोद-खोद बनाया। इसी से यह नक्की तालाब माना जाता है। हिन्दुओं के लिए यह धार्मिक महत्त्व की झील है। तालाब के किनारे के पर्वतों में कई गुफाएँ हैं जिनमें साधु निवास करते हैं। इन गुफाओं में से चम्पा गुफा, हाथी गुफा और झरोखा प्रसिद्ध है।

**(2) टॉडरॉक और नन रॉक**— नक्की तालाब के दक्षिण में एक विशाल चट्टान टॉड-रॉक है जो मेढ़क के आकार की है, दूसरी आकर्षक चट्टान राजपूताना क्लब के टेनिस कोर्ट के पास है जिसे नन रॉक कहते है क्योंकि इसकी आकृति घूँघट निकाले हुए नन जैसी है। यहाँ नन्दी रॉक, केपल रॉक, बुलडॉग रॉक भी बहुत आकर्षक है।

**(3) रघुनाथ जी का मन्दिर**— नक्की तालाब के किनारे 14 वीं शताब्दी में हिन्दू धर्म के उदारक रामानन्दजी द्वारा स्थापित श्री रघुनाथ जी मंदिर है। इसके पास ही दुलैखट महावेद का प्राचीन व दर्शनीय मंदिर है।

**(4) सनसेट पॉइन्ट**— यह एक विलक्षण सत्य है कि माउन्ट आबू के ''सनसेट पॉइन्ट'' से जो सूर्यास्त का दृश्य दिखता है वह अविस्मरणीय और अद्वितीय है। क्षितिजित सूर्यास्त का दृश्य के मन में एक अवर्णनीय आनन्द उत्पन्न करता है विश्राम भवन की तरफ जाने वाली पक्की सड़क ''सनसेट पॉइन्ट'' तक चली जाती है। यहाँ सूर्यास्त दृश्य के हजारों दर्शकों के बैठने के लिए पत्थर तथा सीमेन्ट के चबूतरे बने हैं। यह पहाड़ी का अंतिम छोर है जिसके एक दम बाद हजारों फीट नीचे मैदान भाग हैं।

**दिलवाड़ा जैन मन्दिर**— विश्व प्रसिद्ध दिलवाड़ा मन्दिर दिलवाड़ा ग्राम में है जो माउण्ट आबू से लगभग 5 कि.मी. दूर है, मुख्य पाँच मन्दिरों में से अपनी सूक्ष्म कलात्मक खुदाई के लिए प्रसिद्ध है। श्वेत संगमरमर पर इतनी कौशलता से की गई जो कि सूक्ष्म कलात्मक खुदाई के कारण ही भारतीय शिल्प के अनूठे उदाहरण रूप दिलवाड़ा जैन मन्दिर पूरे विश्व में बेजोड़ है। महाराजा भीम के मंत्री विमलशाह द्वारा सन् 1031 में बनाए ''विमल शाही'' मन्दिर के निर्माण पर उस समय लगभग 18 करोड़ 53 लाख रुपया खर्च हुआ बताया गया है। मन्दिर में जैन धर्म के प्रथम तीर्थंकर भगवान आदिनाथ की एक मनोहारी मूर्ति है।

विमलशाह के मन्दिर की भांति ही बने हुए ''तेजपाल'' का मन्दिर श्री विशद् कलात्मक शिल्प ओर कला-कौशल का परिचायक है। इस मन्दिर की विशेषता यह है कि इसके सुन्दर स्वस्थ, छत, द्वार, तोरण, गुम्बज व भीतरी प्रकोष्ठ की नक्काशी अनुपम हैं।

**अचलगढ़**— अचलेश्वर महादेव के पास से एक रास्ता अचलगढ़ को जाता है। यहाँ चार जैन मन्दिर है। जिनमें चौमुखाजी का मंदिर जो सोलहवीं शताब्दी में बना था, बहुत प्रसिद्ध हैं। सन् 1452 में मेवाड़ के महाराजा कुम्भा ने अचलगढ़ का किला बनवाया था।

**गौमुख**— आबू से 9 कि.मी. दूर स्थित गौमुख एक प्राचीन दर्शनीय मन्दिर है। यहाँ पर गाँव के पाषाण मुख से बहती निरन्तर जलधारा से एक कुण्ड ''अग्नि कुण्ड'' बना हैं।

## (7) उदयपुर

अद्वितीय सौन्दर्य एवं प्राकृतिक छटा से सुसज्जित उदयपुर नगर समुद्र तल से लगभग 1900 फीट ऊँचाई पर बसा है। सन् 1559 ई. में इस नगर की स्थापना उदयसिंह जी ने कराई थी इसलिए उन्हीं के नाम पर इसका नाम उदयपुर रखा गया।

झीलों की नगरी उदयपुर भारत के अन्य भागों से रेल-मोटर तथा वायु सेवाओं से जुड़ा हुआ है। राष्ट्रीय मार्ग नं. 8 पर स्थित उदयपुर नियमित वायु सेवा द्वारा बम्बई, अहमदाबाद, औरंगाबाद, जयपुर, जोधपुर व दिल्ली से आया तथा जाया जा सकता हैं।

### दर्शनीय स्थल

**(1) राजमहल**— पिछोला झील के तट पर स्थित में महल इतने झुके है कि प्रसिद्ध इतिहासकार फर्ग्युसन ने उन्हें ''राजस्थान के विन्डसर महलों'' की उपाधि दी हैं। उदयपुर के महल राजस्थान में सबसे विशाल है। शहर के सबसे ऊँचे स्थान पर निर्मित में महल 1,500 फीट लम्बे 600 से 800 फीट चौड़े व 100 फीट तक ऊँचे हैं। महलों का सबसे पुराना ''राजआंगन'' भाग महाराज उदयसिंह जी ने बनवाया था। राजमहलों में बाड़ी महल, दिलखुश महल, यश मन्दिर, मोतीमहल, भीम विलास, मोर चौक, छोटी चित्रसाल, सरूपविलास, सूर्यप्रकाश, मानक महल, सूरज चौपड़ा प्रतिय निवास, शिव विलास इत्यादि भाग दर्शनीय हैं।

**(2) झील पिछोला**— उदयपुर को सौन्दर्य प्रदान करने वाली झील पिछोला का निर्माण 15 वीं शताब्दी में महाराणा लाखा के राज्यकाल में एक बनजारे द्वारा कराया गया था। झील चारों ओर से पर्वत श्रेणियों, नहाने के घाटों, महलों और मन्दिरों से घिरी हुई है। नगर के पश्चिमी छोर पर स्थित यह झील 5 कि.मी. लम्बी व 2.5 कि.मी. चौड़ी है तथा इसी में दो विशाल दर्शनीय जलमहल, जगमन्दिर व जग निकाल हैं।

**(3) जग निवास**— पिछोला के पूर्वी तट से लगभग 800 फीट झील के बीच में स्थित है यह जग महल सन् 1754 ई. में महाराणा जगतसिंह द्वितीय ने बनवाया गया था। तत्कालीन महाराजाओं के ग्रीष्म आवास के लिए निर्मित यह जल महल आजकल एक आधुनिकतम होटल में परिवर्तित कर दिया गया है।

**(4) जग मन्दिर**— पिछोला झील के दक्षिणी छोर पर एक पर स्थित उस महल का बड़ा ऐतिहासिक महत्त्व है। ऐसा विश्वास किया जाता है कि यहाँ गोल गुम्बज, सामने पानी के हौज और आस पास के उद्यानों ने ही बाद में उसे ''ताजमहल'' के भावी स्वरूप की प्रेरणा मिली थी।

**(5) सहेलियों की बाड़ी**— महाराणा फतेहसिंह जी द्वारा पुन: निर्मित सहेलियों की बाड़ी एक सुन्दर उद्यान है। यहाँ के फव्वारों से मुक्त जलाशय एवं दूब के मैदान दर्शकों को आत्म विभोर देते हैं। कहा जाता है कि यहां राजकुमारियाँ, अपनी सहेलियों के साथ मनोरंजन एव जल क्रीड़ा हेतु आती थी इसलिए उसे ''सहेलियों की बाड़ी'' कहा जाता है। ग्रीष्म ऋतु को तपती दोपहर में भी सावन सा आनन्द प्राप्त हो इस हेतु यहां फव्वारों की सुन्दर व्यवस्था की गई हैं।

**झील फतेहसागर**— नगर के उत्तर-पश्चिम में लगभग 4.5 कि.मी. दूर स्थित रमणीय स्थल फतेहसागर का निर्माण महाराजा जयसिंह जी ने सन् 1678 ई. में करवाया था। झील के किनारे सर्पाकार मार्ग बना है। जो झील की सुन्दरता को अद्वितीय कर देता है। झील का बाँध 1,800 फीट लम्बा है व गहराई करीब 30 फीट है। वर्षा ऋतु में तालाब भर जाने पर इसका प्रभाव चलने लगता है। रंगीन रोशनी की व्यवस्था में प्रभाव देखकर दर्शकों को बहुत आनन्द आता हैं। झील में निर्मित नेहरू द्वीप उद्यान दर्शनीय है।

**नेहरू द्वीप उद्यान**— झील फतेहसागर के मध्य

टापू पर समुद्र तल से लगभग 1,960 फीट ऊँचाई पर स्थित नेहरू द्वीप उद्यान 779 फीट व लम्बा व 282 फीट चौड़ा है तथा साढ़े चार एकड़ क्षेत्रफल में फैला हुआ है। उद्यान में चेनल टाइप व पिरामिड रूपी फव्वारे लगाए गए है जो रात्रि में रंगीन प्रकाश में आकर्षक प्रतीत होते है। झील के मध्य ही एक छोटे से टापू पर विशाल जेट फव्वारा गया है जो 150 फीट ऊँचाई तक जाता है।

**प्रताप स्मारक**— झील फतेहसागर के किनारे की पहाड़ी मोती नगरी पर महाराज प्रताप का बड़ा सुन्दर व दर्शनीय स्मारक बनाया गया है। कांस्य मिश्रित धातु से निर्मित चेतक पर सवार महाराणा प्रताप की भव्य मूर्ति के निर्माण पर लगभग एक लाख रुपया खर्च हुआ था। फूलों की क्यारियों, फव्वारों से मुक्त जलाशय एवं छोटे-बड़े दूब के मैदान इसकी सुन्दरता में अभिवृद्धि करते हैं। नगर के सर्वोत्तम स्थान पर स्थित होने के कारण यहाँ सम्पूर्ण उदयपुर का विधेयक दृश्य देखा जा सकता है।

**सज्जन निवास बाग**— नगर के समीप स्थित इस उद्यान का निर्माण महाराणा सज्जनसिंह जी ने करवाया था। लगभग 100 एकड़ भूमि के इस विस्तृत उद्यान में 5-6 बड़े-बडे दूब के मैदान है। यहाँ के गुलाब बड़े आकार के लिए प्रसिद्ध है। इसी कारण इसे गुलाब बाग भी कहते है। उद्यान में सरस्वती भवन सार्वजनिक पुस्तकालय, वाचनालय भी है। यहाँ हस्तलिखित एवं ऐतिहासिक महत्त्व की पुस्तकों का मूल्यवान संग्रह भी है। इसी उद्यान में पशु पक्षी संग्रहालय भी हैं।

**नेहरू बाल उद्यान**— नगर पालिका भवन के प्रांगण में एक आकर्षक बाल उद्यान है यहाँ एक छोटा जलाशय है जिसके सुन्दर फव्वारे है उद्यान में बालकों के मनोरंजन के लिए सीमेन्ट के हाथी, घोड़ा व ऊँट बने हैं।

**धुलकोट की खुदाई**— आयड़ के पास ही एक विशाल मिट्टी का टीला है जिसे धुल कोट कहा जाता है यहां पुरातत्व विभाग के अन्तर्गत खुदाई में मकान मिट्टी के बर्तन व ताम्बे की वस्तुएँ मिली जिससे यह प्रमाणित होता हैं कि आज से 4,000 वर्ष पूर्व भी यहाँ के मानव की सभ्यता तथा संस्कृति विद्यमान थी। पास ही पुरातत्त्व संग्रहालय है, जहाँ खुदाई में प्राप्त अवशेषों तथा अन्य वस्तुओं का संग्रह है। इस खुदाई का पुरातत्त्व की दृष्टि से बड़ा महत्त्व हैं।

**भ्रमण-झील जय समंद**— जय समंद झील अरावली पर्वत की सुरम्य घाटियों के मध्य उदयपुर से लगभग 48 कि.मी. दक्षिण पूर्व में है। महाराजा जयसिंह द्वारा सन् 1681 ई. में निर्मित यह झील विश्व की प्रसिद्ध विशालतम मानव निर्मित मीठे पानी की झीलों में से एक हैं। यह झील लगभग 45 कि.मी. परिधि में फैली हुई हैं तथा इस झील की लम्बाई 15 कि.मी. तथा चौड़ाई 9 कि.मी. हैं। झील का बाँध 1,200 फीट लम्बा तथा 116 फीट चौड़ा बना हुआ है। निकटस्थ पहाड़ियों पर निर्मित ''हवामहल'' व ''रूठी रानी का महल'' से झील का विहंगम दृश्य दिखाई पड़ता है। इस झील की मछलियाँ स्वाद में इतनी प्रसिद्ध है कि कलकत्ता व देहली तक के बाजारों में बिकती है जयसमंद के निकट ही राष्ट्रीय उद्यान व गेम सेन्च्युरी है, जहाँ वन्य पशुओं का स्वच्छन्द विचरण दर्शनीय हैं।

**ऋषभदेवजी**— उदयपुर से 60 कि.मी. दक्षिण में उदयपुर-अहमदाबाद मार्ग पर स्थित ऋषभदेवजी का मन्दिर भारत भर में प्रसिद्ध है। यह जैन धर्मावलंबियों का प्रसिद्ध तीर्थस्थान है। कहा जाता है कि ऋषभदेवजी की रक्षा सेवा ''धुला'' नामक भील ने की थी। मन्दिर की स्थापना की तिथि का निश्चित समय ज्ञात नहीं है। मन्दिर स्थापत्य कला का उत्कृष्ट उदाहरण है। इसके मण्डप में तीर्थंकरों की 22 और देव कुलिकाओं की 54 मूर्तियाँ हैं।

**जगत का मन्दिर**— उदयपुर से लगभग 62 कि.मी. दूर कुराबड़ होते हुए जंगल नामक ग्राम में पहुंचा जा सकता है। यही कला एवं शिल्प का अनुपम भण्डार ''अम्बादेवी'' का भव्य मन्दिर है। यह मन्दिर 10 वीं शताब्दी का है।

**एकलिंगजी का मन्दिर**— उदयपुर से 20 कि.मी. उत्तर में राष्ट्रीय संख्या 8 पर कैलाशपुरी ग्राम में भगवान एकलिंगजी का प्राचीन व ऐतिहासिक शिव मन्दिर है।

इस मन्दिर का निर्माण 8 वीं शताब्दी में मेवाड़ के शासक बाप्पारावल ने करवाया था। महाराणा मोकल ने इसकी आवश्यक मरम्मत कर चारों ओर सुदृढ़ कोट का निर्माण कराया। मेवाड़ के महाराजाओं के आराध्य देव भगवान एकलिंगजी के मन्दिर को वर्तमान स्वरूप महाराणा रायमल ने दिया। मन्दिर के मुख्य भाग में काले संगमरमर में निर्मित शिवजी की चतुर्मुखी मूर्ति हैं।

**नागदा मन्दिर**— एकलिंगजी से लगभग 3 कि.मी. में छठी शताब्दी के कलात्मक मन्दिरों में भग्नावशेष हैं। नागादित्य ने छठी शताब्दी में मेवाड़ की राजधानी के रूप में नागदा नगरी को बसाया और मन्दिरों का निर्माण कराया था जिन्हें अल्तमशखां नामक मुसलमान आक्रमणकारी ने खण्डहर बना दिया। मन्दिर की स्थापत्य कला दर्शनीय है। ये सास-बहू के नाम से प्रसिद्ध हैं।

**हल्दीघाटी**— उदयपुर से लगभग 40 कि.मी. उत्तर-पश्चिम में नाथद्वारा से लगभग 10 कि.मी. पश्चिम में मेवाड़ की इतिहास प्रसिद्ध रणस्थली ''हल्दीघाटी'' है। यह वहीं स्थान हैं जहाँ शौर्य और पराक्रम के साकार प्रतीक महाराणा प्रताप ने सन् 1576 ई. में मानसिंह के नेतृत्व मुक्त मुगल सम्राट् अकबर की सेना से युद्ध किया था। इसी स्थान पर स्वामीभक्त ''चेतक'' घोड़े ने अपने प्राणों की आहूति देकर अपने स्वामी के प्राणों की रक्षा की थी। इस राष्ट्रीय तीर्थस्थलों हल्दीघाटी के प्रतिवर्ष जयन्ती के अवसर पर एक विशाल मेला का आयोजन किया जाता है।

**श्रीनाथद्वारा**— वल्लभ सम्प्रदाय का प्रसिद्ध तीर्थ स्थान नाथद्वारा उदयपुर से लगभग 45 कि.मी. उत्तर में राष्ट्रीय मार्ग 8 पर हैं। यहाँ पर बना गिरिराज धरण श्रीनाथ जी का मंदिर देश भर में प्रसिद्ध है। मेवाड़ के प्रथम डूँगरपुर, बाँसवाड़ा तथा सिंहाड में प्रतिष्ठापना के बाद पुनः उदयपुर तथा घसमार में श्रीनाथ जी की मूर्ति की प्रतिष्ठा की गई। नाथद्वारा रेल्वे स्टेशन उदयपुर-मारवाड़ रेलमार्ग पर है तथा रेल्वे स्टेशन से 11 कि.मी. दूर स्थित नगर तक पहुँचने के लिए नियमित बस सेवाऐं उपलब्ध जो कि वैसे उदयपुर से प्रति आधे घण्टे में नाथद्वारा आती जाती हैं।

**कांकरोली**— उदयपुर से लगभग 62 कि.मी. तथा नाथद्वारा से 16 कि.मी. दूर वैष्णवों का अन्य कांकरोली है। यहाँ भगवान द्वारिकाधीश का मन्दिर है। उस मन्दिर का निर्माण महाराणा राजसिंह ने सन् 1671 ई. में करवाया था।

**राजसमंद**— कांकरोली से 2.5 कि.मी. दूर राजसमंद झील की प्रसिद्ध पाल नौ चौकी की है। राजसमंद झील का निर्माण भी महाराणा राजसिंह ने करवाया था व चौदह वर्षों में कार्य पूर्ण हो जाने पर सन् 1676 में इसका उद्‌घाटन किया गया। झील के निर्माण पर 40 लाख रुपया व्यय हुआ था तथा उद्‌घाटन के अवसर पर 65 लाख रुपए स्वर्ण व अन्य सामग्री दान की गई थी। चार मील लम्बी व पौने दो मील चौड़ी यह झील सामान्यतया 55 फीट गहरी हैं।

**चारभुजा का मन्दिर**— कांकरोली से लगभग 30 कि.मी. व चारभुजा रेलवे स्टेशन से लगभग 27 कि.मी. दूर वैष्णव सम्प्रदाय का एक अन्य तीर्थ, श्री चारभुजा जी का मंदिर है। यहाँ काँच का अच्छा काम किया गया है। प्रतिवर्ष भाद्रपद शुक्ला 11 को यहाँ बहुत बड़ा मेला लगता है जिसमें दूर-दूर से हजारों यात्री आते है। चारभुजा जी के कुछ ही दूर रूपजी का प्रसिद्ध मन्दिर है।

**कुम्भलगढ़**— चारभुजा जी से लगभग 15 कि.मी. व उदयपुर से लगभग 50 मील पश्चिम, उत्तर में साढ़े तीन सौ फीट की ऊँचाई पर कुम्भलगढ़ का अजेय, दुर्गम और ऐतिहासिक दुर्ग स्थित है। उस दुर्ग का निर्माण सन् 1448 में महाराणा कुम्भा ने करवाया था। अरावली की छोटी-छोटी किन्तु बीहड़, सघन शृंखलाओं के बीच इस दुर्ग पर निरन्तर आक्रमण होते रहे परन्तु यह अजेय ही रहा (एक बार छोड़कर) रणकेशरी तथा कला और काव्य के अग्र पुजारी महाराणा कुम्भा का जीवन इसी दुर्ग में बीता था। कुम्भलगढ़ के दुर्ग से एक तरफ मेवाड़ व दूसरी तरफ मारवाड़ का विहंगम दृश्य नजर आता है।

**रणकपुर**— अरावली की घाटी में स्थित यह एक 15 वीं शताब्दी का जैन मन्दिर है। उदयपुर से लगभग 150 कि.मी. दूरी पर स्थित रणकपुर के जैन मन्दिर

कला और शिल्प के अनुपम भण्डार है। ये मन्दिर रणकपुर नामक छोटे गाँव में स्थित है। यह फालना स्टेशन से 32 कि.मी. व सादड़ी से 10 मील है तथा जोधपुर से मोटर मार्ग द्वारा 150 कि.मी. दूरी पर है।

### (8) चित्तौड़गढ़

चित्तौड़गढ़ मानव की स्वतन्त्रता एवं गौरवता का प्रतीक है। अजमेर से 143 कि.मी. व उदयपुर से 105 कि.मी. दर स्थित चित्तौड़गढ़ भारत के ऐतिहासिक दुर्गों में से है, समुद्र तल से 1,350 फीट ऊँची पहाड़ी पर बना चित्तौड़ का दुर्ग लगाग 12 कि.मी. का परिधि में फैला है। यह दुर्ग यह दुर्ग चित्तौड़ स्टेशन से दो मील उत्तर-पूर्व में स्थित है। इतिहास कर्नल जैम्स टॉड के अनुसार सन् 728 ई. में बापारावल ने इस दुर्ग को मौर्यवंश के अन्तिम शासक मानमौर्य से छीनकर अपने अधीन कर लिया था तथा यहां गुहिल वंशीय राज्य की स्थापना की।

**दर्शनीय स्थल**

**चित्तौड़गढ़ का किला**— चित्तौड़ का किला यहाँ के दर्शनीय स्थानों में सबसे अधिक प्रसिद्ध है जो 180 मीटर ऊँची पहाड़ी पर बसा हुआ है। यह किला 700 एकड़ भूमि को घेरे हुए है। ऐसा विश्वास किया जाता है कि पौराणिक भीम ने इस किले को सर्वप्रथम बनवाया।

**विजय स्तम्भ**— चित्तौड़गढ़ का सबसे प्रसिद्ध स्थल विजय स्तम्भ है। यह 10 फीट के ऊँचे एक 47 फीट के वर्गाकार आधार पर निर्मित 122 फीट ऊँचा स्तम्भ हैं। उसमें नौ मंजिलें है जिनमें ऊपर तक पहुँचने के लिए बीच की दीवार के साथ एक घुमावदार मार्ग की 157 सीढ़ियां है। आधार पर स्तम्भ 30 फीट चौड़ा हैं।

**कीर्ति स्तम्भ**— इस सात मंजिले 75 फीट ऊँचे जैन स्मारक का निर्माण 12 वीं शताब्दी में जैन महाजन जीजा ने करवाया था। भगवान आदिनाथजी की पाँच फुट ऊँची मूर्तियाँ उसके चारों और पार्श्व पर खुदी हुई है।

**राणा कुम्भा महल**— यह महल अब खण्डहर के रूप में है। इसके भीतर हाथी व घोड़ों के अस्तबल तथा शिव मंदिर है। इस महल में जौहर किया गया था।

**पद्मिनी के महल**— रानी पद्मिनी के महल एक झील के किनारे पर बने हुए हैं झील में भी एक छोटा महल है। किनारे वाले महलों के कमरे में एक विशाल आईना इस कौशल से बना है कि स्थान में मध्य बने महल की सीढ़ियों पर खड़े किसी भी व्यक्ति का प्रतिबिम्ब आईने में स्पष्ट नजर आता है परन्तु पीछे मुड़कर देखने पर सीढ़ी पर खड़े व्यक्ति को नहीं देखा जा सकता।

**कुम्भ श्याम का मन्दिर**— महाराणा कुम्भा द्वारा सन् 1449 ई. में बनवाए गए इस विष्णु मन्दिर के गर्भ-प्रकोष्ठ, मण्डप व स्तम्भों की सुन्दर मूर्तियाँ, गगनचुंबी नागरशैली शिखर तथा पन्द्रहवीं शताब्दी के मेवाड़ी जनजीवन को अंकित करती दृश्यावली इस मंदिर की विशिष्टयाँ हैं। गर्भ प्रकोष्ठ के पिछले भाग में विष्णु के वराह अवतार की मूर्ति है।

**महावीर स्वामी का मन्दिर**— कीर्ति स्तम्भ के निकट ही महावीर स्वामी का मन्दिर है। इस मन्दिर का जीर्णोद्धार महाराजा कुम्भा के राज्यकाल में ओसवाल महाजन गणराज ने कराया था। झील में पुरातत्व विभाग में जीर्ण-शीर्ण अवस्था प्राप्त इस मंदिर का जीर्णोद्धार कराया है। इस मंदिर में कोई प्रतिमा नहीं है।

### (9) अजमेर

जयपुर से लगभग 132 कि.मी. दूर पहाड़ियों से घिरी एवं सुरम्य घाटी में स्थित अजमेर नगर अपने प्राकृतिक सौन्दर्य के अतिरिक्त धार्मिक और वास्तु-शिल्प के महत्त्व की दृष्टि में भी काफी दर्शनीय है। अजमेर को चारों ओर से घेरने वाली अरावली पर्वत की ऊँची शृंखलाएँ अजयमेरू के नाम से जानी जाती है। अजयमेरू का अर्थ होता है "न जीता जा सकने वाला पर्वत।" अजमेर की स्थापना 7 वीं शताब्दी में अजलपाल चौहान द्वारा की गई थी। अजमेर की सबसे बड़ी विशेषता है कि यह हिन्दू व मुस्लिम दोनों ही धर्मावलम्बियों के लिए बहुत ही महत्त्वपूर्ण तीर्थ स्थली है। मुस्लिम धर्मावलम्बी अजमेर को अजमेर शरीफ के नाम से पुकारते हैं एवं उसे हिन्दू "तीर्थराज पुष्कर" की नगरी कहते है।

**दर्शनीय स्थल**

**(1) दरगाह ख्वाजा साहब**— अजमेर में मुस्लिम सम्प्रदाय का बहुत बड़ा तीर्थस्थल ख्वाजा साहब मोईनुद्दीन चिश्ती की दरगाह है। ख्वाजा साहब, गौरी की सेना के साथ सन् 1162 ई. में भारतवर्ष आए थे व अजमेर में ही बस गए। उनका स्वर्गवास होने पर उसी मकान में दफनाया गया जहाँ वे रहते थे। सन् 1464 ई. में मांडू के सुल्तान गयासुद्दीन खिलजी द्वारा पक्की कब्र व गुम्बद का निर्माण कराया गया।

**(2) सोनीजी की नसीयां**— लाल पत्थर से निर्मित यह विशाल भवन प्रथम जैन तीर्थंकर भगवान ऋषभदेवजी का मन्दिर है। इसका निर्माण सन् 1865 ई. में सेठ मूलचन्द सोनी ने कराया था व उन्हीं के नाम पर यह मन्दिर सोनीजी की नसीयां के नाम से प्रसिद्ध हैं। मुख्य मन्दिर के पीछे 80 फीट लम्बा 40 फीट चौड़ा कमरा है। इसकी दीवारों एवं छतों पर सोने व काँच की अत्यन्त मनमोहक पच्चीकारी का काम किया हुआ है।

**(3) तारागढ़**— राजा अजयदेव द्वारा निर्मित यह दुर्ग समुद्र तल से लगभग 2,855 फीट व जमीन से लगभग 800 फीट ऊँची पहाड़ी खर पर बना है। पूर्ववर्ती चौहान राजाओं के इस अजेय दुर्ग ने अतीत में कई ऐतिहासिक लड़ाइयाँ देखी है। किले के अन्दर पानी के पाँच कुण्ड तथा बाहर की ओर एक झालरा बना हुआ है। यहाँ मीर साहब की दरगाह भी दर्शनीय हैं।

**(4) ढ़ाई दिन का झौंपड़ा**— तारागढ़ पहाड़ी के नीचे की एक इमारत है जिसे ''ढ़ाई दिन का झौंपड़ा'' कहते है। यह हिन्दू वास्तुशिल्प का प्राचीनतम एवं सर्वोत्कृष्ट नमूना है। इसमें मूर्तियाँ की सूक्ष्म खुदाई बड़े ढंग से की गई है। सम्राट् बीसलदेव द्वारा सन् 1143 के लगभग निर्मित यह इमारत मूलरूप से संस्कृत विश्वविद्यालय का भवन था जिसमें मुहम्मद गौरी ने यह इमारत ढ़ाई दिन में तैयार करने का आदेश दिया ताकि उसमें नमाज पढ़ सकें।

**(5) मेगजीन**— नगर के मध्य स्थित ''अकबर का किला'' सामान्यतया ''मेगजीन'' के नाम से पुकारा जाता है यह एक बड़ी वर्गाकार इमारत है जिसके प्रत्येक कोने में अष्टकोण वाली बुर्जियाँ है। यही वह स्थान है जहाँ इंग्लैण्ड के राजा जेम्स प्रथम के राजपूत ''सर टामस रो'' ने सम्राट् जहांगीर के सम्मुख 10 जनवरी 1616 ई. को अपने प्रमाण-पत्र प्रस्तुत किए थे।

**(6) तीर्थराज पुष्कार**— अजमेर से लगभग 11 कि.मी. उत्तर-पश्चिम में ''पुष्कर सरोवर'' है जो हिन्दुओं के पावनतम तीर्थस्थलों में से एक हैं। इस झील को बड़ा चमत्कारिक माना जाता है। पद्मपुराण के अनुसार ''ब्रह्मा'' सृष्टि की रचना करने के उपरान्त ऐसे स्थान की खोज में थे जहाँ वे अपना महानिर्विघ्न रूप से कर सके, इसी विचार में जब वे इस स्थान से गुजरे, जिसे अब पुष्कर कहते हैं। उनके हाथ से कमल के फल नीचे सरक गए और वे तीन स्थानों पर गिरे, जहाँ से पानी फूट निकला, ये तीनों स्थान बड़ी पुष्कर, बीच की पुष्कर और छोटी पुष्कर के नाम से जाने जाने लगे, ब्रह्मा जी ने पहले स्थान को अपने यहाँ के लिए ज्यादा उपयुक्त पाया और कमल के नाम पर इसका नाम पुष्कर रखा। प्रतिवर्ष अक्टूबर-नवम्बर में यहाँ एक विशाल मेला लगता है। जिसमें देश के कोने-2 से श्रद्धालू यात्री आकर ''कार्तिक स्नान'' कर अपने को पुण्य का भागी मानते हैं।

पुष्कर में अनेकों मन्दिर है, जिसमें ब्रह्माजी का मन्दिर सबसे प्राचीन है। कहा जाता है कि सम्पूर्ण भारत में ब्रह्माजी का यही एक मात्र मन्दिर है। विश्व भर में यह दुर्लभ मन्दिर है।

दक्षिण शैली के आधार पर निर्मित श्री रंगजी का मन्दिर भी एक विशेष आकर्षण रखता है।

## (10) कोटा

राजस्थान के दक्षिण-पूर्वी भाग में चम्बल नदी के किनारे पर बसे कोटा नगर राजस्थान में औद्योगिक एवं इतिहास दोनों दृष्टियों से विशेष महत्त्व है। सन् 1681 ई. में कोटा रियासत की नींव पड़ी तथा चौहान राजपूतों के हाड़ा वंशज यहां राज्य करते थे। पश्चिमी रेल्वे की ब्रॉडगेज शाखा पर दिल्ली से 85 कि.मी. जयपुर से 212 कि.मी. दूर स्थित कोटा नगर भी राजस्थान के अन्य शहरों की तरह परकोटे से घिरा हैं।

पर्यटन की दृष्टि से कोटा का बड़ा महत्त्व हैं तथा यहाँ होने वाला दशहरे का मेला देशभर में प्रसिद्ध हैं। कई सांस्कृतिक झांकियाँ, प्रदर्शनियों व उत्सवों का यह रंगारंग पर्व देखने, देश के कई भागों में हजारों यात्री आते हैं।

एक औद्योगिक नगर के रूप में कोटा राजस्थान के औद्योगिक अर्थ में अपना महत्त्वपूर्ण स्थान रखता है। यहाँ उद्योग स्थापित हो चुके है। यहाँ की सीमेन्ट फैक्ट्री, टैक्सटाइल्स व मिनरल इण्डस्ट्रीज रबड़ व टीन उद्योग, नाईलोन व अन्य सिंथेटिक फेब्रिक्स उद्योग, इलेक्ट्रोनिक्स उद्योग आदि विशेष रूप से उल्लेखनीय है।

**दर्शनीय स्थल**

नगर के दर्शनीय स्थल यहाँ के पुराने महल, सरस्वती भण्डार, संग्रहालय, कुछ दर्शनीय मन्दिर, तालाब व उद्यान हैं। प्रमुख आकर्षक चम्बा घाटी परियोजना है। जिसमें राणा प्रताप सागर बाँध व अणु शक्ति परियोजना आदि है। कोटा के आस पास दर्शनीय स्थलों में शेरगढ़, रामगढ़, भंडदेवरा मंदिर, झालरापाटन के चन्द्रावती नगर के अवशेष व शीतलेश्वर महादेव मन्दिर, बाड़ौली के मन्दिर तथा दरा गेम सेन्च्युरी हैं।

**रंगवाड़ी**— कोटा नगर के समीप रंगवाड़ी में महावीर का मन्दिर तथा निकटस्थ तालाब, छतरियाँ तथा बगीचा कोटा नगर का एक सुन्दर आकर्षण हैं।

**शिव मन्दिर**— कोटा नगर के आस पास दर्शनीय शिवालय है जो प्राचीन स्थापत्य कला की सम्पन्नता दर्शाते हैं। ''श्री नीलकंठ महादेव'' नगर का प्राचीनतम मन्दिर है जो राजमहल के पूर्व में स्थित है। नगर के दक्षिण में विश्वनाथ का अति रमणीय है। नगर से दक्षिण में ही 18 कि.मी. दूर स्थित गेपूनाथ जी मन्दिर चम्बल की सुरम्य प्रकृति में स्थित है। यहाँ 200 फीट ऊँचाई से गिरता प्रभाव एवं मनोहारी दृश्य उपस्थित करता है। इन मन्दिरों के अतिरिक्त अनेकों मंदिर यहाँ आसपास देखे जा सकते हैं।

**गाँधी सागर, चम्बल बैराज, राणा प्रताप सागर बाँध**— चम्बल घाटी विकास योजना के अन्तर्गत बने कोटा बैराज, गांधी सागर व राणा प्रताप सागर बाँध से राजस्थान व मध्यप्रदेश के चौदह लाख क्षेत्र की सिंचाई कई उद्योगों, नगरों व ग्रामों को विद्युत उपलब्ध होती है।

नगर से एक कि.मी. दूर स्थित कोटा बेराज मिट्टी, पत्थर और कंक्रीट से बना एक 122 फीट ऊँचा बाँध हैं। नदी तल पर 800 फीट लम्बा व 970 फीट चौड़ा यह बाँध ऊपर से 1,810 फीट लम्बा व 40 फुट चौड़ा है। पक्की मोरियों में 40 बाई 40 फीट बड़े दरवाजे बनाए गए हैं जो देश में अपने आकार के पहली बार लगाए गए हैं। पक्की मोरियों के खम्भों का एक 18 फीट चौड़ा पुल भी बना दिया गया हैं।

राणा प्रताप सागर बाँध 177 फीट ऊँचा है तथा इसकी लम्बाई 3,750 फीट है। जवाहर सागर बाँध की ऊपरी लम्बाई अनुमानत: 1,102 फीट तीनों बांधों विद्युत उत्पादन क्षमतायुक्त हैं।

**भ्रमण : बरौली (बाड़ोली)**

कोटा से 45 कि.मी. दूर बरोला में आठवीं शताब्दी के बहुत कलात्मक व सुन्दर मन्दिरों के भग्नावशेष है। सबसे महत्त्वपूर्ण एक शिव मंदिर है।

**रामगढ़**— कोटा से 64 कि.मी. एक मन्दिर है जहाँ पर केवल जीप द्वारा जाया जा सकता है।

**झालरापाटन**— चन्द्रगंगा नदी का किनारा व सूर्यमंदिर यहाँ के दर्शनीय स्थल है। जिसमें मन्दिर के अब अवशेष ही रह गए हैं।

**दरा गेम सेन्च्युरी**— कोटा से लगभग 45 कि.मी. दूर विन्ध्याचल की सुरम्य ''मुकुदरा'' शाखाओं के मध्य दरा घाटी वन्य जीवन संरक्षण स्थल सन् 1955 में बनाया गया। यहां के मनोहर प्राकृतिक स्थल में चीते, तेन्दुएं, नीलगाय, चीतल, चीतकाबरा, हिरण, जंगली सूअर तथा बड़ी संख्या में खरगोश और विभिन्न पक्षी आदि विचरण करते देखे जा सकते हैं।

**बून्दी**— राजस्थान के दक्षिण पूर्वी भाग में स्थित बून्दी नगर एक ऐतिहासिक स्थल है। इसका नामकरण मीणा लोगों ने एक सरदार जेता के दादा ''बून्दा'' के नाम पर हुआ। हाड़ा वंश के रावदेवा ने सन् 1342 में

इसे बसाया। बून्दी एक प्राकृतिक घाटी में बसी है। नगर की विशेषता है पत्थरों से जड़ा एक मुख्य मार्ग जिसके दोनों ओर छह से साढ़े सात फीट ऊँची दुकानें बनी हैं। यहाँ पर बड़ी तीज का मेला बड़े हर्षोल्लास के साथ मनाया जाता हैं।

**दर्शनीय स्थल**

(1) **चौरासी स्तम्भों की छतरी**— कोटा बून्दी मार्ग पर ग्राम देवपुरा के समीप राजा अनिरूद्धसिंह के भ्राता देवा द्वारा निर्मित 84 स्तम्भों वाली इस विशाल छतरी का निर्माण सन् 1683 में हुआ था।

(2) **नवल सागर**— इस तालाब का निर्माण महाराजा उम्मेदसिंह जी ने करवाया। तालाब के किनारे सार्वजनिक उद्यान तथा बीच में एक मन्दिर तथा छतरी बनी हैं। तालाब के किनारे का एक सुन्दर घाट तथा महल दर्शनीय हैं।

(3) **बून्दा का गढ़**— यह नगर का प्रमुख आकर्षण है। कई महलों से मुक्त नगर से ऊपर उठता हुआ और पास के नवल सागर झील की ओर झाँकते झरोखों वाला ''बून्दी का दुर्ग'' एक प्रमुख स्थिति लिए हुए है। यहाँ इस गढ़ का ऐतिहासिक महत्त्व हैं वहीं सज्जा मेंभी यह औरों से कम नहीं। प्रसिद्ध इतिहासकार कर्नल टॉड की दृष्टि में, बून्दी का राजमहल, राजमहलों में सर्वोत्कृष्ट माना जा सकता है। गढ़ का प्रवेश ''हाथीपोल'' नामक द्वार से भी होता है जिसके दोनों ओर पत्थरों के बने दो विशाल हाथी है। यहाँ की चित्रशाला में प्रसिद्ध बून्दी शैली चित्रकारी में 18 वीं शताब्दी के कई धार्मिक, ऐतिहासिक एवं आखेट सम्बन्धी भित्ति चित्र बने हैं।

(4) **जैत सागर**— नगर से कुछ दूर जैता मीणा का बनवाया हुआ ''जैत सागर'' नामक तालाब स्थित है। राव राजा विष्णुसिंह द्वारा बनवाया गया ''सुख महल'' उसके किनारे बना है। यहाँ कुछ दर्शनीय चित्र, मूर्तियाँ आदि रखी गई है।

## (11) अलवर

अलवर नगर देहली से लगभग 165 व जयपुर से 169 कि.मी. दूर स्थित है। अलवर नगर महाराजा प्रतापसिंह द्वारा 1771 ई. में बसाया गया था व तत्कालीन अलवर राज्य की राजधानी था, अलवर नगर अपने महलों, सघन वनों वर्षाकालीन झरनों, अजायबघर के लिए प्रसिद्ध है। राजस्थान में औद्योगिक मानचित्र में अलवर का एक महत्त्वपूर्ण स्थान है। राजपूत राजघरानों में अलवर दिल्ली के मुगल शासकों के सबसे निकट रहा हैं।

**दर्शनीय स्थल**

(1) **राजमहल**— विनय विलास महल के नाम से जाना जाने वाला राजमहल एवं चित्ताकर्षक जलाराम सागर पहाड़ी के आधार से विभक्त किया गया हैं जिसमें विभिन्न शैलियों से निर्मित कई इमारतें हैं। इसके विशाल हाल से अलवर का किला, हरी भरी पहाड़ी, तालाब तथा मूसी महारानी की छतरी का दृश्य बड़ा सुहावना लगता है। सम्प्रत्ति इस में जिला स्तरीय न्यायालय कार्यालय हैं।

(2) **अजायबघर**— राजमहलों, केन्द्रीय सर्वोच्च भाग में स्थित इस संग्रहालय में पांडुलिपियों एवं चित्रों का लगभग 700 पांडुलिपियों का संग्रह है। यहां हिन्दी, संस्कृत व फारसी की लगभग 700 पांडुलिपियों का संग्रह है, इनमें 80 फीट की सचित्र भगवद्गीता, अरबी भाषा की एक कुरान जिसका फारसी अनुवाद भी लाल अक्षरों में लिखा है। यही शस्त्रागार में युद्ध सामग्री का संग्रह है जिनमें अकबर आदि राजाओं की तलवारें दर्शनीय हैं।

(3) **किला**— अकबर का किला विशाल तिकोनी पहाड़ी पर स्थित है जिसके पीछे पहाड़ियों की शृंखलाएँ है। इस किले को देखने के लिए पुलिस अधीक्षक से अनुज्ञा प्राप्त करनी होती है। किले पर चढ़ने के लिए, सूरजपोल, लक्ष्मणपोल और चांदपोल होकर जाना पड़ता है। ऊपर एक विशाल मैदान है जिसके अस्ताचल में पुरानी तोपें रखी गई हैं।

(4) **सीलीसेढ़**— अलवर से लगभग 13 कि.मी. दक्षिण-पश्चिम में दिल्ली-जयपुर राज्य मार्ग पर ही सैलानियों का प्रमुख आकर्षण सीलीसेढ़ झील है।

झील के किनारे महाराजा बनेसिंह जी द्वारा सन् 1845 में निर्मित महल है जो आजकल होटल हैं।

**(5) सरिस्का**— अलवर, जयपुर मार्ग पर ही अलवर से 35 कि.मी. दूर सुप्रसिद्ध वन्य पशु अभयारण्य ''सरिस्का'' है। उस अभयारण्य में शेर, बघेरा, नीलगाय, सांभर, जंगली सूअर एवं हिरण आदि पशुओं को स्वाभाविक रूप से विचरण करते देखा जा सकता है। 16 वर्ग मील क्षेत्र में फैले उस अभयारण्य की सघन वनों से ढ़की मालाएँ और बीहड़ वन सुन्दर भी लगते है और भयावह भी, अकबरपुर, खोह तथा अजबगढ़ वन खण्ड विदेशी सैलानियों द्वारा शिकार के लिए आरक्षित है। अभयारण्य के संरक्षक से पूर्व व्यवस्था का शेर व अन्य प्राणियों के फोटो लिए जा सकते है। सरिस्का से लगभग 15 कि.मी. पहले (अलवर से प्रसिद्ध) तीर्थ भर्तृहरिजी हैं।

**(6) नीलकंठ**— अलवर से लगभग 60 कि.मी. दक्षिण-पश्चिमी में चारों ओर सघन तरु-कुंजों और वनाच्छादित पहाड़ी के मध्यम ''नील कण्ठेश्वर महादेव'' का मन्दिर है। मन्दिर से लगभग 100 गज की दूरी पर एक विशाल जैन मन्दिर के भग्नावशेष है। खण्डहरों के बीचों बीच 16 फीट लम्बी व 6 फुट दिगम्बर जैन तीर्थंकर की एक मूर्ति है।

अलवर के आसपास, भर्तृहरि, नल्देश्वर नारायणजी, जयसमन्द, प्रताप बाँध, विजय मन्दिर आदि छोटे बड़े कई स्थान प्राकृतिक सौन्दर्य से परपूरित होने के कारण वन भोज (पिकनिक) के लिए उपर्युक्त है।

## (12) भरतपुर

राजस्थान का पूर्वी द्वार भरतपुर, जयपुर से 165 कि.मी. दूर स्थित है। एक मान्यता के अनुसार भरतपुर नाम भगवान राम के अनुज भरत के नाम पर पड़ा परन्तु इतिहासकारों के अनुसार भरतपुर कुछ निचले स्थानों को मिट्टी से भरकर इस नगर को बनाया गया जिसे भरतपुर नाम पड़ा, नगर की स्थापना स्तम्भ जाट ने सत्रहवीं शताब्दी के उत्तरार्द्ध में की थी, सन् 1733 में महाराजा सूरजमल ने उसे जीतकर अपनी राजधानी बनाया।

### दर्शनीय स्थल

**(1) भरतपुर का दुर्ग**— भरत का किला ''लोहागढ़'' अपनी अद्भुत बनावट के कारण प्रसिद्ध है जिससे लगातार कई आक्रमणों के पश्चात् भी यह अविजित रहा। दुर्ग के चारों ओर दुहरी चिकनी मिट्टी की दीवार की विशेषता यही कि दुश्मनों के तोप के गोले मिट्टी में लगकर नाकाम हो जाते थे वह दुर्ग की कोई हानि नहीं हो पाती थी। दुर्ग में 8 बुर्ज व दो प्रवेश द्वार है। उत्तरी द्वार भी प्राय: उत्तरी द्वार ''अष्ठधाती'' व दक्षिणी द्वार ''लोहिया दरवाजा'' कहलाता है।

**(2) जवाहर बुर्ज**— महाराजा जवाहर सिंह द्वारा देहली पर आक्रमण कर विजय प्राप्त करने की याद में सन् 1764 में गौरव प्रतीक स्वरूप एक बड़ा दरवाजा बनवाया। यह किले का महत्त्वपूर्ण बुर्ज है। भरतपुर के राजाओं का राज्याभिषेक भी इसी दुर्ग में हुआ करता था।

### संग्रहालय

राजमहलों के ही एक भाग में सन् 1944 में एक संग्रहालय बनाया जहाँ दुर्लभ पुरातत्त्व की सामग्री अस्त्र-शस्त्र हस्तकलाओं इत्यादि का संग्रह है।

### केवलादेव घना पक्षी अभयारण्य

भरतपुर से लगभग 4.5 कि.मी. दक्षिण-पश्चिम में केवलादेव घना है जो देश के अत्यन्त सुन्दर पक्षी आश्रयस्थलों में से एक है। यह मुर्गाबियों के शिकार के लिए प्रसिद्ध था। यह पक्षी प्रेमियों का स्वर्ग माना जाता है। केवलादेव प्राकृतिक झील का फैलाव 700 एकड़ भूमि में से है व लगभग 12 वर्ग मीन क्षेत्र घेर रखा है, जिसका अधिकांश हिस्सा वृक्षों तथा झाड़ियों से घिरा हैं।

वर्षा ऋतु में यह झील पानी से भर जाती है लेकिन मानसून के बाद इसका पानी धीरे-2 कम होने लगता है। इसलिए सर्दियों में ''अजानबन्ध'' से इसमें पानी छोड़ा जाता हैं। सर्दी के मौसम में यह स्थल मध्य एशिया, अफगानिस्तान तथा साइबेरिया से हजारों की संख्या में आने वाले पक्षियों के लिए विशेष आकर्षण स्थल बन जाता है। वर्षा ऋतु में यहां स्टार्क्स, व्हाइट,

ईगरेटश, डाक्टर, व्हाईटस ईविस पक्षी देखने को मिलते हैं। इनके अतिरिक्त भारी संख्या में मुर्गाबिया, टील्स, क्रेन्स आदि पाए जाते है संध्या समय इस अभयारण्य में चीतल, नीलगाय, सांभर, हिरण आदि जंगली पशु झुंडों में देखे जा सकते हैं।

केवलादेव घना अभयारण्य में पक्षियों के विचरण निहारने के लिए जुलाई से अक्टूबर माह के मध्य का समय उपयुक्त रहता है, इस सुप्रसिद्ध अभयारण्य में पर्यटकों के विश्राम हेतु वन विभाग की ओर से विश्राम गृह बना हुआ हैं।

### (13) धौलपुर

भरतपुर से 105 कि.मी. दूर स्थित धौलपुर का विशेष ऐतिहासिक महत्त्व है। यहाँ का प्राचीन दुर्ग प्रसिद्ध है इनका सैनिक छावनी के रूप में बड़ा भारी महत्त्व रहा है। धौलपुर खास में जो मकबरा रहा है वह मुगल शैली में बना हुआ है इसके चारों ओर बड़ी-बड़ी मीनारें हैं। जरीना का मकबरा हिन्दू वास्तुकला का नमूना है। कहा जाता है कि यह कभी मराठों का शिव मन्दिर था, जिसे बाद में बेगम जरीना की कब्र बना दिया गया। यहाँ स्थित शेरगढ़ के दुर्ग को उदयपुर के मालदेव ने मराठों की बढ़ती हुई शक्ति को रोकने के लिए निर्माण कराया था। धौलपुर के निकट मूच कुण्ड हैं।

### वन विहार अभयारण्य, धौलपुर

धौलपुर से 17 कि.मी. दूरी पर वन विहार अभयारण्य एक सुन्दर स्थान है। यहाँ वन विभाग की ओर से विशान्ति गृह स्थित है, जहाँ हर प्रकार की आधुनिक सुविधाएँ उपलब्ध है। अभयारण्य में विभिन्न प्रकार के जंगली पशु पाले जाते है जिनमें चीता, सूअर, हिरन, बारहसिंगा, नीलगाय, रीछ, चीतल आदि मुख्य है। विश्रांति गृह के सामने एक तालाब बना हुआ है जिसके दूसरे ओर हिरनों के झुंड प्राय: देखे जा सकते है। इस विश्रांति गृह से 2 फर्लांग की दूर पर वन विभाग की ओर से एक ''वॉच टॉवर'' बनवाया गया है। जिसमें बैठकर विशेष प्रबन्ध करने पर चीता देखा जा सकता है।

### राजस्थान में पर्यटकों का आगमन

राजस्थानी अपनी स्थापना के पूर्व से ही गौरव गाथाओं अजेय दुर्गों, भक्त महलों, ऐतिहासिक स्मारकों, आकर्षण एवं मनोहारी स्थापत्य कला, हस्तकला एवं लोक कल्याण के लिए न केवल प्रसिद्ध ही रहा है बल्कि पर्यटकों के लिए उत्सुकता उत्पन्न करता रहा है। यही कारण है कि राजस्थान पर्यटन क्षेत्र में अत्यन्त लोकप्रिय है। इन्हीं आकर्षणों के कारण राज्य में आने वाले पर्यटकों की संख्या में निरन्तर वृद्धि हुई है। सन् 2021 में राज्य में 219.89 लाख पर्यटक स्वदेशी एवं 34.8 लाख विदेशी पर्यटकों ने राज्य के विभिन्न पर्यटक स्थलों का भ्रमण किया। इस प्रकार राज्य में आने वाले पर्यटकों की कुल संख्या 220.24 लाख रही, जबकि 2013 में यह 69.06 लाख रही थी इस प्रकार राजस्थान में आने वाले देशी व विदेशी पर्यटकों की कुल संख्या 2021 में लगभग 7 करोड़ तक पहुंच गई है।

राज्य में पर्यटक की निरन्तर बढ़ती हुई संख्या के कारण पर्यटक उद्योग से विदेशी मुद्रा तो अर्जित हुई है साथ ही राज्य का लोक कलाओं एवं शिल्पकलाओं को भी प्रोत्साहन मिला है। पर्यटक उद्योग से न केवल विश्व भ्रातृत्व की भावना में वृद्धि को बल मिला है बल्कि अन्तर्राष्ट्रीय समभाव को मजबूत करने में भी सहयोग मिला है।

### राजस्थान में समय के अनुसार पर्यटकों की संख्या

राजस्थान में पर्यटकों की संख्या में मौसम के अनुसार बराबर परिवर्तन होता रहता है। सन् 2021 में सबसे अधिक पर्यटक दिसम्बर महीने में आए, जिनकी संख्या 220.24 लाख थी। अन्य किसी महीने की तुलना में यह संख्या सर्वाधिक थी। सितम्बर से अक्टूबर के समय में राजस्थान में पर्यटकों की संख्या कम रहती है। मई-जून-जुलाई की गर्मी पर्यटकों को राजस्थान में आने से रोकती है।

यह उपर्युक्त सारणी-80 से स्पष्ट होता है कि राजस्थान में पर्यटक सितम्बर से दिसम्बर के समय में ज्यादा आते हैं। इसका मौसम है इस समय यहां पर अनुकूल जलवायु दशा में मिलती है। गर्मी की ऋतु में पर्यटक राजस्थान में आना पसन्द नहीं करते हैं।

**राजस्थान में पर्यटकों का आगमन: प्रारूप व दिशा**

राजस्थान में आकर्षक पर्यटक स्थल होने के कारण पर्यटक विकास की काफी सम्भावनाऐं है।

सारणी–80 राजस्थान में विदेशी पर्यटक के रूख को दर्शाती है। सन् 2021 में केवल 34.80 लाख पर्यटक आए थे जो बढ़कर 2022 में 39.67 लाख हो गए। अगर भारत में हुई वृद्धि को ध्यान में रखा जाए जो राजस्थान में हुई वृद्धि सराहनीय है। राजस्थान में पर्यटकों की संख्या में सबसे अधिक भाग फ्रांस का तथा बाद में ब्रिटेन, अमरीका व जर्मनी का स्थान है। अमेरिकन संख्या में तो कम आते है परन्तु ये महलों में (पैलेस होटल) ठहरते है। इसका कारण उच्च सुविधाओं की प्राप्ति है। इसके विपरीत फ्रांस के पर्यटक पैलेस होटल में ठहरने की अपेक्षा वे आम जनता के साथ मिलते रहना तथा उनके रहन सहन व जीवन का अनुभव करना चाहते है। ये लोग हर तरह के सामाजिक वातावरण में रहना चाहते है। जर्मनी लोगों की विशेषता इन दोनों से भिन्न प्रकार की है वे कला के शौकीन होते है परन्तु ये अमेरिकन जैसी विलासिताओं एवं सुविधाओं से दूर रहना चाहते हैं।

राजस्थान में पर्यटक मुख्य रूप से वर्षा ऋतु (जुलाई–अगस्त) को छोड़कर वर्ष के सभी महीनों में आते रहते है, फ्रांस के पर्यटक अधिकतर स्कूल व कॉलेजों की छुट्टियोंमें आते है, लेकिन इनका अधिकतर आगमन अक्टूबर से मार्च के महीने में होता है।

राजस्थान में सबसे पहले पर्यटक जयपुर पहुँचते है परन्तु कुछ तो भरतपुर सरिस्का में रूक जाते है। जयपुर पहुँचने के बाद के राजस्थान के विभिन्न पर्यटक स्थलों पर जाते हैं। वायुयान से सैर करने वाले पर्यटक सीधे उदयपुर से बम्बई चले जाते हैं। राजस्थान में केवल उसे 22 दिनों का ठहराव होता है। राजस्थान में अधिक आवास व्यवस्था के दिन बढ़ाने के लिए कोई भी सफल प्रयास अब तक नहीं किए गए हैं। दूसरे देशों की तुलना में यह समय भी कहीं ज्यादा है। इसके कारण यहाँ की स्थिति व अन्य भौगोलिक वातावरण सभी 14 केन्द्रों पर कुछ अलग विशेषताऐं रखता है।

**सारणी–80**

**2022 की स्वदेशी व विदेशी पर्यटक यात्राओं का वर्ष 2021 से माहवार तुलनात्मक विवरण**

| माह | वर्ष 2022 | | | वर्ष 2021 | | | गत अवधि की तुलना में प्रतिशत परिवर्तन | | |
|---|---|---|---|---|---|---|---|---|---|
| | देशी | विदेशी | योग | देशी | विदेशी | योग | देशी | विदेशी | योग |
| जनवरी | 4233653 | 6202 | 4239855 | 1602776 | 1987 | 1604763 | 164 .15 | 212.13 | 164.20 |
| फरवरी | 5220589 | 7101 | 5227690 | 2105885 | 2354 | 2108239 | 147.90 | 201.66 | 147.96 |
| मार्च | 8671987 | 16463 | 8688450 | 1704445 | 4131 | 1708576 | 408.79 | 298.52 | 408.52 |
| अप्रेल | 7834159 | 18451 | 7852610 | 538504 | 1536 | 540040 | 1354 80 | 1101.24 | 1354.00 |
| मई | 5021675 | 12161 | 5033836 | 4858 | 157 | 5015 | 103269.2 | 7645.86 | 100275.6 |
| जून | 5537429 | 12288 | 5549717 | 197170 | 374 | 197544 | 2708.45 | 3185.56 | 2709.36 |
| जुलाई | 13289941 | 22594 | 13312535 | 1205241 | 1078 | 1206319 | 1002.68 | 1995.92 | 1003.57 |
| अगस्त | 13840452 | 35914 | 13876366 | 1577727 | 1581 | 1579308 | 777.24 | 2171.60 | 778.64 |
| सितम्बर | 11911902 | 34425 | 11946327 | 1721375 | 2359 | 1723734 | 592 00 | 1359.30 | 593.05 |
| अक्टूबर | 12568741 | 63688 | 12632429 | 2836037 | 3716 | 2839753 | 343.18 | 1613.89 | 344.84 |
| नवम्बर | 10663816 | 85662 | 10749478 | 3716368 | 6730 | 3723098 | 186 94 | 1172.84 | 188.72 |
| दिसम्बर | 9533812 | 81735 | 9615547 | 4778348 | 8803 | 4787151 | 99.52 | 828.49 | 100.86 |
| **योग** | **108328156** | **396684** | **108724840** | **21988734** | **34806** | **22023540** | **392.65** | **1039.70** | **393.68** |

स्त्रोत : प्रगति प्रतिवेदन, 2022–23, पर्यटन विभाग, राजस्थान सरकार, जयुपर

## सारणी–81
### वर्ष 2022 की स्वदेशी व विदेशी पर्यटक यात्राओं का वर्ष 2019 से माहवार तुलनात्मक विवरण

| माह | वर्ष 2022 | | | वर्ष 2019 | | | गत अवधि की तुलना में प्रतिशत परिवर्तन | | |
|---|---|---|---|---|---|---|---|---|---|
| | देशी | विदेशी | योग | देशी | विदेशी | योग | देशी | विदेशी | योग |
| जनवरी | 4233653 | 6202 | 4239855 | 3867897 | 183828 | 4051725 | 9.46 | -96.63 | 4-64 |
| फरवरी | 5220589 | 7101 | 5227690 | 2855035 | 224188 | 2879223 | 96 63 | -96.83 | 81.57 |
| मार्च | 8671987 | 16463 | 8688450 | 5746589 | 217348 | 5963937 | 50.91 | -92.43 | 45.68 |
| अप्रेल | 7834159 | 18451 | 7852610 | 5154491 | 121314 | 5275805 | 51.99 | -84.79 | 48.84 |
| मई | 5021675 | 12161 | 5033836 | 2401088 | 58326 | 2459414 | 109 14 | -79.15 | 104 68 |
| जून | 5537429 | 12288 | 5549717 | 2540784 | 41127 | 2581911 | 117.94 | -70.12 | 114.95 |
| जुलाई | 13289941 | 22594 | 13312535 | 3241861 | 58248 | 3300109 | 309 95 | -61.21 | 303.40 |
| अगस्त | 13840452 | 35914 | 13876366 | 4146464 | 95191 | 4241655 | 233.79 | -62.27 | 227.15 |
| सितम्बर | 11911902 | 34425 | 11946327 | 9931613 | 93154 | 10024767 | 19.94 | -63.05 | 19.17 |
| अक्टूबर | 12568741 | 63688 | 12632429 | 4391300 | 169187 | 4560487 | 186 22 | -62.36 | 177.00 |
| नवम्बर | 10663816 | 85662 | 10749478 | 4046523 | 213167 | 4259690 | 163.53 | -59.81 | 152.35 |
| दिसम्बर | 9533812 | 81735 | 9615547 | 4096786 | 130482 | 4227268 | 132.71 | -37.36 | 127.46 |
| **योग** | **108328156** | **396684** | **108724840** | **52220431** | **1605560** | **53825991** | **107.44** | **-75.29** | **101.99** |

स्त्रोत : प्रगति प्रतिवेदन, 2022–23, पर्यटन विभाग, राजस्थान सरकार, जयुपर

### सारणी–82 : 2022 में राज्य में की गई पर्यटक यात्राओं में जिलों का प्रतिशत हिस्सा और रैंक

| क्र.सं. | जिला | पर्यटक यात्रा | | प्रतिशत शेयर | | रैंक | |
|---|---|---|---|---|---|---|---|
| | | देशी | विदेशी | देशी | विदेशी | देशी | विदेशी |
| 1. | अजमेर | 13299972 | 40092 | 12.28 | 10.11 | 1 | 3 |
| 2. | अलवर | 5133712 | 8112 | 4.74 | 2.04 | 7 | 9 |
| 3. | बांसवाड़ा | 1303985 | 90 | 1.20 | 0.02 | 20 | 28 |
| 4. | बारां | 18325 | 24 | 0.02 | 0.01 | 33 | 32 |
| 5. | बाड़मेर | 1515112 | 38 | 1.40 | 0.01 | 18 | 30 |
| 6. | भरतपुर | 7568617 | 2749 | 6.99 | 0.69 | 4 | 13 |
| 7. | भीलवाड़ा | 626681 | 367 | 0.58 | 0.09 | 27 | 21 |
| 8. | बीकानेर | 3928456 | 10501 | 3.63 | 2.65 | 10 | 8 |
| 9. | बूंदी | 407351 | 2379 | 0.38 | 0.60 | 30 | 14 |
| 10. | चित्तौड़गढ़ | 6393112 | 711 | 5.90 | 0.18 | 5 | 17 |
| 11. | चूरू | 3578318 | 185 | 3.30 | 0.05 | 11 | 25 |

| क्र.सं. | जिला | पर्यटक यात्रा | | प्रतिशत शेयर | | रैंक | |
|---|---|---|---|---|---|---|---|
| | | देशी | विदेशी | देशी | विदेशी | देशी | विदेशी |
| 12. | दौसा | 3132269 | 6012 | 2.89 | 1.52 | 15 | 10 |
| 13. | धौलपुर | 85265 | 198 | 0.08 | 0.05 | 32 | 24 |
| 14. | डूंगरपुर | 3122385 | 119 | 2.88 | 0.03 | 16 | 27 |
| 15. | हनुमानगढ़ | 3550246 | 42 | 3.28 | 0.01 | 12 | 29 |
| 16. | जयपुर | 3372924 | 159210 | 3.11 | 40.14 | 13 | 1 |
| 17. | जैसलमेर | 6348747 | 29131 | 5.86 | 7.34 | 6 | 5 |
| 18. | जालौर | 573622 | 306 | 0.53 | 0.08 | 28 | 22 |
| 19. | झालावाड़ | 200985 | 21 | 0.19 | 0.01 | 31 | 33 |
| 20. | झुनझुनू | 1204616 | 4239 | 1.11 | 1.07 | 22 | 11 |
| 21. | जोधपुर | 2026374 | 34964 | 1.87 | 8.81 | 17 | 4 |
| 22. | करौली | 4200688 | 728 | 3.88 | 0.18 | 8 | 16 |
| 23. | कोटा | 804971 | 659 | 0.74 | 0.17 | 25 | 18 |
| 24. | नागौर | 690269 | 605 | 0.64 | 0.15 | 26 | 20 |
| 25. | पाली | 1000083 | 19243 | 0.92 | 4.85 | 24 | 6 |
| 26. | प्रतापगढ़ | 444969 | 28 | 0.41 | 0.01 | 29 | 31 |
| 27. | राजसमन्द | 1291259 | 3533 | 1.19 | 0.89 | 21 | 12 |
| 28. | सवाई माधोपुर | 11109170 | 15878 | 10.26 | 4.00 | 3 | 7 |
| 29. | सीकर | 11625503 | 258 | 10.73 | 0.07 | 2 | 23 |
| 30. | सिरोही | 3335328 | 1079 | 3.08 | 0.27 | 14 | 15 |
| 31. | श्रीगंगानगर | 1013989 | 167 | 0.94 | 0.04 | 23 | 26 |
| 32. | टोंक | 3928633 | 617 | 3.63 | 0.16 | 9 | 19 |
| 33. | उदयपुर | 1492220 | 54399 | 1.38 | 13.71 | 19 | 2 |
| **कुल** | | **108328156** | **396684** | **100** | **100** | | |

स्त्रोत : प्रगति प्रतिवेदन, 2022–23, पर्यटन विभाग, राजस्थान सरकार, जयुपर

**सारणी–83**

**2022 में राज्य में की गई विदेशी पर्यटक यात्राओं के लिए शीर्ष 50 देशों का प्रतिशत हिस्सा**

| रैंक | देश | विदेशी यात्री | प्रतिशत | रैंक | देश | विदेशी यात्री | प्रतिशत |
|---|---|---|---|---|---|---|---|
| **1** | संयुक्त राष्ट्र अमेरिका | 64891 | 16.36 | **27** | न्यूजीलैण्ड | 2097 | 0.53 |
| **2** | फ्रांस | 34999 | 8.82 | **28** | अर्जेंटीना | 1960 | 0.49 |
| **3** | युनाईडेट किंगडम | 29532 | 7.44 | **29** | कोलम्बिया | 1810 | 0.46 |
| **4** | बांग्लादेश | 22159 | 5.59 | **30** | पुर्तगाल | 1748 | 0.44 |
| **5** | जर्मनी | 18303 | 4.61 | **31** | मारीशस | 1735 | 0.44 |
| **6** | स्पेन | 17420 | 4.39 | **32** | डेनमार्क | 1694 | 0.43 |

| रैंक | देश | विदेशी यात्री | प्रतिशत | रैंक | देश | विदेशी यात्री | प्रतिशत |
|---|---|---|---|---|---|---|---|
| 7 | आस्ट्रेलिया | 15841 | 3.99 | 33 | आस्ट्रेलिया | 1665 | 0.42 |
| 8 | इटली | 14886 | 3.75 | 34 | श्रीलंका | 1306 | 0.33 |
| 9 | इजरायल | 12036 | 3.03 | 35 | तुर्की | 1281 | 0.32 |
| 10 | कनाडा | 7918 | 2.00 | 36 | स्वीडन | 1241 | 0.31 |
| 11 | नीदरलैण्ड्स | 7009 | 1.77 | 37 | रामानिया | 1066 | 0.27 |
| 12 | रूसी महासंघ | 5437 | 1.37 | 38 | फिनलैण्ड | 1039 | 0.26 |
| 13 | आयरलैण्ड | 5239 | 1.32 | 39 | चिली | 935 | 0.24 |
| 14 | बेल्जियम | 5203 | 1.31 | 40 | चीन | 933 | 0.24 |
| 15 | जापान | 4659 | 1.17 | 41 | चेक गणराज्य | 906 | 0.23 |
| 16 | मैक्सिको | 4070 | 1.03 | 42 | नॉर्वे | 854 | 0.22 |
| 17 | स्विट्जरलैण्ड | 3996 | 1.01 | 43 | हंगरी | 775 | 0.20 |
| 18 | थाइलैण्ड | 3438 | 0.87 | 44 | फिलीपिन्स | 750 | 0.19 |
| 19 | पोलैण्ड | 3419 | 0.86 | 45 | पेरू | 705 | 0.18 |
| 20 | ब्राजील | 2803 | 0.71 | 46 | ब्रिटिश और भारतीय समुद्री क्षेत्र | 653 | 0.16 |
| 21 | ईरान | 2639 | 0.67 | 47 | केन्या | 645 | 0.16 |
| 22 | दक्षिण अफ्रीका | 2314 | 0.58 | 48 | उक्रेन | 632 | 0.16 |
| 23 | कोरिया गणतंत्र | 2205 | 0.56 | 49 | स्लोवाक गणराज्य | 611 | 0.15 |
| 24 | वियतनाम | 2195 | 0.55 | 50 | स्वाजीलैण्ड | 603 | 0.15 |
| 25 | सिंगापुर | 2135 | 0.54 | | **अन्य** | **324489** | **81.80** |
| 26 | मलेशिया | 2099 | 0.53 | | **कुल** | **396684** | |

स्त्रोत : प्रगति प्रतिवेदन, 2022-23, पर्यटन विभाग, राजस्थान सरकार, जयुपर

**सारणी-84 : राज्य में पर्यटकों का आगमन वर्ष 1971 से 2022**

| क्र.सं. | वर्ष | पर्यटकों का आगमन | | | गतवर्ष की तुलना में परिवर्तन % में | | |
|---|---|---|---|---|---|---|---|
| 1 | 2 | 3 | 4 | 5 | 6 | 7 | 8 |
| | | स्वदेशी | विदेशी | योग | स्वदेशी | विदेशी | योग |
| 1. | 1971 | 880694 | 42500 | 923194 | – | – | – |
| 2. | 1972 | 902769 | 48350 | 951119 | 2.51 | 13.76 | 3.02 |
| 3. | 1973 | 1157959 | 54611 | 1212570 | 28.27 | 12.95 | 27.49 |
| 4. | 1974 | 998227 | 55781 | 1054008 | -13.79 | 2.14 | -13.08 |
| 5. | 1975 | 1117663 | 66207 | 1183870 | 11.96 | 18.69 | 12.32 |
| 6. | 1976 | 1303633 | 92272 | 1395905 | 16.64 | 39.37 | 17.91 |

| क्र.सं. | वर्ष | पर्यटकों का आगमन | | | गतवर्ष की तुलना में परिवर्तन % में | | |
|---|---|---|---|---|---|---|---|
| 1 | 2 | 3 | 4 | 5 | 6 | 7 | 8 |
| | | स्वदेशी | विदेशी | योग | स्वदेशी | विदेशी | योग |
| 7. | 1977 | 1618822 | 125112 | 1743934 | 24.18 | 35.59 | 24.93 |
| 8. | 1978 | 2042586 | 160134 | 2202720 | 26.18 | 27.99 | 26.31 |
| 9. | 1979 | 2306550 | 195837 | 2502387 | 12.92 | 22.30 | 13.60 |
| 10. | 1980 | 2450282 | 208216 | 2658498 | 6.23 | 6.32 | 6.24 |
| 11. | 1981 | 2600407 | 220440 | 2820847 | 6.13 | 5.87 | 6.11 |
| 12. | 1982 | 2780109 | 237444 | 3017553 | 6.91 | 7.71 | 6.97 |
| 13. | 1983 | 2932622 | 266221 | 3198843 | 5.49 | 12.12 | 6.01 |
| 14. | 1984 | 3040197 | 259637 | 3299834 | 3.67 | -2.47 | 3.16 |
| 15. | 1985 | 3120944 | 268774 | 3389718 | 2.66 | 3.52 | 2.72 |
| 16. | 1986 | 3214113 | 291763 | 3505876 | 2.99 | 8.55 | 3.43 |
| 17. | 1987 | 3424324 | 348260 | 3772584 | 6.54 | 19.36 | 7.61 |
| 18. | 1988 | 3495158 | 366435 | 3861593 | 2.07 | 5.22 | 2.36 |
| 19. | 1989 | 3833008 | 419651 | 4252659 | 9.67 | 14.52 | 10.13 |
| 20. | 1990 | 3735174 | 417641 | 4152815 | -2.55 | -0.48 | -2.35 |
| 21. | 1991 | 4300857 | 494150 | 4795007 | 15.14 | 18.32 | 15.46 |
| 22. | 1992 | 5263121 | 547802 | 5810923 | 22.37 | 10.86 | 21.19 |
| 23. | 1993 | 5454321 | 540738 | 5995059 | 3.63 | -1.29 | 3.17 |
| 24. | 1994 | 4699886 | 436801 | 5136687 | -13.83 | -19.22 | -14.32 |
| 25. | 1995 | 5248862 | 534749 | 5783611 | 11.68 | 22.42 | 12.59 |
| 26. | 1996 | 5726441 | 560946 | 6287387 | 9.10 | 4.90 | 8.71 |
| 27. | 1997 | 6290115 | 605060 | 6895175 | 9.84 | 7.86 | 9.67 |
| 28. | 1998 | 6403310 | 591369 | 6994679 | 1.80 | -2.26 | 1.44 |
| 29. | 1999 | 6675528 | 562685 | 7238213 | 4.25 | -4.85 | 3.48 |
| 30. | 2000 | 7374391 | 623100 | 7997491 | 10.47 | 10.74 | 10.48 |
| 31. | 2001 | 7757217 | 608283 | 8365500 | 5.19 | -2.38 | 4.60 |
| 32. | 2002 | 8300190 | 428437 | 8728627 | 6.99 | -29.57 | 4.34 |
| 33. | 2003 | 12545135 | 628560 | 13173695 | 51.14 | 46.71 | 50.92 |
| 34. | 2004 | 16033896 | 971772 | 17005668 | 27.81 | 54.60 | 29.09 |
| 35. | 2005 | 18787298 | 1131164 | 19918462 | 17.17 | 16.40 | 17.13 |
| 36. | 2006 | 23483287 | 1220164 | 24703451 | 25.00 | 7.87 | 24.02 |
| 37. | 2007 | 25920529 | 1401042 | 27321571 | 10.38 | 14.82 | 10.60 |
| 38. | 2008 | 28358918 | 1477646 | 29836564 | 9.41 | 5.47 | 9.21 |
| 39. | 2009 | 25558691 | 1073414 | 26632105 | -9.87 | -27.36 | -10.74 |

| क्र.सं. | वर्ष | पर्यटकों का आगमन | | | गतवर्ष की तुलना में परिवर्तन % में | | |
|---|---|---|---|---|---|---|---|
| 1 | 2 | 3 | 4 | 5 | 6 | 7 | 8 |
| | | स्वदेशी | विदेशी | योग | स्वदेशी | विदेशी | योग |
| 40. | 2010 | 25543877 | 1278523 | 26822400 | -0.06 | 19.11 | 0.71 |
| 41. | 2011 | 27137323 | 1351974 | 28489297 | 6.24 | 5.74 | 6.21 |
| 42. | 2012 | 28611831 | 1451370 | 30063201 | 5.43 | 7.35 | 5.52 |
| 43. | 2013 | 30298150 | 1437162 | 31735312 | 5.89 | -0.98 | 5.56 |
| 44. | 2014 | 33076491 | 1525574 | 34602065 | 9.17 | 6.15 | 9.03 |
| 45. | 2015 | 35187573 | 1475311 | 36662884 | 6.38 | -3.29 | 5.96 |
| 46. | 2016 | 41495115 | 1513729 | 43008844 | 17.93 | 2.60 | 17.31 |
| 47. | 2017 | 45916573 | 1609963 | 47526536 | 10.66 | 6.36 | 10.50 |
| 48. | 2018 | 50235643 | 1754348 | 51989991 | 9.41 | 8.97 | 9.39 |
| 49. | 2019 | 52220431 | 1605560 | 53825991 | 3.95 | -8.48 | 3.53 |
| 50. | 2020 | 15117239 | 446457 | 15563696 | -71.05 | -72.19 | -71.09 |
| 51. | 2021 | 21988734 | 34806 | 22023540 | 45.45 | -92.20 | 41.51 |
| 52. | 2022 | 108328156 | 396684 | 108724840 | 392.65 | 1039.70 | 393.68 |

स्त्रोत : प्रगति प्रतिवेदन, 2022–23, पर्यटन विभाग, राजस्थान सरकार, जयपुर

## पर्यटक का केन्द्रीय प्रारूप

### (i) रेखीय प्रारूप

राजस्थान में आने वाले ऐसे पर्यटक जो समय तथा धन दोनों ही बचाना चाहते हैं कुछ ही पर्यटक स्थल देखना चाहते है। इससे उनके मार्ग के मानचित्र में एक रेखीय प्रारूप बनता है। पर्यटक जयपुर, जोधपुर व उदयपुर देखते हुए दक्षिण में अहमदाबाद व बम्बई चले जाते हैं।

### (ii) त्रिकोणीय प्रारूप

जयपुर, जोधपुर आदि के साथ-साथ इनके पड़ौसी केन्द्रों का भ्रमण भी करते है। इनमें जयपुर, अलवर, भरतपुर का त्रिकोण जोधपुर, जैसलमेर, बीकानेर का त्रिकोण तथा उदयपुर-जयसमंद व चित्तौड़गढ़ का त्रिकोण प्रारूप सम्मिलित है।

### (iii) वृत्ताकार तथा अर्द्ध वृत्ताकार प्रारूप

जब पर्यटकों का उद्देश्य ज्यादा से ज्यादा पर्यटक स्थल का अवलोकन करना होता है तब पर्यटक इस प्रारूप के अनुसार भ्रमण करते हैं। इसमें पर्यटक जयपुर से भ्रमण आरम्भ करके वापिस जयपुर भ्रमण समाप्त करते हैं। इस प्रकार भ्रमण प्रारूप का उद्देश्य ज्यादा से ज्यादा भ्रमण का होता है। इसमें समय एवं धन दोनों पर ही अधिक खर्च होता है।

भ्रमण स्थलों को समय की दृष्टि से कई भागों में बांटा जा सकता हैं जैसे :-

(1) 2 से 5 दिन का भ्रमण

(2) 6 से 12 दिन का भ्रमण

(3) 12 से 16 दिन का भ्रमण

(4) 22 और उससे अधिक दिन का भ्रमण

## विदेशी पर्यटकों का आगमन

राजस्थान के सभी शहरों व पड़ौसी केन्द्रों के दर्शनीय स्थलों के बारे में वहां की सांख्यिकी व मानचित्र देखने से पर्यटकों के रूख का पता चलता है। इसे उनकी संख्या के अनुसार चार भागों में विभाजित कर सकते है-

### (1) 500 तक पर्यटक

अधिकतर शहरों के बीच जो रेखाएँ हैं, वे

1,000 पर्यटकों या उनसे कम की हैं। इनमें जयपुर, बीकानेर, जैसलमेर, जोधपुर, ओसियां, बूंदी, कोटा, अजमेर, उदयपुर व कोटा, जयपुर व रणथम्भौर इत्यादि हैं।

**(2) 500 से 5,000 तक पर्यटक**

ये वे मार्ग है जहां पर पर्यटकों की संख्या 500 से 5,000 के बीच होती है। इसमें जयपुर-जोधपुर, जोधपुर-जैसलमेर, जोधपुर-उदयपुर, उदयपुर-रणकपुर-माउण्ट आबू, जयपुर-सरिस्का व दिल्ली इत्यादि हैं।

**(3) 5,000 से 20,000 पर्यटक**

इस श्रेणी में जयपुर-भरतपुर, आगरा, जयपुर-उदयपुर, उदयपुर व औरंगाबाद इत्यादि सम्मिलित हैं।

**(4) 20,000 से अधिक पर्यटक**

इसमें दिल्ली जयपुर मार्ग के बीच व जयपुर-आगरा के बीच का मार्ग आता है।

**पर्यटक व पलंग क्षमता**

पर्यटक एवं पलंग क्षमता में घनिष्ठ सम्बन्ध दिखाई देता है। जहां पर पर्यटक ज्यादा आते हैं, वहाँ पर पलंग क्षमता भी अधिक है। इसका कारण उन क्षेत्रों में ही पर्यटन अधिक आते हैं।

## योजनाकाल में पर्यटन विकास (Tourism Development During Plan Period)

राज्य की पंचवर्षीय योजनाओं में प्रारम्भ में पर्यटन विकास पर ध्यान ही नहीं दिया गया था। सिर्फ 1945 में एक पर्यटन विभाग की स्थापना जरूर की गई थी और विभागीय गतिविधियों के रूप में ही व्यय था। पर्यटन विकास के लिए नियोजित रूप से कुछ भी नहीं किया गया था। चतुर्थ पंचवर्षीय योजना के अन्त तक राज्य में सिर्फ 9 पर्यटक विश्राम घर थे जिनकी विस्तार क्षमता 540 थी। पर्यटकों की संख्या में समुचित वृद्धि नहीं हो सकी।

पांचवीं योजना में जयपुर, कुम्भलगढ़, चित्तौड़गढ़, रणथम्भौर, जैसलमेर, जोधपुर, सरिस्का, भरतपुर और सवाई माधोपुर के दर्शनीय स्थानों के विकास पर 52 लाख रुपए खर्च किए गए। इसी प्रकार जयपुर, उदयपुर, अजमेर, पुष्कर और चित्तौड़गढ़ के डाक बंगलों का विस्तार किया गया। माउण्ट आबू, भरतपुर और सरिस्का में नए बंगले बनाए गए। इस प्रकार विस्तार तथा पुनर्निर्माण के लिए 57.78 लाख खर्च किए गए।

राज्य में अन्तर्राष्ट्रीय स्तर के होटल कम थे इसलिए पाँचवीं योजना में दो होटल थ्री और फोर स्टार बनाए गए। इनमें से एक जयपुर तथा दूसरा उदयपुर में बनाया गया। इसी क्रम में अन्य पर्यटकों स्थलों पर होटल, डाक बंगला मिड वे आदि बनाए जा रहे है।

1978 में राजस्थान पर्यटन विकास निगम लिमिटेड की स्थापना एक निजी सीमित दायित्व वाली कम्पनी के रूप में हुई थी। इस निगम के मुख्य कार्य निम्न हैं :-

(1) पर्यटन महत्त्व के स्थान के स्थानों का रख-रखाव व विकास करना;

(2) पर्यटन की प्रचार सामग्री उपलब्ध करना, वितरित करना तथा बेचना;

(3) परिवहन, मनोरंजन, माल की खरीद आदि के लिए सुविधाएँ प्रदान करना व पैकेज-पर्यटन की व्यवस्था करना;

(4) पर्यटकों के लिए निवास व भोजन आदि की व्यवस्था के लिए होटल, मोटर, युवा-हॉस्टल, टूरिस्ट बंगले आदि बनाना व चलाना।

(5) राज्य में पर्यटन विकास के लिए प्रोजेक्ट व स्कीम बनाना व लागू करना।

**पर्यटन विकास के अन्य उपाय**

(1) पर्यटन निदेशालय विभिन्न पर्यटन स्थलों व अन्य जीवों, ऐतिहासिक महत्त्व, हस्तकला, आदि के बारे में रंगीन एवं आकर्षक साहित्य उपलब्ध कराता है।

(2) पर्यटकों के मन में विभिन्न पर्यटन स्थलों को देखने में रुचि उत्पन्न करने के लिए पर्यटन विभाग रंगीन फिल्में भी होटलों और विश्राम स्थलों पर दिखाता है।

(3) पर्यटन विभाग समय-समय पर राज्य के

महत्त्वपूर्ण पर्यटन स्थलों पर प्रचार-प्रसार हेतु राज्य के ऐतिहासिक स्मारकों, वन्य जीवों के अभयारण्य, राजस्थान के रीति-रिवाजों, वेश-भूषा, लोक नृत्यों तथा लोक गीतों ओर बाधों की प्रदर्शनियाँ भी आयोजित करता है।

(4) विदेशी पर्यटकों को आकर्षित करने के लिए पर्यटन विभाग मेलों एवं त्यौहारों पर उन पर्यटन स्थलों पर भव्य सांस्कृतिक कार्यक्रमों एवं विदेशी पर्यटकों एवं स्थानीय लोगों के बीच प्रतियोगिताएँ, ऊँट दौड़, घुड़ दौड़, आदि का आयोजन करवाता है। जैसे जैसलमेर में शरद पूर्णिमा के दिन मरु मेला लगता है। इसी प्रकार कार्तिक के महीने में पुष्कर में मेला लगता है। जयपुर में गणगौर एवं तीज मेला आदि लगते हैं एवं उनका आयोजन विभाग या निगम करता है। विभाग ने 1989-90 में 24 मेले आयोजित किए हैं।

(5) राजस्थान सरकार ने राज्य की अर्थव्यवस्था में पर्यटन के महत्त्व को स्वीकार करते हुए पर्यटन स्थलों को सड़क तथा आधारभूत सुविधाओं से जोड़ने का प्रयास किया है एवं सभी स्थानों पर यह सुविधाएँ उपलब्ध हो चुकी हैं।

(6) राज्य की औद्योगिक नीति में 1990 में पर्यटन को एक उद्योग का दर्जा दे दिया गया है जिससे कि उद्योग को मिलने वाली सभी सुविधाएँ पर्यटन को भी मिल सकें।

(7) राज्य में पर्यटन को बढ़ावा देने के लिए शाही रेलगाड़ी (Palace on Wheels) चलाई हैं। यह राजा- महाराजाओं के सैलून के डिब्बे थे जिनका प्रयोग अब पर्यटकों के लिए किया जा रहा है। यह पैकेज टूर के रूप में कार्य करता है और सभी सुविधाएँ उपलब्ध है। यह गाड़ी पुरानी पड़ गई है और वर्तमान में यही गाड़ी चल रही है। राजस्थान पर्यटन विकास निगम द्वारा राज्य में पाँच जलाशयों में पर्यटकों के मनोरंजन के लिए नौकायान सुविधाएँ उपलब्ध करवाई जा रही है।

(8) राज्य में होटलों को एक व दो सितारों में वर्गीकृत करने का कार्य पर्यटक विभाग द्वारा उपलब्ध किया जाता है।

(9) राज्य में पर्यटन के विकास के एक बाधा है आवास की समस्या की। इस कमी को पूरा करने के लिए राज्य में पेईंग-गेस्ट (Paying Guest) योजना लागू की है।

## राजस्थान में पर्यटन उद्योग की समस्याएं एवं समाधान के लिए सुझाव (Problems of Tourism Industry in Rajasthan and Suggestions for its Solution)

राजस्थान का पर्यटन उद्योग अभी भी शैशव अवस्था में ही है। अत: उद्योग की अनेक प्रकार की समस्याओं का सामना करना पड़ रहा है। उद्योग की प्रमुख समस्याएँ एवं उनके हल नीचे दिए गए हैं :-

**(1) अपर्याप्त पर्यटन प्रचार-प्रसार साहित्य (Inadequate Tourism Development Advertisement Literature)**— राज्य में पर्यटक स्थलों के बारे में जानकारी देने वाले साहित्य पर्यटन स्थलों के बारे में उत्सुकता पैदा करता है। अत: सुझाव दिया जाता है कि पर्यटन स्थलों के बारे में पूरी-पूरी सूचनाएँ, ऐतिहासिक तथ्यों का विवेचन तथा इन स्थलों के बारे में जानकारी देने के लिए पर्याप्त मात्रा में साहित्य उपलब्ध कराया जाना चाहिए।

**(2) पर्यटन स्थलों पर गाइड एवं जन-सम्पर्क समस्या (Problem of Tourist Guide and Public Relationsat Tourism Spot)**— राज्य के अभी कई भी पर्यटन स्थल ऐसे हैं जहाँ पर प्रशिक्षित गाइड अभी भी उपलब्ध नहीं है और न ही कोई जन-सम्पर्क कार्यालय। इसकी अनुपस्थिति में न तो दर्शनीय स्थनों के बारे में सम्पूर्ण जानकारी मिल पाती है ओर न ही विश्वसनीय जानकारी। अत: सुझाव दिया जाता है कि जन-सम्पर्क कार्यालय खोले जाएं तथा प्रशिक्षित गाइड उपलब्ध करवाये जाएं। राज्य सरकार इस सन्दर्भ में कुछ करने को प्रयत्नशील है और विभिन्न विश्वविद्यालयों में पर्यटन विकास पाठ्यक्रम को अपनाया गया है।

**(3) पर्यटन स्थलों की रख-रखाव की समस्या (Problem of Maintenance of Tourism Spots)**—पर्यटकों को आकर्षित करने के लिए

पर्यटक स्थलों का रख-रखाव जरूरी है। इसके साथ-साथ सांस्कृतिक धरोहर की रक्षा के लिए पर्यटक स्थलों की देख-रेख आवश्यक है। आज भी कई स्थल ऐसे हैं जहाँ पर सफाई, रोशनी, मरम्मत आदि की व्यवस्था नहीं है या अपर्याप्त व्यवस्था है। इसी अनुपस्थिति में उन स्थानों का विकास ही नहीं हो पाता है। इस समस्या का समाधान स्थानीय संस्थाओं पर जिम्मेदारी डालने से हो सकता है।

**(4) नए पर्यटन स्थलों का विकास (Development of New Tourism Spots)**— राज्य में पर्यटन स्थलों की वस्तुत: कमी नहीं है, इन्हें तो विकसित करना है जिससे कि पर्यटक इन स्थानों पर आकर्षित होकर चले आयें। अत: आवश्यकता इस बात की है कि विभाग इन स्थलों के बारे में पूर्ण जानकारी प्राप्त करें। कुछ ऐसे स्थल भी हैं जो पर्यटक स्थल के रूप में चिन्हित तो हैं परन्तु वहां सैलानियों की आवक कम है, अत: ऐसे प्रयास करने होंगे कि उन स्थानों पर यात्रियों की संख्या बढ़ सके। इस सम्बन्ध में यह सुझाव दिया जाता है कि नए पर्यटन स्थलों के विकास के लिए पुरातत्त्व विभाग को तथा इस क्षेत्र में शोध कार्य रहे लोगों की सहायता ली जा सकती है।

**(5) आवास सुविधाओं का अभाव (Inadequacy of Accommodation)**— पर्यटन स्थलों पर आरामदायक, सुरक्षित एवं उपयुक्त आवास व्यवस्थाओं की कमी है। आवास सुविधाएँ मुख्य रूप से सार्वजनिक क्षेत्र द्वारा उपलब्ध करवाई जा रही है। निजी क्षेत्र भी अब इसमें प्रवेश कर रहा है लेकिन इसके बावजूद भी समस्या बनी हुई है। राज्य सरकार ने 1991 में पेईंग गेस्ट योजना चालू की है। आशा है इससे आवास सुविधाएँ तथा भोजन की समस्या का कुछ हल सम्भव होगा।

**(6) अपर्याप्त परिवहन व संचार सुविधाएँ (Inadequate Transport and Communication Facilities)**— यद्यपि सभी बड़े शहर व बड़े पर्यटन स्थल परिवहन साधनों से जुड़े है फिर भी वायु सेवा से अभी सभी स्थान नहीं जुड़ पाए हैं। अत: इनसे जोड़ने की व्यवस्था की जानी चाहिए। इसके साथ ही मुख्य समस्या है आन्तरिक पर्यटन स्थलों की। अत: इन स्थानों पर परिवहन एवं संचार सुविधाएँ बढ़ाने की आवश्यकता है।

## समस्याएँ व समाधान

विश्व में जिस प्रकार पर्यटन का विकास हो रहा है उसी प्रकार देश में पर्यटन का विकास हुआ है। राजस्थान राज्य में भी पर्यटन के क्षेत्र में पर्याप्त विकास हुआ है और साथ-साथ ही पर्यटन की समस्याएँ भी उभर कर सामने आई है। राज्य के पर्यटन विकास में सबसे बड़ी समस्या प्राकृतिक वातावरण है क्योंकि अधिक गर्मी व सर्दी दोनों ही यहाँ देखने को मिलती है। ऐसी स्थिति में प्रदेश का भौगोलिक अध्ययन बहुत ही आवश्यक हो जाता है। सांस्कृतिक दृष्टि से राजस्थान में अमूल्य सांस्कृतिक धरोहर छुपी है। यह भवन निर्माण, कारीगरी, सुदृढ़, रहन सहन तथा यहाँ की रीति-रिवाजों में दृष्टिगोचर होती है।

भविष्य में नियोजन की जो समस्याएँ विश्व व देश के साथ है, वे राज्य में भी दृष्टिगोचर होती है। जलवायु के पर्यटन के आकर्षण में मुख्य बाधा यहाँ की जलवायु, पानी की कमी व नगरों का दूर-दूर बसा होना है।

राजस्थान में इस उद्योग के विकास में भारी समस्याएँ है। अगर इन समस्याओं पर समय रहते ध्यान नहीं दिया गया तो इनका राज्य के पर्यटन उद्योग पर गलत प्रभाव पड़ेगा। पर्यटन उद्योग एक आर्थिक प्रक्रिया के रूप में उभर कर सामने आया है, जो देश को आर्थिक दृष्टि से विकसित करने का नया तरीका कहा जा सकता है। राजस्थान के पिछड़ेपन के मुख्य समस्या जिसने राजस्थान के विकास में मुख्य बाधा पहुँचाई है, यहाँ की भौगोलिक स्थिति एवं यहाँ का वातावरण है। इसके साथ सरकार द्वारा प्रोत्साहन न देने का भी उस पर गहरा प्रभाव पड़ा है। सुदृढ़ नियोजन तथा प्रदेश का गहन अध्ययन इन समस्याओं के समाधान का एक उपाय हो सकता है।

वास्तव में, राज्य के भौगोलिक व सांस्कृतिक संसाधनों के विकास से यहाँ के स्तर को ऊँचा किया जा सकता है। राज्य में पर्यटन उद्योग की प्रमुख

समस्याएँ व्यवस्थापन, यातायात तथा पर्यटन का मनोरंजन की कमी इत्यादि है। व्यवस्थापक अपनी इच्छानुसार वस्तुओं का मूल्य बढ़ाते तथा घटाते है जिनमें सरकार से कोई सम्बन्ध नहीं रहता है। खाने पीने की वस्तुओं का मिलावट को रोकने के लिए कोई भी वैज्ञानिक परीक्षण नहीं किए जाते हैं। यह कमी विदेशी पर्यटकों पर प्रतिकूल प्रभाव डालती है। इसलिए ऐसी कमियों को दूर करने का एक उपाय यह भी हो सकता है कि होटलों का राष्ट्रीयकरण किया जाना चाहिए। जिससे सभी होटल सरकारी नियन्त्रण में आ जायेंगे और समय पर उनकी जांच की जा सकेगी।

होटलों की संख्या बढ़ाने के लिए अभी तक कोई भी ठोस उपाय व योजना नहीं बनाई गई है। इसका परिणाम यह होगा कि भविष्य में आने वाले पर्यटकों के लिये आवास की समस्या बन जाएगी। इससे पर्यटक बिना पर्यटन स्थल देखे भी जा सकते है। इससे केवल होटल ही नहीं, बल्कि उस उद्योग पर आश्रित सभी लोग प्रभावित होंगे। इसलिये पर्यटकों की संख्या के अनुसार होटलों की व्यवस्था उचित रीति से की जानी चाहिए। ऐसे होटलों को आधुनिक भी बनाया जाना चाहिए। यदि इस समस्या पर तुरन्त ध्यान नहीं दिया गया तो भविष्य में यह पर्यटन उद्योग की मुख्य समस्या बनकर हमारे सामने आ जाएगी।

यातायात एवं पर्यटन दोनों एक दूसरे पर इस आश्रित हैं, क्योंकि बिना यातायात के पर्यटक एक स्थान से दूसरे स्थान पर नहीं जा सकते है। अधिकतर पर्यटक विकसित देशों से आते है इसलिए उनके लिए डीलक्स बसें, रेल, टैक्सियाँ, तीव्र गति से चलने वाले यातायात के साधनों के साधन व हवाई जहाज इत्यादि समुचित व्यवस्था होनी चाहिए। इस क्षेत्र में वातानुकूलित डिब्बे, बसें, टिकटों का विशेष आरक्षण व सभी स्थानों को यातायात साधनों का प्रबन्ध किया जाना चाहिए। टैक्सी व बस चालकों को अपनी जिम्मेदारी समझना चाहिए तथा साथ-साथ उनका व्यवहार व चाल चलन उच्च श्रेणी का होना चाहिए।

मनोरंजन भी पर्यटकों के लिए आवश्यक है। दिन भर पर्यटन के बाद संध्या के समय उनके लिए स्थानीय भाषा व कला में नृत्य, गीत तथा अन्य ऐसे ही कार्यक्रम होने चाहिए। राजस्थान में बहुत कम ऐसे पर्यटन केन्द्र हैं जहाँ पर ये कार्यक्रम आयोजित किए जाते है। इस कार्यक्रम से जहाँ एक तरफ पर्यटन केन्द्रों का आकर्षण बढ़ेगा वहीं दूसरी और विदेशी मुद्रा भी प्राप्त हो सकेगी। ऐसे कार्यक्रम का विस्तृत दृष्टिकोण विभिन्न पर्यटक पुस्तिकाओं में पहले से ही प्रकाशित किया जाना चाहिए।

बाजार व अन्य बिक्री केन्द्र भी इनके लिए सहायक सिद्ध हो सकते हैं। क्योंकि विदेशों से आने वाले पर्यटक भारतीयों द्वारा बनी वस्तुओं तथा कला सम्बन्धित सामग्री नमूने के लिए खरीदने की तीव्र इच्छा रखते है। प्रत्येक पर्यटक अपने साथ कुछ मात्रा में यहाँ की जेवरात, कपड़े डिजाइनें, पेन्टिंग, लकड़ी इत्यादि पर खुदी मूर्तियाँ का हस्तकला की सामग्री साथ ले जाते हैं। इसके पीछे कारण यह है कि वे अपनी यादगार के लिए ऐसा करते है। कई बार पर्यटकों के साथ धोखा भी किया जाता है क्योंकि उन्हें असली वस्तु नहीं मिल पाती, अगर मिलती भी है तो स्थानीय दुकानदार उनसे ज्यादा मूल्य वसूल करते है। इसका सीधा प्रभाव उद्योग पर पड़ता है, क्योंकि पर्यटकों में देश के प्रति हीन भावना आ जाती है। इसके लिए या तो सरकारी नियन्त्रण की दुकानें होनी चाहिए अथवा वस्तु निर्माण करने वाले कलाकारों को स्वयं अपनी वस्तुओं का विक्रय करना चाहिए। सरकार अगर प्रोत्साहन दें तो यह समस्या काफी हद तक दूर की जा सकती है। इसके लिए सरकार को चाहिए कि वह स्थानीय जनता के लिए ऐसे निर्देश जारी करे जिससे उनमें बाहर से आए लोगों के लिए मेहमानदारी की भावना का विकास हो सकें। वस्तु सम्पूर्ण समाज को इस तरह अनुदेशित करना सहज एक कल्पना होगी। इसी के साथ-साथ भिखारियों व उनके बच्चों द्वारा किया जाने वाला व्यवहार भी रूकवा देना चाहिए। ऐसे लोगों के लिए विस्तृत कार्यक्रम बनाना जरूरी है। पर्यटन विभाग को भी इस सम्बन्ध में कठोर कदम उठाने चाहिए।

प्रदेश के वन्य पशु पक्षियों की भी रक्षा की जानी

चाहिए तथा यहाँ स्थिति जंगलों में पर्यटक केन्द्र बनाए जाने चाहिए ताकि वे लोग प्राकृतिक वातावरण का लाभ भी साथ-साथ ले सकें। इसके लिए वनों को संरक्षित करना जरूरी हे, जिससे वनों व वन्य पशुओं में भी सह सम्बन्ध बना रहे।

ऐतिहासिक स्थानों को भी हर प्रकार का संरक्षण दिया जाना चाहिए। बहुत से समाज विरोधी स्वार्थी लोग यहाँ की कला की चोरी करके विदेशों में इन मूल्यवान वस्तुओं को बेच देते हैं। अगर पिछले आंकड़ों को देखा जाए तो पता चलता है कि यह समस्या बराबर जारी है। अतः इनकी रक्षा के लिए सुरक्षा के तत्काल कड़े प्रबन्ध की आवश्यकता है। ये वस्तुऐं ही पर्यटन का मुख्य आकर्षण होती है।

राजस्थान में बहुत से ऐसे स्थान भी है जो दर्शनीय होते हुए भी अभी तक ज्ञात नहीं है। इनकी बड़े पैमाने पर खोज की आवश्यकता है। जो चार्ट, फोटो, मानचित्र के द्वारा ज्ञात हो सकते है। रेगिस्तान में पर्यटकों के लिए ऊँटों व घोड़ों की सवारी करनी चाहिए। गांवों में ले जाकर वहां की वेश-भूषा के बारे में उन्हें बताना चाहिए।

अन्त में यह कहा जा सकता है कि इस उद्योग को बढ़ाने हेतु केन्द्र व राज्य दोनों सरकारों को सम्मिलित रूप से प्रयास करना चाहिए। मास्टर प्लान बनाए जाने चाहिए जो आने वाले समय में लाभप्रद सिद्ध हो सकें।

निष्कर्ष में यह कहा जा सकता है कि राज्य में पर्यटन के विकास की काफी सम्भावनाऐं है। पर्यटक उद्योग के लिए सुन्दर-एवं सस्ती आवास सुविधा, यातायात व्यवस्था, सुरुचिपूर्ण अच्छा भोजन एवं स्थलों का विकास आवश्यक है। पर्यटक विश्रामगृहों का निर्माण भोजन एवं यातायात की समुचित व्यवस्था एवं पर्यटक स्थलों का विकास कर सरकार इस कमी को पूरा करने हेतु निरन्तर प्रयास कर रही हैं। आशा की जाती है इन प्रयासों से राजस्थान का पर्यटन उद्योग विकास की चरम सीमा पर पहुँच सकेगा।

## राजस्थान पर्यटन नीति, 2020

राजस्थान को देशी व विदेशी पर्यटकों के मध्य एक पसंदीदा स्थल के रूप में पुनः स्थापित करते हुए पर्यटकों को उच्च स्तरीय अनुभव प्रदान किया जाये और उत्तरदायी एवं सतत नीतियों के माध्यम से प्रदेश की नैसर्गिक, ऐतिहासिक एवं सांस्कृतिक विरासत का संरक्षण सुनिश्चित किया जाये, साथ ही सामाजिक-आर्थिक विकास को और अधिक गति प्रदान करते हुए स्थानीय नागरिकों के लिए आजीविका के अवसरों को बेहतर किया जाये।

## राजस्थान पर्यटन नीति 2020 : उद्देश्य (Rajasthan Tourism Policy, 2020: Objectives)

अ. राजस्थान को राष्ट्रीय एवं अंतर्राष्ट्रीय बाजार में अग्रणी पर्यटन ब्राण्ड के रूप में बढ़ावा देना।

ब. वर्तमान पर्यटन उत्पादों को सुदृढ़ और विविधतापूर्ण बनाना।

स. विशेषकर ग्रामीण क्षेत्रों में अवस्थित कम प्रसिद्ध पर्यटन क्षेत्रों पर ध्यान देते हुए नवीन पर्यटन उत्पाद एवं सेवाएं उपलब्ध कराना।

द. पर्यटन स्थलों तक सड़क, रेल व हवाई सम्पर्क को बेहतर बनाना।

य. पर्यटक आवास सुविधाओं के बुनियादी ढांचे का विस्तार।

र. पर्यटक उत्पादों का व्यापक स्तर पर प्रचार-प्रसार एवं विपणन करना।

ल. पर्यटन संबंधित कौशल विकास को सुगम कर लाभजनक स्वरोजगार को सृजित करना।

व. प्रभावी अन्तर्विभागीय समन्वय को प्रोत्साहित करने हेतु उपयुक्त तंत्र स्थापित करना।

स. राज्य में निजी क्षेत्र में निवेश को प्रोत्साहित करने के लिए आवश्यक कदम उठाना ।

श. पर्यटकों, विशेषकर महिला पर्यटकों के लिए, एक सुरक्षित एवं निरापद वातावरण उपलब्ध कराना एवं पर्यटक शिकायत निराकरण व्यवस्था को सुधारना।

ह. पर्यटन इकाइयों की स्थापना के लिए अनुमति प्रदान करने हेतु पर्यटन विभाग को उपयुक्त प्रशासनिक संरचना से सशक्त करना।

त्र. बेहतर नीति निर्माण एवं पूर्वानुमान हेतु बाजार अनुसंधान (Market Research) एवं सांख्यिकी ग्रिड डवलपमेंट फ्रेमवर्क को विकसित करना।

**राजस्थान पर्यटन नीति, 2020 : नीति अवधि (Rajasthan Tourism Policy, 2020: Policy Period)**

राजस्थान पर्यटन नीति, 2020 जारी होने की तिथि से 5 वर्ष की अवधि अथवा राज्य सरकार द्वारा निर्धारित की गई अवधि तक अथवा अन्य नीति से प्रतिस्थापित किये जाने तक, जो भी पहले हो, तक प्रभावी रहेगी।

पर्यटन विभाग का यह प्रयास रहेगा कि वर्तमान में उपलब्ध पर्यटक उत्पादों का उन्नयन किये जाने के साथ-साथ बेहतर अनुभव के नवीन पर्यटन उत्पाद उपलब्ध करवाये जा सकें।

**प्रतिष्ठित (Iconic) स्मारक एवं हैरिटेज क्षेत्र (Iconic Monuments and Heritage -reas)**

विभाग राज्य के सातों प्रशासनिक संभागों में 2-3 प्रमुख स्मारकों / स्थलों का चयन करेगा। इन स्थलों पर टिकिटिंग, पर्यटक सुविधाएं, गाइड/ऑडियो गाइड, मोबाइल सैट/हैड गियर, सांस्कृतिक कार्यक्रमों/रात्रि बाजारों में श्रेष्ठ पद्धतियों को अपनाते हुए इन्हें समग्र आगन्तुक अनुभव देने वाले प्रतिष्ठित स्मारकों / स्थलों के रूप में विकसित किया जायेगा।

इन स्थलों का प्रबंधन वर्तमान में कार्यरत ज़िला पर्यटन विकास समितियों द्वारा स्वतंत्र रूप से किया जायेगा ताकि इनके दिन-प्रतिदिन के कार्यों के लिए उपयुक्त प्रशासनिक एवं वित्तीय शिथिलता प्रदान की जा सके। ये समितियाँ इन स्थलों का प्रबन्धन सुनिश्चित करेंगी और अन्य विभागों के संसाधनों को संयोजित कर एक संसाधन पूल बनायेंगी।

**विशेष हैरिटेज गांव / शिल्प गांव (Special Heritage Village/ Craft Village)**

राजस्थान ऐसे अनेक गांवो से समृद्ध है जहां विख्यात हैरिटेज होटल अथवा हैरिटेज स्थल अवस्थित हैं या जहां पर कोई प्रसिद्ध कला अथवा शिल्प संबंधी कार्य किया जाता है। प्रत्येक जिले में एक गांव या गांवों के समूह को चिन्हित किया जाएगा एवं इन्हें विशेष हैरिटेज गांव या विशेष शिल्प गांव, जो भी उचित होगा, घोषित किया जायेगा। इन विशेष हैरिटेज एवं विशेष शिल्प गांवों के प्रचार के लिए एक दीर्घकालीन मास्टर प्लान तैयार किया जायेगा और इन स्थलों के उन्नयन के लिए विकास कार्य कराये जायेंगे। जिला पर्यटन विकास समिति को इन स्थलों के प्रबंधन हेतु उत्तरदायी बनाया जाएगा।

**अनुभवात्मक पर्यटन (Experiential Tourism)**

नये अनुभवों की बढ़ती मांग को देखते हुए वर्तमान में कई निजी हितधारकों के द्वारा रोमांचक तथा नवाचार आधारित आनुभविक पर्यटन उत्पाद उपलब्ध कराये जा रहे हैं, जिनके विपणन एवं संवर्धन हेतु राज्य सरकार के सहयोग की आवश्यकता है। विभाग ऐसे सभी उत्पादों का डाटाबेस तैयार करेगा तथा इन पर ई-ब्रोशर प्रकाशित कर अपने वेब पोर्टल तथा सोशल मीडिया प्लेटफार्म के माध्यम से इनसे संबंधित सूचना का प्रचार करेगा। विभाग ऐसे उत्पादों के प्रमाणीकरण हेतु दिशा निर्देश भी तैयार करेगा। इस नीति में उल्लेखित अति-प्राथमिकता क्षेत्र के अन्तर्गत अनुभवात्मक पर्यटन के नये उत्पादों को प्रस्तुत करने वाले स्टार्ट-अप्स के लिये एक प्रोत्साहन योजना बनाई जायेगी।

**मरूस्थलीय पर्यटन (Desert Tourism)**

अ. राज्य में मरूस्थलीय क्षेत्र के पर्यटन प्रचार हेतु मरू साहसिक खेल, हॉर्स सफारी, जीप सफारी, कैमल सफारी व डैज़र्ट कैम्प को प्रोत्साहित करने पर जोर दिया जायेगा। इन सफारियों के सुरक्षित एवं निरापद संचालन हेतु एक नियामक ढांचा बनाया जायेगा। इस क्षेत्र में प्रवर्तकों के लिये एक प्रोत्साहन योजना लायी जायेगी।

ब. अनछुए क्षेत्रों में जहां सुन्दर रेतीले धोरों के सुदर्शन स्थल हैं जैसे सांभर, पुष्कर, नागौर, बीकानेर के आस-पास के क्षेत्र, उनको भी चिन्हित किया जाकर नवीन मरूस्थलीय गंतव्य स्थलों के रूप में विकसित किया जायेगा।

स. मरूस्थल फिल्म शूटिंग हेतु एक आकर्षक स्थल है। राष्ट्रीय एवं अन्तर्राष्ट्रीय फिल्म निर्माताओं को इन स्थानों की ओर आकर्षित करने के लिए एक प्रोत्साहन योजना बनाई जायेगी।

**साहसिक पर्यटन (Adventure Tourism)**

अ. हवाई पर्यटन (Aero Tourism) (हॉट एयर बैलूनिंग, पैराशूटिंग, पैराग्लाइडिंग, पैरासेलिंग आदि), जलीय पर्यटन (Aqua Tourism) (नौकायन, पैडल बोटिंग, मछली पकड़ना, जेट स्कीइंग आदि) एवं थल पर्यटन (ट्रैकिंग, शिला रोहण, रज्जु आरोहण, सफारी, क्वॉड बाइकिंग, ए.टी.वी., बर्डिंग आदि) एवं चम्बल नदी और बांसवाड़ा पश्च-जल (Backwaters) क्षेत्रों में क्रूज़ पर्यटन को विशेष प्रोत्साहन दिया जायेगा।

ब. राज्य में साहसिक गतिविधियों को बढ़ाने हेतु उपयुक्त प्रोत्साहन योजना शुरू की जाएगी।

स. साहसिक गतिविधियों के लिए दिशा निर्देश विकसित करने, स्थलों को चिन्हित करने एवं स्वीकृतियां प्राप्त करने के लिए नागरिक उड्डयन, जल संसाधन विभाग, परिवहन विभाग, खेल विभाग, वन एवं पर्यावरण विभागों से समन्वय के लिए एक सुगम प्रकोष्ठ (Facilitation Cell) बनाया जायेगा।

द. साहसिक पर्यटन के क्षेत्र में कौशल विकास यथा उपकरणों की तकनीकी जानकारी प्रदान करना, सुरक्षा एवं आपातकालीन प्रक्रियाओं एवं पर्यटकों के साथ बुनियादी संवाद शिष्टाचार पर ध्यान दिया जायेगा।

य. इन सेवाओं में सुरक्षा एवं निरापदता सुनिश्चित करने के लिए प्रमाणन तंत्र की स्थापना की जायेगी।

**वन्यजीव एवं पारिस्थितिकी पर्यटन (Wildlife and Eco-Tourism)**

अ. वन्यजीव एवं पारिस्थितिकी पर्यटन में बढ़ते रुझान के दृष्टिगत पर्यटन विभाग व वन एवं पर्यावरण विभाग द्वारा संयुक्त रूप से नवीन स्थलों को बढ़ावा दिया जायेगा।

ब. इन स्थलों के सतत् विकास एवं उन्नयन के उपाय सुझाने के लिए संबंधित विभागों के प्रतिनिधियों को सम्मिलित करते हुए एक संयुक्त प्रबन्धन समिति का गठन किया जायेगा। समिति इस उद्यम में गैर-सरकारी संगठनों एवं पर्यावरण विशेषज्ञों को शामिल कर सकती है।

स. पारिस्थितिकीय/वन्यजीव क्षेत्रों में प्रदूषण मुक्त यातायात के साधनों का संचालन प्रोत्साहित किया जायेगा जिसके लिए उन्हें उचित अनुदान दिये जायेंगे।

द. पर्यावरण विभाग के समन्वय से होटल, रेस्टोरेन्ट तथा इसी प्रकार की पर्यटन संबंधी इकाइयों हेतु पारिस्थितिकी प्रमाणन योजना बनाई जायेगी।

य. पारिस्थितिकी की पैरवी करने वाले प्रख्यात संगठनों की सहकार्यता से पर्यावरण जागरूकता कार्य शालाओं का आयोजन किया जायेगा।

र. जल संसाधन विभाग/सार्वजनिक निर्माण विभाग/वन विभाग आदि के सुरम्य स्थलों पर बने अतिथि गृहों को इन विभागों की सहकार्यता से पारिस्थितिकी-पर्यटन स्थलों के रूप में विकसित करने की कार्य योजना बनायी जायेगी।

**जनजातीय पर्यटन (Tribal Tourism)**

राज्य के अनेक जिलों में अवस्थित जनजातीय क्षेत्र पर्यटन आकर्षणों जैसे कि मंदिरों, हैरिटेज स्थलों, दर्शनीय सौंदर्य व वन क्षेत्रों आदि से परिपूर्ण है।

आदिवासी लोगों की अपनी विशिष्ट जीवन शैली तथा चित्ताकर्षक परम्पराएं है। आदिवासी संस्कृति को प्रदर्शित करने एवं इन स्थलों पर पर्यटकों के आगमन को प्रोत्साहित करने के लिए पर्याप्त पर्यटकीय आधारभूत ढांचा एवं सुविधाओं का विकास किया जायेगा। इन स्थलों को चिन्हित कर जनजातीय उपयोजना व अन्य योजनाओं के अंतर्गत विकास कार्य कराये जायेंगे, जिसके लिए एक कार्य योजना तैयार की जायेगी। पर्यटन विभाग जनजातीय क्षेत्रों के विपणन व प्रचार हेतु योजना तैयार करेगा।

**सांस्कृतिक पर्यटन (Cultural Tourism)**

अ. कार्यशील हैरिटेज होटल्स/हैरिटेज संपत्तियों का हैरिटेज प्रमाणन करने के लिए विद्यमान गाईड लाइन्स को संशोधित कर निवेशकों के लिए अनुकूल बनाया जायेगा।

ब. हैरिटेज स्थलों/स्मारकों को सांस्कृतिक केन्द्रों के रूप में विकसित करने के लिए इन स्थलों पर विभागीय एवं राजकीय कार्यक्रमों/संध्याकालीन कार्यक्रमों को प्रोत्साहन देने/आयोजित करने के प्रयास किये जायेंगे।

स. ग्रामीण क्षेत्रों में हैरिटेज होटलों को प्रदर्शन एवं दृश्य कलाओं के सांस्कृतिक उत्सवों के आयोजन स्थल के रूप में प्रोत्साहित किया जायेगा।

द. प्रदर्शन कलाओं की सांस्कृतिक परम्पराओं से समृद्ध गांवों को चिन्हित किया जायेगा और स्थानीय उत्सवों के गंतव्य स्थलों के रूप में प्रोत्साहित किया जायेगा।

य. हैरिटेज क्षेत्रों जैसे शेखावटी या ब्रज क्षेत्र में स्थित हवेलियों के संरक्षण के लिए परियोजना बनाने का कार्य किया जायेगा।

र. हैरिटेज व आरोग्य में सामन्जस्य स्थापित करने की योजना विकसित कर हैरिटेज होटलों को समग्र आरोग्य केन्द्रों (Holistic Wellness Centrel) के रूप में प्रोत्साहित किया जायेगा।

ल. राज्य की सांस्कृतिक विरासत को प्रदर्शित करने वाले निजी संग्रहालयों को प्रोत्साहित करने के लिए एक संग्रहालय अनुदान योजना लाई जायेगी।

व. विभाग द्वारा चुने हुए मेलों एवं त्योहारों पर ध्यान केन्द्रित कर उन्हें नये रूप में विकसित कर पर्यटकों के लिए और अधिक अनुकूल एवं रूचिकर बनाया जायेगा।

**शिल्प व व्यंजन आधारित पर्यटन (Crafts Cuisine Tourism)**

अ. राज्य में शिल्प एवं व्यंजन पर्यटन की सुदृढ़ स्थिति का लाभ उठाते हुए सतत् आजीविका को प्रोत्साहित एवं स्वरोजगार के अवसरों का सृजन किया जायेगा।

ब. राज्य की समृद्ध हस्तशिल्प परम्परा को प्रोत्साहित किया जायेगा और 'दिल्ली हाट' की तर्ज पर जयपुर, जोधपुर, उदयपुर, बीकानेर में उद्योग विभाग के सहयोग से इनके सीधे विपणन हेतु मंच उपलब्ध कराया जायेगा।

स. कला व संस्कृति विभाग के सभी संग्रहालयों एवं विशेषकर जयपुर के विरासत संग्रहालय के माध्यम से लुप्त हो रही शिल्पकलाओं का प्रदर्शन किया जायेगा।

द. राज्य की व्यंजन कला को व्यंजन उत्सव (Food Festival) एवं रूचिकर व्यंजन ट्रेल विकसित कर प्रोत्साहित किया जायेगा। मसाला चौक, जयपुर के समान राज्य के अन्य शहरों में भी ऐसे प्रयोग किये जायेंगे।

**MICE पर्यटन (MICE Tourism)**

अ. विभाग द्वारा चखउए पर्यटन के स्थलों को चिन्हित, श्रेणीबद्ध एवं सूचीबद्ध किया जायेगा। राष्ट्रीय व अन्तर्राष्ट्रीय मानकों के कन्वेंशन सेंटर्स बनाने वाले निवेशकों के लिए स्वीकृतियों की सुविधा हेतु एक प्रकोष्ठ बनाया जायेगा।

ब. वे निवेशक जो 2 लाख वर्ग फीट से अधिक कारपेट एरिया में एकीकृत MICE सुविधाओं जिसमें कन्वेंशन सेंटर, प्रदर्शनी कक्ष, होटल सम्मिलित हों, बनाने के इच्छुक हैं, उनको स्टाम्प ड्यूटी में छूट दी जायेगी।

स. वे पर्यटन इकाइयां जो MICE गतिविधियों में संलग्न हैं, उन्हें राष्ट्रीय व अन्तर्राष्ट्रीय पर्यटन आयोजनों व ट्रैवल मार्ट्स में राजस्थान पर्यटन के पैविलियन में रियायती दरों पर टेबल स्थान उपलब्ध कराया जायेगा, जिसके लिए विभाग द्वारा दिशा-निर्देश जारी किये जायेंगे।

**सप्ताहांत पर्यटन (Weekend Getaway Tourism)**

अ. राजस्थान को देश की राजधानी दिल्ली, हरियाणा, पंजाब, मध्य प्रदेश एवं गुजरात की समीपता का लाभ प्राप्त है और इन क्षेत्रों से पहले से ही सप्ताहांत एवं अन्य दीर्घ अवकाशों के दौरान, यहाँ तक कि ग्रीष्मकाल में भी पर्यटकों के अन्तर्वाह का साक्षी है।

ब. पर्यटन विभाग अन्तर्राज्यीय सीमाओं के समीप स्थित 10-20 ऐसे स्थलों को चिन्हित कर उनका सभी मीडिया मंचों से आक्रामक विपणन व प्रचार-प्रसार करेगा।

स. ऐसे स्थलों की आधारभूत कमियों को दूर करने हेतु आधारभूत संरचना गैप अध्ययन किया जायेगा तथा उनके सड़क सम्पर्क मार्गों को बेहतर बनाने व अंतिम सिरे तक जोड़ने के विशेष प्रयास किये जायेंगे।

**धार्मिक पर्यटन (Religious Tourism)**

अ. देवस्थान विभाग तथा अल्पसंख्यक मामलात विभागों के साथ समन्वय कर धार्मिक पर्यटन सर्किट्स को चिन्हित किया जायेगा तथा इन स्थलों की आधारभूत संरचना एवं आवासीय सुविधाओं के उन्नयन हेतु एक मास्टर प्लान बनाया जायेगा।

ब. प्रत्येक ज़िले के धार्मिक स्थानों के आस-पास स्वच्छता तथा स्वास्थ्य-रक्षा को बनाये रखने के लिए संबंधित हितधारकों के साथ विचार-विमर्श कर स्थानीय समितियां बनाई जाएंगी। इन्हें आदर्श धार्मिक टाउन बनाया जायेगा।

**वैवाहिक पर्यटन (Wedding Tourism)**

अ. वैवाहिक कार्यक्रमों के आयोजकों व इवेंट प्रबन्धन फर्मों की सुविधा के लिए वैवाहिक स्थलों को चिन्हित, श्रेणी बद्ध कर इनका सूचीकरण किया जायेगा।

ब. सरकार के स्वामित्वाधीन हैरिटेज संपत्तियों तथा उद्यानों को आयोजन स्थलों के रूप में चिन्हित करने हेतु दिशा-निर्देश बनाये जायेंगे।

स. नवीन वैवाहिक स्थलों को प्रचारित करने हेतु प्रोत्साहन योजना लायी जायेगी।

**आरोग्य पर्यटन (Wellness Tourism)**

अ. प्रमुख पर्यटन उद्योग रोड शो में सम्मिलित होकर राजस्थान को 'विश्राम एवं स्वास्थ्य लाभ' ब्राण्ड के रूप में प्रचारित किया जायेगा।

ब. चिकित्सा एवं स्वास्थ्य विभाग तथा आयुर्वेद विभाग के साथ विचार-विमर्श कर अस्पतालों तथा आयुर्वेद केन्द्रों को श्रेणीबद्ध कर, उनका सूचीकरण किया जायेगा।

स. फिजियोथैरेपी, आयुर्वेद, प्राकृतिक चिकित्सा, योग और हर्बल उपचार उपलब्ध कराने वाले समग्र उपचार केन्द्रों को पर्यटन इकाई की परिभाषा में सम्मिलित कर विभाग द्वारा प्रोत्साहित किया जायेगा।

द. आध्यात्मिक/चिकित्सीय/आरोग्य पर्यटन पर आधारित कार्यक्रमों की संकल्पना कर उनको बढ़ावा दिया जायेगा।

**जड़ों से जोड़ने का पर्यटन (Roots Tourism)**

अ. राजस्थान मूल के लोगों को उनकी जड़ों से जोड़ने के लिए भारत और विदेशों में 'राजस्थान कॉलिंग' कार्यक्रम प्रारंभ किया जायेगा।

ब. अप्रवासी राजस्थानियों को अपने मूल स्थान की बारम्बार यात्रा हेतु प्रोत्साहित करने के लिए विशेष यात्रा-पैकेज बनाये जायेंगे।

स. वे अप्रवासी राजस्थानी जिनके पास पर्यटन संभावनाओं की दृष्टि से उपयोगी परिसंपत्तियां हैं, उन्हें इन परिसंपत्तियों को पर्यटकीय उपयोग में लेने के लिए प्रोत्साहित किया जायेगा जिसके लिए पर्यटन विभाग एक योजना बनायेगा।

**ग्रामीण पर्यटन (Rural Tourism)**

अ. ऐसे गांव जो विशिष्ट हस्तशिल्प, संगीत, नृत्य, कला, व्यंजन, ग्रामीण जीवन शैली में संलग्न हैं या विशिष्ट पारिस्थितिकीय महत्व रखते हैं या

विशिष्ट कृषिगत गतिविधियों आदि में संलग्न हैं, उन्हें चिन्हित किया जाएगा व अनुभवात्मक पर्यटन केन्द्र के रूप में घरेलू व अन्तर्राष्ट्रीय बाज़ार में इनका वृहद् स्तर पर प्रचार-प्रसार किया जायेगा।

ब. एक पर्यटन विकास कोष बनाया जाकर चिन्हित गांवों की ग्रामीण आधारभूत संरचना के विकास में सहयोग हेतु कोष का उपयोग किया जायेगा। संबंधित विभागों के सहयोग से पर्यटकीय आधारभूत संरचना यथा सम्पर्क सड़क, मार्गस्थ सुविधाएं, निर्देश-पट्ट, पर्यटक आवास सुविधाएं जिनमें होम स्टे शामिल हैं, शौचालय, पेयजल, सुरक्षा, विद्युत आपूर्ति, इंटरनेट सम्पर्क आदि का विकास किया जायेगा।

स. ग्रामीण क्षेत्रों में पर्यटन परियोजनायें यथा होम स्टे, कारवां (Caravan) पार्क, ईको पार्क आदि को बढ़ावा देने के लिए एक प्रोत्साहन योजना बनाई जायेगी।

द. ग्रामीण क्षेत्रों में युवाओं द्वारा पर्यटन संबंधी गतिविधियों को प्रारम्भ करने हेतु कौशल विकास के कार्यक्रम बनाये जायेंगे जो सामुदायिक सहभागिता तथा स्वरोजगार को प्रोत्साहित करेंगे।

**फिल्म पर्यटन (Film Tourism)**

अ. राजस्थान निवेश प्रोत्साहन नीति, 2019 के तहत परियोजना प्रोत्साहक को फिल्म सिटी स्थापना के लिए अनुकूलित पैकेज प्रस्तावित किया जायेगा।

ब. एक फिल्म पर्यटन प्रकोष्ठ की स्थापना की जायेगी जिससे कि सभी आवश्यक अनुमोदन आवेदन करने के 15 दिवस में उपलब्ध कराये जा सकें। सभी जिला स्तरीय स्वीकृतियां इस प्रकोष्ठ द्वारा सुगम कराई जायेंगी।

स. राज्य सरकार के प्रशासनिक नियंत्रणाधीन स्मारकों पर फिल्म शूटिंग को सभी शुल्कों व प्रभारों से छूट प्रदान की जायेगी।

द. राजस्थान में फिल्मांकित होने वाली किसी भी फिल्म की कुल निर्माण लागत का 15 प्रतिशत तक का अनुदान दिया जायेगा। इसके लिए पर्यटन विभाग द्वारा एक योजना बनाई जायेगी।

**उभरती हुई प्रवृत्तियाँ (Emerging Trends)**

पर्यटन क्षेत्र सतत् विकासशील है तथा इस क्षेत्र के सेवा प्रदाताओं की सृजनात्मकता नये-नये पर्यटन उत्पादों का पथ प्रशस्त करती है। ये नवीन उत्पाद राज्य में पर्यटक आगमन में वृद्धि के अनेक अवसर उपलब्ध कराते हैं।

ऐसी उभरती हुई प्रवृत्तियों को चिन्हित करने तथा उनका लाभ उठाने के लिए उपयुक्त उपाय सुझाने के लिए और इन उभरती हुई गतिविधियों के लिए वातावरण निर्माण करने तथा इन्हें प्रोत्साहित करने के लिए विभाग में एक टास्क फोर्स का गठन किया जायेगा।

**राजस्थान ग्रामीण पर्यटन योजना**

5 दिसम्बर 2022 को राजस्थान सरकार ने ग्रामीण क्षेत्रों में पर्यटन को बढ़ावा देने के लिए राज्य बजट में घोषित की गई 'राजस्थान ग्रामीण पर्यटन योजना' को लागू किया। राज्य सरकार द्वारा योजना के माध्यम से गांवों के जीवन, कला संस्कृति और विरासत को प्रदर्शित करने वाली पर्यटन इकाइयों को बढ़ावा दिया जाएगा। ग्रामीण क्षेत्रों में पर्यटन इकाइयां स्थापित होने से स्थानीय लोक कला को प्रोत्साहन मिलेगा और हस्तशिल्प का संरक्षण होगा। इससे ग्रामीण इलाकों में स्थानीय लोगों के लिए रोजगार के अवसर भी उपलब्ध हो सकेंगे।

**ग्रामीण पर्यटन इकाइयों को देय लाभ–**

- स्टाम्प ड्यूटी में 100 प्रतिशत की छूट दी जाएगी। आरंभ में 25 प्रतिशत स्टाम्प ड्यूटी देय होगी, पर्यटन इकाई शुरू होने का प्रमाण-पत्र प्रस्तुत करने पर पुनर्भरण किया जाएगा।
- देय एवं जमा एसजीएसटी का 10 वर्षों तक 100 प्रतिशत पुनर्भरण किया जाएगा।
- 'मुख्यमंत्री लघु उद्योग प्रोत्साहन योजना' के

तहत 25 लाख रुपये तक के ऋण पर 8 प्रतिशत के स्थान पर 9 प्रतिशत ब्याज अनुदान दिया जाएगा।

- ग्रामीण पर्यटन इकाइयों को भू-संपरिवर्तन एवं बिल्डिंग प्लान अनुमोदन की जरूरत नही होगी।
- वन विभाग के अधीन क्षेत्र में ग्रामीण पर्यटन का प्रोत्साहन राज्य इको टूरिज्म पॉलिसी, 2021 के प्रावधानों के अनुसार किया जाएगा।
- स्थानीय लोक कलाकारों एवं हस्तशिल्पियों तथा ग्रामीण स्टार्टअप को अनुमोदन एवं देय लाभों में प्राथमिकता दी जाएगी।

**राजस्थान ग्रामीण पर्यटन योजना की विशेषताएं**

- **ग्रामीण गेस्ट हाउस :** ग्रामीण क्षेत्रों में गेस्ट हाउस पंजीकृत किए जाएंगे, जिनमें 6-10 कमरे होंगे। ये कमरे पर्यटकों के ठहरने के लिए किराए पर उपलब्ध होंगे। गेस्ट हाउस में पर्यटकों के भोजन की व्यवस्था भी होगी।
- **कृषि पर्यटन इकाई :** कृषि भूमि पर अनुमोदित पर्यटन इकाई न्यूनतम 2,000 वर्गमीटर एवं अधिकतम 2 हेक्टेयर पर स्थापित होगी। इसके 10 प्रतिशत हिस्से में कृषि और बागवानी कार्य, ऊंट फार्म, घोड़ा फार्म, पक्षी एवं पशुधन, फसल बोने के लिए, हस्तशिल्प, बगीचे आदि गतिविधियां पर्यटकों को ग्रामीण परिवेश उपलब्ध करवाया जाएगा।
- **कैम्पिंग साइट :** कृषि भूमि पर न्यूनतम 1,000 वर्गमीटर एवं अधिकतम एक हेक्टेयर पर कैम्पिंग साइट स्थापित हो सकेगी। इसके 10 प्रतिशत हिस्से पर टेन्ट में अस्थाई आवास की व्यवस्था होगी। शेष हिस्से में ऊंट फार्म, घोड़ा फार्म, पशुधन, बगीचे आदि गतिविधियां होंगी।
- **कैरावैन पार्क :** कृषि भूमि पर न्यूनतम 1,000 वर्ग मीटर एवं अधिकतम 1 हेक्टेयर पर कैरावैन पार्क स्थापित हो सकेगा। इस पर अतिथियों के वाहन पार्क किए जाने के बुनियादी सुविधाओं का विकास होगा।
- **होम स्टे (पेईंग गेस्ट हाउस) :** पर्यटन विभाग द्वारा पूर्व में जारी होम स्टे (पेईंग गेस्ट हाउस) स्कीम ग्रामीण क्षेत्र में भी लागू है। इसके तहत आवास मालिक द्वारा स्वयं के आवास में पर्यटकों को 5 कमरों तक आवास सुविधा उपलब्ध होगी।

उल्लेखनीय है कि इस योजना के तहत ग्रामीण गेस्ट हाउस, कृषि पर्यटन इकाई, कैम्पिंग साइट, कैरावैन पार्क का प्रोजेक्ट अनुमोदन और पंजीकरण पर्यटन विभाग के संबधित पर्यटक स्वागत केंद्र द्वारा किया जाएगा। साथ ही ग्रामीण पर्यटन इकाइयों के लिए 15 फ़ीट चौड़ी सड़क होना आवश्यक होगा।

**राजस्थान ग्रामीण पर्यटन योजना 2023**

राजस्थान राज्य सरकार द्वारा राज्य के ग्रामीण क्षेत्रों का विकास करने के लिए विभिन्न योजनाएं संचालित की जाती है, इन्हीं कल्याणकारी योजनाओं के अंतर्गत राजस्थान ग्रामीण पर्यटन योजना की शुरुआत की गई है। राजस्थान में ग्रामीण पर्यटन योजना को हाल ही में शुरू किया गया है जिसके तहत ग्रामीण क्षेत्र के लोगों को रोजगार के अवसर देने के लिए पर्यटन इकाइयां स्थापित करने का निर्णय लिया गया है। इस योजना के तहत राज्य के सभी नागरिक आवेदन कर सकते हैं और रोजगार के विभिन्न अवसर प्राप्त कर सकते हैं।

जैसा कि राजस्थान राज्य की संस्कृति और कला को देखने और उसके बारे में जानने के लिए देश-विदेश के कई पर्यटक आते हैं, इसी को ध्यान में रखते हुए राज्य सरकार ने पर्यटन के क्षेत्र को विकसित करने के लिए **राजस्थान ग्रामीण पर्यटन योजना** 2023 की शुरुआत की है। ताकि राजस्थान राज्य की संस्कृति और कला का विकास हो सके तथा उनका संरक्षण किया जा सके। राजस्थान राज्य सरकार द्वारा जल्द ही इस योजना को पूरे राज्य में लागू किया जाएगा तथा आवेदन प्रक्रिया की जानकारी भी सार्वजनिक की जाएगी।

राजस्थान ग्रामीण पर्यटन योजना का **मुख्य उद्देश्य** राज्य में पर्यटन को बढ़ावा देकर नागरिकों की आय में बढ़ोतरी करना है। ताकि उनकी आर्थिक स्थिति

मजबूत बन सके। राजस्थान राज्य संस्कृति और संपदा से भरपूर है जिसे देखने के लिए देश-विदेश से लोग आते हैं, ऐसे में ग्रामीण क्षेत्रों में पर्यटन इकाइयां स्थापित होने से वे ग्रामीण क्षेत्रों में भी घूमने आएंगे और ग्रामीण क्षेत्र के लोगों का विकास होगा। पर्यटकों को सारी जरूरी सुविधाएं प्राप्त होंगी और इन क्षेत्रों के जीवन, संस्कृति, संपदा और विरासत को बढ़ावा मिलेगा। स्वयं के क्षेत्र में रोजगार मिलने से नागरिकों को अन्य जगहों पर जाकर रोजगार के अवसर नहीं ढूंढने पड़ेंगे।

**राजस्थान ग्रामीण पर्यटन योजना के अंतर्गत पर्यटक को दी जाने वाली सुविधाएं**

राजस्थान में ग्रामीण पर्यटन योजना लागू हो जाने के बाद पर्यटकों को इस योजना के अंतर्गत निम्नलिखित सुविधाएं प्राप्त होगी –

- गेस्ट हाउस में रुकने की सुविधा मिलेगी।
- पीने का पानी आसानी से उपलब्ध होगा।
- पार्किंग की सुविधा दी जाएगी।
- विदेशी पर्यटकों की जानकारी रखी जाएगी। साफ-सफाई का भी उचित प्रबंध किया जाएगा।
- समस्त इमरजेंसी सुविधा उपलब्ध कराई जाएगी।

**राजस्थान ग्रामीण पर्यटन योजना का प्रावधान**

- पर्यटकों को फूड लाइसेंस खुद प्राप्त करना होगा।
- राजस्थान ग्रामीण पर्यटन योजना के तहत कृषि पर्यटन इकाई स्थापित करने के लिए न्यूनतम 2000 वर्ग मीटर स्थान की अनुमति मिलेगी।
- इस योजना के तहत कैंपिंग साइट 1000 स्क्वायर मीटर से अधिकतम 1 हेक्टेयर भूमि में बनाया जा सकता है। आबादी वाले जगहों में गेस्ट हाउस के लिए न्यूनतम और अधिकतम भूखंड निश्चित नहीं किया जाएगा।
- इस योजना के तहत भू संपरिवर्तन और बिल्डिंग प्लान अनुमोदन की जरूरत नहीं होगी।

**राजस्थान ग्रामीण पर्यटन योजना के तहत मिलने वाले लाभ**

राजस्थान ग्रामीण पर्यटन योजना के तहत पर्यटन इकाई की स्थापना के लिए कुछ छूट प्रदान की जाएगी जो निम्नलिखित हैं –

- इस योजना के तहत स्टाम्प ड्यूटी में 100% छूट मिलेगी।
- शुरुआत में सिर्फ 25% स्टाम्प ड्यूटी देनी होगी।
- पर्यटन इकाई शुरू करने का प्रमाण पत्र देय होगा जिसके बाद पुनर्भरण की सुविधा मिलेगी. इसी के तहत देय एवं जमा SGST का 10 वर्षों तक 100% पुनर्भरण की सुविधा दी जाएगी।
- इस योजना के तहत 25 लाख तक का ऋण अनुदान लघु उद्योगों के लिए दिया जाएगा। गेस्ट हाउस बनाने के लिए प्लान अनुमोदन करने के लिए अप्रूवल नहीं लेना पड़ेगा।
- वन विभाग के अंतर्गत आने वाले क्षेत्रों में इको टूरिज्म पॉलिसी 2021 के प्रावधानों का पालन किया जाएगा।
- इस योजना के तहत स्थानीय कलाकारों और हस्तशिल्प योर प्रोजेक्ट को प्राथमिकता दी जाएगी। राजस्थान ग्रामीण पर्यटन योजना के लागू होने के बाद ग्रामीण क्षेत्रों में रोजगार के अवसर सामने आएंगे।
- हस्तशिल्प इकाइयों को भी राजस्थान ग्रामीण पर्यटन योजना के अंतर्गत प्रोत्साहन दिया जाएगा।
- राजस्थान ग्रामीण पर्यटन योजना के जारी होने के बाद ग्रामीण क्षेत्रों की कला देश-विदेश के पर्यटकों के सामने आएंगी और वे
- आकर्षित होकर हस्तशिल्प उत्पादों को खरीदेंगे जिससे ग्रामीण क्षेत्र के लोगों की आय में वृद्धि होगी।
- राजस्थान ग्रामीण पर्यटन योजना से ग्रामीण संस्कृति विकसित होगी।

# अध्याय 24

## भौगोलिक प्रदेश

## Geographical Regions

भूगोल वह विज्ञान है जो पृथ्वी पर मानव को प्रभावित करने वाली समस्त नैसर्गिक प्राकृतिक घटनाओं के वितरण का अध्ययन रूप करता है यह नैसर्गिक घटनाऐं प्रत्यक्ष अथवा अप्रत्यक्ष से भौतिक वातावरण से सम्बन्धित है। अर्थात् भूगोल पृथ्वी का अध्ययन मानव क्रिया कलापों के रूप में करता है और स्पष्ट करता है कि किस प्रकार ये क्रियाएं अपने चतुर्दिक प्राकृतिक वातावरण से सम्बन्धित है।

किसी भी क्षेत्र के भूगोल के निपुण अध्ययन के लिए यह आवश्यक है कि सम्पूर्ण प्रदेश राज्य अथवा राष्ट्र भौगोलिक प्रदेशों में विभक्त हो क्योंकि भौगोलिक प्रदेश स्थाई होते हैं जो उपयोगी अध्ययन प्रदान करते हैं। ये प्रदेश राजनैतिक इकाइयों से बिल्कुल भिन्न होते हैं। यह कहना कि जैसलमेर में अत्यन्त कम वर्षा होती है कम महत्त्व रखता है किन्तु यह कहना अधिक महत्त्वपूर्ण उपयोगी एवं रुचिकर होता है कि सम्पूर्ण मरुस्थली प्रदेश में जिसमें जैसलमेर भी सम्मिलित है अत्यन्त कम वर्षा होती है।

आधुनिक विचारों तथा विकसित दृष्टिकोण के व्यापक क्षेत्रों में मध्य भूगोल के अध्ययन को कहाँ और कब जैसे प्रश्नों तक ही जीवित रखना विषय के विकास को कुण्ठित करना है। अब इस अध्ययन को क्यों और कैसे जैसे प्रश्नों के व्यवस्थित एवं वैज्ञानिक उत्तरों के स्तर तक परिवर्तित करना अध्ययन की भौतिक स्रोतों को मानव के उपयोगी स्तरों तक विकसित करना आवश्यक है।

अब प्रश्न उठता है कि भौगोलिक प्रदेश क्या है इसका अर्थ स्पष्ट है कि पृथ्वी का एक वृहत् भाग जो अपने प्राकृतिक स्वरूप में समान हो अर्थात् समान भौतिक व सांस्कृतिक दशाएँ रखता हो। भौगोलिक प्रदेश कहलाता है।

वृहत् रूप में यह कहा जा सकता है कि यह वह प्रदेश है जो कि भौतिक स्वरूप-जलवायु तथा प्राकृतिक वनस्पति में समान हो स्वभावतया इस प्रकार के प्राकृतिक प्रदेश में जहाँ प्राकृतिक दशाएँ समान हो मानव क्रियाएँ भी अधिकांशतः समान ही होगी। अतः भौगोलिक प्रदेश का अपने स्वयं का एक विशिष्ट लक्षण (भौतिक व मानवी) है जो अपने पड़ौसी क्षेत्रों से भिन्न होता है।

राजस्थान आकार एवं मानव बसाव की दृष्टि से अत्यन्त जटिल राज्य है। इसकी सम्पूर्णता को समझना अत्यन्त दुर्लभ है। यद्यपि राज्य राजनैतिक इकाइयों में विभाजित है किन्तु ये इकाईयाँ केवल राजनैतिक अथवा सांख्यिकी उद्देश्य को पूर्ण करती है। इनका अध्ययन हमें समरूप भौगोलिक पूर्णता को समझने हेतु राज्य का प्रादेशिकरण आवश्यक है। यह राज्य को एक विशेष क्षेत्र जो कि पड़ौसी क्षेत्र से भिन्न होता है प्रकाश डालता है तथा सम्पूर्ण भौगोलिक तत्त्वों प्राकृतिक, जैविक तथा मानविक-की एकरूपता का अध्ययन करता है।

वर्तमान राजस्थान राज्य 1948 के पूर्व अनके छोटे-बड़े रजवाड़ों से मिलकर बना था, जिनकी प्रत्येक की अपनी सीमा और क्षेत्रीय विस्तार थे, जो इतिहास में समय-समय पर निश्चित हुए थे। इन रजवाड़ों के मध्य में स्थित अजमेर-मेरवाड़ा सीधे ब्रिटिश शासन के अन्तर्गत था। इन रजवाड़े एक या अनेक भौगोलिक प्रदेशों में फैले हुए थे। राजस्थान राज्य की वर्तमान सीमाएँ लगभग एक दशक पश्चात्, सन् 1956 के राज्य पुनर्गठन अधिनियम के पास होने के पश्चात् अस्तित्व में आई। इस राज्य की पश्चिमी

और उत्तरी सीमा पाकिस्तान की पूर्वी सीमा द्वारा बनी हुई। यह सीमा किसी प्राकृतिक चिन्ह का अनुकरण नहीं करती और वृहत् भारतीय मरुस्थल के बीच से जाती है। उत्तर और उत्तर-पूर्व में सीमा पंजाब, हरियाणा और उत्तर प्रदेश राज्यों द्वारा, दक्षिण-पूर्व में मध्य प्रदेश द्वारा और दक्षिण-पश्चिम में गुजरात द्वारा बनी है। पूर्व में सीमा का एक छोटा सा हिस्सा इस राज्य और मध्य प्रदेश के बीच चम्बल नदी द्वारा बना है, जबकि शेष सीमा किसी भी प्राकृतिक या भौगोलिक प्रदेश पर नहीं फैला हुआ है। राज्य-सीमा अनेक प्रादेशिक सीमाओं को काटती है क्योंकि अधिकांशतः यह कृत्रिम रूप से बनी है और मुख्यतः राजनैतिक है। ऐसी सीमा का भारत के भौगोलिक प्रदेश आवृत्त करता है, चाहे वे प्राकृतिक हों अथवा मनुष्यकृत और एक राजनैतिक इकाई का निर्माण करता है। प्रशासनिक कार्यों के लिए वह राज्य, डिवीजनों, जिलों और तहसीलों एवं राजस्व-विभागों में विभाजित और उप-विभाजित है। आवश्यक नहीं कि ये उप-विभाग भी भौगोलिक प्रदेश से मेल खाएँ।

राजस्थान को भौगोलिक प्रदेशों में विभाजित करना, पृथक्करण करना नहीं है। ये प्रदेश पृथक् और आत्म-निर्भर इकाई नहीं माने जा सकते है, बल्कि वे एक वृहत् अंग में कोशिकाओं के समान हैं। विभिन्न मात्राओं में ये पड़ौसी प्रदेशों पर और अन्तिम रूप से सर्वोच्च प्रदेश अर्थात् पूरे देश पर, विनिमय के आधार पर निर्भर होते है। इस प्रकार प्रदेश एक मूल इकाई है, जो अपनी विशेषता से वृहत्तर इकाइयों को सुचारू रूप से कार्य करने में मदद देती है।

## प्रादेशिक विभाजन का आधार

प्रादेशिक सीमाओं के निर्धारण का आधार उस उद्देश्य और कार्य से निश्चित किया जाता है, जिसके लिए प्रादेशिक पुनर्निर्माण की आवश्यकता होती है। ऐसे मामलों में प्रादेशिक सीमांकन उन कारकों पर आधारित होगा जो इन प्रदेशों के सीमांकन में सहायता कर सके। वास्तव में अनेक उद्देश्य हैं, जो ऐसे सीमांकन के आधार होते हैं। ऐसे उद्देश्यात्मक आधार कई हो सकते हैं-सर्वप्रथम भौगोलिक कारक जैसे जलवायु, नदी घाटियाँ, स्थलाकृति, मिट्टियाँ और वनस्पति, दूसरे सांस्कृतिक समरूपता जैसे-समान भाषा, इतिहास, धर्म या विचारधारा अथवा राजनीतिक संस्थाओं की समानता और तीसरे, विशिष्ट आर्थिक लक्षण-जैसे औद्योगिक विकास की अवस्था, कृषि की प्रकृति, खनिजों के स्रोत एवं अत्यन्त विभिन्न तकनीकी और लोककल्याण सम्बन्धी बातें जैसे वायु-यातायात, बीमारियाँ, महामारी नियंत्रण या निरक्षरता। प्रादेशिक पुनर्निर्माण के इन आधारों के व्यावहारिक पहलू से यह स्पष्ट होता है कि ऐसे निर्माण के लिए उनमें से कोई भी पूर्णतः पर्याप्त नहीं है। दूसरे, भौगोलिक, सांस्कृतिक या आर्थिक सहायता, राज्य-सीमाओं बहुत कम ही मिलती है।

राजस्थान को भौगोलिक प्रदेशों में विभक्त करते समय विभिन्न कारकों पर विचार किया गया है। इन कारकों में वे गिनाए जा सकते हैं, जिसका सम्बन्ध भौताकृतिक- तत्व, जलवायु, वनस्पति, मिट्टी, कृषि, खनिजों और उद्योगों, जनसंख्या, सामाजिक एवं परम्परागत कारकों से है। आगे बतलाए गए प्रादेशिक विभाजन से यह स्पष्ट होगा कि विभिन्न प्रदेशों के अन्तर्गत आवृत्त क्षेत्रों में बहुत असमानता है। प्रदेश के अन्दर स्थापित किया गया जन-भू-सम्बन्ध, प्राप्त आर्थिक विकास का स्वरूप और प्रदेश की भावी सम्भावनाएं आदि कुछ ऐसी विशेषताएँ है जो भौगोलिक क्षेत्रों को निवास-योग्य प्रदेशों में रूपान्तरित करती है। हाल (Hall) ने निर्देश किया है कि, ''किसी प्रदेश की सीमा आखिरकार महत्त्वपूर्ण कारक नहीं है, बल्कि उसके अन्दर के क्षेत्र के गुण प्रमुख भौगोलिक महत्त्व के होते हैं।''

वर्तमान समाज में, जिनमें योजना पर अत्यन्त बल है, यह अनुभव किया गया है अनेक स्थानों में जिला सीमाएं अब उपयुक्त नहीं रह गई हैं, अथवा प्रादेशिक इकाइयों से मेल नहीं खाती, परन्तु परम्परागत सीमांकन के कारण वे चल रही हैं। इस राज्य में, जहाँ तक आकार का सम्बन्ध है, विभिन्न जिलों में बहुत असमानता है। सबसे छोटा धौलपुर है (3,034 वर्ग किलोमीटर), जब कि वृहत्तम जैसलमेर है, (38,401 वर्ग किलोमीटर) पहले जिले के आकार से लगभग

बारह गुना। प्रत्येक जिले का भौगोलिक चित्र भी इसी प्रकार भिन्न है। राजस्थान देश के उन राज्यों में एक है, जिनके एक क्षेत्र से दूसरे में बृहत् विषमताएँ हैं। यह असमानता उच्चावच्च जलवायु, मिट्टी, वनस्पति, कृषि-क्रियाओं और खनिज संसाधनों के सम्बन्ध में प्रमुख है। इनके साथ ही मनुष्य-कृत कारक जैसे सिंचाई सुविधाएँ, औद्योगिक विकास और यातायात के साधन भी एक प्रदेश से दूसरे में बहुत असमानता दर्शाते है। इस प्रकार भौतिक और आर्थिक दृष्टि से भौगोलिक वातावरण इतने भिन्न हैं कि एक छोटे से क्षेत्र से क्षेत्र को भी दूसरे के समान नहीं कहा जा सकता। ऊपर लिखी हुई सभी वातावरण सम्बन्धी दशाएँ न केवल विभिन्न क्षेत्रों और प्रदेशों के बीच अन्तर स्पष्ट करती हैं, बल्कि सामाजिक जीवन पर उनके प्रभाव की मात्रा भी एक स्थान से दूसरे स्थान पर भिन्न है।

उपर्युक्त कारकों के आधार पर राजस्थान निम्नलिखित सात भौगोलिक प्रदेशों में विभक्त किया जा सकता है राजस्थान को भौगोलिक प्रदेशों में बाँटने का प्रथम प्रयास डॉ. वी.सी. मिश्रा (1967) ने किया है (मानचित्र 115 व 116)।

(1) शुष्क प्रदेश
(2) अर्द्ध शुष्क प्रदेश
(3) इन्दिरा गांधी नहर प्रदेश
(4) अरावली प्रदेश
(5) पूर्वी कृषि-औद्योगिक प्रदेश
(6) दक्षिण-पूर्वी कृषि प्रदेश
(7) चम्बल खड्ड (Ravine) प्रदेश

राजस्थान के भौगोलिक प्रदेशों का निर्धारण प्रो. वी.सी. मिश्रा (1967) ने सर्वप्रथम प्रयास किया था। तत्पश्चात् प्रो. टी.एस. चौहान (2018) ने सुदुर संवेदन तकनीक, भौगोलिक सूचना तंत्र तकनिकी और ग्लोबल पोजीशनिंग सिस्टम एवम् क्षेत्र सर्वेक्षण के आधार पर उसमें कुछ संशोधित करके आधुनिक वैज्ञानिक तरीकों से अलग-अलग भौगोलिक प्रदेशों का कुल क्षेत्रफल वर्ग किलोमीटर तथा कुल क्षेत्रफल का प्रतिशत को मानचित्र में दर्शाया गया है। (मानचित्र 116)

इनमें से प्रत्येक प्रदेश में भौतिकृतिक तत्त्व, जलवायु, मिट्टी, वनस्पति, कृषि, खनिज जनसंख्या और यातायात के साधनों के सम्बन्ध में भिन्न लक्षण हैं। इन्हें अलग प्रदेश बनाने वाले कारक प्राकृतिक और मनुष्यकृत हैं। पश्चिमी शुष्क प्रदेश पहले का उदाहरण है, जबकि इन्दिरा गांधी नहर क्षेत्र मनुष्य द्वारा बनाया गया है। यद्यपि मानचित्र में प्रत्येक प्रदेश रेखाओं से सीमांकित किया गया है, इनके बीच कठोर विभाजन-रेखा नहीं खींची जा सकती। अनेक परिवर्तनशील कारक हैं जो समय के दौरान में इन प्रदेशों में से प्रत्येक की सीमा को प्रभावित कर सकते है। कुछ प्रदेश आकार में विस्तृत हो सकते हैं, कुछ सिकुड़ सकते हैं। जबकि सम्भव है अन्य बिल्कुल लुप्त हो जाएं। प्रादेशिक सीमाएँ, विभिन्न लक्षणों वाले प्रदेशों का सीमांकन करने वाली निर्देशक रेखाओं की तरह समझी जानी चाहिए, जो एक प्रदेश के अन्दर एकता को कुछ हद तक दर्शाती है।

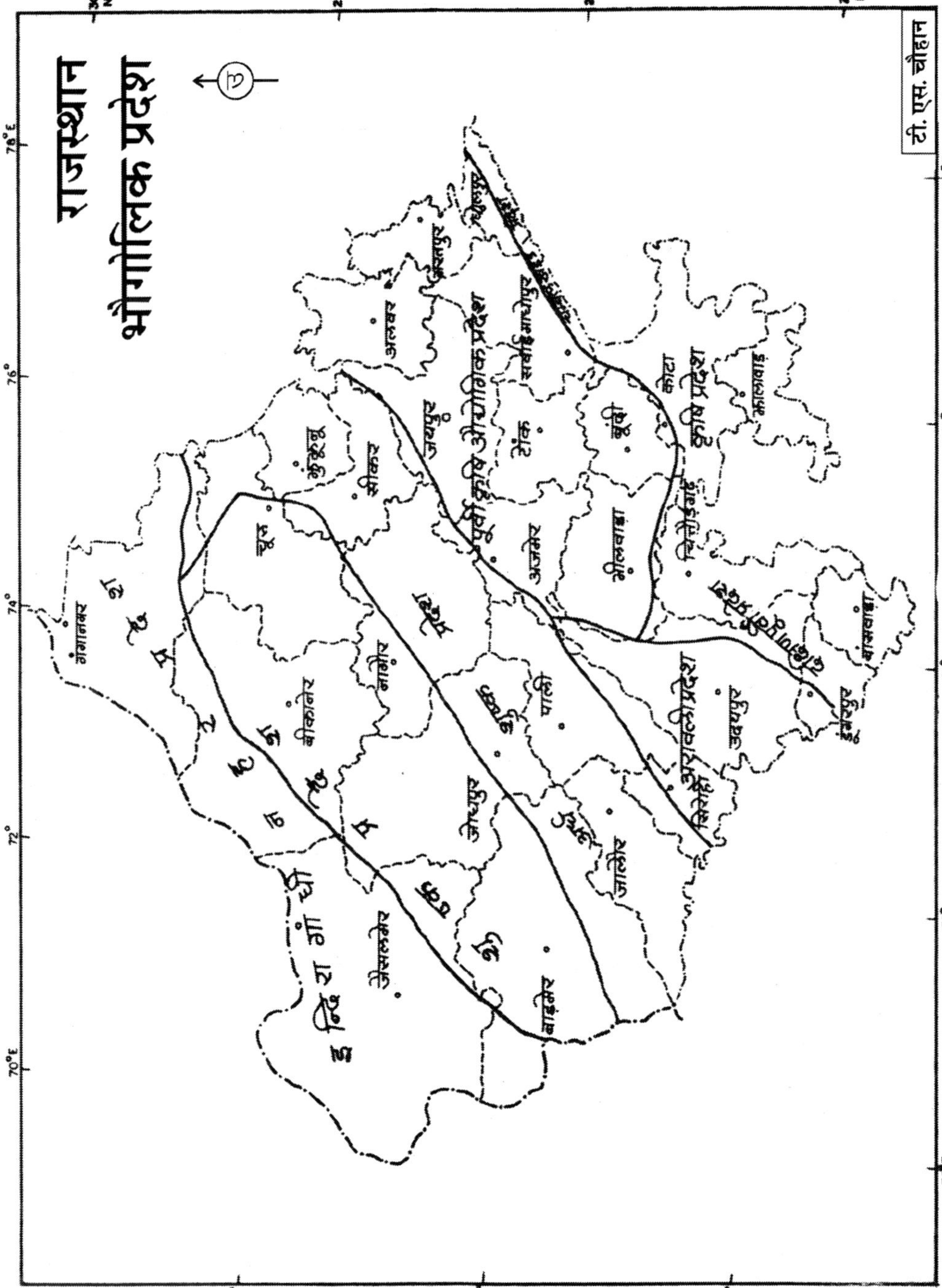
राजस्थान
भौगोलिक प्रदेश
टी. एस. चौहान
पूर्वी कृषि औद्योगिक प्रदेश
अरावली प्रदेश
कृषि प्रदेश
गंगानगर
बीकानेर
जैसलमेर
बाड़मेर
जोधपुर
नागौर
चूरू
झुंझुनू
सीकर
जयपुर
अलवर
भरतपुर
धौलपुर
सवाई माधोपुर
टोंक
अजमेर
पाली
जालौर
सिरोही
उदयपुर
डूंगरपुर
बांसवाड़ा
चित्तौड़गढ़
भीलवाड़ा
बूंदी
कोटा
झालावाड़

मानचित्र 115

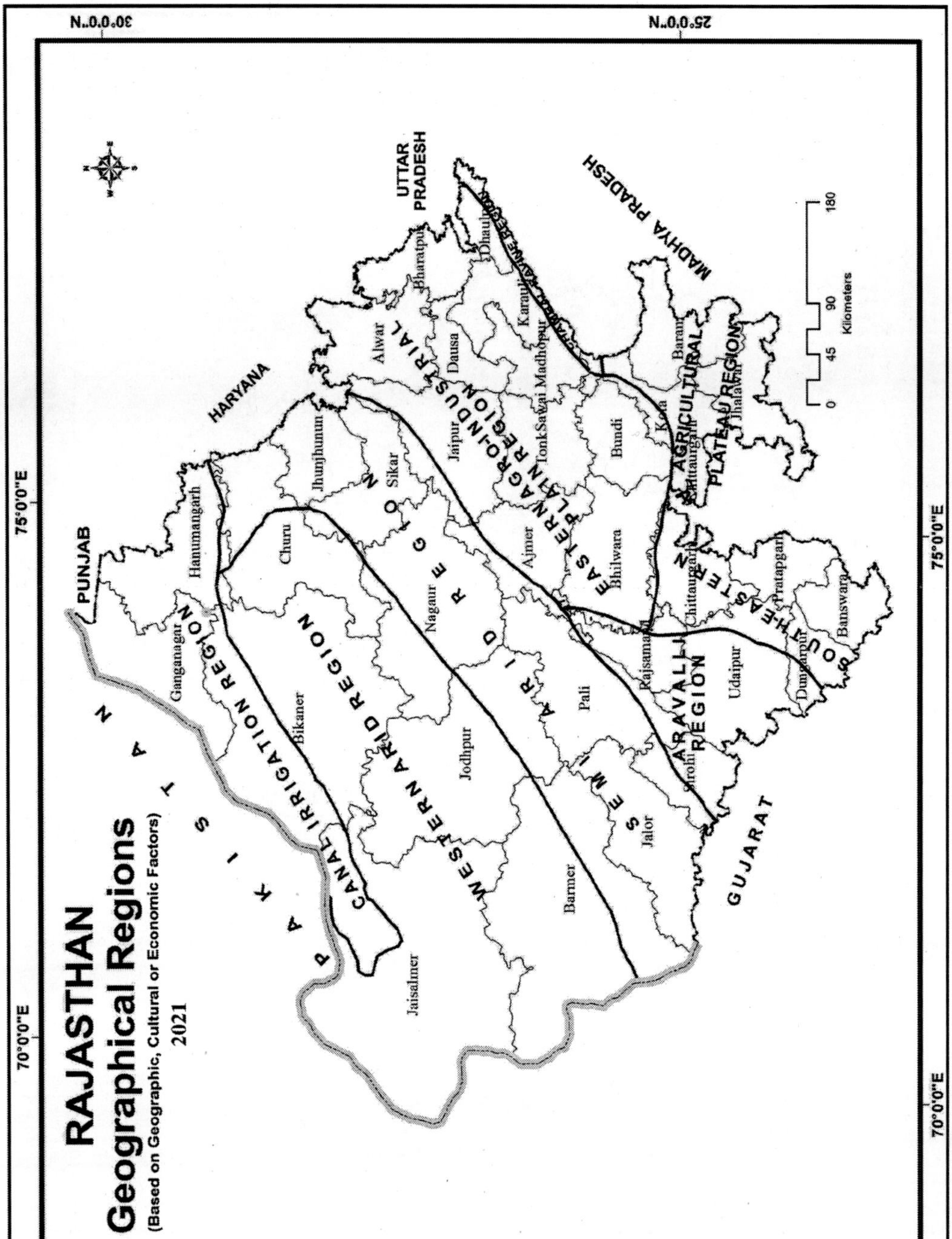


मानचित्र 116 : राजस्थान– भौगोलिक प्रदेश

*Source:* Authour Calculations

**सारणी–85 : राजस्थान के भौगोलिक प्रदेश**

| क्र. | भौगोलिक प्रदेश | कुल क्षेत्र (वर्ग कि.मी.) | कुल क्षेत्र का प्रतिशत |
|---|---|---|---|
| 1. | शुष्क प्रदेश (Western Arid Region) | 104686.34 | 30.59 |
| 2. | अर्द्ध शुष्क प्रदेश (Semi Arid Region) | 72975.41 | 21.32 |
| 3. | इन्दिरा गांधी नहर प्रदेश (Indira Gandhi Canal Region) | 35999.86 | 10.52 |
| 4. | अरावली प्रदेश (Arawali Region) | 19716.72 | 5.76 |
| 5. | पूर्वी कृषि–औद्योगिक प्रदेश (Eastern Agro-Industrial Plain Region) | 67582.66 | 19.75 |
| 6. | दक्षिण–पूर्वी कृषि प्रदेश (South-Eastern Agricultural Plateau Region) | 38892.38 | 11.36 |
| 7. | चम्बल खड्ड प्रदेश (Chambal Ravine Region) | 2385.63 | 0.70 |
| | **योग** | **342239.00** | **100** |

स्त्रोत : Geography of Rajasthan by T.S. Chouhan (2022), Scientific Publishers (India), Jodhpur

**1. शुष्क प्रदेश**—यह प्रदेश, 104686.34 कुल भौगोलिक क्षेत्र वर्ग किलोमीटर तथा 30.59% कुल क्षेत्र का प्रतिशत है। सम्पूर्ण जैसलमेर जिला, बाड़मेर बालोतरा, फलौदी और जोधपुर का उत्तर–पश्चिमी भाग, दक्षिण–पूर्वी बीकानेर, दक्षिण–पश्चिमी चुरू और नागौर का पश्चिमी भाग, आवृत्त करता है। यहां विशिष्ट मरु–दशा परिलक्षित होती है। 250 मिलीमीटर की वर्षारेखा पूर्वी सीमा बनाती है, जबकि पश्चिमी सीमा पाकिस्तान के साथ अन्तर्राष्ट्रीय सीमा से बनी है। आकार में यह राज्य में वृहत्तम प्रदेश है। भौताकृतिक–तत्व विभिन्न प्रकार के बालुकास्तूपों के विस्तृत फैलाव से अंकित है और किन्हीं–किन्हीं स्थानों पर चट्टानें धरातल पर उभरी हुई हैं। वर्षा पूर्व की तरफ 250 मिली मीटर है और पश्चिम की ओर 100 मिलीमीटर से भी घट जाती है। गर्मियों में तापक्रम बहुत ऊँचे होते हैं और 32° सेन्टीग्रेड से 48° सेन्टीग्रेड के बीच होते हैं। फसलों में बाजरा प्रायः सम्पूर्ण प्रदेश में ही सर्वप्रमुख है, जबकि बीकानेर में कुछ दालें भी उगाई जाती हैं। लगभग 30 से 40 प्रतिशत तक व्यक्ति बिखरे हुए लघु ग्रामीण अधिवासों में रहने वाले कृषक हैं। पश्चिमी सीमा की ओर बढ़ने पर इन अधिवासों के बीच का अन्तर बढ़ता जाता है। कृषि के अलावा पशुपालन लोगों का दूसरा प्रमुख व्यवसाय है। पशुपालन मरुस्थल के निवासियों, मुख्यतः खानाबदोश जन–जातियों के लिए सहायक धन्धा प्रदान करता है। इस प्रदेश में चौपायों की थारपारकर और राठी नस्ल अत्यन्त प्रमुख है। क्षेत्र जिप्सम में धनी है और महत्त्वपूर्ण जिप्सम उत्पादक क्षेत्र जामसर ग्राम और लूणकरणसर बीकानेर में (इनमें राज्य के वृहत्तम जमाव है), मोहनगढ़, हमीरवाली ढाणी और लाखा जैसलमेर में तथा कवास, कुरला, शिवकर और उत्तरलाई बाड़मेर जिले में है। इस क्षेत्र में रेलें है और सम्पूर्ण क्षेत्र में महत्त्वपूर्ण स्थानों को मिलाने वाली सड़कें बहुत कम हैं। राजस्थान का यह भाग अत्यन्त शुष्क है और सब से कम विकसित है। उसके विकास की कमी का मुख्य कारण वर्षा का अभाव और बहुत ऊँचे तापक्रमों के कारण अतिशुष्कता है। शायद इसके परिणामस्वरूप अच्छी यातायात प्रणाली का अभाव दूसरा दोष है। जैसलमेर में क्षेत्र बंजर भूमि वर्गीकृत है जहाँ कोई कृषि–कार्य नहीं होता। इस क्षेत्र की प्राकृतिक तथा आर्थिक सम्भावनाओं ने निवासियों को बड़ी संख्या में आकर्षित नहीं किया है। प्रदेश के एकदम पश्चिमी भाग में औसत सघनता केवल 17 (2001) व्यक्ति प्रतिवर्ग किलो–मीटर है, जो भारतवर्ष में निम्नतम है।

5,29,007 (2001) जनसंख्या वाला बीकानेर शहर थार मरुस्थल के पश्चिमी भाग में, बालुका-स्तूपों के विस्तृत जमावों के परे स्थित है और प्रादेशिक केन्द्र के रूप में है। सन् 1435 में पूर्वत: बीकानेर राज्य स्थापित करने के पश्चात्, सन् 1488 में वर्तमान शहर राव बीकाजी ने स्थापित किया। किला शहर में प्रमुख हैं जिसमें लाल और पीले बालुका-पत्थरों की अनेक इमरातें हैं। बाड़मेर (55,554 जनसंख्या 1981) इस प्रदेश का सबसे बड़ा व्यावसायिक केन्द्र है। नगर, बालुका-पत्थर पहाड़ियों में से कटे हुए और अवशिष्ट पहाड़ियों से अंकित पेडीप्लेन के पूर्वी किनारे पर स्थित है। जैसलमेर शहर (22,041 जनसंख्या 1981) पश्चिमी हिस्से में स्थित हैं और यह मरुस्थलीय शहर का एक विशिष्ट उदाहरण है। किला, मन्दिर और महल सभी पीत बालू के शुष्क वातावरण के बीच पीले पत्थर के बने हुए हैं। यह शहर उत्तरी रेल की जोधपुर-जैसलमेर लाइन के अन्तिम स्टेशन है और उसी लाइन पर बाड़मेर से 158 किलोमीटर है। सन् 1156 में रावल जयसाल द्वारा स्थापित यह शहर पहाड़ियों की एक निम्न श्रेणी के दक्षिणी सिरे पर स्थित है। यह नगर भी अन्य किला-नगरों के समान, एक पत्थर की दीवार से परिवेष्ठित है जिसकी परिधि लगभग 5 किलोमीटर है और जिसमें बुर्जे तथा मीनारें भी हैं। इस प्रदेश में महत्त्वपूर्ण केन्द्र-फलौदी, पोकरन, बाप और शिव हैं।

2. **अर्द्धशुष्क प्रदेश**—यह प्रदेश अरावली के पश्चिम में उत्तर-पूर्व से दक्षिण-पश्चिम दिशा में स्थित है। जो कुल 72975.41 वर्ग किलोमीटर क्षेत्र का 21.32 प्रतिशत है। पश्चिमी सीमा 280 मिलीमीटर की वर्षा रेखा से अंकित हैं, दक्षिण में पूर्वी सीमा का कुछ भाग अरावली पहाड़ियों के पश्चिमी किनारे से बना है और उत्तरी सीमा 500 मिलीमीटर वर्षा रेखा से बनी है। यह प्रदेश सांचौर, जालौर, सीकर, झुंझुनूं नीमकाथाना और चुरू के उत्तर-पूर्वी भाग में फैला हुआ है।

दक्षिणी भाग लूनी और उसकी लघु सहायक नदियों द्वारा उत्सारित है जबकि इस प्रदेश का उत्तरी भाग लाक्षणिक है रूप से एक आन्तरिक प्रवाह का क्षेत्र है। अधिकांश प्रवाह सांभर झील का केन्द्रित है, जो लवण-उत्पादन के लिए प्रसिद्ध है। तापक्रम ऊँचे हैं और वर्षा पश्चिम में 250 मिलीमीटर से लेकर पूर्व में 8 सेन्टीमीटर तक होती है।

इस प्रदेश में कुल खेती के क्षेत्र का प्रतिशत सुदूर पश्चिम के क्षेत्र की तुलना में अधिक हैं और औसत रूप से इस क्षेत्र का 40.00 से 60.0 प्रतिशत तक कृषि के अन्तर्गत हैं। इसका लगभग आधा क्षेत्र बाजरा की कृषि के लिए निर्दिष्ट है। अन्य फसलें ज्वार, दालें और तिलहन हैं जो उत्तम भूमियों पर उगाए जाते हैं, जहां सिंचाई सुविधाएँ उपलब्ध हैं। इस प्रदेश में प्राय: सम्पूर्ण सिंचाई कूपों और नल-कूपों से की जाती है। पाली जिले में जवाई बाँध के निर्माण के कारण सिंचाई सम्भव है।

यह प्रदेश पशु-सम्पत्ति में धनी है और चौपायों की तीन तरह की नस्लें पाई जाती हैं, जैसे उत्तर में हरियाणा नस्ल, मध्य में नागौरी नस्ल और दक्षिणी में सांचौर नस्ल।

यह अधातु खनिजों में भी धनी है और अच्छी किस्म का जिप्सम जोधपुर, पाली, बाड़मेर और नागौर जिलों में उत्पन्न किया जाता है।

इस प्रदेश के उत्तरी और मध्यवर्ती भाग में रेलों की प्रणाली पश्चिमी शुष्क प्रदेश की तुलना में कुछ उत्तम है। पूर्वी हिस्से में सड़के बड़ी संख्या में हैं। बाड़मेर जिले के दक्षिणी भाग में रेलें बहुत कम हैं। पानी की कमी इस प्रदेश में मुख्य समस्या है। नहरों द्वारा अथवा भूमिगत जल-साधनों का विकास करके पानी की पूर्ति से यह क्षेत्र राज्य में एक उत्तम कृषि-पट्टी में विकसित किया जा सकता है।

जोधपुर (जनसंख्या 8,56,034 (2001) इस प्रदेश में सबसे बड़ा नगर है और प्राचीन किले के चारों ओर, एक चट्टानी धरातल पर केन्द्रीय स्थिति में स्थापित है। पुराना शहर, जो अब एक अंशत: टूटी-फूटी दीवार से घिरा हुआ है, सन् 1458 में राजपूतों के राठौड़ कुल के प्रमुख राव जोधा द्वारा स्थापित किया गया था। किला एक विच्छिन्न चट्टानी उभार पर बना है और शहर में प्रमुख है। जोधपुर के लगभग 8 किलोमीटर उत्तर में मारवाड़ की प्राचीन राजधानी

मण्डोर शहर है। मण्डोर विस्तृत बगीचों और जोधपुर के विगत शासकों की छतरियों के लिए प्रसिद्ध है। पाली शहर (जनसंख्या 1,87,571 (2001) उपजाऊ क्षेत्र में स्थित है और मुख्यत: एक कृषि प्रधान नगर है। उत्तर में डीडवाना और सांभर (जनसंख्या 17,633)(1991), तथा दक्षिण में पचपदरा, लवण झील नगरों के विशिष्ट उदाहरण हैं। मकराना (जनसंख्या 40,663) संगमरमर खानों का विश्व-विख्यात केन्द्र है। इस प्रदेश के अन्य शहर उत्तर-पूर्व में झुंझुनूं (जनसंख्या 1,00,476) (2001) और सीकर (जनसंख्या 1,85,506), (2001) तथा दक्षिण-पश्चिम में जालौर (जनसंख्या 24,100) (2001) और सिरोही (जनसंख्या 29,903) (2001) हैं।

3. **नहर प्रदेश**—यह प्रदेश राज्य के उत्तर-पश्चिमी भाग में स्थित है। इन्दिरा गाँधी नहर प्रदेश के कुल भौगोलिक क्षेत्रफल 35999.86 वर्ग किलोमीटर (कुल क्षेत्रफल का 10.52 प्रतिशत) आता है तथा सम्पूर्ण गंगानगर एवं हनुमानगढ़ जिला और बीकानेर जिले का उत्तर-पश्चिमी भाग इसमें सम्मिलित है यह एक विशिष्ट प्रदेश है जहाँ पर मनुष्य का प्रभाव बहुत स्पष्ट अंकित है। यह सम्पूर्ण क्षेत्र यद्यपि मोटे रूप से पश्चिमी शुष्क प्रदेश में आता है, इंदिरा गांधी नहर के निर्माण ने इसे एक अलग इकाई बना दिया है। इस क्षेत्र के निर्माण ने इसे एक अलग इकाई बना दिया है। इस क्षेत्र की मुख्य कठिनाई पानी की कमी थी। गंगानगर जिले में गंगनहर ने इस प्रदेश की संपूर्ण अर्थ-व्यवस्था को बदल दिया है। जल-पूर्ति के कारण बाजरा की फसलन के अन्तर्गत भूमि घट गई है और अन्य फसलें जैसे गेहूँ, जौ, चना, दालें, गन्ना और कपास उगाई जाती हैं। सम्पूर्ण राजस्थान में अकेला यह जिला राज्य का लगभग 10 प्रतिशत गेहूँ, 20 प्रतिशत जौ, 23 प्रतिशत चना, 15 प्रतिशत गन्ना और आधे से अधिक कपास उत्पन्न करता है। जिले की अर्थ-व्यवस्था कृषि और कृषि पर आधारित उद्योगों, जैसे शक्कर कारखाना और कपास कारखाना पर आधारित है। इन्दिा गांधी नहर के पूर्ण होने पर बीकानेर के उत्तर-पश्चिमी भाग को पर्याप्त जल प्राप्त होगा और यह आशा की जाती है कि उत्तरी कृषि-क्षेत्र दक्षिण की ओर भी बढ़ेगा और यह पूरा प्रदेश, 'राजस्थान का अन्न भण्डार' बन जाएगा। बीकानेर रेल द्वारा उत्तर में सूरतगढ़ से, पूर्व में रतनगढ़ से, और दक्षिण में नागौर से जुड़ा हुआ है।

इस प्रदेश के महत्वपूर्ण नगरों में, उत्तर में गंगानगर (जनसंख्या 2,22,833 (2001), हनुमानगढ़ (जनसंख्या 1,29,154 (2001), सूरतगढ़ (जनसंख्या 29,815 (1981) और रायसिंह नगर है। दक्षिण-पश्चिमी भाग में अभी तक भी कोई बड़ा नगर नहीं है। वीसलपुर और लूणकरणसर जैसे लघु अधिवास महत्त्वपूर्ण है।

इन्दिरा गांधी नहर परियोजना

**4. अरावली प्रदेश**—यह प्रदेश प्राय: सम्पूर्ण राजसमंद, उदयपुर, ब्यावर, पाली और सिरोही का दक्षिण-पूर्वी भाग और डूंगरपुर जिले का पश्चिमी भाग आवृत्त करता है। यह प्रदेश 19716.72 कुल भौगोलिक क्षेत्र (वर्ग किलोमीटर) तथा 5.76% कुल क्षेत्र का प्रतिशत आता है। यह राजस्थान में अत्यन्त विशिष्ट प्रदेश है जिसमें अरावली श्रेणी और दक्षिण-पश्चिम में पहाड़ी प्रदेश प्रमुख है। पश्चिमी मैदानों में बनी है। प्रदेश के उत्तरी भाग में पहाड़ियाँ लगभग 50 किलोमीटर चौड़ी हैं और श्रेणियाँ दक्षिण-पश्चिम और दक्षिण-पूर्व की ओर शाखाओं के रूप में निकली हुई हैं। सिरोही का दक्षिण-पूर्वी भाग अरावली की प्रमुख श्रेणियों से अधिकृत है। राजस्थान की सर्वोच्च चोटी गुरुशिखर (1,727 मीटर) इसी भाग में स्थित है। इस प्रदेश का सर्वोच्च भाग उदयपुर के उत्तर-पश्चिम में कुम्भलगढ़ और गोगुन्दा के बीच है। यह क्षेत्र भोरट (Bhorat) पठार कहलाता है, जिसकी औसत ऊँचाई लगभग 1,225 मीटर है। वर्षा 500 मिलीमीटर से 1,000 मिलीमीटर के बीच होती है और अधिकांशत: मानसून ऋतु में होती है। इस प्रदेश में उत्तर-पश्चिम में लाल और पीली मिट्टी है तथा दक्षिण-पूर्वी भाग में लोहमय लाल मिट्टी है।

पहाड़ी क्षेत्र से भूमि के केवल एक छोटे से भाग में ही सिंचाई सम्भव है। उदयपुर में लगभग दो-तिहाई भूमि बंजर है और कृषि उपयोग के लिए उपयुक्त नहीं है। भूमि का लगभग दशमांश वनों के अन्तर्गत है और लगभग 27.0 प्रतिशत कृषि योग्य बेकार भूमि की तरह वर्गीकृत है, जो चरागाहों और वृक्ष फसलों के लिए प्रयुक्त की जाती है। क्षेत्र का लगभग 3.0 प्रतिशत में फसलें उगाई जाती हैं। उनमें गेहूँ, ज्वार, मक्का, जौ, चना और तिलहन प्रमुख हैं। मक्का कुल क्षेत्रफल का लगभग एक-चौथाई अधिकत करता है।

यह प्रदेश खनिज-सम्पदा में धनी है। इसमें उदयपुर के लगभग 40 किलोमीटर दक्षिण-पूर्व में जावर खानों में सीसे और जस्ते के जमाव हैं, आमेत के उत्तर और दक्षिण में बड़ी सिकारवाड़ी, सेलाका-गुढ़ा और चप्पा-गुढ़ा में बेरिलियम खानें हैं, उत्तरी उदयपुर में अभ्रक, उत्तर में देवगढ़ से कांकरोली के बीच पन्ना तथा उदयपुर जिले में घिया-पत्थर, टैल्क और स्टिऐटाइट मिलते हैं। अन्य खनिज जैसे फेल्सपार और ऐसबेस्टास भी इस क्षेत्र में प्राप्त होते हैं। यह प्रदेश और विशेषकर समपूर्ण राज्य ही कोयला संसाधनों और लौह-अयस्क जमावों में निर्धन है। परन्तु गांधी सागर बिजली घर से शक्ति की उपलब्धि निश्चित रूप से इस प्रदेश को राजस्थान के एक प्रमुख खनन क्षेत्र के रूप में विकसित हुआ है।

अत्यन्त दर्शनीय झील-नगर उदयपुर (जनसंख्या 3,89,317) (2001), जो 'सूर्योदय का नगर' के नाम से अधिक प्रसिद्ध है, इस प्रदेश का सबसे बड़ा नगर है। यह अरावली गर्त में उदयपुर झील के पश्चिम में स्थित है। नगर पिछोला झील के सामने 577 मीटर की ऊँचाई पर एक निम्नलिखित कूट के ढ़ालों पर स्थित है। उदयपुर पश्चिमी रेल की चित्तौड़-उदयपुर शाखा का अन्तिम स्टेशन है और रेल द्वारा अजमेर (298 किलोमीटर) तथा मारवाड़ जंक्शन(191 किलोमीटर) से जुड़ा हुआ है। उदयपुर के लगभग 22 किलोमीटर उत्तर में सफेद संगमरमर का बना एकलिंगजी का प्रसिद्ध मन्दिर है, जो मेवाड़ के महाराणाओं के परिरक्षक देवता हैं। तीर्थ यात्रा का एक अन्य केन्द्र 'नाथद्वारा', एकलिंगजी से 26 किलोमीटर और उदयपुर से 40 किलोमीटर दूर अजमेर-उदयपुर मुख्य सड़क पर है। द्वारकाधीश का प्रसिद्ध मंदिर कांकरोली में है, जो नाथद्वारा से लगभग 16 किलोमीटर पर राजसमन्द झील के किनारे पर स्थित है। प्रदेश के दक्षिण-पश्चिमी भाग में अरावली में 1,219 मीटर की ऊँचाई पर स्थित माउण्ट आबू (जनसंख्या 12,713 (1981)) राज्य का एकमात्र स्वास्थ्य-सुधार केन्द्र है। पठार का शिखर लगभग 13 किलोमीटर लम्बी और 5 किलोमीटर चौड़ी एक घाटी में खुलता है। घाटी ग्रेनाइट चट्टानों और घनी पतझड़ वनस्पति से आवृत्त है। आबू रोड रेल स्टेशन से 29 किलोमीटर मोटर योग्य सड़क के द्वारा माउण्ट आबू को पहुँचा जाता है।

**5. पूर्वी कृषि-औद्योगिक प्रदेश**—यह प्रदेश जयपुर, कोटपूतली, दौसा, अजमेर, टोंक, सवाई माधोपुर, करौली, भीलवाड़ा, बूंदी, अलवर,

खैरतल-तिजारा, भरतपुर जिलों और कोटा के उत्तर-पश्चिमी भाग को आवृत्त करता है। यह प्रदेश 67582.66 कुल भौगोलिक क्षेत्र (वर्ग किलोमीटर) है और कुल क्षेत्र का 19.75 प्रतिशत है। यह अरावली श्रेणी के पूर्व में हैं और प्रदेश की पश्चिमी सीमा 500 मिलीमीटर वर्षा-रेखा से बनी है। उत्तरी सीमा उत्तर प्रदेश और पंजाब की राज्य सीमा से अंकित है और पूर्वी तथा दक्षिणी सीमा चम्बल खड्डों और दक्षिण-पूर्वी कृषि-प्रदेश से बनी है। यह मुख्यत: बनास और उसकी सहायक नदियों द्वारा उत्सारित किया जाता है।

इस प्रदेश में मिट्टी की कई किस्में हैं, जैसे अजमेर के वृहत् भागों में जलोढ़, लाल और पीली मिट्टी तथा पूर्वी भीलवाड़ा, बूंदी और दक्षिणी-पश्चिमी टोंक में मिश्रित लाल और काली मिट्टी। केवल अलवर के दक्षिणी भागों और भरतपुर के कुछ भाग को छोड़कर जहाँ कटी हुई पहाड़ियाँ ज्यादा प्रमुख हैं, उत्तरी भाग अधिकांशत: जलोढ़ से आवृत्त है। वर्षा 500 मिलीमीटर से 1,000 मिलीमीटर के बीच होती है और मिट्टी उपजाऊ है।

प्रमुख आर्थिक क्रियाएँ कृषि और उद्योग हैं। कृषि के अन्तर्गत भूमि का प्रतिशत से उत्तर से दक्षिण और पश्चिम को घटता जाता है। भरतपुर और अलवर में लगभग तीन-चौथाई भूमि फसलों की कृषि के लिए निरत है। यहाँ उगाई जानेवाली महत्त्वपूर्ण फसलों में बाजरा, गेहूँ, ज्वार, मक्का, चना और दालें हैं। जहाँ सिंचाई सुविधाएँ उपलब्ध हैं, कुद कपास और गन्ना भी उगाया जाता है। फसलों के अन्तर्गत भूमि का क्षेत्र जयपुर, सवाई माधोपुर और टोंक में अधिक है, अर्थात् लगभग 42.0 से 48.0 प्रतिशत तक है, जबकि भीलवाड़ा, अजमेर और बूंदी जिलों में वह 21.8 से 37.0 प्रतिशत के बीच है। पश्चिम में पहाड़ी होने से भीलवाड़ा में कृषि के लिए छोटा क्षेत्र ही उपलब्ध है। इस क्षेत्र में बाजरा के अन्तर्गत भूमि दक्षिण की ओर घटती जाती है, जहाँ सिंचाई सुविधाएँ उत्तम और मिट्टी उपजाऊ है। अन्य उगाई जाने वाली फसलें गेहूँ, ज्वार, जौ, चना और तिलहन हैं। कपास अजमेर और भीलवाड़ा में उगाई जाती है।

लगभग 40.0 प्रतिशत व्यक्ति कृषक हैं और 70.0 से 90.0 प्रतिशत जनसंख्या ग्रामीण क्षेत्रों में रहती हैं। जनसंख्या की सामान्य सघनता दक्षिण से उत्तर की ओर 60 से 140 व्यक्ति प्रति वर्ग किलोमीटर तक बढ़ती जाती है। अलवर और भरतपुर जिलों में जनसंख्या की सघनता उच्चतम है, यानि 430 और 503 व्यक्ति प्रति वर्ग किलोमीटर (1991)।

कृषि के अतिरिक्त इस प्रदेश में जयपुर, अजमेर, कोटा, भीलवाड़ा और शाहपुरा में स्थित बड़ी संख्या में उद्योग हैं। इस प्रदेश के दक्षिणी भाग में रेलें अत्यन्त कम हैं। सड़कें संचार का महत्त्वपूर्ण साधन हैं।

प्रादेशिक केन्द्र और इस राज्य की राजधानी जयपुर (23,24,319 जनसंख्या 2001) पश्चिमी रेल के दिल्ली- अहमदाबाद रास्ते पर स्थित हैं। राजस्थान की 'गुलाबी' राजधानी के रूप में यह विश्व के अत्यन्त सुन्दर नगरों में से एक है। नगर का नाम सवाई मानसिंह के नाम है, जिन्होंने सन् 1727 में उसे स्थापित किया और आम्बेर से राजधानी हटाई। यह अरावली मैदान के उत्तरी किनारे पर अरावली के एक बाहरी भाग पर स्थित है। केवल दक्षिण को छोड़कर, नगर सभी ओर ऊबड़-खाबड़ पहाड़ियों से घिरा है। अधिकांश पहाड़ी चोटियों पर किले और मीनारें हैं। उत्तर-पश्चिम में नाहरगढ़ का किला एक नुकीली पहाड़ी की चोटी पर स्थित है। राष्ट्रीय मुख्य सड़क, जो अलवर से अजमेर होती हुई उदयपुर जाती है और भरतपुर से सीकर जाने वाली एक-दूसरी मुख्य सड़क, दोनों जयपुर से जाती हैं। अजमेर नगर (जनसंख्या 4,90,138 (2001) इस राज्य में केन्द्रीय स्थिति अधिकृत करता है। यह एक औद्योगिक केन्द्र के रूप में भी विकसित हो रहा है। यह जयपुर से लगभग 132 किलोमीटर दक्षिण-पश्चिम में तारागढ़ पहाड़ी के नीचे एक घाटी में स्थित है। पहाड़ी इस शहर के पीछे एक विशाल पृष्ठ-भूमि के समान है। पहाड़ी का शिखर उसके तल से लगभग 243 मीटर की ऊँचाई तक उठता है और तारागढ़ गढ़ी से घिरा हुआ है। यह एक ऐतिहासिक, धार्मिक और स्थापत्य की दृष्टि से महत्त्व का नगर है। नगर का नाम अजयमेरू (अपराजेय पहाड़ी) से बना है। 17 वीं शताब्दी में अजयपाल चौहान ने नगर के विकास और वृद्धि के

लिए बहुत योगदान दिया और इस प्रकार वे इस नगर के संस्थापक माने जाने लगे।

बूंदी (11,11,000-जनसंख्या, 2001) कोटा के 39 किलोमीटर पश्चिम में स्थित है। यह नगर एक संकरी और सुन्दर बालुका-पत्थर घाटी में स्थित एक अन्तराल-नगर है। चम्बल घाटी, सिन्ध और पार्वती नदियों द्वार उत्सारित एक जलोढ़ समतल और कोटा एवं चित्तौड़गढ़ के समतल बालुका-पत्थर के संगम पर, चम्बल नदी के बाएं तट पर, कोटा (जनसंख्या 7,04,731 (2001) स्थित है। इस प्रदेश में एक महत्त्वपूर्ण नगर, बनास नदी के दाहिने तट पर स्थित टोंक (जनसंख्या 1,35,663) (2001) है। भीलवाड़ा (जनसंख्या 2,80,185) (2001) और शाहपुरा (जनसंख्या 19,329) (1991) अन्य दो लघु औद्योगिक केन्द्र हैं। अलवर नगर दिल्ली और जयपुर के मध्य में स्थित है। यह जयपुर से लगभग 161 किलोमीटर है। नगर में एक किला प्रमुख है, जो एक बड़ी शंक्वाकार पहाड़ी पर बना है और जिसके पीछे पहाड़ियों की श्रेणियाँ भी हैं। भरतपुर की जनसंख्या लगभग 2,05,104 (2001) है और वह अपने ऐतिहासिक किले के लिए विख्यात है। नगर 18वीं सदी के पूर्वार्द्ध में महाराज सूरजमल द्वारा स्थापित किया गया था। धौलपुर (जनसंख्या 12,06,000) (2001) इस प्रदेश का अन्य एक महत्त्वपूर्ण नगर है, जो अपने काँच के उद्योग, जंगली जीव जीवों के शरण-स्थल एवं ऐतिहासिक सम्बन्धों के लिए प्रसिद्ध है।

**6. दक्षिणी-पूर्वी कृषि प्रदेश**—अरावली प्रदेश के पूर्व की ओर का तथा पूर्वी कृषि-औद्योगिक प्रदेश के दक्षिण का क्षेत्र, दक्षिण-पूर्वी कृषि-प्रदेश से आवृत्त है। इस प्रदेश का कुल भौगोलिक क्षेत्र 38892.38 वर्ग किलोमीटर तथा कुल क्षेत्र का 11.36 प्रतिशत है। इसमें बाँसवाड़ा, डूंगरगढ़, चित्तौड़गढ़, प्रतापगढ़, सलूम्बर, झालावाड़ कोटा और बारां जिले सम्मिलित हैं।

विन्ध्यन पठार की औसत ऊँचाई 350 से 580 मीटर तक है और वह बालुका-पत्थरों तथा शैलों से बना है। कोटा-झालावाड़ क्षेत्र में इस प्रदेश का कुछ भाग पथरीली उच्च भूमि है और कोटा-बूंदी पठार का कुछ भाग सम्मिलित है। इस क्षेत्र में मुख्यत: गहरी काली मिट्टी पाई जाती है। चम्बल और उसकी सहायक नदियों ने कोटा में एक जलोढ़ कछार बनाया है।

कृषि इस प्रदेश का मुख्य धंधा है। कोटा, बारां और झालावाड़ जिलों में लगभग 40 से 50 प्रतिशत तक भूमि फसलों की बोवाई के अन्तर्गत है। अधिक पहाड़ी होने से बाँसवाड़ा और चित्तौड़गढ़ जिलों में कृषि क्षेत्र 27.0 से 35.0 प्रतिशत के बीच है। महत्त्वपूर्ण उगाई जानेवाली फसलें गेहूँ, ज्वार, मक्का, चना और तिलहन हैं। कपास झालावाड़, भीलवाड़ा और चित्तौड़गढ़ जिलों में काली मिट्टी के क्षेत्रों में उगाई जाती है, जहाँ सिंचाई सुविधाएँ उपलब्ध हैं। चम्बल घाटी परियोजना के पूरा होने यह सम्पूर्ण क्षेत्र दक्षिण-पूर्व में एक महत्त्वपूर्ण फसल उत्पादक प्रदेश बन जाएगा।

रेल सेवा यहाँ अत्यन्त सीमित है। बाँसवाड़ा और झालावाड़ नगर रेल मार्गों द्वारा जुड़ें हुए भी नहीं है। झालावाड़-कोटा क्षेत्र में कुछ अच्छी सड़कें हैं, जबकि चित्तौड़गढ़-बांसवाड़ा के बीच के क्षेत्र में ये भी नहीं है।

झालावाड़ जनसंख्या 14,11,327 (2011) चित्तौड़गढ़ जनसंख्या 15,44,000 (2011) और बाँसवाड़ा (जनसंख्या 17,97,000 (2011) इस प्रदेश के महत्त्वपूर्ण नगर हैं। सोलहवीं सदी का नगर बाँसवाड़ा, मालवा पठार के बिल्कुल पश्चिमी किनारे पर स्थित है।

**7. चम्बल का खड्ड (Ravinde) प्रदेश**—यह प्रदेश चम्बल के सहारे स्थित है। जहाँ वह राजस्थान और मध्य प्रदेश के बीच सीमा बनाता है। इस क्षेत्र का कुल भौगोलिक क्षेत्र 2385.63 वर्ग किलोमीटर तथा कुल क्षेत्र का 0.70 प्रतिशत है। राजस्थान में खड्ड भूमि सवाई माधोपुर, करौली, धौलपुर और भरतपुर जिलों में 5 से 20 किलोमीटर की सकरी पट्टी में फैली है। ये खड्ड सीमा से राजस्थान की ओर के भाग

तक ही सीमित नहीं हैं, बल्कि मध्य प्रदेश में भी फैले हुए हैं और उत्तर प्रदेश में भी उसक बिन्दु तक हैं जहाँ चम्बल यमुना से मिलती है।

इस राज्य में चम्बल घाटी की स्थलाकृति पहाड़ियों और पठारों से बनी है। इस सम्पूर्ण घाटी में नवीन जलोढ़क जमाव हैं। घाटी का ढ़ाल उत्तर-पूर्व की ओर है। राजस्थान में चम्बल के बहाव के सहारे ऊपरी नदी से आनेवाले जल से वृहत् क्षेत्रों को कृषि के अनुपयुक्त बना दिया है। कोटा और बूंदी (राय चौधरी, 1963) जिलों में यह अनुमान लगाया गया है कि 23.0 प्रतिशत क्षेत्र खाइयों और खड्डों से भरे हैं। इस क्षेत्र में मानसून के समय बड़ी संख्या में जल-विभाजक होते हैं, जिससे भारी मात्रा में अपवाह होता है, जो मिट्टी की भारी प्रकृति के कारण त्वरित हो जाता हैं। बूंदी के उत्तर का क्षेत्र मानसून के समय परिवाह से त्रस्त हो जाता है, जो बूंदी पहाड़ियों से पानी के बहाव के कारण होता है।

इस प्रदेश के समक्ष मिट्टी कटाव की समस्या है, जिसने वनस्पति की प्रकृति को प्रभावित किया है। जल-मार्ग समोच्च रेखाओं को उनके अनुवर्ती खड्डों के साथ पार करते हैं, जिससे वे आकार में बढ़ते हैं और अच्छी भूमियों को भी अपक्षरित करते हैं। अच्छी भूमि के खड्डों में परिवर्तित हो जाने से लगभग एक चौथाई क्षेत्र अनुत्पादक है। नदी के किनारे क्षरण अत्यन्त भयानक है। खड्डों की समीपस्थ कृषि-भूमि सदैव बह जाने के खतरे में हैं।

राजस्थान को भौगोलिक प्रदेशों में बाँटने का कार्य डॉ. वी.सी. मिश्रा के अतिरिक्त भारत के सुप्रसिद्ध भूगोलवेत्ता तथा काशी हिन्दू विश्वविद्यालय में भूगोल विभाग के अध्यक्ष प्रो. रामलोचन सिंह द्वारा भी किया गया। यह विस्तृत लेख डॉ. बंसतसिंह, भूगोल विभाग, राजस्थान विश्वविद्यालय, जयपुर ने प्रतिपादित किताब भारत का भूगोल से लिया गया है। डॉ. सिंह के विभाजन का आधार प्राकृतिक, सांस्कृतिक एवं स्थानीय विशेषताओं की समानता है उन्होंने अपने विभाजन में ने राजस्थान को दो वृहत् प्रदेशों, चार मध्यम प्रदेशों, बारह लघु प्रदेशों तथा 32 उप-प्रदेशों में विभाजित किया है। (मानचित्र 117)

## (1) राजस्थान का मैदान

### (अ) मरुस्थलीय प्रदेश

(i) जैसलमेर मरुस्थली-पश्चिमी जैसलमेर मैदान व पूर्वी जैसलमेर मैदान।

(ii) बाड़मेर-फलौदी मरुस्थली-बाड़मेर क्षेत्र व फलौदी क्षेत्र।

(iii) बीकानेर-चुरू मरुस्थली-बीकानेर मैदान व चुरू मैदान।

### (ब) राजस्थान बागर् प्रदेश

(i) घग्घर प्रदेश-गंगानगर मैदान, नोहर-भादरा मैदान।

(ii) शेखावाटी प्रदेश-उत्तर-पूर्वी चुरू क्षेत्र, पश्चिमी सीकर-झुंझुनूं मैदान।

(iii) नागौर प्रदेश-सांभर-डीडवाना क्षेत्र, नागौर ओसियां क्षेत्र।

(iv) लूनी बेसिन प्रदेश-दक्षिण-पूर्वी जोधपुर मैदान, पाली-सोजत मैदान, लूनी-सूकड़ी द्रोणी, जालौर-भीनमाल मैदान, लूनी-रन क्षेत्र, दक्षिण-पूर्वी बाड़मेर मैदान।

## (2) राजस्थान की उच्च भूमि

### (अ) अरावली उच्च भूमि

(i) अरावली प्रदेश-सांभर बेसिन, अलवर पहाड़ी क्षेत्र।

(ii) मध्य अरावली प्रदेश-मेरवाड़ा पहाड़ी, मालपुरा उच्च भूमि।

(iii) दक्षिणी अरावली क्षेत्र-आबू खण्ड, मेवाड़ पहाड़ी, मध्य माही बेसिन, ऊपरी बनास मैदान।

### (ब) चम्बल-सिन्ध बेसिन

(i) मध्य चम्बल बेसिन-कोटा उच्च भूमि या हाड़ौती पठार, कोटा मैदान, निम्न बनास मैदान।

(ii) निम्न चम्बल बेसिन-करौली मैदान, भरतपुर मैदान एवं धौलपुर मैदान।

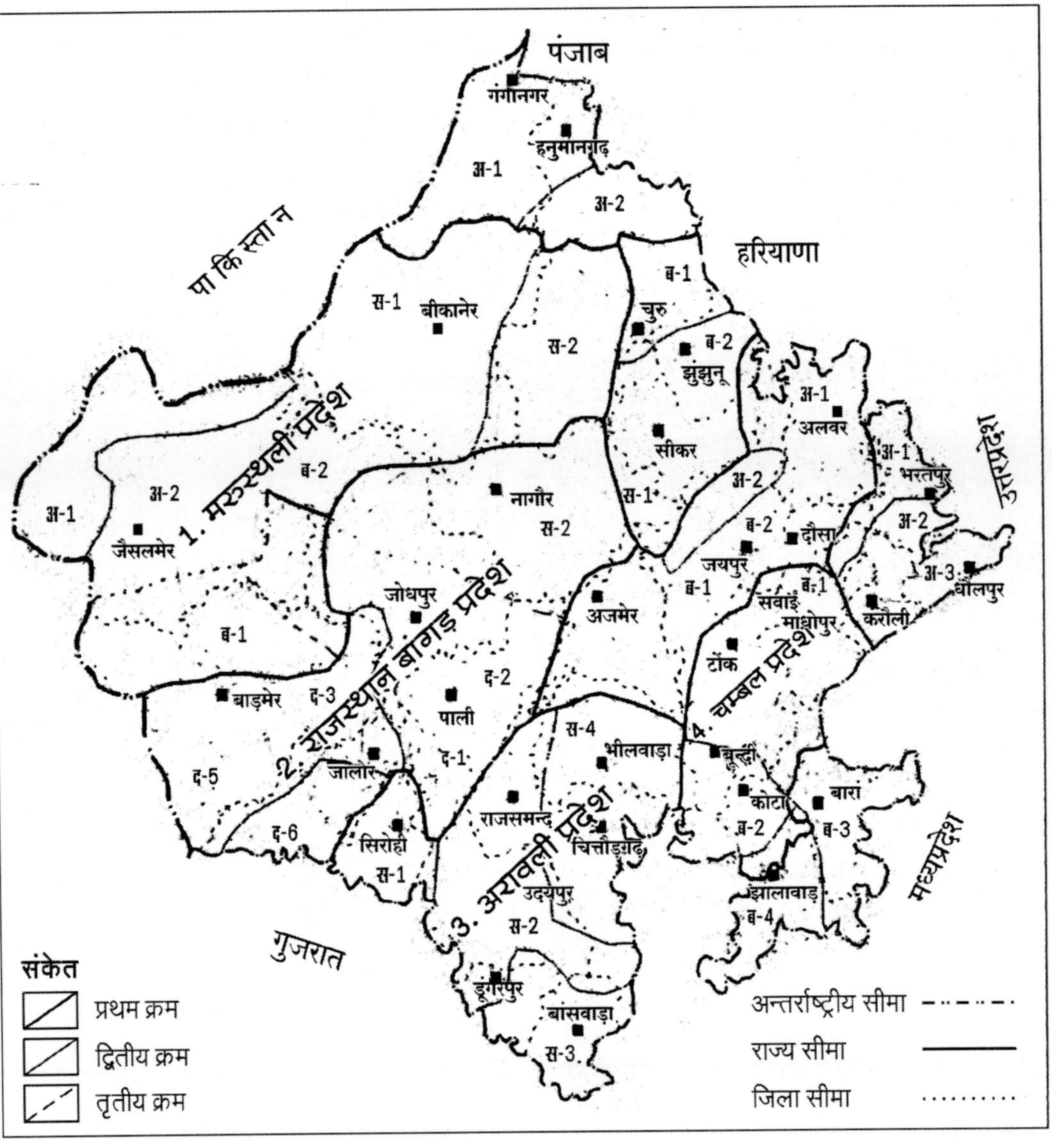


**मानचित्र 117 : राजस्थान भौगोलिक प्रदेश** (डॉ. आर. एल. सिंह के अनुसार)

**राजस्थान का मैदान–** यह मैदान राजस्थान के पश्चिमी, उत्तरी-पश्चिमी भागों में जैसलमेर, बाड़मेर, जोधपुर, बीकानेर, पाली, नागौर, श्रीगंगानगर, चुरू तथा सीकर, झुन्झुनूं जिलों में पश्चिमी भागों में 24°31' उत्तर से 30°12' उत्तरी अक्षांस में एवं 69°15' पूर्व से 76°42' पूर्वी देशान्तरों के बीच पाया जाता है। यह सिन्ध और सतलज नदियों से सिंचित प्रदेश का भाग है। जिसका कुल क्षेत्रफल 1,96,750 वर्ग किमी. अंकित किया गया है। यह क्षेत्र पृथ्वी के इतिहास में कभी समुद्र के पेंदे का हिस्सा रहा था किन्तु कालान्तर में समुद्र के पीछे हटने से यह भाग निरन्तर जलवायु के परिवर्तनों से प्रभावित रहा एवं हिमालय पर्वतों के विभिन्न उभारों से प्रभावित जलवायु के प्रभावों से अछूता नहीं रहा। इसी क्षेत्र में आर्यों को संरक्षण देने

वाली तथा वेदों की रचना का मार्ग अपने तटों पर प्रशस्त करने वाली 'सरस्वती नदी' एवं 'दृष्द्वती नदी' प्रवाहित होती थी जो अरब सागर में जाकर गिरती थी। इसी क्षेत्र में हड़प्पाकालीन सभ्यता एवं संस्कृति का विकास हुआ। कालीबंगा, पीलीबंगा, नलियासर की सभ्यता का विकास इसी क्षेत्र में हुआ। यही क्षेत्र चीनी यात्री हेनसांग (सन् 629 से 645) के समय 'गुर्जर' प्रदेश के नाम से जाना जाता था तत्पश्चात् 'जांगल देश' एवं 'सपालदक्ष' के रूप में जाना जाने लगा। कुरूजांगला एवं माद्रेय जांगला इसी क्षेत्र के नाम रहे। इस क्षेत्र की जलवायु पर क्वार्टनरी महाकल्प में विशद परिवर्तन हुए। तीन बार नम एवं तीन बार शुष्क चरण आये। उनके कारण शुष्क चरणों में तो बालुकास्तूपों, बलुई मिट्टी के संचरण, स्थानान्तरण, आडे लम्बवत् बरखान, स्थाई एवं अस्थाई बालुका स्तूपों का निर्माण हआ। वनस्पति की इस 'जंगला:' देश में सर्वाधिक सघनता पाई जाती थी। उसी का प्रतिफल है कि आज हमें जैसलमेर के समीप राष्ट्रीय 'फोसिल पार्क' में पेड़ों के बड़े-बड़े तने काष्ठ के होते हए भी पृथ्वी के दबाव एवं गर्मी के प्रस्तर रूप में परिवर्तित होकर पृथ्वी की हलचलों के परिणामस्वरूप ऊपर सतह पर आ गये जो उस क्षेत्र की विपुल वनस्पति सम्पदा के द्योतक हैं तथा जलवायु परिवर्तनों की अकथ गाथा का बखान करते हैं। इस क्षेत्र में यत्र-तत्र जुरासिक से लेकर इसोसीन कल्प की समुद्री शैल समूह वर्ग की अवसादी शैलें पाई जाती हैं अन्यथा संपूर्ण मैदानी क्षेत्र बालू एवं बालुका स्तूपों से ढका हुआ है। इस क्षेत्र का अधिकांश भाग महान् भारतीय मरुस्थल (Great Indian Desert) का भाग है। कुछ क्षेत्र बाढ़मेर-जैसलमेर-बीकानेर चट्टानी प्रदेश एवं कुछ लघु मरुस्थल एवं अर्द्धशुष्क मरुस्थल (लूनी नदी का अपवाह क्षेत्र) का भाग है। इस क्षेत्र का विस्तृत भौगोलिक वर्णन इसे पुनः दो प्रमुख भागों—1. मरुस्थलीय प्रदेश, 2. राजस्थान बांगड़ प्रदेश में विभक्त कर किया जाता है।

1. **मरुस्थलीय प्रदेश**— इस क्षेत्र में जैसलमेर, बाड़मेर, बीकानेर तथा चुरू, जोधपुर के पश्चिमी भाग सम्मिलित हैं। यद्यपि इस भाग में पूर्व में श्रीगंगानगर, हनुमानगढ़ एवं पाली जिले भी सम्मिलित थे। किन्तु इन्दिरा गांधी नगर परियोजना एवं गंगनहर परियोजना के कारण संपूर्ण क्षेत्र का सांस्कृतिक परिवेश परिवर्तित हो गया है। क्षेत्र में कृषि फसलों जनित खुशहाली के अतिरिक्त संपूर्ण भाग में 'हरित क्रांति' का सूत्रपात हो चुका है। पशुपालन यायावर नहीं रहकर घरेलू एवं पालतू हो गया है। कृषि भूमि का उपयोग परिवर्तित हो गया है तथा सांस्कृतिक दृष्टि सं संपूर्ण परिवेश में परिवर्तन परिलक्षित हो रहा है। अब इस नहरी क्षेत्र में अकाल, सूखा आदि प्राकृतिक आपदायें नहीं होती है वरन् 'सेम' की समस्या, पानी निकास (Water Logging) क्षारीयता एवं अम्लीयता की समस्या आदि नये सिरे से उठ खड़ी हुई है।

अतः भौगोलिक प्रदेश का निर्धारण करते समय वर्तमान में सांस्कृतिक भू-दृश्यावली का संक्षिप्त एवं लघु क्षेत्रीय परिवर्तन भी अपनी विशिष्टता रखता है। इसी कारण श्रीगंगानगर-हनुमानगढ़ का क्षेत्र अब राजस्थान बांगड़ प्रदेश के घग्घर मैदान का हिस्सा बन गया है यथा मरुस्थल प्रदेश से बाहर हो गया है। वर्तमान में बाड़मेर में मंगला, भाग्यम, ऐश्वर्यम आदि क्षेत्र में पेट्रोल का उत्पादन हो रहा है।

**मरुस्थली की पहचान**— मरुस्थली का नाम घोघा बापा, महमूद गजनवी, सिकन्दर और पुरू, अकबर एवं औरंगजेब तथा राजधानी रजवाड़ों के रणबांकुरों के इतिहास के साथ तो जुड़ा हुआ ही है, इसके अतिरिक्त केर, सांगरी, कुमटिया, रोहिड़ा, जिप्सम, शैलखड़ी, प्राकृतिक गैस, स्टील, ग्रेड लाइम स्टोन, लिग्नाइट कोयला, पशुधन, बाजरी एवं सांस्कृतिक धरोहर के साथ ही अत्यंत गौरवशाली तरीके से जुड़ा हुआ है। इस विविधतायुक्त मरुस्थली में गोडावण जैसा राज्य पक्षी, राष्ट्रीय मरुस्थलीय अभ्यारण्य, चिंकारा एवं हरिणों के झुण्ड, ऊँटों की कतारों, हवेलियों एवं दुर्गों के समूह, नाकोड़ा, खींचन तथा रामदेवरा जैसे धार्मिक स्थल, पोकरण जैसा राष्ट्रीय महत्त्व का परमाणु शक्ति परीक्षण स्थल तथा विविधतायुक्त बालुका स्तूपों मयी धरा इसे अद्वितीय स्वरूप प्रदान करती है। इतना ही नहीं वरन् शुष्कताप्रिय छोटी पत्तीवाले एवं गहरी जड़ों वाले पेड़-पौधे, शुष्क जलवायु, उच्चतम तापमान एवं निम्नतम वर्षा,

तापक्रमीय विभेदन तथा वर्तमान में विभेदन युक्त वर्षा, बलुई मिट्टी एवं लम्बे, छरहरे धोती, अंगरखी, कुर्ता तथा सत्तर कली का घाघरा, कंचुकी तथा प्लास्टिक की बाजू एवं पोंचे से भरी चूड़ियाँ वाली महिलायें एवं मरुस्थली की अकाय्य पहचान है। दस्तकारी, मीनाकारी, पच्चीकारी, नक्काशी, प्रिटिंग-बाड़मेरी प्रिन्ट, बाड़मेर के रोहीड़ा की लकड़ी पर कुरेदे हुए फर्नीचर, बीकानेर की उस्ताकला, घूमर नृत्य, गणगौर नृत्य एवं ऊँट की सवारी का आनन्द इस क्षेत्र की पहचानों को नये आयाम प्रदान करती है।

**धरातल—** इस क्षेत्र में बहुत कम भाग समुद्र तल से 150 मीटर नीचा (पश्चिमी जैसलमेर मैदान) 80 प्रतिशत से 100 प्रतिशत बालुका स्तूपयुक्त अधिकांश भाग समुद्र तल से 300 मीटर तक ऊँचा एवं बालू से ढका हुआ है। इसमें कहीं-कहीं चट्टानी सतह एवं छोटी-छोटी पहाड़ियाँ पाई जाती हैं जो द्वितीय (मसोजोइक महाकल्प) महाकल्प एवं तृतीय महाकल्प के पूर्वार्द्ध में निर्मित बलुई पत्थर की चट्टानों युक्त है। इस मरुस्थल के धरातल को प्रो. आर. एल. सिंह ने तीन भागों में बाँटकर इसका अध्ययन किया-

(अ) जैसमेर मरुस्थली- (अ-1) पश्चिमी जैसलमेर मैदान (अ-2) पूर्वी जैसलमेर मैदान।

(ब) बाड़मेर-फलौदी मरुस्थली- (ब-1) बाड़मेर क्षेत्र (ब-2) फलौदी क्षेत्र।

(स) बीकानेर-चुरू मरुस्थली- (स-1) बीकानेर मैदान (स-2) दक्षिणी-पश्चिमी चुरू मैदान।

इस सम्पूर्ण मरुस्थली मैदानी क्षेत्र में प्रधानतः दो प्रकार का मरुस्थल पाया जाता है। (i) रेतीला मैदान (Sandy Desert) और (ii) पथरीला मरुस्थन (Rocky Desert)।

**रेतीला मरुस्थल (Sandy Desert)—** मरुस्थल का धरातल समुद्र तल से 150-300 मीटर ऊँचा है तथा यहाँ समुद्री जीवों के अवशेष हैं। यह मरुस्थल रेत के विशाल समुद्र के समान फैला हुआ, वनस्पति विहीन, बलुई रेत युक्त, विभिन्न प्रकार के बालुका स्तूपों (धारों) युक्त लम्बे, आडे, बरखान, पराबोलिक बालुका स्तूप आदि, कम वर्षा, अत्यधिक विभेदन युक्त तापमान, न्यूनतम वर्षा, विरल जनसंख्या, विरल औद्योगिक सड़क, रेल, परिवहन एवं विकास की गति में पिछड़ा हुआ क्षेत्र माना जाता है। पवनानुवर्ती बालुका स्तूप उत्तर-पूर्व से दक्षिण-पश्चिमी की ओर प्रचलित हवाओं के समानान्तर फैले हुए हैं। बरखान और पराबोलिक बालुकास्तूप न*केवल मेंढा नदी की मध्य एवं निचली घाटी में (सांभर लेक के पास) पाये जाते हैं, वरन् चुरू, भालेरी, जैसलमेर, बाड़मेर, जोधपुर आदि जिलों में बहुतायत से पाये जाते हैं। देशनोक, नागौर, जोधपुर जिलों में तथा श्रीगंगानगर, हनुमानगढ़, सीकर, झुन्झुनूं जिलों में कई स्थानों पर फोसिल बालुका स्तूप पाये जाते हैं। जिनकी ऊँचाई वाली रेत में ऑक्सीजन से मिट्टी में परिवर्तन होकर मिट्टी ठोस, लोहांश युक्त एवं स्थिर हो गई है तथा उस पर वनस्पति का आवरण छा गया है, पाये जाते हैं। बरखान बालुका स्तूपों के अर्द्ध चन्द्राकार भाग में वर्षा ऋतु में पानी भर जाता है तथा वह क्षेत्र खरीफ की खेती के लिए काम में लिया जाता है। इसे मरुस्थली भाषा में 'थलीयासर' कहते हैं। इस क्षेत्र में बालुका प्रवाह, बालुका स्तूपों का स्थानान्तरण तथा वायु प्रवाह इस क्षेत्र की विशिष्ट तथा लगातार घटित होने वाली घटनाएँ हैं। कृषि भूमि का विघटन, सड़क एवं रेलमार्ग पर बालू का आगमन तथा मार्गों का अवरुद्ध होना, पड़त भूमि का प्रसार तथा वनस्पति के विस्तार में भी रुकावट उत्पन्न होती है। मरुस्थली रेत एवं स्थानान्तरित होने वाले बालुका स्तूपों (Migratory Sand dunes) को रोकने के लिए वृक्षावलियाँ, नहरों का जाल, काजरी (केन्द्रीय मरुस्थल प्रदेश अनुसन्धान संस्था, जोधपुर) द्वारा शुष्क क्षेत्रों द्वारा विकसित पेड़ों की कतारें एवं वृक्षारोपण तथा बालुका स्तूपों पर पेट्रोल छिड़ककर स्तूपों के पार्श्वों पर पेड़ उगाने जैसे विधियों का सहारा लिया जा रहा है। इन्दिरा गांधी नहर, गंगनहर के किनारे वन विकास एवं सिंचाई विभाग द्वारा पेड़ लगाये गये हैं।

बालुका स्तूपों एवं रेत की विशालता एवं भयावहता (गहराई) जो विशेषत: जैसलमेर जिले के धोरी मन्ना, रामगढ़, क्षेत्र में पाई जाती है। पाकिस्तान से तस्करी पशुओं, हीरोइन, सोना, ड्रग्स, करेंसी आदि अपराधों का कारण बनती है। किन्तु अब परिस्थितियों

में परिवर्तन आ गया है। इस सम्पूर्ण क्षेत्र में इन्दिरा गांधी नहर का पानी पहुंच चुका है। बाड़मेर में बायतु क्षेत्र में पेट्रोल के भंडार मंगला, ऐश्वर्यम, भाग्यम आदि स्थानों पर मिलने के कारण यातायात, आर्थिक स्थिति में काफी परिवर्तन आ गया है। पर्यटन उद्योग ने यहाँ की तस्वीर बदल दी है। अतः विकास के कारण यह नयापन का सूत्रपात हो चुका है।

नर्मदा नहर से बाड़मेर क्षेत्र में नये आयाम स्थापित किये हैं। जीरा, अरण्डी, ईसबगोल आदि की पैदावार से यह क्षेत्र देश का मसाला हब बन गया है। इससे देश का विकास होगा।

**जलवायु एवं वनस्पति**— रेतीला मरुस्थल पश्चिम में होने के कारण वर्षा अधिकतम 300 मिमी. एवं न्यूनतम धुर पश्चिमी भाग में 50 मिमी. तक औसत रूप से प्रतिवर्ष होती है। तापमान 1974 में जैसलमेर में 54ओ सेल्सियस तक पहुँच गया। तामान 2016 मार्च में 55ओ तक पहुंच गया। रात्रि का तापमान 30ओ सेल्सियस तक हो जाता है। रात्रि के उत्तरार्द्ध में तापमान घटकर 25ओ सेल्सियस तक पहुँच जाता है। रेत ठण्डी हो जाती है। इसीलिए रात्रि सुहावनी, ठण्डी तथा आरामदायक होती है। इन सबके बावजूद जलवायु कठोर, विषम तथा शुष्क पाई जाती है। वनस्पति में केर, बेर, कुमठिया, खेजड़ी, बबूल, पीलू, जाल, रोहिड़ा, फोग आदि के पेड़ पाये जाते हैं। विश्व के अन्य मरुस्थलों से अधिक वनस्पति है।

**मिट्टियाँ**— इस सम्पूर्ण क्षेत्र में बलुई, रेतीली, मोटे, कणों वाली रन्ध्रयुक्त ह्यूमस के अभाव में ग्रसित, लोहांश की कमी से प्रभावित मिट्टी पाई जाती है। इस क्षेत्र में यायावर पशुओं (Nomadic herding) सबसे अधिक होता है। इसलिए बीकानेर, बाड़मेर, जैसलमेर, जोधपुर में अत्यधिक भेड़- बकरियाँ, ऊँट आदि का पशुधन पाया जाता है। बहुत कम मात्रा में खनन एवं औद्योगिक इकाईयाँ पाई जाती है। किन्तु अब स्टील लाइमलाट स्टोन, ग्रीन लाइम, सीसा, जिप्सम आदि खनिज पाये जाते हैं।

**पथरीला मरुस्थल (Rockey Desert)**— पथरीला मरुस्थल पश्चिमी राजस्थान की विशिष्ट भू-आकृति का द्योतक है। यहाँ विविध ऊँचाई के इन्सलबर्ग (Inselberg) छोटी-छोटी एकाकी पहाड़ियाँ, पथरीला धरातल, कंकड़युक्त क्षेत्र तथा विविध प्रकार की चट्टाने पाई जाती है। जैसलमेर के उत्तरी भाग में लुद्रवा के सम्पूर्ण क्षेत्र में पथरीला क्षेत्र पाया जाता है जहाँ चूना पत्थर, बलुआ पत्थर, पीला पत्थर-रामगढ़ पाकिस्तान तक (जुरासिक युग का) पाया जाता है। यहीं पर जैसलमेर-बाड़मेर पार्क का क्षेत्र भी पथरीला एवं जुरासिक युग की चट्टानों से परिपूर्ण क्षेत्र पाया जाता है। जैसलमेर तथा जुरासिक युग के बालू पत्थरों पर उसी से निर्मित मकानों की बनी स्वर्ण नगरी है।

बीकानेर क्षेत्र में बीकानेर के चारों ओर पथरीला क्षेत्र पाया जाता है। विशेषतः उत्तरी भाग में बलुआ पत्थर की छोटी-सी पहाड़ी पाई जाती है जिसके पत्थर से ही सम्पूर्ण बीकानेर के मकानों, महलों, जूनागढ़, लालगढ़, जैनियों के मन्दिर आदि भवनों का निर्माण हुआ है। यहाँ बलुआ पत्थर धरातल पर ही मिलता है। कुछ बलुई पत्थर गजनेर, कोलायत क्षेत्र में भी पाया जाता है।

जोधपुर अपने बलुआ पत्थर खण्डों, पट्टियों एवं निर्माण सामग्री की खानों के कारण सम्पूर्ण राजस्थान में प्रसिद्ध है। जोधपुर की फलौदी तहसील में पथरीला मरुस्थल पाया जाता है। बाप बोल्डर्स का क्षेत्र, फलौदी के पड़ौस का क्षेत्र पथरीला एवं तृतीय महाकल्प की बलुआ पत्थर की चट्टानों से परिपूर्ण है। यहाँ इयोसीन एवं जुरासिक काल के बलुआ पत्थर पाये जाते हैं। इसी बलुआ पत्थर से जोधपुर का मेहरानगढ़ का किला, जसवंत थड़ा, उम्मेद भवन महल, राई का बाग पैलेस, काजरी की नवीनतम भवन श्रृंखलायें, शहर के मकान एवं समीपस्य क्षेत्र के लिए सभी आकार-प्रकार की प्रयोग में ली हुई पट्टियाँ पाई जाती है। यहाँ बालुका स्तूपों से जोधपुर क्षेत्र में 20 प्रतिशत से 40 प्रतिशत क्षेत्र, जैसलमेर में 40 से 60 प्रतिशत क्षेत्र तथा बीकानेर में 60 से 80 प्रतिशत क्षेत्र प्रभावित है। शेष भाग में पथरीला मरुस्थल पाया जाता है। इस क्षेत्र में समुद्र युगीन अवशेष भी पाये जाते हैं। विशेष कर यह क्षेत्र खनिजों के विदोहन के लिए उपयुक्त है। यहाँ

पलाना का कोयला, नागौर जोधपुर का जिप्सम, सीमेन्ट प्रोड एवं स्टील ग्रेड चूने का पत्थर इस क्षेत्र को सीमेन्ट हब बनाने की ओर अग्रसर है।

इस भाग में वनस्पति 3 प्रतिशत से भी कम भाग पर पाई जाती है। वनस्पति की दृष्टि से 'ओरण' ही देखे जा सकते हैं। धार्मिक स्थलों के समीप पेड़ प्रायः पाये जाते हैं। करणी माता, चौपासनी मन्दिर, रामदेवरा, गोगामेडी, देवीकुण्ड शिवालय, गजनेर, कोलायतजी, जसनाथजी की समाधि आदि के ओरणों में वनस्पति पाई जाती है। इसके अलावा स्थान- स्थान पर काटेदार झाड़ियाँ, बबूल, नागफनी, झरबेरी, कीकर, जाल, कल्पवृक्ष, खेजड़ी, कंटीले गुच्छों वाली घांस एवं कहीं- कहीं 'सेवण' घास भी पाई जाती है।

**मिटियाँ**— मिट्टियों में 90 से 95 प्रतिशत तक बालू पाई जाती है। मात्र 5 प्रतिशत तक ही मृत्तिका पाई जाती है। मिट्टी में ह्यूमस लोहांश जैवीय पदार्थों की कमी तथा लवणता की अधिकता पाई जाती है। इसलिए मात्र पदार्थों की कमी तथा लवणता की अधिकता पाई जाती है। इसलिए मात्र चिकनी मिट्टी युक्त कांपीय 'रोई' के क्षेत्रों में कृषि कार्य हो पाता है अन्यथा संपूर्ण क्षेत्र वनस्पति एवं कृषि विहीन है। भूमिगत जल की कमी के कारण भी यहाँ बहुत कम कृषि होती है। वर्तमान में जैसलमेर जिले में 'लाठी क्रम' की चट्टानों से पानी का अकूत भण्डार प्राप्त हुआ है, उसमें यत्र तत्र कृषि कार्य होने लगा है तथा पेयजल की भी आपूर्ति होने लगी है जैसलमेर-रामगढ़ अब इन्दिरा गांधी नहर पहुंचने से कृषि का दृश्य अब बदल गया है।

**खनिज भण्डार**— यह क्षेत्र खनिजों की दृष्टि से बहुत ही महत्वपूर्ण बन गया है। जिप्सम के भण्डार बीकानेर के जामसर, लूनकरणसर व कोलायत क्षेत्र, सियासर, हरकासर, पूंगल की खानें तथा जैसलमेर के जिप्सम मोहनगढ़, हमीरवाली, ढाणी और लखा में निकाला जाता है। बाड़मेर जिले में जिप्सम का वासा, श्योकर उत्तरलाई और खुटानी खनन क्षेत्रों से निकाला जाता है। तेल के भण्डार और तनोट से 30 किमी. दूर डांडेवाला क्षेत्र में मिले हैं। घोटारू, रामगढ़, बीकानेर क्षेत्र से भीकमपुर आदि में तेल व गैस के भण्डारों का पता चला है। हाल ही में हवाई सर्वेक्षण से राजस्थान में चुम्बकीय विधि से पेट्रोल, गैस तथा अन्य कई खनिजों का पता लगा है। बाड़मेर में मंगलम, भाग्यम, ऐश्वर्यम आदि स्थानों पर पेट्रोल खनिजों को खोजा गया है। यहाँ से 1.75 लाख बैरल तेल कैयर्न इण्डिया कं. निकाल रही है।

**कोयला**— कोयले की विभिन्न किस्में लिग्नाइट, बिटुमिनस आदि में सबसे अधिक धुआँ देने वाला कोयला 'लिग्नाइट' बीकानेर, बाड़मेर क्षेत्र में सर्वाधिक पाया जाता है। इसके भण्डार बीकानेर के पास बरसिंहपुर, पलाना, तलाना, खारी, खानैरी, गंगासरोवर, मुन्ध आदि क्षेत्रों में पाया जाता है। नवीनतम सर्वेक्षणों में अन्य कई स्थानों पर भी इस क्षेत्र में लिग्नाइट पाया जाता है। यह कोयला क्षेत्रों पर आधारित ही ताप बिजलीघर भी 120 मेगावाट क्षमता के चल रहे हैं। अनुमानों के अनुसार गिराल में 10 करोड़ टन, कपूरड़ी में 15 करोड़ टन और जालीया में 31 करोड़ टन लिग्नाइट के भण्डार मिले हैं। बाड़मेर जिले में कपूरड़ी क्षेत्र में भी लिग्नाइट के अच्छे भण्डार हैं। इस पर आधारित 500 मेगावाट का एक ताप विद्युत गृह बनाया गया है अब दूसरी ईकाईयाँ चल पड़ी है। जैसलमेर के पास स्टील ग्रेड चूना पत्थर, पेट्रोल प्राकृतिक गैस एवं भवन निर्माण पत्थर के अकूत भण्डार हैं। मुल्तानी मिट्टी के जमाव बीकानेर, बाड़मेर, जैसलमेर आदि जिलों में पाये जाते हैं। बीकानेर क्षेत्र में पलाना मुन्ध क्षेत्रों में, बाड़मेर में कपूरड़ी, आलामारिया, शिव, रोहिली तथा जैसलमेर में मुन्धां, बेहदोई तथा रामगढ़ क्षेत्रों से प्राप्त की जाती है। इस क्षेत्र में प्रदेश की मात्र 10 प्रतिशत के लगभग ही जनसंख्या निवास करती है। अतः बाजार की कमी के कारण उद्योगों का विकास संभव नहीं हुआ है। फिर भी यहाँ सूरतगढ़ का ताप विद्युत गृह, बरसिंहपुर, पलाना के लिग्नाइट आधारित विद्युत गृह, कपूरड़ी का विद्युत गृह, जैसलमेर का पर्यटन उद्योग, जोधपुर की जूतियाँ, बादले, स्टेनलेश स्टील के बर्तन, बीकानेर की उस्ता कला, भुजिया, पापड़, रसगुल्ला, सोजत की मेहन्दी, बिरला सीमेन्ट, बलुआ पत्थर खनन उद्योग आदि प्रमुख उद्योग हैं। यहाँ जैसलमेर में जनसंख्या का

घनत्व 17 व्यक्ति प्रति वर्ग मी. ही है अर्थात् राज्य में सबसे कम घनत्व यहाँ ही है।

## मरुस्थली का सांस्कृतिक वातावरण (Cultural Environment of Marusthali)

राजस्थान की मरुस्थली सांस्कृतिक दृष्टि से बहुत सम्पन्न है। यद्यपि यहाँ पर अकाल, सूखा, गरीबी, बेरोजगारी, पानी की कमी आदि समस्यों निरन्तर चली आ रही हैं, किन्तु फिर भी राजाओं, महाराजाओं, ठिकानों एवं सामान्यजन द्वारा इस वीरान, वनस्पतिविहीन, शुष्क तथा जलविहीन क्षेत्र में सरसता उत्पन्न करने की दृष्टि से सांस्कृतिक धरोहर को बहुत संवारा, संजोया एवं संभाला है। इतना ही नहीं वरन् उसमें विविध आयाम भी जोड़े हैं।

मरुस्थली क्षेत्र में सन् 2011 की जनगणना के अनुसार जनसंख्या 33.32 लाख और औसत जनसंख्या में घनत्व 44 व्यक्ति प्रति वर्ग किमी पाये जाते हैं। जनसंख्या मुख्यतः उत्तरी एवं उत्तरी पूर्वी भाग में ही केन्द्रित है, पश्चिमी भाग में जनसंख्या बहुत कम पाई जाती है। क्योंकि ब्रुन्श का कथन है कि जनसंख्या और वर्षा के मानचित्रों में साम्यता पाई जाती हैं, यहाँ पर भी सत्य उतरता है। चुरू में जनसंख्या का घनत्व 147 व्यक्ति, बीकानेर में 78 व्यक्ति, बाड़मेर में 92 व्यक्ति और जैसलमेर में सबसे कम 17 व्यक्ति प्रतिवर्ग किमी. पाई जाती है। जनसंख्या का यह न्यूनतम घनत्व यहाँ की कठोर शुष्क जलवायु, मरुस्थली क्षेत्र, खनिजों तथा औद्योगिक प्रतिष्ठानों की कमी के कारण आंका जाता है, किन्तु फिर भी यहाँ के वाशिन्दों ने प्रकृति से समायोजन कर धार्मिक क्रियायें यथा पशुपालन, पर्यटन (सम, केमलसफारी) कृषि आदि को बढ़ावा देकर जीवन यापन का साधन ढूंढ लिया है। इसी कारण यहाँ जनसंख्या वृद्धि हो रही है तथा विश्व के अधिकांश मरुस्थलों में राजस्थान के इस मरुस्थल में आबादी सर्वाधिक एवं जनसंख्या घनत्व अधिक पाया जाता है। पशुधन भी अधिकतम पाया जाता है। नहरीकरण के कारण अब स्थितियों में परिवर्तन हो रहा है।

मरुस्थल क्षेत्र में बाड़मेर जिले में कुल 26.02 लाख की सन् 2011 की जनसंख्या में 24.00 लाख ग्रामीण तथा 1.45 लाख शहरी आबादी थी। कुल 4.36 लाख जनसंख्या थी। कुल 36.02 लाख जनसंख्या है जबकि जैसलमेर जिले में कुल 5 लाख 8 हजार ग्रामीण जनसंख्या है। जोधपुर में कुल 28.86 लाख जनसंख्या है। इंदिरा गांधी सिंचाई परियोजना (सागरमल गोपा वितरिका, रामगढ़ वितरिका आदि) के बढ़ते सिंचाई प्रभाव एवं सिंचित क्षेत्र के लालच में बाहर से आकर जमीन लेने वाले कृषकों के दबाव के कारण बढ़ी थी। इस क्षेत्र में अब सामरिक युद्धाभ्यास किया जाता है।

**सारणी–86 : मरुस्थली क्षेत्र की अर्थव्यवस्था, 2011**

| क्र.सं. | जिले का नाम | जनसंख्या | ग्रामीण | शहरी | साक्षरता | लिंगानुपात |
|---|---|---|---|---|---|---|
| 1. | चुरू | 1463312 | 71.7% | 28.3% | 66.8 | 938 |
| 2. | बाड़मेर | 2421914 | 93.0% | 23.0% | 56.5 | 902 |
| 3. | बीकानेर | 1563563 | 66.1% | 33.0% | 65.1 | 903 |
| 4. | जैसलमेर | 580804 | 86.7% | 13.3% | 51.9 | 859 |
| 5. | जोधपुर | 2422531 | 65.7% | 13.1 | 65.9 | 922 |
| 6. | जालौर | 1676975 | 91.7% | 27.2 | 54.9 | 955 |
| 7. | गंगानगर | 1433736 | 72.8% | 3.19 | 69.6 | 891 |
| 8 | हनुमानगढ़ | 1424228 | 80.3% | -.-- | 67.1 | 907 |

स्त्रोत : भारतीय जनगणना विभाग, 2011

मरुस्थली गाँवों में मकान गोलाकर घासफूस से गोल छत बनाकर, बनाये जाते हैं, जिन्हें 'झोपा' कहा जाता है। ये झोंपे मरुस्थलीय भू-दृश्यावली में बहुत ही सुहावने लगते हैं, इनमें हवा, प्रकार की पूर्ण व्यवस्था होती है। कुछ बड़े गाँवों, कस्बों, शहरों में बड़ी-बड़ी सेठों की हवेलियाँ, मकान, जिनमें एक चौकीदार रहता है एक सेठ बाहर दूसरे राज्यों में रहकर कारोबार करते हैं। सुजानगढ़, लाडनूं, चुरू, पिलानी, फतेहपुर, नवलगढ़, लक्ष्मणगढ़, रतनगढ़, सरदारशहर, जोधपुर, जैसलमेर (पटवों की हवेली, सोनीजी की हवेली) आदि शहरों की हवेलियाँ विश्व प्रसिद्ध हैं। इन गाँवों में किलाबन्दी रियासतकालीन समय से ही चालू है। गाँव के मध्य भाग में केन्द्रस्थल होता है, उसके चारों ओर सीमान्त तक जनसंख्या रहती है। इस क्षेत्र के प्रतिनिधि नगर बाड़मेर, जैसलमेर, बीकानेर एवं जोधपुर हैं। यहाँ अभी तक औद्योगीकरण नहीं होने के कारण शहरीकरण की प्रवृत्ति ने जोर नहीं पकड़ा है। अधिकांश जनसंख्या पशुपालन (यायावर पशुपालन) कृषि पर ही निर्भर है।

प्रमुख धार्मिक स्थलों में कोलायत (कपिल मुनी का आश्रम), देशनोक (करणीमाता), नाकोड़ा (पार्श्वनाथ मन्दिर), रामदेवरा (रामदेवजी का स्थान), लूणकरणसर, फलौदी, पोकरण (परमाणु प्रीक्षण), पचपदरा, समदड़ी, शेरगढ़, महामन्दिर आदि उल्लेखनीय हैं। इन्दिरा गांधी नहर परियोजना के साथ ही यह क्षेत्र विकास की ओर बढ़ा है। अब यहाँ सिंचाई से कृषि, कृषि उपज, औद्योगिक इकाईयाँ, मण्डियाँ बढ़ गई है। फलतः जनसंख्या में वृद्धि भी हुई और कई कस्बों का विकास भी हो रहा है। पर्यटन आदि में परिवर्तन हुआ है।

### मरुस्थली क्षेत्र की अर्थव्यवस्था

राजस्थान का मरुस्थल विश्व का अनूठा मरुस्थल है, जहाँ पर जनसंख्या एवं पशुपालन का सर्वाधिक दबाव पाया जाता है। यद्यपि कृषि कार्यों के लिए यहाँ जलवायु, मिट्टियाँ, धरातलीय अवस्थायें एवं सिंचाई के लिए पानी की उपलब्धि की समस्याएँ भीषण एवं अनुपयुक्त हैं, फिर भी इन कठोर दुर्जेय परिस्थितियों में यहाँ का कृषक परिस्थितियों से संघर्ष कर 'रोई' क्षेत्र में बरखान के अर्द्धचन्द्राकार निम्न भूमि क्षेत्र या जहाँ भी ऊपजाऊ भूमि व खण्ड दिखाई देता है, उसमें कृषि कार्य सम्पन्न करता है। खरीफ की फसल में बाजरा, मूँग, मोठ, ग्वार, तिल, उड़द आदि की खेती करता है तथा रबी की फसल में जौ, गेहूँ, चना, सरसों, तारामीरा, बाड़मेर में अरण्डी आदि की फसल की जाती है। इस प्रदेश में भूमि की उर्वरता, वर्षा की मात्रा, वर्षा के आगे-पीछे होने की स्थिति, प्राकृतिक वातावरण आदि के आधार पर जुताई, फसल चक्रण, खाद का उपयोग तथा उपलब्धि के आधार पर समस्त कृषि का प्रारूप तथा प्रतिरूप निर्धारित होता है और तद्रूप विकास की गंगा प्रवाहित होती है।

बाड़मेर में धोरों के ऊपर भी खेती की जाती है। यहाँ 51.90 प्रतिशत शुद्ध बोया गया क्षेत्रफल है, जबकि बीकानेर जिले में 31.4 प्रतिशत, जैसलमें में मात्र 7.27 प्रतिशत क्षेत्रफल है। कृषि योग्य खाली भूमि का क्षेत्रफल जैसलमेर में 29.75 लाख हैक्टेयर तथा बीकानेर में 12.84 लाख हैक्टेयर है। अर्थात् इन दोनों जिलों में राज्य की कुल कृषि योग्य खाली भूमि का 65 प्रतिशत क्षेत्र पाया जाता है। बाड़मेर जिले में लूनी बेसिन के कारण कृषि कार्य में आशातीत प्रगति संभव हुई है। बाड़मेर एवं जोधपुर के पश्चिम में भूमिगत जल समुचित मात्रा में उपलब्ध हो जाता है। इसीलिए इन क्षेत्रों में कृषि अच्छी हो रही है। जोधपुर के पश्चिम में शेरगढ़, ओसियां, बीरुदा का क्षेत्र जलभृत चट्टानों के लिए प्रसिद्ध है, जहाँ सभी फसलों का अत्यधिक उत्पादन होता है। बिलाड़ा क्षेत्र भी जल की दृष्टि से धनी है।

**सिंचाई—** मरुस्थलीय क्षेत्र में सिंचाई एक अभिनव प्रयास है। सन् 1927 में सर्वप्रथम बीकानेर के तत्कालीन महाराजा श्री गंगासिंहजी के सप्रयत्नों से श्रीगंगानगर क्षेत्र में गंगनहर पहुँची तथा उससे इस शुष्क, निर्जन क्षेत्र में सिंचाई प्रारंभ हुई, जिसका परिणाम अन्ततः 'हरित क्रान्ति' के रूप में सामने आया। मरुस्थली क्षेत्र में वर्षा की कमी, औसत रूप से 200 से 250 मिमी. वर्षा होने, प्रदेश में रन्ध्रयुक्त,

ढीली, खुली बालू रेत होने, वर्षा से अधिक वाष्पीकरण होने तथा शुष्क जलवायु होने के कारण पानी की अनवरत आवश्यकता होती रहती है। प्रदेश में मानवभूमि अनुपात एवं कृषि घनत्व की अनुकूल स्थिति में है। परिणामतः इस अनुकूल परिस्थिति का लाभ उठाया जा सकता है। इसी स्थिति को देखकर, अर्थव्यवस्था को सुदृढ़ करने की दृष्टि से बीकानेर के पश्चिमी भागों में सिंचाई की सुविधा इन्दिरा गांधी नहर प्रणाली से उपलब्ध कराई गई है। इसी के प्रतिफलस्वरूप कोलायत, देशलोक, पलाना, नोखा, लूणकरणसर आदि क्षेत्रों में जहाँ पहले मात्र बाजरा, मोठ, ग्वार ही होते थे, वहाँ अब चना, गेहूँ, मूंगफली, दालें, तिलहन पैदा होने लगी है। इतना ही नहीं वरन् लूणकरणसर क्षेत्र राजस्थान का प्रमुख मूंगफली उत्पादक क्षेत्र एवं मण्डी बन गया है। सिंचाई के प्रतिफलस्वरूप यहाँ कृषि का प्रकार, प्रारूप, फसल चक्रण तथा फसल संयोजन में परिवर्तन आ गया है। इसी प्रकार जैसलमेर एवं चुरू क्षेत्र में भी कुछ समय बाद सिंचाई के बल पर फसल चक्रण, कृषि प्रारूप एवं प्रतिरूप में बदलाव आ जावेगा। जैसलमेर में 'लाठी क्रम' की जलमृत चट्टानों से 300 से 400 मीटर गहरे नलकूपों द्वारा पानी निकाल का पशु, मानव एवं कृषि के काम में लिया जाता है। जैसलमेर में 'खडीन' भी सीमित सिंचाई के साधन के रूप में उपलब्ध है। पश्चिमी जोधपुर के शेरगढ़, बोरूंदा, ओसियां, बिलाड़ा, लूणी, भोपालगढ़ क्षेत्रों में भी भूमिगत जल से जो पर्याप्त एवं उपयुक्त मात्रा में उपलब्ध है, सिंचाई की जाती है तथा खरीफ और रबी की फसलें प्राप्त की जाती है। बाड़मेर में लूनी नदी की उपस्थिति के कारण शिवाना, चौहटन, गुढा मालाणी, सिवाणा, रायसर में पानी कम गहराई पर ही उपलब्ध है। इस कारण यहाँ दो फसलें प्राप्त की जाती है। वर्तमान में कुल बोये गये क्षेत्र के 10 से 12 प्रतिशत भाग में सिंचाई की सुविधा उपलब्ध है।

**पशु सम्पदा—** राजस्थान में मरुस्थली क्षेत्र की अर्थव्यवस्था का आधार सैंकड़ों सालों से पशुधन ही रहा है। इस क्षेत्र में भेड़, बकरी, ऊँट, घोड़े एवं गधे प्रमुख पशु सम्पदा के रूप में जाने जाते हैं। ऊँट यहाँ भारवाहक, कृषि कार्य, पानी खींचने, पानी ढोने, सवारी करने, माल ढोने तथा गाड़ी में जुतने आदि के काम में आता है, जबकि भेड़ ऊन, मांस, चमड़े आदि के काम में आता है, जबकि भेड़ दूध, ऊन, मांस, चमड़े आदि के काम में आता है। बकरी न केवल 'गरीब की गाय' है वरन् जट, मांस, चमड़ा, दूध के लिए भी पाली जाती है। बीकानेर का 'उष्ट्र अनुसंधान केन्द्र' भेड़ों की नस्ल सुधार के लिए बीकानेर कोडमेसर में नस्ल सुधार केन्द्र स्थापित है। इसी कारण भेड़ों की नाली नस्ल बीकानेर में, मगरा जोधपुर एवं जैसलमेर में, पूगल बीकानेर की पूगल तहसील में पाई जाती हैं, जो हर प्रकार से लाभदायक है। बीकानेर पशुओं के दुग्ध की दृष्टि से देश में महत्त्वपूर्ण स्थान रखता है। यहाँ की डेयरी से प्रतिदिन हजारों लीटर दूध दिल्ली जाता है। सरदारशहर, बीकानेर में दुग्ध अवशीतन केन्द्र भी स्थापित किये गये हैं, ताकि दूध को संरक्षित किया जाकर उचित समय पर माँग के स्थान पहुँचाया जा सके।

गौवंश की दृष्टि से बाड़मेर की कांकरेज एवं थारपारकर नस्ल की गायें, जैसलमेर-बाड़मेर एवं पश्चिमी जोधपुर की थारपारकर किस्म की गायें, बीकानेर की राठी नस्ल की गायें, जैसलमेर के उत्तरी-पूर्वी भागों की भी राठी नस्ल की गायें, पूर्वी बीकानेर की हरियाणा नस्ल की गायें क्षेत्र के दुग्ध उत्पादन के लिए उत्तरदायी हैं। मालानी नस्ल के घोड़े बाड़मेर तथा जोधपुर क्षेत्र में पाये जाते हैं, जो समग्रदेश में विख्यात हैं। राज्य की मारवाड़ी एवं लोही नस्ल की बकरियाँ इसी मरुस्थली क्षेत्र में पाई जाती हैं, जो झाड़ियों, खेजड़ी के पत्तों, बबूल के पत्तों, मरुस्थली वनस्पति आदि पर निर्भर हैं तथा दूध और मांस के लिए सम्पूर्ण देश में प्रसिद्ध हैं, जिनसे दूध, दही, मक्खन, आदि पोष्टिक चीजें प्राप्त होती हैं। दूध से घी बनाकर बड़े शहरों में बिकने के लिए भेजा जाता है। बाड़मेरी एवं जैसलमेरी घी तथा बीकानेर (सरदारशहर) का घी मुम्बई, हैदराबाद, कलकत्ता, कानपुर, पूना, शोलापुर, कोल्हापुर, इच्छोलकरणजी, बंगलौर सभी स्थानों पर प्रवासी मारवाड़ियों के पास भेजा जाता है।

ऊँट लोकप्रिय पशु है, जिसका देश का एकमात्र प्रजनन केन्द्र बीकानेर में स्थित है। इसकी प्रमुख नस्लें नाचना, केरू, गोमठ का ऊँट, जैसलमेरी तथा बीकानेरी है। इसमें चमड़ा भी मिलता है, जिस पर विश्व प्रसिद्ध 'उस्ता कला' चमड़े पर सोने की नक्काशी का कार्य होता है। भारतीय सेना में ऊँटों का काफिला 'गंगा रिसाला' मरुस्थली क्षेत्र का अद्वितीय मरुस्थली यातायात का साधन रहा है। इसीलिए इसे 'रेगिस्तान का जहाज' कहते हैं।

राज्य में सन् 2003 की पशु गणना के अनुसार कुल पशु धन की संख्या 49236346 रही, जिसमें से 10853512 गायें, 10413834 भैंसे, 10054112 भेड़ें, 16808520 बकरियाँ, 25323 घोड़े और 2691 खच्चर, 498024 ऊँट शेष अन्य पशु 2371499 कुत्ते, 4380554 कुल कुक्कुट पाये जाते थे, इनमें से मरुस्थली क्षेत्र में ऊँट 65 प्रतिशत भेड़ें 45 प्रतिशत, बकरियां 60 प्रतिशत तथा गायें 40 प्रतिशत पाई जाती हैं, जिनके उत्पादों से इस क्षेत्र के निवासियों की अर्थव्यवस्था सुचारु रूप से चलती है।

**सारणी–87 : पशुगणना 2012 के आधारा पर पशुधन**

| | |
|---|---|
| गोवशं | 133.24 लाख |
| भैस वंश | 129.76 लाख |
| भेड़ वंश | 90.80 लाख |
| बकरी वंश | 216.80 लाख |
| उष्ट्र वंश | 3.26 लाख |
| शूकर वंश | 2.35 लाख |
| घोड़ा वंश | 0.38 लाख |
| खच्चर वंश | 0.03 लाख |
| गधा वंश | 0.81 लाख |
| खरगोश वंश | 0.81 लाख |
| कुक्कुट वंश | 80.24 लाख |
| **कुल** | **5.70 लाख** |

स्त्रोत : प्रगति प्रतिवेदन रिपोर्ट, 2016-17, पशुपालन विभाग

**उद्योग धंधे**— इस मरुस्थली क्षेत्र में पानी की कमी, कच्चे माल की कमी, बाजार की कमी, पूँजी की कमी, ऊर्जा की कमी तथा सस्ते और कुशल श्रम की कमी आदि के कारण औद्योगिक इकाईयों की स्थापना संभव नहीं हो सकी। इस प्रदेश में उद्योगिक इकाईयों की स्थापना सम्भव नहीं हो सकी। इस प्रदेश में उद्योगों में कार्यिक जनसंख्या का अनुपात नगण्य सा है। बाड़मेर में मुख्य एवं अन्य श्रमिकों का प्रतिशत सन् 2001 की जनगणना के अनुसार 41.65 प्रतिशत (पुरुष) एवं 29.37 प्रतिशत (महिलाएँ), चुरू में 50.01 प्रतिशत (पुरुष) एवं 38.44 प्रतिशत (महिलाएँ), जोधपुर में 48.43 प्रतिशत (पुरुष) एवं 27.09 प्रतिशत (महिलाएँ), जैसलमेर में 48.43 प्रतिशत (पुरुष) एवं 27.09 प्रतिशत (महिलाएँ) पाई जाती है। स्पष्ट है कार्यिक जनसंख्या में महिलाओं का प्रतिशत न्यूनतम है, वह भी चुरू में मात्र 4.40 प्रतिशत एवं बाड़मेर में 5.41 प्रतिशत ही है। अतः औद्योगिक दृष्टि से बहुत ही कम विकास यहाँ हो पाया है। इस क्षेत्र में जो भी कारखाने हैं, वे छोटे या लघु उद्योगों की श्रेणी में अधिक आते हैं। मध्य श्रेणी के उद्योग नगण्य हैं। बीकानेर शहर में जे.जे. वूलन मिल, उर्मल डेयरी, स्टील बर्तन बनाने के कारखाने, काँच बनाने का कारखाना इसी के साथ पापड़, भुजिया, रसगुल्ला, मंगोड़ी आदि के भी कारखाने बन गये हैं। जोधपुर में स्टील के कारखाने, बर्तन बनाने के कारखाने तथा कई लघु उद्योग स्थापित हैं। जैसलमेर, बाड़मेर, चुरू आदि स्थानों पर ऊर्जा की कमी, पानी की कमी, पूंजी की कमी के कारण उद्योग नहीं पनप सके हैं। अब बीकानेर में भाखड़ा नांगल से विद्युत प्राप्त होने, बाड़मेर को नर्मदा घाटी से विद्युत आपूर्ति होने, जोधपुर को लिफ्ट नहर से पानी पहुँचने तथा जैसलमेर को सागरमल गोपा एवं इन्दिरा गांधी नहर से पानी मिलने एवं सरदार सरोवर से विद्युत मिलने की सम्भावनाओं के बीच उद्योगों के पनपने की सम्भावनायें प्रबल होती जा रही है।

**परिवहन**— इस मरुस्थली प्रदेश में पूर्व में मीटर गेज रेल लाइन की सुविधा थी, किन्तु अब जोधपुर-जैसलमेर के बीच ब्राडगेज की सुविधा होने से यह क्षेत्र सम्पूर्ण देश की 'यूनीगेज' की योजना में आ गया तथा अब यहाँ के स्टीलग्रेड चूने के पत्थर, जिप्सम, मुल्तानी मिट्टी, लिग्नाइट कोयला, गैस, तेल आदि सभी की दुलाई आसानी से हो पावेगी तथा इस प्रदेश को

भारी आर्थिक लाभ होगा। इसी प्रकार से सीमा सड़क संगठन के प्रयासों से जैसलमेर, बाड़मेर, जोधपुर, चुरू आदि जिलों में सुरक्षा सड़कों का निर्माण करा दिया है। अतः सड़क मार्ग से भी आवागमन बहुत सुलभ हो गया है। अन्यथा पूर्व में मात्र ऊँट ही आवागमन का साथ था। बाड़मेर- मुनाबाब रेलमार्ग भी सन् 1965 में भारत-पाक युद्ध के बाद विकसित किया गया, जिससे वर्तमान में यातायात एवं भारवाहन सुगम हो गया है। राष्ट्रीय उच्च मार्ग सं. 14 श्रीगंगानगर से बीकानेर, जोधपुर, बालोतरा, बाड़मेर होते हुए गुजरात को चली गई है। जैसलमेर से बीकानेर का सम्बन्ध सीमा सुरक्षा सड़क के द्वारा संभव हो पाया है। इनके अलावा क्षेत्र में सहायक सड़कें भी निर्मित हो गई है। बीकानेर को वायुदूत सेवा से जुड़ गया है। क्योंकि बीकानेर का 'नाल' हवाई अड्डा सामरिक दृष्टि से बहुत महत्त्वपूर्ण है। इतना होते हुए भी जैसलमेर, बाड़मेर जिलों में सड़क एवं रेल यातायात बहुत कम पनप पाया है, उसके विकास की अत्यन्त आवश्यकता है ताकि सामरिक, सुरक्षा, आर्थिक तंत्र, पर्यटन एवं सामाजिक सांस्कृतिक आदान-प्रदान अधिक संभव हो सके। राजस्थान की इस मरुभूमि के विकास के लिए केन्द्र सरकार ने 2000- 01 के बजट में 13 करोड़ 62 लाख रुपये की राशि आवंटित की थी। गत तीन वर्षों 1997-2000 तक राज्य की मरुभूमि विकास के लिए 103 करोड़ रुपये की राशि आवंटित की है, जिसे इस क्षेत्र में आधारभूत ढाँचे को विकसित करने में मदद मिलेगी।

प्रो. आर.एल. सिंह ने मरुस्थली को पुनः तीन भागों में विभक्त किया है, वह अग्रानुसार है—

**(अ) जैसलमेर मरुस्थली**— यह क्षेत्र मरुस्थली प्रदेश का सबसे अधिक शुष्क, कठोर, वर्षाविहीन, पानी विहीन तथा जीवन की क्रियाओं को अनवरत चालू रखने में कठिनाईयाँ प्रस्तुत करने वाली रही है। इनमें न्यूनतम जनसंख्या, न्यूनतम कृषि योग्य क्षेत्रफल, अधिकतम परती भूमि तथा अधिकतम वाष्पीकरण की स्थिति पाई जाती है। यहाँ जनसंख्या का घनत्व 17 व्यक्ति प्रति वर्ग किमी. से भी कम पाया जाता है। मुख्य व्यवसाय पशुपालन है। प्रमुखतः थारपारकर एवं राठी नस्ल की गायें पाली जाती हैं तथा घुमक्कड़, पशुपालन, मौसमी तथा परम्परागत है। यहाँ से जिप्सम का निर्यात किया जाता है। यह क्षेत्र जैसलमेर-जोधपुर से रेल यातायात द्वारा देश के अन्य हिस्सों से जुड़ा हुआ है। बाड़मेर-मुनाबाब रेलमार्ग से बाड़मेर का हिस्सा जुड़ा हुआ है। सीमा सड़क संगठन ने यहाँ सड़कों का जाल बिछाने की कोशिश की है, जो प्रशंसनीय है। इसकी जैसलमेर-रामगढ़-गडरारोड़ शाखा से सम्पूर्ण क्षेत्र की कायापलट हो गई। जैसलमेर मरुस्थली को पुनः दो उपविभागों में बांटा गया है—

**(अ-1) पश्चिमी जैसलमेर मैदान**— यह राजस्थान एवं जैसलमेर जिले का धुर पश्चिमी भाग है, जहाँ कभी कभी वर्षा की एक बूँद भी नहीं गिरती, कोई बड़ा नगर भी नहीं पाया जाता। यहाँ मरुभूमि का असली स्वरूप देखा जा सकता है। इन्दिरा गाँधी नहर के पहुँचने पर इस क्षेत्र में नवोन्मेष पैदा हो रहा है।

**(अ-2) पूर्वी जैसलमेर मैदान**— इस क्षेत्र में जिप्सम के अकूल भण्डार पाये जाते हैं। इसीलिए यहाँ की अर्थव्यवस्था पर जिप्सम के जमावों का प्रभाव परिलक्षित होता है। यह क्षेत्र सहायक सड़कों एवं सीमा सड़क संगठन द्वारा निर्मित सड़कों के मुख्य नगरों जैसलमेर, जोधपुर, बाड़मेर से जुड़ा हुआ है। नहरों के विकास होने पर इस क्षेत्र में कृषि, पशुपालन, खनन आदि के विकास की सम्भावनाएँ बढ़ गई है।

**(ब) बाड़मेर-फलौदी मरुस्थली**— यह क्षेत्र अपेक्षाकृत अधिक अच्छी अर्थव्यवस्था वाला प्रदेश है। यहाँ शुष्क कृषि एवं पशुपालन मुख्य रूप से होता है। यहाँ भूमिगत जल के विदोहन से सिंचाई करके कृषि की जाती है। इसीलिए जनसंख्या का घनत्व 92 व्यक्ति प्रति वर्ग किमी. पाया जाता है। बाड़मेर क्षेत्र में ओ.एन.जी.सी., ब्रिटिश एवं फ्रांसिसी कम्पनियों के सहयोग से प्राकृतिक गैस एवं तेल की खोज से कायापलट हो गया है। अतः सम्भवतः आने वाली शताब्दी (21वीं सदी) में यह क्षेत्र अत्यधिक विकसित होगा। इतना ही नहीं वरन् नर्मदा नहर से क्षेत्र का कृषि, आर्थिक, सामाजिक एवं शैक्षणिक विकास होगा। इस

क्षेत्र के प्रतिनिधि नगर बाड़मेर एवं फलौदी हैं। फलौदी में नमक उत्पादन एक उपयोगी अर्थव्यवस्था का अंग है। इसलिए क्षेत्र के निवासियों पर इसका प्रभाव पड़ता है। इस प्रदेश को पुनः दो भागों में विभक्त किया गया हैं—

**(ब–1) बाड़मेर क्षेत्र**— इस बाड़मेर क्षेत्र के चारों ओर जिप्सम, बेन्टोनिक, लिग्नाइट, तेल, प्राकृतिक गैस आदि खनिज बहुतायत से मिलते हैं।

**(ब–2) फलौदी क्षेत्र**— इस क्षेत्र में वाष्पीकरण विधि से नमक बनाया जाता रहा है। पशुपालन भी यहाँ की अर्थव्यवस्था का प्रमुख आधार है।

**(स) बीकानेर–चुरू मरुस्थली**— यह क्षेत्र अपनी सुदृढ़ अर्थव्यवस्था, सांस्कृतिक धरोहर एवं विकास की दृष्टि से गतिमान क्षेत्र है। यहाँ कृषि एवं पशुपालन दोनों ही अर्थव्यवस्था के दो स्तंभ है। वास्तविक बोया गया क्षेत्रफल अधिक पाया जाता है तथा फसलों का प्रतिरूप भी मिश्रित है। इस क्षेत्र में मुख्य फसलें खरीफ की ज्वार, बाजरा, मूंग, मोठ, ग्वार, मूंगफली तथा रबी की फसलों में गेहूँ, जौ, चना, सरसों, तारामीरा आदि उत्पन्न किये जाते हैं। प्रमुख खनिजों में जिप्सम, लिग्नाइट कोयला, मुल्तानी मिट्टी, कांच बालुका, मृत्तिका आदि निकाले जाते हैं। इस क्षेत्र को भांखड़ा–नांगल परियोजना से बिजली प्राप्त होने के कारण विकास दिन दुगुना एवं रात चौगुना हो रहा है। अब इस क्षेत्र में ताप विद्युत संयंत्र भी लग गये हैं। इस उपप्रदेश को पुनः दो भागों में बाँटा जाता है—

**(स–1) बीकानेर मैदान**—बीकानेर का मैदान मिश्रित अर्थव्यवस्था का क्षेत्र है। यहाँ उद्योग एवं खनन दोनों ही पाये जाते हैं। इसके साथ–साथ कृषि एवं पशुपालन भी उपलब्ध है। इसका अधिकांश भाग इन्दिरा गांधी नहर परियोजना से सिंचाई प्राप्त करता है एवं सभी प्रकार की फसलें अब यहाँ होने लग गई हैं। बीकानेर शहर नगरीय समूहीकरण केन्द्र बन गया है, जिसमें सन् 1991 की जनगणनानुसार गंगाशहर एवं भीमसर को भी सम्मिलित किया गया है। इसके अलावा यहाँ प्रमुख नगर नोखा, नेपासर, देशनोक, लूणकरणसर आदि सम्मिलित हैं। बीकानेर शहर की जनसंख्या सन् 2001 की जनगणनानुसार 644406 है। बीकानेर शहर की सांस्कृतिक धरोहर जूनागढ़, लालगढ़, बीकानेर कृषि विश्वविद्यालय, देवीकुण्ड सागर महाराजाओं की समाधियाँ एवं हवेलियाँ है। यहाँ का पुरातत्व स्थल एवं विकास राज्य में प्रमुख है।

**(स–2) दक्षिणी–पश्चिमी चुरू मैदान**— यहाँ की अर्थव्यवस्था पूर्णतया कृषि प्रधान है। पशुपालन अवश्य एक पूरक का काम करता है। इस क्षेत्र से होकर जोधपुर–दिल्ली एवं बीकानेर–दिल्ली को रेलगाड़ी जाती है। रतनगढ़- सरदारशहर कोर्ड लाइन भी इसी क्षेत्र में है। यहाँ बरखान बालुका स्तूप बहुत पाये जाते हैं। सरदारशहर, रतनगढ़, डूंगरपुर, बिदासर, राजलदेशर, छापर, सुजानगढ़, कालू आदि इस क्षेत्र के प्रमुख व्यापारिक, सांस्कृतिक, शैक्षणिक एवं वाणिज्यिक नगर हैं। इस क्षेत्र में यत्र–तत्र 'ताल' बालुका स्तूपों के बीच विस्तृत, कठोर किन्तु समतल धरातल का निम्न भूमि का क्षेत्र जिसमें वर्षा में जल भरता है, पाये जाते हैं। यही ताल बच्चों के खेलने, राष्ट्रीय पर्वो पर समारोह सम्पन्न करने मनोरंजन आदि के काम आते हैं।

## राजस्थान का बांगड़ प्रदेश (Rajasthan Bangar Region)

राजस्थान के धुर पश्चिमी भागों के जैसलमेर, बीकानेर, जोधपुर, चुरू, बाड़मेर जिलों में मरुस्थली प्रदेश पाया जाता है, जिसका अध्ययन ऊपर किया जा चुका है। इसी क्षेत्र से पूर्व की ओर सटा हुआ तथा अरावली क्षेत्र के पश्चिम में या उभयनिष्ट क्षेत्र (Transitional Zone) के पश्चिम में स्थित भू–भाग जिसमें राज्य के श्रीगंगानगर, चुरू के पूर्वी भाग, झुन्झुनूं, सीकर, नागौर, जोधपुर के पूर्वी भाग, पाली, जालौर, बाड़मेर के कुछ दक्षिणी भाग सम्मिलित है। इसका देशान्तरीय विस्तार 72°30' पू. से 76° पू. तथा अक्षांसीय विस्तार 24°30' उत्तर से 30°15' उत्तर तक है।

**धरातल**— यह क्षेत्र धरातल की दृष्टि से विषमताओं से परिपूर्ण, उबड़–खाबड़, बालुका स्तूपमय, 'इन्सलबर्ग' युक्त तथा उच्च चट्टानी भूमि से परिपूर्ण है। उत्तर में इसका फैलाव घग्घर नदी के पाट से

लेकर दक्षिण में गुजरात सीमा पर बाड़मेर के धुर दक्षिण भाग तक विस्तृत है। यहाँ पवनानुवर्ती बालुका स्तूपों का अधिक केन्द्रीयकरण पाया जाता है। इसके अलावा मेढ। नदी, लूनी की सहायक नदियों के आस-पास नव-निर्मित बरखान बालुका स्तूप पाये जाते हैं। यहाँ बालू के पुराने फोसिलाइज्ड टीले बालू की पहाड़ियों के रूप में देखे जा सकते हैं। टीलों के विशाल समुद्र के बीच-बीच में व्यतिक्रम डालते हुए नमकीन पानी के विस्तृत, समतजल, तश्तरीनुमा, नमक बनाने की स्रोत सांभर-झील, डीडवाना, कुचामन, डेगाना आदि पाये जाते हैं। यह देश अन्त:प्रवाह (Inland Drainage Pattern) प्रारूप का क्षेत्र है। यहाँ नदियाँ चारों ओर से आकर इन झीलों में गिर जाती है, किन्तु इनका पानी बाहर निकलकर नहीं जाता है। सांभर झील ऐसी सबसे बड़ी (234 वर्ग किमी.) झील है, जिसमें मेढा, रूपनगढ़, खारी, खण्डेल, तुरतमती, बांडी का नाला आदि छोटी-बड़ी, बरसाती नदियाँ आकर मिलती हैं। इस झील से प्रतिवर्ष 2.5 लाख टन नमक का औसत उत्पादन होता रहा है। बालुका स्तूपों के इस समुद्र में कुछ 'इन्सलबर्ग' भी पाये जाते हैं, जिसमें माता की पहाड़ी, लाल पीर की डूंगरी, डीडवाना के बाहर नागौर सड़क मार्ग पर पीर की डूंगरी, टंगस्टन की डूंगरी, कुचामन के पहाड़, करड़ाला के पहाड़, परबतसर की डूंगरी आदि प्रमुख हैं। लूनी नदी एवं उसकी सहायक नदियाँ बांगढ़ प्रदेश के दक्षिणी-पश्चिमी भाग में प्रवाहित होती हैं। शेष उत्तरी-पूर्वी भाग के आन्तरिक जल प्रवाह का क्षेत्र है। इस प्रकार राजस्थान बांगड़ प्रदेश में एक ओर जहाँ ढाल के अनुरूप बहने वाली छोटी-बड़ी नदियों के कटाव, बहाव एवं जमाव के कार्य से विविध भू-आकारों का जन्म होता है, तो दूसरी ओर हवा के कार्यों से बालू का प्रवाह बालुका स्तूपों का निर्माण, मैदानी भाग की मिट्टियों का ह्रास तथा भूमि, जल एवं वायु प्रदूषण भी देखा जा सकता है। छोटी-बड़ी पहाड़ियों के दक्षिणी एवं पूर्वी पार्श्वों पर पश्चिम से प्रवाहित बालू मिट्टी का विशद एवं विशाल जमाव देखा जा सकता है, जो इस क्षेत्र में 'मरुस्थलीकरण' की प्रक्रिया को तीव्र करने में सहायक सिद्ध हो रहा है। विखंडन की प्रक्रिया भी इस क्षेत्र में मरुस्थली की अपेक्षा तीव्र एवं विस्तृत क्षेत्र में होती है, क्योंकि जलवायु के विभिनन तत्त्वों का प्रभावशाली स्वरूप यहाँ अधिक देखने को मिलता हैं। उसका प्रमुख कारण यहाँ उपलब्ध धरातलीय, भूतात्त्विक एवं जलवायु सम्बन्धी विषमताओं का उपलब्ध होना है।

**जलवायु**— राजस्थान बांगड़ प्रदेश की जलवायु अपेक्षाकृत कम कठोर, कम विषम, कम शुष्क एवं कम असहनीय है। यहाँ उत्तरी भाग में श्रीगंगानगर का उच्चतम तापमान 50° सेल्सियस तक अंकित किया गया है, किन्तु औसत ग्रीष्मकालीन तापमान 32° से 36° सेल्सियस तापमान अंकित किया गया है, जबकि शीत कालीन औसत तापमान 10° से 17° सेल्सियस अंकित किये गये हैं। शीत ऋतु का न्यूनतम तापमान कभी-कभी -2.8° सेल्सियस (1950) तक भी गिर जाते हैं, किन्तु सामान्य स्थितियों में कभी-कभी ही तापमान हिमांक बिन्दु से नीचे पहुँचता है। यहाँ शीत ऋतु छोटी किन्तु शुष्क होती है। वर्षा का औसत 200 से 400 मिमी. से बीच होता है। अधिकांशतः हवा पश्चिम से प्रवाहित होती है। ग्रीष्म ऋतु में कभी-कभी 'लू' भी चला करती है। धूल के बवंडर भी आते हैं। हवा के साथ-साथ उसकी तीव्रता के कारण बालू एक स्थान से उड़कर दूसरे स्थानों पर एकत्रित होती रहती है। इसी कारण बालुका स्तूपों का स्थानान्तरण होता रहता है। धूल भरी आंधियाँ इस मौसम में आती रहती है। कभी-कभी काली-पीली आंधी भी आती है जिनकी आवृत्ति मई एवं जून के महीनों में अधिक होती है। फिर भी यह क्षेत्र जलवायु की दृष्टि से रहने योग्य अपेक्षाकृत अधिक है। इसीलिए कहावत है 'नागौणा नितक भलौ' अर्थात् नागौर में हमेशा रहना उपयुक्त है। अन्य स्थानों पर हमेशा निवास करना उतना आरामदायक नहीं है।

**वनस्पति**— राजस्थान बांगड़ प्रदेश में वनस्पति वहाँ के धरातल, जलवायु, मिट्टियों एवं चट्टानों के प्रकारों के अनुरूप पाई जाती है। जहाँ धरातल पहाड़ी, चट्टानी, कठोर एवं ढालू पाया जाता है वहाँ उष्ण कटिबन्धीय कांटेदार वृक्ष पाये जाते हैं जहाँ बलुई, मैदानी, शुष्क बालुका स्तूपमय धरातल पाया जाता है,

वहाँ शुष्कता प्रिय (Xerophytic) पौधे यथा केर, बेर, खेजड़ी, बबूल, सेहिजा, खेजड़ा, जाल, पीलू, कुमठिया, खेर आदि के पेड़ पाये जाते हैं। सीकर, झुन्झुनूं, चुरू, नागौर जिलों में मैदानी भागों में घास 'सेवण' पाया जाता है, जिस पर वहाँ का पशुधन आश्रित है। 'नागौरी बैल' संपूर्ण भारत में अपनी सुड़ौलता, भारवाहक शक्ति तथा तेज गति के लिए जाने जाते हैं। सम्पूर्ण गौवंश इसी पौष्टिक घार पर पलता है।

**मिट्टियाँ—** धरातल, जलवायु, वनस्पति एवं भूतत्त्व का सम्मिलित स्वरूप मिट्टियों में देखने को मिलता है। मिट्टियाँ इन्हीं के अनुरूप रंग, रासायनिक स्वरूप एवं उर्वराशक्ति लिये हुए होती है। यहाँ का धरातल प्रधानतः उत्तर-पूर्व में ऊबड़-खाबड़, कहीं-कहीं पहाड़ी एवं प्रधानतः क्वार्टनरी भूतत्त्व से प्रभावित है। यहाँ की जलवायु शुष्क, अर्द्धशुष्क एवं उभयनिष्ठ प्रकार की है। इसलिए यहाँ प्रधानतः बलुई मिट्टी पाई जाती है। जिसमें 90 से 95 प्रतिशत बालू के कण पाये जाते हैं तथा शेष मृत्तिका के कण पाय जाते हैं। बारीक कणों वाली मृत्तिका हनुमानगढ़, श्रीगंगानगर जिलों में पाई जाती है। श्रीगंगानगर, चुरू, पश्चिमी नागौर, पश्चिमी पाली, दक्षिणी-पश्चिमी जालौर जिलों में रेतीली मिट्टी पाई जाती है। जहाँ पर रेतीली मिट्टी का पानी सिंचाई के जरिये उपलब्ध हो गया है, यह उपजाऊ बन गई है और अच्छी कृषि कार्य हो रहा है। अन्य स्थानों पर बंजड़ भूमि पड़ी है। भूरी रेतीली मिट्टी सीकर, झुन्झुनू, नागौर तथा पाली के क्षेत्रों में पाई जाती है। यह उत्तर-पूर्व की ओर सिंचाई के साधनों के कारण अधिक उर्वर हो गई है। दक्षिणी-पश्चिमी भागों में कम उर्वरक है। भूरी, रेतीली, कछारी मिट्टी गंगानगर, हनुमानगढ़ जिलों में घग्घर नदी के पाट क्षेत्र में पाई जाती है जहाँ इसका उपयोग चावल की कृषि, गन्ना, गेहूँ आदि की भरपूर फसल सिंचाई के आधार पर प्राप्त की जाती है।

**खनिज सम्पदा—** राजस्थान बांगड़ प्रदेश में खनिजों की विपुलता एवं विविधता सर्वत्र विदित है, किन्तु उनकी गुणवत्ता, मात्रा तथा आर्थिक स्वरूप के आधार पर केवल जिप्सम, तांबा, संगमरमर, नमक एवं टंगस्टन ही महत्त्वपूर्ण खनिज माने जाते हैं। जिप्सम के जमाव नागौर जिले में 49.2 करोड़ टन के विस्तृत क्षेत्र पर पाये जाते हैं जो गोठ-मांगलोद क्षेत्र में अधिक है। चुरू जिले के तारानगर के उत्तर-पूर्व में भी मिलते हैं। फलसुण्ड, मांगलोद, काराम, मिलसगासी, बादवासी और मनोंना आदि (जोधपुर) क्षेत्रों में भी जिप्सम मिलता है। तांबे के भंडार झुन्झुनूं जिले के खेतड़ी सिंघाना क्षेत्र में पहाड़ियों से काल्हन-मन्थान, खेतड़ी, पपरना, चांदमारी, अखवाली, बवाई तथा बूरखेड़ा में पाये जाते हैं। यह क्षेत्र विश्व प्रसिद्ध मकराना श्वेत संगमरमर का खजाना है। नागौर जिले के मकराना क्षेत्र में डूंगरी, मकराना, बोरावड़, राजपुरा क्षेत्रों में कुमारी, अडंगा, सफेद मकराना, आदि विभिन्न प्रकार का संगमरमर निकाला जाता है। सीकर जिले के मेओण्डा स्थान से भी संगमरमर पत्थर निकाला जाता है। मकराना एवं सीकर में पत्थर चीरने की सैंकड़ों गैंगसा मशीनें उपलब्ध हैं और हजारों व्यक्तियों को इनसे रोजगार प्राप्त होता है।

टंगस्टन जो सुरक्षा सेवाओं के उपयोग में आता है वह मात्र हमारे देश में डेगाना के पास की पहाड़ी (झांकरी) से चीनी मृत्तिका सीकर एवं जालौर से, जालौर विभिन्न प्रकार, रंग, रूप एवं सौन्दर्य के ग्रेनाइट उपलब्ध कराता है। फेल्सफार चाउमेन्दिया, प्रतापगढ़, डिगोर, फूलदा (पाली) से प्राप्त होता है। सीकर एवं जोधपुर से डोलोमेनाइट निकाला जाता है। यहाँ देश का लगभग 3 प्रतिशत नमक सांभर, डीडवाना, कुचामन, मीठड़ी की खारे पानी की आन्तरिक प्रवाह की झीलों से प्राकृतिक वाष्पीकरण की विधि से निकाला जाता है जो एक प्रकृति का अनोखा भंडार है। अभ्रक काचारडा, मकरी, मुण्डा स्थानों से, सीकर (शेखावाटी) से तथा तामड़ा पत्थर महवा-बागेश्वर (सीकर) से निकाला जाता है। चूने का पत्थर सोजत, बिलाड़ा, गोटन, अटबड़ा, मुंडवा आदि स्थानों से निकाला जाता है। सम्पूर्ण देश में सोजत गोटन का बुझा हुआ चूना, कली, थैलियों में पैक होकर दशहरा दीपावली के अवसर पर घरों की पुताई के लिए काम में लिया जाता है, जो अपनी पहचान के कारण ही प्रसिद्ध है। इसके अलावा भी अन्य खनिज डोलोमाइट, लोहा

(डालना-सिंघाना, नीम का थाना) क्षेत्र में पाये जाते हैं।

**राजस्थान बांगड़ क्षेत्र का सांस्कृतिक भूदृश्य (Cultural Landscape of Rajathan Banger Region)**

राजस्थान बांगड़ प्रदेश सांस्कृतिक भू-दृश्यावली की दृष्टि से घनी एवं रंगों, विविधताओं, सुरीले सुरों तथा भक्ति भाव से ओत-प्रोत रहा है। यहाँ मीराबाई को जन्म स्थली, दादू दयाल की कर्म एवं पूज्य स्थली तथा निम्बार्क सम्प्रदाय की तपोस्थली विद्यमान है।

जनसंख्या-इस प्रदेश में जनसंख्या का सन् 2011 के अनुसार घनत्व 199 व्यक्ति प्रतिवर्ग किमी. अर्थात् राज्य के औसत घनत्व 200 प्रति वर्ग किमी से कुछ ही कम है। शेखावाटी क्षेत्र में ग्रामीण जनसंख्या सर्वाधिक पाई जाती है। जनसंख्या का निम्नतम घनत्व इस क्षेत्र में बाड़मेर जिले में पाया जाता है। जबकि अधिकतम घनत्व 861 व्यक्ति प्रति वर्ग किमी. झुन्झुनूं जिले में पाया जाता है। गत दशाब्दियों में जनसंख्या की सर्वाधिक वृद्धि बाड़मेर में 28.27 से 36.40 हो गई। जोधपुर जिले में 2001 के मुकाबले राज्य की जनसंख्या 2011 में 21.30 कम अंकित की गई। जबकि न्यूनतम पुरुष अनुपात गंगानगर 873, सीकर में 951, नागौर में 947, झुन्झुनूं में 946, जोधपुर में 907, पाली में 981 तथा जालोर में 947, अर्थात् स्त्री-पुरुष अनुपात में प्रति 1000 पुरुषों के पीछे पाली जिले में सर्वाधिक 950 स्त्रियाँ पाई जाती हैं। साक्षरता प्रतिशत गंगानगर में 596, जोधपुर 65.9, पाली 62.4, झुन्झुनूं 81 प्रतिशत, जालौर 54.0 प्रतिशत पाई जाती है। प्रदेश में ग्रामीण एवं शहरी जनसंख्या का प्रतिशत तालिका-29.1 के अनुसार पाया जाता है। बीकानेर के पास जिप्सम, लिग्नाइट, चूने के पत्थर के भंडार मिले हैं।

**राजस्थान बांगड़ क्षेत्र का आर्थिक प्रारूप (Economic Pattern of Rajathan Banger Region)**

इस प्रदेश की अर्थव्यवस्था का आधार कृषि, पशुपालन, दुग्ध व्यवसाय एवं प्राथमिक उद्योग है।

**कृषि**— यहाँ मुख्य व्यवसाय कृषि है। श्रीगंगानगर, हनुमानगढ़, सीकर, चुरू, झुन्झुनू, जिलों में शुद्ध बोया गया क्षेत्रफल 72 से 76 प्रतिशत तक पाया जाता है। इस क्षेत्र में कृषि की प्रमुख फसलों में खरीफ में ज्वार, बाजरा, मूँग, मोठ, मूँगफली, तिलहन, दालें आदि का उत्पादन होता है जबकि रबी की फसल में गेहूँ, जौ, चना, सरसों, तारामीरा, राई, अलसी, अरण्डी, तम्बाकू आदि का उत्पादन किया जाता है। इन्दिरा गाँधी नहर क्षेत्र में सिंचाई की सहायता से फसलों का उत्पादन निश्चित फसल चक्र एवं प्रारूप के द्वारा किसान अपनी सूझबूझ से करते हैं। जालौर में जीरा, ईसबगोल का देश में प्रमुख स्थान है।

श्रीगंगानगर में फलों का किन्नू, मालटा, अमरूद तथा फुल-गुलाब, हजारा, गेंदा, गुलदाऊदी आदि का उत्पादन भी बहुतायत से हो रहा है। यहाँ चावल, गन्ना, कपास एवं चने का उत्पादन भी गुणवत्ता एवं मात्रा दोनों की दृष्टि से बहुत अच्छा होता है। सूरतगढ़ में इसकी सहायता से निर्मित वृहद् कृषि फार्म है जिसमें विस्तृत कृषि प्रणाली से विविध प्रकार की फसलों का उत्पादन किया जाता है। यह फार्म पूर्णतः यन्त्रीकृत है। नागौर जिले में जीरा और तिल, जालौर जिले में ईसबगोल तथा जीरा, झुन्झुनूं, सीकर जिले में बाजरा, दालें एवं गेहूँ, जौ का उत्पादन होता है।

पशुपालन की दृष्टि से कांकरेज, धारपारकर एवं नागौरी किस्म की गायें, बाड़मेर, जालौर, नागौर में पाई जाती है। ऊँट भी नागौर, बाड़मेर में अधिक पाये जाते हैं। डेयरी व्यवसाय इस क्षेत्र में अत्यधिक पनपा है। सरदारशहर में दुग्ध अवशीतन प्लान्ट से लगभग एक लाख लीटर दुग्ध का संरक्षण कर दिल्ली की मदर डेयरी को आपूर्ति हेतु भेजा जाता है। इसी प्रकार श्रीगंगानगर, हनुमानगढ़, सीकर, चुरू आदि जिलों से भी दिल्ली, जयपुर जैसे बड़े शहरों को दूध भेजा जाता है। फलतः किसानों को बहुत मात्रा में आर्थिक सहयोग प्राप्त होता है।

**पशु सम्पदा**— बांगड़ प्रदेश में पशुपालन एक सहायक उद्यम के रूप में देखा जाता है। यहाँ कांकरेज नस्ल का गौवंश पाली तथा नागौर जिले में, राठी नस्ल श्रीगंगानगर, हनुमानगढ़, जिलों में, नागौरी नस्ल नागौर

में, हरियाणा नस्ल चुरू, सीकर तथा गंगानगर में सांचौरी नस्ल जालौर में पाई जाती है। भेड़ों में नाली नस्ल गंगानगर में, मगरा नागौर में, पूगला नागौर में पाई जाती है। बकरियों की सर्वाधिक संख्या नागौर, चुरू में पाई जाती है। नागौरी नस्ल के बैल हृष्ट-पुष्ट, ताकतवर, तेज धावक एवं कृषि कार्य तथा सवारी के लिए काम में लिये जाते हैं। इस क्षेत्र में पशु नस्लों की सुधार की प्रवृत्ति चालू रखने के लिए कई सुधार कार्यक्रम चालू किये गये हैं।

**उद्योग धन्धे**— उद्योग धन्धों की दृष्टि से यह क्षेत्र नवीन स्थिति में है। सती वस्त्र मिले पाली एवं श्रीगंगानगर में स्थापित की गई है। गंगानगर में जे.सी.टी. मिल एवं पाली में सूती वस्त्र मिल, ऊनी वस्त्र के कारखाने, जोधपुर एवं बीकानेर में है। नवलगढ़, चुरू, लाडनूं एवं सरदारशहर में भी ऊन को प्रोसेस करने, नमदा, कम्बल आदि बनाने के लघु स्तर के कारखाने पाये जाते हैं। चीनी बनाने का सरकारी स्तर का कारखाना श्रीगंगानगर में पाया जाता है। जहाँ गन्ने तथा चुकन्दर दोनों से शक्कर बनाई जाती है और इससे शराब बनाने की डिस्ट्रीलरी भी सन्नद्ध है। सांभर-डीडवाना, कुचामन, फलौदी, सुजानगढ़ (तालछापर) में नमक बनाने का कार्य केन्द्रित है। पाली में रास नामक स्थान पर सीमेन्ट का कारखाना, नीमका थाना, फुलेरा में मिनी सीमेन्ट प्लान्ट, जोधपुर में ट्रेक्टर का कारखाना, राजस्थान स्टेट केमिकल वर्क्स सीडवाना, सांभर साल्ट्स लि. सांभर-लेक, गंगानगर शुगर मिल्स गंगानगर में उपलब्ध है। लघु उद्योगों में जूतियाँ बनाने का कार्य भीनमाल एवं जोधपुर में, कत्था, लाख, रंगाई, छपाई का कार्य पाली में, छपाई, बर्तन उद्योग जोधपुर में, तेल घाणी उद्योग श्रीगंगानगर में पाया जाता है। मकराना के संगमरमर की टेबिल, कुर्सी, खरल, दीपदान, चकला, बेलन, शोपीस, डाइनिंग टेबिल आदि का उद्योग किशनगढ़, मकराना में केन्द्रित है।

**परिवहन**— इस क्षेत्र में परिवहन की दृष्टि से अब बहुत प्रगति हुई है। अन्यथा सन् 1966 से पूर्व सड़क एवं रेल यातायात की बहुत कम सुविधा थी। सड़कों का जाल अब सीमा सुरक्षा संगठन सार्वजनिक निर्माण विभाग, नाबार्ड, मंडी क्षेत्र आदि के द्वारा संभव हुई है। मुख्य सड़कों में राष्ट्रीय राजमार्ग संख्या 11 जयपुर-सांभर-कुचामन होती हुई बीकानेर-जोधपुर को जाती है। राष्ट्रीय राजमार्ग संख्या 14 भी गंगानगर-बीकानेर होकर गुजरने लगा है। प्रदेश की मुख्य सड़कें इस प्रकार हैं—

(i) गंगानगर-सरदारशहर-सीकर-जयपुर,
(ii) गंगानगर-सूरतगढ़-बीकानेर,
(iii) बीकानेर-फतेहपुर सीकर-जयपुर,
(iv) रतनगढ़-नागौर-जोधपुर,
(v) गंगानगर-बीकानेर-नागौर-जोधपुर,
(vi) जालौर-पाली-ब्यावर अजमेर,
(vii) सीकर-झुन्झुनूं-पिलानी-दिल्ली,
(viii) रींगस-नीमकाथाना-खेतड़ी-दिल्ली आदि।

**प्रमुख रेलमार्ग** इस प्रकार हैं— (i) श्रीगंगानगर-चुरू-सीकर-जयपुर, (ii) बीकानेर-जोधपुर-पाली-मारवाड़, (iii) जोधपुर-मेड़ता सिटी-डेगाना-फुलेरा-जयपुर, (iv) बीकानेर-नागौर- मेड़तासिटी-डेगाना-फुलेरा-जयपुर (v) बीकानेर-नागौर मेड़तासिटी-जयपुर-हावड़ा, (vi) बीकानेर-रतनगढ़ चुरू- दिल्ली, (vii) बीकानेर-गंगानगर, (vii) सूरतगढ़-अनूपगढ़, (viii) श्रीगंगानगर-कोटा एक्सप्रेस, (ix) जैसलमेर-सोनू आदि।

**वायु यातायात** की दृष्टि से बीकानेर का 'नाल' हवाई अड्डा तथा जोधपुर का हवाई अड्डा उपयोगी है। ये दोनों ही अड्डे सुरक्षा सेनाओं द्वारा अधिकतम उपयोग में लाये जाते हैं। इस क्षेत्र की जयपुर-गंगानगर-चुरू एवं चुरू-लहारू रेलमार्ग अब ब्राडगेज हो गई है। सन् 2013 के बजट भाषण में लूणकरणसर-सरदारशहर, पिपाड़ रोड़-गोपालगढ़, आसोद, मुण्डवा-नागौर, अहमदाबाद, पालनपुर, मारवाड़, जोधपुर, डेगाना, दिल्ली, सराय रोहिल्ला-सीकर, जोधपुर, गुवाहाटी कामाख्या एक्सप्रेस, विशाखापट्टनम-जोधपुर एक्सप्रेस, जोधपुर-जयपुर एक्सप्रेस नई गाड़ियाँ चलाई गई है।

**राजस्थान बांगड़ प्रदेश को पुनः 4 उपविभागों में विभक्त किया गया है।**

**(अ) घग्घर का मैदान**— श्रीगंगानगर एवं हनुमानगढ़ जिले में घग्घर नदी की घाटी/पाट एवं सिंचित क्षेत्र इस भाग में सम्मिलित है। इस क्षेत्र में ही मात्र चावल, गन्ने, कपास तिलहन जैसी नकद फसलें, किन्नू, मालटा, नींबू जैसे फल, गेहूँ, जौ, चना, दालें, मोटे अनाज जैसे खाद्यान्न आदि पैदा किये जाते हैं। कृषि जन्य उद्योग तथा चावल साफ करना, आटा मिलें, चीनी मिलें, सूती मिलें, ऊनी वस्त्र मिलें आदि यहाँ पनप पाई हैं। सूरतगढ़-अनूपगढ़ के बीच ब्राडगेज रेल लाईन बनी है। नोहर, भादरा, सांगरिया, रायसिंह नहर, हनुमानगढ़, करनपुर प्रमुख शहर है। इस प्रदेश के पुनः दो उपविभागों में बाँटा जाता है–

**(अ–1) गंगानगर मैदान**— इस क्षेत्र में नहरी सिंचाई इन्दिरा गाँधी नहर एवं गंगनहर द्वारा होती है तथा जब गहन कृषि होने लगी है। एक साल में तीन फसलें ली जाती हैं। जायद फसल भी महत्त्वपूर्ण हो गई है।

**(अ–2) नोहर–भादरा मैदान**— यह अब तक सिचाई सुविधाओं से वंचित भू–भाग रहा है। अतः निर्वाह कृषि अर्थव्यवस्था की विशेषतायें दिखाई देती हैं। इस क्षेत्र के नोहर भादरा क्षेत्र में अभी नये सिरे से सिंचाई सुविधायें प्रदान की गई है।

**(ब) शेखावाटी मैदान**— यहाँ मुख्यतः कृषि कार्य होता है। कुएं एवं नलकूप सिंचाई के प्रमुख साधन हैं। प्रमुख खरीफ की फसलों में बाजरा, ग्वार, मूँग, मोठ, मोटे अनाज आदि प्रमुख हैं तथा रबी की फसलों में जौ, गेहूं, चना, राई, अलसी, तम्बाकू आदि पैदा किये जाते हैं। रेल सड़क सुविधायें भी उपलब्ध है। जयपुर–लुहारू, जयपुर– रींगस–रेवाड़ी रेलमार्ग प्रमुख रेलमार्ग हैं तथा सड़कों का जाल बिछा हुआ है। भाखड़ा नांगल से बिजली प्राप्त होती है। इसलिए विद्युत समस्या नहीं है। जनसंख्या का घनत्व सीकर में लगभग 346 व्यक्ति प्रति वर्ग किमी. तथा झुन्झुनू में 361 व्यक्ति प्रति वर्ग किमी. है। प्रमुख नगर एवं शहर चुरू, झुन्झुनूं, रतनगढ़, तारानगर, मांडवा, चिड़ावा, पिलानी, नवलगढ़, सीकर, फतेहपुर, लक्ष्मणगढ़, रामगढ़, बिसाऊ आदि। सीकर से आगे मोदी संस्थान देश का अग्रणीय कन्या महाविद्यालय है जिसमें तकनीकी एवं सामान्य शिक्षा होती है। अब यह विश्वविद्यालय बना दिया गया है।

**(ब–1) उत्तरी–पूर्वी चुरू क्षेत्र**— इस क्षेत्र में बालुका स्तूपों का प्राधान्य है एवं सर अधिक पाये जाते हैं। जिनमें वर्षा ऋतु में पानी भर जाता है।

**(ब–2) पश्चिमी सीकर–झुन्झुनू मैदानी क्षेत्र**— इस क्षेत्र में भी कम वर्षा, कम वनस्पति एवं बालुका-स्तूपों एवं सर (ताला) की प्रधानता पाई जाती है।

**(स) नागौर प्रदेश**— यह क्षेत्र आन्तरिक प्रवाह अथाह भूमिगत जल, अत्यधिक जिप्समयुक्त एवं तिल पैदा करने वाला, नागौरी मेथी, नागौरी गौवंश एवं कृषक वर्ग से धनी प्रदेश है। इस प्रदेश में सांभर, डीडवाना, कुचामन की खारे पानी की झीलें पाई जाती है। औसत वर्षा 300 मिमी. होती है। किन्तु यहाँ का साल भर का मौसम सुहावना रहता है। प्रमुखतः लोगों का मुख्य धन्धा कृषि है। खरीफ की फसलों में बाजरा, ज्वार, मूँग, मोठ, मेथी, ग्वार, की खेती की जाती है जो वर्षा आधारित होती है। कृषित क्षेत्र के 50 प्रतिशत से भी अधिक भाग पर बाजरा बोया जाता है। रबी की फसलों में चना, जीरा, जौ, गेहूँ, सरसों, राई की खेती होती है।

खनिजों की दृष्टि से मकराना का संगमरमर, जिप्सम, डेगाना के पास रेवत की पहाड़ी से टंगस्टन निकाला जाता है। प्रमुख नगर, कुचामन, डीडवाना, मेड़ता, नावां, मकराना, लाडनू, परबतसर, तरनाऊ आदि है। धरातल सीकर से नागौर तक का समतल, कठोर एवं उपजाऊ है।

इस प्रदेश के पुनः निम्न विभाग किये जाते हैं—

**(स–1) सांभर–डीडवाना क्षेत्र**— यह क्षेत्र मुख्यतः नमक उद्योग के लिए प्रसिद्ध है। सांभर में पर्यटक उद्योग भी पनप सकता है। यहाँ पर प्रवासी पक्षी देश–विदेश से शीतकाल में आते हैं। अब यहाँ भारत सरकार के प्रयासों से सौर ऊर्जा प्लांट लगाया है एवं पर्यटन और नमक उद्योग को बढ़ावा मिला है।

**(स–2) नागौर–ओसियां क्षेत्र**— यह प्रधानतया कृषि प्रधान क्षेत्र है किन्तु यहाँ पर खनिजों की भी विपुल सम्भावनायें हैं।

**(द) लूनी बेसिन**— यह राजस्थान बांगड़ का एक अतिविशिष्ट क्षेत्र है। यह क्षेत्र से उत्तरी अक्षांस और से पूर्वी देशान्तर के बीच शुष्क एवं अर्द्धशुष्क क्षेत्र में स्थित है। इसमें जोधपुर, पाली, जालौर एवं नागौर के पश्चिमी हिस्से सम्मिलित हैं। बाड़मेर के भी पूर्वी क्षेत्र में यह फैला हुआ है। इस क्षेत्र में लूनी एवं उसकी सहायक नदियों का विकसित प्रवाह क्रम है। यह क्षेत्र अरावली श्रेणी के पश्चिम में तथा शुष्क मरुस्थली के पूर्व में कृषि एवं पशुपालन आधारित क्षेत्र है। इसमें बोया गया क्षेत्र भी अपेक्षाकृत अधिक है तथा सिंचाई के साधन भी उपलब्ध है। तालाबों से भी यहाँ सिंचाई होती है। यहाँ खरीफ की मुख्य फसलों में बाजरा प्रमुख है। इसके अलावा रबी की फसलों में जौ, गेहूँ, तिलहन भी पैदा किये जाते हैं। जोधपुर में औद्योगिक एवं खनन कार्य होता है। अन्य नगर हैं- पीपाड़, बिलाड़ा, सोजतरोड़, नाकोडा, पाली, बालोतरा, खींचन, बड़ायली, सादड़ी, जालौर, भीनमाल आदि। खींचन में हजारों की संख्या में प्रवासी पक्षी सर्दी के समय डेरा डालते हैं।

**समस्याएँ**— इस क्षेत्र की वर्तमान में सबसे भयानक समस्या पेयजल की है। जिसके समाधान के लिए सरकार प्रयासरत है। गांवों में कृषि 'जलसोते' बनाये जा रहे हैं।

**एएमडी के अध्ययन से खुलासा:** बांगड़ प्रदेश के पानी में 'जहर' पी रहे कई इलाके नागौर, बीकानेर, जोधपुर, जैसलमेर, पाली और सीकर के पानी में यूरेनियम। प्रदेश के कई जिलों में भूजल में खतरनाक यूरेनियम पाया जाता है। सीकर में तो इसकी मात्रा तय मानक से सौ गुना तक अधिक मिली है। विशेषज्ञों के अनुसार लगातार अधिक यूरेनियम युक्त पानी पीने से कैंसर का खतरा होता है। मध्यप्रदेश, हरियाणा व पंजाब के भूजल में भी यूरेनियम की मात्रा अधिक मिली है। केवल पंजाब में ही राज्य के आबादी क्षेत्र में इसके असर का अध्ययन करवाया है। अब सरकार लोगों को मीठा पेयजल के उपचार के लिए प्रयासरत है।

इस क्षेत्र को भी निम्न उप-विभागों में बाँटा जाता है—

**(द–1) दक्षिणी पूर्वी मैदान**— यह क्षेत्र आन्तरिक जल प्रवाह का क्षेत्र है। यहाँ साबखा (Sabkhर) नमक का गर्त (अरेबिक शब्द) पाये जाते हैं, जिनमें प्रमुख थोबरन, पोकरन, बापरन, बडायली प्रमुख हैं।

**(द–2) पाली सोजत मैदान**— मध्य लूनी बेसिन में स्थित है जहाँ कृषि एवं पशुपालन का बोलबाला है। इसमें लूनी की सहायक नदियाँ लीलरी, सूकरी, जोजरी, गूहिया नदियों का 6331 वर्ग किमी. का क्षेत्र है। जो इन नदियों द्वारा सिंचित प्रदेश है।

**(द–3) लूनी–सूकड़ी द्रोणी**— सूकुरी एवं गुहिया के नमक से बना सरदार समन्द बाँध खारी हो रहा है। किन्तु इस क्षेत्र में यत्र-तत्र कृषि कार्य किया जा रहा है।

**(द–4) लूनी खाड़ी क्षेत्र**— लूनी की सहायक नदी बांडी के अपवाह क्षेत्र से नीचे खाड़ी क्षेत्र व्यापक है। इस क्षेत्र में मिट्टी खारी पाई जाती है। अत: यहाँ कृषि का क्षेत्र कम हो जाता है किन्तु फिर भी कृषि ही मुख्य व्यवसाय हैं।

**(द–6) दक्षिणी–पूर्वी बाड़मेर**— यह प्रदेश तुलनात्मक दृष्टि से अधिक शुष्क, कम वर्षा वाला, कम कृषि वाला एवं कम आर्थिक प्रगति वाला रहा है। किन्तु अब सांचोर क्षेत्र में नर्मदा नदी की नहरें आने से पेयजल तथा सिंचाई का पानी उपलब्ध होने लगा है।

## अरावली प्रदेश (Aravali Region)

अरावली प्रदेश 23.20° से 28.20° उत्तरी अक्षांस एवं 72.10° से 77.50° देशान्तर के मध्य स्थित है। इसका क्षेत्रफल 99,771 वर्ग किमी. है तथा जनसंख्या 180.28 लाख है। इसमें उत्तर-पूर्व से अलवर, दौसा, जयपुर, अजमेर, भीलवाड़ा, राजसमन्द, चित्तौड़गढ़, उदयपुर, डूंगरपुर, सिरोही, बांसवाड़ा जिले, झुन्झुनू जिले की खेतड़ी तहसील,

सीकर जिले की नीमकाथाना तहसील, श्रीमाधोपुर एवं दांतारामगढ़ तहसीले सम्मिलित हैं। यह श्रेणी राज्य के मध्य से उत्तर-पूर्व से कम चौड़ी तथा दक्षिणी पश्चिम दिशा में 692 किमी. की लम्बाई में दिल्ली राज्य की सीमा से गुजरात के खेड़ ब्रह्मा तक फैली हुई है। यह उत्तर-पूर्व से कम चौड़ी तथा दक्षिणी पश्चिम में हिम्मतनगर, बनासकांठा एवं साबरकांठा (गुजरात) जिलों में अधिक चौड़ाई में फैली हुई है। इन पर्वतों में बुद्धकालीन (विराटनगर) रामायण, महाभारत कालीन (पाण्डुपोल, भर्तृहरि, बैराठ, खेतड़ी) पुष्कर बुद्धकाल में बौद्ध धर्म का महान् केन्द्र था। ब्रह्माजी विश्व रचियता ने यहाँ घोर तप किया था। पाण्डु पुत्रों ने माण्डव कुण्डों एवं गुफा के पास यज्ञ किया था। मगध, कुशान गुप्तकालीन एवं गुफा के पाय यज्ञ किया था। मगध, कुशान गुप्तकालीन साम्राज्य का यह अंग रहा है। मुगलों के समय मेवाड़ उनके लिए सिर दर्द रहा है। ब्रिटिशर्स के साम्राज्य में अजमेर पोलीटिकल एजेन्ट का मुकाम था। इस क्षेत्र में कई राजा-महाराजाओं, रजवाड़ों का प्रशासन था जो अब एक राजस्थान के रूप में आ गया।

अरावली पर्वत क्षेत्र राजस्थान राज्य के लिए जीवनदायक है। राज्य की सभी बड़-छोटी नदियाँ यहाँ से निकलती हैं। राज्य की व्योम रेखा इसी सुनिश्चित होती है। राजस्थान के 90° वनखण्ड इसी क्षेत्रों में हैं तथा 90° जड़ी बूटियाँ इसी क्षेत्र से प्राप्त होती हैं। यहीं से बंगाल की खाड़ी की शाखा के बादल टकराकर पूर्वी, उत्तरी-पूर्वी भाग में वर्षा करते हैं जबकि अरब सागरीय शाखा वाली मानसून इनके प्रसार की दिशा में बहने के कारण वर्षा नहीं करती हैं। राज्य में वन एवं वन्य प्राणी इसी क्षेत्र में पाये जाते हैं। सरिस्का का टाइगर रिजर्व, रणथम्भौर, केवलादेव नेशनल पार्क, मुकुन्दराहिल, दर्रा आदि यहाँ ही है।

अरावली पर्वत ने केवल खनिजों के भण्डार हैं, वरन् औद्योगिक उत्पादन एवं ईकाइयों की स्थापना भी सर्वाधिक इसी क्षेत्र में हुई है। राज्य की भील, मीणा, गरासिया, सहरिया आदि जन-जातियाँ इसी भाग में निवास करती हैं जबकि जनसंख्या का घनत्व यहाँ अपेक्षाकृत कम पाया जाता है।

अरावली पर्वत का धरातल एवं भृतत्व-अरावली पर्वत विश्व की प्राचीनतग पर्वत श्रेणियों में से एक है। जिनका निर्माण प्री-केम्ब्रियन महाकल्प में हुआ था। इनमें प्रधान आग्नेय चट्टानें, परिवर्तित चट्टानें पाई जाती हैं। नीस, शिस्त, ग्रेबो, डोलामाइट, पेग्मेटाइट, एम्फीबोलाइट, संगमरमर आदि पाई जाती है। सर्वोच्च चोटी गुरु शिखर (1722 मीटर) आबू पर्वत शिखर पर पाई जाती है जो उत्तर में हिमालय पर्वत एवं दक्षिण में नीलगिरी पर्वतों के बीच सर्वोच्च चोटी है। इन पहाड़ों में अभ्रक, मैंगनीज, लोहा, तामड़ा, तांबा, सीसा, जस्ता, चाँदी आदि खनिज पाये जाते हैं। खनिजों की विपुलता इसके पुरातन स्वरूप का द्योतक है। इसके द्वारा न केवल राजस्थान ही वरन् सम्पूर्ण देश की 'प्रधान जल विभाजक रेखा' का निर्माण भी होता है। इन पहाड़ों के बीच अलवर, नीमकाथाना, खेतड़ी, विराटनगर, अचलगढ़, अजमेर, ब्यावर, भीलवाड़ा, जयपुर, उदयपुर, झाडोल, करौली, सवाईमाधोपुर आदि के बेसिन पाये जाते हैं तथा लूनी, बनास, बेड़च, सोस, काली सिंध, कालीसिल, पार्वती, घोड़ा पछाड़, मोरेल, ढूंढ, साबी, साहिबी, बांडी, परवन आदि की नदी घाटियाँ पाई जाती हैं जिनमें कृषि कार्य होता है। नदी घाटी परियोजनाओं का निर्माण एवं जल विद्युत शक्ति का उत्पादन होता है। अरावली क्षेत्र की कई बेसिन तालछापर बेसिन, थानागाजी बेसिन, बैराठ बेसिन, आमेर बेसिन, जयपुर बेसिन, सांभर बेसिन, अजमेर बेसिन, उदयपुर बेसिन, झाडोल बेसिन आदि है।

**जलवायु**— इस क्षेत्र में उत्तर में तापमान अधिक होता है तथा वर्षा 750 मिमी. कम होती है जबकि दक्षिण में ज्यों- ज्यों इसकी चौड़ाई तथा ऊँचाई बढ़ती जाती है। ज्यों-त्यों वर्षा की मात्रा बढ़ती जाती है। आबू पर्वत पर 1500 मिमी. तक वर्षा हो जाती है। तापमान सर्दियों में कभी हिमांक बिन्दु को छू जाता है। ऊँचाई के कारण ग्रीष्मकालीन तापमान भी 10° से 20° सेल्सियस के बीच ही रहते हैं। आर्द्रता गर्मियों में 200 से 30° एवं जून से सितम्बर तक 60% से 80% तक पाई जाती है। गर्मियों में सर्वोच्च तापमान 44° सेल्सियस तक पाया जाता है। धौलपुर में भी तापमान कभी-कभी 50° से से 54° तक हो जाता है।

**वनस्पति**— अरावली पर्वतों पर खेर, हरड़, बहेड़, आंवला, बरगद, गूलर, आम, जामुन, धोकड़ा, धाऊ, सिरिस, बेल तथा आबू पर्वत पर चमेली, मोगरा, अम्बरतरी आदि के पेड़ भी पाये जाते हैं। अब अरावली पर्वतों पर से वनों को बहुत काट दिया गया है। अतः मात्र चट्टानें ही दिखाई देती है।

**मिट्टियाँ**— अरावली पर्वतीय क्षेत्र में भूरी रेतीली कछारी मिट्टी, लाल-पीली मिट्टी, लाल लोमी मिट्टी, मिश्रित लाल-काली मिट्टी पाई जाती है जिसमें मक्का, ज्वार, जई, दालें, गन्ना आदि की फसलें बोई जाती है।

**खनिज सम्पदा**— राजस्थान में प्राप्त खनिज सम्पदा का लगभग 60% भाग इसी क्षेत्र में पाया जाता है। धातु खनिजों का शत-प्रतिशत भाग अरावली पर्वतीय क्षेत्र में ही पाया जाता है। अरावली पर्वतों से सीसा, जस्ता, तांबा, अभ्रक, लोह अयस्क, बोरिलियम, एस्बेस्टोज, पन्ना, मैंगनीज, बेराइट्स, तामड़ा, संगमरमर, फेल्सफार, काँच बालुका, चीनी मृत्तिका, यूरेनियम, डोलोमाइट, चूने का पत्थर, स्लेट पत्थर, इमारती पत्थर आदि मिलते हैं।

**अरावली प्रदेश का सांस्कृतिक वातावरण (Cultural Environment of Aravali Region)**— अरावली क्षेत्र में जनसंख्या अपेक्षाकृत पहाड़ी क्षेत्र होने के कारण कम पाई जाती है। जनसंख्या का औसत घनत्व 197 व्यक्ति (चित्तौड़गढ़) प्रति वर्ग किमी से कम एवं 305 व्यक्ति प्रति वर्ग किमी. से अधिक नहीं पाया जाता है। अलवर की पहाड़ियों के कुछ हिस्सों में जनसंख्या घनत्व 438 व्यक्ति प्रति वर्ग किमी. से भी अधिक है। जयपुर जिले में घनत्व 595 व्यक्ति प्रति वर्ग किमी भी पाया जाता है। अधिकांश जनसंख्या गाँवों में निवास करती है। मेवाड़ में भील जनजाति 'टापरों' में पहाड़ी तलहटी में निवास करती है। बस्तियाँ छोटी, ढालों पर, सीढ़ीनुमा ढालों पर निवास करती है एवं कृषि भी करती है। सिंचाई की सुविधा भी उपलब्ध है। लगभग 33 प्रतिशत जनसंख्या अलवर, दौसा, बांदीकुई, राजगढ़, नीमकाथाना, थानागाजी, बैराठ, शाहपुरा, जयपुर, अजमेर, भीलवाड़ा, मांडलगढ़, मावली, चित्तौड़गढ़, डूंगरपुर, बांसवाड़ा, किशनगढ़ आदि नगरों में निवास करती है। इसी क्षेत्र से प्रसिद्ध जयसमन्द, सिलीसेढ़, जलमहल, रामगढ़, आनासागर, फाई सागर, राजसमन्द, पिछोला, फतेहसागर, उदयसागर, पुष्कर आदि झीलें पाई जाती है। इन्हीं पर पर्यटन उद्योग आधारित है।

**आर्थिक प्रतिरूप**— अरावली पर्वतीय क्षेत्र में बेसिनों, नदी घाटियों, सिंचित क्षेत्रों में कृषि की जाती है।

**कृषि**— मुख्य रूप से खरीफ की फसलों में बाजरा, कपास, ज्वार, तिल, मूँगफली, मक्का, अरण्डी, दालें होती हैं। रबी की फसलों में गेहूँ, जौ, चना, सरसों, राई, अलसी, अरण्डी, चावल, चना, तम्बाकू, गन्ना आदि पैदा किया जाता है।

**उद्योग धन्धे**— इस प्रदेश में अधिकांश उद्योग औद्योगिक बस्तियों में स्थित हैं जिनमें प्रमुख भिवाड़ी, अलवर, नीमराणा, खेड़ली, कठूमर, राजगढ़, बांदीकुई, हिण्डौन, दौसा, जयपुर-विश्वकर्मा, सीतापुरा, बाईस गोदाम, सांगानेर, बगरू, नेवटा-मुहाणा, गोनेर रोड, आगरा रोड, कानोता, आमेर रोड आदि अजमेर, भीलवाड़ा, उदयपुर, राजसमन्द-मकराना, किशनगए, एवं मकराना संगमरमर आदि में कई उद्योग स्थापित हैं। भीलवाड़ा वस्त्र नगरी बन गया है। वनस्पति तेल (अलवर, भरतपुर, हिण्डौन, खेड़ली, खैरथल अलवर में माडर्न सिन्थेटिक इण्डिया लि., भिवाड़ी में सुपर टूल्स इण्डिया, अलवर इंजन प्लान्ट, केल्वीनेटर स्कूटर कारखाना, भारत एलम्स एण्ड केमिकल लि. केल्वीनेटर स्कूटर कारखाना, खेतड़ी में कॉपर कारखाना, देबारी में सीसा जस्ता गलाने का संयंत्र (उदयपुर) तथा विद्युत, इलेक्ट्रोनिक्स, सीमेन्ट, कपड़ा, इंजीनियरिंग आदि के उद्योग यहाँ पनप रहे हैं। इसमें विशेषतः (i) मकराना-किशनगढ़, अजमेर-ब्यावर क्षेत्र, (ii) भीलवाड़ा-चित्तौड़गढ़ क्षेत्र, (iii) उदयपुर क्षेत्र आदि प्रमुख औद्योगिक क्षेत्र हैं। भीलवाड़ा में करोड़ों की लागत से मेट्रो के कोच बनाने की फैक्ट्री भी लगेगी। भीलवाड़ा की वस्त्र नगरी एवं सिरेमिक, गुलाबपुरा का वस्त्र उद्योग प्रमुख है।

**परिवहन**— प्रमुख रेलमार्ग ब्राडगेज दिल्ली से अहमदाबाद, दिल्ली से अजमेर, दिल्ली से उदयपुर, जयपुर से जोधपुर, जयपुर से सवाईमाधोपुर, कोटा, श्रीगंगानगर एवं कोटा से चित्तौड़गढ़ इसी क्षेत्र में होकर गुजरती है। सड़कों में राष्ट्रीय राजमार्ग सं. 8, 11, 12, 14 एवं राज्य मार्ग इस क्षेत्र में होकर गुजरते हैं जिनमें राज्य की एवं देश की राजधानी राज्य के प्रमुख नगरों से जुड़ी हुई है।

अरावली प्रदेश को **तीन उपविभागों** में बाँटा गया है—

(i) उत्तरी अरावली क्षेत्र

(ii) मध्य अरावली, क्षेत्र

(iii) दक्षिणी अरावली क्षेत्र

(अ) उत्तरी अरावली क्षेत्र को पुनः विभाजित किया गया है।

**(अ–1)** सांभर–बेसिन

**(अ–2)** अलवर पहाड़ियाँ।

मध्य अरावली को भी पुनः निम्न भागों में विभक्त किया गया है।

**(ब–1) मेरवाड़ पहाड़ियाँ**— इसके प्रमुख नगर मसूदा, अजमेर, किशनगढ़, ब्यावर, नसीदाबाद, पुष्कर आदि हैं।

**(ब–2) मालपुरा उच्च भूमि क्षेत्र**— इसमें फुलेरा, बैराठ, कोटपूतली, फागी, डिग्गी, मालपुरा, टोडारायसिंह, सांगानेर, दौसा आदि प्रमुख कस्बे हैं।

**(स) दक्षिणी अरावली क्षेत्र**— पुनः विभाजित किया गया है।

**(स–1) आबू खण्ड**— इसमें आबू पूर्वत, आबू रोड़, सिरोही रोड़, सिरोही उपखण्ड सम्मिलित है।

**(स–2) मेवाड़ पहाड़ियाँ**— इसके प्रमुख नगर, उदयपुर 'पूर्व का वेनिस' पर्यटक नगर, नाथद्वारा, डूंगरपुर, चित्तौड़गढ़ का कपासन, मावली, भीलवाड़ा, मोख का पठार आदि सम्मिलित हैं।

**(स–3) मध्य माही बेसिन**— यहाँ छप्पन का मैदान' जयसमन्द झील का क्षेत्र, झील तथा गरासिया जनजाति का घर है। यहाँ मक्का, चावल, गन्ना, चना आदि की खेती होती है। गलिया कोट एवं केसरियाजी के धार्मिक स्थल भी यहीं है।

**(स–4) बनास बेसिन**— इसमें भीलवाड़ा, चित्तौड़गढ़, मेजाल, निम्बाहेड़ा, मांडलगढ़, राजसमन्द, मावली, वल्लभनगर स्थित है। यह क्षेत्र खारी, कोठारी, बेड़च, बनास नदियों से सिंचित है। यहाँ रतलाम–अजमेर मार्ग, रतलाम चित्तौड़गढ़ रेलमार्ग उपलब्ध है। कई सड़कें भी हैं। इस क्षेत्र में खनन से और अवैध खनन से पर्यावरण की बहुत हानि हुई हैं जो अवर्णनीय है। अब सरकार का ध्यान इस समस्या के निराकरण की ओर हैं।

### 4. चम्बल बेसिन प्रदेश (Chambal Basin Region)

चम्बल बेसिन के अन्तर्गत राजस्थान राज्य के भरतपुर, धौलपुर, सवाईमाधोपुर, बूँदी, कोटा, बांरा, झालावाड़ और टोंक जिले सम्मिलित हैं। इस प्रदेश का विस्तार 23°50, उत्तर से 27°50' उत्तरी अक्षांस एवं 75°15' पूर्व से 78°15' पूर्व के बीच में है। इसका सम्पूर्ण क्षेत्रफल 50,026 वर्ग किमी. तथा जनसंख्या 81.35 लाख से अधिक है। इस क्षेत्र की प्रधान नदी चम्बल है। जो एक विशाल भ्रंश के सहारे बहती है तथा सैकड़ों किलोमीटर तक राजस्थान एवं मध्यप्रदेश के बीच प्राकृतिक सीमा रेखा का निर्माण करती है। चम्बल यमुना की सहायक नदी है जो विंध्ययन पठार से उत्तरी- पश्चिमी लोब तथा अरावली पर्वत श्रेणियों के बीच जलोढ़ संरचना के बीच होकर प्रवाहित होती है। चम्बल के पश्चिमी पार्श्वों पर विध्ययन कगार पर पठार पाये जाते हैं। इसके साथ-साथ इसकी घाटी कहीं गहरी, तंग तथा कहीं चौड़ी एवं गहरे गर्तों युक्त पाई जाती है। चम्बल के प्रभावान्विति क्षेत्र होने के कारण ही इस बेसिन का नाम 'चम्बल बेसिन' दिया है। चम्बल की सहायक नदियों में बनास, काली सिंध परवन, पार्वती आदि प्रमुख हैं जो पूर्व एवं पश्चिम दोनों दिशाओं से पानी लाकर उसमें उड़ेलती रहती है। इसीलिए चम्बल ही एकमात्र राजस्थान राज्य की नियतवाही (Perennial) नदी है। विंध्ययन चट्टानों का

प्रसार करौली के डांग क्षेत्र में चम्बल के सहारे सहारे पश्चिमी किनारे के साथ बहुत हुआ है जो एक भूतात्विक तथ्य है। इस क्षेत्र में करोड़ों का बलुई पत्थर संपूर्ण देश में करौली स्टोन में नाम से गंगापुरसिटी, धौलपुर, करौली, बांडी क्षेत्रों से ले जाया जाता है।

**चम्बल बेसिन का भौतिक भू-दृश्य (Physical Landscape of Chambal Basin)**

चम्बल घाटी करौली-किरावली की पहाड़ियों, बयाना, लालसोट की पहाड़ियाँ, सवाईमाधोपुर करौली की पहाड़ियाँ, धौलपुर, बांड़ी, बसेड़ी, सरमथुरा की पहाड़ियों, बूंदी-कोटा तथा मुकन्दवाड़ा की पहाड़ियों एवं हाड़ौती की पहाड़ियों के बीच में पानी को लेकर प्रवाहित होती है। इस क्षेत्र में बीच बीच में बाढ़ के मैदान, नदी कगार, नदी सोपान, अन्तः सरिता, बीहड़ (Ravings) नदी गर्त (holes) आदि इस क्षेत्र की प्रमुख नदी की विशेषतायें हैं।

**जलवायु**— यहाँ आर्द्र जलवायु पाई जाती है। औसत वर्षा 800 मिमी. होती है, कहीं-कहीं 1000-1250 मिमी. भी होती है। ग्रीष्मकालीन औसत आपतान 32° से 34° सेल्सियस तथा शीतकालीन 14° से 17° सेल्सियस होता है। शीत ऋतु में कभी-कभी 'मावट' भी हो जाती है। जो कृषि के लिए जीवनदायिनी है।

**वनस्पति**— यहाँ शुष्क सागवान तथा शुष्क पतझढ़ वाले वन पाये जाते हैं। आम, धोंक, सागवान, धोकड़ा, बबूल, बरगद, जामुन आदि प्रमख पेड़ पाये जाते हैं।

**मिट्टियाँ**— कछारी मिट्टी भरतपुर, धौलपुर, सवाईमाधोपुर में पाई जाती है। चूना, फास्फोरिक अम्ल व ह्यूमस की कमी मिट्टियों में पाई जाती है। लाल-पीली मिट्टी सवाईमाधोपुर, करौली जिलों में पाई जाती है।

**खनिज**— सामान्यतः बलुई पत्थर की पट्टियाँ, खण्डे, काँच बालुका, चीनी मृत्तिका, चूने का पत्थर, सीसा जस्ता, बोरिलियम, अभ्रक, तामड़ा, बेराइट्टान, बेन्टोनाइट आदि खनिज इस प्रदेश में पाये जाते हैं।

**जनसंख्या**— जनसंख्या का घनत्व टोंक में 598 (न्यूनतम) 503 भतपुर (अधिकतम) पाया जाता है। अधिकांश जनसंख्या घनत्व 200 से सभी जगह घनत्व अधिक पाया जाता है। बूंदी 192, बारां 175 को छोड़कर लगभग अधिक पाया जाता है। अधिकांश जनसंख्या ग्रामीण हैं (79%)। गांवों की स्थिति पानी की प्राप्ति, समतल एवं उपजाऊ भूमि की प्राप्ति, पर्वत पदीय स्थिति या घाटी के पास है। प्रमुख नगर भरतपुर, धौलपुर, टोंक, सवाईमाधोपुर, करौली, हिण्डौन, कोटा, बूंदी, झालावाड़, बारां, लाखेरी, इन्द्रगढ़, बसेड़ी, बांडी, बूंदी आदि है।

**अर्थव्यवस्था**— प्रमुखतः कृषि, पशुपालन, खनन एवं उद्योग अर्थव्यवस्था के आधार है। कृषि में प्रमुख खरीफ की फसलें चावल, मूंगफली, तिल, कपास, तम्बाकू, मक्का, गन्ना, ज्वार, बाजरा आदि हैं। रबी की फसल में चावल, गन्ना, गेहूँ, जौ, चना, सरसों, अलसी, दालें, तम्बाकू आदि हैं। सिंचाई चम्बल घाटी परियोजना में बाँधों से होती है। सिंचाई के कारण ही खेती होती है। इसके अलावा पार्वती योजना (धौलपुर) पांचना बाँध (करौली), मोरेल बांध (सवाईमाधोपुर), गुढ़ा बाँध (बूंदी) विलास सिंचाई योजना (कोटा) द्वारा भी सिंचाई होती है। पशु सम्पदा की दृष्टि से गौवंश, भैंसे, रथ नस्ल, हरियाणी नस्ल, मावली नस्ल पाई जाती हैं, भैंसे मुर्राह नस्ल की हैं। भेड़ें टोंक जिले में अधिक है। बकरियाँ-भेड़ें सब जगह कमोबेश पाई जाती है।

**उद्योग-धन्धे**— चीनी, सीमेन्ट, इन्सट्रूमेन्टेशन, चमड़ा फैक्ट्री, काँच के कारखाने, छपाई, बर्तन उद्योग, लकड़ी उद्योग आदि इस क्षेत्र में पनपे हैं। कोटा औद्योगिक नगरी है। यहाँ मुख्यतः सूती वस्त्र उद्योग, रासायनिक उद्योग, इंजीनियरिंग उद्योग, अन्य कुटी उद्योग पनपे हैं। लाखेरी में सीमेन्ट का कारखाना है। सवाई माधोपुर में -CC का कारखाना है।

**परिवहन**— राष्ट्रीय राजमार्ग संख्या 11,13 यहाँ से गुजरते हैं। हर बड़ा छोटा नगर सड़क परिवहन से भी जुड़ा है। ब्राडगेज रेल लाइन भरतपुर, कोटा-रतलाम-मुम्बई तक जाती है। अन्य रेलमार्ग भी हैं। यह क्षेत्र

राज्य का प्रगतिशील क्षेत्र है किन्तु जल प्लावन, क्षारीयपन, अम्लीयता, बीहड़, डकैतों, पर्यावरण प्रदूषण आदि की समस्यायें यहाँ हैं।

डॉ. मिश्रा और प्रो. सिंह के अलावा डॉ. बी.के. राय, उप महापंजीयक, भारतीय जनगणना विभाग तथा भारतीय जनगणना जनरल (नई दिल्ली) का मानचित्र विभाग ने भी राजस्थान को भौगोलिक प्रदेशों में बांटने का प्रयास किया।

अपने विभाजन का आधार भौतिक-भौगोलिक (Physio-geographical) माना है। इसके अन्तर्गत भौताकृतिक, भूर्गभरचना, वनस्पति, जलवायु, मिट्टी एवं जनसंख्या आदि तत्त्वों का समावेश है। भौताकृति दृष्टि से राजस्थान भारतवर्ष के प्रमुख भू-आकृति विभागों, में से दो में फैला हुआ है। राजस्थान को भौताकृतिक दृष्टि से दो वृहद् (Macro) प्रदेशों में बांटा गया।

1. वृहत् मैदान (The Great Plains)
2. डेकन का पठार (The Decan Plateau)

राजस्थान में इन दोनों प्रमुख भागों में विभिन्न भू-आकृतियों, उच्चावच, जनसंख्या बसाव आदि के लक्षण मिलते हैं इसलिए इन दोनों वृहद् प्रदेशों को मध्याकार (Meso) और लघु (Micro) व उप-लघु (Sub Micro) प्रदेशों में बांटा गया। यह विभाजन प्रत्येक जिले को लघु (Micro) एवं उप-लघु (Sub-Micro) में बांटता है। मानचित्र एवं सारणी-87 की सहायता से सम्पूर्ण राजस्थान को दर्शाया गया है। (मानचित्र 118)

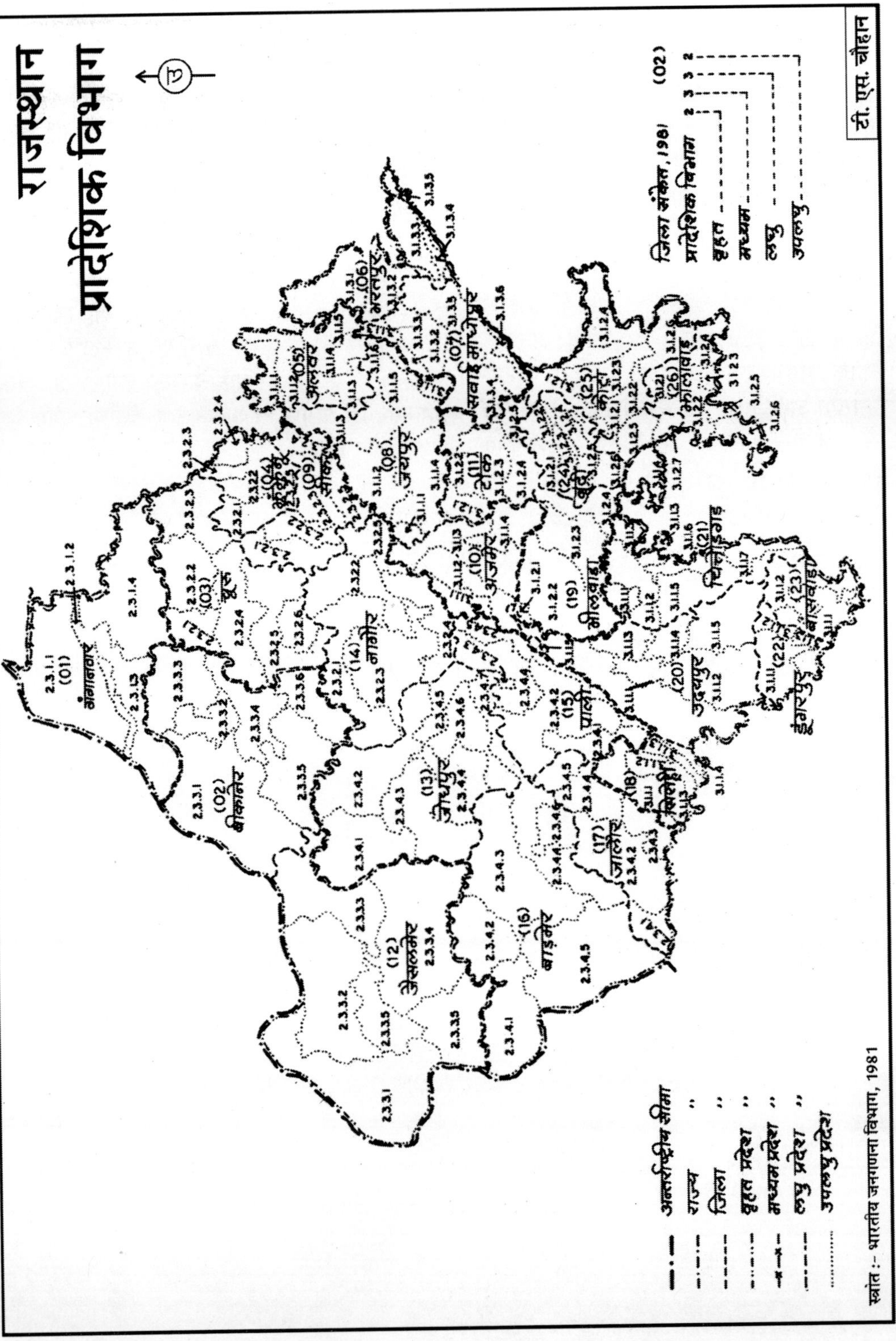
राजस्थान
प्रादेशिक विभाग
उ
अन्तर्राष्ट्रीय सीमा
राज्य ,,
जिला ,,
वृहत प्रदेश ,,
मध्यम प्रदेश ,,
लघु प्रदेश ,,
उपलघु प्रदेश
स्रोत :- भारतीय जनगणना विभाग, 1981
डी. एस. चौहान
जिला संकेत, 1981 (02)
प्रादेशिक विभाग 2 3 3 2
वृहत
मध्यम
लघु
उपलघु
गंगानगर
बीकानेर
चूरू
झुंझुनूं
अलवर
भरतपुर
सवाई माधोपुर
जयपुर
सीकर
अजमेर
टोंक
बूंदी
कोटा
झालावाड़
जैसलमेर
बाड़मेर
जोधपुर
नागौर
पाली
जालोर
सिरोही
उदयपुर
भीलवाड़ा
चित्तौड़गढ़
डूंगरपुर
बांसवाड़ा

मानचित्र 118

## सारणी–87

### राजस्थान राज्य के वृहद् (Macro), मध्याकार (Meso), लघु (Micro) और उप–लघु (Sub-Micro) प्रदेश

| वृहद् प्रदेश संकेत नं. (Macro) | मध्यम प्रदेश संकेत नं. (Meso) | लघु प्रदेश संकेत नं. (Micro) | जिला संकेत नं. | उप–लघु प्रदेश संकेत नं. (चतुर्थ श्रेणीबद्ध प्रदेश) | (Sub-Micro) | संघटक गाँव | संघटक शहर | क्षेत्रफल वर्ग किलोमीटर योग | क्षेत्रफल ग्रामीण | क्षेत्रफल शहरी | जनसंख्या (1981 जनगणना) योग | जनसंख्या ग्रामीण | जनसंख्या शहरी |
|---|---|---|---|---|---|---|---|---|---|---|---|---|---|
| 1 | 2 | 3 | 4 | | 5 | 6 | | 7 | | | 8 | | |
| 2. वृहत प्रदेश | 2.3 शुष्क राजस्थान मैदान | 2.3.1 घग्घर मैदान | गंगानगर 01 | 2.3.1.1 | गंगानगर नहर प्रदेश | 2239 | 8 | 7759.88 | 7722.02 | 37.86 | 1030527 | 815799 | 214728 |
| | | | | 2.3.1.2 | अनूपगढ़ घग्घर हरित पेटी | 411 | 5 | 1503.75 | 1449.03 | 54.72 | 298292 | 165883 | 132409 |
| | | | | 2.3.1.3 | सूरतगढ़ टिब्बे प्रदेश | 925 | – | 4888.76 | 4888.76 | – | 158155 | 158155 | – |
| | | | | 2.3.1.4 | नोहर–भादरा बालू मैदान | 941 | 3 | 7030.86 | 7016.86 | 14.00 | 542994 | 471832 | 71162 |
| | | 2.3.2 राजस्थान बागर | चुरू 03 | 2.3.2.1 | पश्चिमी चुरू बालू के टिब्बे क्षेत्र | 50 | – | 1466.40 | 1466.40 | – | 43105 | 43105 | – |
| | | | | 2.3.2.2 | सरदार शहर बालू मैदान | 164 | 2 | 2756.91 | 2710.66 | 46.25 | 195014 | 123191 | 71823 |
| | | | | 2.3.2.3 | पूर्वी चुरू अस्थिर बालू के टिब्बे | 238 | 1 | 3085.11 | 3072.31 | 12.80 | 264231 | 233852 | 30379 |
| | | | | 2.3.2.4 | मध्यवर्ती चुरु बालू के टिब्बे | 163 | 3 | 4363.55 | 4264.75 | 98.80 | 264385 | 165601 | 98784 |
| | | | | 2.3.2.5 | रतनगढ़–बीगा बालू उच्च भूमि | 220 | 2 | 3809.91 | 3754.71 | 55.20 | 266457 | 207855 | 58602 |
| | | | | 2.3.2.6 | सुजानगढ़ उच्च भूमि | 65 | 3 | 1255.21 | 1231.03 | 24.18 | 146274 | 61203 | 85071 |
| | | | झुंझुंनु 04 | 2.3.2.1 | झुंझुंनु बालू मैदान | 204 | 5 | 1561.95 | 1510.75 | 51.20 | 288334 | 193361 | 94973 |
| | | | | 2.3.2.2 | कांटली बेसिन | 116 | 1 | 858.10 | 855.21 | 2.89 | 166606 | 154914 | 11692 |

| वृहद् प्रदेश संकेत नं. | मध्यम प्रदेश संकेत नं. | लघु प्रदेश संकेत नं. | जिला संकेत नं. | | उप–लघु प्रदेश संकेत नं. (चतुर्थ श्रेणीबद्ध प्रदेश) | संघटक | | क्षेत्रफल वर्ग किलोमीटर | | | जनसंख्या (1981 जनगणना) | | |
|---|---|---|---|---|---|---|---|---|---|---|---|---|---|
| (Macro) | (Meso) | (Micro) | | | (Sub-Micro) | गाँव | शहर | योग | ग्रामीण | शहरी | योग | ग्रामीण | शहरी |
| 1 | 2 | 3 | 4 | | 5 | 6 | | 7 | | | 8 | | |
| | | | | 2.3.2.3 | चिड़ावा–लिखा बालू मैदान | 70 | 4 | 636.18 | 607.18 | 29.00 | 158985 | 99739 | 59246 |
| | | | | 2.3.2.4 | बलोदा–दोहान मैदान | 169 | – | 1022.42 | 1022.42 | – | 190614 | 190614 | – |
| | | | | 2.3.2.5 | नवलगढ़ खेतड़ी उच्च भूमि | 133 | 4 | 1805.39 | 1738.83 | 66.56 | 407044 | 321688 | 85356 |
| | | | झुंझुनु | 2.3.2.1 | सीकर बालू पहाड़ियाँ | 242 | 4 | 2411.15 | 2993.92 | 117.23 | 347702 | 233601 | 114101 |
| | | | 09 | 2.3.2.2 | सीकर बालू मैदान | 152 | 1 | 1312.59 | 1293.09 | 19.50 | 302548 | 199578 | 102970 |
| | | | | 2.3.2.3 | मध्यवर्ती सीकर अरावली पहाड़ियाँ | 100 | – | 991.54 | 991.54 | – | 132697 | 132697 | – |
| | | | | 2.3.2.4 | पूर्वी–सीकर–अरावली | 110 | – | 980.63 | 980.63 | – | 150098 | 150098 | |
| | | | | 2.3.2.5 | खाटू नीम का थाना मैदान | 233 | 4 | 2184.54 | 2118.62 | 65.92 | 444200 | 382335 | 61865 |
| | | | नागौर | 2.3.2.1 | उत्तरी नागौर बालू पहाड़ियाँ | 204 | – | 4332.57 | 4332.57 | – | 252169 | 25169 | – |
| | | | 14 | 2.3.2.2 | पूर्वी नागौर बालू मैदान | 287 | 2 | 3058.73 | 2983.35 | 75.38 | 344458 | 284549 | 59909 |
| | | | | 2.3.2.3 | नागौर डेगाना मैदान | 306 | 4 | 4928.48 | 4823.75 | 104.72 | 425016 | 332635 | 92381 |
| | | | | 2.3.2.4 | दक्षिणी नागौर उच्च भूमि | 310 | – | 3550.16 | 3550.16 | – | 344500 | 34500 | – |
| | | | | 2.3.2.5 | नागौर अरावली प्रदेश | 142 | 4 | 1835.09 | 1745.72 | 89.37 | 262526 | 177739 | 84787 |
| | | 2.3.3 | बीकानेर | 2.3.2.1 | बीकानेर का महान मरुस्थल | 111 | – | 9148.67 | 9148.67 | – | 67027 | 67027 | – |
| | | अत्यधिक शुष्क | 02 | 2.3.2.2 | बालू का मैदान लम्बवत् टिब्बे का | 38 | – | 1485.19 | 1485.19 | – | 24388 | 24388 | – |
| | | | | 2.3.2.3 | बालू मैदान का बिखरे हुए टिब्बे | 133 | – | 4456.36 | 4456.36 | – | 82643 | 82643 | – |
| | | | | 2.3.2.4 | बीकानेर बालू मैदान | 116 | 4 | 3550.74 | 3400.44 | 150.30 | 400425 | 100454 | 299971 |
| | | | | 2.3.2.5 | उच्च बालू मैदान मध्यवर्ती नाले | 180 | 1 | 4942.39 | 4938.39 | 4.00 | 121203 | 110208 | 10955 |

| वृहद् प्रदेश संकेत नं. | मध्यम प्रदेश संकेत नं. | लघु प्रदेश संकेत नं. | जिला संकेत नं. | उप–लघु प्रदेश संकेत नं. (चतुर्थ श्रेणीबद्ध प्रदेश) | संघटक | | क्षेत्रफल वर्ग किलोमीटर | | | जनसंख्या (1981 जनगणना) | | |
|---|---|---|---|---|---|---|---|---|---|---|---|---|
| (Macro) | (Meso) | (Micro) | | (Sub-Micro) | गाँव | शहर | योग | ग्रामीण | शहरी | योग | ग्रामीण | शहरी |
| 1 | 2 | 3 | 4 | 5 | 6 | | 7 | | | 8 | | |
| | | | | 2.3.2.6 बीकानेर का ऊबड़–खाबड़ पोकरण मरुस्थल | 95 | 1 | 3053.84 | 3042.64 | 11.20 | 153063 | 128944 | 24119 |
| | | | जैसलमेर | 2.3.2.1 जैसलमेर मरुस्थल | 117 | – | 8877.02 | 8877.02 | – | 4814 | 4814 | – |
| | | | 12 | 2.3.2.2 रामगढ़ बालू मैदान | 34 | – | 6840.53 | 6840.53 | – | 16752 | 16752 | – |
| | | | | 2.3.3.3 अस्थिर बालू के टिब्बे का क्षेत्र | 52 | – | 5684.34 | 5684.34 | – | 26239 | 26239 | – |
| | | | | 2.3.3.4 | 211 | 2 | 9918.54 | 9787.27 | 131.27 | 155889 | 122062 | 32927 |
| | | | | 2.3.3.5 आन्तरिक प्रवाह का क्षेत्र | 42 | – | 2746.55 | 2746.55 | – | 14390 | 14390 | – |
| | | | | 2.3.3.6 लम्बवत् बालू के टिब्बे का क्षेत्र | 59 | – | 4209.52 | 4209.52 | – | 24998 | 24998 | – |
| | | 2.3.4 | जोधपुर | 2.3.4.1 पश्चिमी बालू मैदान | 73 | 1 | 3833.76 | 3823.76 | 10.00 | 101517 | 72978 | 28539 |
| | | लूनी घाटी | 13 | 2.3.4.2 फलौदी–बिलाड़ा बालू मैदान | 108 | – | 4702.88 | 4720.88 | – | 172117 | 172117 | – |
| | | | | 2.3.4.3 चामू–शेरगढ़ बालू के टिब्बे | 83 | – | 4494.42 | 4494.42 | – | 229339 | 2293339 | – |
| | | | | 2.3.4.4 पश्चिमी जोधपुर उच्चभूमि | 125 | 1 | 3016.06 | 2937.49 | 78.57 | 687841 | 181496 | 506345 |
| | | | | 2.3.4.5 पूर्वी उच्च भूमि | 58 | – | 1343.01 | 1343.01 | – | 95417 | 95417 | – |
| | | | | 2.3.4.6 पीपाड़–सालावास मैदान | 160 | 1 | 2962.88 | 2942.88 | 20.00 | 230412 | 209517 | 20955 |
| | | | | 2.3.4.7 लूनी बेसिन | 99 | – | 1903.99 | 1826.88 | 77.00 | 151088 | 127082 | 24006 |
| | | | पाली | 2.3.4.1 पश्चिमी पाली उच्च्य भूमि | 90 | 2 | 1656.00 | 1612.55 | 43.75 | 180610 | 154258 | 26352 |
| | | | 15 | 2.3.4.2 मध्यवर्ती बालू मैदान | 366 | 4 | 5051.94 | 5007.10 | 44.84 | 5452.75 | 420333 | 124942 |
| | | | | 2.3.4.3 सोजत उच्च भूमि | 7 | – | 176.31 | 176.31 | – | 11748 | 11748 | – |
| | | | | 2.3.4.4 लूनी बेसिन | 158 | 5 | 2340.73 | 2253.10 | 87.63 | 272357 | 2073654 | 65003 |

| वृहद् प्रदेश संकेत नं. (Macro) | मध्यम प्रदेश संकेत नं. (Meso) | लघु प्रदेश संकेत नं. (Micro) | जिला संकेत नं. | उप–लघु प्रदेश संकेत नं. (चतुर्थ श्रेणीबद्ध प्रदेश) (Sub-Micro) | संघटक गाँव | संघटक शहर | क्षेत्रफल वर्ग किलोमीटर योग | क्षेत्रफल ग्रामीण | क्षेत्रफल शहरी | जनसंख्या (1981 जनगणना) योग | जनसंख्या ग्रामीण | जनसंख्या शहरी |
|---|---|---|---|---|---|---|---|---|---|---|---|---|
| 1 | 2 | 3 | 4 | 5 | 6 | | 7 | | | 8 | | |
| | | | | 2.3.4.5 पाली अरावली क्षेत्र | 215 | 1 | 2931.44 | 2845.82 | 85.62 | 264514 | 246046 | 18468 |
| | | | बाड़मेर | 2.3.4.1 बाड़मेर का मरुस्थल | 37 | – | 4353.33 | 4353.33 | – | 54894 | 54894 | – |
| | | | 16 | 2.3.4.2 उबड़–खाबड़ मरुस्थल | 52 | – | 2497.78 | 2497.78 | – | 48141 | 48141 | – |
| | | | | 2.3.4.3 अस्थिर बालू टिब्बे का क्षेत्र | 182 | – | 6130.22 | 6130.22 | 23.71 | 238358 | 238358 | 28070 |
| | | | | 2.3.4.4 लूनी सूकड़ी बेसिन | 204 | 1 | 9526.05 | 9515.76 | 10.29 | 446473 | 390910 | 55554 |
| | | | | 2.3.4.5 बाड़मेर बालू परत | 332 | 1 | | | | | | |
| | | | | 2.3.4.6 बाड़मेर वनाच्छित उच्च भूमि | 57 | 1 | 1561.59 | 1525.46 | 36.13 | 94627 | 80022 | 14605 |
| | | | जालौर | 2.3.4.1 लूनी निम्न भूमि बालू बंजर | 61 | – | 1466.69 | 1466.69 | – | 65055 | 65055 | – |
| | | | 17 | 2.3.4.2 सूकड़ी बेसिन | 207 | 1 | 3855.91 | 3816501 | 39.41 | 333140 | 319400 | 13740 |
| | | | | 2.3.4.3 जालौर अरावली | 139 | 1 | 1960.39 | 1945.69 | 14.70 | 194442 | 170103 | 24339 |
| | | | | 2.3.4.4 बांडी जवाई बेसिन | 148 | 2 | 2208.58 | 2194.87 | 13.71 | 248800 | 214089 | 34711 |
| | | | | 2.3.4.5 आहोर उच्च भूमि | 58 | – | 987.96 | 987.96 | – | 61291 | 61291 | – |
| 3. डेकन का पठार | 3.1 अर्द्ध शुष्क राजस्थान | 3.1.1 अरावली श्रेणी तथा उच्च पहाड़ी भूमि | अलवर 05 | 3.1.1.1 बेहरोड़–साहिबी मैदान | 465 | – | 1593.30 | 1593.30 | – | 401446 | 401446 | – |
| | | | | 3.1.1.2 बानसुर–तिजारा किशनगढ़ फैली उच्च भूमि | 488 | 2 | 2162.94 | 2121.30 | 41.64 | 429548 | 401387 | 28161 |
| | | | | 3.1.1.3 अलवर की वनाच्छादित उच्च भूमि | 302 | 1 | 2383.75 | 2377.50 | 6.25 | 202006 | 187807 | 14199 |
| | | | | 3.1.3.4 बेहाड़ बेसिन | 446 | 1 | 1820.90 | 1740.90 | 80.00 | 507701 | 361906 | 145795 |
| | | | | 3.1.1.5 लक्ष्मणगढ़ मैदान | 248 | 1 | 1719.90 | 1717.50 | 1.50 | 229832 | 221785 | 8046 |
| | | | जयपुर | 3.1.1.1 सांभर सॉल्ट झील मैदान | 47 | – | 467.28 | 467.28 | – | 26143 | 26143 | – |
| | | | 08 | 3.1.1.2 फुलेरा–आमेर अस्थिर बालू टिब्बे | 370 | 2 | 2271.40 | 2338.87 | 32.87 | 468758 | 432253 | 36505 |

| वृहद् प्रदेश संकेत नं. (Macro) | मध्यम प्रदेश संकेत नं. (Meso) | लघु प्रदेश संकेत नं. (Micro) | जिला संकेत नं. | उप–लघु प्रदेश संकेत नं. (चतुर्थ श्रेणीबद्ध प्रदेश) (Sub-Micro) | संघटक गाँव | शहर | क्षेत्रफल वर्ग किलोमीटर योग | ग्रामीण | शहरी | जनसंख्या (1981 जनगणना) योग | ग्रामीण | शहरी |
|---|---|---|---|---|---|---|---|---|---|---|---|---|
| 1 | 2 | 3 | 4 | 5 | | 6 | | 7 | | | 8 | |
| | | | | 3.1.1.3 विराट नगर–जमवारामगढ़ वनाच्छादित उच्च भूमि | 554 | 5 | 3288.23 | 3209.90 | 78.33 | 638876 | 563543 | 75333 |
| | | | | 3.1.1.4 दूदू–फागी शुष्क मैदान | 689 | 6 | 3949.20 | 3665.09 | 294.11 | 1499871 | 442820 | 1057051 |
| | | | | 3.1.1.5 बाणंगगा–मोरेल बेसिन | 815 | 2 | 2479.56 | 2450.45 | 29.11 | 503707 | 465364 | 38343 |
| | | | | 3.1.1.6 लालसोट–गीजगढ़ वना–छादित उच्च भूमि | 335 | 3 | 1371.38 | 1330.69 | 40.69 | 283219 | 239919 | 43300 |
| | | | अजमेर | 3.1.1.1 सरस्वती बेसिन | 73 | – | 808.66 | 808.66 | – | 94082 | 94082 | – |
| | | | 10 | 3.1.1.2 अरावली पहाड़ियाँ | 345 | 4 | 2270.39 | 1873.72 | 396.67 | 786040 | 249049 | 536991 |
| | | | | 3.1.1.3 अजमेर उच्च भूमि | 296 | 2 | 3158.02 | 3125.09 | 32.93 | 331207 | 281400 | 49807 |
| | | | | 3.1.1.4 खाड़ी–दाई बेसिन | 202 | 2 | 2016.28 | 2004.06 | 12.22 | 207772 | 178164 | 29608 |
| | | | | 3.1.1.5 अजमेर अरावली | 23 | – | 135.90 | 135.90 | – | 21265 | 21265 | – |
| | | | सिरोही | 3.1.1.1 पश्चिमी सिरोही उच्च भूमि | 129 | 1 | 1794.90 | 1790.61 | 4.29 | 163200 | 146433 | 16767 |
| | | | 18 | 3.1.1.2 माउण्ट आबू पहाड़ियाँ | 62 | 2 | 1043.81 | 1020.28 | 23.53 | 80047 | 43431 | 36616 |
| | | | | 3.1.1.3 सिपू–बनास घाटी | 216 | 2 | 1731.34 | 1712.91 | 18.43 | 266475 | 222857 | 43618 |
| | | | | 3.1.1.4 सिरोही अरावली | 38 | – | 630.07 | 630.07 | – | 31672 | 31672 | – |
| | | | उदयपुर | 3.1.1.1 पश्चिमी अरावली | 1055 | 1 | 5123.15 | 5099.15 | 24.00 | 546718 | 533887 | 12831 |
| | | | 20 | 3.1.1.2 मध्यवर्ती अरावली | 833 | 2 | 5304.16 | 5228.06 | 76.10 | 937321 | 679877 | 257444 |
| | | | | 3.1.1.3 बनास बेसिन | 319 | 2 | 1407.05 | 1407.05 | 63.00 | 247833 | 209643 | 38190 |
| | | | | 3.1.1.4 वल्लभनगर किनारा | 238 | 1 | 1324.70 | 1309.70 | 15.00 | 240383 | 227173 | 13210 |
| | | | | 3.1.1.5 सलूम्बर–धारीवाड़ वना–च्छादित उच्च भूमि | 698 | 3 | 2854.19 | 2839.80 | 14.39 | 384486 | 351042 | 33444 |

| वृहद् प्रदेश संकेत नं. | मध्यम प्रदेश संकेत नं. | लघु प्रदेश संकेत नं. | जिला संकेत नं. | उप–लघु प्रदेश संकेत नं. (चतुर्थ श्रेणीबद्ध प्रदेश) | संघटक | | क्षेत्रफल वर्ग किलोमीटर | | | जनसंख्या (1981 जनगणना) | | |
|---|---|---|---|---|---|---|---|---|---|---|---|---|
| (Macro) | (Meso) | (Micro) | | (Sub-Micro) | गाँव | शहर | योग | ग्रामीण | शहरी | योग | ग्रामीण | शहरी |
| 1 | 2 | 3 | 4 | 5 | 6 | | 7 | | | 8 | | |
| | | | चित्तौड़गढ़ | 3.1.1.1 बनास बेसिन | 84 | – | 450.00 | 450.00 | – | 58684 | 58684 | – |
| | | | 21 | 3.1.1.2 बेड़च बेसिन | 394 | 1 | 1855.00 | 1828.25 | 26.75 | 253962 | 240104 | 13858 |
| | | | | 3.1.1.3 पूर्वी चित्तौड़गढ़ उच्च भूमि | 333 | 1 | 1307.85 | 1301.22 | 6.63 | 117694 | 106354 | 11340 |
| | | | | 3.1.1.4 चम्बल बेसिन | 222 | 1 | 1442.00 | 1420.50 | 21.50 | 76400 | 58700 | 17700 |
| | | | | 3.1.1.5 पश्चिमी चित्तौड़गढ़ उच्च भूमि | 826 | 1 | 3283.70 | 3270.70 | 13.00 | 359285 | 347564 | 11721 |
| | | | | 3.1.1.6 निम्बाहेड़ा–उच्च निचा मैदान | 240 | 3 | 1042.43 | 974.11 | 68.32 | 216192 | 131293 | 84899 |
| | | | | 3.1.1.7 प्रतापगढ़ मैदान | 258 | 1 | 987.55 | 974.75 | 12.80 | 147620 | 124717 | 22903 |
| | | | डूँगरपुर | 3.1.1.1 डूँगरपुर उच्च भूमि | 437 | 1 | 1708.55 | 1697.81 | 10.74 | 355267 | 327711 | 27556 |
| | | | 22 | 3.1.1.2 माही–सोन बेसिन | 140 | – | 617.05 | 617.05 | – | 114871 | 114871 | – |
| | | | | 3.1.1.3 माही–वटराक बेसिन | 260 | 1 | 1485.43 | 1478.43 | 7.00 | 212707 | 196137 | 16570 |
| | | | बाँसवाड़ा | 3.1.1.1 माही–अनास बेसिन | 671 | 2 | 2298.73 | 2264.49 | 34.24 | 578665 | 523478 | 55187 |
| | | | 23 | 3.1.1.2 बाँसवाड़ा उच्च भूमि | 792 | – | 2768.97 | 2768.97 | – | 307935 | 307935 | – |
| | 3.1.2 | | टोंक | 3.1.2.1 मालपुरा मैदान | 99 | 1 | 1195.04 | 1149.69 | 45.35 | 101688 | 83694 | 17994 |
| | अर्द्ध शुष्क | | 11 | 3.1.2.2 लावा–वनस्थली फैला हुआ | | | | | | | | |
| | भूमि पूर्वी | | | मैदान | 282 | – | 1656.04 | 1656.04 | – | 172652 | 172652 | – |
| | राजस्थान | | | 3.1.2.3 टोंक–बनेड़ा बालू मैदान | 300 | 2 | 1968.01 | 1943.22 | 24.79 | 267162 | 173548 | 93614 |
| | | | | 3.1.2.4 टोडा रायसिंह उच्च भूमि | 217 | 2 | 1670.61 | 1589.03 | 81.58 | 165295 | 140257 | 25038 |
| | | | | 3.1.2.5 उनियारा फैला हुआ मैदान | 191 | 1 | 830.43 | 828.43 | 2.00 | 76838 | 69640 | 7198 |
| | | | भीलवाड़ा | 3.1.2.1 भीलवाड़ा अरावली | 39 | – | 211.21 | 211.21 | – | 28078 | 28078 | – |
| | | | 19 | 3.2.2.2 हुरड़ा–बनेड़ा मैदान | 719 | 3 | 5088.05 | 5018.55 | 69.50 | 608667 | 547386 | 34281 |
| | | | | 3.1.2.3 बनास बेसिन | 479 | 2 | 3296.13 | 3169.68 | 126.45 | 493347 | 351393 | 141954 |

| वृहद् प्रदेश संकेत नं. | मध्यम प्रदेश संकेत नं. | लघु प्रदेश संकेत नं. | जिला संकेत नं. | उप–लघु प्रदेश संकेत नं. (चतुर्थ श्रेणीबद्ध प्रदेश) | संघटक | | क्षेत्रफल वर्ग किलोमीटर | | | जनसंख्या (1981 जनगणना) | | |
|---|---|---|---|---|---|---|---|---|---|---|---|---|
| (Macro) | (Meso) | (Micro) | | (Sub-Micro) | गाँव | शहर | योग | ग्रामीण | शहरी | योग | ग्रामीण | शहरी |
| 1 | 2 | 3 | 4 | 5 | 6 | | 7 | | | 8 | | |
| | | | | 3.1.2.4 भीलवाड़ा उच्च भूमि | 337 | 1 | 1766.84 | 1721.54 | 45.30 | 183162 | 170834 | 12328 |
| | | | बूंदी | 3.1.2.1 हिन्डौली–रूनीजा उच्च भूमि | 149 | 1 | 1117.96 | 114.07 | 3.89 | 128537 | 118539 | 9998 |
| | | | 24 | 3.1.2.2 दीई–कारवार फैला हुआ मैदान | 112 | – | 716.97 | 716.97 | – | 67305 | 67305 | – |
| | | | | 3.1.2.3 बून्दी पहाड़ियाँ | 63 | – | 730.66 | 730.66 | – | 40256 | 40256 | – |
| | | | | 3.1.3.4 मेज–चम्बल उत्खात | 174 | 1 | 1148.75 | 1123.75 | 25.00 | 127116 | 107056 | 20060 |
| | | | | 3.1.3.5 बून्दी मैदान | 186 | 3 | 1030.91 | 918.24 | 112.67 | 181647 | 111876 | 69771 |
| | | | | 3.1.3.6 डाबी पठार | 53 | – | 878.45 | 874.45 | – | 42121 | 42121 | – |
| | | | कोटा 25 | 3.1.2.1 चम्बल काली सिंध–पार्वती उत्खात | 499 | 1 | 2503.05 | 2489.66 | 13.39 | 273699 | 269542 | 4157 |
| | | | | 3.1.2.2 कोटा पठार | 314 | 3 | 1756.76 | 1511.51 | 245.25 | 554095 | 171865 | 382230 |
| | | | | 3.1.2.3 बंजर उच्च भूमि | 229 | 3 | 1431.03 | 1410.15 | 20.88 | 210265 | 144471 | 65794 |
| | | | | 3.1.2.4 शाहबाद की वनाच्छादित उच्च भूमि | 358 | – | 2617.52 | 2617.52 | – | 120805 | 120805 | – |
| | | | | 3.1.2.5 मुकनदरा पहाड़ियाँ | 133 | – | 1214.73 | 1214.73 | – | 45174 | 45174 | – |
| | | | | 3.1.2.6 छिपा–बड़ोद–छिबड़ा उच्च भूमि | 460 | 2 | 2230.51 | 2215.51 | 15.00 | 229526 | 206797 | 22729 |
| | | | | 3.1.2.7 व्हेवहाट उच्च भूमि | 148 | 2 | 631.90 | 631.38 | 19.52 | 126220 | 103036 | 23184 |
| | | | झालावाड़ | 3.1.2.1 ढजर बेसिन | 203 | – | 949.70 | 949.70 | – | 107572 | 107572 | – |
| | | | 26 | 3.1.2.2 आऊ–कालीसिंध बेसिन | 414 | 4 | 1573.96 | 1530.84 | 43.12 | 258014 | 185265 | 72749 |
| | | | | 3.1.2.3 मुकुनदरा पहाड़ियाँ | 187 | – | 560.94 | 560.94 | – | 49289 | 49289 | – |

| वृहद् प्रदेश संकेत नं. | मध्यम प्रदेश संकेत नं. | लघु प्रदेश संकेत नं. | जिला संकेत नं. | | उप–लघु प्रदेश संकेत नं. (चतुर्थ श्रेणीबद्ध प्रदेश) | संघटक | | क्षेत्रफल वर्ग किलोमीटर | | | जनसंख्या (1981 जनगणना) | | |
|---|---|---|---|---|---|---|---|---|---|---|---|---|---|
| (Macro) | (Meso) | (Micro) | | | (Sub-Micro) | गाँव | शहर | योग | ग्रामीण | शहरी | योग | ग्रामीण | शहरी |
| 1 | 2 | 3 | 4 | | 5 | 6 | | 7 | | | 8 | | |
| | | | | 3.1.2.4 | अकलेरा पठार | 380 | 1 | 1172.20 | 1166.30 | 5.90 | 149988 | 139484 | 10504 |
| | | | | 3.1.2.5 | पीरावा उच्च भूमि | 92 | 1 | 419.29 | 410.94 | 8.35 | 52713 | 44450 | 8263 |
| | | | | 3.1.2.6 | डाँग पठार | 313 | – | 1576.72 | 1576.72 | – | 167422 | 167422 | – |
| | | 3.1.3 | भरतपुर | 3.1.3.1 | उत्तरी भरतपुर मैदान | 1060 | 6 | 3401.65 | 3335.25 | 66.40 | 957968 | 769314 | 188654 |
| | | बनास-चंबल | 06 | 3.1.3.2 | भरतपुर–बाणगंगा और | | | | | | | | |
| | | बेसिन | | | गम्भीरी बेसिन | 382 | 3 | 1641.92 | 1609.48 | 32.44 | 341842 | 297931 | 43911 |
| | | | | 3.1.3.3 | पार्वती बेसिन | 381 | 2 | 1594.77 | 1570.43 | 24.34 | 443043 | 371269 | 71774 |
| | | | | 3.1.3.4 | भरतपुर की वनाच्छादित भूमि | 48 | – | 465.13 | 465.13 | – | 24861 | 24861 | – |
| | | | | 3.1.3.5 | भरतपुर–चम्बल उत्खात क्षेत्र | 122 | 1 | 894.61 | 884.61 | 10.00 | 115905 | 98544 | 17361 |
| | | | सवाई | 3.1.3.1 | बाणगंगा मैदान | 183 | 1 | 548.53 | 543.53 | 5.00 | 157914 | 144641 | 13273 |
| | | | माधोपुर | 3.1.3.2 | गोंदवाड़ा श्रेणी | 54 | – | 414.26 | 414.26 | – | 51628 | 51628 | – |
| | | | 07 | 3.1.3.3 | नदौती–गम्भीरी मैदान | 360 | 1 | 1872.96 | 1860.96 | 12.00 | 405963 | 363257 | 42706 |
| | | | | 3.1.3.4 | मोरल–बनास फैला हुआ | | | | | | | | |
| | | | | | मैदान | 474 | 1 | 2826.10 | 2819.15 | 6.95 | 435282 | 389256 | 46026 |
| | | | | 3.1.3.5 | वनाच्छादित उच्च भूमि | 441 | 4 | 3740.81 | 3641.85 | 98.96 | 403758 | 299673 | 104085 |
| | | | | 3.1.3.6 | बनास–चम्बल उत्खात | 145 | – | 1127.07 | 1127.07 | – | 82478 | 82478 | – |

स्त्रोत : भारतीय जनगणना, 1981

# REFERENCE


Administrative Atlas-Rajasthan (2011), Census of India 2011, Directorate of Census Operations, Rajasthan, Jaipur.

Air Ministry (1936), British Rainfall 1935, Meteorological Office, London.

Annual Reports of RIICO and RFC for 2016-17.

Assam Earthquake (1897), The Great Assam Earthquake of 1897, Assa Portal

B.K. Roy (1981), Regional Divisions of India, A Cartographic Analysis, Census of India, New Delhi.

Barcar (1979), India Drought is Worst in Decades., The New York Times and T.S. Chouhna in Space Technology and GIS Disaster (2018), Scientific Publisher, Jodhpur

Bhasin, M.K. and Shampa Nag (2007), Demography of the Tribal Groups of Rajasthan : Population Structure, Anthropologist, 9(1) : 1-3 (2007)

Bhushan, S.K., (2001). Geology and geochemistry of the magmatic rocks of the Malani Igneous Suite and Tertiary alkaline province of western Rajasthan. *Mem. Geol. Surv. Ind.* 126.

Blanford (1876), The Geography of British.

Budget Speech of CM, Vasundhara Raje. 12 February 2018 for Budget 2018-19.

Budget Study and Budget at a Glance,bothfor 2018-19, DES, Jaipur.

Chamipion, Harry, G. and Seth, S.K. (1968), A Revised Survery of Forest Types of India, Manager of Publication, New Delhi.

Chouhan T.S. (1987) Agricultural Geography: A Study of Rajasthan State, Academic Publishers, Jaipur, India.

Chouhan T.S. (1988), Integrated Area Development of Indian Desert, Geo-Environ Academia and Divyajyoti Prakashan, Jodhpur, India

Chouhan T.S. (1991), Environmental Monitoring and Pollution Measures, Academic Publishers, Jaipur, India

Chouhan T.S. (1992), Desertification in the World and its Control, Scientific Publishers, Jodhpur, India

Chouhan T.S. (1992), Readings in Remote Sensing Applications (ed.), Scientific Publishers, Jodhpur, India

Chouhan T.S. (1993), Natural and Human Resources of Rajasthan (ed.), Scientific Publishers, Jodhpur, India

Chouhan T.S. (1993), Rajasthan Atlas (Hindi), Vigyan Prakashan, Jodhpur.

Chouhan T.S. (1993), Studies in Arid Land Management (ed.), Scientific Publishers, Jodhpur, India

Chouhan T.S. (1995), Indian Desert: Resources and Perspective of Development (ed.), Printwell Publishers, Jaipur, India

Chouhan T.S. (1995), Irrigation in Arid Lands (ed.), Printwell Publishers, Jaipur, India

Chouhan T.S. (1996), Applied Remote Sensing and Photo-Interpretation, Vigyan Prakashan, Jodhpur

Chouhan T.S. (1996), Encylopaedia of Rajasthan (ed.) Vo. I-2, Vigyan Prakashan, Jodhpur.

Chouhan T.S. (1998), BIO STATISTICS: Concepts and Applications, Universal Scientific Publisher, Jaipur.

Chouhan T.S. (1998), Remote Sensing and Photogrammetry (Principles and Applications) Vol. I and II, Vigyan Prakashan, Jodhpur

Chouhan T.S. (2003), Geographical Information System and Remote Sensing for Sustainable Development, Vol. I and II, Universal Scientific Publishers, Jaipur.

Chouhan T.S. (2003), Remote Sensing for Natural Resources Management, Universal Scientific Publishers, Jaipur.

Chouhan T.S. (2013), Biogeography: Theoritical and Applied (Vol. 1 and 2 Set), Shruti Publications, Jaipur.

Chouhan T.S. (2018), Combating Desertification, Land Degradation and Climate Change: Management of Drylands, Sceintific Publishers (India), Jodhpur.

Chouhan T.S. (2018), Geo-Informatics for Combating Land Degradation and Desertification, Sceintific Publishers (India), Jodhpur.

Chouhan T.S. (2018), Remote Sensing and GIS GPS Based Resources Management, Sceintific Publishers (India), Jodhpur.

Chouhan T.S. (2018), Space Technology and GIS for Disaster Monitoring and Mitigation, Sceintific Publishers (India), Jodhpur.

Chouhan T.S. (2019) Disaster Perception And Management, Scientific Publishers, Jodhpur, India

Chouhan T.S. (2019), Drought Proofing and Water Resource Management, Sceintific Publishers (India), Jodhpur.

Chouhan Tej Singh (2018), Geography of Rajasthan (Hindi, IInd Edition), Published by: Scientific Publishers (India), Jodhpur.

Climate of Rajasthan State (1988), India Meterologica Department, Government of India, Pune.

Coulson, Al., (1928), The geology of Bundi State, Rajputana. Rec. Geol. Surv. Ind. 44(1)

Dairying in Rajasthan: A Statistical Profile (2016), National Dairy Development Board, Anand-388 001 Gujarat.

DeMartonne, E. (1928), Areismeet indice and aridite C.R. Acad Sci., 128

Desertification and Land Degradation Atlas of India (Based on IRS AWiFS data of 2011-13 and 2003-05), (2016), Published by Space Application Centre, ISRO, Ahmedabad.

Draft Annual Plan (2016-17), Volume I; Planning Department, Government of Rajasthan.

Dutta, B.K. and Joshi D.C. (1989), Forms and availabilit of Potassium in the medium textured aluvial soils of arid Rajasthan. Ann. Arid Zone, 28, 101-111.

Dutta, B.K. and Joshi, D.C. (1989), Status and availability of potassium in sand soils of arid Rajasthan, Internal Symposium on Managing Sandy Soils. Abstract, Vol. 264-269.

Economic Review (2017-18), English, Directorate of Econimics and Statistics, Department of Planning, Rajasthan, Jaipur.

Economic Survey )2017-18), GOI (Vol. I and II, January 2018, printed by OUP, and released by end March 2018) (composite volume, this time) and Vol. II in August 2017.

Emberger, L. (1955), Afrique dunold ouest. In: Plant ecology reviews fo reseach, UNESCO, Paris, Arid Zone Research, 60

Geology and Mineral Resources of Rajasthan (2011), Geological Survey of India, Jaipur.

George and Kalyanasundaram (1969), Drought in Bihar, Wikipedia.

Ghose, B., Singh, S and Kar A. (1977), Geomorphology of the Rajasthan Desert in Desertification and its Control, ICAR, New Delhi.

Gibbs, W.J. and J.V. Manthur (1967), Rainfall deciles as drought indicators by Government Publication.

Gliny (1932), Bentonites: Geology, Mineralogy, Properties and uses.

Greygory, S. (1969), Rainfall reliability. In Environment and Landure in Africa. Editors, Thomas, M.F.G.W. Methuen, London and Washington.

Ground Water Atlas (1999), Department of Ground Water, Government of Rajasthan, Jaipur

Ground Water Year Book (2016-17), Rajasthan State, Central Ground Water Board, Western Region, Jaipur

Gupta, B.C. (1934). The Geology of Central Mewar. *Mem. Geol. Surv. Ind.* 65(2) 107-169

Hacket C.A., (1881), On the geology of the Aravalli region, central and eastern. *Rec. Geol. Surv. Ind.* 14(4).

Hacket, C.A., (1877), Note on Aravalli series in north-eastern Rajputana. *Rec. Geol. Surv. Ind.* 10(2).

Herbertson A. J. (1899). An Introduction to Human Geography, A. and C. Black, London

Herbertson A. J. (1905). The Major Natural Regions: An Essay in Systematic Geography. Published by The Royal Geographical Society, London.

Heron A.M. (1953), Geology of Central Rajputana, *Mem. Geol. Surv. India*, Vol. 79.

Heron A.M., (1917), The geology of north-eastern Rajputana and adjacent district. *Mem. Geol. Surv. Ind.* 45(1) : 1-128.

Heron A.M., (1936), The geology of south-eastern Mewar, Rajputana. *Mem. Geol. Surv. Ind.*, 68 (1) : 1-120.

Heron A.M., (1953), The geology of central Rajputana. *Mem. Geol. Surv. Ind.,* 79 : 1-389.

Heron, A.M. (1938), "The Physigraphy of Rajputana", Proceedings of the Tewnty-Fifth Indian Sciecne Congress, Culcutta, Presidential Addresses, Pt. II, pp. 119-132.

Hydrogeological Atlas of Rajasthan (2013), Ground Water Department, Government of Rajasthan, Jaipur. (European Union State Partnership Programme), Jaipur.

India: Economy and State Forest Report (2017), Forest Survey of India (Ministry of Environment Forests and Climate Change), Kaulagarh Road, P.O-IPE, Dehradun -248 195.

Indian Economy, Twelfth Five Year Plan, Vol. I, II and III, PC, GOI and Daily Financial Newspapers like Business Standard, the Financial Express. Indian Express and EPW (leading articles by experts)

James Tod (1782-1835), Annals and Antiquities of Rajasthan in 2 Volumes.

Joshi D.C. (1993), Soil Resources of Rajasthan in Natural and Human Resources of Rajasthan (Ed.), T.S. Chouhan, Published by Scientific Publishers (India), Jodhpur.

Joshi, D.C. and Dhir R.P. (1983), Distribution of Micronutrient forms along dune land scape. Ann. Arid Zone 22, 135-141.

Joshi, D.C. and Dhir, R.P. (1983), Available forms of manganese and iron in some arid soils and their ralation with soil properties. Ann. Arid Zone 22, 7-14.

Joshi, D.C., Choudhari, J.S. and Jain, S.V. (1973), Distribution of Sulphur fractions in relation to forms of phosphorus in soils of Rajasthan. Journal of the Indian Society of Soil Science, 289-294.

Joshi, D.C., Dhir, R.P. and Gupta, B.S. (1981), Forms of Iron and Manganese in Some Soils of Arid Regions of Rajasthan. Journal of the Indian Society of Soil Science, 462-468.

Joshi, D.C., Singh, N. and Kolarkar, A.S. (1988), Forms of iron and manganese and their availability in the salt affected soil of Guhiya catchment. Tropical Agriculture 64, 41-48.

Kalyanasundaram and Ramasharer (1969), Drought in Bihar State. (2018) T.S. Chouhan, Space Technology and GIS Disaster Monitoring and Mitigations, Scientific Publisher , Jodhpur.

Karunakaran, C., (1950), Report on the geological mapping in parts of T.S. 45 J/16, 45 K/9 and 13, in Ajmer-Merwara (F.S. 1948-49). 13281-82

Krishan, A. and Thanvi (1977), "Drought in Rajasthan", Indian Journal of Geography, 11-12, No. 1.

Krishnan, M.S. (1968), Geology of India and Burma CBS, Publishers and Distributors, Delhi.

La Touche, T.H.D. (1902), Geology of Western Rajasthan, *Mem. Geol. Surv., India*, Vol. XXXV, Pt. 1.

Livestock Census Rajasthan (2012), Department of Animal Husbandry, Government of Rajasthan, Jaipur.

Lodha P.S. and Baser, B.L. (1971), Available micronutrients in sandy soils of Rajasthan. Ann. Arid Zone 10. 99-104.

Mathur, C.M. (1970), Forest Types of Rajasthan, Unpublished Ph.D. thesis, University of Rajasthan, Jaipur.

Mathur, C.M. (1972), Selection and Management of Tree Spp. for Fuel, Fodder and Small timber in desert area with reference to Rajasthan. Semi. on Management of Forests and Pastures, I.G.F.R.I, Jhansi.

Matlror & etc. (1975), Soil Conservation of Rajasthan, Departmental of Soil Conservation, Government of Rajasthan (Monographs).

Mehta, K.M., Shan Karriaryan, H.S. and Jaisinghani, C.J. (1962), Study of Pedo Genesis of soils of Bundi district (Rajasthan). Soil Sci. and Plant Nutr. 8, 32-38.

Miller, A.A. (1961), Climatology, Methuen and Co. Ltd., London.

Ministry of Agriculture (1944), Governemnt of India, Delhi.

Ministry of Food and Agriculture (1964), Recent Developments in Rajasthan, Souvenior Volume, Jodhpur.

Mishra V.C. (1966), "Geographical Regions of Rajasthan", The Indian Journal of Geography, Vol. No. 1, Jodhpur, January, 1966.

Mishra V.C. (1967), Geography of Rajasthan, National Book Trust, New Delhi.

Mishra, V.C. (1966) "Geographical Regions of Rajasthan", The Indian Journal of Geography, Vol. I, No. 1, Jodhpur, January 1966.

Oldham, R. D. (1893), A Manual of the Geology of India: Stratigraphical and Structural Geology, II Edition Book.

Population Census 2011, Government of India and Government of Rajasthan, Jaipur.

Pramanik S.K., etc. (1952), Indian Journal Meteor and Geophys 3(3).

Rajasthan Agricultural Statistics at a Glance (2016-17), Commissionerate of Agriculture, Rajasthan, Jaipur

Rajasthan Development Report (2006), Planning Commission, Government of India, New Delhi, Published by Academic Foundation, New Delhi.

Rajasthan Mineral Policy (2015), Department of Mines and Gelogy, Government of Rajasthan, Udaipur-313 001

Rajasthan State Action Plan on Climate Change, Government of Rajasthan.

Rajasthan, Twelfth Five Year Plan (2012-17) Volume I, Planning Department Government of Rajasthan, Jaipur.

Rajasthan: Statistical Abstract of Rajasthan (2015), Directorate of Econimics and Statistics, Department of Planning, Government of Rajasthan, Jaipur.

Ramdas, L.A. (1960), Crops and Weather in India, ICAR, New Delhi.

Ramdas, L.A. and A.K. Malik (1948), Agricultural Situation in India, Technical Bulletin, ICAR, New Delhi, Ministry of Food and Agricultural, Directorate of Economics and Statistics and Co-operatioon, Delhi.

Rao Raja, C.S. and Gupta, B.D., (1971), Geology around Jaipur, Rajasthan, Rec. Geol. Surv. Ind. 98(2) : 122-131.

Raychoudhary, S.P. and others (1963), Soils of India, Indian Council of Agricultural Research, Government of India Press, New Delhi.

Report on Annual Survey of Industries, Rajasthan, (2013-14), March 2017 (DES).

Resource Atlas of Rajasthan (1994) and up-dated Editon, 2009), State Remote Sensint Application Centre, Deparment of Science and Technology, Government of Rajasthan, Jaipur.

Richard Hartshone (1959). Perspective on the Nature of Geography, Published for the Assoication of American Geographers, Publisher: Rand McNally and Company, Chicago. John Murray.

Roy, B.C. (1959), The Economic Geology and Mineral Resource of Rajasthan, Ajmer, *Mem. Geol. Surv. Ind.* Vol. 89.

Sen, A.K. (1968), Agricultural Atlas of Rajasthan, CAZRI (ICAR), Jodhpur.

Singh, B. (1978), Geography of India: Physical, Economical, Social and Regional (in Hindi), Rajasthan Hindi Granth Academy, Jaipur

Singh R.L. (1971), India-A Regional Geography, Published by: N.G.S.I., Varanasi, U.P.

Soil Resource Atlas of Rajasthan (2010), State Remote Sensint Application Centre, Deparment of Science and Technology, Government of Rajasthan, Jaipur.

State Disaster Management Plan (SDMP) (2014), Disaster Management and Relief Department, Government of Rajasthan, Jaipur.

State Finances: A Study of Budgets (2017-18), (RBI) (Latest).

State Industrial Profile (2014-15), Ministry of Micro, Small and Medium Enterprises, Government of India, MSME-Development Institute, Jaipur.

Statistical Year Book of Rajasthan (2017 and 2018), Director of Economics and Statistics, Department of Planning, Rajasthan, Jaipur.

Thornthwaite, C.W. (1948), An approach towards a rational classification of climate. Geogr. Rev. 38.

Thornthwaite, C.W. and Mather, J.R. (1955) The Water Balance. Drexel Institute of Technology—Laboratory of Climatology, Publications in Climatology, Centerton, 104 p.

Trewartha, G.T. (1947), An Introduction to Weather and Climate. Amazon.com

Van Bavel C. H. M. (1954), "Water deficits and irrigation requirements in the southern United States", Journal of Geophysics Research, 64.

Wastelands Atlas of India (Change Analysis Based on Temporal Satellite Data of 2005-06 and 2008-09), Department of Land Resources, Ministry of Rural Development, Government of India, New Delhi and National Remote Sensing Centre, Indian Space Research Organisation, Department of Space, Government of India, Hyderabad-500 625.

Watershed Atlas (1997), State Remote Sensing Application Centre, Department of Science and Technology, Government of Rajasthan, Jaipur

World Bank. Changing Wealth of Nations, 2018 (Trends in Wealth by Country Income Group).

World Development Indicators, 2017. World Bank Group.

World Meterological Organization (1988), Geneva, Switzerland.

■